D0831044

Porno

Irvine Welsh

Porno

Roman

Vertaald door Ton Heuvelmans

Uitgeverij De Arbeiderspers
Amsterdam · Antwerpen

Oorspronkelijke titel: *Porno*
Uitgave: Jonathan Cape, Londen

Omslagontwerp: Nico Richter
Omslagfoto: Chris Frazer Smith

ISBN 90 295 5662 5 / NUR 302
www.boekboek.nl

Voor

Johny Brown
Janet Hay
Stan Keiltyka
John McCartney
Helen McCartney
Paul Reekie
Rosie Savin
Franck Sauzee

En ter nagedachtenis aan

John Boyle

‘Zonder wreedheid geen feest...’

Nietzsche: *Over de genealogie van de moraal*,
Essay 2, paragraaf 6

Inhoud

1 Softporno

1 Project nr. 18.732

Voor het eerst van zijn leven zwetend van inspanning in plaats van de drugs, strompelt Croxy de trap op met de laatste doos platen, terwijl ik me op het bed laat vallen en vanuit een diepe depressie naar de met crèmekleurig spaanplaat betimmerde muren ga liggen staren. Dit is dus mijn nieuwe thuis. Een piepklein kamertje, vier bij drieënhalf, met halletje, keuken en badkamer. In de kamer bevinden zich een muurkast zonder deur, mijn bed, en net genoeg ruimte voor twee stoelen en een tafel. Hier hou ik het dus niet uit: een gevangenis was beter. Ik zou godverdomme nog liever teruggaan naar Edinburgh en dit ijskoude varkenskot ruilen met de cel van Frank Begbie.

In deze benauwde ruimte heerst de verstikkende lucht van Croxy's oude peuken. Ik heb al drie weken niet gerookt, maar door in zijn nabijheid te vertoeven rook ik passief wel dertig sigaretten per dag mee. 'Krijg je dorst van, hè, Simon? Ga je mee naar de Pepys voor een pilsje?' vraagt hij enthousiast, sadistisch grijnzend en zich verkneukelend om de behoeftige omstandigheden waarin ene Simon David Williamson zich bevindt.

Aan de ene kant zou het fucking stom zijn om weer eens naar Mare Street te gaan, naar de Pepys, zodat ze allemaal kunnen gniffelen: 'Zo, weer eens in Hackney, Simon?', maar aan de andere kant heeft hij wel behoefte aan wat gezelschap. Er moet geluisterd worden. Er moet stoom worden afgeblazen. Bovendien moet Croxy er nodig eens uit. Proberen om niet meer te roken in zijn gezelschap is zoiets als de drugs afzweren in een hol vol junkies.

'Je hebt vet mazzel met zo'n kamer,' zegt Croxy, terwijl hij helpt met het uitpakken van dozen. Mazzel m'n reet. Ik blijf op bed liggen en de hele tent schudt op zijn grondvesten terwijl de intercity naar Liverpool Street Station door het station van Hackney Downs dendert, dat wil zeggen op nog geen halve meter van het keukenraam.

Binnenblijven in mijn geestelijke toestand is nog erger dan uitgaan, en dus gaan we omzichtig naar beneden, de loper is zo versleten dat traplopen net zo gevaarlijk is als het afdalen van een gletsjer. Buiten valt natte sneeuw en overal hangt een vage, feestelijke sfeer van drank en kater, terwijl we ons op weg begeven naar Mare Street en de Town Hall. Niet gehinderd door enig gevoel voor ironie, deelt Croxy mee: 'Hackney is verreweg een veel betere wijk. Islington is al jaren totaal verkloot.'

Je kunt ook te lang als schooier leven. Hij kan beter websites ontwerpen in Clerkenwell of Soho, in plaats van feestjes en slaapplaatsen organiseren in kraakpanden in Hackney. Ik heb die lul geleerd wat er in de wereld omgaat, niet omdat dat aan hem besteed is, maar gewoon om te voorkomen dat dat soort onzin ongehinderd in de diepere lagen van de samenleving kon doordringen. 'Nee, het is een belangrijke stap terug,' zeg ik, in mijn handen blazend waarvan de vingers zo roze zijn als ongebakken worstjes. 'Voor een schooier van vijfentwintig is Hackney prima. Voor een ambitieuze ondernemer op weg naar de top,' ik wijs naar mezelf, 'is Izzy beter. Hoe kun je nou aan een geil wijf in een bar in Soho een adres in East Eight opgeven? Wat zeg je als ze vraagt: "Waar is het dichtstbijzijnde metrostation?"'

'Het openbaar vervoer is prima,' zegt hij, en wijst omhoog naar de spoorbrug onder de dreigende, grijze lucht. Een bus van lijn 38 komt langs getuft, giftige uitlaatgassen uitbrakend. Die cunts van dat fucking London Transport zeiken in hun peperdure reclamefolders over hoe schadelijk de auto is voor het milieu, terwijl ze zelf naar hartelust je longen verzieken.

'Niks prima, godverdomme,' snauw ik terug, 'volkomen kut, dat is het. Dit is de laatste wijk van Londen die ooit op de metro wordt aangesloten. Zelfs in dat kut-Bermondsey hebben ze nu een fucking metro. Ze kunnen wel een lijn leggen naar die stomme kut-circustent, waar je godverdomme nog niet dood gezien wilt worden, maar hier komen ze niet; nou, dat is dus mooi klote.'

Croxy's pokkensmoel verkrampt zich tot een soort glimlach, en hij kijkt me aan met die grote, holle ogen van hem. 'Wat ben jij in een kuthumeur vandaag, niet?' zegt hij.

Dat klopt. En dus doe ik wat ik altijd doe, ik verdrink mijn chagrijn in de alcohol en zeg tegen iedereen in de pub – Bernie, Mona, Billy, Candy, Stevie en Dee – dat Hackney maar een tussenstation is, en dat ze niet moeten denken dat ik hier voorgoed blijf. Nee hoor, geen sprake van. Ik heb andere plannen, jongens. En ik ga regelmatig naar het toilet, niet zozeer om af te scheiden, als wel om in te nemen.

Maar terwijl ik mijn neus volprop, dringt de trieste waarheid in al haar volheid tot mij door. Coke is stomvervelend, dat vinden we allemaal. Wij zijn verwende, afgestompte cunts, in een *scene* die we haten, een stad die we haten, en we doen alsof we het centrum van het heelal zijn, verwoesten onszelf met slechte drugs om het gevoel te verdringen dat het echte leven zich ergens anders afspeelt, en we beseffen dat we die paranoia en desillusie alleen maar voeden, maar op de een of andere manier zijn we te apathisch om er een einde aan te maken. Omdat er helaas niets interessants is om naar uit te zien. Maar mijn sombere gedachten worden onderbroken door het gerucht dat Breeny plotseling barst van de coke, en er gaat kennelijk al een aardige hoeveelheid om.

Plotseling is het de volgende ochtend en we zijn bij iemand in de flat en de pijp gaat rond, en Stevie lult maar door over hoeveel het kostte om die shit te kopen, en mopperend haalt hij verkreukelde bankbiljetten te voorschijn terwijl het vertrek zich vult met de stank van ammoniak. Telkens als ik die afschuwelijke pijp aan mijn mond zet en mijn lippen brand, komt er een golf van misselijkheid en verslagenheid over mij heen, totdat het spul toeslaat en ik in een andere hoek van de kamer beland: koud, bevroren, voldaan, vervuld van mijzelf, onzin uitkramend, plannen uitbroedend om de macht over te nemen.

Ineens sta ik op straat, ik wist niet dat ik weer in Islington rondliep, totdat ik een meisje op de Green zie worstelen met een plattegrond, ze probeert hem open te vouwen met haar wanten aan, en ik reageer met een lijzig 'Weg kwijt, schatje?'. Maar ik schrik me dood van het jankerige geluid van mijn eigen stem, waarin emotie, verwachting en wanhoop doorklinken. Ik deins er even hard door terug als door de slok bier die ik net genomen heb uit het blikje in mijn hand. Wat heeft dit godverdomme te betekenen? Hoe kom ik hier godverdomme terecht? Waar is iedereen? Er werd wat gemompeld en gekreund als afscheid, en ik liep de koude regen in, en nu...

Het meisje blijft net zo stokstijf staan als de Blackpoolse vleesboom in mijn broek, en snauwt: '*Fuck off*, man... ik ben je schatje niet...'

'Sorry, moppie,' verontschuldig ik mij haastig.

'En ik ben ook geen moppie,' deelt ze mee.

'Dat hangt helemaal van je gezichtspunt af, lieverd. Bekijk het eens van mij uit,' hoor ik mezelf zeggen alsof ik een vreemde ben, en ik zie mezelf door haar ogen: een vieze, stinkende, bierzuipende zwerver. Maar er is werk aan de winkel, ik moet achter de wijven aan, zien dat ik geld op mijn rekening krijg, andere kleren kopen in plaats van dit meurende, bevlekte fleecejack, die oude wollen muts en handschoenen. Wat is er godverdomme aan de hand hier, Simon?

'Rot op, engerd!' zegt ze, en ze keert zich om.

'Dat was geen goed begin, hè? Geeft niks, we beginnen gewoon opnieuw.'

'*Fuck off*,' roept ze over haar schouder.

Wat kunnen die wijven negatief zijn. Ik baal dat ik zo weinig van vrouwen weet. Ik ken er wel een paar, maar mijn pik zit altijd in de weg, het wordt nooit iets.

Ik probeer me te herinneren wat er gebeurd is, mijn verwrongen en oververhitte brein in bedwang te krijgen en te ontleden in perspectivisch te herleiden onderdelen. Uiteindelijk daagt het bij me dat ik die ochtend depressief naar huis ben gegaan, naar die nieuwe kamer van me, nadat de laatste coke was uitgewerkt en het zweet mij uitbrak. Ik rukte me af bij een krantenfoto van Hillary Clinton in mantelpak op verkiezingscampagne voor burgemeester van New York. Ik zei tegen haar dat ze zich niets moest aantrekken van die joden, dat ze nog steeds een bloedmooie vrouw was en dat Monica niet aan haar kon tippen. Die stomme Bill moest zijn hoofd eens laten nakijken. Daarna gingen we vrijen. Toen Hillary na afloop voldaan in slaap was gevallen, ging ik naar de kamer ernaast waar Monica lag te wachten. Het was een neukwedstrijd tussen Leith en Beverly Hills. Toen liet ik Hillary en Monica het met elkaar doen terwijl ik toekeek. Ze wilden eerst niet, maar ik wist ze natuurlijk te overtuigen. Ik zat ontspannen te genieten op de versleten stoel die Croxy me had gegeven en stak een dikke havanna op, nou ja, een dunne panatella.

Er scheurt een politieauto met loeiende sirene door Upper Street, op weg naar een onschuldige burger die in elkaar geramd moet worden, en ik word ruw gestoord in mijn dromen.

Ik voel me klote door het platte, vulgaire onderwerp van mijn fantasie, maar dat komt, beredeneer ik, omdat de ontnuchtering dat soort zieke gedachten veroorzaakt die je normaal gesproken in de zevende hemel zouden doen belanden. Maar ik heb genoeg van cocaïne; niet dat ik het me voorlopig zal kunnen permitteren om wat te kopen. Maar dat doet er niet toe als je je kop er vol mee hebt.

Ik ga op de automatische piloot, maar het dringt langzaam tot mij door dat ik vanaf de Angel heuvelafwaarts loop richting King's Cross, wat bij uitstek een teken van opperste wanhoop is. Ik loop binnen bij de bookmakers in Pentonville Road om te kijken of ik een bekend gezicht zie, maar ik herken niemand. De hoeveelheid geteisem hier op King's Cross wordt met de dag meer, en er is overal politie. Ze flitsen heen en weer als speedboten door een moeras vol troep, ze verplaatsen en verdrijven het giftige afval alleen maar, en doen niets om het te verdelgen.

Dan zie ik ineens Tanya binnenkomen en je kunt zien dat ze onder de skag zit. Haar ingevallen gezicht is lijkbleek, maar haar ogen stralen zodra ze me herkent. 'Lieverd...' Ze slaat haar armen om mij heen. Er loopt een klein, mager ventje achter haar aan, en ineens zie ik dat het een meid is. 'Dit is Val,' zegt ze, op die typische nasale toon van de Londense *skagbag*. 'Jij bent hier lang niet geweest.'

Vind je het gek... 'Tja, ik ben weer in Hackney. Eventjes, zeg maar. Beetje aan de pijp gelurkt dit weekend,' leg ik uit, terwijl er een stel maffe nikkers binnen komt struinen: ze zien er gespannen, slungelig en vijandig uit. Ik vraag me af of er hier nog wel gewed wordt. De sfeer staat me niet aan, dus we gaan weg, die rare, bloedarmoedige trut van een Val en een van die zwarte joekels snauwen elkaar iets toe, en we gaan naar King's Cross Station. Tanya zeurt wat over sigaretten, ik probeer ermee te kappen, maar de behoefte is godverdomme sterker dan de wil en ik zoek in mijn zakken naar los geld. Ik koop sigaretten, en we steken er een op in de gangen van de ondergrondse. Zo'n vette, opgeblazen, uitsloverige cunt in zo'n nieuw, lichtblauw, flikkerig stoottroepersuniform van London Transport zegt dat ik mijn peuk moet uitmaken. Hij wijst op een plaquette aan de muur waarin de tientallen slachtoffers worden herdacht van een brand die veroorzaakt was door een of andere stomme lul die een brandende sigaret weggooide. 'Ben je niet goed bij je verstand? Trek je je daar helemaal niets van aan?'

Tegen wie denkt die clown wel dat hij het heeft? 'Nee, daar trek ik me dus geen ene reet van aan, het was het verdiende loon van die klootzakken. Als je met de metro gaat, besluit je dat risico te nemen,' bijt ik hem toe.

'Ik heb een van mijn beste vrienden verloren bij die brand, klootzak!' schreeuwt die lul woedend.

'Wat een domme rukker dat hij een eikel als jij als vriend had,' schreeuw ik terug, maar tegelijkertijd druk ik mijn sigaret uit als we met de roltrap afdalen naar het perron. Tanya moet lachen en die Val ook, maar dan nog erger, het lijkt godverdomme wel of ze hysterisch wordt.

We stappen uit in Camden en lopen naar de flat van Bernie. 'Meiden als jullie horen niet alleen in de buurt van King's Cross te komen,' zeg ik glimlachend, ik weet precies waarom ze er komen, 'en je moet zeker niet omgaan met die klotenikkers,' leg ik uit, 'die zijn alleen maar op zoek naar een leuke blanke meid die ze kunnen uitventen.'

Val moet lachen, maar Tanya reageert woedend: 'Hoe kun je nou zoiets zeggen? We zijn op weg naar Bernie. Hij is een van onze beste vrienden, en hij is toch ook zwart.'

'Natuurlijk. Ik heb het niet over *mij*, het zijn mijn broeders, mijn mensen. Bijna al mijn kameraden hier zijn zwart. Ik heb het over *jullie*. Ze zijn heus niet van plan om mij uit te venten. Hoewel, als Bernie de kans kreeg om mijn pooier te worden, zou hij het godverdomme nog doen ook.'

Dat kleine manwijf van een Val begint weer op een vreemde, aantrekkelijke manier te giechelen, terwijl Tanya loopt te mokken.

We komen bij Bernies flat aan, nadat ik even vergeten was in welk flatgebouw in deze afschuwelijke wijk hij woont, omdat je hier meestal niet bij daglicht komt. We verstoren een plaatselijke alcoholist, die op een overloop halverwege de trap in zijn eigen pis ligt te stinken. 'Goedemorgen,' schreeuw ik opgewekt, en de alcoholist maakt een geluid dat het midden houdt tussen kreunen en grommen. 'Jij hebt makkelijk praten,' merk ik humoristisch op, en de meiden moeten lachen.

Bernie is nog op, hij is zelf ook net terug van Stevie. Hij is zo stoned als de ziekte, en is één gouden en zwarte massa kettingen, tanden en zegelringen. Ik ruik ammoniak en ja hoor, hij heeft het spul klaar staan in de keuken en geeft mij een hit. Ik neem een lange, diepe teug, terwijl hij me met zijn wijdopen ogen bemoedigend aankijkt en de vlam van zijn aansteker de crack verhit. Ik houd mijn adem in, blaas hem langzaam uit, en voel dat smerige, rokerige, brandende gevoel in mijn borstkas en mijn benen worden slap maar ik grijp me vast aan de rand van het aanrecht en geniet van de coole, bedwelmende high die me overvalt. Dwangmatig staar ik naar iedere broodkruimel, iedere waterdruppel in de aluminium gootsteen, naar alle details waarvan ik misselijk zou moeten worden maar niet word, terwijl een vrieskou mij bevangt en mijn psyche zich verplaatst naar een koude plek in het vertrek. Bernie laat er geen gras over groeien, en maakt opnieuw zijn spullen klaar, pakt zijn vieze ouwe lepel, strooit een bedje van de as op het folie, en legt de korrels crack met evenveel liefde en tederheid neer als een moeder haar baby in zijn wieg vlijt. Ik hou de aansteker op zijn plaats en verbaas me om de ingehouden en tegelijk agressieve manier waarop hij inhaleert. Bernie heeft mij ooit verteld dat hij zich in bad heeft aangeleerd om zijn adem in te houden om zijn longinhoud te vergroten. Ik kijk naar de lepel, de andere spullen, en realiseer me niet zonder zorgen dat het me allemaal wel erg doet terugdenken aan mijn skagtijd. Maar krijg de kanker, zeg; ik ben inmiddels ouder en wijzer en skag is skag en crack is crack.

We zitten slap te lullen tegen elkaar met onze hoofden een paar centimeter van elkaar af, terwijl we ons vastgrijpen aan het aanrecht, als een paar hoge pieten van Star Trek op de brug, terwijl de stralen van de vijand het ruimteschip doen trillen.

Bernie heeft het over vrouwen, hoeren die hem platgeneukt hebben, zijn leven verwoest hebben, net als ik. Dan komt het gesprek op cunts (mannelijke) die ons genaaid hebben, en hoe die hun trekken thuis zullen krijgen. Bernie en ik hebben allebei een even grote hekel aan een vent genaamd Clayton die ooit een soort vriend geweest is, maar nu iedereen te grazen probeert te nemen. Clayton is altijd een dankbaar gespreksonderwerp voor ons als we niks anders te bespreken hebben. Als dat soort vijanden niet bestonden, dan zou je ze willen bedenken om het leven wat drama, wat structuur en betekenis te geven. 'Hij wordt met de dag zieker, weet je dat,' zegt Bernie, en zijn stem neemt een vreemde, quasi-verontruste toon aan, 'met de dag zieker,' herhaalt hij, en hij wijst met zijn vinger naar zijn hoofd.

'Tja... zeg, die Carmel, neukt hij die nog steeds?' vraag ik. Daar heb ik hem altijd al eens in willen hangen.

'Nee, man, nee, ze is weer opgelazerd, terug naar waar ze vandaan kwam, Nottingham of zo'n soort kutplaats...' zegt hij op de lijzige toon die vanuit Jamaica via Brooklyn in Noord-Londen populair is geworden. Hij ontbloot grijnzend zijn tanden en zegt: 'Typisch voor jullie Schotten, je ziet een meisje op straat en je wilt meteen haar achtergrond weten, wie haar vriendje is, en zo. Zelfs als je allang huisje-boompje-beestje hebt. Daar kunnen jullie niks aan doen.'

'Het is gewoon een kwestie van maatschappijgericht denken. Ik toon belangstelling voor mijn woonomgeving, meer niet,' zeg ik glimlachend en werp een blik in het vertrek ernaast waar de meiden op de bank zitten.

'Mijn woonomgeving...' herhaalt Bernie lachend, 'belangstelling voor mijn woonomgeving...'

En hij gaat door met het schoonmaken van zijn spullen. '*Keep on rocking in a free world*,' zeg ik gniffelend en ga naar de kamer ernaast.

Als ik binnenkom, zie ik dat Tanya door haar mouw heen aan haar arm krabt, ze heeft duidelijk last van ontwenningsverschijnselen, en als door wonderbaarlijke telepathie begint mijn ene oog te trillen. Ik heb wel zin in een wip om wat giftige stoffen eruit te zweten, maar ik neuk liever niet met junkies, want die bewegen niet mee. Joost mag weten wat die halve jongen Val gehad heeft, maar ik grijp haar bij de arm en sleur haar min of meer mee naar het toilet.

'Wat doe je?' vraagt ze, zonder toegeeflijkheid of tegenstribbelen.

'Jij gaat mij even pijpen,' zeg ik met een knipoog, en ze kijkt me onbevreesd aan en glimlacht even. Ik zie zo dat ze mij wil behagen, want dat soort meid is het. Het beschadigde soort, dat altijd iedereen wil behagen maar daar nooit in zal slagen. Haar rol in het theater van dit leven: stootkussen voor de vuist van een of andere opgefokte cunt.

Dus we gaan de plee in, ik haal hem te voorschijn en hij wordt meteen stijf. Ze gaat op haar knieën en ik hou die vettige kop tegen mijn kruis en ze begint te zuigen en ik voel... helemaal niets. Ze doet het wel goed, maar waar ik van baal is dat ze me met die kraalogen zit aan te kijken, om te zien of ik er wel iets aan vind of niet, en dat heeft ze nu dus onmogelijk gemaakt, godverdomme. Maar het ergste is dat ik vergeten ben mijn bier mee te nemen.

Ik kijk neer op die grijze schedel, in die halfdode ogen die mij aanstaren, en op de meeste van haar tanden en het tandvlees dat is teruggetrokken ten gevolge van druggebruik, ondervoeding en slechte verzorging. Ik voel me net Bruce Campbell in een fragment van *The Evil Dead 3, The Medieval Dead*, waarin hij wordt gepijpt door een Deadite. Bruce slaat die breekbare schedel tot puin, en ik moet hier zo snel mogelijk weg voordat ik hetzelfde doe en voordat mijn slapper wordende pik aan flarden wordt gescheurd door die rijen stinkende, rottende tanden.

Ik hoor de voordeur, en tot mijn schrik en verrassing hoor ik dat een van de stemmen onmiskenbaar die van Croxy is, die blijkbaar is teruggekomen voor de volgende ronde. Misschien Breeny ook wel. Ik denk aan mijn bier en kan het niet hebben dat een of andere cunt het achteloos oppakt en ervan drinkt. Waar het om gaat is dat het voor hen niets voorstelt, terwijl het voor mij op dit moment alles betekent. Als het inderdaad is wie ik denk dat het is, dan is mijn bier zó weg, als ik niet snel iets doe. Ik duw Val opzij, en loop weg, terwijl ik mijn pik wegstop en mijn gulp dichtrits.

Het staat er nog. De crack is al uitgewerkt en ik begin weer behoefte te krijgen. Ik laat me op de bank vallen. Het is inderdaad Croxy, die er belabberd uitziet, Breeny, fris en vrolijk, maar zich duidelijk afvragend waarom hij niets wist van deze bijeenkomst, en ze hebben bier meegebracht. Vreemd genoeg is dat geen reden tot vrolijkheid. Het enige gevolg is dat het bier dat ik eerst lekker vond, nu lauw, dood en niet te zuipen is.

Maar er is nog meer!

Er wordt nog meer bier gedronken, er worden nog meer deals beraamd en er komt nog meer crack te voorschijn. Croxy haalt een pijp uit een oude, kleverige frisdrankfles als blijk van waardering voor Bernie, en binnen de kortste keren zijn we allemaal weer *fucked*. Val komt binnengestrompeld, ze ziet eruit als een vluchteling die uit een kamp gezet is. En dat is in zekere zin natuurlijk ook het geval, bedenk ik. Ze gebaart naar Tanya, die opstaat, en ze gaan weg zonder een woord te zeggen.

Ik merk dat een meningsverschil tussen Bernie en Croxy steeds heftiger vormen aanneemt. Er is geen ammoniak meer en ze moeten voor hun mengsel overschakelen op bakpoeder, maar dat is veel moeilijker, en Breeny zit te kankeren tegen Bernie dat er zo te veel spul verloren gaat. 'Je verkloot alles, stomme lul.' Hij praat vanuit een mond die half vol staat met stompjes geel-zwarte tanden.

Bernie zegt iets terug, en ik bedenk dat ik later nog aan het werk moet en voor die tijd nog een paar uur wil slapen. Terwijl ik de hal oversteek en de deur opendoe hoor ik schreeuwen en het onmiskenbare geluid van brekend glas. Ik denk er even over om terug te gaan, maar besluit dat mijn aanwezigheid de toch al beroerde situatie alleen maar ingewikkelder zal maken. Ik sluip door de voordeur naar buiten, doe hem zachtjes achter me dicht, en laat het geschreeuw en de bedreigingen achter mij. Ik loop het gebouw uit en de straat op.

Tegen de tijd dat ik terug ben in dat kuthuis in Hackney dat ik nu als mijn thuis moet beschouwen, zweet ik als een otter. Ik beef als een riet en vervloek mijn zwakheid en stompzinnigheid, terwijl de Great Eastern van Liverpool Street naar Norwich het gebouw tot op zijn grondvesten doet trillen.

2 '...de banden...'

Colin komt zijn bed uit. In de erker doemt hij op als een silhouet. Mijn blik gaat naar zijn slappe pikkie. Het hangt er bijna schuldbewust bij, in een driehoekje maanlicht, terwijl hij het gordijn opzijschuift. 'Ik begrijp er niets van.' Hij draait zich om en ik zie zijn verontschuldigende grijns terwijl zijn donkere krullen zilverkleurig worden in het licht. Daardoor zie ik ook de wallen onder zijn ogen en zijn lelijke dubbele kin.

Colin: een lul van middelbare leeftijd bij wie nu ook een afgenomen seksuele daadkracht is waargenomen, nadat hij reeds maatschappelijk en intellectueel oninteressant was bevonden. Het is tijd. Mijn god, het is hoog tijd.

Ik rek me uit in bed, voel mijn koele benen en draai me met een ruk om, om het laatste beetje frustratie kwijt te raken. Ik wend me van hem af en trek mijn knieën op tot aan mijn borst.

'Ik weet dat het klinkt als een cliché, maar dit is me echt nooit eerder overkomen. Het is... dit jaar hebben die klootzakken me vier extra werkgroepen gegeven en daarbovenop nog twee uur extra college. Ik heb gisteren de hele avond essays zitten corrigeren. Miranda doet moeilijk en de kinderen zijn zo godvergeten veeleisend... ik heb gewoon geen tijd meer om mezelf te zijn. Er is geen tijd meer om Colin Addison te zijn. Maar wie ligt daar wakker van? Wie ligt er godverdomme wakker van Colin Addison?'

Vaag hoor ik hem nog klagen en zeuren over falende erecties, en langzaam voel ik mezelf wegzakken in een diepe slaap.

'Nikki? Hoor je me?'

'Mmm...'

'Wat ik bedoel is dat we onze relatie moeten normaliseren. En dat is niet iets wat ik nu ineens bedenk. Miranda en ik hebben onze langste tijd gehad. O, ik weet heus wel wat je wilt zeggen, en ja, er zijn inderdaad andere meisjes geweest, andere studentes, heus wel,' zegt hij, en hij klinkt ineens een stuk zelfverzekerder. Het mannelijke ego mag dan kwetsbaar zijn, maar in mijn ervaring heeft het zich binnen de kortste keren weer hersteld. '...maar dat waren allemaal pubers en het was gewoon en beetje stoeien, meer niet. Maar jij bent een rijpe vrouw, jij bent vijfentwintig, zoveel verschil in leeftijd is er nu ook weer niet tussen ons, en met jou is het bovendien heel anders. Dit is niet gewoon een... ik bedoel, dit is een echte relatie, Nikki, en ik wil graag dat het, nou ja, écht blijft. Snap je wat ik bedoel? Nikki? Nikki!'

Nu ik de zoveelste in de rij van neukvriendinnetjes van ene Colin Addison blijk te zijn, moet ik zeker blij zijn dat ik nu verheven word tot de status van serieuze minnares. Om de een of andere manier trekt het vooruitzicht mij niet aan.

'Nikki!'

'Wat?' kreun ik. Ik draai me om in bed, kom overeind en veeg het haar uit mijn gezicht. 'Waar heb je het over? Als je me niet kunt neuken, laat me dan in ieder geval rustig slapen. Ik heb morgenvroeg college, en morgenavond moet ik weer in die kutsauna werken.'

Colin heeft op de rand van het bed plaatsgenomen en ademt langzaam in en uit. Ik zie zijn schouders op en neer gaan, en hij wekt de indruk van een gewond dier in het donker, dat niet weet of het terug zal slaan of zich zal terugtrekken. 'Ik vind het niet leuk dat je daar werkt,' zegt hij, op die geïrriteerde, bezitterige toon die de laatste tijd zo typerend voor hem is.

En ik denk: zo is het genoeg geweest, nu of nooit. Wekenlang deemoedig gedrag leidt tot een overweldigend gevoel van het-kan-me-geen-donder-meer-schelen, en plotseling besef ik dat ik sterk genoeg ben om te zeggen dat hij moet oprotten. 'Die sauna is waarschijnlijk de beste gelegenheid voor mij om eens goed geneukt te worden,' leg ik koeltjes uit.

De kille stilte in de lucht en Colins onbeweeglijke gestalte zijn het beste bewijs dat ik een tere snaar heb geraakt en eindelijk tot hem doordring. Dan komt hij plotseling in beweging, loopt met gespannen, horkerige passen naar de stoel waar zijn kleren overheen hangen. Hij trekt ze haastig aan. In het donker stoot hij met zijn voet ergens tegen aan, een stoelpoot of de ombouw van het bed, en hij sist 'kut'. Hij heeft nu echt haast om weg te komen, want meestal neemt hij eerst een douche, vanwege Miranda, maar deze keer hebben er geen lichaamssappen gevloeid, dus misschien is het zo wel goed. Hij heeft in ieder geval het fatsoen om het licht niet aan te doen, waar ik hem dankbaar voor ben. Terwijl hij zich in zijn spijkerbroek hijst, bewonder ik voor de laatste keer zijn kont. Impotentie is erg en bezitterigheid vreselijk, maar een combinatie van die twee is dodelijk. Het vooruitzicht dat ze verpleegster van die ouwe lul zou moeten worden, is zonder meer afstotelijk. Jammer van die kont, die zal ik missen. Ik hou van mannen met een mooie, stevige kont.

'Er valt gewoon niet redelijk met jou te praten als je in zo'n bui bent. Ik bel je nog wel,' zegt hij hijgend, terwijl hij zijn trui aantrekt.

'Doe geen moeite,' zeg ik op ijzige toon en trek het dekbed op tot boven mijn tieten. Ik vraag me af waarom ik dat doe, nadat hij eraan gezogen heeft, zijn pik ertussen heeft gehad, erin geknepen, gebeukt en gebeten heeft met mijn instemming en soms zelfs op mijn aandringen. Waarom kan een achteloze blik in het donker dan zo dodelijk zijn? Het antwoord moet zijn dat een stem in mij zegt dat het afgelopen is tussen ons, tussen Colin en mij. Ja, dat ogenblik is aangebroken.

'Wat?'

'Ik zei, doe geen moeite. Om me te bellen. Doe geen moeite, godverdomme,' zeg ik, en ik wou dat ik een sigaret had. Ik wil hem er eentje vragen, maar op de een of andere manier lijkt me dat niet helemaal gepast.

Hij draait zich om en kijkt me aan, en ik zie dat stomme snorretje dat ik hem altijd gesmeekt heb af te scheren, en zijn mond, die opnieuw verlicht wordt door een straal zilverachtig licht die door de gordijnen valt, terwijl zijn ogen zich in de schaduw bevinden. Die mond zegt: 'Oké, krijg dan de kanker maar! Je bent een stom wijf, Nikki, een arrogante gleuf. Je denkt nu dat je een hele piet bent, meisje, maar jij zult godverdomme nog heel wat problemen krijgen in je leven, als je niet gauw volwassen wordt en je aanpast aan de rest van de mensheid.'

Binnen in mij strijden woede en humor om de voorrang, en geen van beide is bereid voor de ander onder te doen. In die verscheurde gemoedstoestand is het enige wat ik kan uitbrengen: 'Net als jij zeker? Laat me niet lachen...'

Maar Colin is al weg en hij slaat de slaapkamerdeur met een klap achter zich dicht, gevolgd door de voordeur. Mijn lichaam ontspant zich van opluchting totdat ik me geërgerd herinner dat ik de deur op het nachtslot moet doen. Lauren is zich erg bewust van onze veiligheid, en ze zal vast en zeker toch al niet op prijs stellen dat onze ruzie haar nachtrust heeft verstoord. De gelakte vloer in de hal voelt koud aan onder mijn blote voeten en ik ben blij dat ik na het sluiten van de deur terug kan naar de slaapkamer. Even denk ik erover om naar het raam te gaan om te kijken of ik Colin naar buiten kan zien komen en de verlaten straat in lopen, maar ik besluit dat we allebei ons standpunt duidelijk hebben gemaakt en dat alle banden nu doorgesneden zijn. Dat woord bevalt mij wel. Ik denk, voor de gein natuurlijk, aan zijn penis in doorgesneden staat, die ik per post naar Miranda stuur. En dat ze hem dan niet herkent. Goed beschouwd zijn ze allemaal hetzelfde, tenzij je een grote, ouwe, slonzige teef bent. Als je huid maar dik genoeg is, kun je rotzooien wat je wilt, nou ja, bijna. Het zijn niet de penissen die het probleem vormen, het zijn de banden; en je hebt ze in diverse maten, diverse maten en gradaties van ergernis.

Lauren komt in haar blauwe badjas mijn slaapkamer binnen, knipperend met haar ogen van de slaap, haar haren in een wilde dos, ze wrijft haar bril schoon en zet hem op. 'Alles oké hier? Ik hoorde al dat geschreeuw...'

'Dat was het geluid van een impotente man in de penopauze die brulde in de nacht. Dat moet jou als feministe toch als muziek in de horen hebben geklonken, zou ik denken,' zeg ik met een opgewekte lach.

Ze komt langzaam dichterbij, strekt haar armen uit en slaat die om mij heen. Wat is ze toch een door en door lieve vrouw; altijd bereid om mij met meer genegenheid te benaderen dan ik verdien. Ze gelooft dat ik mijn verdriet verberg achter humor, dat ik sarcasme gebruik om mijn kwetsbaarheid te maskeren, en ze kijkt me altijd ernstig en onderzoekend aan, alsof ze op zoek is naar de echte Nikki achter de façade. Lauren denkt dat ik net zo ben als zij, maar ondanks al haar hartelijkheid ben ik veel killer en hardvochtiger dan zij ooit zal zijn. Ondanks de agressieve politiek die ze aanhangt, is ze ontzettend lief, en ze ruikt altijd heerlijk, naar verse lavendelzeep. 'Sorry... ik weet het, ik heb je gezegd dat je gek was om een affaire te beginnen met een docent, maar dat zei ik alleen maar omdat ik wist dat je gekwetst zou worden...'

In haar armen ril ik, geestelijk en emotioneel, en ze zegt: 'Toe maar, toe maar... het is al goed... het is goed zo...' maar ze beseft niet dat ik in werkelijkheid schud van het lachen door haar veronderstelling dat het mij ook maar ene moer kan schelen. Ik hef mijn hoofd een stukje op en begin te lachen, waar ik onmiddellijk spijt van krijg omdat ze zo lief is, en nu heb ik haar een beetje beledigd. Soms gaat wreedheid instinctief. Je kunt er niet trots op zijn, maar je kunt wel proberen op je hoede te zijn.

Sussend streel ik haar nek, maar ik kan niet ophouden met lachen. 'Ha ha ha ha... je hebt het helemaal mis, lieverd. Hij is degene die de bons heeft gekregen, hij is degene die gekwetst is. "Een affaire met een docent..." Ha ha ha... je praat net als hij.'

'Nou, hoe zou jij het dan noemen? Hij is toch getrouwd. Je hebt een affaire...'

Ik schud langzaam van nee. 'Ik heb geen affaire met hem. Ik neuk met hem. Of liever gezegd, neukte. Maar niet meer. De heisa die je hoorde was van hem, omdat hij mij *niet* meer neukte.'

Lauren begint opgelucht, maar een beetje schuldig te glimlachen. Die meid is veel te fatsoenlijk, veel te goedgemanierd om openlijk te zwelgen in het leed van anderen, zelfs van degenen die ze niet mag. Een van de minst innemende eigenschappen van Colin was dat hij haar niet mocht, dat hij alleen het oppervlakkige beeld zag dat zij hem voorhield. Maar dat is Colin ten voeten uit: niet bepaald slim.

Ik sla het dekbed terug. 'Kom hier even liggen en geef me een echte knuffel,' zeg ik.

Lauren kijkt me aan en wendt haar blik af van mijn naakte lichaam. 'Hou op, Nikki,' zegt ze op verlegen toon.

'Ik wil gewoon een knuffel,' zeg ik pruilend, en schuif in haar richting. Ze realiseert zich dat er een dikke badjas zit tussen onze naakte lijven en dat ze niet verkracht zal worden, en ze geeft me een stijve, onwillige knuffel, maar ik hou haar stevig vast en trek het dekbed over ons heen.

'Och, Nikki,' zegt ze, maar al snel voel ik hoe ze zich ontspant, en ik zak weg in een heerlijke diepe slaap met de geur van lavendel in mijn neus.

De volgende ochtend word ik alleen wakker in bed, en ik hoor drukke geluiden vanuit de keuken. Lauren. Iedere vrouw verdient eigenlijk een lieve, jonge echtgenote. Ik sta op, trek mijn badjas aan en loop naar de keuken. De koffie druipt sissend uit de filter in de pot. Ik hoor dat ze onder de douche staat. In de voorkamer wijst het rode lampje op een aantal berichten.

Ik heb Colin ofwel overschat of onderschat. Hij heeft aardig wat berichten ingesproken.

Piep.

'Nikki, bel me even terug. Dit is belachelijk.'

'Hallo, belachelijke idioot,' zeg ik in de richting van de telefoon, 'met Nikki.'

Hij heeft mooi lullen, Colin, maar alleen in de komische betekenis.

Piep.

'Nikki, het spijt me. Ik ben te ver gegaan. Ik ben echt heel erg dol op je, echt waar. Dat probeerde ik eigenlijk steeds duidelijk te maken. Kom je morgen naar mijn kantoor? Toe nou, Nik.'

Piep.

'Nikki, we kunnen het zo toch niet laten aflopen. Ik neem je mee uit lunchen in het personeelsrestaurant. Je vindt het altijd heel gezellig daar. Toe nou. Bel je me op kantoor?'

Meisjes worden vanzelf vrouw, maar mannen blijven altijd jongens. Dat benijd ik juist zo in hen, dat ze zo kunnen zwelgen in hun onvolwassenheid en stompzinnigheid, iets wat ik altijd heb geprobeerd na te doen. Maar het wordt wel vermoeiend als je er voortdurend het slachtoffer van bent.

3 Project nr. 18.733

Het is het laatste en kloterigste stukje Soho; nauw en smerig, met de stank van goedkoop parfum, frituur en afval dat uit gescheurde zwarte vuilniszakken op straat is gevallen. Grote neonbakken komen flikkerend, knisperend en bijna uitdagend tot leven in een grijze, door motregen vervroegde schemering, met hun afgezaagde, aloude beloftes.

En slechts zo nu en dan vang je een glimp op van de uitbaters van deze heerlijke geneugten: gespierde, kaalgeschoren agressievelingen in de deuropening, keurig in het pak, of de uitgemergelde heroïnehoeren op de stoep die met hun ziekelijke, lijkbleke gezicht lonken naar verveelde hoerenlopers, nerveuze toeristen en lallende, dronken jongelui.

Maar ik voel mij hier bijna thuis. Ik paradeer langs een bar waar een gespierde uitsmijter die ik ken in de deuropening staat, zijn dure overjas flapperend in de wind, en ik besef hoever ik gekomen ben sinds de tijd dat ik in Leith werkte met het uitschot in de sauna's en hun als pooier heroïnehoeren aanbood die neukten voor een shot.

En Henry The Bus begroet mij met een knikje: 'Oké Si, ouwe rukker?' en ik glimlach terug en probeer mijn neusvleugels in bedwang te houden die altijd vol minachting gaan uitstaan als ik oog in oog kom met van die kansarme, hersendode kleerkasten, want je hebt ze nodig en die gasten voelen direct wanneer ze in de zeik worden gezet. En dus laat ik mijn smoel ontsieren door een krampachtige glimlach. 'Oké, Henry? Ik ben een beetje duf, man. Te veel fout gezelschap.'

Henry knikt bars, we blijven een poosje ouwehoeren, en ondertussen zie ik hoe de kille ogen in die Neanderthalerkop regelmatig over mijn schouder heen en weer schieten als er iets achter mijn rug gebeurt wat hem niet aanstaat. Een blik zo dodelijk dat hij er ieder smeulend vuurtje mee kan blussen voordat het de kans krijgt op te laaien.

'Is Colville er vandaag?'

'Godzijdank niet, godverdomme,' deelt Henry mee. Ik bevind mij op veilig terrein, want we hebben allebei dezelfde kankerhekel aan de baas. Ik moet denken aan de vrouw van Matt Colville terwijl ik naar binnen ga en afscheid neem van Henry. Als de kat van huis is... Ik moet Tanya hierheen halen om de hoer te spelen. Ik bel haar via mijn mobiel, maar verrassing! de hare is afgesloten, vertelt een stem mij. Het valt niet mee om je verslaving aan heroïne en crack te onderhouden en er dan ook nog aan te denken om je telefoonrekening te betalen. Ik heb het gevoel dat ik een kans gemist heb en ik ontsteek in een stille woede, wat meestal het geval is als ik indirect benadeeld word door de nalatigheid van anderen.

Maar in afwezigheid van Colville en met Dewry op kantoor, ben ik de baas. En Marco en Lenny hebben vandaag dienst, allebei prima harde werkers, met als gevolg dat ik een puur sociale rol heb. Mijn plaats is meestal op een kruk rechts van de bar, waar ik hof houd, en ik sta alleen op om te helpen in de bediening als er een bekend gezicht, een voetballer, crimineel of sexy vrouw (dat zijn ze bijna allemaal) de zaak binnenkomt. Als mijn dienst erop zit, ga ik naar de winkel van Randolph en koop een lading homoporno, een anonieme gift aan een oude kameraad van mij. Dan ga ik ergens een biertje drinken in een onopvallende bar. Als ik klaar ben, wil ik altijd zo snel mogelijk weg uit de club, als een sociaal equivalent voor een frisse douche. Deze bar is precies goed, een Ikea-achtig monument van saaiheid voor ons gebrek aan fantasie. Het is in Soho, maar het had ook op elke andere karakterloze plek kunnen zijn.

Ik ben nogal moe en daarom verbaast het me dat het versieren vandaag zo vlot loopt. Maar ik vond mijn timing nog niet oké. Ik begon me zelfs weer dom en zwak te voelen. Zo zwak dat ik samen met Croxy naar de kloten zou gaan, alsof het gebruik van die lul zijn busje, zijn huis en zijn hulp bij het verhuizen, hem het recht geeft mij te vergiftigen met chemicaliën. Hij is volstrekt nutteloos, ze zijn allemaal fucking nutteloos. Die stomme kuthoer Tanya, die rondhangt bij King's Cross terwijl ik regel dat ze in de club aan het werk kan en een stel hoerenlopers kan tillen. Zwak. En hoe ouder je wordt, hoe duurder de luxe van een dergelijke zwakheid wordt.

Maar genoeg van die zelfhaat, want mijn dienst is prima verlopen en nu zit ik in een bar in Soho met een knap, levendig meisje genaamd Rachel dat voor een reclamebureau werkt en zojuist een belangrijke presentatie heeft gegeven en een beetje aangeschoten is omdat alles goed ging en die om de haverklap 'jeetje' zegt. Ik zag haar zitten aan de bar, we wisselden vriendelijkheden en een glimlach uit en ik wist haar los te weken van haar dronken vrienden. Mijn eigen huis in Islington wordt natuurlijk gerenoveerd, en ik logeer zolang bij een vriend op een lullig kamertje. Godzijdank heb ik mijn Armani-pak aan, dat zijn waarde maar weer eens bewijst. En als ik voorstel om mee naar haar huis in Camden te gaan, zegt ze: 'Jeetje, mijn flatgenote heeft vanavond bezoek.'

Dus nu moet ik een toontje lager zingen, en ik geef de taxichauffeur het adres in het East End. In ieder geval is hij sportief genoeg om daar inderdaad heen te rijden. Die zwarte taxirukkers verrekken dat gewoon, en als ze het wel doen kijken ze je aan alsof ze vrijwilligerswerk moeten doen, en dat alles voor het voorrecht om hun twintig pond te mogen betalen voor een paar kloterige kilometers. Zelfs deze Arabische of Turkse klootzak durft vijftien pond te vragen.

Ik werp zijwaartse blikken naar die Rachel, heel discreet in de stiltes die soms vallen in ons gesprek en die aangeven dat haar verwachtingen afnemen bij ieder stoplicht waar we voor stoppen. Maar ze is een enorme kletskous, en door de splijtende pijn van mijn weekendkater kost het mij moeite om me op haar verhaal te concentreren. Als je een meid versierd hebt en je weet dat je succes hebt, krijg je altijd een soort anticlimax. Je hebt haar te grazen en dat wordt vast en zeker neuken, geen gelul verder, maar het ritueel begint erg deprimerend te worden. Je begint over koetjes en kalfjes en gaat dan over op het betere Benny Hillwerk. En het moeilijkste, maar ook het belangrijkste, is nu om goed te luisteren. Het is belangrijk omdat ik in de gaten heb dat zij nog veel meer dan ik probeert om dit alles een sociaal tintje te geven en doet alsof het – althans in potentie – niet zomaar de eerste de beste neukpartij is, het bevredigen van dierlijke geilheid. Maar ik zou zelf het liefste zeggen dat ze haar bek nou eens moet houden en haar broek uittrekken, we zien elkaar toch nooit meer, en als we elkaar toevallig tegen het lijf lopen, verbergen we onze gêne met een stoïcijnse blik en gefingeerde onverschilligheid, en ik denk heel gemeen aan de geluiden die je maakt terwijl je ligt te neuken en de uitdrukking van spijt op je gezicht de volgende ochtend; dat uiteindelijk alleen de negatieve dingen je bijblijven.

Maar voordat ik het weet lopen we de trap op en mijn kamer binnen, en ik verontschuldig me voor de troep, en sorry dat ik alleen maar cognac in de aanbieding heb, en ze lult maar door en ik reageer met: 'Ja Rachel, oorspronkelijk uit Edinburgh,' terwijl ik onze drankjes inschenk. Ik ben blij dat ik al een paar echte cognacglazen uitgepakt heb.

'O, het is daar zo mooi. Ik ben een paar jaar geleden naar het Festival geweest. Ik heb me er prima vermaakt,' vertelt ze, terwijl ze in een van de dozen met platen kijkt.

Dat is een boude en hatelijke bewering voor iemand uit een nieuwbouwwijk, maar ze zegt het zo lief, terwijl ik de cognac plagend rond-draai in het glas. Ik bewonder haar gratie, de smetteloze huid, en die stralende glimlach, en ze zegt: '...Barry White... Prince... wat heb jij een goede smaak, zeg... een heleboel soul en garagerock...'

En het komt niet alleen door de warmte van de cognac, want als ze haar glas pakt van de smerige salontafel, voel ik hoe de denkbeeldige rits in mijn buik langzaam opengaat, en ik denk: ja, NU. Het ogenblik is aangebroken om verliefd te worden. Trek die rits open, verdomme, en laat de ingewanden van de liefde ons beiden overstelpen met een warme, rommelige extase, terwijl de dolle stier en de tochtige koe aan boord gaan van de *loveboat*. Je kijkt elkaar stompzinnig in de ogen, praat onzin en wordt steeds gekker op elkaar. Maar nee hoor, ik doe wat ik altijd doe, en gebruik seks als een middel om de liefde te ondermijnen door haar vast te grijpen, geniet van haar gemaakte terugdeinzen, en dan zitten we te kussen en kleden we ons uit, we vingeren, likken en plagen wat, en dan is het tijd om te neuken.

Maar eerst heb ik onderzocht dat haar salaris, positie in de organisatie en sociale achtergrond niet zo indrukwekkend zijn als ik eerst dacht. Voor mij is ze gewoon een geile gleuf, meer niet. Soms moet je erg je best doen om iemand niet te leren kennen.

Na een korte nachtrust gaan we de volgende ochtend gewoon verder. Ik heb nauwelijks een stijve, of ik lig weer boven op haar, en we pompen en rampetampen dat het een aard heeft, terwijl de intercity van 7.21 uur naar Norwich door Hackney Downs Station davert, alsof hij ons wil meenemen naar East Anglia, en zij kreunt: 'O mijn god... Simon... Simeunnnn...'

Rachel valt weer in slaap, en ik sta op en laat een briefje achter waarin ik schrijf dat ik vroeg aan het werk moet en dat ik haar nog wel zal bellen. Ik ga naar de cafetaria aan de overkant, bestel een kop thee en wacht totdat ze beneden komt. Ik raak ontroerd als ik aan haar knappe gezicht denk. Ik stel me voor dat ik weer naar boven ga, misschien met een bosje bloemen, mijn hart voor haar open, haar mijn eeuwige liefde verklaar, beloof haar leven te veranderen, en dat ik haar prins op het witte paard ben. Dat is net zo goed een fantasie van mannen als van vrouwen. Maar meer dan dat is het niet. Een misselijkmakend gevoel van verlies overvalt mij. Het is gemakkelijk om lief te hebben, of te haten als je wilt, als ze er niet bij is, iemand die je niet goed kent, en daar ben ik een expert in. Een veel groter probleem is het andere.

Als een politieagent op surveillance zie ik haar naar buiten komen. Ze beweegt zich met horten en stoten, en probeert zich te oriënteren; ze wekt de indruk van een jonge vogel die uit het nest gevallen is: lelijk, slungelig en zonder enige charme, een heel ander meisje dan de fantastische, dronken, geile slet die gisteren mijn bed en voor korte tijd mijn leven heeft gedeeld. Ik sla het sportkatern van *The Sun* open. 'Ik vind dat Engeland een Schotse trainer moet hebben,' roep ik naar Ivan, de Turkse eigenaar. 'Ronnie fucking Corbett of zoiets.'

'Ronnie Corbett,' herhaalt Ivan glimlachend.

'Zo'n katholieke kutlul van Hearts of Midlothian,' zeg ik en neem een slok van mijn zoete, hete thee.

Ik loop de trap weer op en merk dat Rachel haar geurtje heeft achtergelaten in mijn smerige hol, een welkome verrassing, en een briefje dat minder welkom is.

Simon,

Wat jammer dat ik je niet meer gezien heb vanochtend. Ik wil je graag weer ontmoeten. Bel je me?

Rachel. x

Tsja. Het is altijd leuk om iemand te laten stikken die zegt dat ze je graag weer wil ontmoeten, want er komt onvermijdelijk een moment dat je ze laat stikken omdat ze je *niet* meer willen zien. Al met al is dat veel beter. Ik verfrommel het briefje en gooi het in de prullenbak.

Ik kan Rachel echt niet op mijn agenda zetten. Toen ik voor het eerst in Londen woonde, in een kraakpand in Forest Gate, had ik me voorgenomen om in westelijke richting te verhuizen; bij meisjes uit Essex, jodinnen uit Noord-Londen, en uiteindelijk uitkomend bij de Sloane Rangers. Maar die weten van wanten. Terwijl de eerste groep bereid is seks te geven in ruil voor allerlei snuisterijen en de tweede hun neurose wil ruilen met de jouwe, neukt de laatste groep je helemaal plat tot het snot je voor de ogen hangt, maar met je trouwen, ho maar! Dat doen ze met een of andere Neanderthaler. Die fucking feodale, stinkend rijke inteeltteven worden stuk voor stuk uitgehuwelijkt. En dus zocht ik niet langer in *Who's Who* en ging terug naar Hampstead.

Tanya, die volgens mijn maatstaven verder onder de maat presteert, belt me op mijn rode mobiel en kondigt aan dat ze onderweg is. In gedachten zie ik dat lijkbleke smoel dat net zo lang in de zon heeft gelegen als Nosferatu, met dikke, puisterige lippen alsof ze heel slecht zijn opgespoten, dat horkerige lijf en die doodse blik. Cocaïnehoeren, wat moet je daar godverdomme mee?

Ik plak een dienstregeling van de Great Eastern Railway op mijn hoofdeinde, en tegen de tijd dat ze binnenkomt, is alles op orde. Ze vertelt dat die klootzak van een Matt Colville haar onlangs uit zijn bar heeft gezet. In haar grote ogen zie ik het brandende verlangen naar cocaïne, niet naar seks. Ik zeg dat ze een ondankbaar stuk vreten is, dat ik alles voor haar geregeld heb, en dat ze liever in elkaar geslagen wordt door een paar schurftluizen voor een zakje of een bolletje crack in een of andere smerig hol in King's Cross, dan haar beroep uit te oefenen in een fraaie amusementsinstelling in Soho. 'Ik doe zo mijn best voor jou, maar allemaal voor niks,' snauw ik haar toe, en ik vraag me af hoe vaak ze dat al gehoord heeft van ouders, maatschappelijke hulpverleners, welzijnswerkers. Hoort mijn tirade aan, zakt ineen op de bank, slaat haar armen om zich heen, en kijkt me aan alsof haar onderkaak is losgeraakt van haar schedel en aan een velletje hangt.

'Maar hij heeft mij op straat gezet,' kreunt ze, 'Colville. Hij heeft me verdomme zó op straat gezet.'

'Geen wonder, moet je jezelf zien. Je ziet er godverdomme uit als iemand uit Glasgow. Dit is Londen, je moet hier godverdomme wel wat normen en waarden hebben. Ben ik de enige die daarin gelooft...?'

'Sorry, Simon...'

'Geeft niet, meid,' zeg ik opgewekt, trek haar van de bank, neem haar in mijn armen en verbaas me erover hoe licht ze is. 'Ik ben een beetje chagrijnig vandaag omdat het zo'n kloteweek geweest is. Kom even naast me liggen...' Ik trek haar op bed en kijk naar de klok op de kast: 12.15 uur. Ik raak haar aan en zie hoe haar mond vertrekt. Dan gaan de kleren uit en in één beweging ben ik op haar en in haar. Haar gezicht is vertrokken in een grimas en ik denk bij mezelf, waar blijft die kuttrein?

12.21 uur.

Die kuttrein, Anglian Railways of hoe die shit ook mag heten sinds ie geprivatiseerd is... 12.22 uur, de klootzakken... had er allang moeten zijn... 'Je bent godverdomme fantastisch, meid, je bent de beste,' lieg ik bemoedigend.

'Eughhh...' hijgt ze.

Kut, als dat het enige is wat ze in te brengen heeft, kan ze maar beter hamburgers gaan vullen, want dan is er geen toekomst voor haar in de amusementsindustrie.

Ik klem mijn kiezen op elkaar en stel het nog vijf minuten uit tot 12.27 uur, als die klootzak eindelijk door het station dendert en het huis op stelten zet, en zij haar eeuwige liefde voor mij uitschreeuwt.

'Sterke finish,' zeg ik. Ik probeer me voor te doen als haar coach, als een soort Terry Venables; hou je bij de grondbeginselen, wijs ze op hun goede punten. Positieve benadering, aanmoedigen, niet schreeuwen of je geduld verliezen. 'Maar nog ietsje meer toewijding. Ik zeg dit voor je eigen bestwil.'

'Dank je, Simon,' zegt ze en ze lacht die ene afgebroken tand bloot.

'Nu moet je gauw weg, want ik heb dringende zaken te doen.'

Ze kijkt weer een beetje sip, maar ze trekt haar kleren aan, een treurige, mechanische handeling. Ik geef haar een briefje van tien voor sigaretten en de metro, en ze neemt afscheid en gaat de deur uit.

Zodra ze weg is stop ik de videobanden met homoporno in een dikke envelop en adresseer die als volgt:

FRANCIS BEGBIE

GEVANGENE NR. 6892BK

H.M. GEVANGENIS SAUGHTON

SAUGHTON MAINS

EDINBURGH

SCHOTLAND

Ik koop altijd een voorraadje voor mijn ouwe gabber Begbie en doe die op de post als ik terugga naar Schotland, zodat hij bij ontvangst het plaatselijke poststempel ziet. Ik vraag me af wie hij de schuld geeft van die zendingen, waarschijnlijk iedereen in de Lothian Region. Het vormt een onderdeel van mijn privé-oorlog tegen mijn geboortestad.

Ik doe flink wat tandpasta op mijn borstel, poets Tanya's gore smaak weg, en spring onder de douche, waar ik de resten uit die verziekte pan waarin ik heb liggen roeren van mijn geslachtsdelen poets. Dan gaat de telefoon, en het is een van mijn zwakheden dat ik nooit een telefoon kan laten rinkelen als het antwoordapparaat niet ingeschakeld is. Ik sla een handdoek om en pak de hoorn.

'Hé, Simon, lieverd...'

Het duurt enkele seconden voordat ik de eigenaar van de stem kan thuisbrengen. Het is mijn tante Paula uit Edinburgh.

4 '...onhandig aftrekken...'

Telkens als ik van studierichting verander, voel ik mezelf steeds meer een mislukkeling. Maar studierichtingen zijn net als mannen; zelfs de meest fascinerende blijven dat maar een beperkte tijd. Kerst is nu achter de rug en ik ben weer single. Maar een verandering van studierichting is niet zo ingrijpend als veranderen van onderwijsinstelling of van stad. En ik ben tevreden over mezelf omdat ik al een heel jaar studeer aan Edinburgh University, nou ja, bijna een jaar. Lauren heeft me overgehaald om over te stappen van Literatuur naar Film en Media. Film is de nieuwe literatuur, zei ze, zo'n stom blaadje citerend. Ik vertelde haar dat mensen tegenwoordig hun dialogen niet meer uit boeken halen, maar ook niet uit de film, die komen uit de videospelletjes. Gespleten dialogen. Als je echt hip, radicaal en vlijmscherp wilt zijn, dan moet je naar Johnny's Amusements aan de South Side, vechtend met bloedarmoedige spijbelaars om een plaatsje achter de machines.

Maar ik moet een module literatuur doen en ik heb gekozen voor Schotse Literatuur, aangezien ik Engelse ben en dwarsheid altijd een inspiratiebron voor mij is geweest.

McClymonts college is gericht tegen het gebrabbel van patriotten en quasi-Schotten. Mijn god, vorig jaar was ik er zelf nog een, vanwege een of andere overgrootmoeder die ik nooit gekend heb en die op vakantie ging in Kilmarnock of Dumbarton... We evolueren gelukkig, langzaam maar zeker. Je hoort bijna de geluidsband met doedelzakken op de achtergrond, terwijl hij zijn nationalistische propaganda spuit. Waarom laat ik me dit welgevallen? Weer een idee van Lauren, gemakkelijke studiepunten, vermoedt ze.

De kauwgom in mijn mond smaakt metaalachtig en het kauwen doet pijn in mijn kaken. Ik neem hem eruit en plak hem onder mijn tafeltje. Ik rammel van de honger. Gisteravond heb ik tweehonderd pond verdiend, met het onhandig aftrekken van mannen onder hun handdoek. Die dikke, rode gezichten die je gespannen aanstaren, terwijl je dwars door ze heen kijkt en verschillende uitdrukkingen aanneemt al naar gelang jij denkt dat ze willen: de kille, harde teef, het lieve kleine meisje met de reebruine ogen, wat dan ook. Het staat allemaal zover van me af, het doet me eraan denken hoe mijn broer en ik Monty, de hond, afrukten en toekeken hoe hij probeerde klaar te komen tegen de bank.

Ik bedenk hoe onnatuurlijk het zou zijn als je wel goed was in aftrekken, ik denk aan mannenpikken en dan is McClymont klaar met zijn college. Lauren heeft bladzijden vol aantekeningen over de Schotse diaspora; Ross de *American Scat* vlak voor ons zit waarschijnlijk met een stijve in zijn spijkerbroek terwijl hij de ene bladzijde na de andere vol krabbelt met verhalen over Engelse wreedheden en onrechtvaardigheid. We slaan tegelijk onze multomappen dicht en staan op. Als ik de collegezaal verlaat, werpt McClymont mij een blik toe. Dat uilachtige gezicht. Stom. Ik weet niet wat ornithologen beweren, maar de echte kenners van roofvogels, valkeniers en havikjagers, zeggen allemaal dat de uil helemaal niet wijs is, het is de domste onder de roofvogels.

'Juffrouw Fuller-Smith, heeft u een ogenblikje?' zegt hij stijfjes.

Ik draai me naar hem om, duw het haar uit mijn gezicht en stop het achter mijn oor. Een heleboel mannen reageren automatisch als je dat doet: de offergave van de maagd, het wegtrekken van de bruidssluier, de overgave, het openstellen. McClymont is een cynische, door de wol geverfde alcoholist, en daarom is hij daar gevoelig voor. Ik ga een beetje te dicht bij hem staan. Het is altijd een goed idee om dat te doen bij mannen die eigenlijk verlegen maar tegelijkertijd versierders zijn. Het werkte onmiddellijk bij Colin. Te goed zelfs, godverdomme.

Er sprankelt iets in de donkere, voortdurend schrikachtige ogen achter de bril. Het dunne haar lijkt, als door statische elektriciteit geleid, een centimeter omhoog te gaan, het belachelijke pak met de schoudervullingen zet op als hij in- en uitademt. 'Ik geloof dat ik uw essay voor het tweede trimester nog niet ontvangen heb,' zegt hij bijna verlekkerd.

'Dat komt omdat ik het nog niet geschreven heb. Ik moet 's avonds werken,' zeg ik glimlachend.

McClymont, die ofwel te veel ervaring heeft (zoals hij je graag doet geloven), ofwel zo'n passieve hormonenhuishouding heeft dat hij zich nauwelijks uit het veld laat slaan, knikt somber: 'Volgende week maandag graag, juffrouw Fuller-Smith.'

'Zeg maar Nikki,' zeg ik grijnzend en houd mijn hoofd schuin.

'Aanstaande maandag,' mompelt McClymont, en met zijn knoestige, benige vingers pakt hij zijn papieren bij elkaar en stopt ze in zijn tas.

Om alle slagen binnen te halen heb je doorzettingsvermogen nodig. Ik besluit door te zetten. 'Ik vond uw college echt héél, héél interessant,' zeg ik met een stralende glimlach.

Hij kijkt me aan en glimlacht sluw. 'Mooi zo,' zegt hij kortaf.

Deze kleine overwinning doet me blozen terwijl ik met Lauren naar de eetzaal loop. 'Die werkgroep Filmstudies, wat is het niveau daarvan?'

Lauren fronst haar wenkbrauwen en ziet nu al op tegen het mogelijke gedonder: al die bezoekers op de flat, de sloddervossen, de aanstellers, de onhandelbaren. 'Een paar zijn wel oké. Ik zit meestal naast Rab. Hij is iets ouder dan ik, dertig of zo, maar hij is wel tof.'

'Neukbaar?' vraag ik.

'Nikki, doe niet zo raar,' zegt ze hoofdschuddend.

'Ik ben een vrij mens!' protesteer ik, terwijl we onze koffie opdrinken en ons naar de volgende les begeven.

De docent is een opgewonden vent met lange handen. Hij beweegt zo heftig met zijn magere lijf en ronde schouders dat je recht in zijn navel kunt kijken. Hij praat zacht, met een Zuid-Iers accent. De les is al begonnen, en we kijken naar een video-opname van een korte Russische film met een onuitspreekbare titel. Hij slaat nergens op. Halverwege de film komt er een gast in een blauw colbert met een Italiaans label het lokaal binnen en knikt verontschuldigend naar de docent. Hij glimlacht naar Lauren, trekt zijn wenkbrauwen op en laat zich naast haar in de collegebanken zakken.

Ik kijk naar hem, en hij ook even naar mij.

Na het college stelt Lauren hem voor als Rab. Hij is hartelijk, maar niet overdreven, wat mij wel bevalt. Hij is ongeveer een meter vijfenzeventig, goed op gewicht, lichtbruin haar, bruine ogen. We gaan naar de sociëteit voor een drankje en praten over de cursus. Rab is niet iemand die onmiddellijk opvalt, wat raar is, want hij is best knap. Maar het is een traditioneel soort knapheid, een gast met wie je neukt tussen serieuze vriendjes in. Na een glas bier gaat hij naar het toilet. 'Lekker kontje,' zeg ik tegen Lauren. 'Val je op hem?'

Lauren schudt afwerend van nee. 'Hij heeft een vriendin en ze verwachten een kind.'

'Ik vroeg niet om zijn c.v.,' zeg ik, 'ik vroeg alleen maar of je op hem valt.'

Lauren geeft me een venijnige por in de ribben en zegt dat ik gek ben. In een heleboel opzichten is ze erg puriteins en daarom maakt ze een nogal ouderwetse indruk. Ze heeft een prachtige, bijna doorschijnende huid, ze kamt het haar strak naar achteren en de bril die ze draagt is sexy, net als de lieflijke bewegingen van haar handen. Ze is een slank, bevallig en onafhankelijk meisje van negentien, en ik vraag me wel eens af of ze ooit een serieus vriendje heeft gehad. Waarmee ik waarschijnlijk bedoel dat ik me afvraag of ze wel eens geneukt heeft. Maar ik vind haar veel te aardig om te zeggen dat ze zich met die feministische flauwekul bezighoudt omdat ze in wezen een burgertrut is die eens een goede beurt moet krijgen.

Ze gaat regelmatig iets drinken met die Rab om over film te praten en te klagen over de cursus. Nou, we hebben nu een *ménage à trois.* Rab heeft iets over zich van de wereldwijze vent die het allemaal al beleefd heeft. Volgens mij is hij dol op Laurens rijpheid en intelligentie. Ik vraag me af of hij op haar valt, want ze vindt hem erg aardig, dat zie je van op een kilometer afstand. Nou, mocht hij op rijpe vrouwen vallen, ik ben vijfentwintig.

Rab komt terug en geeft een rondje. Hij vertelt me dat hij in de bar van zijn broer werkt, bij wijze van extraatje. Ik zeg dat ik soms op middagen en avonden in een sauna werk. Dat vindt hij interessant, zoals de meeste mensen. Hij houdt zijn hoofd schuin en kijkt me onderzoekend aan, waardoor de uitdrukking op zijn gezicht totaal verandert. 'Doe je ook... nou ja, je weet wel...?'

Lauren tuit vol afkeer haar lippen.

'Ik ga niet met mijn klanten naar bed, nee. Ik masseer ze,' zeg ik, en maak hakkende bewegingen met mijn handen. 'Sommigen doen wel eens een voorstel, maar dat valt buiten de voorschriften van het bureau waar ik voor werk,' lieg ik, citerend uit mijn arbeidsvoorwaarden. 'Ik heb wel...' ik zwijg even. Ze kijken me allebei met open mond en vol verwachting aan. Ik voel me als een oma die voor het slapen gaan een verhaaltje voorleest aan een paar onschuldige kinderen, en die is aangekomen op het punt dat de grote boze wolf ieder moment op het toneel kan verschijnen.

'...ik heb wel eens een lieve oude man afgetrokken, nadat hij me had verteld over hoezeer hij zijn overleden vrouw miste. Ik wilde helemaal geen tweehonderd pond van hem, maar hij drong aan. Toen zei hij dat hij wel zag dat ik een oppassend meisje was, en hij begon zich uitgebreid te verontschuldigen omdat hij me in een dergelijke positie gemanoeuvreerd had. Zo lief...'

'Nikki, hoe kún je?' snauwt Lauren verontwaardigd.

'Jij hebt makkelijk praten, meid, jij bent Schots, jij hebt een beurs,' zeg ik. Lauren beseft dat ze niets meer in te brengen heeft, en dat was precies mijn bedoeling. De harde waarheid is dat ik heel vaak mannen aftrek, maar zoiets doe je uitsluitend voor geld.

5 Project nr. 18.734

Dankzij Tanya's verhaal over Colville en zijn manier van doen was ik voorbereid op die klootzak. Hij wilde al een hele poos van me af, en nu zag die rukker zijn kans schoon. Ik was natuurlijk niet van plan om mij zonder slag of stoot te laten afpoeieren, en al sinds een jaar was ik aardig vertrouwd met het reilen en zeilen Chez Colville in Holloway.

Hij wachtte natuurlijk tot mijn dienst erop zat. Het was een rustige avond geweest. Toen kwamen Henry en Ghengis binnen met een paar jongens en ze waren allemaal behoorlijk bezopen. Er was een confrontatie met een andere bende geweest en ze verkeerden in een soort overwinningsroes en wisselden allerlei sterke verhalen uit. Er was sprake van dat Aberdeen en Tottenham waren samengegaan. 'Daar zou ik niet graag bij willen horen, wie betaalt er godverdomme voor de drank? De fucking barkeeper zeker,' merk ik lachend op, en een paar van de jongens lachen mee. Ik zit op mijn troon en geef zo nu en dan rondjes weg omdat ik voel dat het einde van mijn bewind nadert.

In zekere zin is het klote, ik had hier een tweede thuis, het was de plaats om in contact te komen met het soort mensen dat ik altijd tegenkom, maar aan alles komt een einde. Tijd om te verkassen. Hoelang je ook in dit soort tent werkt, winnen doe je nooit, tenzij je zelf eigenaar bent. Vanuit mijn ooghoek zie ik Lynsey binnenkomen, en ze knipoogt naar me terwijl ze zich klaarmaakt om het podium op te gaan.

Het is allemaal plastic, chroom en authentieke spullen, maar je ruikt nog steeds de verschaalde sigarettenrook, het opgedroogde zaad in de broeken van de klanten, het goedkope parfum van de meiden, het aangelengde bier en de ziekelijke wanhoop achter de luidruchtige jovialiteit.

Maar Lynsey heeft het goed begrepen, ze is veel te gehaaid om als willoos slachtoffer rond te blijven hangen in tenten als deze nadat haar neukbaarheidsdatum verstreken is. Ze is slim genoeg om haar publiek de minachting te tonen die een slimme, goed opgeleide jonge vrouw als zij moet voelen voor hen, en, naar ik aanneem, ook voor mij, hoewel we allemaal denken dat we anders zijn, dat we een unieke plaats innemen in deze wereld, onze eigen, verlossende ironie. Maar zij is écht anders, en ze heeft het goed begrepen. Ze heeft een paar seksfilms gedaan, heeft haar eigen website, om aan naamsbekendheid te werken, en op dit moment is ze bezig haar publiek in te pakken, in deze striptent. In geen velden of wegen een pooier te bekennen, en haar charmante glimlach verandert in een ijzige blik zodra iemand te ver gaat. Ze is onafhankelijk, speelt haar eigen spel, en daarom heb ik niks aan haar.

Jammer. Ik bekijk haar goed terwijl ze danst, de atletische stootbewegingen met haar bekken waardoor een heroïnehoer als Tanya op intensive care zou belanden, en volg de lijn van haar zonnebankbruine dijen tot aan de zilverkleurige tanga met evenveel aandacht als de betalende klanten, en ik besluit dat een zoektocht naar een van Lynsey's video's wel eens de moeite waard zou kunnen zijn.

Tegen het einde van mijn dienst komt inderdaad Dewry naar mij toe met een domme, gluiperige grijns op zijn smoel. 'Colville wil je spreken in zijn kantoor,' zegt die walgelijke kuthond op bijna zangerige toon.

Ik weet wat mij te wachten staat, en nadat ik het kantoor betreden heb, neem ik plaats in de stoel tegenover hem zonder dat hij me daartoe heeft uitgenodigd. Colvilles spleetogen schieten heen en weer in dat bleke, leugenachtige smoel van hem, en hij kijkt me aan alsof ik onder een steen uit ben gekropen. Hij schuift me een envelop toe. Er zit een vlek op dat stompzinnige, grijze colbert dat hij aan heeft. Geen wonder dat ze...

'Je ontslagformulier plus achterstallig loon,' zegt hij met die kruiperige stem van hem. 'Aangezien je twee weken tekortkomt voor je volledige contractperiode van 104 weken, hoeven we je geen schadeloosstelling te betalen voor je ontslag. Allemaal volgens de wet,' zegt hij grijnzend.

Ik kijk hem ernstig aan. 'Waarom, Matt?' vraag ik, en doe alsof ik verongelijkt ben, 'we kennen elkaar al zo lang!'

Nee, die heeft geen effect. Zijn babyface blijft onbewogen, terwijl hij zijn stoel naar achteren schuift en langzaam het hoofd schudt. 'Ik heb je gewaarschuwd voor al dat te laat komen. Ik heb niks aan een barkeeper die niet op tijd is. Bovendien heb ik je ook gewaarschuwd voor dat vriendinnetje van je, die kuthoer, die hier zo maar binnenkomt en mijn klanten lastigvalt. Laatst heeft ze het zelfs geprobeerd met iemand van de politie.' Hij schudt opnieuw vol afschuw het hoofd, en ik hoor het gegnuif van Dewry, die hier net zo van geniet als Colville zelf.

'Die gasten hebben ook een pik, hoor, althans dat wordt beweerd,' zeg ik glimlachend. Opnieuw hoor ik zacht grinniken achter mij.

Colville leunt naar voren en zijn gezicht staat weer strak. Dit is zijn show en hij duldt geen tegenspelers. 'Hou je grote bek dicht, Williamson. Ik weet dat je een hele dunk hebt van jezelf, maar wat mij betreft ben jij gewoon een stomme, goedkope kut-Schot uit Hackney.'

'Islington,' verbeter ik hem snel. Dat laatste deed pijn.

'Dat zal best. Ik verwacht van een barkeeper dat hij mijn zaken hier behartigt, en niet mijn club gebruikt als een excuus voor zijn eigen smerige zaakjes. Er komt hier nu allerlei geteisem: hoeren, kruimeldieven, voetbalvandalen, pornohandelaren, drugdealers, en weet je wat? Dat is allemaal begonnen sinds jij hier twee jaar geleden bent komen werken.'

'Het is een fucking striptent. Natuurlijk trek je rare figuren aan, wat wil je? Wij zitten nu eenmaal in een dubieuze business!' protesteer ik boos. 'Ik heb je inmiddels heel wat trouwe klanten bezorgd! Lui die het hier breed laten hangen!'

'Oprotten, lul.' Hij wijst naar de deur.

'Dus dat is het dan? Ik word ontslagen?'

De grijns van Matt Colville wordt nog breder. 'Ja, en hoewel het niet professioneel is om te zeggen, ik vind het hartstikke leuk.'

Ik hoor Dewry weer grinniken achter mij. Dit is het moment. Ik kijk hem recht in de ogen. 'Nou, dan is het ogenblik aangebroken om open kaart te spelen. Al acht maanden lang neuk ik regelmatig met die vrouw van jou.'

'Wááát...' Colville kijkt me aan, en ik voel dat Dewry achter mij van schrik bevriest, een verontschuldiging mompelt en vervolgens haastig het kantoor verlaat. Colville is een paar seconden lang sprakeloos, maar na een lichte siddering krullen zijn lippen tot een vermoeide glimlach. Dan schudt hij, in volstrekte walging, het hoofd. 'Wat ben jij een loser, Williamson.'

'Ik heb het ook breed laten hangen,' zeg ik, zonder acht te slaan op zijn woorden. 'Kijk maar naar de afschrijvingen van haar Visa-kaart. Hotels, designkleren, van alles,' en ik voel aan het Versace-hemd dat ik aan heb. 'Maar niet van wat jij me betaalt, hoor.'

Er flikkert opnieuw iets van angst in zijn ogen, die onmiddellijk overgaat in woede. 'Sneue klootzak die je bent. Denk je echt dat ik me iets aantrek van dat gelul van jou? Wat een...'

Ik sta op, haal in één vloeiende beweging de polaroidfoto's uit mijn binnenzak en gooi ze op het bureau. 'Misschien raak je hier opgewonden van; ik had ze bewaard als appeltje voor de dorst; die zeggen meer dan duizend woorden, wat jou,' zeg ik met een knipoog. Ik draai me om en loop met gepaste haast zijn kantoor uit en langs de bar. Een golf van angst spoelt over me heen en dwingt mij naar buiten te rennen, maar er komt niemand achter mij aan en ik stoot een bulderende lach uit in de smalle stegen van Soho.

Aangekomen op Charing Cross Road dringt het teleurstellende besef tot mij door dat ik mijn vaste bron van inkomen kwijt ben. Ik vergelijk het met het feit dat ik voorgoed van dat gesodemieter af ben, weeg de voordelen af tegen de nadelen en overweeg de gunstige en bedreigende aspecten van deze nieuwe situatie. Ik neem de Central Line terug naar Liverpool Street en vandaar de trein naar Hackney Downs. Ik stap daar uit en kijk over de muur naast het perron naar mijn achterraam. Ik kan het smerige glas bijna aanraken. Er zit zoveel vettigheid, roet en stof op dat je onmogelijk naar binnen kunt kijken. Die klootzakken van Great Eastern Rail zouden godverdomme de rekening van de glazenwasser moeten betalen, het zijn hun fucking dieseltreinen die die vuiligheid uitstoten. Op weg naar buiten koop ik in het station een nieuwe dienstregeling van de GER, die vandaag net uitgekomen is.

In mijn flat aangekomen kijk ik uit het raam aan de voorkant van mijn zitslaapkamer die makelaars graag een 'studio' noemen. Dat vind ik nou typisch Engels: belachelijk pretentieus tot ze erbij neervallen. Wie zou er anders zo hooghartig en krankzinnig zijn om een ordinaire nieuwbouwwijk een *estate* te noemen? Ik ben Simon David Williamson, de jager en visser, uit de Banana Flats Estate in Leith. Beneden op straat bij de apotheek zie ik een jonge moeder met een wandelwagen. Aan de wallen onder haar ogen kun je zien dat ze fotomodel geweest is, voor Samsonite wel te verstaan. Ik zie ook dat ik bijna achthonderd kilometer in zuidelijke richting gereisd ben om op deze kutplek in Great Junction Street te komen wonen. Plotseling begint het gebouw op zijn grondvesten te schudden als er een goederentrein richting Norwich langs het achterraam dendert. Ik kijk op de klok: 6.40 uur, of 18.40 uur, zoals die spoorwegrukkers het noemen. Op tijd.

Overal waar je bent, investeer je, godverdomme. Dat probeerde ik Bernie laatst nog uit te leggen, ook al was ik te high om het duidelijk te maken. Daar draait het om, dat is het verschil tussen winnaars en verliezers, dat onderscheidt de echte zakenlui van de sjacheraars met de grote bek die je in de krant en op tv de neus uit komen met hun lulverhalen over hoe hard ze altijd hebben moeten sappelen en meer van dat gezwets. In de media hoor je alleen maar de zogenaamde succesverhalen, maar in de echte wereld besef je dat ze slechts het topje van de ijsberg vormen, omdat je ook de mislukkelingen ziet. Je zit aan de bar vast aan zo'n cunt die je plat lult over dat hij schatrijk had kunnen zijn als hij niet was dwarsgezeten door dat schorem, die klootzakken, en die iedereen de schuld geeft behalve zichzelf omdat hij erin getrapt is dat je je simpel een weg naar de top kunt jatten. Bernie moet oppassen, want hij klinkt al net als dat soort rukkers. Die shit raakt ooit op, en je moet je geld beleggen (als je de mazzel hebt geld te hebben) en voordat je het weet is het godverdomme weer op. En dan is het weer zeiken in de kroeg over je vervlogen dromen of, erger nog, terug naar de crackpijp of het bierblik.

Ik moet wat hebben om te investeren, en nu moet ik naar Amanda, die koude teef die bakken met geld heeft om te investeren, maar mij nog steeds uitwringt, godverdomme.

Het voorstel van tante Paula waar ik door de telefoon bijna om moest lachen – ik kon nog verhinderen dat ik haar uitlachte – begint me steeds aanlokkelijker te lijken.

Maar de plicht roept, en ik moet een moordende tocht per bus en trein maken naar het huis van Mandy ('ik kwam één keer klaar en jij doet niks dan graaien') in Highgate, waar ik de jongen oppik en haar de wekelijkse veertig pond geef die helemaal verdwijnen in de smoel van dat joch. Want vergis je niet, dat kind is me een partij vet, zeg. De laatste keer dat ik hem mee naar Schotland nam op bezoek bij mijn moeder, zei ze met haar Italiaans-Schots accent: 'Hij iesse nette jou oppe die leeftijd.' Net als ik op die leeftijd; een vetzak van een kind dat snel blauwe plekken krijgt en een dankbare prooi is ('Hé, Knorrie') voor de gemene, magere sekreten van het schoolplein en op straat. Godzijdank voor de puberteit en de hormonen die je redden uit de hel van het vet. Misschien vindt mijn ambivalente houding tegenover hem zijn verklaring in het feit dat die kleine klootzak mij doet denken aan een jongere, minder coole versie van mijzelf. Maar ik kan me niet voorstellen dat ik ooit zo geweest ben. Dat dikke komt waarschijnlijk van die vette jodenlul van een opa van hem, van moederszijde, uitcraard.

En zo wandelen we nu door het West End, op weg naar Hambley's voor zijn kerstcadeau. Kerst is natuurlijk allang achter de rug en we zitten midden in het hebzuchtige gegraai van de januari-uitverkoop. Ik heb hem cadeaubonnen gegeven met de achterliggende gedachte dat zo'n kind niet jong genoeg kan leren om zelf te kiezen. Amanda heeft de bonnen bewaard omdat ze vindt dat ik erbij moet zijn als hij ze gaat verzilveren. Sinds we op Oxford Circus zijn uitgestapt, hebben we niet al te veel tegen elkaar gezegd. Het is fris en die kleine etter loopt aan één stuk door te zeiken, slentert achter me aan en wrijft over zijn benen. Hij is verslaafd aan videospelletjes, en hij zit liever thuis met zijn PlayStation. Zelfs in deze feestmaand ben ik net zo'n blok aan zijn been als hij bij mij. We gaan de winkel binnen en ik blijf zwakke pogingen tot een gesprek doen, in de hoop dat er mooie wijven rondlopen waar ik naar kan gluren.

Het vervelende van de winter is dat die meiden allemaal zo dik zijn ingepakt. Je weet pas wat voor vlees je in de kuip hebt als je het mee naar huis neemt en uitpakt, en dan is het te laat om nog te ruilen. Kerstmis. Ik kijk of er boodschappen voor me zijn binnengekomen op mijn witte en rode mobiele telefoons. Niks.

Ik word al snel depri van de winkels en de mensenmassa's en de troep die ik moet meesjouwen. En dat joch... ik krijg geen aansluiting. Ik probeer het nog een keer. Niet fanatiek maar zo goed als ik kan. Ik vermoed dat we eerst een soort knop moeten omdraaien, en dat geldt voor ons allebei. Als ik hem naar huis breng zit ik vol met vettig junkfood en ben ik platzak, en waarom? Mijn plicht als ouder? Sociale interactie?

Wie schiet hier nu iets mee op?

Het enige wat ik kan doen is naar de wijven kijken en terugdenken aan een paar weken geleden toen ik met Ben (die naam was haar idee) naar Madame Tussaud ben geweest. Ik moest de hele tijd aan haar denken, omdat ze geneukt wordt door die egoïstische yuppie van haar dromen, en zei dat het zo fantastisch was voor hen dat ik Ben meenam, want nu konden ze eindelijk even van elkaar genieten. Veertig pond per week betalen en dat joch mee uitnemen zodat zij rustig kan liggen neuken. Eigenlijk zou ik op mijn voorhoofd moeten tatoeëren: LUL.

Als ik hem thuisbreng, moet ik toegeven dat Mandy er een stuk beter uitziet. Het afgelopen jaar heeft ze voor het eerst weer een behoorlijk figuur nadat Ben geboren is. Ik dacht dat ze moddervet zou worden en blijven, net als de rest van die kutfamilie van haar, maar nee hoor, ze ziet er heel smakelijk uit. Als ze zo aan de lijn had gedaan en gefitnest had toen wij nog bij elkaar waren, had ik het misschien niet nodig gevonden om haar en haar hele familie zo te beledigen als waar ik me een paar zomers geleden in Toscane toe gedwongen voelde. Ik ben een ambitieus type en geen arbeider zonder trots die het niet erg vindt met een vette zeug aan de arm te lopen.

Maar vette zeugen hebben soms wel hun nut: als tante. Als aardige, mollige tante. Tante Paula is altijd mijn lievelingstante geweest, hoewel er niet veel concurrentie was. Die arme oude Paula heeft ooit een pub geërfd, maar was zo dom om met een klootzak te trouwen die bijna al haar geld opzoop, voordat ze hem over de zijlijn trapte. Het is een geruststellende gedachte dat zelfs sterke, wilskrachtige zeugen als Paula hun blinde vlekken hebben. Zo kunnen jongens als ik ook aan de bak.

Want nu biedt ze mij haar pub aan voor twintig ruggen. Te betalen in termijnen van vijfduizend pond per jaar.

Het eerste, niet geringe, probleem is dat ik veertienduizend tekortkom. Het tweede is dat de pub in Leith staat.

6 '...pikante geheimpjes...'

Je ziet onverzettelijkheid in de ogen van Rab, een eigenschap die ook op iets anders wijst. Hij meet zijn woorden zorgvuldig af, zoals die oude barkeepers de borrels afmeten in de gierige plaatselijke pubs. Rab is Lauren mentaal aan het omcirkelen, ze is zo gespannen als een zwerfkat die elk moment kan gaan spugen of sissen, en dus besluit hij voorzichtig te zijn. Ze wil de ongerustheid rechtvaardigen die ze voelt omdat hij hier is, en omdat ze vindt dat we eigenlijk met z'n tweetjes zouden moeten zijn, meiden onder elkaar, of misschien zij beiden alleen. Maar ik woon met haar samen en dus weet ik dat Rab de volle laag krijgt van haar premenstruele spanning. Alsof we echte zussen zijn, loopt onze menstruatie synchroon, en ze wacht op een gelegenheid om haar ongerustheid om te zetten in een regelrechte hekel aan hem.

Arme Rab, hij heeft nu twee dolle zeugen op sleeptouw. Ik heb een zwaar, bedwelmend gevoel in mijn hoofd en er staat een puistje op uitbarsten op mijn kin. Lauren en ik zijn een beetje gespannen omdat er morgen een nieuw meisje bij ons intrekt. Ze heet Dianne en ze lijkt me wel oké, ze is doctoraalstudente psychologie. Zolang ze maar niet de baas wil spelen. We hadden half en half afgesproken om naar huis te gaan en de boel op te ruimen voordat ze zou komen, maar na twee drankjes weet ik zeker dat dat er niet van komt. Het wordt steeds drukker in de sociëteit, maar er wordt niet echt zwaar gedronken, we houden ons allemaal in. Roger achter de bar staat ontspannen een sigaret te roken. Twee jongens die staan te biljarten, kijken naar mij, de ene stoot de ander aan en die lacht naar mij. Dertien in een dozijn, maar ik denk er niettemin over serieus met hen te flirten, al was het alleen maar door de richting die het gesprek aan tafel neemt.

'Ik denk dat als ik een meisje was, ik ook feministisch zou zijn,' biecht Rab op, waarmee hij het venijn haalt uit een van de felle maar afgezaagde aanvallen van Lauren. Er zijn vanavond nogal wat potten in de sociëteit, en door hun aanwezigheid wordt Lauren onuitstaanbaar en probeert ze iedereen lik op stuk te geven. De meesten zijn heel anders als ze met vakantie naar huis gaan. Maar hier, in deze veilige omgeving, dit proeflaboratorium voor het echte leven, wordt heel wat op de borst geroffeld.

Omdat de sfeer ons niet bevalt, besluiten we te verhuizen naar een pub in Cowgate. Het is een heerlijke avond, maar als we ons begeven in de duistere krochten van de stad, wordt de zon geheel aan het oog onttrokken en duidt alleen een stukje blauwe lucht boven ons erop dat het een mooie dag is. We gaan een bar binnen die vroeger je van het was, hoewel dat misschien al weer een paar weken geleden is. Het blijkt een vergissing te zijn, want wie is er binnen? Mijn ex-minnaar, professor doctor Colin Addison.

Colin draagt een fleecejack, zodat hij eruitziet als een van zijn studenten, en dat geeft mij een goed gevoel omdat hij dat soort dingen nooit droeg toen hij nog met mij omging. We hebben nauwelijks onze drankjes gehaald en naar een tafeltje gebracht, of hij komt al op me af. 'Wij moeten even praten,' zegt hij.

'Ben ik het niet mee eens,' zeg ik terwijl ik naar de vlek lippenstift op mijn glas kijk.

'We kunnen het er zo toch niet bij laten zitten. Ik eis een verklaring. Dat is toch het minste waar ik recht op heb.'

Ik schud het hoofd en trek mijn gezicht in een grimas. *Het minste waar ik recht op heb.* Wat een lul, zeg. Dit is zowel stomvervelend als lichtelijk gênant, twee gemoedstoestanden die niets met elkaar te maken horen te hebben. 'Wil je alsjeblieft weggaan.'

Colin heeft een rood hoofd gekregen en hij zwaait met zijn vinger in de lucht om zijn woedende woorden kracht bij te zetten. 'Wat ben jij nog onvolwassen, stom kutwijf, als jij denkt dat jij gewoon ku...'

'Hé man, oprotten weet je wel.' Rab komt overeind. Ik zie een flits van herkenning in Colins ogen, omdat het maar een studentje is en hij de senaat achter zich heeft en de mogelijkheid tot verwijdering van Rab als hij het te bont zou maken. Maar in werkelijkheid kan hij beter voorzichtig zijn om wat de senaat met *hem* kan doen: neuken, of liever proberen te neuken, met een studente. Het schijnt dat sinds ik Colin de bons heb gegeven, hij geobsedeerd lijkt te zijn met het feit dat ik volwassen moet worden. Wat is er gebeurd met die volwassen relatie die wij hadden in die gouden tijden van wanneer? vorige week?

Ik ben van plan het hierbij te laten, maar Lauren besluit zich er ook mee te bemoeien. Ze heeft een harde, venijnige uitdrukking op haar gezicht en ik maak plotseling kennis met een agressieve kant van haar, die ze vervolgens ietwat ondermijnt door te zeggen: 'Dit is een privé-aangelegenheid,' en ik begin heel dom te giechelen, aangeschoten als ik ben, bij de gedachte aan een privé-aangelegenheid in een openbare ruimte.

Maar ik heb hun hulp niet nodig. Ik kan Colin heus wel alleen aan. 'Moet je horen, ik ben echt doodziek van je, Colin. Doodziek van jou en je slappe, dronken pik-op-leeftijd. Ik ben het spuugzat om de schuld te krijgen dat jij hem niet omhoogkrijgt. Ik ben spuugzat van je zelfmedelijden omdat je niks bereikt hebt in je leven. Ik heb alles uit je gehaald wat ik wilde hebben, en nu heb ik besloten om het velletje weg te gooien. Ik ben nu in gezelschap, en je zou ons een groot plezier te doen door op te sodemieteren, ja?'

'Stom kutwijf...' herhaalt hij; zijn gezicht is nu vuurrood en hij kijkt gegeneerd om zich heen.

'Stóóóm kutwijf...' imiteer ik zijn jankende stemgeluid. 'Heb je niks beters?'

Rab wil iets zeggen, maar ik ben hem voor en richt me weer rechtstreeks tot Colin: 'Je haalt het niveau van het gesprek behoorlijk omlaag. Zelfs aan deze tafel. Dus ga alsjeblieft weg.'

'Nikki... ik...' begint hij op verzoenende toon, en hij kijkt opnieuw om zich heen om te zien of er studenten van hem aanwezig zijn. '... ik wil alleen maar met je praten. Ik vind het best als het uit is tussen ons, maar dan hoeven we toch niet zó uit elkaar te gaan.'

'Hou op met je gezeik. Neem gewoon een ander, iemand die zo naïef is om voor je te vallen. Probeer het deze zomer nog uit te houden, over een paar maanden komen de nieuwe studenten weer. Ik acht mezelf echt te hoog om nog met jou om te gaan.'

'Teef,' bijt hij me toe, gevolgd door: 'Vuile kuthoer!' Hij maakt dat hij wegkomt en slaat de deur achter zich dicht. Ik zit nog even met een rood aangelopen hoofd, maar dat is zo over, en we lachen wat met elkaar. De barjuffrouw kijkt in mijn richting en ik haal mijn schouders op.

'Je bent schaamteloos, Nikki,' zegt Lauren buiten adem.

'Je hebt gelijk, Lauren,' zeg ik, en ik kijk Rab recht aan, 'een verhouding met docenten... er is niks aan. Dit was al de tweede. De eerste was met een professor Engelse Literatuur, toen ik net in Londen was. Grappig mannetje was dat, nogal excentriek zelfs.'

'Nee, alsjeblieft...' protesteert Lauren. Ze kent het verhaal al.

Maar ik ga het verhaal over Miles nog een keer vertellen, zodat zij zich weer dood geneert. 'Hij was echt een man van de literatuur. Net als Bloom in *Ulysses*, hij was dol op de geur van urine in niertjes. Hij kocht verse niertjes en dan moest ik in een schaaltje plassen. Dan liet hij de niertjes een nacht lang marineren in mijn pis, en de volgende ochtend bakte hij ze dan voor zijn ontbijt. Het was een uiterst geciviliseerde maniak. Hij nam me vaak mee naar boetiekjes om kleren te kopen en vond het leuk om kleren voor me uit te kiezen. Vooral als ik geholpen werd door een jonge, trendy verkoopster. Het idee dat de ene jonge vrouw een andere aankleedde, en dat in een commerciële omgeving, wond hem erg op. Je kon altijd zien dat hij een erectie kreeg, en soms kwam hij gewoon klaar in zijn broek.'

Lauren ziet er zo lief uit als ze kwaad is, ze straalt dan van woede, wat haar alleen maar mooier maakt. Haar gezicht wordt rossig, haar ogen fonkelen. Daarom zien mensen haar graag als ze boos is, zo lijkt ze het meeste op hoe ze eruitziet als ze geneukt wordt.

Rab moet lachen, hij trekt zijn wenkbrauwen op en Laurens gezicht is één en al groef. 'Vind je Lauren niet mooi als ze boos is, Rab?' vraag ik.

Dat bevalt Lauren helemaal niet. Haar gezicht wordt nog roder en haar ogen beginnen te tranen. 'Donder op, Nikki, hou op met dat gezeik,' zegt ze. 'Je maakt jezelf belachelijk, en mij en Rab ook.'

Maar Rab is helemaal niet onder de indruk, want hij neemt ons vervolgens allebei te grazen, in ieder geval Lauren, maar mij veel meer dan ik laat merken, door zijn armen om Lauren en mij heen te slaan en ons allebei op de wang te zoenen. Ik zie dat Lauren verstijft, en zelf voel ik een golf van geilheid door mij heen gaan en tegelijkertijd iets van verzet tegen deze opdringerigheid. 'Jullie zijn allebei mooi,' zegt hij diplomatiek, of voelt hij het echt zo? Hoe dan ook, hij drukt een diep, krachtig en onmiskenbaar gevoel uit, iets waar ik simpelweg niet op gerekend had. Plotseling is het weer weg en terwijl hij zijn armen laat zakken, voegt hij er op gereserveerde toon aan toe: 'Weet je, als ik jullie niet zo leuk vond, dan was ik allang met deze studie opgehouden. Wij zitten voortdurend als recensenten van die fucking films te analyseren, terwijl geen van ons ooit een camera in handen gehad heeft. En die cunts die ons les geven ook niet. Het enige wat we leren is óf het afbranden óf in de kont kruipen van hen die het lef hebben om ook zelf hun poten uit de mouwen te steken. Dat is het enige wat de Schone Kunsten afscheiden: een stelletje klaplopers en parasieten.'

Ik voel hoe de vertwijfeling toeslaat. Opzettelijk of niet, deze jongen is een pestkop. Eerst laat hij ons ruiken aan iets moois, en nu zitten we weer midden in studentenland.

'Als je dat zegt,' reageert Lauren prikkelbaar, maar opgelucht dat Rabs vertoon van genegenheid niet verder gegaan is, 'dan betekent dat

dat je het eens bent met dat hele Thatcheriaanse paradigma van het afschaffen van de kunstopleiding en alles in te zetten op het hoger beroepsonderwijs. Als je het idee van kennisonderricht als zodanig afschaft, dan betekent dat het einde van elke kritische analyse van wat er gebeurt in de maatscha...'

'Nee... nee...' protesteert Rab, 'wat ik bedoel is...'

En zo ratelen ze maar door, ze bekvechten en maken elkaar wijs dat ze het fundamenteel niet oneens zijn terwijl ze lijnrecht tegenover elkaar staan, of ze strijden fel en pedant om een lullig detail. Met andere woorden, ze gedragen zich als een paar typische kutstudenten.

Ik haat dat soort meningsverschillen, en zeker tussen een man en een vrouw, en helemaal als een van hen zojuist duidelijk de inzet verhoogd heeft. Ik heb de neiging om keihard te schreeuwen: HOU OP MET DAT GELUL EN GA GEWOON NEUKEN MET ELKAAR.

Na een paar drankjes wordt de sfeer steeds roziger en gezelliger in de bar, waar alles steeds langzamer lijkt te verlopen en iedereen geniet van elkaars gezelschap en slap geouwehoer. Onder deze omstandigheden besluit ik dat ik een zwak heb voor Rab. Dat gevoel komt niet onverwacht, het heeft zich langzaam opgebouwd. Er is iets zuiver Schots aan die jongen, iets nobels en Keltisch, een bijna puriteins stoïcisme dat je niet tegenkomt bij Engelsen van zijn leeftijd, en zeker niet in Reading. Maar ze weten niet van ophouden, die Schotten: bekvechten, discussiëren en debatteren op een manier die je in Engeland alleen tegenkomt in kringen van de gegoede, grootsteedse middenklasse. 'Val toch dood met al dat gediscussieer,' zeg ik op hooghartige toon. 'Ik heb jullie een pikant geheimpje verteld. Heb jij geen pikante geheimpjes, Lauren?'

'Nee,' zegt ze, blozend en met gebogen hoofd. Ik zie dat Rab zijn wenkbrauwen optrekt, alsof hij wil duidelijk maken dat ik ermee moet ophouden, en het lijkt wel alsof hij begrip heeft voor de pijnlijke situatie waarin Lauren zich bevindt, en ik wilde dat ik dat had.

'En jij, Rab?'

Hij begint te grijnzen en schudt het hoofd. Voor het eerst zie ik de ondeugd fonkelen in zijn ogen. 'Nee, daarvoor moet je bij mijn kameraad Terry zijn.'

'Terry? Die zou ik dan wel eens willen ontmoeten. Ken jij Terry, Lauren?'

'Nee,' zegt ze kortaf, ontdooiend maar nog steeds gespannen.

Rab trekt opnieuw zijn wenkbrauwen op, alsof hij het niet echt een goed idee vindt, waardoor ik geïntrigeerd raak. Ja, het zou wel eens interessant kunnen zijn om die Terry te ontmoeten, en ik vind het leuk om te zien dat Rab het daar niet mee eens lijkt te zijn. 'Wat doet hij zoal?' vraag ik.

'Nou,' begint Rab behoedzaam, 'hij heeft een neukclub. Ze maken seksfilms. Ik bedoel, het is niks voor mij, hoor, maar dat is nu typisch Terry.'

'Ga door!'

'Nou, Terry ging regelmatig na sluitingstijd naar een pub voor een besloten feestje. Er kwamen meiden die hij kende en soms een paar toeristen. Op een avond, toen iedereen behoorlijk aangeschoten was en de stemming er goed in zat, gingen ze los. Daarna deden ze het vaker. Een van die feestjes werd vastgelegd door een bewakingscamera, volgens hem gebeurde dat bij toeval,' Rab draait ongelovig met zijn ogen, 'maar zo begonnen ze met het maken van amateurvideofilms. Ze maken neukfilms, vertonen die op internet en versturen ze dan per post of ruilen ze met andere mensen die dergelijke films maken. Ze vertonen hun films ook, meestal voor ouwe kerels in de kroeg, voor vijf pond per persoon. Eh... elke donderdagavond.'

Lauren hoort dit vol walging aan, en je kunt zien dat Rab behoorlijk daalt in haar aanzien, iets waar hij zich erg bewust van is. Maar ik vind het allemaal erg inspirerend. En morgen is het donderdag. 'Morgen ook?' vraag ik.

'Waarschijnlijk wel, ja.'

'Mogen wij ook mee?'

Rab is hier niet zo zeker van. 'Nou, eh... ik moet wel garant voor je staan. Het is een privé-bijeenkomst. Terry is eh... misschien probeert hij of je mee wilt doen, dus als we erheen gaan, moet je niet letten op wat hij zegt. Het is een enorme klootzak.'

Ik schud mijn haar naar achteren en roep uitdagend: 'Misschien doe ik wel mee! En Lauren ook. Door te neuken leer je mensen het beste kennen.'

Lauren werpt mij een dodelijke blik toe. 'Ik ben niet van plan om met een stel vieze ouwe kerels in een depri kroeg naar pornofilms te zitten kijken, laat staan eraan mee te doen.'

'Ach kom, het is vast hartstikke leuk.'

'Helemaal niet. Het is vast een smerige, walgelijke, sneue vertoning. Wij hebben duidelijk afwijkende ideeën over wat leuk is,' reageert ze venijnig.

Ik weet dat ze snel aangebrand is en ik wil geen ruzie met haar, maar ik hou voet bij stuk. Ik schud het hoofd. 'Wij studeren film, niet? En cultuur. Rab zegt dat er een hele ondergrondse filmcultuur bestaat, en wel onder onze neus. Wij moeten daarheen. Om onderwijskundige redenen. En bovendien kan er nog lekker geneukt worden ook!'

'Schreeuw niet zo! Je bent dronken!' krijst ze, terwijl ze heimelijk om zich heen kijkt.

Rab moet lachen omdat Lauren zich schaamt, of misschien verbergt hij zo zijn eigen gevoel van ongemak. 'Jij vindt het leuk om te choqueren, hè?' zegt hij tegen mij.

'Alleen mezelf,' zeg ik. 'En jij, doe jij nooit mee?'

'Eh... nee, ik doe daar niet zo aan mee,' herhaalt hij, op bijna schuldige toon.

Ik word steeds nieuwsgieriger naar die Terry die *wel* meedoet, en vraag me af wat voor figuur hij is. Ik zou willen dat Rab en Lauren wat avontuurlijker waren en zouden beseffen hoe leuk een triootje kan zijn.

7 Project nr. 18.735

Ik ben (eindelijk) terug in mijn geboortestad. De treinreis, die vroeger vierenhalf uur duurde, duurt nu zeven uur. Vooruitgang me reet. Modernisering me hol. En hoe langer de reis, hoe hoger de prijzen, godverdomme. Op het station doe ik het aan Begbie geadresseerde pakje in de brievenbus. Geniet er maar lekker van, jochie. Ik neem een taxi naar de kop van Leith Walk, en die oude, brede straat ligt er nog net zo bij als ooit. De Walk is net als een peperduur, oud Axminster-tapijt, misschien een beetje donker en verlopen, maar met meer dan genoeg kwaliteit om de onvermijdelijke kruimels van de maatschappij in zich op te nemen. Ik stap uit bij Paula's huis, betaal die komiek van een taxichauffeur zijn afzettersloon, slenter langs de kapotte intercom en loop de naar pis stinkende trap op.

Paula omhelst mij, laat me binnen, nodigt me uit in haar gezellige voorkamer en zorgt voor thee en biscuitjes. Ik moet zeggen dat ze er goed uitziet, hoewel ze nog steeds iets heeft van een verkeersongeluk op pianopootjes. We blijven niet lang in Paula's huis en gaan ook niet naar haar kroeg, de beroemde Port Sunshine Tavern, omdat dat voor haar te veel snoepen uit eigen trommel is. Nee, we zetten meteen koers naar de Spey Lounge, en bij aankomst ben ik opgelucht en tegelijkertijd teleurgesteld door de afwezigheid van bekende gezichten.

Paula speelt een beetje met haar drankje, en ze glimlacht met een ietwat zelfvoldane uitdrukking op haar gezicht. 'Ja, ik heb lang genoeg in die kroeg gestaan. Ik heb tegenwoordig mijn eigen leven, jongen,' deelt ze mee. 'Weet je, ik heb een man ontmoet...'

Ik staar Paula aan en besef dat mijn wenkbrauwen onwillekeurig omhooggaan à la Leslie Phillips, maar ik kan er niks aan doen. Ik hoef haar echter niets in te fluisteren om haar onmiddellijk te laten overschakelen op haar favoriete onderwerp. Paula is altijd dol op mannen geweest. Een van de herinneringen uit mijn puberteit die mij het best zijn bijgebleven, is toen ik met haar slowde op het huwelijk van mijn zus, met haar hand stevig op mijn kont, terwijl Bryan Ferry *Slave to Love* zong.

'Hij is Spaans, een heel leuke man, met een eigen huis in Alicante. Ik ben er al een keer geweest. Hij wil dat ik bij hem intrek. Lekker in de zon, dit ouwe lijf eens lekker laten verwennen.' Ze perst haar dijen tegen elkaar en rolt haar onderlip als een rode loper uit, 'daar gaat het om, Simon. Iedereen hier zegt tegen mij,' zegt ze snuivend, en spottend betrekt ze het hele havengebied van Leith in haar brede armgebaar, '"Paula, je houdt jezelf voor de gek, dat houdt nooit stand." Begrijp me goed, ik maak me geen illusies. Als het niet standhoudt, dan maar niet. Wat houdt er eigenlijk wel stand? Ik hou mezelf net zo hard voor de gek als ik zelf wil,' zegt ze. Ze neemt een laatste teug uit haar glas, stopt het schijfje citroen in haar mond, maalt het fijn tussen die valse kiezen van haar, zuigt er de laatste druppels sap uit, en spuugt het als een verfomfaaid velletje terug in het lege glas. Er is niet veel fantasie voor nodig om in dat schilletje citroen een doodsbange Spaanse pik te zien.

Paula heeft me de wind al uit de zeilen genomen, niet dat ik haar plezier wil vergallen en allerlei bezwaren ga bedenken. Haar vertrouwen in mij is aandoenlijk: de leugens die ik vertel over mijn succes in de Londense vermaakscentra maken indruk op haar. Ze wil dat ik de Port Sunshine van haar overneem. Het probleem van de twintig ruggen die ze voor die zwijnenstal wil hebben is verrassend snel opgelost: ze stelt voor dat ik pas begin met afbetalen zodra de kroeg winst begint te maken. Tot die tijd blijft ze mijn stille vennoot.

Die tent is een potentiële goudmijn, hij moet alleen goed worden aangepakt. Je voelt hoe de stedelijke verbetering van de omgeving langzaam vanaf de kust dichterbij komt en de huizenprijzen opjaagt, en ik hoor de kassa al rinkelen nadat ik de Port Sunshine heb veranderd van een ordinair zuiphol in dé tent voor het volkje van New Leith. Het heeft allerlei mogelijkheden, een zaal achter de bar en een bar boven die al heel lang dicht is en gebruikt wordt als rommelhok.

Ik moet een vergunning aanvragen, dus nadat ik afscheid heb genomen van Paula, ga ik naar het gemeentehuis voor de benodigde formulieren. Daarna trakteer ik mezelf op een cappuccino (verrassend goed klaargemaakt voor Schotse begrippen) en een havermoutkoekje in de patisserie om de hoek. Ik bestudeer de gemeentelijke aanvraagformulieren en, denkend aan mijn zitslaapkamer in Hackney, begin ik ze in te vullen. Leith is op weg naar de top. Straks wordt het nog eerder op de Londense metro aangesloten dan Hackney.

Daarna ga ik naar het huis van mijn ouders in de South Side. Mijn moeder is dolblij als ze mij ziet, ze klemt me tegen haar borst en barst in snikken uit. 'Kijk, Davie,' zegt ze tegen mijn ouwe heer die zich nauwelijks los kan rukken van de tv, 'mijn jochie is er weer! Ach, lieverd, wat ben ik blij!'

'Kom nou ma... mama,' zeg ik ietwat gegeneerd.

'Wat zalle Carlotta blij zijn als ze je ziete! Enne Louisa!'

'Weet je, ik moet zo weer weg...'

'Ach jochie, jochie, jochie... nee toch...'

'Weet je wat het is, mam. Ik kom gauw weer terug. Voorgoed!'

Mijn moeder barst in tranen uit. 'Davie! Hore je datte? Ikke krijg mijn jochie were terug!'

'Ja, Paula zegt dat ik de Port Sunshine mag overnemen.'

Mijn ouwe heer draait zich om in zijn stoel en werpt mij een twijfelachtige blik toe.

'Watte is er mette je gezicht aan de hand?' vraagt mijn moeder.

'De Port Sunshine? Daar zou ik nog niet dood gezien willen worden. Het zit er vol met hoeren en revuemeiden,' merkt mijn vader spottend op. Die ouwe lul ziet er moe uit, met zijn door de zon verweerde gezicht. Het lijkt wel alsof hij voor zichzelf heeft toegegeven dat hij mijn moeder niet meer plat kan neuken zo vaak hij wil, of dat ze die halve zatlap op straat smijt, en hij is te zeer verzwakt om een andere geile teef te zoeken die achter hem aan rent, laat staan eentje die pasta kan maken zoals mijn moeder.

Ik geef toe aan haar verlangen naar een familiereünie en besluit te blijven slapen. Mijn kleine zusje Carlotta komt binnen en begint opgewonden te gillen, kust mij luidruchtig op beide wangen en belt Louisa op haar mobiel. Ik zit op de bank met aan elke kant een zusje dat mij overstelpt met liefkozingen, terwijl mijn ouwe heer wat zit te mopperen en mij een verbitterde blik toewerpt. Regelmatig trekt mijn moeder Carlotta of Louisa van de bank af en roept: 'Even oppestaan. Ikke wil even knuffelen mette mijne jochie. Niette te geloven, mijn jochie isse terug. Enne nog wel voorgoed ook!'

Ik ben dik tevreden met hoe de zaken ervoor staan en begeef mij in de richting van Sun City. Met verende tred loop ik over de Walk en adem de frisse zeelucht in terwijl het smerige Edinburgh overgaat in die prachtige havenwijk van mij. Ik ga naar de kroeg waar Paula de scepter zwaait, en een enorme ontgoocheling is mijn deel. De kroeg is zelf al een varkenskot – met oude, rode plavuizen op de vloer, formicatafeltjes, bruin doorrookte muren en plafond – maar het is de clientèle die me naar de keel vliegt. Het lijkt wel een stelletje zombies uit een film van George A. Romero dat zit weg te rotten onder de meedogenloze tl-lampen, waardoor de zondigheid van deze omgeving alleen maar ernstiger lijkt. Ik ken crackholen in achterafbuurten in Hackney en Islington die eruitzien als paleizen in vergelijking met dit openbaar toilet.

Leith? Hoe heb ik hier ooit weer een voet kunnen zetten? Nu mijn moeder verhuisd is naar de South Side, heb ik hier helemaal niets meer te zoeken. Jarenlang heb ik geprobeerd hier weg te komen. Ik sta aan de bar een whisky te drinken en kijk toe hoe Paula en haar vriendin Morag, die een evenbeeld is van Paula, maaltijden serveren aan die tandeloze oude cunts, alsof het hier een gaarkeuken is. Er dreunt ongelooflijk harde dansmuziek uit de jukebox aan de andere kant van de bar, waar een paar skeletachtige jongelui zitten te staren, rillen en snuiven. Ik wil weg uit de kroeg en uit Leith. De trein naar Londen staat klaar voor vertrek.

Ik neem afscheid en loop verder het nieuwe Leith in: de QE2, het Scottish Office, het Scotsman Building, de gerestaureerde havens, bodega's, restaurants en yuppiebehuizingen. Hier ligt de toekomst, slechts twee straten verderop, over een jaar of twee nog maar één straat. En dan is het bingo!

Het enige wat ik hoef te doen is mijn trots vergeten en een poosje afzien. Ondertussen moet er even eersteklas gezwendeld worden; de plaatselijke bevolking is veel te achterlijk om het tempo bij te houden van de hoofdstedelijke avonturier en durfal Simon David Williamson.

8 '...gewoon één lens...'

Rab maakt een nerveuze indruk. Hij plukt aan de huid rond zijn nagels. Als ik vraag wat er met hem is, zegt hij iets over ophouden met roken en dat er een baby op komst is. Het is het eerste teken, behalve de verwijzing naar die mysterieuze Terry, dat hij ook een leven heeft buiten de studentenwereld. De gedachte dat sommige mensen inderdaad een ander leven leiden is vreemd: afgesloten onafhankelijke gebieden, die opgebouwd zijn uit kleine compartimenten. Net als ik. En nu sta ik op het punt door te dringen tot een klein onderdeel van zijn geheime wereld.

Onze taxi begeeft zich hortend en stotend van het ene stoplicht naar het volgende, en de meter gaat net zo snel als een Schotse zomer. Hij stopt voor een kleine pub, maar hoewel er boven de deur een gele neonreclame hangt die weerkaatst op het grijsblauwe trottoir en je binnen rokerige stemmen luidkeels hoort lachen, gaan we niet naar binnen. Nee, we sluipen over een naar pis stinkend grindpad naast de kroeg en houden stil voor een zwart geverfde deur waar Rab een bepaalde code op klopt: di-di-di-di-di, di-di-di-di, di-di.

Ik hoor iemand van een trap naar beneden komen lopen, gevolgd door stilte.

'Ik ben het, Rab,' zegt hij, en hij roffelt een voetbaldreun op de deur.

Er wordt een grendel weggeschoven, er ratelt een ketting, en als een duveltje uit een doosje verschijnt er een krullenkop in de deuropening. Een paar gretige, half dichtgeknepen ogen herkennen Rab en bekijken mij vervolgens zo schaamteloos en aandachtig van top tot teen, dat ik de neiging krijg keihard om de politie te schreeuwen. Dan verdwijnt ieder spoor van dreiging of woede door de hitte van zijn gloeiendhete grijnslach, die zich, als door de hand van een beeldhouwer, uitstrekt tot op mijn gezicht en daar dezelfde vorm aanneemt. Zijn grijns is ongelooflijk en verandert zijn gezicht van dat van een agressieve gek in dat van een ongetemd genie dat beschikt over de diepste geheimen van de wereld. Hij kijkt naar links en rechts en stelt vast dat er verder niets te zien is in de steeg.

'Dit is Nikki,' stelt Rab mij voor.

'Kom binnen, kom binnen,' knikt hij.

Rab werpt mij een snelle blik toe waaruit 'weet je het zeker?' spreekt, en stelt die andere gast voor: 'Dit is Terry,' en ik reageer door over de drempel te stappen.

'Terry Sap,' zegt die lange krullenkop glimlachend, en hij doet een stap opzij om mij als eerste de smalle trap op te laten lopen. Hij volgt mij zwijgend, zodat hij uitgebreid mijn kont kan bekijken, neem ik aan. Ik doe het kalm aan, en maak hem duidelijk dat ik niet onder de indruk ben door zijn gedrag. Laat hém maar onder de indruk zijn.

'Fantastische kont, Nikki, dat wil ik je wel vertellen,' zegt hij enthousiast. Ik geloof dat ik hem meteen al mag. Dat is mijn zwakte: ik laat me te snel inpakken door het verkeerde type. Dat zegt iedereen altijd: mijn ouders, leraren, trainers en zelfs leeftijdgenoten.

'Dank je, Terry,' zeg ik op gereserveerde toon en, boven aangekomen, draai ik me naar hem om. Zijn ogen stralen, ik kijk hem aan en houd zijn blik vast. Zijn grijns wordt nog breder, hij knikt naar een deur, ik doe hem open en ga naar binnen.

Soms ben je totaal verbluft doordat een ruimte helemaal anders is dan je had verwacht. Als de zomer ten einde loopt en alles blauw, grijs en paars wordt. De lucht in je longen, puur en verfrissend, en plotseling wordt het koud en je kruipt tegen elkaar aan, op zoek naar warmte, in zwakverlichte kroegen, ver weg van gelegenheden als Witherspoon, Falcon and Firkin, All Bar One en O'Neill waar zich in alle stadscentra in Groot-Brittannië het saaie, gemeenschappelijke, gekoloniseerde sociale leven afspeelt. Kijk om je heen en vind waar het echte leven zich afspeelt. Meestal niet verder dan een stevige wandeling of een paar haltes met de bus, maar echt ver is het nooit. En dit is zo'n plek; de indruk dat ik in een ander tijdperk terecht ben gekomen is zo overweldigend dat ik er ondersteboven van ben. Ik ga naar het toilet om even van de schrik te bekomen. Het damestoilet is een soort recht overeind staande Egyptische sarcofaag, nauwelijks groot genoeg om in te zitten, met een kapotte wc, geen pleepapier, gescheurde tegels, een fonteintje zonder water met daarboven een gebarsten spiegel. Ik werp er een blik in en zie tot mijn opluchting dat een aankomend puistje verdwenen is. Ik heb rode vlekken op mijn wangen, maar die worden minder. Komt door de rode wijn. Ik moet geen rode wijn drinken, maar dat lijkt me geen probleem in deze tent. Ik breng wat eyeliner aan en nog wat van die paarsrode lippenstift, en borstel snel mijn haar. Dan haal ik diep adem en verlaat het toilet, klaar om deze nieuwe wereld te betreden.

Er zijn heel wat ogen op mij gericht, ogen die ik vaag had gezien toen ik naar het toilet ging, maar die ik had verdrongen. Een meisje met kort, zwart haar werpt mij een ronduit vijandige blik toe. Ik zie dat Terry in mijn richting kijkt en vervolgens een teken geeft aan een vrouw die achter de bar staat. De ruimte is halfvol, maar ik besluit Terry in het oog te houden.

'Hé, Birrell, lul, laat ze maar binnenkomen,' zegt hij tegen Rab zonder zijn blik van mij af te wenden. 'Dus jij bent een collega van Rab, Nikki. Dat is dan zeker...' Terry zoekt naar een woord, vindt het, verwerpt het, bedenkt een ander, verwerpt dat ook. 'Nee, sommige dingen zijn te erg voor woorden.'

Ik moet lachen om zijn act. Wat een giller, die gast. De tijd is nog niet rijp om hem de ballen te breken, dat kan altijd nog. 'Ja, ik zit ook op de universiteit. We doen dezelfde studie: filmwetenschappen.'

'Ik zal je vanavond eens een film laten zien om te bestuderen! Kom maar naast me zitten,' zegt hij, en hij wijst naar een stoel in de hoek, als een trots kind dat wil laten zien wat hij op school heeft gepresteerd. 'Zijn er nog meer zoals jij aan de universiteit?' vraagt hij, hoewel de vraag aan Rab lijkt te zijn gericht. Ik heb al snel ontdekt dat Terry en ik het allebei leuk vinden om Rab dwars te zitten. Dat hebben we in ieder geval gemeen.

Wij zitten in een hoek vlak bij twee jonge vrouwen, een echtpaar en de barjuffrouw.

Terry draagt een oude, zwarte Paul and Shark-fleece met rits met daaronder een T-shirt met V-hals. Verder een Levi-spijkerbroek en Adidas-gympen. Hij heeft een gouden ring om zijn vinger en een ketting om zijn hals. 'Dus jij bent de beroemde Terry,' zeg ik, in de hoop dat hij erop zal reageren.

'Ja,' zegt Terry op zakelijke toon, alsof zijn reputatie zowel alom bekend als omstreden is. 'Terry Sap,' herhaalt hij. 'We vertonen nu de film die we laatst hebben opgenomen.'

Een stel oude en minder oude mannen komt binnen en neemt plaats op stoelen die in rijen voor het projectiescherm staan opgesteld. Er heerst de sfeer van een voetbalwedstrijd. Er wordt vrolijk gepraat, er gaan grappen en drankjes rond, en het vijandig kijkende meisje haalt het toegangsgeld op. Terry schreeuwt tegen die mollige, dreigend kijkende vrouw: 'Gina, doe de gordijnen eens dicht, meid.'

Ze werpt hem een chagrijnige blik toe, wil iets zeggen, maar bedenkt zich.

De voorstelling begint, en de film is duidelijk opgenomen met een goedkope digitale videocamera; één camera, niet gemonteerd, gewoon één lens, die in- en uitzoomt. Hij staat gemonteerd op een statief, want het beeld is statisch, het is een ononderbroken opname van neukende mensen, in plaats van een geslaagde poging tot een rolprent. De beeldkwaliteit is prima, je ziet duidelijk dat Terry neukt met die Gina van achter de bar, liggend op de bar waar nu de drankjes worden geserveerd.

'Ja, ik ben vorig jaar nogal afgevallen,' fluistert hij tegen mij, kennelijk dik tevreden, en hij slaat zich in de zij waar vroeger blijkbaar zijn neukteugels zaten. Ik kijk even naar hem, maar kan nauwelijks mijn ogen van het scherm afhouden terwijl een jong meisje, 'Melanie,' fluistert Terry, in beeld verschijnt. Hij knikt naar de bar en ik herken haar als het meisje dat daarnet nog achter de bar stond. Ze ziet er anders uit op het witte doek, echt sexy. Inmiddels past Gina cunnilingus op haar toe. Iemand maakt een opmerking, er wordt gegniffeld en Melanie glimlacht gegeneerd, maar alom wordt gesist om stilte. Er is nauwelijks geluid te horen, op wat gehijg en een enkele opmerking na en Terry die zachtjes dingen zegt als 'toe maar', 'zo ja', en 'goed zo, mop'. Er verschijnt een blond meisje in beeld, hij begint haar te vingeren en zij zuigt hem af. Dan laat hij haar voorover plaatsnemen op een bank en begint haar van achteren te neuken. Ze kijkt recht in de camera en haar grote borsten wiebelen heen en weer. Plotseling verschijnt Terry's hoofd boven haar schouder, hij kijkt recht in de lens, knipoogt en zegt iets wat klinkt als 'krenten in de pap'. 'Ursula, een Zweeds wijf,' fluistert hij tegen mij, 'of misschien Deens... hoe dan ook, ze is au pair, ze is vaak in de buurt van de Grassmarket. Neukt als de konijnen,' legt hij uit. Andere spelers komen nu ook in beeld en Terry maakt zo nu en dan opmerkingen in de trant van: '...Craig... kameraad van mij. Neukt als de beste. Niet zo'n lange lul, maar totaal oversekst. Die redt zich wel... Ronnie... die gast neukt ook voor het vaderland weg...'

De film eindigt in een soort vrij neuken voor alle medespelers, en het camerawerk wordt er niet bepaald beter op. Soms zie je alleen maar een roze waas. Plotseling zie je op de achtergrond hoe Gina lijntjes coke aan het uitleggen is, alsof ze genoeg heeft van de seks. De film moet heftig worden gemonteerd. En dat wil ik net tegen Terry zeggen, als hij merkt dat het publiek zich begint te vervelen; hij zet de projectie stop en zegt glimlachend: 'Dat was het dan, mensen.'

Na de voorstelling zit ik nog even met Rab te praten aan de bar, en ik vraag hem hoelang dit al gaande is. Hij wil mij antwoord geven, maar Terry staat plotseling naast me en vraagt: 'Nou, wat vond je ervan?'

'Amateurs,' antwoord ik, harder en door de drank aanmatigender dan de bedoeling was, terwijl ik mijn haar naar achteren schud. Ik schrik van mijn eigen woorden als ik merk dat Gina mij misschien gehoord heeft en zij me een ijskoude, kwaadaardige blik toewerpt.

'En kun jij het beter, dan?' vraagt hij, met opgetrokken wenkbrauwen en half geloken ogen.

Ik kijk hem recht in de ogen. 'Jawel,' zeg ik.

Hij rolt met zijn ogen en krabbelt driftig een nummer op een bierviltje. 'Wanneer je maar wilt, mop, wanneer je maar wilt,' zegt hij zachtjes.

'Daar hou ik je aan,' zeg ik, tot ongenoegen van Rab die heeft meegeluisterd en in ieder geval de kern van ons gesprek moet hebben opgevangen.

Plotseling valt mijn oog op de twee andere gasten uit de film, Craig en Ronnie. Craig is een magere, gespannen kettingroker met modieus gekapt, lichtbruin haar, Ronnie een relaxte gast met sluik blond haar en dezelfde idiote grijns als in de film, hoewel hij in levenden lijve dikker lijkt.

Even later komt Ursula, het Scandinavische meisje, binnen, en Terry stelt haar aan ons voor. Ze werpt mij eerst een ijzige blik toe, maar begroet mij dan met overdreven warmte. Ursula ziet er in het echt niet zo goed uit als in de film; ze is nogal gedrongen van uiterlijk, heeft zelfs iets van een trol. Ze vraagt of ik iets wil drinken en het ziet ernaar uit dat het feestje nog even doorgaat, maar ik verontschuldig me en besluit naar huis te gaan. Er staat wellicht iets interessants te gebeuren, maar die blik van Terry zegt me dat ik niet al mijn kaarten in één keer op tafel moet leggen. Hij wacht wel. Ze wachten allemaal wel. En bovendien moet ik nog een essay schrijven.

Thuis aangekomen, zie ik dat Lauren nog op is, ze zit te praten met Dianne, die inmiddels is ingetrokken. Lauren lijkt gepikeerd te zijn omdat ik uitgegaan ben, omdat ik niet geholpen heb, omdat ik Dianne niet geholpen heb, of wat dan ook. Het is duidelijk dat ze pislink op mij is omdat ik naar die pornoshow gegaan ben, maar ze wil zo te zien wel dolgraag van me weten hoe het was.

'Hé, Dianne! Sorry, maar ik moest weg,' zeg ik.

Dianne lijkt het niet erg te vinden. Ze komt over als een knappe, relaxte vrouw met wie ik het goed zal kunnen vinden; ze heeft dik, zwart, schouderlang haar, en draagt een blauwe haarband. Ze heeft levendige, sprankelende ogen. Ze heeft een dunne, ietwat spottende mond en als ze die opendoet, verschijnen er grote, witte tanden, waardoor haar uitdrukking totaal verandert. Ze heeft een blauw sweatshirt aan, een blauwe spijkerbroek en gympen. 'Was het leuk?' vraagt ze met een plaatselijk accent.

'Ik ben naar een pornoshow geweest, in een kroeg,' zeg ik.

Ik zie dat Lauren bloost van schaamte. Ze zegt: 'Dat hoeven we echt niet allemaal te weten, hoor, Nikki.' Het klinkt vreselijk sneu, ze is net een puber die volwassen probeert te doen maar zichzelf daardoor alleen maar kinderachtiger voordoet.

'En was het iets?' vraagt Dianne koeltjes, tot Laurens afgrijzen.

'Ging wel. Ik was met het vriendje van Lauren,' zeg ik.

'Hij is mijn vriendje helemaal niet. Hij is ook een vriend van jou!' zegt ze te hard, beseft het, en voegt er zachtjes aan toe: 'Gewoon iemand die ik ken van mijn studie.'

'Verdomd interessant,' zegt Dianne, 'want ik doe onderzoek voor mijn scriptie psychologie onder mensen die werkzaam zijn in de seksindustrie. Je weet wel, prostituees, *lap-dancers*, stripteasedanseressen, escortmeisjes, callgirls, meisjes die werken in massagesalons, dat soort lui.'

'Hoe gaat het?'

'Het valt niet mee om mensen te vinden die erover willen praten,' zegt ze.

Ik glimlach tegen haar. 'Misschien kan ik je wel helpen.'

'Dat is fantastisch,' zegt ze en we spreken af om een keer te praten over mijn werk in de sauna, waar ik morgenavond weer heen moet. Ik ga halfdronken naar mijn kamer en probeer me te concentreren op mijn essay voor McClymont op de computer. Na een paar bladzijden beginnen mijn ogen dicht te vallen, en ik moet lachen om een bepaalde stomme zin: 'Het is onmogelijk om te ontkomen aan de bewering dat migrerende Schotten iedere samenleving waarmee ze in aanraking kwamen, hebben verrijkt.' Die zin is speciaal voor McClymont. Ik noem natuurlijk niet de rol die ze hebben gespeeld in slavernij, racisme of het opzetten van de Ku Klux Klan. Na een poosje worden mijn ogen zwaar, ik ga op mijn bed liggen en begin aan een hete, onrustige reis, en plotseling ben ik heel ergens anders...

...hij klemt zich aan mij vast... die geur... en haar gezicht op de achtergrond, haar scheve en gretige glimlach, terwijl hij me over de bar duwt alsof ik van rubber ben... die stem, commanderend, aansporend... en in het publiek zie ik de gezichten van mijn vader, moeder en mijn broer Will, en ik probeer te schreeuwen... hou alsjeblieft op... alsjeblieft... maar het is alsof ze me niet kunnen zien, en ik voel alleen maar handen die me vastgrijpen en kietelen...

Het was een onrustige, onbevredigende, alcoholische slaap. Ik kom overeind en mijn hoofd bonkt. Ik voel braakneigingen opkomen en weer wegtrekken, en daarna zit ik met een bonzend hart en stinkend zweet op mijn gezicht en onder mijn oksels op de rand van mijn bed.

De computer staat nog aan, en als ik de muis aanraak, verschijnt het essay voor McClymont als een soort uitdaging weer op het scherm. Ik móét het op tijd inleveren. Ik merk dat Dianne en Lauren naar bed zijn, dus ik zet een kop koffie, lees het essay opnieuw, verander er hier en daar wat aan, controleer het aantal woorden, installeer de spellingchecker en druk op 'print'. Het essay moet voor twaalf uur op de universiteit zijn; terwijl de drieduizend benodigde woorden op papier verschijnen, ga ik naar de badkamer, spoel onder de douche al het alcoholische zweet en de smerige sigarettenrook weg, en was mijn haar grondig.

Ik smeer vochtinbrengende crème op mijn gezicht, breng wat make-up aan, trek mijn kleren aan, en pak mijn spullen voor de sauna in een tas. Ik loop snel over de Meadows, en ben mij zo nu en dan bewust van de stevige, koude bries als het papier dubbelvouwt terwijl ik mijn essay probeer te lezen. Ik realiseer me dat de Amerikaanse spellingchecker mijn Britse 's'en heeft veranderd in 'z'en en dat er 'u's zijn weggelaten, iets waar McClymont ongehoord geïrriteerd om kan raken en dat waarschijnlijk de pluspunten voor mijn slijmerige opmerkingen teniet zal doen. Als ik er al een voldoende voor krijg, dan is het een kleintje.

Ik lever het om 11.47 uur in op het faculteitskantoor, en na een kop koffie en een broodje begeef ik me naar de bibliotheek waar ik de rest van de middag filmscripts lees, totdat ik om een uur of vijf naar de sauna ga.

De sauna is gelegen aan een smalle, smerige, naargeestige toegangsweg tot het stadscentrum. De geur van hop, afkomstig van de nabijgelegen brouwerij, is vies als je gedronken hebt, alsof je het lekbier van gisteren in je gezicht gesmeten krijgt. Het vettige roet van de passerende bussen en vrachtwagens heeft de gevels met een permanente zwarte laag bedekt, en de *Miss Argentina Latin Sauna and Massage Parlour* vormt daarop geen uitzondering. Binnen is alles echter brandschoon. 'Denk erom, goed schoonmaken,' drukt eigenaar Bobby Keats ons voortdurend op het hart. Er is meer schoonmaakmiddel dan massageolie aanwezig, en dat moeten we in ruime mate toepassen. De rekening van de wasserij voor de schone handdoeken moet astronomisch zijn.

Er hangt voortdurend een synthetische geur in de lucht. Maar alle zeep, mondwater, lotion, olie, talkpoeder en lekkere luchtjes die worden gebruikt om de geur van sperma en zweet te maskeren, lijken de smerigheid buiten alleen maar te versterken.

We moeten eruitzien en ons gedragen als stewardessen. In de sfeer van de naam van zijn sauna neemt Bobby alleen meisjes aan die een Latijns-Amerikaans uiterlijk hebben. Het draait allemaal om een professionele aanpak. Mijn eerste klant is een kleine, grijze man genaamd Alfred. Nadat ik zijn gespannen rug een stevige aromatische massage heb gegeven met uitgebreid gebruik van lavendelolie, vraagt hij nerveus om de 'extra's', en ik bied hem een 'speciale massage' aan.

Onder de handdoek pak ik zijn penis, en ik begin er langzaam overheen te wrijven, terwijl ik mij ervan bewust ben dat ik niet goed ben in aftrekken. Ik heb dit baantje alleen nog omdat Bobby mij aardig vindt. Ik moet denken aan de geschriften van De Sade waarin ontvoerde meisjes onderwezen worden in de kunst van de mannelijke masturbatie bij oudere mannen, maar ook aan mijn eigen ervaringen, en ik heb alleen mijn eerste twee vriendjes afgetrokken, Jon en Richard, met wie ik nooit geneukt heb. Sindsdien associeer ik een jongen aftrekken met niet neuken, en zodoende is het van mijn seksuele menu verdwenen.

Soms klagen de klanten en volgt de dreiging van ontslag. Maar na een poosje ontdekte ik dat het bij Bobby op dit punt veel geschreeuw en weinig wol was. Hij nodigt mij regelmatig uit voor diverse gelegenheden: feestjes, casino's, belangrijke voetbalwedstrijden, filmpremières, bokswedstrijden, paarden- en hondenrennen, of gewoon 'een drankje' of 'een hapje eten' in het 'chique restaurant van een vriendje'. Ik bedenk altijd een excuus of sla de uitnodiging beleefd af.

Gelukkig is Alfred te geil om iets te merken, laat staan te klagen. Van ieder seksueel contact komt hij klaar, en binnen de kortste keren spuit hij in mijn hand en betaalt mij vol erkentelijkheid. Veel van de andere meisjes, die ook pijpen en zelfs neuken, verdienen niet zoveel als ik, dat weet ik zeker, ook al ben ik niet eens zo goed in het aftrekken. Mijn vriendin Jayne, die hier al veel langer werkt dan ik, vertrouwt mij zelfvoldaan toe dat het niet lang duurt voordat ik mijn klanten ook de volledige behandeling geef. Ik zeg dan steeds 'geen sprake van', maar soms denk ik wel eens dat ze gelijk heeft, dat het onvermijdelijk is en slechts een kwestie van tijd.

Nadat mijn dienst erop zit, kijk ik op mijn mobiel of er boodschappen voor mij zijn binnengekomen. Lauren meldt dat ze ergens iets gaan drinken, en ik bel haar en we spreken af in een kroeg in Cowgate. Lauren is in gezelschap van Dianne en Lynda en Coral, twee studiegenootjes. De Bacardi Breezers vloeien rijkelijk en binnen de kortste keren zijn we allemaal weer bezopen. Na sluitingstijd gaan Dianne, Lauren en ik terug naar onze flat in Tolcross. 'Heb jij een vriendje, Dianne?' vraag ik, terwijl we in de richting van Chambers Street lopen.

'Nee, ik wil eerst mijn scriptie af hebben,' zegt ze op nogal preutse toon, en Lauren knikt instemmend, maar ze schrikt zich rot als Dianne eraan toevoegt: 'en dan ga ik alles neuken wat een pik heeft, want ik word godverdomme niet goed van dat celibataire leven!' Ik begin te gniffelen en ze begint keihard te lachen: 'Pikken! Grote pikken, kleine pikken, dunne pikken, dikke pikken, besneden, onbesneden! Blank, zwart, geel of rood. Zodra ik die scriptie heb ingeleverd, breekt er een nieuwe tijd voor mij aan, ingeluid door een hartelijk KUKE LUL KUUUU!' Ze brengt haar handen aan de mond, en staande voor het museum kraait ze luidkeels in de nacht, terwijl Lauren in elkaar krimpt en ik in mijn broek pis van het lachen. Dat wordt nog leuk met die meid in de flat.

De volgende ochtend voel ik me brak en tijdens de colleges reageer ik geïrriteerd en pissig tegen ene Dave, die op onhandige wijze met mij probeert te flirten. Lauren is in geen velden of wegen te bekennen, ze moest waarschijnlijk meer bezopen zijn geweest dan ik dacht. Ik voeg me bij Rab die met Dave en ene Chris op George Square staat te praten. We steken George Square over naar de bibliotheek, en Rabs profiel tekent zich af tegen een plotselinge straal zonlicht.

'Ik ga niet naar de bibliotheek, ik ga even naar huis,' zeg ik.

Hij kijkt enigszins verongelijkt, verlaten zelfs. 'Oké...' zegt hij.

'Ik ga naar mijn flat, even blowen. Ga je mee?' bied ik aan. Dianne heeft gezegd dat ze de hele dag weg is, en ik hoop dat Lauren ook niet thuis is.

'Nou ja, oké dan,' zegt hij. Rab houdt wel van een joint zo nu en dan.

Wij zijn in mijn flat en ik heb een joint gedraaid en een cd van Macy Gray opgezet. Rab heeft de tv aangezet met het geluid uit. Het lijkt erop dat hij zoveel mogelijk referentiepunten zoekt. Er is vanavond een zuippartij in een kroeg aan de Grassmarket ter gelegenheid van de verjaardag van Chris. Rab houdt niet zo van dat drinken met de andere studenten. Hij gaat wel vriendelijk met ze om, maar je kunt merken dat hij ze eigenlijk maar domme rukkers vindt. Daar ben ik het mee eens. Ik wil niet zozeer bij Rab in zijn broek komen, als wel deel uitmaken van zijn wereld. Ik weet gewoon dat hij veel meer heeft gedaan en meegemaakt dan hij laat merken. Ik vind het een fascinerend idee dat hij zich ophoudt in een bepaalde zone waar ik vrijwel niets van weet. Bij mensen als Terry Sap gaat er een hele andere, vreemde wereld open. 'Gaat iedereen na de workshop meteen naar huis?' vraag ik. De workshop stelt niets voor, maar in de cursus is het onze enige concessie op weg naar het echte filmwerk. En het is niet verplicht. Maar daar wil ik het met Rab niet over hebben.

'Ja, volgens Dave wel,' zegt hij; hij neemt een diepe haal en houdt de rook onwaarschijnlijk lang binnen.

'Ik ga me even omkleden,' zeg ik, ga naar de slaapkamer en trek mijn spijkerbroek uit. Ik bekijk mezelf in de spiegel, loop naar de keuken en vandaar naar de zitkamer, waar ik achter hem ga staan. Zijn haar staat een beetje overeind, althans één lok. Die heeft me de hele dag beziggehouden. Nadat we gevreeën hebben en ik recht heb op dat soort intimiteiten, ga ik die lok natmaken en plat strijken. Ik ga naast hem op de bank zitten in mijn rode, mouwloze topje en witkatoenen slipje. Hij kijkt tv, naar cricket met het geluid uit. 'Eerst nog een haal,' zeg ik, en strijk mijn haar naar achteren.

Rab blijft naar dat geluidloze kutcricket kijken.

'Die kameraad van jou, die Terry, dat is me er eentje, zeg,' deel ik lachend mee. Het klinkt een beetje geforceerd.

Rab haalt zijn schouders op. Dat doet hij nogal vaak. Zijn schouders voor iets ophalen. Maar waarvoor? Gevoelens van gêne? Van ongemak? Hij geeft me de joint en probeert niet naar mijn benen en mijn witte slipje te kijken, en het lijkt hem te lukken. Het lukt hem, godverdomme, om doodkalm en relaxed te blijven. Niet dat hij homo is, hij heeft een vriendin, en hij zit mij hier een beetje te negeren...

Ik merk dat mijn stem iets hoger klinkt, iets wanhopiger. 'Jij vindt ons maar een stel viezeriken, niet, mensen als Terry? En ik, die daar mee naartoe ga? Maar je weet toch dat ik niks gedaan heb, althans deze keer niet,' giechel ik.

'Nou ja... ik bedoel, dat moet je zelf weten,' zegt Rab. 'Ik heb je gezegd waar hij mee bezig is. Ik heb je gezegd dat hij wilde dat je mee zou doen. Je moet zelf weten of je meedoet.'

'Maar eigenlijk ben je het er niet mee eens, net als Lauren. Ze ontloopt me, weet je dat,' zeg ik en neem nog een haal.

'Ik ken Terry langer dan vandaag. We zijn al duizend jaar vrienden. Ik weet hoe hij is, ja, maar als ik het er niet mee eens was geweest, dan zou ik je heus niet aan hem hebben voorgesteld,' zegt Rab zakelijk, en hij slaat een nonchalant volwassen toon aan, waardoor ik me bijna een aanstellerig kind voel.

'Maar het is gewoon neuken, voor de lol, meer niet. Ik zal heus niet voor hém vallen,' leg ik uit, en ik voel me nog stommer en zwakker worden.

'Maar jij...' begint hij, zwijgt, en kijkt me aan met zijn hoofd nog steeds tegen de rugleuning van de bank. 'Ik bedoel, jij moet zelf weten met wie je neukt.'

Ik kijk hem recht aan en leg de joint in de asbak. 'Was dat maar waar,' zeg ik.

Maar Rab zwijgt, wendt het hoofd af en kijkt gespannen naar de buis. Naar dat stomme kutcricket. Schotten horen een pesthekel te hebben aan cricket. Dat vond ik altijd juist zo leuk aan hen.

Maar zo gemakkelijk komt hij er niet van af. 'Ik zei, was dat maar waar.'

'Wat bedoel je?' zegt hij, en er klinkt iets van twijfel door in zijn stem.

Ik duw mijn been tegen het zijne. 'Ik zit hier in mijn slipje, en ik wil dat je het uittrekt en met me neukt.'

Ik voel hoe hij verstart onder mijn aanraking. Dan kijkt hij me aan, en plotseling trekt hij mij naar zich toe en tegen zich aan, maar het voelt stijf, ruw en hatelijk aan, een en al woede en geen hartstocht, en dan is het weer vervlogen en hij trekt zich weer terug.

Ik kijk uit het raam. Ik zie een stel mensen in de flat tegenover de mijne met elkaar zitten praten. Natuurlijk. Ik sta op en doe het gordijn dicht. 'Komt het door het gordijn?'

'Het heeft niets met het gordijn te maken,' snauwt hij. 'Ik heb een vriendin en ze is zwanger.' Hij zwijgt even en vervolgt dan: 'Dat zegt jou misschien niks, maar voor mij betekent het heel veel.'

Er gaat een golf van woede door mij heen en ik heb zin om te zeggen, ja, je hebt gelijk, godverdomme. Het zegt mij niks. Minder dan niks zelfs. 'Ik wil met je neuken, meer niet. Ik wil heus niet met je trouwen, hoor. En als je liever cricket kijkt, dan ga je je gang maar.'

Rab zegt niets, maar zijn gezicht staat strak en zijn ogen beginnen te fonkelen. Ik sta op en voel de pijn van de afwijzing, tot diep in mijn vezels.

'Het is niet dat ik je niet aardig vind, Nikki,' zegt hij. 'Godverdomme, ik zou wel gek zijn als ik dat niet deed. Het is alleen...'

'Ik ga me omkleden,' zeg ik op scherpe toon, en ga naar de slaapkamer. Ik hoor de voordeur, dat moet Lauren zijn.

9 Project nr. 18.736

In de hal stinkt het naar kattenpis als ik de post opraap van de deurmat, maar het goede nieuws beurt mij enigszins op. Het is nu officieel! Ik heb een vergunning. Eindelijk, godverdomme, keert Simon David Williamson, plaatselijk zakenman, terug naar zijn roots in Leith, dankzij de medewerking van de gemeente Edinburgh. Ik heb altijd gezegd dat Leith een ideale plek is, en SDW kan een sleutelrol spelen in de wedergeboorte van het havengebied.

Ik zie de koppen al voor me in de *Evening News*: Williamson, een van de nieuwe generatie dynamische ondernemers uit Edinburgh in gesprek met John Gibson van de *News*, eveneens afkomstig uit Leith.

JG: *Simon, wat is dat toch met Leith, dat mensen als jij en Terence Conran, allebei met je eigen succesverhaal in Londen, ervoor kiezen er zo zwaar in te willen investeren?*

SDW: *Nou John, ik had het er laatst toevallig met Terry over tijdens een liefdadigheidslunch, en we kwamen tot dezelfde conclusie: Leith gaat het helemaal maken, en wij willen deel uitmaken van dat succesverhaal. Omdat ik hier geboren en getogen ben, is het vooral voor mij erg belangrijk. Ik ben van plan de Port Sunshine te handhaven in zijn staat van traditionele pub, maar hem up te graden zodra de wijk daaraan toe is. Dat zal niet van de ene dag op de andere gebeuren, maar ik beschouw mijn aanpak als een motie van vertrouwen richting Leith. Ik overdrijf niet als ik zeg dat ik hou van die oude haven. Ik vlei me met de gedachte dat Leith altijd goed is geweest voor mij en ik voor haar.*

JG: *Dus Leith is op de goede weg?*

SDW: *John, Leith is veel te lang een statige oude dame geweest. Ja, wij houden van haar, want ze straalt iets warms en moederlijks uit: een zware, zachte boezem waar je op koude, donkere winteravonden in kunt verdwijnen. Maar ik wil van haar een jong, sexy wijf maken, en als haar pooier wil ik die fucking slet tot het uiterste uitbuiten. Met andere woorden: keiharde business. Ik wil dat er in Leith keihard zaken wordt gedaan. Als mensen het woord 'Leith' horen, moeten ze onmiddellijk denken aan 'zaken'. De haven van Leith, voor al uw zaken.*

Ik bestudeer de brief van raadslid Tom Mason, voorzitter van de afdeling vergunningen van de gemeenteraad.

Gemeente Edinburgh

AFDELING VERGUNNINGEN

17 januari

Geachte Heer Williamson,

Het doet mij genoegen u hierbij te kunnen meedelen dat uw aanvraag voor een drank- en slijtvergunning voor het perceel kadastraal bekend als Murray Street 56, EH6 7ED, plaatselijk ook bekend als de Port Sunshine Tavern, is ingewilligd. De vergunning wordt verstrekt op voorwaarde van naleving van de condities vermeld in bijgaande overeenkomst.

U wordt verzocht beide exemplaren te ondertekenen en voor maandag 8 februari aan ons terug te zenden.

Hoogachtend,

T. J. Mason
Hoofd Afdeling Vergunningen

Tom en ik moeten maar eens een keer afspreken, voor een rondje golf op Gleneagles misschien, zodra Sean Connery weer eensj in de sjtad isj. Dan pauzeren we even bij de negentiende hole, en vertel ik Tom over mijn plannen voor een tweede Café-Bar, een eindje verder aan Leith Walk. Missjchien isj Sean ook wel bereid een kleine invesjteering te doen om deezje sjtad losj te rukken uit die fucking middelmaat waarin ze al eeuwen vastzit.

Ja, Sjimon, er zjijn hier zjeer zjeker mogelijkheden om te invesjteren. Maar eerst moeten we af zjien te komen van van dat geteisjem waaruit de huidige clientèle van deezje pub besjtaat.

Precjies, Sean. Voor dat sjoort volk isj geen plek in het nieuwe Leith.

10 Counseling

Dus die meid, die Avril, vraagt waar ik down van word en ik denk na... nou, Hibernians en regen, zeg maar. Dan denk ik bij mezelf, nou nee, want als Hibernians wel goed spelen, voel ik me soms nog steeds down, dus dat klopt niet altijd. Maar ik zie die gasten in het smaragdgroen natuurlijk het liefst gewoon winnen. Maar eigenlijk is het een kutsmoes, nou, dat van die regen misschien niet, want van regen word ik altijd somber. Als kind hielp het nog wel eens als ik een plaatje draaide, maar dat kan nu niet meer want de meeste platen ben ik kwijt, man, allemaal verkocht aan die tweedehandswinkels die je steeds meer ziet langs de Walk, zoals *Vinyl Villains*, en van de opbrengst kocht ik bruin, wat ik kookte en in mijn aderen spoot.

Zelfs Zappa ben ik kwijt, man, ik bedoel Frank Zappa, niet Zappa de kat, zeg maar. Ik doe zó mijn best om van de heroïne af te blijven, maar ik ben dol op speed en er is momenteel ontzettend veel spul op de markt en weet je, als het uit begint te werken, dan is er niks zo lekker als wat bruin om het een beetje draaglijk te maken, zeg maar.

Die Avril van de groep hier vindt dat alle aanwezigen een soort project moeten vinden, man, om de verveling te verdrijven, om die zinloze levens van ons een beetje structuur en richting te geven. Daar valt niks tegen in te brengen, man; iedereen heeft behoefte aan structuur, dat moet gewoon. 'Als jullie de volgende keer komen, wil ik dat jullie iets bedacht hebben wat je kunt gaan doen,' zegt ze, terwijl ze met haar pen tegen die witte tanden van haar tikt.

Wauw man, van die blikkerend witte jongens krijg ik hele ondeugende gedachten, maar zo moet ik niet denken over die goeie ouwe Avs, daar is ze veels te aardig voor, zeg maar.

Maar het is wel goed om aan iets vrolijks te denken, want de laatste tijd heb ik alleen maar pikzwarte gedachten gehad. Ik denk er namelijk steeds vaker over om deze stad voorgoed de rug toe te keren, zoals Vic Godard zei over die gast, Johnny Thunders. Het is inmiddels een obsessie geworden, man, vooral als ik somber ben. Het is begonnen toen ik in de bak zat en dat boek las. Ik ben nooit een lezer geweest, maar ik las *Misdaad en straf* van een of andere Russische cunt.

Weet je, man, het duurde even voordat ik er echt in zat. Die Russische gasten schijnen allemaal twee namen te hebben, dus het is ontzettend verwarrend, zeg maar. Raar eigenlijk, want hier hadden een heleboel gasten tot aan de invoering van de hoofdelijke belasting helemaal geen naam, althans officieel, dus dat heft elkaar dan aardig op.

Dus daar zat ik dan in een cel met dat papieren ding, maar uiteindelijk kwam ik er toch helemaal in. Sterker nog, door dat boek kreeg ik een idee voor een project, zeg maar. Een trucje om uit de problemen te komen die het gevolg zijn van dat ik ben wie ik nou eenmaal ben, zeg maar. Ja, in de moderne wereld wordt streng geselecteerd, en ik val meestal nogal buiten die selectie. Gasten zoals ik raken uitgestorven. We kunnen ons niet aanpassen, en overleven niet. Net als de sabeltijger. Grappig genoeg heb ik nooit gesnapt waarom dat beest uitgestorven is, terwijl veel minder gemene beesten het wel gered hebben. Ik bedoel, zeg maar, in een gevecht van man tot man zou je normaal gesproken je geld toch op de sabeltijger zetten, die ieder ander beest goed op z'n bek geeft, zelfs een gewone tijger. Antwoorden op de stippellijn, insturen op een briefkaart, graag.

Weet je wat het is, naarmate je ouder wordt, wordt dat gedoe door die karakterdeformatie steeds nijpender. Vroeger zei ik gewoon tegen alle leraren, bazen, belastinggasten, politierechters en die lui van de WW, als ze beweerden dat ik gedeformeerd was: 'Hé, kalm aan een beetje, man, zo ben ik nou eenmaal, ik functioneer gewoon anders dan jullie, weet je wel?' Maar tegenwoordig kom ik er steeds vaker achter dat die gasten mij doorhebben. Hoe ouder je wordt, des te meer klappen je oploopt en des te harder ze aankomen. Net als met Mike Tyson bij het boksen, weet je wel. Telkens als je denkt dat je je zaakje weer op orde hebt en aan je comeback kunt werken, blijkt er weer iets te missen. En dan ga je opnieuw naar de kloten. Tja, ik ben gewoon niet geschikt voor het moderne leven, en zo zit dat, man. Soms loopt het soepel, en dan raak ik plotseling weer in paniek en is alles weer naar de kloten. Maar wat doe je ertegen?

Iedereen heeft zo z'n zwakheden, man. Bij mij is het drugs, drugs en nog eens drugs. Eigenlijk is het niet eerlijk, zeg maar, dat iemand als ik zo vaak moet boeten voor die ene fout. Ik moet natuurlijk jatten als de raven, maar als ik echt zou kappen met heroïne, dan houdt dat jatten misschien ook wel op, of wordt het in ieder geval iets minder.

Aan die counseling heb ik volgens mij niet zoveel. Ik bedoel, telkens als ik met die gasten praat, voel ik de zuigkracht van de dealer. Dat gaat nooit meer weg. Je kunt het weg rationaliseren tot je erbij neervalt, maar zodra je die ruimte verlaat, denk je maar één ding: scoren. Op een keer toen ik van zo'n zitting kwam, liep ik in een trance rond, en voordat ik wist waar ik was, stond ik bij Seeker op de deur te beuken. Plotseling kwam ik weer bij bewustzijn en daar stond ik, te bonzen op die blauwe deur. Voordat er werd opengedaan, was ik hem allang weer gepeerd.

Maar ik heb steeds wel weer zin om naar de groep te gaan. Het is gewoon leuk, zeg maar, dat er een aardig iemand naar je luistert. En die Avril is een aardig wijf, zeg maar, zonder kouwe kak of zo. Ik vraag me wel eens af of ze het misschien zelf ook allemaal heeft meegemaakt of dat ze ervoor doorgeleerd heeft. Niet dat ik iets heb tegen doorleren, want als ikzelf had doorgeleerd, dan had ik nu misschien niet zo in de stront gezeten. Maar iedereen moet wel door een moeilijke fase in zijn leven; het leven is een ongeneeslijke ziekte waar geen medicijn tegen bestaat, man, geen een.

Die gasten hier in de groep lopen uiteen van woest en agressief tot dodelijk verlegen. Een meid, Judy heet ze, is een heel rare. Urenlang houdt ze haar mond dicht, en dan ineens begint ze te ratelen en houdt nooit meer op. En ook allemaal heel persoonlijk, zeg maar, dingen waar ik in het openbaar nooit over zou beginnen.

Zoals nu, man. Ik vind het ontzettend gênant, en ik zou het liefst mijn handen voor mijn gezicht houden, net als mijn zoontje als hij verlegen is. 'En ik was nog maagd, en nadat we gevreeën hadden, gaf hij me een shot heroïne. Dat was mijn eerste keer...' zegt die meid, die Judy, bloedserieus.

'Wat een lul, zeg,' zegt Joey Parke. De kleine Parkie is mijn beste kameraad hier, maar wel een raar exemplaar. Hij kent zijn grenzen niet, hij is nog erger dan ik. Eerst houdt hij zich prima gedeisd, maar hij kan zich geen enkele vrijheid meer veroorloven. Ik bedoel, één glaasje wijn tijdens een romantisch etentje met zijn wijf, sterker nog één slokje wijn, en je treft hem twee weken later stijf van de crack aan in een of ander spuithol.

Maar Judy is behoorlijk pissig op die kleine. 'Jij kent hem helemaal niet! Jij weet niet hoe lief hij is! Je hebt het recht niet om dat soort dingen over hem te zeggen!'

Judy is niet echt lelijk, maar je kunt zien dat de drugs haar vroeg oud hebben gemaakt. Met het poeder heb je jezelf veranderd in een heks, mop.

Maar dan Avril, de meid die de groep leidt. Ze is slank, met glanzend witblond, kortgeknipt haar en ogen met een felle maar geen fanatieke blik, energiek maar niet gestoord, als je snapt wat ik bedoel. En Av heeft de pest aan ruzie. Een meningsverschil kun je ook positief oplossen, zegt ze altijd. En ze heeft nog gelijk ook, als je erover nadenkt, maar dat geldt denk ik niet voor iedereen. Ik bedoel, je moet van gasten als Franco Begbie, Nelly Hunter, Alec Doyle of Lexo Setterington, of van sommige lui die ik in de bajes heb leren kennen, zoals Chizzie het Beest, Hammy of Cracked Craigy niet verwachten dat ze zeggen: 'Hé man, laten we dit verschil van mening even positief oplossen.' Dat werkt niet, man, geen schijn van kans. Dat is niet lullig bedoeld tegenover die jongens, maar die hebben zo hun eigen stijl. Maar Av is relaxed genoeg om lui als Joey en Judy te handlen. 'Volgens mij kunnen we beter even pauzeren,' zegt ze. 'Wat vinden de anderen daarvan?'

Judy knikt bedroefd en kleine Joey Parke haalt zijn schouders op. Monica, een dik wijf, zwijgt, ze zuigt op een haarlok en bijt op een vinger. Ze heeft van die vette hammen van armen, weet je wel, niks om je over te schamen verder, hoor. Ik glimlach tegen Av en zeg: 'Prima, tijd voor koffie en een peuk, niet? Een shot cafeïne, wat jullie?'

Av glimlacht terug en ik voel een paar vlinders in mijn buik, want het is verrekte leuk als er een meid tegen je lacht. Maar dat lekkere gevoel duurt niet lang als ik me realiseer hoelang het geleden is dat mijn Alison zo tegen me gelachen heeft.

11 '...lelijk...'

'Wat een lelijk kutwijf,' vloek ik honend tegen mijzelf. Ik kijk naar mijn naakte lijf in de spiegel en daarna naar het fotomodel in het tijdschrift dat ik omhooghoud en probeer mezelf op dezelfde schaal voor te stellen, en vergelijk de afmeting en vormen. Mijn lichaam is bij lange na niet zo volmaakt als het hare. Mijn tieten zijn te klein. Ik kom nooit in een tijdschrift want daar ben ik niet voor gebouwd, het lijkt er in de verste verte niet op.

IK LIJK ER IN DE VERSTE VERTE NIET OP.

Het ergste wat een man tegen mij kan zeggen is dat ik een mooi lijf heb, want ik wil helemaal geen mooi, prachtig, schitterend lijf. Ik wil een lijf dat mooi genoeg is voor een tijdschrift en als ik zo'n lijf had zou ik er ook in staan en dat is niet zo omdat ik het niet heb. Mijn mascara loopt uit door mijn tranen en waarom huil ik? Omdat het nooit iets met mij wordt, daarom.

IK KOM NIET IN EEN TIJDSCHRIFT.

En ze zeggen alleen maar dat ik een mooi lijf heb omdat ze met me willen neuken, omdat ze geil worden van mij. Maar als een meisje uit zo'n tijdschrift met hen wilde neuken, dan zouden ze mij geen blik waard keuren. Dus hier sta ik dan, en ik weet waar ik mee bezig ben. Ik vecht voortdurend tegen een negatief zelfbeeld dat mij wordt aangepraat door een medium waardoor ik volledig geobsedeerd ben geraakt. En ik weet dat hoe meer mannen op mij geilen, des te meer ik mezelf moet vergelijken met anderen.

Ik scheur de pagina uit het tijdschrift en frommel hem tot een prop.

Ik hoor nu eigenlijk in de bibliotheek te zitten studeren of aan mijn essay te werken in plaats van de helft van mijn tijd door te brengen en schaamteloos te staan bladeren in al die tijdschriften: *Elle*, *Cosmo*, *New Woman*, *Vanity Fair*, en zelfs in mannenbladen als GQ, *Loaded* en *Maxim*, gapend naar al die lijven, starend naar de bijna onechte fysieke volmaaktheid, totdat één bepaald lichaam bij mij een golf van zelfhaat veroorzaakt, het besef dat ik nooit zo zal zijn, er nooit zo uit zal zien. En ja hoor, ik realiseer me op een cognitief en intellectueel niveau dat al die opnames kunstmatig in elkaar zijn gezet, dat ze nep zijn, gecorrigeerd met de airbrush, en dat iedere geslaagde foto het resultaat is van het eindeloos toepassen van make-up, gunstige belichting en tal van filmrolletjes. En ik weet ook dat dat fotomodel, die actrice of popartieste net zo'n verziekte, neurotische teef is als ik, die in haar broek poept en piest, één en al puist wordt van de stress, chronisch uit haar bek stinkt omdat ze voortdurend over haar nek gaat, geen tussenschot meer in haar neus heeft door alle coke die ze snuift om op de been te blijven, en elke maand haar slipje bevuilt met een donkere, doodse afscheiding. Tja. Maar dingen intellectueel beredeneren is niet genoeg, omdat 'echt' niets meer met 'feiten' te maken heeft. Echte kennis is emotioneel en heeft te maken met gevoelens, en echte gevoelens ontstaan door de ge-airbrushte foto, de slogans en de soundbytes.

IK BEN GEEN LOSER.

Er is bijna een kwarteeuw voorbij, het beste deel van mijn leven, en wat heb ik gedaan? Niets, niets, niets...

IK BEN GODVERDOMME GEEN LOSER.

Ik ben mooi en ik heet Nicola Fuller-Smith, en alle mannen willen met mij naar bed omdat mijn schoonheid zelfs aan hun meest ideale zelfbeeld bijdraagt.

En nu gaan mijn gedachten naar Rab, naar die bruine, bijna amberkleurige ogen, en hoe ik naar hem verlang als hij tegen me glimlacht en dat hij mij godverdomme niet wil, wie denkt hij wel dat hij is, hij mag zich in zijn handen knijpen dat een beeldschoon meisje dat jonger is dan hij met hem wil... nee, een LELIJK LELIJK LELIJK LELIJK MEISJE, EEN AFSCHUWELIJKE SLETTEBAK...

Ik hoor de deur. Ik trek mijn badjas aan en ga verder met mijn essay, dat nog op de tafel in de voorkamer ligt. De sleutel in het slot.

Het is Lauren.

Die kleine, domme, tengere, knappe Lauren, die ZES JAAR jonger is dan ik, en onder haar stomme kleren en rare bril is ze een geile seksgodin, en ze heeft het godverdomme niet eens door, evenmin als de mannen om haar heen die net zo blind en dom zijn als zij.

Zes jaar. Wat zou die lelijke oude Nicola Fuller-Smith niet over hebben voor een of twee van die jaren die die stomme kleine Lauren Fuckall gewoon verpest zonder zich ook maar te realiseren dat ze ze doorleefd heeft.

O, o, O-U-D, blijf godverdomme uit de buurt.

'Hoi, Nikki,' zegt ze enthousiast, 'ik heb een fantastisch boek ontdekt in de bibliotheek en...' Voor het eerst kijkt ze me aan. 'Wat is er met jou aan de hand?'

'Ik zit helemaal vast met dat kutessay voor McClymont,' zeg ik. Ze ziet dat mijn boeken en papieren nog precies zo liggen als de afgelopen week. Haar oog valt ook op de tijdschriften die op tafel liggen.

'Er is een fantastische nieuwe filmwebsite met prima recensies, met goede analyses en zonder al te veel snobisme, als je begrijpt wat ik bedoel...' Ze ratelt maar door, hoewel ze weet dat ik niet geïnteresseerd ben.

'Heb je Dianne nog gezien?' vraag ik.

Lauren werpt me een hooghartige blik toe. 'Ik heb haar het laatst gezien in de bibliotheek, ze was bezig aan haar scriptie,' zegt ze met nauwelijks verholen bewondering in haar stem. Ze heeft er een grote zus bij, en ik zit met het zware werk. Ze wil iets zeggen, aarzelt, en vervolgt dan toch met: 'Wat heb je voor problemen met dat essay voor McClymont? Vroeger had je ze altijd zó af.'

En dus vertel ik haar wat mijn probleem is. 'Het probleem heeft niets te maken met begrip of intellect, maar met een gevoel van twijfel. Ik doe iets waar ik absoluut geen zin in heb. Het enige wat ik wil is poseren op het omslag van tijdschriften,' zeg ik, terwijl ik de *Elle* met een klap op de salontafel smijt, zodat er vloeitjes en tabak op de grond vallen. 'En een essay voor McClymont over Schotse immigratie tijdens de zeventiende eeuw helpt wat dat betreft niet erg.'

'Maar dat is zo vernederend,' zegt Lauren op jankerige toon, 'stel je toch eens voor dat je inderdaad op het omslag van een tijdschrift sto...'

Ze zegt het zo nonchalant en het enige wat ik kan bedenken is wanneer, wanneer, wanneer, wanneer, wanneer? 'Denk je echt dat ik het zou kunnen?'

Maar ze geeft geen antwoord, reageert niet met wat ik wil weten. In plaats daarvan komt ze met van die shit aanzetten die me alleen maar pijn doet, ellende en verveling bezorgt, omdat ze me dwingt de waarheid onder ogen te zien die je koste wat het kost moet zien te vermijden om in deze wereld overeind te blijven: '...een tijdlang voel je je goed, en de week daarop ben je te oud en heeft een jonge meid je plek ingenomen. Hoe zou je je dan voelen?'

Ik kijk haar aan; ik voel me zo koud worden als een insect en wil het uitschreeuwen: IK STA NIET IN TIJDSCHRIFTEN, IK BEN NIET OP TV, IK KOM PAS OP TV ALS IK EEN VETTE LOSER BEN DIE ZICH OP REALITY-TV LAAT BELEDIGEN DOOR EEN VETTE LOSER VAN EEN ECHTGENOOT TOT VERMAAK VAN ANDERE

VETTE LOSERS ALS IK. BEDOEL JE DAT MET 'FEMINISME'? BEDOEL JE DAT? WANT DAT IS GODVERDOMME HET ENIGE WAT ER IN ZIT VOOR MIJ EN TALLOZE ANDEREN, TERWIJL WE BESLUITEN HET NIET MEER TE PIKKEN.

Maar in plaats daarvan houd ik mezelf in en zeg: 'Ik zou me fantastisch voelen omdat ik het tenminste had meegemaakt. Eindelijk zou ik iets bereikt hebben. Daar gaat het om. Ik wil op de voorgrond treden. Ik wil acteren, zingen en dansen. Ik. Ik wil dat iedereen ziet dat ik geleefd heb. Dat Nikki Fuller-Smith geleefd heeft, godverdomme.'

Lauren kijkt mij met een zorgelijke blik aan, als een moeder een kind dat zegt: Ik heb vandaag geen zin om naar school te gaan... 'Maar je leeft toch al...'

Ik begin te raaskallen, kraam de stomste dingen uit, maar daartussen zit wel ergens een waarheid verstopt. 'En nadat ik seksfilms heb gedaan, wil ik echte porno doen, en daarna ga ik films produceren en regisseren. Ik wil de baas zijn. Ik. Een vrouw. En één ding zal ik je wel vertellen, de enige bedrijfstak ter wereld waarin vrouwen het enigszins voor het zeggen hebben, is de porno-industrie.'

'Wat een gelul,' zegt Lauren hoofdschuddend.

'Niks gelul,' reageer ik vastberaden. Wat weet zij nou van pornografie? Ze heeft nog nooit porno gezien, heeft geen idee hoe een pornofilm geproduceerd wordt, heeft zelfs nooit in de seksindustrie gewerkt, heeft zelfs nog nooit een pornowebsite bezocht. 'Jij snapt er helemaal niets van,' zeg ik.

Lauren raapt de tabak en vloeitjes op en legt ze weer op tafel. 'Je bent jezelf niet. Je klinkt als die kameraad van Rab.'

'Doe niet zo dom. En als je Terry bedoelt, met hem heb ik nog niet eens geneukt,' zeg ik, en krijg meteen spijt dat ik het gezegd heb.

'Met de nadruk op "nog".'

'Ik weet ook niet of dat er nog van komt. Ik vind hem niet eens aardig,' snauw ik op geïrriteerde toon. Ik praat te veel. Lauren weet alles van mij, bijna alles, en ik weet niets van haar. Ze heeft zo haar geheimen, en ik hoop voor haar dat het interessante geheimen zijn. Ze werpt me een meewarige blik toe en zegt op andere toon: 'Ik weet niet waarom je zo'n lage dunk van jezelf hebt, Nikki. Je bent de knapste meid... vrouw die ik ken.'

'Huh, zeg dat maar tegen die gast bij wie ik net een blauwtje heb gelopen,' reageer ik venijnig, maar vanbinnen voel ik me meteen een stuk beter. Mijn reactie op vleiende woorden is altijd een sneer, maar ik voel de misselijkmakende samentrekking van de spieren in mijn gezicht, onwillekeurig, sterker dan ikzelf, gevolgd door de kramp in mijn maag die zich uitspreidt tot in de puntjes van mijn vingers en tenen. Ik ben er verslaafd aan.

'Wie was dat dan?' vraagt Lauren op bezorgde, bijna hysterische toon, terwijl ze haar bril rechtzet.

'O, gewoon, iemand; je weet hoe dat gaat,' zeg ik glimlachend, en ik weet maar al te goed dat ze geen flauwe fucking notie heeft. Ze wil net iets zeggen als we het geluid horen van Dianne die haar sleutel in het slot steekt.

12 Tsaren en fascisten

De groep is mijn voornaamste voedingsbron geworden, man. Het is nu het enige sociale voedsel dat deze jongen van Murphy nog krijgt. Ik lig in bed met Alison, en ik voel hoe ze terugdeinst als ik haar aanraak, en dat is niet best, man, dat is godverdomme niet best. Weet je, misschien pakt ze me wel terug, voor al die keren dat ik hier voor lijk lag, te stoned om te vrijen, starend naar het plafond of opgerold in foetushouding, en het bed doordrenkte met mijn zweet terwijl de cold turkey toesloeg. Tegenwoordig lig ik meestal als een surfplank in bed, met een tollende kop vol junk, en ik val pas in slaap als ze de kleine naar school brengt.

Heb de afgelopen weken meerdere levens geleid, man. Wanneer dat allemaal begonnen is? Dat feestje bij Monny? Gek, maar het begint altijd met een kleine bijeenkomst, die duurt dan een week, en dan besef je dat je leven zich tijdenlang in een parallel universum afspeelt, zeg maar. Dus geef mij de groep maar, doe ik tenminste een poging, zeg maar, al was het maar voor Ali en de kleine, weet je wel?

Na de koffie roept Avril ons weer bij elkaar. Ik zie deze ruimte niet zitten, in dit oude schoolgebouw, en er staan van die ongemakkelijke stoeltjes, rode plastic gevallen met een zwart frame. Je moet clean zijn om er een beetje op te kunnen zitten; als je ziek bent of trilt van de drugs, dan lukt het voor geen meter. Av staat bij de flip-over op de drie aluminium poten. Met een blauwe stift schrijft ze op:

DROMEN

Dan zegt ze dat dromen erg belangrijk zijn, dat we onze dromen veel te snel opgeven. Als je erover nadenkt: ja, dan heeft ze gelijk. Maar die astronautendroom, over de eerste mannen op Mars waar ik en mijn ouwe kameraad Renton het vroeger altijd over hadden toen we nog jong waren, dat was nooit serieus bedoeld, man. Je innerlijke ruimte was een veel betere deal: hoefde je ook niet zoveel voor te trainen.

Die Rents. Wat een gast. Die heeft me mooi te grazen gehad.

Avril legt uit dat we ons meer moeten overgeven aan onze fantasieën. Joey Parke reageert met: 'Dan worden we opgesloten, godverdomme, als we dat doen!' Hij kijkt mij aan. 'Overgeven aan onze fantasieën, hè Spud!' Ik begin te lachen, en die ene meid, die Monica, die steeds op de knokkels van haar hand zit te bijten, neemt nog eens een flinke hap.

Dan vraagt Avril aan de groep wat voor werk we zouden willen doen, in een ideale wereld of zo, als we de vrije keuze hadden. En weet je, ik was een beetje verlegen. Zo voel ik me meestal niet in de groep, maar ik had kort daarvoor nogal gelazer gehad thuis en daar moest ik steeds aan denken. Ik had gewoon behoefte aan spul. Maar uit respect voor de groep had ik het vermengd met wat coke tot een soort speedbom zodat ik me niet al te veel afzijdig zou houden, voor de groep dus, zeg maar. Op dit moment houdt iedereen zijn bek, dus ik zeg als eerste wat ik graag had willen worden: impresario.

'Voor voetballers, of zo? Die verdienen goed,' zegt Avril.

Joey Parke zegt hoofdschuddend: 'Parasieten zijn het. Ze leven op de zak van anderen.'

'Nee, nee, nee,' zeg ik. 'Ik dacht meer aan een impresario voor al die blonde wijven op de televisie, zoals Ulrika Jonson, Zoë Ball, Denise Van Outen, Gail Porter en zo.' Ik denk even na en vervolg: 'Maar het zijn natuurlijk alleen gasten als Sick Boy en zo, dat is een ouwe kameraad van mij, die dat soort baantjes krijgen. Die gasten lukt dat wel, maar daar bedoel ik verder niks mee, hoor.'

Sick Boy. Wat een gast.

Avril hoort mij geduldig aan, maar je kunt zien dat ze niet onder de indruk is. Parkie vertelt vervolgens dat hij wel een leuk baantje weet: hij wil de drugstsaar worden. Een aantal leden van de groep begint fel af te geven op dat soort werk en op de gasten die het doen, maar voor mij gaat dat te ver.

Dus ik kom hem te hulp, zeg maar. 'Nee, man, het lijkt me juist een gaaf idee, want tegenwoordig is de kwaliteit van het spul vaak klote. Het wordt tijd dat de regering daar iets aan doet in plaats van ze voortdurend in de bak te smijten. Zo denk ik erover, jongens, zo denk ik erover.'

Een jongen genaamd Alfie begint idioot te grijnzen en wendt het hoofd af. Dan zie ik dat Parkie begint te lachen en zijn hoofd schudt. Hij zegt: 'Nee, Spud, je begrijpt er niks van. Die gast moet er juist voor zorgen dat je van de drugs afblijft.'

Daar moet ik even over nadenken, en ik krijg medelijden met die gast, die nu dus zonder werk zit. Ik bedoel, ik weet hoe moeilijk het al is om zelf van de drugs af te blijven, laat staan iemand anders. Wat een ondankbare taak voor zo'n jongen. Maar ik begrijp niet waarom ze dat door een Rus moeten laten doen, terwijl er genoeg lui in Schotland rondlopen die dat ook kunnen.

En ze blijven er maar over doorzeiken. Het gekke van deze groep is dat we meer tijd besteden aan het praten over drugs dan aan de drugs zelf. Soms, als je clean bent, krijg je er echt zin in, dan denk je er ineens weer aan terwijl je er eerst niet aan dacht, weet je wel? Maar die gast, die Russische drugstsaar, doet me weer denken aan dat boek van Dostojevski en die verzekeringspolis van mij. Die hebben we afgesloten toen die kleine luierschijter kwam, en ik was clean en werkte als stratenmaker. Toen die klus klaar was kregen we allemaal betaald. Maar ik weet nog dat toen ik na die inbraak vastzat, die gast uit Perth mij dat boek van die ene Rus gaf, *Misdaad en straf*. Er gaat in de bajes altijd wel een exemplaar van dat boek rond, maar dat was me daarvoor nooit opgevallen omdat ik niet zo'n lezer ben. Maar dat vond ik wel een mooi boek, en ik moest ineens denken aan die polis.

In dat boek vermoordt die gast een oud wijf bij wie je geld kunt lenen en waar iedereen de pestpokken aan heeft. Als ik mezelf van kant zou maken dan is dat zelfmoord, en dan betalen ze geen rooie rotcent uit. Maar als ik nou eens vermoord werd, door een derde, zeg maar. Ja, die verzekering moet wel in orde zijn, voor Ali en de kleine. Je moet aan de toekomst denken. Ik ben een chronisch geval, man, dus als je er goed over nadenkt, is het zo gek nog niet als ik hem peer. Ik ben hartstikke gek op mijn gezin, maar laten we wel wezen, ik ben natuurlijk een enorm blok aan hun been. Ik heb geen inkomen, ik kan niet clean blijven, ik kan niets anders dan ellende brengen thuis. Ik maak dat wijf langzaam dood, man, het duurt niet lang meer of ze gaat zelf weer gebruiken, en dan wordt ze uit de ouderlijke macht ontzet. Nee, zover laat ik het niet komen. En dus wordt het de verzekering, man. Ik ga nokken. Ik peer hem, en zorg ervoor dat Ali en Andy goed verzorgd achterblijven. Zoiets als in *Family Fortune*, waar de gasten gevraagd wordt wat ze willen hebben, zeg maar twintigduizend pond verzekeringsgeld of een geflipte, straatarme, ongeschoolde junkie met een verslaving van hier tot Tokio. Niet echt een moeilijke keuze voor iemand met gezond verstand. En dus is het tijd om op te stappen, maar het moet wel goed gebeuren.

De grootste schok kwam gisteren, toen ik in huis op zoek ging naar haar portemonnee en wat poen, en toevallig een dagboek vond. Ik kon er niks aan doen, man, ik moest er gewoon even in kijken. Ik bedoel, ik weet dat het fout is en zo, hartstikke fout, maar omdat we al een hele tijd niet meer met elkaar praten, moest ik toch weten hoe ze over een en ander dacht. Grote vergissing, man, het was veel beter om niks te weten. Wat echt pijn deed, was niet alleen wat ze schreef, maar dat het leek alsof ze het tegen de kleine had.

Ik weet niet waar hij is, jouw papa. Hij heeft ons weer eens laten barsten, jochie, en ik ben weer eens degene die sterk moet zijn. Je vader kan de zaak verpesten, maar ik kan me dat niet veroorloven. Omdat er toch iemand sterk moet zijn en ik net een beetje beter ben dan die stomme, zwakke pappie van jou. Ik zou willen dat hij een regelrechte klootzak was, want dat zou de zaak een stuk makkelijker maken. Het is zo moeilijk omdat hij de aardigste vent is die er rondloopt, en laat je wat dat betreft door anderen niets wijsmaken. Maar ik kan niet jouw mamma zijn en ook nog eens een keer de zijne. Ik kan dat niet omdat ik daar niet sterk genoeg voor ben. Als ik sterk genoeg was, zou ik dat met alle plezier doen, zelfs al zou hij mij voor onnozel verklaren. Maar ik zou het even goed doen, als ik sterk genoeg was. Maar dat ben ik niet, en jij komt op de eerste plaats. Omdat je nog zo klein bent.

Dat kwam hard aan, man. Ik las het nog een keer en nog een keer, en ik moet zeggen dat ik wel een traantje gelaten heb, niet alleen voor mezelf maar ook voor dat katje dat het geschreven heeft. Al die liefde komt verkeerd terug. Ik weet nog dat ik, toen ik nog jong was, hartstikke, hartstikke gek was op die meid, maar ik dacht, die is buiten bereik voor mij. Een klassemeid zal zich heus niet inlaten met een eenvoudige arbeidersjongen uit het oosten van Schotland. Maar de junk dicht iedere maatschappelijke kloof. En op een keer liepen we samen naar huis na een spuitsessie, stijf van de junk, en toen gebeurde het gewoon. En ik besef wat acht jaar met mij samenleven met haar gedaan heeft. Nee, ik moet haar laten gaan, ik moet eruitstappen en haar een soort gouden handdruk geven, zeg maar.

Ik moet het gewoon doen, man.

De counseling is afgelopen, ik slenter langs de Walk en probeer een bepaald loopritme aan te nemen voordat de krampen beginnen, het zweet mij uitbreekt en ik de controle over mijn lichaam verlies. Ik probeer mezelf op te peppen door aan boeken en blonde wijven te denken, en vooral aan die intelligente blonde meid met die lage stem waar iedere man met een beetje verstand op geilt. Met haar kun je vast wel over Russische romans praten, zeker weten. Op dat moment kom ik toevallig langs een kleine boekwinkel, ik steek de straat over en ga even naar binnen. Het probleem is dat mijn timing geweldig is en ik word bijna aangereden door zo'n agressieve automobilist, die luid toetert terwijl hij rakelings langs mij scheurt. Ik schrik me het apelazerus, alsof mijn botten uit mijn lijf springen en een dansje maken voordat ze weer terugspringen.

Ik kom er zonder kleerscheuren af, gelukkig maar. In de winkel hangt die typische muffe lucht van tweedehandsboekwinkels, maar ze hebben hier ook nieuw spul. Er staat een dikke ouwe man in de zaak met zilvergrijs haar en een bril op, die deze jongen van Murphy scherp in de gaten houdt. Ik lees wat hier en daar, en dan valt mijn oog op een boek over de geschiedenis van Leith. Allemaal ouwe troep, maar ja, dat heb je natuurlijk met geschiedenis. Ik bekijk het laatste hoofdstuk over het hedendaagse Leith, en het is een en al Koninklijk Jacht Britannia en zo, en geen letter over YLT. Iemand zou eens de echte geschiedenis moeten opschrijven van deze wereldberoemde oude havenplaats, praten met ouwe lui die het nog hebben meegemaakt; gasten die in de haven en de dokken hebben gewerkt, de stukwerkers die in de kroegen kwamen, die omgingen met de *Teds*, de YLT, de CCS, van vroeger tot nu toe, al die gasten met van die zegelringen aan hun handen, van die rappende hiphopfiguren net als mijn kameraad Curtis de stotteraar.

Ik leg het boek terug, loop de winkel uit en begeef mij in de richting van het schone Edinburgh. Aan de overkant zie ik bij een geldautomaat een jongen staan die mij bekend voorkomt, en het blijkt mijn neef Dode uit Glasgow te zijn. Ik steek meteen over, maar let deze keer wel op het verkeer.

'Dode...'

'Hé Spud,' zegt hij lichtelijk geërgerd, maar klaart dan op: 'Jij wilt zeker zuipen?'

Die lul uit Glasgow zegt dat zo maar, man, en ik kan mijn oren niet geloven! Zonder dat ik het vraag, zegt hij het zo maar! God zij met die fascisten uit Glasgow. Gave gast, die Dode.

Beetje gezet, klein van stuk, met grijzend haar, die steeds maar loopt te lullen hoe fantastisch Glasgow is. Maar goed, blijkbaar woont hij nu hier. 'Tja, maar ik weet niet wanneer ik je terug kan betalen, man...'

'Hé! Je hebt het tegen mij!' Dode wijst naar zichzelf. We steken de weg over en gaan naar binnen bij The Old Salt.

'Ik heb net mijn pincode veranderd. Bij mijn bank kan dat,' legt Dode uit, 'je eigen code, zodat je hem gemakkelijker onthoudt. Dat kan vast niet bij jouw bank,' zegt hij op superieure toon.

Daar denk ik even over na. 'Tja, ik houd me niet zo bezig met banken, weet je. Toen ik als stratenmaker in een van de nieuwbouwwijken werkte, moest ik een rekening nemen. Ik zeg nog: "Een bank is niks voor mij, man, betaal mij maar contant," maar hij zei: "Sorry hoor, maar dat is de vooruitgang,'' weet je wel?'

Dode knikt en wil iets zeggen, maar ik ben hem voor want je moet die lui uit Glasgow niet aan het woord laten, man, want hoe cool die lui ook zijn, als je ze hun gang laat gaan met hun 'Oké, jongen, hoe gaat ie, tussen haakjes', nou, dan lullen ze vijf kwartier in een uur. Als je een praatelftal voor Schotland moest selecteren, dan zouden er zeker acht of negen man uit Glasgow in moeten. Dus ik zeg: 'Nou ja, ik mocht wel even bij de bank, maar toen de geldstroom stopte, werd ik weer op straat geschopt. Ik heb een rekening bij de East Fife, nou ja, dat is eigenlijk The Lemon Curd maar ik noem het de East Fife omdat het een soort gewoonterecht is, weet je wel?'

'Jij bent ook een mooie gast, Spud,' zegt neef Dode glimlachend. Hij legt een arm om mijn schouder en vervolgt: '*Interdum stultus bene loquitur*, hè maatje?'

Dode is best slim voor zo'n ongewassen lul uit Glasgow, hij spreekt een aardig woordje Latijns. 'Zo is het, neef Dode, maar... eh, wat betekent dat?'

'Het betekent dat jij, eh, heel verstandige dingen zegt, Spud,' zegt hij.

Nou, dat is altijd leuk om te horen, een soort welkomstwoorden die mijn ego strelen, dus ik ben helemaal in de wolken. En het briefje van twintig pond dat mijn favoriete neef mij toeschuift, wordt zeer op prijs gesteld, reken maar van yes.

13 Hoeren van Amsterdam, deel 1

De deejay is goed, dat merk je aan het aantal *trainspotters* dat bij het podium staat om hem te bekijken, en aan hoe relaxed hij is in gezelschap van het bijna somber kijkende publiek dat wacht op de dingen die komen gaan, zonder te beseffen dat het al begonnen is.

En ja hoor, hij zet dat ene plaatje op en ze exploderen, schrikken van hun eigen felheid, en ze beseffen dat hij ze aan het lijntje heeft gehouden, ze al een halfuur heeft staan plagen. Terwijl het publiek uitbarst in gejuich, krullen zijn mondhoeken zich in een sluw, berekend lachje dat als een bliksemflits over de dansvloer gaat.

Over de dansvloer van mijn eigen club, hier aan de Herengracht in hartje Amsterdam. Ik nip van mijn wodka-cola vanuit mijn uitkijkpost in het schemerduister achter in het pand, en ben mij ervan bewust dat ik aardig moet zijn voor die gast, een gastvrije en vriendschappelijke hand naar hem moet uitsteken, zoals ik dat doe bij al mijn gastdeejays, zelfs degenen waar ik geen reet aan vind. Maar Martin kan wel voor deze jongen zorgen, ik blijf uit de buurt omdat hij uit mijn geboortestad komt. Niet dat ik iets heb tegen mensen uit mijn geboortestad, ik loop ze hier gewoon liever niet tegen het lijf.

Ik zie Katrin. Ze staat met haar rug naar mij toe en heeft dat korte, donkerblauwe jurkje aan dat zich als een tweede huid om haar slanke lijfje spant en smaller toeloopt naar haar hals. Op haar hoofd staat het ruig geknipte haar recht overeind. Ze staat bij Miz en een of andere geile pornopuber die hij ergens heeft opgepikt. Ik kan niet zien in wat voor stemming Katrin verkeert, ik hoop dat ze een pil genomen heeft. Ik leg een arm om haar middel, maar mijn humeur daalt als ik voel hoe ze verstijft onder mijn aanraking. Maar ik geef niet op. ‘Prima avond, hè?’ schreeuw ik in haar oor.

Ze kijkt me aan en zegt met een mistroostige Duitse stem: ‘Ik vil naar huis...’

Miz werpt mij een begrijpende blik toe.

Ik laat hen achter en loop naar het kantoor en tref daar Martin aan met Sian en een meid uit Birmingham met wie hij de laatste tijd omgaat. Ze staan lijntjes coke te snuiven die, keurig fijn gehakt, op het grenenhouten bureau zijn uitgelegd. Hij heeft een vijftig-eurobiljet opgerold en biedt mij dat aan, en ik zie de begerige, wijd opengesperde ogen van de meisjes. 'Nee, bedankt,' zeg ik.

Martin knikt naar de meiden, gooit een zakje op het bureau en neemt mij mee naar de kleine ruimte ernaast waar het fotokopieerapparaat staat en de geheime gesprekken worden gevoerd.

'Tja... Katrin... je weet hoe het ervoor staat.'

Martin trekt zijn gezicht onder zijn grijsbruine haar in een grimas en hij lacht gespannen en waarschuwend zijn grote blikkerende tanden bloot. 'Je weet wat ik ervan vind, makker...'

'Tja...'

'Sorry Mark, dat wijf is een stuk chagrijn en dat word jij ook, als je niet oppast,' zegt hij voor de zoveelste keer. Hij wijst naar het kantoor. 'Jij zou de tijd van je leven moeten hebben. Drank, wijven, drugs. Ik bedoel, neem nou Miz daar,' zegt hij hoofdschuddend. 'Hij is een stuk ouder dan jij en ik. Je leeft maar één keer, man.'

Martin en ik zijn samen eigenaar van de club. We hebben veel gemeen, maar het verschil is dat ik nooit grillig heb kunnen zijn als hij. Als ik met iemand ben, blijf ik daarbij, daar geloof ik in. Zelfs als er niets meer is om in te geloven. Maar hij bedoelt het goed, en ik laat hem een poosje tegen me aan praten voordat ik de zaal weer in ga.

Ik loop naar voren, op zoek naar Katrin. Onwillekeurig gaat mijn blik omhoog, en die deejay uit Edinburgh houdt mijn blik een paar tellen vast, we glimlachen ongemakkelijk naar elkaar, en ik krijg een gevoel van onbehagen in mijn bast. Ik draai me om en zie Katrin aan de bar staan.

14 Project nr. 18.737

Alle mensen voor wie geen plaats is in het nieuwe Leith, zijn er, op de eerste dag van mijn nieuwe bewind. Een stel vieze ouwe stinkerds en van dat stomme Schotse techno- en hiphoptuig met zegelringen aan iedere fucking vinger. Een van die brutale klootzakjes heeft zelfs het lef mij Sick Boy te noemen! Nou, de enige drugs die hier verhandeld gaan worden zullen het keurmerk dragen van Simon Williamson, stelletje lompe hufters. Temeer omdat ik gisteren de mazzel had een oude compagnon genaamd Seeker tegen het lijf te lopen, en ik mijn zakken vol heb met pillen en zakjes met coke.

En die ouwe Morag moet ook weg; een vet wijf met een ziekenfondsbril is te achterhaald voor het nieuwe regime dat deze jongen van Williamson wil instellen. Te veel jaren zeventig, Mo. De stijl van The Police: nee... Op dit moment bedient ze een van die klootzakjes, althans ze doet een poging. 'V-v-v-vier g-g-g-grote p-p-p...' zegt de jongen, begeleid door het gegniffel van zijn kameraden, terwijl hij doet alsof hij halfzijdig verlamd is en Morag met open mond toeluistert en zich doodschaamt.

Er moeten veranderingen worden aangebracht. Alex McLeish?

Ik denk dat je gelijk hebt, Simon. Toen ik hier aankwam, was deze pub een puinhoop. Ik zag meteen dat er mogelijkheden waren, maar we moesten eerst wat dood hout wegsnoeien voordat we klaar waren om te investeren.

Goed gezien, Alex.

Morag is gespecialiseerd in de maaltijden. We serveren een soort driegangenmenu aan de gepensioneerden voor nog geen pond per persoon. Het irriteert mij hoezeer dit níét bijdraagt aan de winstmarge: als ik gesubsidieerde maaltijden wil verstrekken, ga ik wel bij 'Tafeltje Dek Je' werken. Tja, die barlunches zijn godverdomme schandalig goedkoop: op deze manier werk ik mee aan gesubsidieerde levensverlenging van die ouwe parasieten.

Een beer van een vent schuifelt in mijn richting, een ietwat dreigende blik in de blauwe ogen, een montere oogopslag voor zo'n ouwe lul. Maar hij stinkt zo ongelooflijk naar pis dat het lijkt alsof ik in een goudenregenvideo terecht ben gekomen. Misschien doen die ouwe fuckers wel aan watersport in dat tehuis waar ze zitten. 'Vis of stoofpot, vis of stoofpot...' herhaalt hij met hese stem, 'is de vis door het beslag gehaald vandaag?'

'Nee, ik geef hem gewoon een klap en zeg dat hij zich een beetje moet gedragen,' zeg ik schertsend met een glimlach en een knipoog.

Mijn pogingen om leuk te doen zijn gedoemd te mislukken in deze sneue verzamelplaats van stinkende oude losers. Hij kijkt me aan en zijn Schotse-terriërsmoel vertrekt tot een agressieve grimas. 'Wat is het vandaag, paneermeel of beslag?'

'Beslag,' deel ik de kortaangebonden ouwe fucker vermoeid mee.

'Ik vind paneermeel lekkerder,' zegt hij, en een clowneske grijns ontsiert zijn chagrijnige smoel terwijl hij naar de verre hoek van de kroeg kijkt. 'En Tam en Alec en Mabel en Ginny vinden dat ook, niet dan?' schreeuwt hij in hun richting, wat hier en daar instemmend geknik van soortgelijke menselijke resten tot gevolg heeft.

'Ik bied mijn nederige verontschuldigingen aan,' zeg ik op mijn tong bijtend, in een poging een soort vriendelijke sfeer te handhaven.

'Is het beslag krokant? Ik bedoel dat het niet zo papperig is?'

Ik doe een uiterste poging mijn zelfbeheersing te bewaren tegenover die hondsbrutale ouwe kankerlul. 'Zo knapperig knisperend als een nieuw biljet van twintig pond,' zeg ik.

'Nou, dat is anders een hele tijd geleden, dat ík een nieuw biljet van twintig pond in mijn handen heb gehad,' klaagt de oude zeiksnor. 'En de erwten, zijn die vers of diepvries?'

'We willen alleen verse!' schreeuwt de vrouw van deze hongerlap, genaamd Mabel.

The captain's wife was Mabel,
By Christ, and she was able...
To give the crew
Their daily screw
Upon the kitchen table.

Vers of diepvries. Kijk, dat is nog eens punt van overweging voor een ondernemend heerschap als ik. Als Matt Colville mij in deze situatie kon zien, dan zou deze vernedering hem er prompt toe aanzetten om vijf keer te neuken met zijn vrouw. Ja ja, de brandende kwestie van vandaag de dag. Vers of diepvries. Ik weet het niet. Het kan me ook niet schelen. Ik heb de neiging om terug te schreeuwen: de enige ouwe erwten in deze tent zitten in die schilferige ouwe kutonderbroek van jou, meid.

Ik laat het verder over aan Morag. Er heeft zich een rij gevormd bij de bar. Fuck. Ik herken iemand; hij staat te sidderen en te beven. Ik stort me fanatiek op het spoelen van de glazen en probeer zo zijn grote koplampen van ogen te negeren die mij smekend en genadeloos aanstaren. Ik weet hoe een meid zich voelt als ze zegt 'dat iemand haar met zijn ogen uitkleedde', omdat ik in dit geval kan zeggen 'dat hij met zijn ogen mijn bankrekening plunderde'.

Uiteindelijk kan ik niet om hem heen. 'Spud,' zeg ik glimlachend. 'Hoe gaat het? Dat is lang geleden, zeg.'

'Goed, eh... gaat wel,' stamelt hij. De heer Murphy is een verschrompelde, uitgeholde versie van de Spud die ik mij herinner, als dat mogelijk is. Hij ziet eruit als een graatmagere, pas overleden zwerfkat die zojuist door een stadsvos is opgegraven uit zijn laatste rustplaats achter in een tuin. In zijn blik zie je die krankjoreme mengeling van iemand die zoveel uppers en downers heeft gebruikt dat de verschillende afdelingen van zijn hersenen het onderling nooit meer eens kunnen worden over hoe laat het precies is. Het is een afgeleefd, stinkend menselijk omhulsel, door drugs voortgestuwd van de ene gore flat naar de andere smerige kroeg of een vergelijkbaar volgend hol van verderf, op zoek naar zijn volgende dosis gif.

'Mooi zo. En hoe gaat het met Ali?' vraag ik, en vraag me af of ze nog wel bij hem woont. Soms denk ik nog wel aan haar. Op de een of andere vreemde manier had ik het gevoel dat wij bij elkaar hoorden en zouden gaan samenwonen, als we eenmaal uitgekloot waren. Ze was altijd mijn vrouw, maar dat gevoel heb ik bij alle vrouwen, geloof ik. Maar die twee samen, dat klopt niet, dat zit helemaal niet goed.

Als ze verstandig is, heeft ze hem jaren geleden buitenspel gezet, niet dat hij mij een antwoord waardig acht. Nog geen 'Wat doe jij hier achter de bar in Leith, Simon?' Zijn verziekte, egoïstische geest kan nog niet eens dat soort uiting van elementair fatsoen tentoonspreiden, laat staan een echt gemeende begroeting, godverdomme. 'Moet je horen, je weet vast wel wat ik je ga vragen, *catboy*,' hoest hij op.

'Dat weet ik pas als je het gevraagd hebt,' zeg ik glimlachend, op zo neerbuigend en afstandelijk mogelijke toon, en ik moet zeggen dat me dat godverdomme aardig lukt in dit geval.

Murphy heeft het lef om mij een blik vol gekrenkte trots en vertrouwen toe te werpen; alsof hij wil zeggen: dus zo wil je het hebben? Hij zucht diep, en er ontsnapt een akelig, laag geluid uit die miezerige longetjes van hem, veroorzaakt door, wat zal het zijn: bronchitis, longontsteking, tuberculose, sigaretten, crack, aids? 'Ik zou het je nooit vragen, als ik niet zo ziek was. Ik ben echt hartstikke doodziek.'

Ik bekijk hem aandachtig en besluit dat hij niet lult. Ik houd het glas tegen het licht, zoek nog een vlekje en zeg kortaf: 'Een kilometer verderop. Aan de overkant.'

'Watte?' zegt hij met open mond, als een goudvis in een kom, in het gelige licht van de pub.

'Sociale Dienst van de gemeente Edinburgh,' deel ik mee. 'Dit daarentegen is een café. Ik denk dat je verkeerd bent. Wij hebben vergunning voor het verstrekken van alcoholische dranken.' Ik deel hem dit zo formeel mogelijk mee en pak het volgende glas.

Ik krijg bijna spijt van mijn optreden, Spud kijkt mij een ogenblik lang vol ongeloof aan, laat mijn kwetsende opmerking tot zich doordringen en vervalt dan tot een mokkend stilzwijgen. Gelukkig wordt mijn aanval van schaamte onmiddellijk vervangen door een golf van opluchting en trots omdat er weer een stuk aangeschoten wild uit mijn leven verdwenen is.

Tja, wij kennen elkaar al een hele poos, maar dat waren andere tijden.

Er komt een groepje klanten binnen, en tot mijn afschuw zie ik een paar uniformen van het Scottish Office hun hoofd om de deur steken, hun neus ophalen en zich weer snel uit de voeten maken. Potentiële nieuwkomers met een dikke portemonnee worden weggestuurd door hardnekkige ouwe viespeuken met een halve cent en jonge cunts die zoveel mogelijk drugs slikken – behalve dan de alcohol waarmee ik in deze kroeg de kost probeer te verdienen. Dit wordt een lange eerste dienst voor mij. Naarmate de tijd verstrijkt, word ik steeds radelozer, en ik denk aan Paula's warme luilekkerland.

Ten langen leste ontdek ik een vriendelijk gezicht in de pub, onder een bos met krullen die korter geknipt is dan ik me kan herinneren, en op een lijf dat veel slanker is dan ik voor mogelijk had gehouden. De laatste keer dat ik die gast zag, was ik ervan overtuigd dat hij zonder meer afstormde op de Hel der Vetzucht. Het ziet ernaar uit dat hij precies op tijd de borden heeft gezien en de juiste afslag heeft genomen, en nu terug is op de Snelweg der Slanken. Het is niemand anders dan de bekendste handelaar in frisdranken die onze fraaie stad ooit gekend heeft, Terry 'Sap' Lawson, een van de Uitverkorenen uit Saughton. Terry is hier enigszins buiten zijn territorium, maar hij is niettemin een welkome verschijning. Hij begroet me hartelijk en ik merk op dat zijn kleding ook in gunstige zin is veranderd; duur ogend leren jack, zwart-wit gestreept Queen's Park FC-shirt van Lacoste, hoewel het effect enigszins bedorven wordt door wat eruitziet als een spijkerbroek van Calvin Klein en schoenen van Timberland. Ik neem me voor er een keer iets van te zeggen. Ik trakteer hem op een drankje en we babbelen over vroeger. Terry vertelt wat hij allemaal gedaan heeft en ik moet toegeven dat het interessant klinkt. '...stuk voor stuk zo geil als boter, die wijven. Je hebt geen idee; ze kijken wat de bedoeling is en doen het meteen. We zijn begonnen met selecteren via de kleine advertenties in die lullige tijdschriften. Eerst was het ruig spul, maar het wordt steeds beter, de kwaliteit neemt toe, zeg maar, want een kameraad van mij werkt bij een of ander wijkcentrum in Niddrie en daar hebben ze professionele montageapparatuur voor digitale video. En dat is nog maar het begin; een van de jongens wil een website ontwerpen, die klootzakken hoeven dan alleen maar hun creditcardgegevens in te tikken en te downloaden wat ze willen hebben. De fuck met al dat zakengedoe, het hele internet draait om porno.'

'Klinkt goed,' zeg ik en knik instemmend. Ik vul zijn glas bij. 'Jij hebt het goed voor elkaar, Terry, ouwe rukker.'

'Ja, en ik speel zelf mee. Je kent mij, altijd al dol geweest op de wijven, en nooit te beroerd geld te verdienen zonder al te veel te hoeven doen. Het barst ook van het nieuwe talent, krenten in de pap,' zegt hij en grijnst enthousiast.

'Tof voor jou, Terry,' zeg ik en bedenk dat het slechts een kwestie van tijd was geweest voordat Terry, op zijn eigen lullige manier in de porno-industrie terecht zou zijn gekomen.

Terry wil nog iets bestellen, ik besluit dat Mo het wel alleen af kan, en we begeven ons naar de rustige kant van de bar met medename van een dubbele cognac met cola. Terry zit al snel te blaten over hoe geweldig hij het vindt dat ik terug ben, en dat we met mijn connecties in de seksindustrie gemakkelijk samen iets zouden kunnen opzetten. Ik zie zijn dubbele agenda natuurlijk van op kilometers afstand. 'Weet je wat het is, man,' zegt hij met wijdopen ogen, 'de kans is groot dat we uit die tent waar we nu zitten geflikkerd worden, dus dan zou ik misschien hier een poosje kunnen intrekken.'

Dat klinkt interessant. Ik zit te denken aan dat zaaltje boven. Er staat een bar in, maar het wordt nu toch niet gebruikt. 'We zouden het kunnen proberen, Terry,' zeg ik met een glimlach.

'Hé, wat dacht je van een proefrit? Vanavond?' vraagt hij met enige aarzeling.

Ik denk hier een paar tellen over na en knik dan langzaam. 'Waarom wachten tot morgen...?' zeg ik glimlachend.

Terry slaat mij op de schouder. 'Sick Boy, wat is het godverdomme tof dat je er weer bent. Jij bent een bron van nieuwe fucking energie, man. Er lopen hier in de stad veel te veel chagrijnige cunts rond waar je helemaal ziek van wordt, ze voeren geen flikker uit, en dan beginnen ze ineens te kankeren als iemand anders zijn nek uitsteekt. Maar dan jij, man, jij zit tenminste niet stil!' En hij maakt een paar danspasjes, haalt zijn mobiel te voorschijn en begint te bellen.

Tegen sluitingstijd doe ik mijn uiterste best om die kleine klootzakken die zich rond de jukebox verzameld hebben, de deur uit te krijgen. 'HOOGSTE TIJD, DAMES EN HEREN!' schreeuw ik vanachter de bar, en een paar ouwe zakken schuifelen naar buiten, de nacht in. Terry staat nog steeds te lullen in zijn mobiel. Die jonge cunts zijn het probleem. Een van hen, een hondsbrutale snotneus genaamd Philip, een agressieve klootzak met een vuist vol zegelringen, heeft in de gaten dat we iets van plan zijn. En die lange Curtis, een onnozele, stotterende kameraad van hem, stond met Murphy te praten toen die op weg naar buiten was. Soort zoekt soort.

Ik open de zijdeur en knik naar hen. Ze maken aanstalten om te gaan en die Philip vraagt: 'Is er geen nafeest, Sick Boy?' Zijn geniepige spleetogen glanzen en een gouden tand fonkelt in zijn bek. 'Ik hoorde je zoiets zeggen tegen die ene gast, die Terry Sap,' zegt hij grijnzend en op brutale, intimiderende toon.

'Nee, een bijeenkomst van de fucking vrijmetselaars, man,' zeg ik en duw dat graatmagere lijf van hem de straat op. Die maffe kameraad van hem gaat met hem mee, gevolgd door de rest.

'Ik dacht dat er een nafeest was,' zegt een andere brutale hond grijnzend.

Ik besteed geen aandacht aan die lul, maar knipoog naar de knappe meid die hij bij zich heeft. Ze kijkt me eerst nietszeggend aan, maar dan kan er een dun lachje af voordat ze het pand verlaat. Ietsje te jong voor mij. Ik knik naar Mo, die de jukebox uitzet terwijl ik de deur afsluit en naar de bar loop en nog twee cognac inschenk voor Terry en mezelf. Enkele minuten later klinkt er een bons op de deur die ik negeer, gevolgd door de voetbalklassieker di-di, di-di-di, di-di-di-di, di-di.

Terry klapt zijn mobiel dicht. 'Daar zijn ze,' zegt hij.

Ik doe de deur open en zie een gast die ik vaag herken, en mijn stekels komen overeind, want ik weet zeker dat hij vroeger fan van Hibernian is geweest, maar goed, iedereen in Edinburgh tussen de vijfentwintig en vijfendertig is vroeger fan van Hibernian geweest. Er zijn nog een paar gezichten die mij vaag bekend voorkomen maar waarvan ik de naam niet weet. De meiden maken veel meer indruk op mij: drie echte *babes*, een mollig, vuil kijkend wijf, en een leuk klein meisje met een bril op dat hier volledig uit de toon valt. Een van de *babes* valt bijzonder bij mij in de smaak: lichtbruin haar, enigszins oosterse ogen met prachtig geëpileerde en geraffineerd aangezette wenkbrauwen, en een kleine mond met volle lippen. Kut, haar lichaam beweegt zich uiterst soepel onder die dure kleren van haar. Babe *numero due* is iets jonger en minder elegant gekleed, maar niettemin nog steeds uiterst neukbaar. De derde is een bloedgeile blondine. Die twee klootzakjes, Philip en Curtis, staan nog steeds bij de deur, en ze houden het gezelschap goed in de gaten, net als ik trouwens, met name die spectaculair gevormde babe *numero uno* met dat lange bruine haar en die zwoele, hooghartige elegance. Vooral die meid lijkt tot een geheel andere klasse te behoren dan Terry. 'Wat is dat dan voor een vrijmetselaar?' vraagt die hondsbrutale lul van een Philip.

'Loge negenenzestig,' fluister ik tegen hen en smijt de deur opnieuw voor zijn neus dicht, terwijl Terry iedereen met veel enthousiasme begroet.

Ik draai me om naar mijn gasten. 'Oké lui, we moeten naar boven, dus als jullie die deur links willen nemen,' leg ik uit. 'Mo, jij sluit wel af hè, meid?'

Morag kijkt even op van haar werk en probeert te ontdekken wat er aan de hand is. Dan gaat ze naar het kantoor en pakt haar jas. Ik ga ook naar boven. Ja, dit zou wel eens een heel interessante avond kunnen worden.

15 Hoeren van Amsterdam, deel 2

Katrin, een Duitse uit Hannover, is mijn vriendin. Ik heb haar ongeveer vijf jaar geleden op een avond leren kennen in de Luxury, mijn club. De precieze details daarvan herinner ik mij niet meer. Mijn geheugen is naar de kloten, te veel drugs. Nadat ik me in Amsterdam had gevestigd, ben ik opgehouden met de smack. Maar zelfs de E en de cocaïne branden in de loop van de jaren gaten in je hersenen, verschroeien je herinneringen, je verleden. Daar is op zich overigens niks mis mee, soms kan het zelfs wel handig zijn.

Geleidelijk aan had ik geleerd respect te hebben voor die drugs en er behoedzaam mee om te gaan. Tot je dertigste kun je wat dat betreft de beest uithangen, omdat je geen idee hebt van je eigen sterfelijkheid. Dat wil niet zeggen dat je die periode in je leven dus ook overleeft. Maar na je dertigste ga je uit een ander vaatje tappen. Plotseling besef je dat je vroeg of laat zult sterven, en in de katers en ontwenningsverschijnselen die je meemaakt voel je hoe de drugs dit proces alleen maar versnellen: ze putten je geestelijk en lichamelijk helemaal uit, en leiden even vaak tot dodelijke verveling als tot opwinding. Het wordt een soort wiskundig probleem waarin je speelt met de variabelen: geconsumeerde drugseenheden, leeftijd, lichamelijke gesteldheid en het verlangen om naar de kloten te gaan. Sommigen kiezen ervoor om eruit te stappen. Een paar houden het tot het bittere einde vol, en kiezen voor een leven als wandelend zelfmoordgeval op termijn. Ik besloot mijn leven te blijven leiden zoals het was, compleet met uitgaan en drugs, binnen bepaalde grenzen. Maar na een week kapte ik ermee, meldde me bij een sportschool en nam karateles.

Vanochtend móést ik even de flat uit. De sfeer tussen mij en Katrin is gespannen. Ik kan best tegen ruzie zo nu en dan, maar die stiltes vreten aan me en haar sarcastische opmerkingen komen aan als de linkse directe van een bokser. En dus pakte ik mijn sporttas in en ging naar waar ik altijd heen ga als ik me zo voel.

Ik heb mijn armen in de katrolhandgrepen, dwars over mijn borst gekruist. Ik adem lang en diep in, spreid mijn armen wijd uit en houd ze zo een tijd vast. Ik heb vandaag het gewicht verhoogd en voel de pijn branden in mijn spieren, die eens miezerig waren maar nu keiharde bundels geworden zijn... ik zie rode orgastische sterren voor mijn ogen... *en negentien*... het bloed suist en bonkt in mijn oren... mijn longen ontploffen, als een autoband op de inhaalstrook... *en twintig*...

...en bij dertig stop ik en voel hoe het zweet van mijn voorhoofd druipt en in mijn ogen prikt, en ik lik mijn lippen om het zout te proeven.

Dan nog een halfuur op de tredmolen, waar ik de snelheid verhoog van tien tot veertien kilometer per uur.

In de kleedkamer trek ik mijn oude grijze sweatshirt, sportbroek en onderbroek uit en stap onder de douche; eerst heet, dan warm, koud en ten slotte fucking ijskoud; ik blijf staan en voel hoe ik weer helemaal word opgeladen. Ik stap eruit, kom achter adem en val bijna flauw, maar direct daarna voelt het fantastisch, ik ben er weer helemaal bij, ik gloei, voel me ontspannen en alert. Ik kleed me langzaam aan.

In de kleedkamer zie ik een paar andere gasten die hier ook regelmatig komen. We wisselen nooit een woord, knikken alleen naar elkaar. Het zijn mannen die het veel te druk hebben, te geconcentreerd zijn om hun tijd te verdoen met praten over koetjes en kalfjes. Mannen met een missie. Unieke, onvervangbare exemplaren, acterend midden in de wereld.

Althans dat denken we graag.

16 '...vergeet de speldenfabriek van Adam Smith...'

Het was een drukke dag in de sauna. Ik heb een paar massages gegeven die erop uitdraaiden dat ik de klanten moest aftrekken, maar toen dat evenbeeld van Arthur Scargill vroeg of ik hem wilde pijpen, heb ik hem beleefd gezegd dat hij de kanker kon krijgen.

Bobby komt naar me toe, gaat voor me staan, in die Pringle-trui die onwaarschijnlijk strak zit over die gigantische pens van hem, en zegt: 'Luister, Nikki, je bent erg populair hier onder die kloo... klanten en zo. Punt is dat je zo nu en dan misschien ietsje verder moet gaan in je dienstverlening. Ik bedoel, die gast met wie je dat meningsverschil had, dat is Gordon Johnson. Dat is een hele piet in de stad, een speciale klant, zeg maar,' legt hij uit, terwijl ik geobsedeerd ben door het haar dat uit zijn neusgaten groeit en door die onwaarschijnlijk nichterige manier waarop hij zijn sigaret vasthoudt.

'Wat bedoel je precies, Bobby?'

'Ik raak je niet graag kwijt, meid, maar als je niet doet wat je moet doen, dan kan ik verder niks met je.'

Ik voel een golf van misselijkheid door me heen gaan; ik pak de handdoeken en stop ze in de grote wasmand.

'Heb je me gehoord?'

Ik kijk hem aan. 'Ik heb je gehoord, ja.'

'Mooi zo.'

Samen met Jayne haal ik mijn jas op en we gaan het stadscentrum in. Ik besef dat ik dat baantje hard nodig heb en vraag me af hoever ik wil gaan om het te houden. Dat is het probleem met de seksindustrie, het komt altijd neer op de meest primaire principes. Als je echt wilt weten hoe kapitalisme werkt, vergeet dan de speldenfabriek van Adam Smith, en kom hier maar eens rondneuzen. Jayne wil nieuwe schoenen kopen in Waverley Market, maar ik heb een afspraak met de anderen in een pub aan de South Side.

Iedereen is er al, en ik stel met verbazing vast dat Lauren met Rab is. Het komt als een schok voor mij. Ik had gedacht dat ze gezellig een avondje thuis zou blijven met Dianne, dat ze lekker wijn zou drinken en rond middernacht de koelkast plunderen samen met haar nieuwe grote zus. Ik dacht dat ik gedegradeerd was tot de rol van haar halvegare, gênante, om zich heen neukende tante. Ik heb het gevoel dat Lauren vanavond hier is omdat ze zichzelf heeft voorgenomen om mij te 'redden' uit een leven vol losbandigheid. Stomvervelend. Die gast van de pub zei dat er sprake kan zijn van een nafeest, en dus is Terry vooruitgegaan om de zaak te onderzoeken. Hij belt ons op zijn mobiel en we gaan er in een paar taxi's naartoe. Ik ben helemaal beduusd dat Lauren besloten heeft om met ons mee te gaan, maar Rab heeft haar verzekerd dat hij zijn kleren zou aanhouden en dat neuken niet verplicht was.

De nieuwe kroeg is een nog smeriger tent ergens in Leith. Terwijl we naar binnen gaan, opnieuw door een zijdeur, komt er een groepje puistenkoppen naar buiten dat opmerkingen maakt. Lauren reageert geïrriteerd. In de kroeg worden we voorgesteld aan een zongebruinde man met vet, achterover gekamd haar. Met zijn gebogen, donkere wenkbrauwen en wrede, vertrokken mond, lijkt hij op een gemene versie van Steven Seagal. Hij gaat ons voor de trap op naar een zaaltje boven met een bar langs een hele wand en een aantal tafeltjes en stoelen. Het ruikt er muf en bedompt, alsof het al een tijd niet gebruikt is. 'Deze engel hier heet Nikki,' zegt Terry, terwijl hij zijn handen van boven naar beneden over mijn rug laat glijden, en weer terug. Ik blijf staan en kijk hem aan, en hij verontschuldigt zich: 'Ik voelde even naar je vleugeltjes, mop, niet te geloven dat je geen vleugels hebt...' Hij wendt zich tot Lauren en zegt: '...en dit schatje hier heet Lauren. Mijn oude kameraad Simon,' zegt Terry, terwijl hij het Steven Seagal-type keihard op de rug slaat. Hij stelt die Simon ook voor aan Rab, Gina, Mel, Ursula, Craig en Ronnie.

Die Simon maakt het barhek open en geeft ons allemaal een sterke en warme hand, en ziet er zo pijnlijk oprecht uit dat dit allemaal wel doorgestoken kaart moet zijn. Zoiets heb ik nog nooit meegemaakt. 'Bedankt dat jullie gekomen zijn,' zegt hij. 'Leuk dat jullie er zijn. Ik drink maltwhisky, dat is een slechte eigenschap van mij. Ik zou het op prijs stellen als ik jullie mag trakteren,' zegt hij, terwijl hij een aantal glazen volschenkt met Glenmorangie. 'Sorry voor de troep hier,' legt hij uit, 'ik ben pas sinds kort eigenaar en dit was de opslagruimte... nou ja, ik zal maar niet zeggen wat er opgeslagen werd,' zegt hij gniffelend tegen Terry, die veelbetekenend teruggrijnst, 'maar ik heb de boel laten leeghalen.'

'Ik niet, dank je,' zegt Lauren.

'Kom op, schat, een halfje,' dringt Terry aan.

'Terry,' zegt Simon op ernstige toon, 'dit is godverdomme het leger niet. En als de regels van het Engels ondertussen niet veranderd zijn, betekent "nee" meestal nog steeds "nee".' Hij kijkt Lauren aan en vraagt op ernstige toon: 'Kan ik soms iets anders voor je inschenken?' Hij slaat zijn handen in elkaar en duwt ze stevig tegen zijn borstkas, met zijn ellebogen ver uit elkaar. Zijn ogen zijn wijdopen, zijn blik is intens, onheilspellend en oprecht tegelijkertijd.

'Nee, dank je, echt niet,' zegt Lauren stijfjes, voet bij stuk houdend, maar ik weet zeker dat er een subtiel lachje om haar mond speelt.

De drank vloeit rijkelijk en binnen de kortste keren is iedereen geanimeerd met elkaar in gesprek. Gina doet nog enigszins afstandelijk tegen mij, hoewel ze blijkbaar went aan mijn aanwezigheid, want ze werpt me steeds minder agressieve blikken toe. De rest van de groep is alleraardigst, met name Melanie. Ze vertelt me over haar zoontje en over de schulden waar de gast met wie ze samenwoonde haar mee heeft opgezadeld. We horen het gesprek dat plaatsvindt tussen Simon (ofwel 'Sick Boy', zoals Terry hem meestal noemt, waarop hij reageert alsof iemand met zijn nagels over een schoolbord krast) en Rab. Ze raken aardig dronken van de whisky en hebben het over het maken van een pornofilm.

'Als je een producer zoekt, dan ben ik je man. Ik heb in Londen in de seksindustrie gewerkt,' deelt Simon mee. 'Video's, stripclubs. Er zit goudgeld in die business.'

Rab knikt instemmend, tot toenemende ergernis van Lauren. Ze is van gedachten veranderd aangaande het aangeboden drankje en slaat nu de ene dubbele wodka na de andere achterover, en ze laat de rondgaande joint ook niet aan zich voorbijgaan. 'Ja, porno ziet er altijd beter uit op video,' beweert Rab, 'harde porno, bedoel ik. Geen artistiek gedoe, en zo. Net als bij videoplaten en filmfilms.'

'Inderdaad,' zegt Simon, 'ik zou graag een echte pornofilm maken. Zo'n ouderwetse, op celluloid, met softe seks, afgewisseld door uitgebreide harde neukscènes op video. Die film *Human Traffic*, die is gemaakt met digitale video, super 16 en 32 millimeter, voorzover ik weet.'

Rab is dronken van enthousiasme en van de whisky. 'Ja, in de montage kun je van alles doen. Maar het moet niet zo'n goedkope, grofkorrelige afrukvideo worden, maar een echte pornografische film, met een fantastisch script, een behoorlijk budget en een prima geluid. Eentje die gaat behoren tot de klassieke films in het genre.'

Lauren werpt Rab een nijdige blik toe, haar gezicht is vertrokken in een woedende grimas. 'Klassieke films in het genre! Wat voor klassieke films?! Het is allemaal gore troep, godverdomme, het buit mensen uit, en het appelleert aan de laagste gevoelens van...' ze kijkt om en ziet Terry's geile grijns, '...van mensen.'

Terry schudt het hoofd en zegt iets over de Spice Girls, maar misschien vergis ik me, want ik ben een beetje bezopen en deze skunk is dodelijk. De mensen lijken te tollen voor mijn ogen en slechts door een uiterste wilsinspanning krijg ik hen weer scherp in beeld. Rab houdt met luide stem voet bij stuk tegenover Lauren: 'Er zijn wel degelijk goede films in het pornografische genre. *Deep Throat*, *The Devil in Miss Jones*... sommige films van Russ Meyer, dat zijn allemaal klassiekers, en ze zijn veel vernieuwender en feministischer dan van die kutterige kunstfilms zoals... zoals... *The Piano*!'

Die laatste opmerking is een stoot onder de gordel, en zelfs in mijn dronken waas zie ik dat Lauren zich bijna lichamelijk geraakt voelt. Ze krimpt zowat in elkaar, en even vrees ik dat ze zal flauwvallen. 'Je kunt die... je kunt die smerige goedkope rotzooi toch niet... je kunt die...' ze kijkt Rab aan en vervolgt op bijna smekende toon: '...je kunt toch niet...'

'Laten we ophouden met dat gelul over film, laten we er een gaan maken,' sneert Rab. Hij wendt zich tot Lauren, die de door whisky benevelde Rab aankijkt alsof hij veranderd is in een monster dat haar verraden heeft. 'Twee jaar lang heb ik geen kloot gedaan behalve naar gebakken lucht luisteren. Mijn vriendin krijgt een kind. En wat heb ik al die tijd gedaan? Ik wil eindelijk eens iets dóén!'

Ik knik vanuit een dikke mist en wil roepen: 'Ja!', maar Terry is mij voor en hij brult: 'Zo mag ik het godverdomme horen, Birrell,' en hij slaat Rab hard op zijn rug. 'Wie niet waagt, die niet wint, godverdomme!' Hij kijkt om zich heen en zegt met veel bravoure: 'De vraag is niet waarom we het zouden doen, maar: wat moeten we godverdomme anders?'

Craig knikt gespannen, Ursula en Ronnie grijnzen, en Simon schreeuwt instemmend: 'Groot gelijk, Terry!' Hij wijst naar zijn vriend en stelt: 'Die gast is fucking geniaal. Altijd al geweest, zal hij ook altijd blijven. Einde verhaal,' deelt hij ons mee. Hij kijkt naar Terry en zegt met welgemeende eerbied: 'Goddelijk, Tel, goddelijk.'

Hij is dronken natuurlijk, net als wij allemaal. Maar ik voel me niet alleen beneveld door de alcohol en de wiet, maar door de gesprekken, het gezelschap, en het idee van de film. Ik vind het fantastisch, ik wil meedoen, en het kan me geen bal schelen wat de anderen denken. Er gaat een golf van verrukking door mij heen en plotseling dringt het besef tot mij door dat dit de échte reden is waarom ik in Edinburgh ben beland. Dit is het karma, dit is mijn noodlot. 'Ik wil pornoster worden. Ik wil dat mannen zich aftrekken bij beelden van mij, over de hele wereld, mannen van wier bestaan ik niet eens op de hoogte ben!' Ik spuug die arme Lauren deze woorden bijna in het gezicht, en barst uit in een stonede, kakelende heksenlach.

'Maar dan verlaag je jezelf tot een gebruiksvoorwerp, dat kun je toch niet maken, Nikki, dat kan toch niet!' krijst ze.

'Onzin,' zegt Simon tegen haar. 'Gewone acteurs zijn grotere hoeren dan pornosterren,' stelt hij. 'Als je iemand je lichaam laat gebruiken, of de filmbeelden die je van jezelf maakt, dat stelt geen fuck voor. Pas als je ze je gevoelens laat gebruiken: dan speel je pas de hoer. Die mag je nooit, nooit prostitueren!' zegt hij. Het klinkt even overtuigend als bombastisch.

Lauren lijkt te gaan gillen, probeert op adem te komen. Ze legt haar hand op haar borst en haar gezicht vertoont zorgelijke trekken. 'Nee, nee, want...'

'Rustig maar, Lauren, godverdomme. Gewoon een kwestie van een beetje te veel whisky en skunk,' zegt Rab en hij grijpt haar bij de arm. 'Wij gaan een film maken. Een pornofilm, nou en? Wat maakt dat uit? Waar het om gaat is dat we het gewoon doen, dat we de wereld laten zien dat we het kunnen.'

Ik kijk haar aan en zeg: 'Ik ben zelf de baas over het beeld dat er van mij gegeven wordt. De snol die ze zich in hun geest voorstellen, de rol die ik speel op het scherm, dat personage is mijn schepping, en heeft geen enkele gelijkenis met de echte ik,' leg ik uit.

'Je kunt toch niet...' brengt ze ongelovig uit, bijna in tranen.

'Ja, dat kan ik wel degelijk.'

'Maar...'

'Lauren, je bent zo preuts en je standpunten zijn zo achterhaald.'

Ze is boos en verongelijkt, staat moeizaam op, loopt naar het raam, houdt zich aan de vensterbank vast en kijkt naar buiten. Hier en daar trekt men de wenkbrauwen op om haar abrupte vertrek, maar de meesten van ons zijn zo dronken of zo diep in een gesprek verwikkeld dat we het niet merken of ons er niets van aantrekken. Rab loopt achter haar aan en begint tegen haar te praten. Hij knikt haar verzoenend toe, komt naar mij toe en zegt: 'Ik breng haar met een taxi naar huis. Wil je ook mee?'

'Nee. Ik blijf nog even,' zeg ik, en ik zie dat Terry en Simon breed staan te grijnzen.

'Ze is overstuur en bovendien geflipt door die skunk, en iemand moet haar gezelschap houden voor het geval ze moet overgeven,' zegt Rab.

Terry slaat Rab weer op de rug, deze keer zo hard dat wij allemaal het agressieve element in deze uiting van kameraadschap bespeuren. 'Geef dat stomme wijf even een goeie beurt en maak haar weer wat relaxed.'

Rab werpt Terry een staalharde, blik toe. 'Ik moet naar huis, naar Charlene.'

Terry haalt zijn schouders op, alsof hij wil zeggen: zelf weten, lul. 'Dus het lijkt erop dat ik het zelf weer moet doen,' zegt hij glimlachend. 'Sekstherapeut Lawson. De belangstelling is puur beroepshalve, zeg maar. Weet je wat, Rab, stop haar maar vast lekker in, dan kom ik er zo aan,' zegt hij lachend.

Rab laat zijn blik iets langer op mij rusten, maar ik ga niet naar huis, ik wil niet het zelfmedelijden bevestigen van die kleine, zedenprekende, gefrustreerde pot. Ik wil meedoen aan wat actie. Mijn hele leven verlang ik daar al naar, volgend jaar word ik vijfentwintig, en hoelang duurt het nog voordat al het mooie eraf is? Iedereen heeft het maar over Madonna, maar zij is een uitzondering op de regel. Het zijn de Britneys, de Steps, de Billies, de Atomic Kittens en de s-Club Sevens waar het om draait, en vergeleken met mij zijn dat allemaal fucking baby's. Ik wil het nú, ik heb er nú behoefte aan, want morgen bestaat niet. Als je vrouw bent en knap, dan ben je de trotse bezitter van het enige wat op deze wereld de moeite waard is, het enige wat je ooit zult krijgen, het schreeuwt je toe in alle tijdschriften, op tv, of het witte doek. OVERAL GODVERDOMME: SCHOONHEID STAAT GELIJK AAN JEUGD, DOE HET NU! 'Laat Dianne maar bij haar zitten,' zeg ik tegen Rab en ik keer mij weer naar de anderen. 'Ik wil godverdomme meedoen aan de actie!' schreeuw ik.

'Jij bent een fucking gaaf wijf!' Terry drukt mij in een vlaag van oprechte, dolzinnige blijdschap tegen zich aan. Mijn hoofd tolt, en ik zie hoe Simon naar beneden gaat met een strak kijkende Rab en een trillende Lauren en hen uitlaat.

Craig zet een eenvoudige digitale videocamera klaar op een statief, terwijl Terry en Mel met elkaar beginnen te flikflooien. Ursula gaat op haar knieën voor Ronnie zitten en ritst zijn gulp open. Ik vind dat ik ook iets moet doen, en terwijl Simon de trap weer op komt, kom ik overeind, maar ik begin te kokhalzen. Ik voel hoe iemand, waarschijnlijk Gina, mij naar het toilet brengt, maar de kamer begint te tollen en ik hoor mensen lachen en kreunen en Terry die zegt: 'Lichtgewicht,' en ik wil voor mezelf opkomen maar hoor Gina roepen: 'Fuck op, Terry, ze is niet goed geworden,' en ik ril en bibber, en het laatste wat ik hoor is de stem van Simon die luidkeels een toost uitbrengt: ‘Op ons, jongens. Het gaat een enorm succes worden! We hebben de juiste mensen, en het geld komt wel. Niemand die nog roet in het eten kan gooien!’

17 Op vrije voeten

Geen fucking oog dichtgedaan vannacht. Wilde ik godverdomme ook niet. Heb gewoon naar de muren zitten staren en dacht steeds: morgen kan ik godverdomme naar buiten. Ik heb die cunt Donald de hele nacht wakker gehouden met mijn gelul. De laatste gelegenheid voor die lul om een intelligent verhaal te horen, want de kans is groot dat ze een of andere kansarme kutlul bij hem zetten. Niemand om mee te praten, godverdomme. Ik zeg tegen die cunt, ik zeg, geniet er maar van, cunt, want morgen zit er een of andere sneue cunt bij je, en dan zit jij je mooi kapot te vervelen, stomme lul.

'Tja, Franco,' zegt hij. Ik heb hem alles verteld: over alle wijven die ik ga naaien en alle stomme klootzakken die ik godverdomme in elkaar ga rammen. Ik zal me godverdomme beheersen, want ik wil hier niet terugkomen, dat is een fucking feit, maar een stel van die cunts gaat slapeloze nachten krijgen als ze doorhebben dat ik weer los rondloop.

Gek genoeg dacht ik dat de nacht niet om zou komen, maar nee hoor, hij vloog voorbij, godverdomme. Ik moest die cunt Donald een paar keer een klap geven, want die onbeschofte lul viel gewoon in slaap. Hij mocht godverdomme blij zijn dat ik in een beste bui was, of hij was er een stuk slechter afgekomen dan een fucking klap op zijn kop, dat kan ik je godverdomme wel vertellen. Moe of niet fucking moe, goede manieren kosten niks, godverdomme. Geen goede manieren, dat is een stel sneue cunts duur komen te staan, dat kan ik je godverdomme wel vertellen.

De bewaker komt het ontbijt brengen. Ik zeg: 'Neem het mijne maar weer mee. Over twee uur zit ik in de cafetaria aan de overkant.'

'Ik dacht dat je wel wat zou lusten, Frank,' zegt hij.

Ik kijk die sneue lul aan. 'Nee, ik wil niks.'

Die cunt van een bewaker, McKecknie, haalt zijn schouders op en zet een ontbijtje voor Donald neer.

'O Franco, man,' zegt Donald, 'dat had je niet moeten zeggen, dan had ik er twee gehad!'

'Kop dicht, dikke lul,' zeg ik, 'jij moet godverdomme nodig afvallen.'

Het gekke is dat toen die lul begon te eten, ik een vette honger begon te krijgen. 'Geef me eens een stuk van die worst, lul,' zeg ik.

Die cunt kijkt me aan alsof hij dat absoluut niet van plan is. Mijn laatste dag, godverdomme! Ik loop op hem af, snaai het van zijn bord af en vreet het gewoon op.

'O, Franco! Hou nou op, man!'

'Ach, hou toch je bek, stomme lul,' zeg ik, terwijl ik het andere worstje plus het ei tussen het broodje leg, 'als je iets godverdomme niet van harte doet, dan komt er wel een of andere fucking cunt langs die je er godverdomme toe dwingt.'

En zo gaan die dingen, zowel hier binnen als erbuiten. Als je meewerkt: mooi, als je niet meewerkt: dikke lip. En nou zit die cunt daar met een smoel als een rauw geslagen kont.

Ik vertel die sneue cunt nog een paar sterke verhalen om hem op te vrolijken, over al het neuken en zuipen dat binnenkort zal gaan plaatsvinden in het Zonnige Leith, want die sneue lul gaat een zware tijd tegemoet als ik weg ben. Hij is niet uit het goede hout gesneden om te overleven in de bajes; twee fucking zelfmoordpogingen heeft die lul hier gedaan, en dat is pas sinds hij een cel met mij deelt, dus wie weet hoe hij eraan toe was voordat ik kwam.

McIlhone, de bewaker die mij gaat vrijlaten, komt me halen. Ik neem afscheid van Donald, en McIlhone smijt die sneue cunt de deur in het gezicht. Dit is de laatste keer dat ik dat geluid hoor. Hij geeft me mijn spullen en gaat mij voor door een deur en dan nog een deur. Mijn hart klopt godverdomme in mijn keel en aan de andere kant van de hal kan ik, door twee deuren en voorbij het bezoekersgedeelte, de buitenwereld zien. We lopen de hal in met de wachtkamer en de receptie. Terwijl een oud wijf de deur voor me opendoet, haal ik diep adem en zuig de frisse lucht naar binnen. Ik teken voor mijn spullen en loop door die fucking deur naar buiten. McIlhone loopt nog steeds met me mee, alsof ik stiekem langs die klootzak weer naar binnen wil glippen, terug de fucking bajes in. Hij zegt: 'Zo Franco. Ga je gang.'

Ik kijk recht voor me uit.

'Ik houd de cel wel warm voor je. Tot gauw.'

Die bewakers zeggen dat altijd en gevangenen halen altijd hun schouders op en zeggen dat ze niet terug zullen komen, en de bewakers lachen spottend en kijken je aan met een blik van: jij komt heus wel terug, stomme lul.

Maar ik niet. Ik heb geoefend op dit moment. En ik hoopte al dat die lul van een McIlhone mij uit zou laten. Ik kijk de cunt aan en zeg zachtjes, zodat niemand anders het kan horen: 'Ik ben nu buiten. Net als je vrouw. Misschien kom ik weer terug nadat ik haar fucking kop eraf gehakt heb, hè? Beecham Crescent nr. 12. En twee kinderen, hè?'

Ik zie hoe de klootzak begint te blozen en zijn ogen tranen. Hij wil iets zeggen, maar zijn rubber lippen weigeren dienst.

Ik draai me om en vertrek.

Op vrije voeten.

2 Harde porno

18 Flikkerporno

Een van de eerste dingen die ik godverdomme ga doen is die zieke lul opsporen die mij steeds van die gore fucking flikkerporno stuurde toen ik vastzat. Daardoor kreeg ik er nog een halfjaar bij omdat ik zo'n brutale kutlul in elkaar sloeg die begon te lachen toen ik zei: 'Ik en Lexo zijn partners.'

Ik had het natuurlijk over de winkel die we samen hebben.

Dat wordt dan ook mijn eerste telefoontje. Er is iets aan de hand, want die lange kankerlul is een hele tijd geleden opgehouden om mij op te zoeken in de gevangenis. Zo maar. Zonder verklaring, godverdomme. Dus ik neem de bus naar Leith, maar als ik uitstap, zie ik dat mijn hele winkel verdwenen is! Ik bedoel, hij is er nog wel, maar helemaal veranderd, godverdomme. Het is een fucking cafetaria geworden!

Ik zie hem meteen, hij zit achter de bar gewoon de krant te lezen, godverdomme. Die kun je niet missen, die lange lul, godverdomme wat een fucking eind is dat. De hele tent is leeg, op een oud wijf en twee stomme idioten na die zitten te ontbijten. Stel je voor: Lexo die eten uitserveert in een cafetaria, als een fucking wijf. Hij kijkt op, ziet mij, en schrikt zich een fucking kankerberoerte. 'Hé, Frank!'

'Hé,' zeg ik. Ik laat mijn blik door die shittent gaan, allemaal tafeltjes en van dat Chinees gekriebel en van die fucking draken op het behang. 'Wat heeft dit te betekenen?'

'Ik heb het omgebouwd tot cafetaria. Er valt geen cent te verdienen met tweedehands meubilair. 's Avonds is het een Thai-café. Hartstikke populair bij de nieuwe yuppen van Leith en de studenten,' zegt hij grijnzend en zelfingenomen.

Een taai café? Waar heeft die lul het over. 'Watte?'

'Mijn vriendin Tina is eigenlijk de bedrijfsleider. Die heeft hbo voedingsleer gedaan. We dachten dat het beter zou lopen als cafetaria.'

'Dus het loopt wel lekker,' zeg ik op half beschuldigende toon. Ik kijk om me heen en laat merken dat ik niet bepaald in mijn fucking nopjes ben.

Hij is van plan open kaart te spelen, dat kun je zien. Hij praat zachtjes en vol zelfvertrouwen, en hij wenkt me met zijn hoofd om mee naar achteren te gaan. Hij kijkt me aan. 'Ja, ik moest iets bedenken. Geen gedeal meer. Te veel gelazer met die kutpolitie. Deze tent is dus van Tina,' herhaalt hij, en vervolgt: 'Jij krijgt je deel natuurlijk ook, man.'

Ik kijk hem strak aan, met mijn rug tegen de muur leunend, dan laat ik mijn blik afdwalen naar de keuken. Ik voel dat hij enigszins gespannen wordt, alsof hij bang is dat ik ter plekke zal ontploffen. Die lange lul vindt zichzelf heel wat, maar met handen als kolenschoppen begin je niks met een groot mes in je pens. Ja, zijn blik volgt de mijne in de richting van de keuken. Ik steek van wal. 'Je hebt me een hele tijd niet opgezocht in de bak, hè,' zeg ik.

Hij kijkt me aan met dat stompzinnige lachje van hem om zijn mond. Ik merk dat die lul eigenlijk geen tijd voor mij heeft, dat hij me het liefst de hele fucking Leith Walk af zou ranselen.

Dat moet hij godverdomme eens proberen. 'En ik zal je godverdomme nog iets vertellen, de helft van die ouwe winkel was godverdomme van mij, dus dat wil zeggen dat dit ook voor de helft van mij is...' peper ik die cunt in, terwijl ik mijn blik door de cafetaria laat gaan en mijn nieuwe investering in mijzelf bekijk.

En je kunt aan die klotelul zien dat zijn bloed kookt, maar hij gaat maar door met zijn slappe geouwehoer. 'Nou, Frank, ik zie jou nog geen thee en broodjes uitserveren, maar we regelen wel iets. Ik zorg wel dat je niks te klagen hebt, ouwe makker van me, dat weet je toch.'

'Ja,' zeg ik, 'dan moet je nu maar even wat geld voor me regelen, ik ben godverdomme platzak,' zeg ik tegen die lange lul.

'Geen probleem, joh,' zegt hij, en hij telt een paar briefjes van twintig neer.

Mijn hoofd tolt, ik weet van voren niet dat ik van achteren leef. Hij geeft mij het geld, maar tegelijkertijd gaat hij door met dat geouwehoer van hem. 'Moet je horen, Franco, ik heb gehoord dat Larry Wylie nog steeds contact heeft met Donny Laing,' zegt hij.

Mijn hoofd schiet omhoog en ik kijk hem aan. 'O ja?'

'Ja. Jij hebt die twee toch aan elkaar voorgesteld, niet?' zegt Lexo op die onnozele, slijmerige kuttoon van hem, gevolgd door een ernstige blik en een korte beweging van het hoofd, alsof hij wil aangeven dat ze mij aan het besodemieteren zijn.

En in dat fucking hoofd van mij probeer ik te bedenken wat hij godverdomme bedoelt, en waar het godverdomme allemaal om gaat, wie nou godverdomme wie besodemietert, en hij zegt: 'En je raadt ook nooit wie de nieuwe eigenaar is van de Port Sunshine. Die ouwe kameraad van je. Sick Boy werd die lul vroeger genoemd.'

Nu krijg ik dus echt een fucking migraineaanval, zoals ik ook in de bajes had... het voelt alsof mijn kop uit mekaar barst, godverdomme. Alles is hier godverdomme veranderd... Lexo met een cafetaria... Sick Boy met een pub... Larry Wylie die werkt voor Donny... ik moet nodig de frisse lucht in, even mijn gedachten op een rijtje zetten, godverdomme...

En die lange lul ouwehoert maar door: 'Ik ga vanmiddag naar de bank, Frank, dan haal ik even flink wat voor je op, voor de komende tijd. Tot we iets geregeld hebben voor de langere termijn, zeg maar. Je logeert zeker zolang bij je moeder?'

'Eh, ja...' zeg ik, met een bonzende kop, en ik heb eigenlijk geen idee waar ik godverdomme heen ga, 'ik neem aan van wel...'

'Nou, ik kom vanavond wel even langs. Kunnen we even lullen, oké?' zegt hij, en ik kan alleen maar knikken als de eerste de beste stomme idioot, terwijl mijn slapen bonken. Er komt zo'n ouwe trut binnen die een broodje ham wil en een kop thee, en er komt een meid in een jasschort binnen en Lexo knikt naar haar en ze maakt de bestelling klaar voor die ouwe taart. Lexo pakt een pen en een blocnote en schrijft een nummer op. Hij zwaait met zo'n moderne draadloze telefoon voor mijn gezicht.

'Dit is mijn mobiele nummer, Frank.'

'O ja...' zeg ik, 'iedereen heeft tegenwoordig zo'n kreng. Dan wil ik er godverdomme ook een. Zorg maar dat ik er een krijg,' zeg ik.

'Ik zal zien wat ik kan doen, Frank. Maar goed,' zegt hij, terwijl hij naar die meid kijkt, 'jij hebt ook vast wel iets anders te doen.'

'Ja... tot straks,' zeg ik, en ik ben blij dat ik weer de frisse lucht in kan. Van die vetstank daarbinnen moet ik kokhalzen. Ik kan nog steeds niet geloven hoe het allemaal veranderd is, die meubelwinkel van ons. Ik stap een drogist binnen en dat meisje geeft me Nurofen Plus. Ik neem er twee met water uit een flesje en loop de Walk op. Te gekke pillen zijn dat, want na ongeveer twintig minuten is de hoofdpijn weg. Ik bedoel, het is heel maf, want ik voel die kuthoofdpijn nog steeds, alleen doet het niet meer zo zeer. Ik loop snel terug om een kijkje door het raam in de cafetaria te nemen en zie dat Lexo ruzie staat te maken met dat wijf van hem, hij is een stuk minder zelfvoldaan geworden, godverdomme. Ja hoor, de helft van die fucking tent is van mij en hij gaat mij mooi uitkopen, en ik laat me godverdomme niet afschepen.

Ja hoor, ik zie hoe die lul aan een tafeltje bij het raam gaat zitten en alsmaar zit te rekenen. Nou, doe ik dus ook, vieze lange lul die je d'r bent. Ik loop zelfverzekerd de Walk weer op, kijkend naar alle smoelen die langskomen, in de hoop dat er iemand bij is die ik herken. Maar wat zullen we nou hebben? Twee smeerlappen met dreadlocks, en nog wel blanken, die hier paraderen alsof ze hier godverdomme thuis horen; vervolgens zie ik een of andere flikker met een poedel een winkel uitlopen en in zo'n fucking chique auto stappen. Wat moeten die klootzakken hier godverdomme? Die hebben niets met Leith te maken. Waar zijn de echte klootzakken gebleven? Ik haal mijn agenda te voorschijn, ga een telefooncel in en bel Larry Wylie. Het blijkt zo'n fucking 06-nummer. Die Lexo moet gauw zo'n mobiel voor mij versieren...

'Franco,' zegt Larry, de rust zelve, alsof die stomme lul allang verwachtte dat ik zou bellen. 'Bel je vanuit de bajes?'

'Nee, ik bel vanaf de fucking Walk,' zeg ik.

Hij is even stil en vraagt dan: 'Wanneer ben je vrijgekomen?'

'Maakt niet uit. En waar zit jij?'

'Ik ben aan het werk in Wester Hailes, Frank,' zegt Larry.

Daar moet ik even over nadenken. Ik kan mijn moeder nog niet onder ogen komen, al dat gezeik aan mijn kop. 'Oké, ik zie je over een halfuur in het Hailes Hotel. Ik neem even een taxi.'

'Ik werk voor Donny, Frank. Misschien dat hij...'

'Ik heb er godverdomme voor gezorgd dat je voor Donny kon gaan werken,' deel ik die cunt mee. 'Tot over een uur in de Hailes. Ik dump mijn rotzooi even bij mijn moeder, en dan kom ik met de taxi.'

'Eh, oké. Tot straks.'

Ik smijt de hoorn neer, en denk bij mezelf, die fucking etterkloot begint meteen te lullen tegen Donny Laing, helemaal opgefokt omdat ie slecht nieuws mag overbrengen, godverdomme. Ja, leer mij die lul kennen. Dus ik ga naar mijn moeder en die begint te janken en te blèren hoe geweldig het is dat ik terug ben en meer van dat gezeik.

'Ja hoor,' zeg ik. Ze is ontzettend dik geworden. Dat valt meer op, hier in huis, dan tijdens haar bezoekjes in de bajes.

'Ik ga het gauw aan Elspeth en Joe vertellen.'

'Tja. Staat er geen soep op?'

Ze zet haar handen in haar zij. 'Je zult wel uitgehongerd zijn, jongen. Ik zou graag wat soep voor je maken, maar ik moet zo naar de bingo, en tja, meestal spreek ik daarvóór met Maisie en Daphne af in de Persevere, voor een drankje...' Ze zwijgt. 'Maar je kunt wel naar de frietboer. Je hebt vast wel erg veel zin in fish en chips.'

'Ja hoor,' zeg ik. Ik bedenk dat ik het dan onderweg naar Larry kan opeten.

Ik vertrek, koop een portie fish en chips en houd een taxi aan. Die klootzak van een chauffeur werpt mij een brutale blik toe omdat hij blijkbaar niet wil dat ik patat eet achter in die kuttaxi van hem, maar ik kijk hem even streng aan, en het giert hem godverdomme in zeven kleuren door de broek.

Ik kom de Hailes binnen en Larry haalt een rondje. Hij is met een stel gasten, ik knik naar ze en ze trekken zich godverdomme meteen terug in de hoek. Dus ik zit te lullen met Larry, even bijpraten. Larry is een echte kameraad, want anderen ook van hem mogen zeggen. Hij kwam me tenminste wél opzoeken toen ik in de bak zat. Maar hij kan godverdomme ook een vuile stiekemerd zijn, en ik wil erachter komen wat hij en Donny in hun schild voeren, dus ik moet zorgen dat ik niet te bezopen word, terwijl dat geld van Lexo een gat in mijn zak brandt. Uit Larry's blik leid ik af dat de dreigementen wat aan kracht verloren hebben. Die lul houdt wel van een drankje, maar hij heeft blijkbaar eerst wat zaken af te wikkelen.

We drinken ons glas leeg en lopen naar die oude weg die dwars door de wijk loopt, die weg waarvan ze zeiden dat het godverdomme de nieuwe Princes Street zou worden. Tegenwoordig is het niet meer dan een betonnen pad van het winkelcentrum naar de flats, met aan elke kant een talud van gras. Een nieuwe Princes Street in een nieuwbouwwijk? Flikker nou toch helemaal op...

Larry blijft zo ongrijpbaar als de kanker. Hij kijkt voortdurend naar kleine meisjes die bij de flatgebouwen aan het spelen zijn. 'Ik moet hier over een paar jaar toch nog eens terugkomen,' zegt hij. De meisjes zingen: *'Mystic Meg said to me, Who my boyfriend's going to be...'* En die smeerlap spelt zachtjes zijn eigen naam: 'W-Y-L-I-E'.

'Rot op, vieze lul,' zeg ik.

'Geintje, Frank,' zegt hij.

'Ik hou godverdomme niet van dat soort geintjes,' zeg ik. Het is die cunt geraden dat hij een geintje maakt. Maar Larry is altijd opgewekt, maar tegelijkertijd kan hij godverdomme een spijkerharde klootzak zijn. Zeker als zijn pik in de weg zit. Hij heeft oorlog met de Doyles sinds hij een van de zusjes Doyle zwanger heeft gemaakt. Daarom was hij blij dat hij mee mocht doen met mij en Donny. Hij vertelt me iets over die meid waar we nu naar op weg zijn. 'Die lul van een Brian Ledgerwood, die is met de noorderzon vertrokken. Gewoon van de aardbodem verdwenen, hè. Vrouw en kinderen achtergelaten met de schulden. Gokschulden, zeg maar.'

'Te gek voor woorden,' zeg ik.

'Ja,' zegt Larry, 'ik heb te doen met dat arme mens. Lekker wijf, hoor, daar niet van. Maar zaken zijn zaken. Wat moet je doen? Maar er wordt beweerd dat ze helemaal niet zo bedeesd is. Melanie,' zegt hij op die smerige, slijmerige toon van hem. 'Er wordt beweerd dat die Terry Lawson ermee neukt. Ken je die lul nog?'

'Ja...' zeg ik, maar terwijl Larry op de deur klopt, kan ik me geen gezicht voor de geest halen.

Die Melanie doet de deur open, en wat een geil wijf is dat, zeg. Larry is diep onder de indruk. Daar staat ze, met nat haar dat ze blijkbaar net gewassen heeft, en dat al krullend tot op haar schouders hangt. Ze heeft godverdomme zo'n groene trui met v-hals en een spijkerbroek aan, en het lijkt wel of ze die alleen maar heeft aangetrokken om de deur open te doen. Ze heeft geen beha aan, Larry ziet dat en vraagt zich waarschijnlijk ook af of ze wel een slipje draagt. 'Moet je horen, ik heb je al gezegd dat ik niks te maken heb met de schulden van Brian.'

'Mag ik even binnenkomen, dat we er even over kunnen praten?' vraagt hij, en ik weet plotseling weer wie die Terry Lawson is, vroeger hebben we nog met elkaar opgetrokken, als kleine jongens. Met voetbal.

Melanie slaat haar armen over elkaar. 'Er valt niks te praten. Doe dat maar met Brian.'

'Dat zou ik heus wel doen als ik wist waar hij uithing,' zegt Larry met die brede grijns van hem.

'Ik weet dus niet waar hij uithangt,' zegt ze.

Op dat moment komt er nog een jonge meid van ongeveer dezelfde leeftijd langs, klein van stuk en met zwart haar. Ze loopt achter een kinderwagen. Als ze ons ziet, blijft ze staan. 'Is er iets, Mel?' vraagt ze.

'De schuldeisers komen geld halen, van Brian,' zegt ze.

De kleine meid met het zwarte haar kijkt mij aan. 'Bri heeft haar achterlaten met zijn schulden en heeft ook nog geld van haar meegenomen. Ze heeft hem al een hele tijd niet meer gezien, en dat is de waarheid. Zij heeft er niks mee te maken.'

Ik haal mijn schouders op en deel die kleine mee dat ik geen fucking schuldeiser ben, ik ben gewoon met Larry meegekomen omdat ik hem op straat tegenkwam. Ik zie dat ze een blauwe plek onder haar oog heeft. Ik vraag hoe ze heet en ze zegt Kate, en we kletsen verder wat met elkaar, als Larry plotseling officieel begint te doen tegen die andere meid. 'Dit is nou eenmaal het spel en dat zijn de regels, meid. En dit is niet de eerste keer. In het contract staat dat, net als bij personele belasting, de plicht tot aflossing rust op het hele gezin en niet op de persoon die de schuld aangaat.'

'Hé, hé! Waarom kijk je me zo aan?' zegt Larry. 'Ik sta aan jouw kant, meid.'

'Ja, ja. Dat zal wel,' zegt ze, maar de angst klinkt door in haar stem.

Die kleine Kate kijkt mij nog steeds aan, en ik denk, waarom pak ik dit wijf niet, het is godverdomme al zo lang geleden... en die Larry is godverdomme een bullebak en ik begin behoorlijk de kanker aan hem te krijgen. 'Moet je horen,' zeg ik, 'dat pak je helemaal verkeerd aan, Larry.'

'Het valt niet mee, ik weet het,' zegt Larry op verzoenende toon en met zachte stem, alsof hij beseft dat dit het moment is om toe te slaan. 'Luister... ik kan je niks beloven, maar ik praat wel even met de heren, of ik je wat meer tijd kan geven,' zegt hij met een glimlach.

Melanie kijkt de klootzak aan en perst er een wrang glimlachje en een bedankje uit. 'Ik weet dat het jouw schuld niet is, jij doet gewoon je werk...'

Larry houdt haar blik vast en zegt dan: 'Maar moet je horen, kunnen we niet een keer ergens wat gaan drinken en de zaak wat relaxter bespreken, vanavond of zo?'

'Nee, bedankt,' zegt ze.

Ik grijp mijn kans. 'En jij, Kate? Kun je voor een oppas zorgen?'

'Kan niet,' zegt ze glimlachend. 'Geen geld.'

Ik knipoog en zeg: 'Ik ben heel ouderwets. Ik wil niet dat een meisje iets betaalt. Acht uur dan maar?'

'Nou, ja... maar...'

'Waar woon je?'

'Beneden, hier vlak onder.'

'Ik pik je om acht uur op,' zeg ik. Dan wend ik me tot Larry en zeg: 'Oké, we gaan...' en ik grijp hem bij zijn arm en trek hem weg.

We lopen de trap af en hij begint meteen te klagen. 'Godverdomme, Franco, ze zou meegegaan zijn als jij me godverdomme niet meegetrokken had!'

Ik zeg het hem recht voor zijn raap: 'Die meid moet jou niet, stomme lul die je bent. Maar wat dacht je van mij dan, met die kleine Kate?'

'Ja, die wijven gaan zó voor de bijl; ze hebben nooit een nagel om hun kont te krabben en lopen achter iedere gast aan met een vette portemonnee op zak.'

'Ja, maar jou moeten ze niet, lul,' zeg ik. Dat vindt hij niet, maar hij kan er geen fuck tegen inbrengen. Hij heeft lang zo'n grote bek niet meer en hij schijt in zijn broek om wat hij Donny moet gaan vertellen.

Maar dat is zijn probleem, godverdomme. Ik ben nog maar een paar uur op vrije voeten en er gaat godverdomme al geneukt worden, en nog met een lekker wijf ook! Reken godverdomme maar dat ik de schade ga inhalen!

19 Kameraden

Sick Boy staat te snuiven als een oordeel, er stroomt veel meer snot uit zijn neus dan bij mij; helemaal over zijn bovenlip. Zo nu en dan haalt hij een papieren zakdoekje te voorschijn, maar dat helpt niet, die gast zijn fok stroomt als een bergbeek. En wat doen bergbeken nog meer? Die klateren, man, die klateren maar door en door, weet je wel. Ik heb er geen last van, nou ja, meestal niet, maar nu wel omdat Alison al dat gelul van hem moet aanhoren. En ze hangt aan zijn lippen, weet je wel. Het was haar idee om naar de Port Sunshine te gaan om hem te zien, niet het mijne, zeg maar. Misschien was het stom van me om een paar dagen geleden hier naar binnen te lopen en misschien was ik een beetje kortaf tegenover die *catboy*, maar mijn zenuwen waren aan flarden en hij kent me al zo lang en had toch wel wat medelijden kunnen hebben met een oude kameraad? Maar nee hoor, die gast denkt alleen maar aan zichzelf. Hij is zo vol van zichzelf dat het mij verbaast dat er nog plaats is voor cocaïne. En nu wauwelt hij maar door over films en de seksindustrie en dat soort gelul. Maar waar het om gaat is dat zij onder de indruk van hem is en omdat die twee vroeger iets gehad hebben en ik ben, geloof ik...

Jaloers? Overbodig? Allebei, man, allebei.

En de Sick Boy is niks veranderd, man; nee, nee, nee, die *catboy* is geen spat veranderd, want hij gaat maar door over zijn favoriete onderwerp: zichzelf, zichzelf en zichzelf, en al die fantastische plannen van hem.

Hij toomt een beetje in als het wat drukker wordt aan de bar en dat arme oude mens, die het met moeite alleen redt, luidkeels 'Simon!' roept. Nadat hij haar een paar keer genegeerd heeft, staat hij eindelijk op en springt met tegenzin bij. Zodra hij achter de bar staat, zegt Alison tegen mij: 'Wat ontzettend leuk om Simon weer te zien,' en ze begint over onze oude vriendenkring, over Kelly, Mark en Tommy, die arme Tommy.

'Tja, Ali, ik mis Tommy nog steeds,' zeg ik en wil graag met haar over

Tommy praten, want soms lijkt het wel of die gast helemaal vergeten is, en dat hoort niet zo. Want als ik het soms over hem heb, begint iedereen agressief te doen en zegt dat ik morbide ben, maar dat is helemaal niet zo, ik wil alleen zo nu en dan over hem praten, weet je wel?

Ali is vandaag naar de kapper geweest en heeft haar haar korter laten knippen, maar de pony is nog even lang. Eerlijk gezegd vond ik haar oude kapsel mooier, man, maar ik hou liever mijn mond dicht. Je weet het maar nooit met vrouwen, als je al krediet verloren hebt, kan één verkeerde opmerking de weegschaal helemaal doen doorslaan. 'Tja,' zegt ze en steekt een sigaret op. 'Tommy was een lieve jongen.' Dan kijkt ze mij recht aan, blaast uit, en ik zie een kille blik in de ogen van mijn schatje. 'Maar hij was een *smackhead*.'

En daar zit ik dan, man, en ik kan geen woord meer uitbrengen, weet je. Ik had moeten zeggen dat Tommy eigenlijk helemaal niet zo'n *smackhead* was, maar gewoon vette pech had, want de rest van ons gebruikte veel meer dan hij, maar er komt geen woord over mijn lippen want hij is weer bij ons komen staan met nieuwe drankjes, en het is weer één en al hij. Eén en al Sick Boy.

Het hamert voortdurend in mijn hoofd: LONDEN... FILM... DE SEKSINDUSTRIE... VRIJE TIJD... ZAKELIJKE MOGELIJKHEDEN...

En ik kan er niks aan doen, man, maar ik word bekaf van het luisteren naar al dat gelul, en plotseling komt er iets naars over me en zonder erbij na te denken, gooi ik het eruit: 'Dus je bent niet echt geslaagd in Londen, zeg maar?'

Sick Boy komt overeind, zijn ruggengraat stijf van de coke, en kijkt me aan alsof ik hem zojuist verteld heb dat zijn Italiaanse moeder politiemannen pijpt. Ja, er fonkelt haat in de ogen van de *catboy*, maar hij zegt niks, hij staart me alleen maar met een ijskoude blik aan, weet je.

Ik word er zenuwachtig van en zeg: 'Nee, ik dacht gewoon, nu je weer terug bent...'

Zijn gezicht verkrampt. Sick Boy en ik: we joegen elkaar voortdurend in de gordijnen, maar we waren wel erg close. Nu jagen we elkaar alleen nog maar op de kast. 'Laat één ding duidelijk zijn, Spu... Daniel. Ik ben teruggekomen voor zaken: om films te maken, een bar te runnen... en dit,' hij maakt een soort wegwerpgebaar met zijn arm, 'dit is nog maar het begin.'

'Ik noem een uitgewoonde pub waar je pornofilms draait nou niet bepaald grote zaken, man.'

'Nou moet jij godverdomme je bek eens houden,' zegt hij hoofdschuddend. 'Jij bent een fucking loser, man. Kijk eens naar jezelf!' Hij wendt zich tot Ali. 'Moet je hem zien! Sorry, Ali, maar het moet maar eens gezegd worden.'

Ali kijkt hem ernstig aan. 'Simon, we zijn toch allemaal vrienden van elkaar.'

Die lul doet gewoon waar hij het beste in is, anderen de schuld geven, zichzelf schoon praten en anderen te kakken zetten. 'Moet je horen, Ali, ik kom hier terug en het enige wat ik krijg is negatieve energie van losers,' zegt hij, 'en zo kan ik niet opereren. Alles wat ik zeg, wordt afgekraakt. Vrienden? Ik verwacht te worden aangemoedigd door die zogenaamde vrienden,' zegt hij snuivend. Hij wijst met een beschuldigend gebaar naar mij. 'Heeft hij verteld dat hij laatst ook al hier was? De eerste keer sinds jaren dat ik hem weer zag?'

Ali schudt het hoofd, zeg maar, en kijkt me aan.

'Ik wou...' begin ik, maar Sick Boy valt me in de rede.

'En wat krijg ik te horen? Nog geen "Hoi, Simon, dat is lang geleden, hoe gaat ie?" kon eraf,' zegt hij tegen haar, helemaal verongelijkt. 'Nee hoor, hij niet. Hij begint wel meteen van alles van me te willen, maar er kon nog geen "Hallo, hoe gaat het?" af.'

Alison veegt haar pony opzij en kijkt me aan. 'Klopt dat, Danny?'

Tja, dit is zo'n vreselijke scène, dat je uitgefreakt en ziek bent en het allemaal ziet gebeuren voordat het daadwerkelijk gebeurt. Net als die ene gast. Alsof ik mezelf zie opstaan, bibberig en hortend als in een van de eerste zwartwitfilms die met de verkeerde snelheid waren opgenomen en waarvan de beeldjes scheef zaten. Ik zie als het ware mijn mond opengaan en mijn vinger naar hem wijzen, ongeveer een seconde voordat het in werkelijkheid gebeurt. En ja hoor, ik ga inderdaad staan, wijs met mijn vinger naar die lul, en zeg: 'Jij bent nooit een kameraad geweest, nooit een echte kameraad zoals Rents!'

Het gezicht van de Sick Boy vertrekt zich tot een smerige grijns en zijn onderkaak schiet naar voren, zoals de lade van de kassa bij de Kwik Save. 'Waar heb je het godverdomme over! Die klootzak heeft ons allemaal genaaid!'

'Nou, mij mooi niet!' schreeuw ik terug, en ik wijs naar mezelf.

Sick Boy zwijgt. Het is een ijselijke stilte en de blik van die *catboy* laat mij niet los. Ik besef wat ik gedaan heb. Mijn mond voorbijgepraat. En Alison staat me ook aan te staren. Allebei man, twee paar wijdopen ogen waaruit het verraad spreekt.

'Zo,' zegt hij met hese stem, 'dus jij hebt met hem samengewerkt.' Hij kijkt Ali aan, die haar hoofd buigt en staart naar de grond. Ali kan heel goed een geheim bewaren maar heel slecht liegen.

Ik wil niet dat hij zijn beschuldigende blik nog langer op haar richt, en dus verbreek ik het zwijgen. 'Nee, daar weet ik niks van, dat heeft allemaal met Ali en Andy te maken.'

Die Zieke Gast blijft ons aanstaren, maar hij weet dat ik niet lieg. Maar hij weet ook dat dit niet de hele waarheid is.

Ik gooi er alles uit, terwijl mijn nagels het bierviltje vergruizelen. 'Ik heb later wat geld gekregen, met de post. Gewoon mijn aandeel, meer niet.' Sick Boy boort nog steeds zijn verzengende blik in mij, en ik weet dat liegen geen enkele zin meer heeft, want deze *catboy* heeft dat direct door. 'Het pakje kwam ongeveer drie weken nadat ik weer hier was. Poststempel uit Londen. Ik heb daarna niks meer van hem gehoord of gezien, maar ik wist dat het geld van hem kwam, het kon niemand anders geweest zijn,' zeg ik. En ik vervolg: 'Mark heeft me geholpen!'

'Je hele aandeel?' vraagt hij, en zijn ogen puilen uit.

'Tot op de laatste penny, man,' zeg ik met onverholen plezier. Ik ga weer zitten want ik ben bekaf. Ali kijkt mij beschuldigend aan, ik kan alleen maar mijn schouders ophalen, en ze laat opnieuw het hoofd zakken.

Je kunt zien dat er allerlei gedachten door Sick Boy's kop malen. Ik bedenk dat het er binnen in zijn schedel net zo uit moet zien als zo'n plastic bol met balletjes die ze gebruiken voor de lotto of de loting voor de Schotse Cup. Hij ziet er beledigd en gekwetst uit, niet nep maar echt, maar plotseling begint hij te glimlachen, en zijn grijns is als het logo op zijn Lacoste-shirt. 'O ja? Nou, daar heb je dan godverdomme wel van geprofiteerd, niet? Je hebt jezelf ook aardig geholpen, hè? Prima geïnvesteerd, en zo.'

Ali heft haar hoofd op en kijkt me aan. 'Dat geld, toen je de spullen voor de kleine kocht... was dat van Mark Renton?'

Ik zeg niks.

Sick Boy staart naar zijn glas whisky, pakt het op, drinkt het leeg en begint met het lege glas op tafel te tikken. 'Ja hoor, dat zit daar maar dom te zwijgen, godverdomme,' zegt hij spottend. 'Jij doet niks, en je zult ook nooit iets doen.'

Ik kan er niks aan doen, maar voordat ik het weet zeg ik dat ik een boek aan het schrijven ben over de geschiedenis van Leith.

Sick Boy begint te grinniken. 'Dat lijkt me fucking interessant,' schreeuwt hij door het café, en hier en daar kijkt er iemand om.

Ali kijkt me aan alsof ik gek geworden ben. 'Waar heb je het over, Danny?' vraagt ze.

Ik wil hier weg, ik moet naar buiten, Ik sta op en loop weg. 'Negatieve energie, hè? Dat zal ik onthouden, zeg maar. De mazzel.'

Sick Boy trekt zijn wenkbrauwen op, maar Ali komt achter mij aan en gaat mee naar buiten. 'Waar ga je naartoe?' vraagt ze, en ze slaat haar armen om zichzelf heen.

'Ik heb een bijeenkomst,' zeg ik. Het is fris en ze staat te bibberen van de kou, ondanks het donkerblauwe vest dat ze aan heeft.

'Danny...' zegt ze, en ze wrijft de rits van mijn jack heen en weer tussen duim en wijsvinger, 'ik ga weer naar binnen om met Simon te praten.'

Ik kijk haar vol ongeloof aan.

'Hij is overstuur, Danny. Als hij iets over dat geld zegt tegen gasten als Second Prize...' ze aarzelt even, '...of Frank Begbie...'

'Ja hoor, ga jij maar naar Simon. Die mag natuurlijk niet overstuur raken, dat kunnen we niet hebben, hè?' snauw ik haar toe, maar haar opmerking komt wel aan. Ik, Rents, Sick Boy, Second Prize en Begbie waren samen in Londen, en Rents heeft ons gewoon genaaid. En blijkbaar heeft hij Sick Boy nooit een penny betaald, maar van die anderen weet ik het niet. Begbie waarschijnlijk niet, want die is toen helemaal door de rooie gegaan, heeft die gast van Donnelly vermoord en is naar de gevangenis gegaan, ook al deugde die Donnelly voor geen meter, eerlijk is eerlijk.

'Ben je niet te laat terug?' zegt ze, geeft me een kus op mijn voorhoofd, draait zich om en gaat weer naar binnen.

En weg is ze.

Dus dat doet de deur dicht, zeg maar. Ik ben helemaal opgewonden en ongerust, maar als ik bij de bijeenkomst ben, vertel ik over mijn plannen voor de geschiedenis van Leith. En weet je wat, man, die meid, die Avril dus, is helemaal blij, die gaat dus bijna uit haar bol, godverdomme. Dat maakt mijn dag weer goed, die lach op het gezicht van die meid. Dus nu kan ik niet meer terug, ik heb mijn mond voorbijgepraat en verwachtingen gewekt, dat ik dus een soort schrijver ben, zeg maar. Een gast die bezig is het te maken in de wereld, een vooraanstaand plaatselijk historicus, lid van de beau monde. Maar daar klopt dus niks van. Die gast op de tv, die van die programma's over oude beschavingen, die hoor ik nog niet zeggen: 'Hé man, ik moet oppassen voor die vogel uit Leith, er is een kaper op de kust. Als ik niet oppas, struint die vent binnen de kortste keren rond tussen mijn piramides en lult honderduit over die oude Egyptische gasten.' Nee, dat zie ik nog niet zo gauw gebeuren.

Maar ik moet wel een poging doen, weet je wel, ik moet het proberen, al was het alleen maar om tegenover Ali te bewijzen dat ik tot meer in staat ben dan zij denkt. Misschien kan ik al die anderen ook wel overtuigen.

Toen ik Alison leerde kennen was ze een wonderlijk maar fantastisch meisje, met een prachtige, zonverbrande huid, lang donker haar en een parelwit gebit. Maar ze kwam nogal intens over, en soms was het alsof er een onzichtbare vampier in haar hals hing die alle energie uit haar wegzoog.

Ze besteedde niet veel aandacht aan mij, zeg maar, maar des te meer aan hem. Toen, op een dag, glimlachte ze naar mij en mijn hart ontplofte in mijn borstkas. Toen we gingen samenwonen, dacht ik dat het maar voor even was, man, dat ze na een poosje weer verder zou trekken. Maar toen kwam de kleine, en ze bleef zo'n beetje hangen. Dat is het waarschijnlijk, man, de kleine, dat is waarschijnlijk de reden waarom ze al die tijd bij me is gebleven.

Maar nu is ze weer die Ali die door een vampier wordt leeggezogen. En raad eens wie die vampier is. Dat ben ik, man. Ik.

Na de bijeenkomst in de groep vraag ik me af of Ali nog steeds een eind verderop in de Port Sunshine zit. Maar die Sick Boy weer onder ogen komen, dat handle ik nu even niet. In plaats daarvan ga ik de andere kant op en kom mijn neef Dode tegen die net de Old Salt uit komt, en we besluiten even wat te gaan blowen in zijn flat in Montgomery Street. Een te gek flatje, beetje aan de kleine kant, de kamertjes en zo. Maar hij heeft het wel gaaf ingericht, man, behalve dan die enorme ingelijste poster van de Rangers, uit de tijd van Souness, boven de haard. Er staat een mooie leren bank waar ik me meteen op stort.

Ik mag neef Dode wel, ook al draaft hij nogal door, en na een paar joints en biertjes vertel ik hem over mijn problemen met vrouwen.

'Geeft niks, man. *Omnia vincit amor*, de liefde overwint alles. Als je van elkaar houdt, dan komt het vanzelf goed, en als het niet goedkomt, dan wordt het tijd om weer eens op te stappen. Einde oefening,' zegt Dode.

Ik leg uit dat het niet zo gemakkelijk is. 'Weet je, er is een gast die vroeger een goede kameraad was en hij en zij waren twee handen op één buik, en nu is hij weer in de stad, weer in the picture, weet je wel? En die gast is nogal met zichzelf ingenomen, en toen zei ik een paar dingen, iets wat ik beter niet had kunnen zeggen, weet je wel?'

'*Veritas odium parit*,' zegt Dode wijsgerig. 'Waarheid veroorzaakt haat,' voegt hij er speciaal voor mij aan toe.

Het is natuurlijk waanzin om te denken dat ik een boek zou kunnen schrijven, ik kan niet eens mijn eigen naam schrijven, en dan die neef

Dode van mij, dat lijkt wel een professor Latijns of zo, en hij komt nog wel uit Glasgow. Je denkt altijd dat ze in Glasgow geen scholen hebben, maar dat moet wel, en ze zijn waarschijnlijk een stuk beter dan die bij ons. Dus ik vraag die neef van mij: 'Hoe komt het dat jij zoveel weet, Dode, zoals al dat Latijns en zo?'

Hij legt uit hoe het zit, terwijl ik nog een joint rol. 'Ik heb het me voor een deel zelf geleerd, Spud. Jij hebt een heel andere achtergrond dan wij protestanten. Ik beweer niet dat jij niet hetzelfde zou kunnen, want dat kan je best. Het kost jouw soort gewoon meer tijd en moeite omdat het geen onderdeel uitmaakt van je cultuur. Weet je wat het is, Spud, wij zitten verankerd in de Knoxiaanse onderwijstraditie van de Schotse protestantse arbeidersklasse. Daarom ben ik dus technicus van beroep.'

Ik kan hem niet echt volgen, zeg maar. 'Maar je bent toch veiligheidsbeambte?'

Dode schudt afwijzend het hoofd, alsof het hier om een kleinigheid gaat. 'Dat is dus tijdelijk, totdat ik weer naar het Midden-Oosten ga op een nieuw contract. Weet je, die beveiliging, dat is gewoon om de tijd door te komen. Ik wil je niet beledigen of zo, makker, ik kan dit wel tegen je zeggen omdat jij potentieel hebt. Maar het is een kwestie van ledigheid is des duivels oorkussen. *Otia dant vitia.* Dat is het verschil tussen een ondernemende protestant en een lamlendige paap. Wij doen alles om bezig te blijven, om onze discipline te handhaven, totdat zich weer iets groots aandient. Wij gaan niet op onze lauweren rusten en dat in Oman zuur verdiende geld verbrassen.'

Ondertussen vraag ik me wel af hoeveel die gast op zijn rekening bij de Clydesdale Bank heeft staan.

20 Project nr. 18.738

Het was goed om die lieve Alison weer te zien, ook al ben ik door dat gekrakeel met die opgefokte, aardappeletende loser van een junk behoorlijk overstuur geraakt. Hij werd nog nijdig ook, die uitgemergelde heroïnelul. Ik had hem godverdomme op straat moeten zetten, naast de andere troep, zodat de vuilnismannen alles konden meenemen en verbranden.

Alles wordt beter of slechter, en ik moet denken aan Spud en aan het feit dat het ergste achter de rug is. Maar nee hoor, het wordt godverdomme nog erger. Plotseling komt *hij* binnen.

'Sick Boy! Een fucking kroegbaas! Jij, met een pub in Leith. Ik wist godverdomme wel dat je ooit terug zou komen!'

Hij draagt een ouderwets bruin bomberjack, oude Nike-gympen, spijkerbroek en iets wat eruitziet als een hopeloos verouderd, gestreept shirt van Paul and Shark. Hij straalt één en al 'gevangenisboef' uit. Er glinstert iets zilvergrijs aan zijn slapen en aan zijn smoel te zien heeft hij te veel Marsrepen gevreten, maar verder ziet die cunt er uitstekend uit. Nauwelijks een dag ouder, alsof hij godverdomme in een fitnesscentrum heeft gezeten in plaats van in de bak. Waarschijnlijk vierentwintig uur per dag, zeven dagen per week met gewichten gewerkt. Zelfs het grijs aan de slapen lijkt onecht, alsof een visagiste het erop gesmeerd heeft om hem wat ouder te doen lijken. Ik ben letterlijk sprakeloos, godverdomme.

'Het leek godverdomme wel eeuwen te duren! Ik zei godverdomme toch dat je terug zou komen, klootzak!' herhaalt hij, en hij toont daarmee aan dat zijn stomvervelende gewoonte om alles te herhalen nog ongebroken is en misschien zelfs sterker geworden is, alsof het heeft liggen rijpen tijdens de lange jaren in de bajes. Stel je voor dat je de cel met zoiets zou moeten delen! Dan zat ik nog liever bij de psychotische gevallen.

Ik klem mijn kaken op elkaar en knars langzaam met mijn tanden. En dat komt niet alleen door de coke die ik heb genomen voordat Murph de Smurf binnenkwam. Ik glimlach gemaakt en vind met moeite mijn tong terug: 'Franco, hoe gaat ie?'

Geheel in stijl geeft de cunt geen antwoord op mijn vraag omdat hij er zelf een paar te stellen heeft. 'Waar woon je?'

'Vlakbij,' mompel ik vaag.

Hij kijkt me enkele seconden lang strak aan met die verzengende blik van hem, maar meer informatie wens ik de cunt niet te geven. Hij kijkt naar voren en dan weer naar mij.

'Pilsje, Franco?' vraag ik met een grimas op mijn gezicht.

'Ik dacht dat je het godverdomme nooit zou vragen, lul,' zegt hij en wendt zich tot nog zo'n fucking loser naast hem. Die psychopaat ken ik niet. 'Die lul kan zich godverdomme veroorloven een pub te runnen, en voor zijn oude gabber Franco kan er ook nog wel een pilsje af. Wat die lul en ik godverdomme allemaal niet hebben uitgevreten, hè, Sick Boy?'

'Ja... eh...' Ik glimlach moeilijk, houd een glas onder de tap en probeer te berekenen hoeveel gratis bier hij hier per week zal komen opeisen, en wat dat betekent voor de graatmagere winst die deze toko mij oplevert. Ik lul wat met Franco en voer hem zo nu en dan namen en info waar die zieke kop van hem helemaal gek van wordt. Je ziet dat de radertjes koortsachtig draaien en hijzelf steeds meer van streek raakt. Namen en half gesmede plannetjes tuimelen over elkaar om op de goede plek te komen, zoals snelverkeer dat zich plotseling geconfronteerd ziet met een wegversmalling. Uiteraard verzwijg ik één bepaalde naam. Ik realiseer me dat Franco's plotselinge verschijning mij zowel verontrustend als spannend voorkomt, en in gedachten probeer ik ruwweg een verlies- en winstrekening op te stellen van aan de ene kant de bedreiging en aan de andere de nieuwe mogelijkheden die zijn aanwezigheid kan bieden. Ik doe angstvallig mijn best zo neutraal mogelijk over te komen en hoor verbeten maar zwijgend zijn gelul aan. Er zijn vast en zeker heel wat individuen die minder ambivalent zullen staan tegenover Begbies terugkeer.

Die andere aso staart mij met een gemene blik aan. Het is een iets magerder maar minder gezond ogende versie van Franco; een lichaam dat gehard is door het staal van de gevangenis, maar verslapt is door drugs en alcohol. Zijn ogen staan wild, en met zijn psychotische blik probeert hij in je ziel door te dringen op zoek naar goede dingen die hij kan stukslaan en slechte waarmee hij zich kan vereenzelvigen. Gemillimeterd grijs haar op een bonkige schedel waarop je een hele dag lang zou kunnen hameren met je vuisten, en dan zou je alleen je vingers gebroken hebben. 'Dus jij bent Sick Boy...'

Ik kijk hem zwijgend aan terwijl ik het bier intap. Mijn uitdrukking straalt hopelijk iets misprijzends uit met een inbegrepen 'nou en?', en met mijn stilzwijgen wil ik die randdebiel dwingen tot een verdere uitspraak. Maar ik verlies die strijd, de enige reactie die ik krijg is een schavuitenlach; mijn cokerush ebt weg en ik denk aan het plastic zakje in de zak van mijn jasje dat boven in het kantoor hangt.

Gelukkig doorbreekt hij uiteindelijk toch de stilte. 'De naam is Larry, man. Larry Wylie,' zegt hij op afwachtende toon. Met tegenzin schud ik zijn uitgestoken hand. Ik zie mijn vergunning al weer ingetrokken worden, met dit soort geteisem als clientèle. 'Ik heb gehoord dat wij in hetzelfde wijf hebben liggen poken,' zegt hij, terwijl een berekenende, kwaadaardige grijns zijn brutale bek doormidden splijt.

Waar heeft die lul het godverdomme over?

Die Larry merkt waarschijnlijk dat ik uit het lood geslagen ben, en hij licht toe wat hij bedoelt. 'Louise,' zegt hij. 'Louise Malcolmson. Ze zei dat jij haar voor jou had willen laten tippelen, vuile smeerlap die je d'r bent.'

Hmm. Een echo uit het verleden. 'O ja?' Ik knik, kijk naar de tapkraan en dan naar hem. Ik heb de pest aan barkeepen. Ik heb het geduld niet om pils te tappen. Nog een geluk dat die stomme rukkers geen Guinness hebben besteld. Ja, dat smoel komt me toch wel bekend voor, een van die vage, kwaadaardig tronies in de hoek van een flat ergens, waar je kwam om te scoren of om uit te chillen.

'Proost, man,' zegt hij glimlachend. 'Ik weet er alles van, want ik heb het ook geprobeerd.'

Begbie laat zijn blik van mij naar Larry gaan en dan weer terug. 'Stelletje smeerlappen,' zegt hij, met oprecht gemeende weerzin in zijn stem. En plotseling word ik bevangen door een oude angst, voor het eerst sinds hij hier kwam binnengestapt. We zijn inmiddels ouder en ik heb die cunt in geen eeuwen gezien, maar Franco is nog steeds Franco. Eén blik op die hersendode, en je weet dat hij nooit een stap verder zal komen, het huwelijk en een burgermansbestaan zijn niet aan hem besteed. Die kleine zwerver gaat voor de dood of levenslang, en in zijn val wil hij zoveel mogelijk mensen met zich meeslepen. Ja, die gast gaat ieder voorstellingsvermogen te boven.

Bij wijze van zwak protest toont Larry mij zijn handpalmen. 'Zo ben ik nou eenmaal, Franco,' zegt hij grijnzend, en hij kijkt weer naar mij. 'Zo gaat het nou eenmaal, hè? Als ik een wijf eenmaal goed uitgeneukt heb, dan zit er maar één ding op om een deel van dat Bacardi-geld terug te krijgen, en dat is om haar te laten tippelen. Deze gast weet er alles van, niet dan?'

Die lul denkt dat ik van hetzelfde kaliber ben als hij. Mooi niet. Simon David Williamson, zakenman, ondernemer. En jij: stomme boef uit een kansarme wijk, zonder toekomst. Ik knik, maar lach in mezelf, want deze fucker ziet eruit als iemand die je maar beter niet tegen je kunt hebben. Een fijne vriend voor Franco, uit hetzelfde hout gesneden. Eigenlijk kunnen ze maar beter met elkaar gaan trouwen, want een betere partner vinden ze nooit. Kijk, Begbie is niet bepaald een kerngeleerde, maar hij beschikt over de kennis van een straathond, het vlijmscherpe instinct van een hyena, en voelt van op honderd meter aan of hij neerbuigend behandeld wordt. Dus ik kijk Franco aan en knik in de richting van het jonge schorem dat, gekleed in trainingspak en fonkelend van de zegelringen, aan een tafeltje bij de jukebox zit. 'Enig idee wat dat is, Franco?'

Zijn gretige blik schiet naar de jongelui en reageert onmiddellijk. 'Die klootzakjes gebruiken deze tent. Er wordt veel gedeald, en sommigen doen het gewoon hier,' legt hij uit. 'Maar als ze gesodemieter geven, moet je het even laten weten. Sommigen van ons vergeten niet wie hun kameraden zijn,' voegt hij er hooghartig aan toe.

Kameraden, me reet.

Ik moet denken aan Spud, die stiekem gesponsord is door die rooie rotlul, door die dief van een Renton. Klootzakken. Ik vraag me af of Francis op de hoogte is van die leuke regeling van jullie, meneer Murphy. *Oh Danny boy, the pipes, the pipes are calling...* dat zou inderdaad binnenkort wel eens het geval kunnen zijn, en fucking harder dan je dacht ook. Ja, ik kan ze al bijna horen. En het wijsje dat ze spelen lijkt verdomd veel op de treurzang voor een bepaalde junkie uit Leith. Ja, dat houden we zeker nog te goed.

Voor het ogenblik kan ik, wat die lul betreft, maar beter mijn kaarten voor me houden. 'Dank je, Frank. Ik ben er natuurlijk een beetje uit hier, in Leith, omdat ik zo vaak in Londen zat en zo,' zeg ik, en zie dat er nog een paar van dat tuig binnenkomen. Ze komen op mij af in plaats van op Morag die een doktersroman zit te lezen en moeizaam overeind komt. 'Die kutklanten; hè, we praten straks wel even verder,' deel ik de Beggar Boy half smekend mee.

'Oké,' zegt Franco, en hij en die Larry nemen plaats aan een tafeltje bij de fruitautomaat.

Dat jonge tuig bestelt en drinkt een paar pilsjes aan de bar en ik vang delen van hun gesprek op over dingen regelen, die-en-die bellen enzovoort. Ik zie Franco en Larry vertrekken, en meteen wordt de stemming onder de klootzakjes opgewekter en gaan ze harder praten. Die lul van een Begbie brengt godverdomme niet eens de glazen terug naar de bar. Wat denkt hij wel, dat ik hier een beetje de dienstbode ben van dat soort plebs?

Ik haal de glazen en denk aan de versnaperingen die ik heb via Seeker en die veilig in de geldkist in mijn bureaula boven liggen opgeborgen. De coke houd ik natuurlijk voor mezelf. Nadat ik als een fucking dienstmeid de glazen heb gestapeld, loop ik op Philip, de grootste bek van dat stel, af. 'Oké, man?'

'Ja,' zegt hij met achterdocht in zijn stem. Een langere en dikkere kameraad van hem, Bill Hicks, hoe heet hij ook weer, Curtis, die het mikpunt van al hun gore grappen lijkt te zijn, komt erbij staan. Net als de rest van de groep draagt hij een stel gouden zegelringen aan de vingers van beide handen. Ik kijk naar hun gouden klauwen. 'Coole ringen, jongens,' merk ik op.

De vetzak reageert: 'Ja, ik heb er vij-vij-vijf, en ik wil er nog d-d-drie, want dan heb ik er één aan elke vi-vi-vi-vi-vi...'

Hij staat met zijn bek open en zijn ogen te knipperen en probeert het eruit te krijgen, en ik heb de neiging terug te lopen naar de bar en wat glazen te spoelen of 'Bohemian Rhapsody' op te zetten, en dan komt het er eindelijk uit.

'...vi-vinger, zeg maar.'

'Lijkt me handig als je op de Walk loopt, dan schaaf je je knokkels niet steeds open aan het trottoir,' zeg ik grijnzend.

Die stomme lul staat me met open bek aan te staren. 'Eh... tja...' zegt hij stomverbaasd, terwijl zijn maten bulderen van de lach met het geluid van een stel plees dat wordt doorgetrokken.

'Moet je die zien,' zegt Philip trots, en hij laat me een volledige set zegelringen zien. Dichter bij die dingen wil ik niet komen. Die kleine klootzak is zo brutaal als de kanker, en er fonkelt iets van de echte crimineel in zijn blik. Hij staat wel érg dicht bij mij, met de klep van zijn honkbalpet raakt hij bijna mijn gezicht aan. Hij is gekleed in die dure maar volstrekt smakeloze vrijetijdskleding die zo populair is onder jonge hiphopetterbakken.

Met mijn hoofd gebaar ik naar hem dat hij maar een beetje naar de jukebox in de hoek moet gaan. 'Ik hoop niet dat je pillen dealt,' fluister ik de mongool toe.

'Nee hoor,' zegt hij, uitdagend het hoofd schuddend.

En nog zachter vraag ik: 'Wil je wat?'

'Geintje?' zegt hij. Hij trekt zijn lippen strak en knijpt zijn ogen halfdicht.

'Nee.'

'Nou ja... eh...'

'Ik heb XTC, vijf pond per stel.'

'Te gek.'

Die kleine cunt haalt zijn geld te voorschijn en ik geef hem twintig pillen. Daarna wordt het godverdomme net een markt. Ik moet Seeker bellen voor meer voorraad. Uiteraard verwaardigt hij zich niet om zelf naar de pub te komen, maar stuurt in zijn plaats een fretachtige koerier. Ik zet er 140 weg, en het is een uur voor sluitingstijd. De kleine klootzakjes lazeren op, op weg naar de clubs, en in de pub blijven aan een tafeltje in de hoek nog een paar hijgende, dominoënde oude zatlappen achter. Ik haal zes pillen uit mijn voorraad en stop ze in een plastic zakje.

Ik kijk naar Morag die al die tijd glazen heeft staan spoelen en nu weer in haar doktersroman zit te lezen. 'Mo, wil je even een halfuurtje op de zaak letten? Ik moet even weg.'

'Geen probleem, joh,' mompelt de oude tang, en ze maakt zich met moeite los uit haar kasteelroman.

Ik wandel op mijn gemak naar het politiebureau. Met hun motto in gedachten, 'De politie van Leith maakt ons overbodig', loop ik naar de balie waarachter een kleine, dikke, onelegante smeris zit. Hij scheidt een sterke lichaamsgeur af, zoals een agressieve aanvaller zich losmaakt van een lastige centrale verdediger. Hij ziet eruit alsof hij ter plekke staat weg te rotten, zijn hals zit vol met eczeemschilfers die op hun plaats worden gehouden door vettig, stinkend transpiratievocht. Ja, het doet een mens goed om oog in oog te staan met een *echte* politieagent. Met tegenzin vraagt brigadier Kebab wat hij voor mij kan doen.

Met een klap leg ik de zes pillen op de balie.

In de kleine, diepliggende ogen verschijnt plotseling een kleine fonkeling. 'Wat is dat? Hoe kom je daaraan?'

'Ik heb onlangs de Port Sunshine overgenomen. Er komen heel veel jongelui drinken. Nou, dat vind ik op zich niet erg, ze geven hun eigen geld uit. Maar ik zag er een paar die zich verdacht gedroegen, en die ben ik gevolgd naar achteren. Ze gingen hetzelfde toilet binnen. Ik deed de deur open, het slot is kapot, moet ik nog steeds een keer repareren, en ik zeg: ik ben de nieuwe eigenaar. Dus ik nam die pillen in beslag en heb ze buiten gezet.'

'Juist... juist, ja...' zegt brigadier Kebab en hij kijkt eerst naar de pillen, dan weer naar mij, en weer terug.

'Tja, ik ben zelf niet zo thuis in die dingen, maar misschien zijn het wel van die feestpillen waar de kranten vol van staan.'

'XTC...'

De brigadier kent het verschil tussen XTC en eczeem, en dat is maar goed ook.

'Kan me niet schelen,' zeg ik op de ongeduldige toon van de zakenman en belastingbetaler. 'Waar het mij om gaat is dat ik ze niet de deur wil blijven wijzen als ze onschuldig zijn, maar ik wil dus niet dat er drugs worden verhandeld in mijn pub. Ik wil graag dat u ze onderzoekt en mij laat weten of het hier om verboden middelen gaat. Als dat het geval is, bel ik u onmiddellijk op als dat geteisem nog een keer een voet bij mij over de vloer zet.'

Brigadier Kebab is onder de indruk van mijn waakzaamheid en burgerzin, maar tegelijkertijd baalt hij van het extra werk dat dit voor hem betekent. Het lijkt wel alsof die twee krachten hem in tegenovergestelde richtingen dwingen, en hij staat te wiebelen op zijn benen en vraagt zich af wat hij hier godverdomme mee aan moet en ondertussen scheidt hij steeds meer huidschilfers af. 'Goed, meneer, als u even uw persoonlijke gegevens wilt opgeven, dan laten we dit in het lab onderzoeken. Het lijken mij XTC-tabletten. Helaas gebruiken de meeste jongelui ze tegenwoordig.'

Ik schud verbitterd het hoofd en voel me net zo'n oudere rechercheur in *The Bill*. 'Maar mooi niet in mijn pub, brigadier.'

'De Port Sunshine heeft wat dat betreft anders wel een bepaalde reputatie,' deelt de agent mee.

'Dat verklaart waarschijnlijk de prijs die ik ervoor betaald heb. Nou, onze dealende vrienden komen er wel achter dat die reputatie gaat veranderen!' zeg ik. De smeris probeert bemoedigend te kijken, maar ik heb misschien een beetje overdreven, hij zou kunnen denken dat ik een van die 'nieuwe helden' ben, lid van een burgerwacht of knokploeg, die hem nog veel meer langdurig werk gaat bezorgen.

'Hm,' zegt hij, 'als er problemen zijn, moet u ons direct bellen. Daar zijn we voor.'

Al knikkend toon ik mijn waardering en wandel terug naar de pub.

Bij mijn terugkomst blijkt Terry Sap aan de bar te hangen. Hij is Mo een verhaal aan het vertellen en ze pist bijna in haar broek. Haar bulderende lach weerkaatst tegen de muren, en even moet ik denken aan de inboedel- en opstalverzekering.

Sap is goed op dreef. Hij komt naast me staan. 'Sick Boy, eh... Si, ik bedacht net dat jij dit weekend eigenlijk ook mee moet naar Amsterdam, voor Rabs hengstenbal. Even lekker shoppen in de rosse buurt.'

Geen sprake van. 'Dat zou ik graag doen, Terry, maar ik kan hier niet weg,' zeg ik, en schreeuw vervolgens tegen die zuipende lijken in de hoek dat het hoogste tijd is voor de laatste ronde. Geen van die oude fuckers wil nog bier, ze schuifelen de nacht in als de geesten die ze binnen niet al te lange tijd zullen zijn.

Ik ga niet naar Amsterdam met een stelletje mongolen. Regel nummer één: omgeef jezelf met vrouwen en blijf uit de buurt van groepjes 'kameraden'. Ik sluit de bar en Terry probeert me ervan te overtuigen met hem mee te gaan naar een club waar een kameraad van hem, ene N-sign, optreedt. Nou ja, N-sign is vrij bekend en waarschijnlijk schatrijk, en dus besluit ik met hem mee te gaan. We nemen een taxi, lopen vervolgens langs de rij wachtenden bij een klotetent in Cowgate en gaan zo naar binnen, terwijl Terry knipoogt tegen de jongens van de beveiliging. Een van die gasten, ene Dexy, is een oude bekende, en ik blijf even met hem staan lullen.

Aangezien dit Edinburgh en niet Londen is, is er geen VIP-bar, en dus moeten we ons mengen tussen het fucking plebs. N-sign staat aan de bar, omgeven door idolate jongens en meiden. Hij knikt naar Terry en mij, en met een paar andere jongens gaan we naar het kantoor van de club, waar diverse lijntjes worden uitgelegd. Erg welkom zijn ook de kratten bier die er staan. Terry stelt iedereen aan elkaar voor, en ik herinner me die N-sign-jongen vaag, het blijkt een ouwe kameraad van Sap van lang geleden te zijn. De anderen komen uit Longstone, Broomhouse, Stenhouse of zoiets. In ieder geval overwegend Hearts-territorium. Gek eigenlijk, ik maak me niet meer zo druk voor Hibernian, maar mijn walging voor Hearts is nooit afgenomen.

Terry vertelt iedereen over die avond bij mij. 'We hebben een gave avond gehad bij Sick Boy. Er was zo'n studente bij, die op school zit met Rab Birrell, godverdomme, wat een wijf,' hij tuit zijn lippen en kijkt mij aan, 'nou, was ze goed of niet?'

Hij lult te veel, vooral als hij coke gehad heeft, maar zijn enthousiasme is aanstekelijk. 'Te gek,' geef ik toe.

'Maar ze konden niet goed tegen de skunk. Eerst moest die kleine met bril kotsen, en toen viel die geile, die Nikki, flauw. En wat doet die viezerik hier, hij neemt haar mee naar huis en geeft 'r een goeie beurt,' zegt hij en knikt naar mij.

Ik schud het hoofd. 'Niks beurt, gelul. Gina is met haar naar de wc geweest, toen hebben we haar mee naar mij genomen en in bed gelegd.

Ik heb me keurig gedragen, als heer, althans tegenover Nikki. Gina heb ik bij haar thuis nog wel genaaid.'

'Ja ja, nou, ik wed dat je daarna gauw naar huis bent gegaan en toen die Nikki hebt genaaid, lul!'

'Nee hoor... ik moest vroeg op voor een bestelling, dus ik was de volgende ochtend weer vroeg in de pub. Toen ik terugkwam in de flat, was Nikki vertrokken. En zelfs als ze er nog geweest was, zou ik me als heer gedragen hebben.'

'En dat moet ik geloven?'

'Zo is het gegaan, Tel,' zeg ik glimlachend. 'Sommige meiden moet je het niet te gemakkelijk maken. Bovendien voel ik er niks voor om in een kotsend lijk te liggen poeren.'

'Ja, wat was dat jammer, godverdomme,' vloekt Terry, 'want die kleine had er wel snuf in,' zegt hij tegen N-sign, of Carl, zoals hij hem noemt. 'Hé, Carl, je moet een keer mee naar die pub, en breng dan wat wijven uit de club mee. We kunnen altijd nieuw bloed gebruiken,' zegt hij plagerig.

Die deejay is wel oké, volgens mij. We delen nog een zakje en raken een beetje high, en hij zegt iets tegen mij waardoor mijn hart nog sneller gaat kloppen dan na dat lijntje dat ik net gedaan heb. 'Ik was vorige week in Amsterdam. Ik heb een gast ontmoet die daar een club runt. Oude kameraad van jou. Renton. Jullie hebben mot gehad of zo, hoorde ik. Heb je nog ooit contact met hem gehad?'

Wát zegt hij daar?

Renton? RENTON? FUCKING RENTON?!

Ik denk bij mezelf dat het misschien wel goed zou kunnen zijn als ik meega naar Amsterdam. Kijkje nemen in de pornoscene aldaar. Waarom niet? Beetje Rohypnol. En ik kan achter wat geld aan dat iemand mij nog schuldig is, godverdomme!

Renton.

'Ja, dat is allang weer bijgelegd,' lieg ik. 'Hoe heet die club van hem ook weer?' vraag ik terloops.

'De Luxury,' zegt Carl 'N-sign' Stewart niets vermoedend, terwijl mijn hart in mijn keel klopt.

'O ja, dat is ook zo,' zeg ik, 'de Luxury.'

Ik zal die fucking verrader van een rooie rotlul eens een stukje luxury laten zien.

21 Hoeren van Amsterdam, deel 3

Over de gracht ligt vandaag een groen waas, en ik zie niet of het de weerspiegeling van de bomen op het wateroppervlak is, of gewoon smerig rioolwater. Die vette baardaap in de woonboot beneden mij zit met ontbloot bovenlijf tevreden een pijpje te roken. Op zich een mooie tabaksreclame. In Londen zou hij niet zo ontspannen zitten, hij zou in zijn broek schijten dat iemand hem zijn pijp zou afpakken. Maar hier hoeft hij zich niet dik te maken. In de loop van de geschiedenis zijn de Britten gedevalueerd van gasten die hun zaakjes voor elkaar hadden tot de grootste rukkers van Europa.

Ik draai me om en loop de kamer in, en Katrin zit in een korte blauwe badjas van imitatiezijde op de bruinleren bank haar nagels te vijlen. Ze concentreert zich: ze heeft haar onderlip ietsje uitgestoken en haar voorhoofd gefronst. Vroeger kon ik urenlang toekijken als ze dat soort dingen aan het doen was, genieten van het simpele feit dat ze er was. Tegenwoordig ergeren we ons aan elkaar. Ik begin er godverdomme goed genoeg van te krijgen. 'Heb je die zevenhonderd gulden voor de huur?'

Katrin gebaart vaag in de richting van de tafel. 'In mijn tas,' zegt ze. Dan staat ze op, werpt haar badjas met een ietwat theatraal gebaar af en loopt naar de badkamer. Ik zie haar witte, magere lijfje de kamer uitlopen en aarzel tussen gevoelens van opwinding en huiver.

Ik zie haar tasje dat op de grote eikenhouten tafel ligt. Het glimmende oog van de beugel knipoogt provocerend naar me. Ik heb iets met het doorzoeken van damestasjes. Toen ik nog een junkie was, stal ik uit huizen en winkels en beroofde ik mensen om te krijgen wat ik nodig had, maar het grootste taboe, wat me het meeste pijn deed om te doorbreken, was de tas van mijn moeder. Het is gemakkelijker om je vingers in de kut van een vreemde vrouw te steken dan in de tas van een bekende.

Maar goed, je hebt een dak boven je hoofd nodig, en ik knip de tas open en tel de bankbiljetten af. Ik hoor Katrin zingen onder de douche, of althans een poging doen. Net als de Nederlanders kunnen Duitsers geen fucking noot zingen. Wat ze wel goed kan is mij hartstikke gek maken. Ja, genadeloos vitten, afschuwelijke scheldpartijen, dreigend gemok: Katrin is er een meesteres in. Maar haar sterkste troef zijn de bittere opmerkingen waarmee ze zo nu en dan ons drukkende zwijgen onderbreekt. In ons piepkleine flatje met uitzicht op de gracht hangt een sfeer die kan leiden tot een gigantische paranoia.

Martin heeft gelijk. Het wordt weer eens tijd om op te stappen.

22 Grote kutflats

Moet je eens kijken naar die kutbomen hier, die staan te verpieteren in de schaduw tussen grote kutflats. Ondervoed, dat zijn ze godverdomme, dat is het juiste woord, net als de kinderen, net als die kutbejaarden, zoals ze godverdomme buigen en knipmessen en in hun broek schijten als ze langs een groepje jongelui lopen bij het winkelcentrum.

Maar ik loop godverdomme wel gewoon langs die kleine klootzakjes en kijk ze gewoon recht aan en je hoort dat ze godverdomme zachter gaan praten omdat ik ze recht aankijk. Maar een haai maakt zich niet druk om van die kutwitvis want daar heeft hij nooit genoeg aan. Maar die kleine kutventjes ruiken wel het angstzweet en ze schrikken zich rot omdat het hun eigen fucking angstzweet is.

Iemand gaat hier dus verschrikkelijk voor boeten... mijn kop barst godverdomme uit elkaar... zelfs die kut-Nurofen helpt niet...

Ik probeer me te herinneren wanneer het begonnen is, vanmorgen, voor dag en dauw, voordat ik naar mijn moeder ging. Het begon bij 45Kate, toen we in bed lagen. Ze lag er godverdomme zo mooi bij toen ik naast haar wakker werd. Ik verontschuldigde me voor die twee eerdere keren, en zei dat ik te bezopen was geweest. Maar nu, zoveel later, keek ze me aan alsof er godverdomme iets mis was met mij. Alsof ik zo'n zieke klootzak was, net als in dat spul dat een of andere gore klootzak mij stuurde toen ik in de bak zat.

Maar ik wil wijven, ik val godverdomme op wijven. Ik heb me in de bajes alleen maar zitten afrukken terwijl ik fantaseerde over wijven, en nu ik op vrije voeten ben en een wijf heb dat ik leuk vind, nu kan ik niet eens...

DIE KLOOTZAK DIE MIJ GODVERDOMME DAT KLOTESPUL HEEFT GESTUURD.

Ik ben godverdomme niet zo'n strontschuiver, zo'n vieze flikker...

IK KRIJG HEM GODVERDOMME NIET MEER OMHOOG.

En weet je, als ze dat nou gewoon gezegd had: 'Wat is er godverdomme aan de hand met jou?' dan het me niks uitgemaakt. Maar ze ging helemaal op de toer van: 'Ligt het soms aan mij? Vind je me niet aardig?' Dus ik vertelde haar alles, over die kutbajes en dat ik, nadat ik was vrijgelaten, meteen wilde neuken, en dat ik hem nu godverdomme niet eens meer omhoogkrijg.

En ze kroelde lekker tegen me aan en ik was zo gespannen als een draad, en ze vertelde me over die lul waarmee ze had samengewoond, en die gast sloeg haar, die had haar dat blauwe oog geslagen toen ik haar de eerste keer zag. En ik dacht bij mezelf: ik moet hier godverdomme weg, want mijn kop barst zowat uit elkaar, dus ik zei dat ik naar mijn moeder moest.

Mijn ademhaling is helemaal van slag als ik het winkelcentrum binnenloop. Ik voel me als een gevangene hier, geobsedeerd door de behoefte om me uit te leven op een of andere cunt. Het lijkt godverdomme wel een verslaving...

Misschien komt het omdat ik gewoon weer buiten ben. Alsof ik er godverdomme niet meer bij hoor, alsof ik uitgestoten ben. Mijn moeder, mijn broer Joe, mijn zuster Elspeth. Mijn kameraden: Lexo, Larry, Sick Boy, Malky. Ja hoor, iedereen is dolblij om me weer te zien, maar het lijkt wel of al die klootzakken je alleen maar een tijdje gedogen. En dan gaan ze godverdomme weer verder met waar ze gebleven waren. O ja, ze doen allemaal even aardig, maar ze hebben het allemaal druk, allemaal even druk godverdomme. En waar hebben ze het dan godverdomme zo druk mee? Met van alles, behalve met die dingen die we vroeger samen deden, en dat is godverdomme een feit. 'We praten later wel verder.' Daar word ik vanbinnen dus pislink van, godverdomme, het maakt die fucking verslaving alleen maar erger, die behoefte om iemand verschrikkelijk pijn te doen. Wanneer is later, godverdomme?

Neem nou Lexo. Wat is die nou godverdomme van plan, met dat wijf en dat kut Chinese restaurant. Een fucking chinees-annex-cafetaria in Leith, flikker nou toch op! Er zijn godverdomme al duizend chinezen in Leith! 'Een taai restaurant,' zegt die lul. Nou, denk maar niet dat er ook maar één iemand uit Leith taai vlees komt eten bij zo'n kutchinees, en al helemaal niet als het overdag gewoon een smerige cafetaria is.

Tja, die Lexo, bij mijn moeder thuis stopte hij godverdomme een envelop in mijn hand. Tweeduizend. Afkopen. En ja, ik heb het aangenomen omdat ik godverdomme het geld nodig had, maar Lexo heeft z'n verstand in z'n fucking reet zitten als hij denkt dat hij en dat mokkel dat bij hem was mij zo de deur uit kunnen zetten. Lexo gaat eraan geloven.

Maar er is één klootzak, er is één smoel dat als een gloeiend brandmerk op mijn netvlies geschroeid staat.

Renton.

Renton was mijn kameraad. Mijn beste kameraad. Van school. En hij heeft me genaaid. Het is allemaal de schuld van Renton. Al die fucking woede en razernij. En dat houdt nooit meer op, totdat ik het die klootzak betaald kan zetten. Het is godverdomme zijn schuld dat ik in de bak ben beland. Die Donnelly werd agressief, maar ik zou hem nooit zo toegetakeld hebben als ik niet zo dol van woede was geweest omdat ik genaaid was. Ik heb hem op die parkeerplaats voor dood achtergelaten in een plas bloed en hem een scherp geslepen schroevendraaier in de hand gedrukt. Toen ben ik naar huis gegaan en heb mezelf met een andere schroevendraaier twee keer gestoken, een keer in mijn buik en een keer tussen mijn ribben. Toen heb ik mezelf verbonden en ben naar de eerste hulp gestrompeld. Daarom was de eis doodslag in plaats van moord. En als ik in de bajes niet twee keer een douw had gekregen vanwege het toebrengen van zwaar lichamelijk letsel, dan was ik jaren geleden al vrijgekomen. Eigenlijk is het allemaal één grote fucking grap, en helemaal de schuld van die fucking verrader, van die matennaaier Renton.

Ja, ik moest naar buiten, weg bij Kate, want anders had ik niet voor mezelf ingestaan. Haar ex-vriendje was een klootzak, hij sloeg haar en dat kan dus niet. Er zijn soms teven die inderdaad een pak op hun lazer moeten hebben, van die wijven die hun bek pas houden als je er een vuist in stopt. Maar zo eentje is Kate niet, dat was dus helemaal fout om een meid als zij zo te behandelen. Maar in mijn kop bonkte het als een aambeeld, alsof ik elk moment het loodje kon leggen, dus ik maakte godverdomme dat ik wegkwam.

Toen ik bij mijn moeder was, besloot ik door wat oude spullen te snuffelen; een paar oude weekendtassen met persoonlijke bezittingen. Ik kwam een oude foto tegen, van mij en Renton bij de Grand National in Liverpool. Ik bekeek die foto zo lang dat het leek alsof de grijns op het smoel van die klootzak alsmaar breder werd, terwijl hij me recht in de ogen keek. Ja, die fucking grijns werd breder en breder en, net als in een stripverhaal, zag ik langzaam ezelsoren groeien uit mijn kop. Dat ik die klootzak ooit vertrouwd heb...

Mijn ingewanden beginnen puur gif te produceren, mijn kop tolt, en het lijkt alsof ik godverdomme koortsstuipen krijg. Ik besef dat ik nog urenlang naar die foto kan blijven staren en mezelf helemaal gek maken, gewoon maar blijven staren en helemaal over de rooie gaan. Ja, mijn bloed kookt en mijn aderen staan op knappen en ik sta op het punt onderuit te gaan, terwijl het bloed uit mijn oren en neusgaten spuit.

Maar ik beheers me op tijd, en bewijs daarmee voor mezelf dat ik sterker ben dan die fucking klootzak, maar ik val bijna flauw voordat ik de foto weggooi. Ik blijf op de bank zitten, zwaar ademend, en mijn hart klopt als een bezetene in mijn keel.

Mijn moeder komt de kamer binnen, ziet hoe opgefokt ik ben, en zegt: 'Wat is er, jongen?'

Ik zeg niks.

Dan zegt ze: 'Wanneer ga je naar June om de kleintjes te zien?'

'Ik ga zo,' zeg ik. 'Nog even wat zaken regelen.'

Ik hoor haar praten op de achtergrond, ze lult maar wat in de rondte zonder dat ze een antwoord of reactie verwacht, alsof ze godverdomme een liedje aan het zingen is of zoiets. Ze noemt onbekende namen, alsof ik godverdomme moet snappen over wie ze het heeft.

Ik ben terug in Wester Hailes en ga uit met Kate. We zitten in een taxi en rijden richting centrum. Als we bij de club aankomen, geef ik haar wat geld voor de chauffeur, want ik herken een ouwe voetbalkameraad, Mark. Hij staat ook bij de deur en ik loop naar hem toe voor een praatje.

Dus terwijl ik sta te ouwehoeren met Mark, kijk ik om en zie dat ze verstijft van angst terwijl er een taxi wegrijdt. Er komt een cunt op haar af en hij spreekt haar aan. 'Zo, loop je hier een beetje te tippelen, vuile stoephoer,' sist hij haar toe, zo stiekem en doortrapt als een slang. Hij steekt een hand op en ze krimpt in elkaar.

'Niet doen, Davie,' smeekt ze met een hysterische krijsstem, en je kunt aan de zelfingenomen uitdrukking op zijn smoel zien dat hij dat geluid vaker van haar gehoord heeft. Ik heb meteen door wie het is. Mark de uitsmijter wil eropaf, maar ik hou hem tegen. Langzaam loop ik naar die cunt toe, want ik geniet van elke stap op deze wandeling. Die klootzak heeft Kate nu bij haar pols vast, en hij ziet mij nonchalant hun richting op komen.

'Wat moet je, godverdomme? Wil je er soms ook één, godverdomme, lul! Maak godverdomme...' Hij krijst het uit, maar hij wordt steeds wanhopiger. Hij heeft zelf ook door dat zijn gegil alleen maar amateurs afschrikt, en ik zie hoe de moed uit hem begint weg te lekken. Hij beseft dat hij gloeiend de lul is; als ik op vijf pas afstand genaderd ben, is er niets meer van hem over! De aderen staan gezwollen in die fucking kippennek van hem, hij krijgt rode vlekken in zijn hals. En ik? Ik ben zo relaxed als fuck.

Ik glimlach lui naar hem en staar hem dreigend aan. Ik laat de cunt even stomen, voordat ik hem uit zijn lijden verlos en zijn kippenbek vermorzel met een korte maar felle kopstoot. Ik vel hem met één stoot, hij gaat languit op de keien, en omwille van Kate en omdat er zoveel omstanders zijn, trap ik hem nog maar drie keer na: op zijn kop, in zijn gezicht en onder in zijn rug. Dan buig ik me voorover en fluister die doodsbange eikel toe: 'Als ik jou godverdomme nog één keer zie... dan ben je dood.'

Hij stoot iets uit wat het midden houdt tussen smeken en janken.

Ik vertel Kate dat die gast haar nooit meer lastig zal vallen. We blijven niet lang in de club, want ik wil vroeg naar huis. We duiken in bed en ik naai haar rauw, de hele nacht door. Ze zegt dat ze nog nooit zoiets heeft meegemaakt! Ik lig naast haar, de gedachten razen door mijn kop en komen plotseling tot stilstand als ik naar haar mooie gezichtje kijk en bij mezelf denk: die meid wordt misschien nog wel mijn redding.

23 Project nr. 18.739

We bevinden ons hier in Amsterdam, midden in een gigantische hoop stront: ik en hij, Simon en Mark, Sick Boy en Rent Boy. Er even helemaal tussenuit. N-sign vertelde me waar de Luxury was en hij en ik hebben ons, samen met Terry, Rab Birrell en zijn broer de ex-bokser, snel losgemaakt van de rest van de groep. Een paar voetbalfans in ons gezelschap staan me niet aan. Lexo is bijvoorbeeld een oude kameraad van Begbie, waardoor alles behoorlijk interessant wordt. Ik besluit bij Terry in de buurt te blijven omdat iemand die zo geobsedeerd is door vrouwen, altijd handig is om in de buurt te hebben. Zijn versiermethoden zijn redelijk onorthodox, maar hij weet van geen wijken en behaalt altijd resultaat.

We komen aan bij Rentons club en ik vraag de gast bij de deur of hij er is. Ik krijg te horen dat hij ongeveer een halfuur geleden vertrokken is. Ik trek een beteuterd gezicht en de uitsmijter zegt met een cockney-accent dat hij waarschijnlijk van club naar club gaat en dat we Trance Buddah maar moeten proberen. Hij zegt het op een gemoedelijke toon die klinkt als: 'Die goeie oude Mark, je weet hoe hij is.' Reken maar dat ik dat weet, stomme lul, maar jij weet het blijkbaar niet. Dus de klootzak kan nog steeds vleien, nog steeds mensen zand in de ogen strooien. Maar het geeft wel aan wat voor een waardeloze lul Renton is: hij runt zelf een club en verdwijnt naar een andere.

Shit. Ik neem ons groepje mee naar de rosse buurt. De Sapman moppert: 'Wat is er mis met die tent, Sicky?'

Die kutkrullenkop van een schijtlul, die het nog niet genoeg vindt om mij 'Sick Boy' in plaats van Simon te noemen waar anderen bij zijn, heeft de inzet verhoogd en mijn bijnaam afgekort tot Sicky, wat nog misselijkmakender is. Ik laat niets merken van mijn afkeer, in de hoop dat het vanzelf zal overgaan. Als je gasten als Lawson je zwakheden toont, dan blijven ze je daar genadeloos op pakken; en dat is eigenlijk ook wat ik zo mooi vind aan die lul.

Renton. Hier in Amsterdam. Ik vraag me godverdomme af wat voor gast het nu is. Hoe hij zichzelf in de loop van de jaren veranderd heeft. Je moet toch proberen erachter te komen wie je wel bent en wie niet. Dat is toch je boodschap in dit leven. Wat laat je achter als je ertussenuit gaat, en wat neem je altijd met je mee. Ik sta stijf van de XTC en probeer erachter te komen wat *ik* met me meeneem, waar ik ook heen ga en in welke situatie ik ook verkeer. We betreden de club Trance Buddah in de rosse buurt. Een gewone dansvloer, een *chill-out*-ruimte en een bar met Amsterdammers, toeristen en Britten. Ik weet uiteraard precies wat ik van plan ben met Renton, maar Terry en ik zijn op jacht naar groot wijvenwild en scheiden ons af van de groep. Ewart wordt aangesproken door twee meiden en hij schakelt zijn charme op de hoogste stand. Big Birrell, de bokser, en Rab blijven bij hem in de buurt. Ik koop een paar pillen van een Nederlander die mij verzekert dat het superkwaliteit is. Kut. Ik ben niet in de stemming voor coke. Dan sta ik godverdomme de hele avond op de plee. Ik wil wel iets met een Nederlands wijf, eentje met een gave huid en zo, maar Terry is in gesprek geraakt met twee Engelse meiden, ik geef een rondje en we nemen plaats in een rustig hoekje. Ik krijg de zenuwen van de muziek; het is van die kermisachtige Nederlandse schooldisco-techno-shit. Nog een reden om Renton te haten: dat ik dit soort zeikmuziek moet aanhoren.

Het meisje naast mij heet Catherine, ze komt uit Rochdale (vaalblond, schouderlang haar en een intrigerende moedervlek op haar kin) en vertelt dat ze techno dus helemaal niks vindt; te zwaar voor haar smaak. Terwijl ze aan het woord is, kijk ik naar haar donkere, opgemaakte ogen en ik denk bij mezelf 'Rochdale' en mijn gedachten slaan ongeveer als volgt op de vlucht: Gracie Fields uit Rochdale zingt 'Sally, Salleee, pride of our alley', terwijl ik met Catherine lig te neuken in een steegje. En via Rochdale kom ik bij Mike Harding die 'The Rochdale Cowboy' zingt, en ik denk aan Catherine als *The Rochdale Cowgirl* en probeer me haar voor te stellen in de omgekeerde cowgirlpositie, het klassieke pornostandje dat is bedacht om genitale penetratie op camera zichtbaar te maken. Maar in werkelijkheid zeg ik tegen haar: 'Zo, Catherine uit Rochdale dus.' Terry Sap heeft een meid, die volgens mij een vriendin van Catherine is, dicht tegen zich aan gedrukt, hoort mijn laatste opmerking en werpt mij een telepathische blik toe, alsof hij mijn gedachten geraden heeft, en ja, die pillen zijn inderdaad niet slecht.

Ik vind het prettig om hier uit te chillen, want ik dans niet op die eentonige techno. Alsof je de marathon van Londen loopt. Boem-boem-boem. Waar is de funk gebleven? Waar de soul? Waar de mooie kleren? Muziek voor Hearts-fans. Maar die maffe Nederlanders en toeristen schijnen het mooi te vinden: ieder zijn meug. Eén gast zondert zich af van de rest. Hij danst met rare, kleine pasjes, samen met twee meiden en nog een vent, en er is iets met die lul. Ik ken die gast. Hij heeft een rare pet op die over zijn ogen hangt, maar de manier waarop hij zich beweegt komt me bekend voor, geheel opgaand in de mix van de deejay maar zo nu en dan om zich heen kijkend en met een arm zwaaiend naar een of andere fucker in de club. Het is de gereserveerde energie, de matte bewegingen die geheel in tegenstrijd zijn met zijn toestand van uiterste concentratie. Hoe ingetogen hij ook bezig lijkt te zijn, er is iets aan hem wat voortdurend alert is.

Niets ontgaat die lul.

Het is iemand met wie ik vroeger heel wat afgeouwehoerd heb. Dat wij heel anders terecht zouden komen. Alsof hij niet een *skaghead* was uit de Fort die de universiteit niet had afgemaakt, en ik niet een lage, onuitstaanbare klootzak die onschuldige meiden met een moeilijke jeugd lastigviel en ze zo gek kreeg dat ze vielen voor een zielig verhaal en een zweterige pik.

Het is mijn oude kameraad Mark.

Het is Rents.

Het is de cunt die mij belazerd en beroofd heeft, de cunt die mij zoveel schuldig is.

En ik kan en wil mijn ogen niet van hem afhouden. Ik zit in het donker, met Catherine, Terry en hoe heet die andere meid ook al weer? Maakt niet uit, ik kijk aldoor naar hem, daar op de dansvloer. Na een poosje zie ik dat hij op het punt staat te vertrekken met nog een paar mensen en ik ga achter hem aan. Ik trek Catherine mee en ze lult maar door over haar vriendin. Ik leg haar het zwijgen op met een kus en kijk over haar schouder naar de weglopende Renton, draai me om en knik wellustig naar Terry, en door zijn geile grijns krijg ik medelijden met het meisje in zijn gezelschap en haar arme anus. Op weg naar de garderobe knuffel ik even met Catherine en realiseer me dat het ondanks haar jonge leeftijd en knappe gezichtje een fucking fors wijf is. Haar zwarte kleren hadden me wat dat betreft op een idee moeten brengen, maar die heipalen van poten...

Wat maakt het uit.

Als we buiten komen, zie ik Rents een eindje verder lopen, met een magere, kortharige blonde meid en nog een ander stel. 'Boy-girl, boy-girl', zoals Danny Kaye zegt in *White Christmas*. Wat gezellig. Wat beschaafd, zoals de middenstand in Islington elkaar kritiekloos na-aapt. Zet die klootzakken voor een brandend haardvuur en duw ze een glas wijn in de hand en ze brabbelen keurig: ‘O, wat beschaafd.’ Ze snijden een stukje ciabatta af en zeggen: ‘Wat zijn wij beschaafd, hè?’

En je hebt zin om te zeggen: nee, stomme lul, dit heeft godverdomme niks met beschaving te maken, want beschaving is veel meer dan een glas wijn en een stukje brood en waar jullie het over hebben is vrijetijdsbesteding en meer niet.

En nu is Catherine aan de gang, terwijl we Rentons groepje volgen over klinkerstraten langs de grachten. Ze zegt dat het hier zo beschááááfd is, en ze drukt zich helemaal tegen mij aan. Ja, bambina, breng dit wilde Schots-Italiaanse joch uit Leith maar eens wat beschaving bij. Catherine mag haar blik dan gevestigd hebben op het oranje licht van de straatlantaarns dat weerkaatst op de glimmende kinderkopjes en de kalme gracht, ik houd mijn ogen gericht op de dief, en als ik midden op mijn voorhoofd een derde oog had gehad, dan zou dat ook gericht zijn op de dief.

Ik kan hem bijna horen en vraag me af wat hij zegt. Hier in Amsterdam is de Rent Boy vrij om zich naar hartelust uit te leven in pretentieus gedrag, zonder dat de figuur van Begbie hem grofweg onderbreekt met: ‘Hé, een fucking junkie uit de Fort,’ en hem tot zijn ware proporties terugbrengt: een heel klein mannetje. Ja, ik kan bijna meevoelen met de dief, ik begrijp zijn behoefte om een dergelijke daad te stellen, om te voorkomen dat hij moest blijven rondzwemmen in die poel van negatieve energie, totdat je armen pijn gaan doen en je uiteindelijk verzuipt, samen met alle andere sneue fuckers. Maar om dat *mij* aan te doen, en die kansarme *loser* van een Murphy uit de brand te helpen, dat tart godverdomme iedere beschrijving.

Catherines gebabbel vormt een vreemde achtergrond voor mijn gedachten, die met de minuut somberder worden. Het lijkt wel alsof iemand de soundtrack van *The Sound of Music* draait over die van *Taxi Driver* heen.

Ze steken een nauwe brug over en bereiken de Brouwersgracht, waar ze op nr. 178 naar binnen gaan. Op de eerste verdieping gaat het licht aan en ik loop met Catherine naar de overkant van het water om een goed uitzicht te hebben. Ze praat maar door en heeft het inmiddels over ‘li-be-ra-li-sééé-ring’ en hoe dat je attitude verandert. Ik zie ze, ze staan te dansen voor het raam, waar het warm is, en ik sta hier buiten, in de bittere kou, en denk bij mezelf, waarom ga ik er niet gewoon heen, druk op de bel, en jaag die klootzak de stuipen op het lijf. Nee, ik doe het niet omdat ik geniet van het stalken. Daarom niet. Het gevoel van macht omdat ik weet waar hij zich ophoudt en hij zich totaal niet bewust is van mijn aanwezigheid. Nooit overhaast handelen, maar altijd met beraad en overleg. En nog belangrijker: als ik eenmaal oog in oog sta met die cunt, wil ik niet onder invloed zijn van de XTC maar stijf staan van de industriële kracht van rauwe coke.

Er moet eens flink met hem worden afgerekend, en ik ben bereid dat te doen. Ik weet nu waar die dief woont: Brouwersgracht 178. Maar Catherine heeft nu eerst behoefte aan de LDP (lekkere dikke pik)-ervaring.

'Wat zie je er mooi uit, Catherine,' zeg ik onverwacht, als donderslag bij heldere hemel, en onderbreek zo haar gedachten.

Ze reageert lichtelijk geschrokken. 'Niet...' zegt ze verlegen.

'Ik wil met je vrijen,' zeg ik op warme en naar ik meen welgemeende toon.

Catherine's ogen zijn veranderd in prachtig zwarte, glanzende poelen van liefde waar je wanhopig en dol van hartstocht in wilt verdrinken. 'Weet je, even dacht ik dat je je verveelde, dat je niet echt luisterde naar wat ik zei.'

'Nee hoor, dat kwam door de pil, maar zoals je er nu uitziet... ik voelde me helemaal... weet je wel... alsof ik in een soort trance raakte. Maar ik heb steeds naar je stem geluisterd, ik voelde je warmte tegen mijn zij en mijn hart fladderde als een vlinder in een warme lentebries... het klinkt misschien overdreven, ik weet het...'

'Nee, nee, het klinkt prachtig...'

'...ik wilde alleen maar het ogenblik vasthouden, omdat het zo volmaakt was, maar toen dacht ik, nee Simon, dat is egoïstisch. Deel het, deel het met het meisje dat het allemaal veroorzaakt heeft...'

'Wat ben je lief...'

Ik knijp in haar hand, breng haar naar haar hotel en stel tot mijn tevredenheid vast dat het een duurder hotel is dan het mijne.

Je gaat er godverdomme van lusten, lekker vet wijf.

De volgende ochtend is mijn eerste gedachte hem gelijk te smeren. Met het stijgen der jaren wordt dat bijna net zo'n verfijnde kunstvorm als het versieren zelf. Verdwenen is de nare tijd dat je kleren aantrok of dat wilde doen of nog liever dat je weg wilde rennen. Catherine ligt naast mij en ze slaapt als een olifant die is omgelegd door het pijltjesgeweer van een veearts. Het is een zegen, zo'n meid die slaapt als een blok. Dat scheelt vele uren op een dag waarin je nu gewoon jezelf kunt zijn. Ik krabbel een briefje.

Catherine,

Ik vond vannacht geweldig. Zie ik je vanavond weer in Stone's Café? Kom je?

Liefs,

Simon XXXXX

PS: *Je lag er zo lief bij, dat ik je niet wakker durfde te maken.*

Ik ga terug naar mijn hotel, alwaar geen spoor van Terry, maar Rab Birrell en een paar van zijn kameraden zijn al op. Ik mag die Birrell wel. Hij is te cool om te vragen waar ik geweest ben. Als je je hele leven omgeven bent geweest door hinnikende idioten, dan waardeer je onmiddellijk de kalme discretie van een man.

Ik haal wat broodjes met ham en kaas en een kop koffie bij het ontbijtbuffet en neem plaats bij hen aan tafel. 'En hoe gaat het met de heren? Alles kits?'

'Ja, hoor,' zeggen Rab en zijn kameraad Lexo Setterington. Ik moet op mijn woorden letten waar die lul bij is, want hij is bevriend met Begbie. Hij is net iets normaler dan die fucking mongool. Hij weet van wanten, hem maak je niks wijs. Een Thai-café, midden in Leith, godverdomme!

Maar het is ook goed om te zien dat het niet bepaald koek en ei is tussen die twee zogenaamde boezemvrienden. 'Hij heeft me achtergelaten met dikke schulden en een voorraad aan oude troep en gammel meubilair ter waarde van een paar honderd pond. Eigenlijk zou ik die arrogante cunt moeten vermoorden...' zegt hij lachend.

Ik hou me op de vlakte en reageer met een nietszeggend 'Mmm...', want op zijn manier kan die lul net zo erg zijn als Begbie.

'Weet je wat het is met Franco, hij vergeet nooit iets,' zegt Lexo. 'Als je die lul in de wielen hebt gereden, dan moet je hem eigenlijk voorgoed laten inslapen. Anders blijft hij steeds weer terugkomen. Als je hem zijn gang laat gaan, dan krijgt hij vroeg of laat toch wel zijn trekken thuis. Op een gegeven moment wordt er wel iemand zo strontziek van hem dat hij hem helemaal voor niks omlegt, dat scheelt iemand anders dan weer een paar duizend pond,' zegt hij grijnzend. Ik merk dat Lexo de hele nacht op is geweest en nog steeds behoorlijk bezopen is, want hij grijpt me zwaar bij mijn schouder, ademt zijn kegel in mijn gezicht en fluistert in mijn oor: 'Nee, je moet al wel meedogenloos zijn als je niet zonder meer wilt toegeven aan je eigen agressie. Laat dat maar over aan losers als Begbie.' Hij laat me glimlachend los en kijkt me behoedzaam aan. Opnieuw probeer ik als antwoord de juiste tactvolle geluiden te maken, waarop hij reageert: 'Natuurlijk mag je je zo nu en dan wel een beetje laten gaan...'

Na die opmerking gaat het gesprek voorspelbaar over op het deprimerende onderwerp van de betrekkelijke voor- en nadelen van het supporterslegioen van Feyenoord en FC Utrecht. Billy Birrell, Rabs boksende broer, en N-sign zijn hem blijkbaar gesmeerd en voelen blijkbaar niets voor een confrontatie met vechtende fans. Heel verstandig. Ik kan ook niet achterblijven bij een stel mongolen die stijf staan van de coke en aan een stuk door ouwehoeren over wie ze gaan doodslaan. Als ik wil kan ik dat elke dag meemaken in Leith. Ik sla mijn laatste slok achterover en ga de straat op.

Ik ga op zoek naar een fietsenwinkel, huur een zwart herenrijwiel en fiets langs de woning van onze dief. Pal tegenover zijn huis, aan de andere kant van de gracht, is een café dat mij gisteravond is opgevallen. Ik leg de fiets aan de ketting en neem plaats voor het raam van het ruime, frisse café met zijn bruine plankenvloer en geel gesausde muren, en bestel een koffie verkeerd. De bomen ontnemen het uitzicht op zijn ramen, maar ik zie zijn voordeur en kan zo al zijn bewegingen in de gaten houden.

Ik heb in mijn leven zo'n beetje alles gestolen, geroofd en gejat wat los en vast zat, en dat geldt voor de meesten van mijn kameraden hier en in Londen. Maar volgens mijn maatstaven maakt ons dat nog niet tot dieven. Een dief is iemand die steelt van zijn eigen mensen. Zoiets zou ik nooit doen en Terry ook niet. Zelfs die schurftige kutlul van een Murphy zou nog niet... hoewel... dat is niet helemaal waar. We moeten Coventry City niet vergeten. Maar waar het om gaat is dat Renton zijn schuld terugbetaald krijgt, met rente.

24 Hoeren van Amsterdam, deel 4

Ik kom uit de douche en zie Katrin staan die naar de buitenwereld staat te kijken. Ze heeft de grote glazen deuren die bijna de hele voorgevel beslaan, wijdopen gezet. Ze leunt op de balustrade en tuurt naar de overkant van de gracht. Ik volg haar blik richting de lange, smalle straat tegenover ons die een aantal andere grachten in de Jordaan doorkruist. Ik kom stilletjes achter haar staan; ik wil haar niet storen en ben bijna gebiologeerd door haar beweginglooshei d. Kijkend over haar schouder zie ik een eenzame fietser de straat af fietsen, plotseling omhoogverend als hij een verkeersdrempel neemt. Hij heeft iets bekends, misschien komt hij hier vaak langs. Ik zie de hijsbalken boven aan de huizen, die naar elkaar wijzen als twee vijandige artillerie-eenheden.

Die frisse lucht moet haar kippenvel geven op haar blote benen. Wat wil ze toch? Wat het ook is, het kan zo niet doorgaan. Ik voel de zon op mijn gezicht, op onze gezichten, en ik vind dit eigenlijk wel een passend einde.

We proberen te praten, maar het zoeken naar de juiste woorden is als graven naar water in een woestijn. Het duurt steeds langer om de bewoonde wereld te bereiken nadat we onze relatie langs de ravijnen des doods hebben gesleept. De enige vorm van communicatie waarover we nog beschikken zijn de ruzies die we voortdurend hebben over niets. Ik druk een kus in haar dunne nek, als teken van schuldbesef en medeleven, als uiting van tedere woede. Ze reageert niet. Ik draai me om en ga naar de slaapkamer om me aan te kleden.

Als ik terugkom, staat ze nog op precies dezelfde plek. Ik zeg dat ik even wegga en dezelfde stilte is mijn antwoord. Ik loop de gracht af richting Herengracht en Leidseplein, en wandel door het Vondelpark. Om de een of andere reden gieren de zenuwen me door de keel, hoewel ik geen drugs heb gehad. Niettemin ben ik behoorlijk paranoia. Martin zegt altijd dat de reden waarom je drugs gebruikt, is dat als je wekenlang clean bent, je je toch soms klote en paranoia voelt; als je drinkt én drugs gebruikt, weet je tenminste waarom je je klote voelt, en dat is beter dan een beetje op je reet zitten en jezelf een zenuwziekte aanpraten. De paranoia is lang niet zo erg in het coole Amsterdam als in Edinburgh, maar niettemin heb ik het gevoel dat iedereen me in de gaten houdt, alsof ik word gestalkt door een of andere mongool.

Na een poosje kom ik bij de discotheek en ga naar het kantoor. E-mail checken op je werk op zondag omdat je niet met je vriendin in één vertrek kunt zijn; veel erger dan dat kan eigenlijk niet, wel? Ik kan net zo goed in Londen zitten.

Ik doe wat papierwerk, rekeningen, brieven, pleeg wat telefoontjes en meer van die troep. Dan krijg ik de schrik van mijn leven. Mijn hart staat godverdomme stil. Ik zit daar, blader door het kasboek, door de afschrijvingen van de ABN-Amro. Ik heb nog steeds moeite met geschreven of gedrukt Nederlands. Hoe goed je je mondeling ook weet te redden, lezen blijft heel lang een obstakel. Nederlands en Engels lijken soms veel op elkaar.

Rekeningnummer.

Rekening. Afrekening.

Er wordt op de deur geklopt, en ik kijk koortsachtig om me heen of Martin geen zakjes met coke heeft laten slingeren, onder de stapels papier of zo, maar nee, die zitten veilig opgeborgen in de kluis achter mij. Ik sta op en doe de deur open in de veronderstelling dat het waarschijnlijk Nils is of Martin, als er plotseling een gast naar binnen stormt en mij opzij duwt. De gedachte IK WORD HIER GODVERDOMME BEROOFD... dringt zich even snel op als dat ze verdwijnt, en ik zie een figuur voor me staan die mij zowel vreemd als bekend voorkomt.

Het duurt een volle seconde totdat het helemaal tot mij doordringt. Het lijkt wel of mijn hersenen de informatie niet kunnen verwerken die mijn ogen erheen sturen.

Want ik sta oog in oog met Sick Boy. Simon David Williamson.

Sick Boy.

'Rents,' zegt hij op koele, beschuldigende toon.

'Si... Simon... godverdomme... niet te gelo...'

'Renton. Wij hebben wat te regelen. Ik wil mijn geld,' blaft hij me toe. Zijn ogen puilen uit als de ballen van een Jack Russell-terriër die een loopse teef ruikt, en hij laat zijn blik razendsnel door het kantoor gaan. 'Waar is mijn geld, godverdomme?'

Ik staar hem aan, als een zombie, en ik weet geen fuck te zeggen. Het enige wat ik kan bedenken is dat hij zwaarder is geworden maar dat hem dat goed staat.

'Ik wil godverdomme mijn geld, Renton.' Hij komt een stap dichterbij en schreeuwt me recht in mijn gezicht. Ik voel de hitte en het kwijl van hem af spatten.

'Sick... eh, Simon, ik eh... je krijgt het van me,' zeg ik. Het is het enige wat ik redelijkerwijs kan zeggen.

'Vijfduizend fucking pond, Renton,' zegt hij en grijpt mijn T-shirt op borsthoogte vast.

'Wat?' zeg ik, ietwat uit het veld geslagen, en ik kijk naar zijn hand op mijn T-shirt alsof het een hondendrol is.

Als reactie daarop verwaardigt hij zich om zijn greep enigszins te verlichten. 'Ik heb het uitgerekend. Rente, plus vergoeding voor de geleden emotionele schade.'

Ik haal aarzelend mijn schouders op, als halfhartig teken van protest. Het was een enorme deal toentertijd, maar nu lijkt het iets van niks, een paar idioten die verzeild raken in een junkdeal. Nadat ik een aantal jaren voortdurend over mijn schouder heb lopen kijken, besef ik nu dat ik zelfgenoegzaam, zelfs blasé, ben geworden over de hele toestand. Alleen als ik zo nu en dan stiekem op familiebezoek naar Schotland ga, steekt de paranoia de kop weer op, en eigenlijk maak ik me alleen zorgen om Begbie. Voorzover ik weet zit hij nog steeds vast vanwege doodslag. Ik heb me destijds maar heel vluchtig afgevraagd hoe Sick Boy de hele affaire zou ervaren. Vreemd genoeg was ik van plan hem en Second Prize, en ik geloof zelfs Begbie, hun deel te geven, zoals ik dat met Spud gedaan had, maar op de een of andere manier ben ik er nooit aan toe gekomen. Nee, ik heb me nooit afgevraagd wat voor impact het op hem zou hebben, maar ik neem aan dat hij me dat nu wel zal vertellen.

Sick Boy laat me los, doet een stap naar achteren, kijkt om zich heen in het kantoor, loopt heen en weer en slaat zich op het voorhoofd. 'Ik zat daarna godverdomme mooi opgezadeld met Begbie! Hij dacht dat ik samenwerkte met jou! Hij heeft me nog een tand uit mijn bek geslagen,' sist hij me toe, opent zijn mond en wijst beschuldigend naar een gouden tand in zijn ivoren gebit.

'Wat is er gebeurd met Begbie... Spud... Secon...'

Sick Boy draait zich razendsnel om en snauwt mij toe: 'De kanker met die klootzakken! We hebben het nu over *mij*! Over *mij*!' Hij slaat keihard met een gebalde vuist op zijn borst. Hij spert zijn ogen wijdopen en vervolgt zacht en bijna jankend: 'Ik was zogenaamd jouw beste vriend. Waarom, Mark?' vraagt hij op smekende toon. 'Waarom?'

Tegen beter weten in moet ik glimlachen om de toer die hij bouwt. Ik kan er niks aan doen, die lul is geen spat veranderd, maar nu wordt hij pas echt pislink, hij bespringt me, we storten tegen de grond, en hij zit boven op mij. 'LACH ME GODVERDOMME NIET UIT, RENTON!' schreeuwt hij me in het gezicht.

Godverdomme, dat doet pijn. Ik heb mijn rug bezeerd en ik probeer op adem te komen, met die vette lul die op mij zit. Hij is inderdaad een stuk zwaarder geworden, en ik lig muurvast onder hem verankerd. De ogen van Sick Boy schieten vuur van drift, en hij heft een gebalde vuist. Het idee dat Sick Boy mij vanwege dat geld tot moes gaat beuken komt mij nogal bespottelijk voor. Niet onmogelijk, maar bespottelijk. Hij is nooit erg gewelddadig geweest. Maar de mens verandert, nietwaar. Soms wordt hij agressiever met het klimmen der jaren, vooral als hij het gevoel krijgt belangrijke kansen gemist te hebben. En misschien is dit niet meer de Sick Boy die ik mij herinner. Acht, negen jaar is lang. Behoefte aan geweld is waarschijnlijk net zoiets als iedere andere behoefte: je kunt het ook in een later stadium ontwikkelen. Ik heb dat zelf, weliswaar zeer beheerst, ondervonden doordat ik al vier jaar aan karate doe.

Maar zelfs zonder mijn karate zou ik naar mijn gevoel Sick Boy altijd hebben aangekund. Ik weet nog dat ik hem, toen we nog op school zaten, een keer te grazen heb genomen achter de loodsen van Fyfe aan het Water of Leith. Het was geen echte vechtpartij, eerder een robbertje tussen twee ongeoefende vechtersbazen, maar ik hield langer stand en was ook veel feller. Ik won de veldslag maar hij won de oorlog, zoals gewoonlijk, omdat hij me er later nog jarenlang emotioneel mee chanteerde. Hij ging dan steevast op de toer van de boezemvrienden: keek me aan met die grote ogen van hem en gaf me het gevoel dat ik in een dronken bui mijn vrouw had geslagen. Ik besef dat ik hem nu, met behulp van mijn shotokan-karatetechnieken, zonder al te veel moeite kan uitschakelen. Maar ik doe niks en realiseer me hoe verlammend het effect van een schuldgevoel kan zijn, en hoe stimulerend dat van gerechtvaardigde verontwaardiging. Ik wil dit tot een einde brengen zonder dat ik hem te veel pijn moet doen.

Hij is bijna zover om me in mijn gezicht te stompen, en terwijl ik dit besef, moet ik lachen. Sick Boy trouwens ook.

'Waarom lach je nou?' zegt hij geïrriteerd, maar niettemin grijnzend.

Ik kijk hem recht in het gezicht. Het is wat voller geworden, maar hij is nog steeds knap. En goed gekleed ook. 'Je bent aangekomen,' zeg ik.

'Jij ook,' zegt hij op beledigde en verongelijkte toon. 'Jij meer dan ik.'

'Bij mij is het allemaal spieren. Ik wist niet dat je zo'n vet zwijn zou worden,' zeg ik glimlachend.

Hij kijkt naar zijn buik en trekt hem schielijk in. 'Bij mij is het godverdomme ook spieren,' zegt hij.

Ik hoop dat hij inmiddels inziet hoe fucking belachelijk de hele situatie is. En belachelijk is het. We kunnen het best uitpraten en tot een soort regeling komen. Ik ben nog steeds geschrokken maar niet verbaasd, en op een vreemde manier voelt het ook goed om hem weer te zien. Ik heb altijd het gevoel gehad dat we elkaar weer zouden ontmoeten. 'Simon, zullen we even opstaan. Jij weet net zo goed als ik dat je me toch niet zult slaan,' zeg ik.

Hij kijkt me aan, begint te grijnzen, balt zijn vuist weer. En ineens zie ik sterretjes als hij hem vol in mijn gezicht ramt.

25 De Edinburgh Rooms

De Edinburgh Rooms in de Openbare Bibliotheek, man, die staan barstensvol met spul over Edinburgh, zeg maar. Ik bedoel, dat is natuurlijk nogal logisch, zeg maar. Ik bedoel, ik had niet verwacht dat er spul zou staan over Hamburg, zeg maar, of eh... Boston, in de Edinburgh Rooms. Maar er is ook heel wat te vinden over Leith, massa's spul dat eigenlijk in de Openbare Bibliotheek van Leith in Ferry Road zou moeten staan, man. Maar misschien klopt het wel, volgens die gasten van de gemeente is Leith een deel van Edinburgh, hoewel ze het daar in de Oude Haven lang niet allemaal mee eens zijn. Maar aan de andere kant weet ik ook nog dat er een tijd geleden folders werden rondgedeeld over die decentralisatie waar de gemeente zogenaamd zo'n voorstander van was. Dus waarom moet een geboren en getogen Leithenaar als ik helemaal naar Edina om iets te weten te komen over Leith? Waarom dat hele eind sjouwen over de George IV-brug in plaats van even naar Ferry Road kuieren, weet je wel?

Maar op zich is het wel een aardige wandeling, vooral met die grote gele maartse zon. In de hoofdstraat is het een beetje fris. Ik ben hier niet meer geweest sinds het Festival en ik mis al die coole meiden die glimlachend folders uitdelen voor hun voorstellingen. Het is raar hoe ze alles op een vraagtoon zeggen. Zo van: 'Wij hebben een voorstelling op het festival?' 'In The Pleasance?' 'De recensies waren schitterend?' En je krijgt de neiging om te zeggen, hé, wacht even, lekkere poes, want als je dat doet, van elke zin een vraag maken, dan hoef je aan het eind alleen nog maar 'weet je wel' te zeggen. Weet je wel? Maar ik nam die folders natuurlijk wel aan, want ik ben niet het soort gast dat iets aan te merken heeft op van die chique wijven die op de universiteit zitten of zo, en van alles leren over toneel, weet je wel.

Maar dat is altijd mijn probleem geweest, man, zelfvertrouwen. Mijn grote dilemma is altijd dat 'geen drugs' vaak gelijkstaat aan 'geen zelfvertrouwen', man. Op dit moment gaat het wel met mijn zelfvertrouwen, maar het is, hoe noemen die coole figuren dat? onbestendig, man, onbestendig. En het eerste wat me opviel toen ik bij de Openbare Bieb aankwam, was die pub aan de overkant genaamd Scruffy Murphy. Het was een van die Ierse pubs die je tegenwoordig overal ziet en die in niets lijken op de echte pubs in Ierland. Ze zijn alleen bedoeld voor van die zakenfiguren, yuppies en rijke studenten. Alleen al door ernaar te kijken kwam er een gevoel van verbittering en schaamte over me heen. Als het er eerlijk aan toe zou gaan in de wereld, dan zouden de lui die zo'n pub runnen mij een vergoeding moeten betalen vanwege geleden emotionele schade, man. Ik bedoel, dat was het enige wat ik op school de godganse dag te horen kreeg: 'Scruffy Murphy, Scruffy Murphy.' Alleen vanwege mijn Ierse achternaam en de vodden die ik droeg vanwege de epidemische toestand van armoede die heerste in de familie Murphy in Tennent Street en Prince Regent Street. Nee, dat was geen goed voorteken, man. Integendeel zelfs.

Gewoon door het zien van dat uithangbord was ik al op de meest ongunstige uitgangspositie gemanoeuvreerd, zeg maar, nog voordat ik goed en wel begonnen was, weet je wel. Dus als ik de bieb binnenloop, ben ik behoorlijk in mineur, en ik denk bij mezelf: hoe kan die Scruffbag Murphy hier ooit een boek schrijven? en te midden van al die boeken voelde ik me gewoon maf, maf, M-A-F, man. Ik loop door die grote houten deuren en plotseling klopt mijn hart in mijn keel: boem boem boem. Ik had het gevoel dat ik in elkaar plofte, alsof iemand me een lading amylnitraat door mijn strot had geramd. Ik werd helemaal slap, alsof ik elk moment flauw kon vallen of kon verkruimelen, of zoiets. Het is het soort gevoel dat je in het zwembad krijgt als je onder water bent, of in een vliegtuig, met die ruis in je oren. Ik stond te trillen op mijn benen, man, als een espenblad. Er komt een beveiligingsbeambte in uniform op me af, en ik raak in paniek. Ik vrees dat ik word weggejaagd, nee man, dat ik meteen gearresteerd word, en ik heb nog helemaal niks gedaan, ik was ook helemaal niks van plan, ik wou alleen maar in wat boeken snuffelen, zeg maar...

'Kan ik u helpen?' vraagt die gast

Dus ik denk bij mezelf: ik heb niks fout gedaan, ik ben hier alleen maar. Ik heb nog niks gedaan, helemaal niks. Ik zeg: 'Eh... eh... eh... ik vroeg me af... of het goed is als, dat ik, zeg maar... eh... even rond mag kijken in de zaal met spul over Edinburgh... om die boeken even in te zien, zeg maar.'

Volgens mij heeft die gast mij meteen door: dief, junkie, nieuwbouwwijk, gettokind, derde generatie achterbuurt, schooier, zigeuner, dat zie ik gewoon, man, want die lul is een vrijmetselaar en Hearts-fan, zo'n cunt van de Rotary, ik bedoel, dat zie je gewoon, aan dat uniform en zo... die opgepoetste knopen, man...

'Dat is beneden,' zegt hij, en hij laat me gewoon naar binnen. Gewoon! Die gast laat me binnen! In de Edinburgh Rooms. Openbare Bibliotheek. George IV-Brug, zeg maar!

Te gek!

Dus ik loop de grote marmeren trap af en zie een bordje hangen: 'Edinburgh Rooms'. Dus ik helemaal in de wolken, man, ik voel me net een geleerde. Maar als ik binnenkom, schrik ik me rot, het is gróót, man, gróót, en er zit een hoop volk te lezen, allemaal achter van die kleine bureautjes, alsof ze allemaal weer op de lagere school zitten. Het is er zo stil als Falkirk en het lijkt wel of ze me allemaal zitten aan te staren. Wat valt er nou te zien? Een junkie die misschien een paar boeken komt jatten die hij wil verkopen om aan spul te komen.

Dus ik denk bij mezelf: nee, nee, nee, man, cool blijven. Onschuldig tot het tegendeel. Gewoon doen wat Avs altijd tegen de groep zegt, en probeer wat uit te chillen, niet zo zelfdestructief te zijn. Tot vijf tellen als de stress je overvalt. Een, twee, drie... wat zit dat dikke wijf met die bril nou toch te kijken...? vier, vijf. Het heeft geholpen, man, want nu kijkt iedereen weer voor zich, weet je wel.

Niet dat er hier veel te jatten valt. Ik bedoel, sommige boeken zijn misschien waardevol voor een verzamelaar, maar boeken zijn niet het soort koopwaar dat je gemakkelijk verpatst in de Vine Bar, al die oude kronieken, zo noemen ze dat geloof ik, kronieken, en al die microfilms en zo, weet je wel.

Maar goed, ik blader door wat boeken en ik lees dat Leith en Edinburgh in 1920 zijn samengegaan, na een soort referendum. Het was vast zoiets als die stemming over decentralisatie, voor het parlement en zo, toen iedereen zijn stem kon uitbrengen, en daar bleef het bij. Ik weet nog dat ik in *The Scotsman* een artikel las over zoiets als 'nee, man, stem tegen', maar iedereen reageerde van 'sorry, wij snappen niet wat jullie in de krant bedoelen dus laten we maar massaal vóór stemmen'. Dat is democratie, man, democratie. Je kunt een kat niet dwingen Felix te eten als er ook Whiskas klaarstaat.

De inwoners van Leith verwierpen de inlijving met een meerderheid van vier tegen één. Vier tegen één, man, maar het gesodemieter ging gewoon door! Ik weet geloof ik nog wel dat alle oude kerels het er nog steeds over hadden toen ik nog in de wieg lag. Die ouwe lullen liggen nu dik onder de groene zoden, dus wie kan het publiek nog vertellen wat ze het volk toen hebben aangedaan, hoe ze de democratie hebben verkracht, man? Hier ligt een taak voor de jonge Murphy! Ja, al die ouwe knakkers in de Pet Semetary van Stephen King, slaap zacht, want hier kom ik! Ja, dat lijkt me een goed jaartal om te beginnen, 1920: het Grote Verraad, man.

Ja, de puzzelstukjes beginnen in elkaar te vallen. Het probleem is alleen, ik ben vergeten dat je voor het schrijven van een boek dingen als pen en papier nodig hebt. Dus ik ren naar Bauermeister naast de bieb en jat een blocnote en een pen. Mijn hoofd tolt en ik weet niet hoe snel ik terug moet rennen naar het bureau waaraan ik zat te lezen om serieus aantekeningen te gaan maken. Dit is het helemaal, man, de geschiedenis van Leith vanaf de inlijving tot heden. Ik begin in 1920, of ietsje eerder misschien, en vanaf dat punt vooruit tot nu toe, net als al die biografieën van beroemde voetballers.

Weet je wel?

Hoofdstuk Een, zeg maar: 'Ik kon het gewoonweg niet geloven, man, dat ik die Europacup omhooghield. Alex Ferguson kwam recht op mij af en zei: "Hé, man, nu ben je dus echt onsterfelijk geworden, weet je wel." Niet dat ik me veel van die winnende goal kon herinneren, of van de hele wedstrijd, omdat ik de hele nacht ervoor in een cracktent had gezeten, tot ongeveer een halfuur voor de aftrap, toen ben ik per taxi naar het stadion gekomen...' Je weet hoe zo'n script gaat, man.

En het volgende hoofdstuk gaat van: 'Maar het verhaal begint pas echt op grote afstand van het San Siro Stadion in Milaan. Daarvoor moeten we helemaal naar de schamele stulp in Rat Street, The Gorbals, in Glasgow, waar ik debuteerde als de zeventiende zoon van Jimmy en Senga McWeedgie. Het was een hechte gemeenschap en ik kwam niks tekort... bla bla bla...' Je kent dat gelul wel.

Zo pakken we dat dus aan, op dat punt beginnen en vandaaraf terug in het verleden. Ik sta te popelen, jochie, ik sta in vuur en vlam!

Ik ontdek dat ze ook nog kranten uit die tijd hebben, *The Scotsman* en *The Evening News* en zo. En hoewel die toen alleen maar werden volgeschreven door van die rijke Conservatieven, staat er misschien toch wel iets van mijn gading in, zoals plaatselijk nieuws, zeg maar, dat mij van pas komt. Alle kranten staan op microfilm, en ik moet een formulier invullen om die te mogen bekijken. En dan heb je zo'n hele grote machine, net een soort ouderwetse televisie, en daar stop je ze dan min of meer in, weet je wel. Nou, daar ben ik niet zo blij mee, zeg maar. In een bibliotheek horen alleen boeken te staan, en niemand heeft me ooit verteld dat er ook van die machines staan, zeg maar.

Dus ik haal die microfilms op bij zo'n gast, en ik ben er helemaal klaar voor – *go cat, go* - maar als ik dat grote televisieding zie, heb ik zoiets van nee, nee, nee, want ik ben dus helemaal niet technisch, zeg maar, en ik ben een beetje bang dat ik het kapot zal maken. Ik kan wel iemand van het personeel vragen mij te helpen, maar dan denken ze natuurlijk dat ik hartstikke stom ben, weet je wel.

Nee, zo kan ik niet werken, *no way*, nee, dus ik laat alles op dat bureau liggen en loop de deur uit en de trap op, en ik ben zo blij dat ik hier weer weg kan dat mijn hart bonst, boem, boem, boem. Maar als ik eenmaal buiten ben, hoor ik allerlei stemmen in mijn hoofd die mij uitlachen en zeggen dat ik niets voorstel, helemaal niks, nada, nakkes, en ik zie het uithangbord van Scruffy Murphy en dat doet pijn, man, zo erg zelfs dat ik die pijn moet stillen. En dus ga ik naar Seeker, waar ik vast en zeker iets kan krijgen waardoor ik me geen Scruffy Murphy meer voel.

26 '...seksmaniakken...'

Hij nam me mee naar zijn huis die nacht en stopte me in bed. Ik werd wakker, volledig gekleed en onder het dekbed. Even werd ik overvallen door paranoia toen ik me herinnerde hoe belachelijk ik mezelf gemaakt had, en vervolgens wat voor streken Terry allemaal niet had kunnen uithalen met de videocamera. Maar ik voel gewoon en vertrouw erop dat er verder niets is gebeurd, want Gina heeft een oogje in het zeil gehouden. Gina en Simon. Toen ik opstond was de flat verlaten. Het was een klein appartement waarvan de zitkamer gedomineerd werd door een leren bankstel op een *sealed wooden floor* met duur uitziende tapijten. Het behang bestaat uit afgrijselijke oranje lelies. Boven de haard hangt een prent van een naakte vrouw en eroverheen het profiel van Freud, met als onderschrift: 'What's on a man's mind'. Het verbaasde me hoe ongelooflijk schoon en netjes alles was.

Ik ging de kleine, goed ingerichte keuken in en vond een briefje op een van de werkbladen.

N,

Je was niet helemaal fris meer, dus Gina en ik hebben je hierheen gebracht. Ik blijf bij haar en ga vandaaruit naar mijn werk. Neem maar thee, koffie, toost, cornflakes, eieren, of wat je verder wilt. Bel je me een keer op mijn mobiel (07779 441 007) voor een afspraak?

Het beste met je,

Simon Williamson

Ik belde hem om hem te bedanken, maar we konden geen afspraak maken omdat hij naar Amsterdam ging met Rab en Terry. Toen wilde ik Gina bedanken om haar ook te bedanken, maar niemand schijnt haar telefoonnummer te hebben.

Dus nu moet ik het tijdelijk doen zonder mijn nieuwe vriendjes: Rab, Terry en, ja, ook Simon. Ik wou bijna dat ik met hen mee was gegaan naar Amsterdam. Maar ik heb ook nog steeds veel plezier met mijn vriendinnetjes, aangezien Lauren een stuk is opgeknapt bij afwezigheid van die verderfelijke seksmaniakken uit Leith, en hoewel Dianne het behoorlijk druk heeft met haar scriptie, is ze altijd te vinden voor een geintje en een borrel.

Wat die seksmaniakken betreft: die dinsdagmiddag kwamen we een echte maniak tegen. Het was een verrassend milde dag en we zaten met z'n drieën op het terras achter The Pear Tree met een pilsje, toen er een smerige gluiperd op ons af kwam en bij ons aan tafel kwam zitten. 'Goeie middag, dames,' zei hij en zette zijn halve liter naast zich op de bank. Dat is zo jammer van The Pear Tree, het terras is snel vol en de zitbanken zijn zo lang dat er vaak iemand bij je komt zitten waar je helemaal niet op zit te wachten. 'Jullie vinden het zeker niet erg dat ik hier kom zitten,' zei hij op brutale en arrogante toon. Hij had een hard, ratachtig gezicht, dun roodblond haar en hij droeg een mouwloos hemd waaronder zwaar getatoeëerde armen zichtbaar waren. Het was niet zozeer dat zijn huid doodsbleek was ondanks het mooie weer, volgens mij hing bij hem, zoals Rab dat een keer noemde terwijl hij naar een kennis van hem verderop aan de bar wees, 'de stank van bajes om hem heen'.

'Dit is een vrij land,' zei Dianne sloom, terwijl ze hem een terloopse blik toewierp en vervolgens tegen mij zei: 'Ik heb nu ongeveer achtduizend woorden.'

'Fantastisch, en hoeveel moet je ook weer hebben?'

'Twintigduizend. Als ik eenmaal de hoofdstukken gerangschikt heb, zit ik goed. Ik wil niet zo maar wat op papier kwakken en dan later hele stukken moeten schrappen omdat ik steeds op een zijspoor raak. Ik moet eerst zorgen dat ik de structuur goed heb,' legde ze uit, pakte haar glas en nam een slok.

Naast ons klonk een hese stem: 'Zijn jullie soms studenten?'

Ik draaide me met tegenzin om omdat ik het dichtst bij hem zat. 'Ja,' zei ik. Lauren, die tegenover mij zat, trok een vies gezicht en begon te blozen. Dianne trommelde ongeduldig met haar vingers op tafel.

'En wat studeren jullie dan?' vroeg hij, alweer zo raspend; zijn ogen waren bloeddoorlopen en op zijn gezicht was het overmatig alcoholgebruik af te lezen.

'We doen alledrie iets anders,' zei ik, in de hoop dat mijn antwoord hem tevreden zou stellen.

Maar dat was natuurlijk niet het geval. Hij reageerde direct op mijn accent. 'Waar kom jij vandaan?' vroeg hij, op mij wijzend.

'Reading.'

Hij snoof verachtelijk, glimlachte naar mij en richtte zich tot de anderen. 'En jullie twee, zijn jullie ook Engels?'

'Nee,' zei Dianne. Lauren zweeg.

'Ik heet trouwens Chizzie,' zei hij en stak een grote, zweterige hand uit.

Ik schudde de hand met tegenzin en liet me niet van de wijs brengen door de kracht van de handdruk, Lauren ook, maar Dianne haalde haar neus ervoor op.

'O, zit het zo?' zei Chizzie. 'Geeft niks hoor,' zei hij glimlachend, 'twee van de drie is geen slechte score, hè meiden? Ik heb mazzel vandaag, om in het gezelschap van zulke lieftallige dames te mogen verkeren.'

'Jij verkeert helemaal niet in ons gezelschap,' deelde Dianne hem mee. 'Wij verkeren in ons gezelschap.'

Te oordelen naar de manier waarop de gluiperd reageerde, had ze net zo goed niets kunnen zeggen. Hij zat helemaal in zijn eigen wereldje en maakte geile bewegingen met zijn mond terwijl hij ons van top tot teen bekeek. 'En hebben jullie allemaal een vriendje? Ik wed van wel. Ik wed dat jullie allemaal een vriendje hebben, niet dan?'

'Ik vind dat jou dat niks aangaat,' zei Lauren op vastberaden toon, maar met hoge, dunne stem. Ik keek eens naar die klootzak en toen naar haar, merkte het verschil in omvang op en begon kwaad te worden.

'O, dus jullie hebben geen vriendje?'

Dianne draaide zich naar hem toe en keek hem recht aan. 'Dat is jouw zaak niet, of wij vriendjes hebben of niet. Ook al zouden wij een miljoen lullen aan een touwtje hebben, denk maar niet dat de jouwe daarbij hangt. En ook al zou er een chronisch tekort aan lullen zijn, denk maar niet dat we jou zullen bellen.'

Er verscheen een dreigende blik in zijn ogen. Hij was niet normaal. Ik dacht: Dianne, nou moet je verder je mond houden. 'Pas maar op dat jij geen problemen krijgt met zo'n grote mond, meid,' zei hij, en vervolgde op zachte toon: 'Grote problemen zelfs.'

'Ach, fuck op,' snauwde Dianne hem toe. 'Maak als de fuck dat je wegkomt, ga ergens anders zitten, wil je?'

Hij staarde haar aan, bekeek haar knappe, evenwichtige profiel, met die grote, domme, geile, bezopen kop van hem. 'Godverdomme, stelletje lesbo's,' zei hij met dubbele tong. Ik zou hem hetzelfde gezegd hebben als Dianne als het iemand als Colin was geweest, maar deze gast zag er gevaarlijk en zwaar gestoord uit. Ik zag dat Lauren echt bang voor hem was, en dat was ik eerlijk gezegd ook.

Dianne duidelijk niet, want ze stond op en boog zich naar hem toe. 'Oké, en nou opgesodemieterd zeg ik je. Vooruit, fuck op!'

Hij kwam overeind, maar ze hield haar woedende blik op hem gericht, en een ogenblik lang dacht ik dat hij haar wilde slaan, maar een paar gasten aan een andere tafel schreeuwden iets en een barjuf die glazen aan het ophalen was, kwam naar ons om te vragen wat er aan de hand was.

Die gast begon ijzig te glimlachen. 'Er is niets aan de hand,' zei hij, pakte zijn glas, dronk het leeg en liep weg. 'Stelletje kankerpotten!' riep hij vanaf een afstand naar ons.

'Nee, wij zijn hartstikke nymfomaan en bloedgeil, maar zelfs wij hebben onze grenzen!' schreeuwde Dianne terug. 'ZOLANG ER NOG STRAATHONDEN ZIJN EN VARKENS RONDLOPEN, HEBBEN WIJ GEEN BEHOEFTE AAN DAT KLEINE KUTPIKKIE VAN JOU, MAN! KNOOP DAT MAAR IN JE OREN!'

De idioot draaide zich naar ons om en zond ons een blik van witgloeiende woede toe, toen liep hij weg, zwaar beledigd door het vette gelach dat opklonk van de tafels rondom ons.

Ik was zwaar onder de indruk van Diannes optreden. Lauren zat nog te trillen en was bijna in tranen. 'Dat was een maniak, een verkrachter, waarom zijn sommige mannen zo, waarom doen ze dat?'

'Hij wilde gewoon neuken, de sneue klootzak,' zei Dianne en stak een sigaret op, 'maar zoals ik al zei, niet met mij. Echt waar, sommige mannen zouden zich eerst goed moeten afrukken voordat ze de straat op gaan,' zei ze grijnzend en gaf Lauren een knuffel. 'Maak je toch geen zorgen om die lul, meid,' zei ze. 'Ik haal nog even een rondje.'

Toen we naar huis gingen, waren we aardig bezopen. Ik moet toegeven dat ik onderweg een beetje gespannen was voor het geval dat we die mongool weer tegen het lijf zouden lopen. Lauren volgens mij ook, maar ik denk dat Dianne een dergelijke ontmoeting alleen maar had toegejuicht. Later die nacht, nadat Lauren allang op een oor lag, liet ik haar het eerste interview met mij doen dat ze op band opnam. 'Agressieve mannen, zoals we er vandaag een tegenkwamen,' zei ze, 'heb je er daar veel van ontmoet? In de sauna, bedoel ik?'

'De sauna is een heel veilige werkomgeving,' zei ik. 'Er wordt, zeg maar geen flauwekul getolereerd. Ik bedoel, ik...' Ik haalde mijn schouders op en besloot de waarheid te vertellen. '... Het enige wat ik doe is mannen aftrekken. Ik zou nooit op straat gaan werken. De klanten in de sauna hebben geld. Als jij niet wilt doen wat ze willen, dan zoeken ze ander die dat wel wil. Je hebt er zo nu en dan wel eens een bij die door het lint gaat, die wil dan zijn macht over jou laten gelden en accepteert geen nee...'

Dianne zat op de achterkant van haar pen te zuigen en schoof haar leesbril op het puntje van haar neus. 'Wat doe je in zo'n geval?'

En ik vertelde haar als allereerste wat me vorig jaar overkomen was. Ik vond het moeilijk maar ook een opluchting om het op te biechten. 'Er was een gast die na afloop op mij wachtte en me begon te volgen op weg naar huis. Als hij in de sauna kwam, vroeg hij altijd naar mij. Hij zei dat we voor elkaar geschapen waren en meer van dat soort eng gelul. Ik vertelde het aan Bobby, die gooide hem op straat en liet hem er niet meer in. Maar hij bleef me maar volgen. Daarom ben ik toen begonnen met Colin, als een soort afweermechanisme,' zei ik, en realiseer me dat dit de eerste keer is dat ik het voor mezelf op een rijtje zette. 'Verrassend genoeg hielp het. Toen hij zag dat ik een vriendje had, liet hij me met rust.'

De volgende dag sliep ik uit, werkte wat, deed boodschappen en maakte een ovenschotel klaar voor de meiden. Later die dag belde ik naar huis. Mijn moeder nam op en begroette me muisachtig en fluisterend. Ik verstond haar nauwelijks en voordat ik het wist hoorde ik een klik, het geluid van de telefoon die boven werd opgenomen. 'Prinses!' bulderde een stem, en de volgende klik betekende dat mijn moeder had opgehangen. 'Hoe is het in dat barre, ijskoude Land der Schotten?'

'Lekker warm, pap. Mag ik mama nog even?'

'Nee! Dat mag je niet! Je moeder is in de keuken, als de huisvrouw die haar plaats kent mijn eten aan het klaarmaken, ha ha ha... je weet hoe ze is,' grapte hij, 'ze is gelukkig in haar eigen domein. Maar goed, hoe gaat het met die peperdure studie van je? Ga je nog steeds voor cum laude? Ha ha ha!'

'Ja hoor, prima.'

'Wanneer kom je weer eens naar huis, ben je hier met Pasen, denk je?'

'Nee, ik werk in ploegendienst in het restaurant. Misschien kom ik wel een keer in een weekend... Sorry dat mijn studie zo duur is, maar ik vind het erg leuk en het gaat prima.'

'Ha ha ha... wat kunnen mij die kosten schelen, liefje, voor jou is alleen het beste goed genoeg, dat weet je toch. Als je eenmaal een beroemde filmregisseur of -producent bent in Hollywood, dan betaal je me maar een keer terug. Of je zorgt dat ik een rol krijg in een film, als minnaar van Michelle Pfeiffer, dat lijkt me wel wat, zeg. Wat is er verder allemaal gebeurd?'

Ik trek ouwe kerels af in een sauna...

'O, gewoon...'

'Al mijn zuur verdiende geld opgezopen zeker, hè? Leer mij die studenten kennen!'

'Nou, soms een beetje. Hoe is het met Will?'

De stem van mijn vader klonk ineens wat afstandelijk en ongeduldig. 'Goed, goed, denk ik. Ik wou alleen...'

'Ja?'

'Ik wou alleen dat hij normale vrienden had in plaats van die hopeloze gevallen waarmee hij zich voortdurend omringt. Die zijige gast waar hij nu mee omgaat... Ik heb tegen hem gezegd dat hij net zo wordt als dat joch, als hij niet oppast...'

Het wekelijkse ritueel van het telefoontje met mijn vader, waar ik ooit mee begonnen ben. Het toont alleen maar aan hoe wanhopig ik zit te springen om gezelschap van anderen. Lauren is een lang weekend naar haar ouders in Stirling. Dianne breng nog steeds hele dagen door in de bibliotheek, en werkt dag en nacht aan haar scriptie. Gisteravond heeft ze me meegenomen naar haar ouderlijk huis in een deel van de stad dat ik niet kende. We dronken wat met haar ouders, hele coole lui, en hebben zelfs nog wiet gerookt.

Vandaag hang ik een beetje verveeld rond op de universiteit, en wacht met enige spanning op de terugkomst van de jongens uit Amsterdam. Chris vertelt me dat hij een toneelvoorstelling aan het voorbereiden is voor het Festival en vraagt of ik interesse heb om mee te doen. Maar ik weet wat hij in werkelijkheid wil. Hij is best aardig, maar ik heb in het verleden met zoveel gasten zoals hij geneukt; de seks is ongeveer een maand leuk maar begint daarna al snel te vervelen, tenzij het gaat leiden tot iets anders: status, economisch belang, liefde, intriges, SM, orgieën? Dus ik zeg dat ik niet geïnteresseerd ben omdat ik het te druk heb met andere dingen. Bijvoorbeeld met die rare plaatselijke jongens, van wie ik er een paar interessant begin te vinden. Rab, de klootzak die mij heeft afgewezen. Simon, die de hele wereld lijkt te willen bezitten en blijkbaar denkt dat het slechts een kwestie van tijd is voordat hij zijn zin krijgt. En Terry Sap, die tevreden is met hoe de dingen lopen. En waarom ook niet? Hij neukt alles wat los en vast zit en heeft genoeg geld om zoveel drankjes te kopen als hij wil. Daardoor straalt hij een enorme kracht uit, aangezien hij nu een leven leidt waar hij altijd van heeft gedroomd. Geen enkele reden om het chiquer of platvloerser te doen voorkomen, nee, het enige wat hij wil is neuken, drinken en slap ouwehoeren.

Terry is zo vaak in de oude haven van Leith geweest, zei ik een keer schertsend tegen Dianne en Lauren, dat hij begon te lijken op Mr. Price in *Mansfield Park*; 'eenmaal in de haven, begon hij uit te zien naar een prettige gemeenschap met Fanny'. We maakten dat grapje regelmatig nadat ik had ontdekt dat Terry naar de meeste vrouwen verwees als 'Fanny'. En vanaf dat moment begonnen we elkaar in de flat Fanny te noemen en passages te citeren uit het boek van Jane Austen.

Ik ben alleen, ik zit mijn nagels te vijlen en de telefoon gaat. Even denk ik dat het mijn moeder is, die wat wil kletsen terwijl mijn vader naar zijn werk is, maar tot mijn niet geheel onaangename verrassing blijkt het Rab te zijn vanuit Amsterdam. Aanvankelijk denk ik dat hij me mist, dat hij er spijt van heeft dat hij me die keer niet geneukt heeft toen hij de kans had. Sinds hij met dat hengstenbal bezig is, schieten de hormonen natuurlijk door zijn lijf en hij baalt ervan dat hij nog niet in actie is geweest. Net als ik trouwens, maar dat komt nog wel. Nu wil hij niets liever dan Terry of Simon zijn, al is het maar voor een paar weken, uren of minuten, voordat zijn kind geboren wordt of voordat hij in het huwelijksbootje stapt.

Ik doe gereserveerd en vraag hoe het met Simon en Terry gaat.

Even valt er een kille stilte, en dan zegt hij: 'Ik heb eigenlijk nooit veel in ze gezien. Terry doet overdag niks anders dan achter de hoeren aan lopen en 's avonds in de discotheken achter de meiden aan zitten. Volgens mij doet Sick Boy hetzelfde, dat en duistere deals sluiten. Hij heeft het steeds over zijn contacten in de seksindustrie en zo, en na een poosje word je er gek van.'

Sick Boy: ijdel, egoïstisch en wreed. En dat is dan zijn positieve kant. Maar volgens mij was het Oscar Wilde die gezegd heeft dat vrouwen niets liever willen dan regelrechte wreedheid, en soms ben ik geneigd om dat te geloven. En Rab ook, denk ik.

'Die Sick Boy, die fascineert me. Lauren heeft gelijk, ze zei dat hij als het ware onder je huid kruipt zonder dat je het merkt,' zeg ik op smachtende toon, en ik ben me ervan bewust dat ik met Rab telefoneer, maar doe alsof ik dat niet ben.

'Dus jij vindt hem aardig,' zegt hij op wat mij als een bekrompen en hatelijke toon in de oren klinkt.

Ik voel hoe de spieren in mijn kaken zich spannen. Er is niets erger dan een man die niet met je wil neuken terwijl hij de kans heeft, en dan hysterisch begint te doen als je erover denkt om met een ander te neuken. 'Ik zei niet dat ik hem aardig vind. Ik zei dat hij me fascineert.'

'Het is tuig van de richel, een pooier. Terry is gewoon een idioot, maar Sick Boy is een berekenende klootzak,' zegt Rab met een bitterheid die ik nooit eerder in zijn stem gehoord heb. Nu pas merk ik dat hij een beetje aangeschoten of stoned is, of beide.

Dit is vreemd. Ze konden het zo goed vinden met elkaar. 'Je werkt anders met hem samen aan een film, weet je nog?'

'Alsof ik dat niet wist,' snuift hij.

Rab lijkt een soort Colin te zijn geworden: bezitterig, bazig, neerbuigend en vijandig, *en hij heeft nog niet eens met me geneukt.* Waarom heb ik toch dat soort effect op mannen, waarom roep ik het slechtste in hen wakker? Nou, ik laat het er niet bij zitten. 'En jullie genieten samen van jullie hengstenbal in Amsterdam. Zoek toch een lekkere hoer, Rab. Doe mee met de lol als je nog een keer wilt neuken voordat je gaat trouwen. Je hebt je kans hier al gehad.'

Rab zwijgt even, maar zegt dan: 'Jij bent gek.' Hij probeert nonchalant over te komen, maar aan de toon van zijn stem kun je horen dat hij weet dat hij zich misdragen heeft, en voor zo'n trots iemand als hij is dat afschuwelijk. Mij houdt hij niet voor de gek, hij wil mij, maar je bent dus mooi te laat, meneer Birrell.

'Zeg,' verbreekt hij de stilte, 'wat ben jij in een aparte bui vandaag. Trouwens, ik bel eigenlijk omdat ik even met Lauren wil praten. Is ze thuis?'

Het is alsof ik een stomp in mijn maag krijg. Lauren? Wat krijgen we nu? 'Nee,' ik voel dat mijn stem onvast klinkt. 'Ze is naar Stirling. Waarom wil je haar spreken?'

'O, maakt niet uit. Ik bel haar wel bij haar ouders. Ik had beloofd om te kijken of mijn vader software had om spul mee te converteren van de Apple Mac die ze thuis gebruikt naar Windows. Nou, dat blijkt hij dus te hebben en hij wil het met alle plezier voor haar installeren. Ze zei alleen dat het nogal dringend was omdat ze bepaalde dingen nodig had die ze op haar Mac had... Nikki?'

'Ik ben er nog. Veel plezier nog met je hengstenbal, Rab.'

'Dank je, tot gauw,' zegt hij en hangt op.

Ik begrijp nu waarom Terry zo vreselijk opgefokt kan raken over hem. Een tijdlang begreep ik dat niet, maar nu wel.

27 Spanning in het hoofd

Mijn kop barst godverdomme uit elkaar. Die kutmigraine. Ik denk te veel na, dat is mijn probleem, niet dat die stomme mongolen in mijn directe omgeving daar ook maar iets van begrijpen. Er gebeurt te veel in mijn kop. Dat krijg je als je hersens hebt, dan ga je godverdomme te veel nadenken, over al die stomme kutklootzakken die nodig in elkaar moeten worden geramd. En daar zijn er genoeg van. De vieze klootzakken, ze lachen je aldoor uit achter je rug en zo: dat weet ik en dat voel ik. Ze denken dat ik het niet doorheb, maar ik heb het godverdomme heel goed door. Dat merk je gewoon. Ik merk het altijd, ik heb het altijd direct door, godverdomme.

Ik moet weer van dat fucking Nurofen hebben. Ik hoop dat Kate gauw terugkomt van haar moeder met dat jankkind van haar, want een goeie wip helpt altijd, dat verlicht enigszins de spanning in het hoofd. Ja, als je je geil eruit spuit, is het of je fucking kop gemasseerd wordt. Ik snap niet dat er lui zijn die zeggen: 'Nu niet, ik heb koppijn,' zoals in die films en zo. Wat mij betreft moet je dan godverdomme *juist* een punt zetten. Als iedereen die koppijn had een punt zette, dan was er godverdomme niet zoveel gelazer in de wereld, wedden?

Ik hoor gerammel aan de deur, dat zal 'r zijn.

Wacht even, het is haar godverdomme helemaal niet!

Er probeert hier godverdomme iemand in te breken… omdat ik hier zit met het licht uit vanwege de koppijn. Dus ze denken dat er niemand thuis is! Nou, reken maar dat er hier godverdomme iemand thuis is!

Game on!

Ik laat me van de bank op de vloer rollen, zoals gasten als Schwarzenegger of Bruce Willis dat doen, kruip over de grond en neem plaats tegen de muur achter de huiskamerdeur. Als ze een knip voor hun neus waard zijn, komen ze eerst hierheen in plaats van naar boven te gaan. Ze zijn binnen. Ik weet niet hoeveel het er zijn, niet veel zo te horen. Maar het maakt niet uit hoeveel er binnenkomen, er gaat er godverdomme geen één meer naar buiten.

Te gek... dit is godverdomme te gek... Ik sta achter de deur te wachten op die klootzakken. Er komt een klein ventje binnen met een honkbalknuppel, de fucking lul. Godverdomme, wat een teleurstelling. Ik doe de deur achter hem dicht. 'Zoek je wat, lul?'

Die kleine cunt draait zich om en begint met de knuppel te zwaaien, maar hij schijt in zijn broek van angst. 'Uit de weg! Laat me eruit!' schreeuwt hij. Ik herken dat klootzakje! Uit de pub van Sick Boy! Hij herkent mij ook en zijn ogen worden steeds groter. 'Ik wist niet dat jij hier woont, man, ik ga weer...'

Die lul wist inderdaad van niks. 'Toe dan,' zeg ik glimlachend en wijs naar de deur. 'Daar is de deur. Waar wacht je godverdomme op?'

'Uit de weg... ik wil geen gelazer...'

Mijn glimlach verdwijnt. 'Gelazer heb je al, of je het godverdomme wilt of niet,' deel ik hem mee. 'Geef hier die knuppel. Als ik hem moet komen halen, dan is het niet best. Geef hier, voor je eigen bestwil.'

Die kleine cunt staat te trillen op zijn benen. Stomme flikker. Hij laat zijn knuppel zakken, ik grijp zijn pols en pak hem de knuppel af, en met mijn andere hand grijp ik hem naar de keel. 'Wat wou je nou godverdomme met dat ding, hè, lul? Nou? Stomme schijtlul!'

'Ik wou niet... ik wist niet dat...'

Ik laat hem los zodat ik de knuppel met twee handen kan vastpakken. 'Dit had je godverdomme moeten doen,' en ik geef die kleine lul er even flink van langs.

Hij steekt zijn armen omhoog, de knuppel raakt hem vol op zijn polsen en hij begint te krijsen als een hond die wordt overreden, en ik doe er een schepje bovenop en ram er stevig op los, en ik bedenk aldoor wat hij allemaal had kunnen doen als Kate en die fucking kleine thuis waren geweest.

Ik hou pas op als ik bloed op Kates vloerkleed zie druipen. Die kleine etter ligt in elkaar gedoken op de grond te krijsen als een baby, godverdomme. 'HOU JE KUTKOP DICHT!' schreeuw ik. De muren zijn hier van karton en straks belt er godverdomme iemand de politie.

Ik pak een oude vaatdoek, leg die over zijn kop waar het bloed het hardst uit gutst, en zet hem dan zijn honkbalpet weer op, zodat het verrekte bloeden even ophoudt. Ik laat hem zijn zakken leeghalen en geef hem spul uit de keuken waarmee hij het vloerkleed moet schoonmaken. Hij heeft niks bij zich, behalve wat kleingeld, een sleutelring en een zakje met pillen.

'Is dat XTC?'

'Ja...' Hij schrobt als een bezetene en kijkt angstig om naar mij.

‘Geen coke bij je?’

‘...Nee...’

Ik bekijk de sloten op de deur. Ze zijn geforceerd toen hij zijn schouders ertegenaan zette maar het hout is niet gesplinterd, en dat is maar goed ook voor die kleine lul. Ik herstel de fucking sloten. Het zit allemaal heel slap en ze moeten gerepareerd worden.

Ik loop terug de kamer in en die kleine lul zit nog steeds te schrobben. ‘Ik hoop godverdomme wel voor je dat die bloedvlekken eruit gaan. Als ik klachten krijg van haar over bloedvlekken, dan zal ik je godverdomme eens echt bloed laten zien.’

‘Ja... ja... ze gaan eruit...’ zegt hij.

Ik ontdek dat die lul Philip Muir heet en in Lochend woont. Ik bestudeer het vloerkleed. Hij heeft aardig zijn best gedaan. ‘Oké, jij gaat even met mij mee,’ zeg ik.

Die kleine lul is te benauwd om iets te zeggen en we lopen naar de bestelwagen. Ik open het portier naast de bestuurder en hij stapt in. Ik loop om de auto heen en stap achter het stuur in de wetenschap dat hij te bang is om te vluchten. ‘Jij wijst de weg, je weet waar we heen gaan.’

‘Eh...’

‘We gaan naar jouw huis.’

Ik zet de radio aan en we rijden naar Lochend. Die bestelwagen is helemaal naar de klote, hij zakt bijna door zijn fucking as. Ze draaien dat gave liedje van Slade, ‘Mama We’re All Crazy Now’, en ik zing hardop mee. ‘Slade is godverdomme hartstikke gaaf,’ deel ik die kleine lul mee.

We houden stil voor zijn huis. ‘Wonen je ouders hier?’

‘Ja.’

‘Niemand thuis?’

‘Nee, maar ze komen zo thuis.’

‘Dan moet we godverdomme opschieten, kom.’

We gaan naar binnen en ik kijk wat er te halen valt. Er staat een te gekke flatscreen tv, een videorecorder, zo’n nieuwe met een compactdiscspeler, maar dan voor beelden, hoe heet zo’n kutding ook weer, DDV of VVD of zo. Ze hebben ook een nieuwe stereo-installatie, zo een met een heleboel luidsprekers. ‘Oké, lul, inladen die handel,’ zeg ik tegen die kleine klootzak.

Hij schijt in zijn broek en ik sta op de uitkijk voor nieuwsgierige klootzakken op straat. Als er iemand zijn mond voorbijpraat dan is het zijn probleem, en dat weet hij. We stappen in de bestelwagen en brengen de spullen naar Kate. Het leuke is dat er ook een cd bij zit met

Greatest Hits van Rod Stewart. Die heb ik godverdomme maar gelijk in mijn zak gestopt.

Als we terugkomen, is ze thuisgekomen, met de kleine. 'Frank... het slot...' Ze wijst naar de schroeven die godverdomme weer op de grond geflikkerd zijn. 'Ik stak de sleutel in het slot en ze vielen er gewoon uit...' Ze ziet die kleine lul achter mij staan. Hij schijt alweer in zijn broek vanwege dat kutslot, en dat is godverdomme maar goed ook.

'Oké,' zeg ik, we gaan naar buiten en komen terug met de televisie tussen ons in.

Ze heeft de baby op de arm. 'Het slot... Frank. Wat is er aan de hand? Wat heeft dit te betekenen?' vraagt ze terwijl ze naar de tv kijkt.

'Deze kleine kameraad van mij,' zeg ik, en ik vertel haar het verhaal dat ik onderweg in de auto verzonnen heb, 'is een echte goede Samaritaan, hè jochie? Hij heeft wat spul over, dus ik zeg, breng maar hierheen. Beter dan die ouwe troep van jou.'

'Maar het slot dan...'

'Maar dat heb ik je godverdomme toch verteld, Kate. Weet je niet dat ik zei, dat slot moet gemaakt worden. Ik laat het mijn kameraad Stevo wel doen, die is slotenmaker, die doet dat zó. Maar moet je dit zien! Een nieuwe fucking DVD en alles! Nou moeten we al die ouwe video's omruilen.'

'Wat aardig,' zegt ze. 'Dank je wel, Frank...'

'Je moet mij niet bedanken maar Philip hier, hè jochie?'

Kate kijkt naar die doodsbange kleine lul. Zijn ene oog zit inmiddels helemaal dicht. 'Bedankt, Philip... maar wat is er met je gezicht gebeurd?'

Ik onderbreek haar. 'Dát is me toch een lang verhaal,' zeg ik. 'Waar het op neerkomt is dat Philip hier mij nog wat schuldig is, dus toen hij een nieuwe stereo en tv kocht, belde hij me op en zei dat ik zijn ouwe spul wel kon krijgen. Dus ik denk bij mezelf: dat wordt natuurlijk een hoop ouwe troep en zo, maar volgens die kleine klootzak is het pas anderhalf jaar oud!'

'Weet je het zeker, Philip? Het ziet er allemaal hartstikke duur uit...'

'Je weet hoe die jongelui zijn, die willen godverdomme alleen maar de allerlaatste modellen. Voor die klootzakken is dit allemaal uit het stenen tijdperk! Ja, Philip dacht meteen aan mij, maar een of andere klootzak dacht godverdomme dat hij er recht op had en wilde die kleine lul hier onder druk zetten.' Ik pak de honkbalknuppel. 'Die klootzak hebben we even een lesje geleerd, hè Philip?'

Die kleine lul grijnst als een mongool.

Kate sluit de tv aan en schakelt hem in. 'Wat een mooi beeld!' Ze is net een klein meisje met Kerstmis. 'Kijk eens,' zegt ze tegen de kleine, '*Bob the Builder! Can we fix it? Yes, we can!*'

'Voor jou is alleen het beste goed genoeg, meid.'

Die kleine lul zegt geen stom woord, hij mag blij zijn dat hij nog leeft. Ik bedenk dat ik nog wel iets aan zo'n stomme, kleine klootzak kan hebben. Ik neem hem mee naar buiten. 'Oké, je mag weg, maar ik wil dat je morgenvroeg om elf uur naar Café del Sol aan het eind van Leith Walk komt.'

'Waarom?' vraagt hij, opnieuw schijtensbenauwd.

'Ik heb werk voor je. Kleine klootzakjes zoals jij krijgen alleen maar gelazer als ze niet werken. Ledigheid is godverdomme des duivels oorkussen, weet je nog wel? Denk eraan: elf uur, Leith. Als ik te laat ben, vraag dan naar Lexo. En zorg dat je geen moeilijkheden maakt, want je werkt nu voor mij, godverdomme. Denk erom: op tijd in die cafetaria morgenvroeg.'

Die kleine mongool is opgehouden met bibberen, maar ziet er nog behoorlijk aangeslagen uit. 'Krijg ik ook betaald?'

'Ja. Je blijft in leven, dat is je fucking loon,' fluister ik hem toe. 'Trouwens,' zeg ik, als ik zie dat hij aan bijna iedere vinger een zegelring draagt, 'mooie ringen. Doe maar af.'

'Toe man, niet mijn zegelringen, alsjeblieft, man...'

'Afdoen,' zeg ik.

Die kleine lul begint aan zijn ringen te trekken. 'Ik krijg ze niet af...'

Ik trek mijn mes. 'Oké, dan haal ik ze er wel af voor je,' zeg ik.

Gek genoeg lukt het nu ineens wel.

De kleine lul, helemaal sneu, geeft me zijn ringen, ik stop ze in mijn zak maar geef hem er één terug. 'Je hebt goed gewerkt vandaag. Als je je best blijft doen, krijg je ze op den duur allemaal terug. Als je een grote bek krijgt of de zaak verkloot, dan ben je er geweest. Denk erom: morgenvroeg, in de cafetaria,' zeg ik, draai me om en doe de deur achter me dicht.

Kate zegt: 'Wat een fantastische stereo, Frank! Ongelooflijk! Wat aardig van die jongen.'

'Ja, het is een leuk joch. Hij gaat voor me werken. Die kleine klootzakjes moet je in de gaten houden. Als ze niet iets omhanden hebben, komen ze in de problemen. Ik weet er alles van,' zeg ik.

'Wat aardig van je, dat je zo'n joch wilt helpen. Eigenlijk heb je maar zo'n klein hartje, niet?'

Ik voel me een beetje raar worden als ze dat zegt, en ook gevleid.

Maar tegelijkertijd denk ik, geen wonder dat die gast met wie ze het laatst samenwoonde zijn handen nogal eens liet wapperen als ze dat soort onzin uitkraamde. Maar het voelt goed dat ze zo gelukkig is. 'Het is zoals die ene politieke kutlul beweert, dat als je een zaak hebt, je godverdomme ook bijna iedereen moet helpen. Snap je wat ik bedoel? Trek je jas aan, we gaan uit. Even een drankje en een lijntje coke, niet?'

'De kleine...'

'Dump die kutkleine toch bij je moeder. Kom op, we gaan. Ik heb me godverdomme de hele dag kapot gewerkt. Eén pilsje en één lijntje maar. Ik heb recht op een paar pilsjes om even te ontspannen. Dump haar maar bij je moeder, dan wacht ik tot Stevo is geweest om de deur te maken. Daar is hij zó mee klaar, en als het langer duurt, dan geef ik hem de reservesleutel wel, kan ie die door de brievenbus doen als hij klaar is. Ik zie je zo bij je moeder.'

Kate gaat zich omkleden en opmaken, en stopt de kleine weer in de wandelwagen.

Ik verhuis de oude tv naar de hal en zet de nieuwe aan om naar *Inside Scottish Football* op Sky te kijken. Grappig eigenlijk, mijn hoofdpijn is helemaal weg, en ik heb godverdomme nog niet eens geneukt.

28 Project nr. 18.740

Het is toch vreemd hoe de zaken kunnen lopen. Begbie, Spud en nu ook Renton zijn terug in mijn leven, terug op het hoofdpodium in de meeslepende dramaproductie getiteld Simon David Williamson. Het zou een belediging voor de wereldwijde klasse van de losers zijn om die eerste twee zo te betitelen. Maar die Renton, met zijn eigen club in Amsterdam: ik had nooit gedacht dat hij daar het uithoudingsvermogen voor zou hebben.

Die gore klotedief is natuurlijk allesbehalve blij met mijn aanwezigheid. Ik heb die vuile egofucker gezegd dat ik hem niet meer uit het oog zou verliezen, totdat ik mijn geld heb gekregen, en dat zit nu in mijn portemonnee. Wij zitten op een terras aan de Prinsengracht en hij voelt voorzichtig aan zijn gezwollen neus. 'Ik kan nog steeds niet geloven dat je me in mijn gezicht geslagen hebt,' zegt hij op jankerige toon. 'Je hebt altijd gezegd dat fysiek geweld iets is voor losers.'

Ik kijk hem aan, de lul, en schud meewarig het hoofd. Ik heb de neiging om hem nog zo'n stomp te geven. 'Ik ben nooit eerder door een vriend beroofd,' zeg ik, 'en het is mij een raadsel waar jij het gore lef vandaan haalt om mij godverdomme een schuldgevoel aan te praten. Niet alleen heb je mij bestolen,' bijt ik hem verbitterd toe, de blinde woede komt weer opzetten en ik sla met mijn vuist op tafel, zodat de twee dikke Amerikanen aan het tafeltje naast ons vreemd opkijken, 'je hebt Spud godverdomme wel betaald! Die lamlul van een junkie heeft er jarenlang niets van gezegd. En uiteindelijk praatte hij zijn mond voorbij, alleen maar omdat hij godverdomme stoned was!'

Renton brengt het kopje espresso naar zijn lippen, blaast, en neemt een slokje. 'Ik heb al sorry gezegd. Ik heb er echt spijt van, als dat een troost voor je is. Ik heb er echt over gedacht om jou ook uit te betalen, ik was het echt van plan, maar je weet hoe het gaat met geld, het verdwijnt gewoon als sneeuw voor de zon. Misschien hoopte ik wel dat je het vergeten was...'

Ik werp hem een woedende blik toe. Wie denkt deze fucking mongool wel dat hij is? Op welke planeet denkt de klootzak dat hij leeft? Op de planeet Leith, in de jaren tachtig van deze eeuw, zeker, godverdomme.

'...nou ja, misschien niet vergeten, maar, je weet wel...' Hij haalt zijn schouders op. 'Het was inderdaad nogal egoïstisch van mij. Maar ik móést weg, Simon, weg uit Leith, weg uit die junkieshit.'

'En ik niet zeker? Godverdomme, het was inderdaad egoïstisch van je, kameraad.' Ik sla opnieuw op tafel. 'Nogal egoïstisch noemt ie dat. Het understatement van de eeuw, godverdomme.'

Ik hoor de Amerikanen iets tegen elkaar zeggen wat Scandinavisch klinkt en realiseer me dat het waarschijnlijk Zweden of Denen zijn. Raar eigenlijk, ze zien er zo dik en dom uit in hun keurig gesteven kleren, dat het eigenlijk alleen maar yanks van middelbare leeftijd kunnen zijn.

Renton trekt zijn honkbalpet verder over zijn ogen tegen het felle zonlicht. Hij ziet er moe uit. Een junkie... tenzij je Simon David Williamson heet en puur en alleen daarom moeiteloos die shit ontstijgt. 'Ik dacht dat ik Spud meteen zou betalen,' zegt hij, spelend met zijn koffiekopje. 'Ik dacht, Sick B... Simon is een overlever, een ondernemend type. Die redt zich wel, die komt altijd op zijn pootjes terecht.'

Ik zwijg, kijk demonstratief een andere kant op en zie een boot door de gracht varen. Een smerig figuur in de boot ziet ons, drukt op een claxon en zwaait. 'Hé, Mark! Hoe gaat ie?'

'Prima, Ricardo, lekker in het zonnetje, man,' schreeuwt Rents en zwaait terug.

De fucking Rent Boy, een steunpilaar van de Samenleving der Klompen. Vergeet voor het gemak even dat ik hem heb meegemaakt, doodziek van de cold turkey, krijsend van de pijn; ik heb hem op een gestolen portefeuille zien aanvallen als een hongerend roofdier dat een te klein zoogdier verslindt.

Hij vertelt me zijn verhaal en ik vind het interessant, ook al probeer ik zo onverschillig mogelijk te doen. 'Ik kwam hierheen omdat het de enige plek was die ik kende...' begint hij. Ik draai mijn ogen ten hemel en hij zegt: '...nou ja, afgezien van Londen en Essex dan, waar we nog gewerkt hebben op een Kanaalferry. Zo kwam ik op het idee om hierheen te gaan, zoals we vaker deden als ons werk op de boot erop zat, weet je nog?'

'Ja...' Ik knik en herinner het me vaag. Ik weet niet of er veel veranderd is. Ik kan me nauwelijks herinneren hoe het er toen uitzag, door de hoeveelheden drugs die we toen slikten.

'Grappig genoeg dacht ik dat het jou niet al te veel moeite zou kosten om mij hier te vinden. Ik dacht ook dat ik vroeg of laat wel iemand die hier op vakantie was tegen het lijf zou lopen. Ik dacht dat je hier godverdomme als eerste zou komen zoeken,' zegt hij glimlachend.

Ik vervloek mijn eigen stommiteit. Niemand van ons heeft ooit aan Amsterdam gedacht. Joost mag weten waarom, godverdomme. Ik heb altijd gedacht dat een kennis, of misschien zelfs ik, hem in Londen of Glasgow plotseling zou tegenkomen. 'Het was meteen de eerste plek waar we aan dachten,' lieg ik, 'en we zijn hier ook een paar keer geweest. Je hebt gewoon mazzel gehad,' zeg ik. 'Tot nu dan.'

'Dus nu ga je het de anderen zeker ook vertellen,' zegt hij.

'Ach, val toch dood,' bijt ik hem vol minachting toe. 'Dacht je echt dat ik me druk maak over lui als Begbie? Die stomme mongool kan mooi achter zijn eigen geld aan; ik heb niets te maken met die fucking psychopaat, en hij niet met mij.'

Renton denkt hier even over na en vervolgt dan zijn verhaal. 'Toen ik hier aankwam logeerde ik in een hotel hier een eindje verderop aan de Prinsengracht. Daarna vond ik een kamer ergens in de Pijp, dat is zoiets als het Brixton van Amsterdam,' legt hij uit, 'een wijk ten zuiden van het centrum. Ik zorgde dat ik clean werd en raakte bevriend met een stel gasten. Ik raakte bevriend met ene Martin, die vroeger gewerkt had voor een discotheek in Nottingham. We begonnen met het organiseren van disco-avonden en feesten, gewoon voor de gein. Wij hielden allebei van house, maar hier was het een en al techno. We wilden als het ware een aanslag beramen op die orthodoxe Europese muziekcultuur. De Luxury noemden we het. Onze avonden werden steeds populairder. Toen vroeg ene Nils ons of we een vaste avond per maand wilden verzorgen in die kleine club van hem, dat werd om de twee weken en toen een keer per week. En toen moesten we verhuizen naar een groter pand.'

Renton merkt dat hij een beetje zelfingenomen begint te klinken, en verontschuldigt zich half en half. 'Ik bedoel, ik verdien goed, maar twee of drie mislukte avonden en we zijn failliet. Maar het kan ons geen fuck schelen: als het afgelopen is, is het afgelopen. Een club runnen is voor mij geen doel op zich.'

'Dus waar het op neerkomt,' ik voel de minachting weer komen opzetten, 'is dat je bulkt van het geld maar je vrienden laat barsten. Voor een lullige paar duizend pond, godverdomme.'

Renton protesteert zwakjes, daarmee zijn schuld bevestigend. 'Ik heb je verteld hoe het gegaan is. In gedachten had ik een soort streep getrokken onder mijn leven in Schotland. En ik bulk helemaal niet van het geld. Elke avond betalen we het personeel in de discotheek en dan verdelen we de opbrengst. Pas een paar jaar geleden zijn we met een zakelijke rekening begonnen, en dan alleen maar omdat ik op een avond beroofd ben. Elke zaterdagavond liep ik rond met duizenden euro's op zak. Maar goed, ik heb het niet slecht. Ik heb een appartement aan de Brouwersgracht,' zegt hij, inmiddels fucking trots op zichzelf.

En wat is er gebeurd met zijn rusteloosheid? Het moet toch stomvervelend zijn om zo lang elke avond een discotheek te draaien. 'Dus je runt al acht jaar dezelfde club,' zeg ik op beschuldigende toon.

'Eigenlijk is het niet dezelfde club, het is er heel erg veranderd. Tegenwoordig organiseren we grote manifestaties zoals Dance Valley en Koninginnedag, en de Love Parade in Berlijn. We werken in heel Europa en de States, Ibiza en op het dansfestival in Miami. Martin is de officiële vertegenwoordiger van de Luxury... maar dat spreekt vanzelf.'

'O ja, net als ik, Begbie, Second Prize en Spu... o nee, Spud natuurlijk niet, die lul heb je uitbetaald, niet?' beschuldig ik hem opnieuw. Ik kan nog steeds niet geloven dat hij Spud betaald heeft en niet mij.

'Hoe is het eigenlijk met Spud?' vraagt Agent Orange.

Ik blijf even zitten knikken, alsof ik hem goed in me wil opnemen, en mijn gezicht neemt een uitdrukking van genoegdoening en minachting aan. 'Naar de kloten,' zeg ik. 'Dat wil zeggen, hij was clean totdat jouw subsidie arriveerde. Hij heeft het hele bedrag in de fucking junk gestoken. Hij gaat dezelfde kant op als Tommy, Matty en dat soort,' zeg ik hem met een zwierig gebaar.

Ik zal jóú eens een schuldgevoel geven, vuile verrader.

Met zijn bleke huid kan Rents nog steeds niet blozen, maar zijn blik wordt zachter. 'Is hij positief?'

'Ja,' zeg ik met valse bewondering, 'en daar heb jij een grote rol in gespeeld. Goed gedaan, jochie.'

'Weet je het zeker?'

Ik heb geen flauw idee omtrent het immuunsysteem van die Scruffy McMurphy. Als hij nog niet seropositief is, dan hoort hij het godverdomme zo langzamerhand wel te zijn. 'Zo zeker als ik hier zit.'

Rents denkt even na en zegt dan: 'Dat is kut.'

Ik kan de verleiding niet weerstaan en dus doe ik er een schepje bovenop: 'Met Ali gaat het goed. Ze wonen samen, wist je dat? Ze hebben ook een kleine samen. De Britse belastingbetaler mag jou dankbaar zijn,' zeg ik spottend, 'dat scheelt de maatschappij een boel geld.'

Hierop reageert Renton gechoqueerd. Leugens om bestwil natuurlijk, hoewel het me inderdaad niet zou verbazen als Murphy volledig naar de kloten was, zoals hij eraan toe is. Maar dit is nog maar de eerste termijn van de schuldafbetaling die de Rent Boy voor zijn kiezen krijgt. Hij komt een beetje tot zichzelf, en probeert zelfs nonchalant over te komen. 'Wat deprimerend. Ik ben blij dat ik hier zit,' zegt hij glimlachend, om zich heen kijkend naar de smalle, overhellende grachtenpanden, die als strompelende zatlappen elkaar overeind proberen te houden. 'Fuck Leith. Kom, we gaan naar de rosse buurt, een pilsje drinken,' stelt hij voor.

We gaan erheen en de rest van de dag zetten we het op een zuipen. We nemen plaats op een caféterras en ik merk dat mijn leugens Rents niet onbewogen hebben gelaten, ook is hij door het bier weer opgewekt geworden. 'Ik probeer gewoon de kost te verdienen en ondertussen zo weinig mogelijk mensen te verneuken,' zegt hij grootmoedig, terwijl er een groep luidruchtige Engelse jongens langs komt gestuiterd.

Geloof je het godverdomme zelf?

'Tja,' geef ik toe, 'het valt niet mee. Zij zijn nu onze grootste bron van inkomsten,' zeg ik en hij kijkt me niet-begrijpend aan, dus ik verklaar me nader: 'Wij zijn de mannen met ambitie, met andere woorden de mensen om wie het draait.'

Renton wil protesteren maar bedenkt zich, begint te lachen, slaat mij op de rug, en ik besef dat we ongemerkt weer bijna vrienden geworden zijn.

Die nacht kies ik ervoor om bij Renton op de bank te slapen in plaats van terug te gaan naar de waanzinnige toestand in mijn hotel. Blijkbaar hadden Rabs oude trouwe kameraden gisteravond zin om zoveel mogelijk gasten op hun bek te slaan, waarschijnlijk realiseerden ze zich dat ze bijna weer vertrokken en ze hadden wiet gerookt en om zich heen geneukt en waren vergeten mensen in elkaar te slaan. Er zijn plannen om vandaag naar Utrecht te gaan en te knokken met van die maffe Nederlanders. De moord, denk ik; ik blijf mooi hier bij Renton.

Renton woont samen een Duitse, Katrin, een mager, chagrijnig naziwijf zonder tieten, van het soort dus waar Renton op valt. Jongensachtig. Altijd gedacht dat hij een stiekeme flikker was maar niet het lef had ervoor uit te komen, en dus naait hij meiden die eruitzien als jongens. Waarschijnlijk in hun reet, lekker strak voor iemand met een kleine pik. Maar die Katrin is misschien toch wel een veeg waard. Misschien. Magere meiden zonder kont of tieten zijn meestal nogal smerig, als compensatie voor de zachte bekleding waar wij kerels zo dol op zijn. Die ijskoude Teutoonse deed geen bek open, ze reageerde zelfs niet op mijn beleefde versierpogingen. Hoe de fuck dat Italia Magnifica tijdens de Tweede Wereldoorlog onder één hoedje kon spelen met die pseudo-Saksische klootzakken is mij een raadsel. Grappig om hem daar zo te zien zitten, hij lijkt wel Europees. Hij is nog steeds best slank, maar niet op een akelige manier. Er is wat vlees gegroeid op die roodharige schedel van hem. Zijn haar is wat dunner en hij begint een beetje kaal te worden; haaruitval is de vloek voor de meeste van die vuurtorens.

De beste tactiek is om die lul aan het lijntje te houden, om hem zijn vertrouwen in mij stukje bij beetje te laten herwinnen. En dan krijgt hij zijn beurt. En ik weet nu al van wie. Want het gaat niet om het geld, het gaat om het verraad. Ik verheug me op de verdere afwikkeling van mijn plan, als we ons klaarmaken om nog ergens een pilsje te gaan drinken. 'Wat Begbie betreft, je was een grote held in Leith omdat je die klootzak toen genaaid hebt,' zeg ik, maar dat is natuurlijk een schaamteloze leugen. Begbie is een klootzak, maar niemand heeft ook maar enig ontzag voor een matennaaier.

En Renton weet dat ook donders goed. Hij is niet stom, sterker nog, dat is juist het probleem met hem. Die rooie Judasfucker is allesbehalve stom. Hij laat nog steeds op cynische wijze zijn bovenste oogleden zakken als hij niet gelooft in of het niet eens is met wat iemand hem vertelt. 'Dat betwijfel ik,' zegt hij. 'Begbie had een heleboel maffe kameraden. Van het soort dat rustig iemand omlegt voor hem. En ik heb ze daar een reden voor gegeven.'

Dat is maar al te waar, ouwe dief. Ik vraag me bijvoorbeeld af hoe die lange Lexo Setterington, Begbies voormalige 'zakenpartner' die op een paar honderd meter afstand logeert in mijn hotel, zou reageren als hij hoort dat Rents in Amsterdam is. Zou hij bereid zijn het recht te laten zegevieren namens zijn nobele vriend? Oké, hij was een en al gevloek en getier over Begbie, maar dat betekent natuurlijks niks voor geteisem als hij. In het gunstigste geval hangt hij onmiddellijk aan de telefoon naar zijn maatje François, die dan onmiddellijk het eerstvolgende vliegtuig hierheen pakt. Ja, die lange, agressieve lul is tot veel kwaadaardigs in staat. Hij zou er het grootste genoegen in scheppen om de Beggar Boy te vertellen dat hij de verblijfplaats van Rents kent.

De verleiding is groot, maar nee, toch maar niet. *Ik* wil persoonlijk de brenger van dat goede nieuws zijn. Renton heeft een club, een flat en een vriendin. Hij heeft geen plannen om te verhuizen, vooral niet omdat hij denkt dat hij hier veilig is. 'Dat kan wel zo zijn,' zeg ik bot en verander dan van toon, 'maar je moet toch weer eens naar Edinburgh komen, je ouders opzoeken of zo,' zeg ik, en bedenk dat ik de mijne ook nauwelijks gezien heb na mijn terugkomst uit Londen.

Renton haalt zijn schouders op. 'Dat heb ik al een paar keer gedaan. Stiekem.'

'Godverdomme, dat wist ik niet...' zeg ik, onaangenaam verrast dat die lul de stad heeft kunnen binnenglippen zonder dat ik er iets van gemerkt heb.

Daar moet die rooie rotlul hard om lachen. 'Ik ging ervan uit dat je niet om mijn bezoek stond te springen.'

'O ja hoor, juist wel,' verzeker ik de klootzak.

'Dat bedoel ik dus,' zegt hij, en vervolgt met een hoopvolle blik in zijn ogen: 'Ik hoorde dat Begbie nog steeds vastzit...'

'Ja, zeker nog een paar jaar,' zeg ik op mijn meest neutrale toon. Volgens mij heeft hij niets gemerkt.

'Misschien kom ik dan nog wel eens een keer,' zegt Renton glimlachend.

Goed zo. Laat die lul maar flink risico's nemen. Ik begin me steeds meer te vermaken.

Later spreek ik af met Terry en Rab en reken er half en half op dat Renton nog wel van pas kan komen met zijn muziek en zijn contacten in Amsterdam. Als ik hem vertel over onze plannen, reageert hij geïnteresseerd. En zo zitten ik, Rab, Terry, Billy en Rents samen een pilsje te drinken, te blowen en wat te ouwehoeren in het café Hill Street Blues in de Warmoesstraat. Terry en Billy kennen Renton nog vaag van vroeger: discotheek Clouds, voetbal, noem maar op. Maar Terry bekijkt hem met een blik alsof hij het niet helemaal vertrouwt. En terecht: je vertrouwt niemand die zijn eigen vrienden naait; reken godverdomme maar dat die lul aan de beurt komt.

Rab Birrell, die zo verstandig was om niet mee naar Utrecht te gaan omdat je beter niet kunt gaan trouwen met een dikke lip, een gebroken neus en een blauw oog, zit ons in het café iets te vertellen. Rab lijkt zich om de een of andere reden te ergeren aan Terry en mij, waarschijnlijk omdat wij hem het grootste deel van de tijd hebben achtergelaten met zijn voetbalkameraden, en ik denk dat zij een soort ouwejongensreünie wilden, terwijl Rab iets coolers voor ogen had. Maar die Birrell is goed op de hoogte, en hij heeft een voorstel gedaan waar Terry aarzelend op reageert. 'Maar ik zie niet in waarom ik hier moet filmen,' zegt hij tegen Rab.

Rab werpt mij een ernstige, gespannen blik toe. 'Je moet de politie niet vergeten. Dit soort film...' hij aarzelt en bloost licht als Terry zijn lippen tuit en draaiende bewegingen vanuit de polsen maakt, '...oké, Terry, het soort film dat wij willen maken is verboden volgens de WOP.'

'Knap hoor, meneer de kutstudent,' valt Terry Sap hem in de rede, 'leg maar uit wat de WOP is.'

Rab kucht, kijkt eerst naar Billy en dan naar Rents alsof hij steun van hen verwacht. 'De Wet Obscene Publicaties, en die bestrijkt ons terrein.'

Renton zwijgt en heeft een neutrale uitdrukking op zijn gezicht. Renton. Wie is hij eigenlijk? Wat is hij? Hij is een verrader, een verlinker, een matennaaier, een klootzak, een gore egoïst, hij is alles wat iemand uit de arbeidersklasse moet zijn om het te kunnen maken in de nieuwe kapitalistische wereldorde. En ik benijd hem. Godverdomme, ik benijd die gore eikel omdat niemand hem ook maar ene fuck kan schelen behalve hijzelf. Ik probeer te zijn zoals hij, maar mijn impulsen, mijn woeste, hartstochtelijke Schots-Italiaanse impulsen, zijn te sterk voor mij. Ik kijk naar hem, zoals hij erbij zit, en ik moet van pure woede mijn handen om de leuningen van de stoel klemmen totdat de knokkels wit worden.

'Ja, we moeten wel uitkijken voor de politie, hoor,' concludeert Rab zenuwachtig.

Ik kijk hem aan en schud heftig van nee. 'Er zijn allerlei manieren om de politie te omzeilen. Je vergeet één ding: een smeris is een crimineel, maar een laatbloeier.'

Rab kijkt twijfelachtig. Renton bemoeit zich ermee. 'Sick Boy... eh, Simon heeft gelijk. Iemand wordt vanzelf crimineel als hij opgroeit in een crimineel milieu. De meeste smerissen beginnen anti-misdaad, dus het duurt langer voordat ze het hebben ingehaald. Maar omdat ze door hun werk voortdurend worden ondergedompeld in criminaliteit, halen ze dat snel in. De beste plek voor een crimineel is bij de politie. Daar leer je de kneepjes van het vak.'

Birrell reageert enthousiast, alsof hij een gelijkgestemde geest heeft ontdekt. Terry heeft gelijk met wat hij beweert over die lul. Als je hem de kans geeft, gaat hij godverdomme nog beredeneren of de maan wel of niet van groene kaas gemaakt is. Ik ben hem en Rents voor: 'Ik wil hier geen fucking forumdiscussie over. Laat de politie maar aan mij over, meer zeg ik er niet over. Dat zit wel goed. Ik verwacht elke dag een gunstige uitslag. Sterker nog, ik ga nu even bellen.'

Ik loop het café uit om een signaal te krijgen voor mijn groene mobiel. Hij moet het doen op het vasteland, maar hij doet het godverdomme niet! Ik heb zin dat speelgoed voor beperkte geesten in de gracht te flikkeren, maar in plaats daarvan stop ik het in mijn zak, ga een sigarenzaak binnen, koop een telefoonkaart en bel vanuit een telefooncel. Zonder duidelijke reden voel ik een zoete, perverse, seksueel getinte golf door mij heen gaan, dus ik bel Interflora en bestel een dozijn rode rozen voor Nikki en een dozijn voor haar bebrilde vriendin Lauren, en ik raak nog opgewondener door de gedachte aan hoe zij daarop reageert. 'Geen tekst op het kaartje,' zeg ik tegen de vrouw van Interflora.

Vervolgens bel ik naar de *fine fleur* van Leith. 'Hallo, mijn naam is Simon Williamson, ik ben de eigenaar van de Port Sunshine. Ik wil graag de onderzoeksresultaten weten van die in beslag genomen pillen,' zeg ik, en uit mijn zak haal ik het briefje dat Smeris Kebab mij gegeven heeft. 'Mijn referentienummer is nul zeven zes twee...'

Na lange tijd krijg ik aan de andere kant op verontschuldigende toon te horen: 'Het spijt me, meneer, ze hebben nogal een achterstand op het lab...'

'O, mooie boel,' snauw ik op ongeduldige, verongelijkte belastingbetalerstoon, en hang op. Zodra ik terug ben, ga ik hierover een vette klacht indienen bij de hoofdcommissaris.

29 '...een dozijn rozen...'

Lauren en ik krijgen tot onze schrik ieder een anonieme zending van een dozijn rozen, bloedrood, met lange, donkergroene stelen, met alleen onze naam op de kaartjes. Lauren is helemaal door het dolle, ze denkt dat het van een medestudent is. We hebben een lichte kater, gisteravond zijn we behoorlijk uit geweest nadat ze was teruggekeerd van haar familie in Stirling.

Dianne komt binnen en ze is onder de indruk van onze boeketten. 'Jullie hebben maar mazzel,' zegt ze en ze doet alsof in tranen gaat uitbarsten, jankend: 'Waar blijft míjn boeket? Waar is mijn prins op het witte paard, godverdomme!' Mijn flatgenote kijkt zuinig en ontbloot haar tanden terwijl ze de bloemen grondig onderzoekt, alsof er ergens een tijdbom tussen verstopt is. 'Die winkel weet wel van wie ze zijn! Ik ga bellen om het uit te zoeken,' blaat Lauren. 'Dit is een ongewenste intimiteit!'

'Lazer toch op,' zegt Dianne, 'die zatlap in The Pear Tree vorige week, dát was een geval van ongewenste intimiteiten. Dit is je reinste romantiek! Wees blij, meid.'

De rest van de dag staat in het teken van het geheimzinnige cadeau, zodat ik een aantal saaie colleges overleef, voordat ik weer naar huis ga en me verkleed voor mijn werk in de sauna. Ik wil mijn dienst ruilen met Jayne en ze vindt het goed, maar ik kan Bobby nergens vinden om de wijziging te bevestigen. Hij is ongetwijfeld in een van de stoombaden, zwetend met zijn gabbers. Het is donderdagavond en om de een of andere reden is dat penose-avond. Er glinstert evenveel goud als zweet op de vele stevige, weldoorvoede lijven. Grappig genoeg komen er maandag-, dinsdag- en woensdagavond vrijwel uitsluitend zakenlui. Vrijdags zijn het meestal jongelui die zichzelf trakteren, en 's zaterdags zijn het voetballers, maar vanavond overheersen de criminelen.

Als mijn dienst er bijna op zit, merk ik dat de handdoeken op zijn en ik ga naar de massagekamer naast de mijne. Jayne staat in te beuken op een enorme hoeveelheid vlees op tafel, de door de stoombaden roze aangelopen man heeft een groene kleur aangenomen in het licht van de spots in de grenenhouten vloer. Jaynes gezicht wordt van onderen belicht en ik zie niet haar ogen maar de glimlach om haar mond als ik me over de stapel maagdelijk witte handdoeken buig, er een paar afpak en wegloop, terwijl de lillende massa kreunt onder een nieuwe aanval van Jaynes vuisten. In de deuropening hoor ik iets wat klinkt als: 'Harder... doe het gerust harder... wees niet bang om het harder te doen...' Ik ben enigszins uit het lood geslagen als ik merk dat het een klant is die meestal om mij vraagt. Maar goed, daarover niet getreurd. Eindelijk zie ik Bobby en ik vertel hem over de verandering in het dienstrooster. Bobby is in het gezelschap van een gast genaamd Jimmy, een klant wiens achternaam ik niet ken, en die vraagt of ik er wel eens aan gedacht heb om als escort te werken. Ik kijk aarzelend, maar hij zegt: 'Nee, ik vind jou gewoon uitstekend geschikt voor een collega van mij. Het verdient prima en bovendien is het goed van eten en drinken...' zegt hij met een glimlach.

'Ik maak me juist zorgen om wat er daarna komt,' antwoord ik grijnzend, 'het negenenzestiggedeelte.'

Jimmy schudt bruusk het hoofd. 'Nee, niets van dat al. Deze vent wil gewoon gezelschap, dat is alles, hij wil gewoon uit met een mooie vrouw aan zijn arm. Dat is de deal. Als je verder iets wil regelen... tja, dat is jullie zaak. Het is een politicus, uit het buitenland.'

'Waarom vraagt u mij?'

Hij begint bulderend te lachen. 'Nou, in de eerste plaats omdat je zijn type bent, en in de tweede plaats omdat je er altijd prima verzorgd en gekleed uitziet. Ik durf te wedden dat je best wel een paar uiterst gewaagde jurken in je garderobe hebt hangen,' zegt hij, en zijn lach klinkt een stuk bedeesder. 'Denk er gerust eens over na.'

'Oké, dat zal ik doen,' zeg ik en ga naar huis, voor het eerst zonder een afscheidsdrankje te nemen. Ik ga naar mijn kamer en doe een aantal intensieve stretch-, buig- en ademhalingsoefeningen. Daarna ga ik naar bed en slaap beter dan ik in maanden gedaan heb.

De volgende ochtend sta ik met enige gretigheid op, en tegen mijn gewoonte in sta ik eerder dan Lauren en Dianne onder de douche, en trek dan uitgebreid tijd uit om te kiezen wat ik die dag zal dragen. Waarom zo opgewonden? Nou, ik ga vandaag naar Leith en ik ben blij dat de jongens terug zijn. Het is raar, maar ik heb de afgelopen dagen echt iets gemist. Als ik bij de pub aankom, besef ik wat het is. In de korte tijd sinds zijn vertrek naar Amsterdam is Sick Boy, of eigenlijk moet ik Simon zeggen, wat mij betreft veranderd van een bijgerecht in de hoofdschotel. Ik dacht half en half dat ik me verheugd had op Rab, maar zodra ik Simon zie in zijn gepoetste zwarte schoenen, zwarte broek en groen sweatshirt, denk ik onmiddellijk: ho, wacht even, er is iets aan de hand hier. Hij heeft een stoppelbaard van een paar dagen en dat strenge, strak achterover gekamde Steven Seagal-haar heeft plaatsgemaakt voor een los, springerig kapsel dat hem een zachter aanzien geeft. Zijn ogen fonkelen, flitsen van de een naar de ander in de groep, en lijken iets langer op mij te blijven rusten.

Hij ziet er zo geweldig uit dat ik me meteen zorgen begin te maken over mijn eigen uiterlijk. Na lang nadenken had ik besloten tot een witte katoenen broek, zwart-witte gympen en een kort blauw jack dat, dichtgeknoopt, het decolleté in mijn lichtblauwe truitje met v-hals accentueert.

Ik kijk naar Rab en het enige wat ik nu zie is een gewone knappe man, zonder enige uitstraling. En dat charisma straalt nu juist van Simon af. Zoals hij met zijn elleboog op de lange, vieze bar rust en met zijn kin op zijn hand, en dan onwillekeurig zijn vingers langs de baardgroei in zijn hals laat gaan, kan ik alleen maar bedenken dat ík dat wil doen met míjn vingers.

Er is iets gebeurd. Simon is duidelijk de baas. Terry lijkt geamuseerd en Rab is in gedachten verzonken. Over een paar maanden gaat hij trouwen, maar hij besloot zijn hengstenbal vroeg te houden voor het geval ze hem op een goederentrein naar Warschau of zoiets zouden zetten. Ik houd Simon goed in de gaten, maar hij laat op geen enkele manier blijken dat hij de man van de rozen is.

Melanie komt iets later en gaat naast mij zitten. Ik zie dat Simon geïrriteerd op zijn horloge kijkt. Rab en hij lijken het voortdurend oneens te zijn over de film. Er valt regelmatig een andere naam, de geheimzinnige Rents uit Amsterdam.

Simon heft zijn handen op naar Rab alsof hij zich overgeeft. 'Oké, oké, de film moet worden opgenomen in Amsterdam om juridische redenen, of liever gezegd, het moet lijken alsof hij daar is opgenomen. Maar we kunnen de binnenopnames toch gewoon hier in de pub doen,' redeneert hij. 'Ik bedoel, het enige wat we nodig hebben is een paar buitenopnames van trams en grachten en dat soort shit, om het zo te laten lijken. Maar dat merkt toch niemand.'

'Tja, dat zal wel,' geeft Rab toe, maar op uiterst bezorgde toon.

'Mooi zo, laten we dat als afgesproken beschouwen,' zegt Simon plechtig en kijkt mij recht in de ogen, mijn hart gaat open en mijn maag krimpt ineen onder zijn bliksemende glimlach. Ik grijns gespannen terug. Simon wrijft weer gedachteloos over zijn stoppelbaard. Ik besluit dat ik hem wil scheren met een opengeklapt scheermes, ik wil hem inzepen en alle emotie aflezen in die grote donkere ogen van hem terwijl ik het vlijmscherpe staal langzaam over zijn gezicht haal...

Mijn fantasie vervliegt, omdat het niet gemakkelijk is mij niet volledig op Simon te concentreren, maar nu zegt hij: 'Terry, jij zou het script schrijven, hoe staat het ermee?'

Ik kan alleen maar denken aan hoe graag ik met hem zou willen neuken. Geachte heer Simon Sick Boy Williamson, ik wil me helemaal om je heen wikkelen en iedere fucking druppel vocht uit jou en in mij zuigen, totdat je helemaal kapot bent en nooit meer een andere vrouw wilt...

'Hartstikke goed, maar ik heb nog niks opgeschreven. Het zit allemaal hier,' Terry grijnst breed, wijst op zijn hoofd en glimlacht naar mij alsof ik de vraag heb gesteld, alsof de anderen er helemaal niet zijn. Terry. Het soort gast waar je niet echt op valt maar met wie je best zou willen neuken vanwege zijn enthousiasme. Misschien is hij wel de geheimzinnige bloemenman. 'Terry, seks zit tussen je oren, dat is bekend. Maar we moeten het op papier hebben, in een script.'

'Ik weet wat je bedoelt, schat,' zegt hij glimlachend en hij strijkt met een hand door zijn krullen, 'maar schrijven is niet mijn sterkste punt. Ik zou het wel op een bandrecorder kunnen inspreken en dat iemand het dan uittypt,' zegt hij, hoopvol in mijn richting kijkend.

'Dus wat jij zegt is dat je geen fuck hebt uitgevoerd,' zegt Rab uitdagend, en hij laat zijn blik over het gezelschap gaan.

Ik kijk Melanie aan, die onverschillig haar schouders ophaalt. Ronnie grijnst, Ursula eet een Pot Noodle en Craig kijkt alsof hij een maagzweer heeft. Dan haalt Terry met een schaapachtige grijns enkele A4'tjes te voorschijn. Het handschrift is niet zozeer een hanenpoot als wel een paardenpoot.

'Waarom zei je dat je niks gedaan had?' vraagt Rab. Hij pakt de papieren en leest ze door.

'Schrijven is niet mijn sterkste punt, Birrell,' zegt Terry schouderophalend, maar hij is duidelijk in verlegenheid gebracht. Rab schudt het hoofd en geeft de A4'tjes aan mij.

Ik lees hier en daar wat en het is zo bespottelijk dat ik mijn mond niet kan houden. 'Terry, wat een onzin! Moet je horen: "De jongen neukt het meisje in haar kont. Die meid likt de andere meid uit." Wat vreselijk!'

Terry haalt de schouders op en wrijft opnieuw door zijn krullenkop.

‘Ietwat minimalistisch, meneer Lawson.’ Rab snuift verachtelijk, ik geef hem de papieren terug en hij zwaait ze voor zijn neus heen en weer. ‘Dit is shit, Terry. Dit is geen script, er is niet eens een verhaal. Het is alleen maar neuken,’ zegt hij lachend. Hij geeft de papieren aan Simon, die ze uitdrukkingsloos bestudeert.

‘Maar dat willen we toch, Birrell, het is godverdomme toch een pornofilm,’ zegt Terry op defensieve toon.

Rab trekt zijn gezicht in een grimas en neemt weer plaats op zijn stoel. ‘Tja, dat is het enige wat al die zatlappen willen waaraan jij je gore plaatjes laat zien. Ik bedoel, het is niet eens geschreven als een filmscript,’ zegt hij, een wegwerpgebaar makend.

‘Misschien lijkt het er nu nog niet op, Birrell, maar de acteurs moeten het doen... net als die ene gast, Jason King op tv,’ zegt Terry, plotseling geïnspireerd. ‘Met allemaal dubbele betekenissen en zo. De Swinging Sixties zijn tegenwoordig weer helemaal in, laten we er anders zoiets van maken.’

Tijdens deze woordenwisseling hebben de anderen verveeld toegeluisterd en geen woord gezegd. Simon legt Terry’s papieren op het tafeltje voor zich, leunt achterover in zijn stoel en trommelt met zijn vingers op de leuning. ‘Aangezien ik ervaring heb in de seksindustrie, zou ik graag even ingrijpen,’ zegt hij op die hoogdravende toon van hem waarvan je nooit weet of hij hem arrogant of ironisch bedoelt. ‘Rab, als jij nou Terry’s script eens bekijkt en er een soort verhaallijn in verwerkt.’

‘Dat is godverdomme wel nodig,’ zegt Rab.

‘Ja, als het maar geen proefschrift wordt, Birrell,’ zegt Terry hardop.

‘Oké,’ zegt Simon, geeuwend en zich uitrekkend als een kat terwijl zijn ogen fonkelen in het zwakke licht, ‘misschien kun je wat hulp gebruiken, Terry.’ Hij keert zich naar de rest van de groep en stelt voor: ‘Volgens mij is het verstandig als Rab en Nikki uitgaan van Terry’s hoofdideeën en er dan een script van maken. Heel summier, splits het maar op in scènes, locaties... waarom vraag ik jullie dat, omdat jullie filmstudenten zijn, jullie weten waaraan een script moet voldoen.’ Hij glimlacht zo breed naar ons dat volgens mij zelfs Rab zich gevleid voelt.

Maar ik wil niet samenwerken met Rab, maar met *jou*, Simon.

Hier komt Terry tussenbeide. ‘We, eh, willen eigenlijk niet te veel... ik bedoel het niet lullig, maar eh, niet te veel studenten erbij hebben. Wat dacht je ervan als jij en ik het script bewerken, Nikki?’ vraagt hij hoopvol en vervolgt: ‘Ik bedoel, we zouden wat standjes kunnen uitproberen en zo. Om zeker te weten dat het allemaal haalbaar is.’

‘O, ik denk dat wij ons wel redden, Terry,’ zeg ik gehaast. Ik kijk naar

Simon en bedenk dat ik met hem wel een paar standjes zou willen uitproberen, maar hij fluistert net Mel iets in het oor, en ze begint te grinniken. Als hij nou maar mijn kant op keek.

'Ik denk dat het gemakkelijker is voor Nikki en mij, omdat we elkaar toch regelmatig zien, op de universiteit en zo,' zegt Rab en kijkt mij aan.

Ik had het echt veel liever met Simon gedaan en ik heb de neiging om dwars te liggen, maar ik knik instemmend omdat ik denk: zou Rab misschien die bloemen toch hebben gestuurd? Maar waarom dan ook naar Lauren? 'Ja,' zeg ik zacht, 'dat klopt.'

Terry reageert ietwat verontwaardigd en kijkt in de richting van de bar. 'Prima, zolang onze pornografische verhaalstructuur gehandhaafd blijft: pijpen, beffen, gewoon neuken, lesbisch, anaal en spuiten,' legt Simon uit, en vervolgt: 'en ook lekker veel bondage, en bedenk verder maar net zoveel creatieve toestanden als jullie willen.'

Terry klaart weer een beetje op en Simon gaat in op de details van de seks. 'Ons grootste probleem is anaal.' Simon wendt zich tot Mel en mij. 'Of liever, het grootste probleem dat jullie meiden hebben.'

Door zijn koele blik en dat enge woord draait mijn maag zich om. 'Ik doe dat niet,' zeg ik.

Mel schudt ook het hoofd en doet voor het eerst haar mond open. 'Geen sprake van dat ik dat doe.' Ze ziet dat Terry op een bepaalde manier naar haar kijkt, ze reageert ietwat verlegen en schopt hem tegen de schenen. 'In ieder geval niet voor de camera, Terry!'

Simon kijkt zuur. 'Mmm... daar moeten we toch eens over praten. Weet je, volgens mij is het tegenwoordig van het grootste belang. Ik bedoel, persoonlijk vind ik er ook niks aan, maar weet je wat het is, we leven in een anale samenleving.'

Rab rolt met zijn ogen en Terry knikt enthousiast en instemmend.

'Ik bedoel, denk eens na,' vervolgt Simon, 'er zijn rechtse rukkers uit achterlijke streken die beweren dat er buitenaardse wezens uit een ander zonnestelsel zijn verschenen om een sonde in hun zweterige reet te steken... moderne porno, de Zanes, de Blacks, dat is tegenwoordig allemaal driedubbele penetratie. Kijk naar die video's van Ben Dover. Gezonde jonge meiden worden tegenwoordig altijd in hun reet geneukt.'

'Dat zijn godverdomme gave video's,' merkt Terry enthousiast op.

Simon reageert ongeduldig maar knikt instemmend. 'Waar het om gaat is dat als een meid vroeger op een video in haar reet werd geneukt, het negen van de tien keer een oud wijf met striae en cellulitis was, klaar voor de sloper. Dat is helemaal veranderd. Een jonge meid die serieus een pornoster wil worden, is bijna verplicht om zich in de poeperd te laten naaien.'

'Nou, ik mooi niet,' zeg ik op kalme toon en alleen Simon hoort me, maar hij laat het niet merken. En dus verhef ik mijn stem en uit mijn bezwaren. 'Een heleboel vrouwen doen geen anaal. Sommigen doen lesbisch. Wij maken toch geen smerige mannenporno? Ik dacht dat we zouden proberen vernieuwend te zijn, met niet-seksistische dialogen en thema's. Wat is er met dat plan gebeurd? Is dat afgestemd tijdens dat smerige jongensweekend in Amsterdam?'

'Nee, we zijn nog steeds vernieuwend,' houdt Simon vol, 'maar we moeten het hele terrein bestrijken, en dat houdt in ook anaal. Het is niet echt, Nikki. Het is maar acteren.'

Nee, het is wel echt. Het moet wel echt zijn. Als je geneukt wordt, word je geneukt, en het is een van de weinige dingen in een mensenleven dat echt is en dat je niet kunt acteren.

'Ja,' zegt Rab, zonder te weten dat hij als aangever van Simon fungeert, 'we moeten goed beseffen dat het geacteerde seks is, geen echte seks, het is bedoeld als amusement. Ik bedoel, wie doet er in het echt nou aan driedubbele penetratie?'

'Alleen jij en die flikkervriendjes van je aan de universiteit,' zegt Terry.

Rab negeert hem en praat verder, bang als hij is verkeerd begrepen te worden. 'We maken er een echt verhaal van, met echte mensen die spelen dat ze echt seks met elkaar hebben. Dat anale gedoe is maar een afleidingsmanoeuvre, als die meiden dat niet willen doen, dan is dat prima.'

'Nee,' zegt Simon hoofdschuddend. 'Weet je, Rab, het heeft te maken met hoe wij ertegenaan kijken. Als soort geloven wij dat als onze ziel ergens binnen in ons lichaam huist, dat ergens in de aars is. Daar gebeurt alles, en dat klopt ook. Daarom is de mens geobsedeerd door anale grappen, anale seks, anale hobby's... de aars – niet de hersenen en niet de ruimte – is de laatste grens. En *daarom* zijn wij revolutionair.'

Maar ik wil het gewoon niet, dus ik trek mijn wenkbrauwen op en kijk naar Mel en Ursula. 'Ik zeg het nogmaals: ik doe het liever niet. Ik heb het één keer geprobeerd. Het doet pijn, en ik vind het afstandelijk, koud en ongemakkelijk. Ik mag graag neuken, maar ik zit niet graag op mijn knieën, zo gespannen als een circusartiest, af te wachten hoeveel van een vent z'n lul er in mijn aars past.'

'Misschien moet je het vaker doen. Sommige meiden met ervaring vinden het erg lekker,' zegt Terry.

'Ik wil godverdomme geen aars als de Kanaaltunnel, Terry, en ik ben ook geen schijterd,' – Terry knipoogt naar me – 'maar het is gewoon niks voor mij. Ik heb er helemaal niks op tegen, ik wil het alleen zelf niet doen.'

'Persoonlijk maakt het mij niet zoveel uit, ik wil alleen niet dat mensen het weten,' zegt Melanie. 'Ik bedoel, van sommige dingen wil je niet dat iedereen ze ziet. Kwestie van privacy.'

'Zo van: ik-ben-niet-zo'n-meisje,' zegt Terry lachend.

'Nou, Terry, jij hebt makkelijk praten, maar voor ons ligt dat anders.'

'Maar dat hoeft toch niet, in deze tijd van feminisme en zo.' Hij kijkt naar Rab. 'Of misschien moet ik zeggen postfeminisme. Weet je, Birrell, soms pik ik wel eens wat op van dat gelul van jou.'

'Ik blij.'

Simon klapt in zijn handen. 'Denk op de manier van Baccarra. Niemand in deze business moet iets hebben van een meid die zingt "Sorry, I'm a Lady". Wat wij willen horen is "Yes, Sir, I Can Boogie".'

'Oké, Simon,' zeg ik met een glimlach, 'maar we hebben wel een song nodig.'

Hij opent zijn portefeuille. 'Dit is je song,' zegt hij en laat me een stapel bankbiljetten zien. Dan pakt hij een filmaffiche. 'En dit. Wij bevinden ons hier aan de frontlijn van alles. Laten we dat voor ogen houden. Ik bedoel, waar komt die hele anale obsessie vandaan?'

'O ja, het is allemaal prima voor het soort samenleving waarin wij leven, egocentrisch, op onszelf gericht, we stoppen het allemaal in onze eigen reet,' merk ik op.

'Nee, schatje, het komt allemaal door de porno. Die gasten zijn de echte pioniers. De pornografie niest één keer en de populaire cultuur vat kou. De mensen willen seks, geweld, eten, huisdieren, doe-het-zelven, en beledigd worden. Waarom zouden we ze die hele kutzooi niet geven? Kijk naar de beledigende tv-programma's, kijk naar kranten en tijdschriften, kijk naar het klassensysteem, de jaloezie, de verbittering waar onze cultuur bol van staat: in Groot-Brittannië willen wij zien hoe mensen genaaid worden,' zegt hij, en even lijkt hij op een buitenaards wezen uit *Close Encounters* dat, net als hij, gevangen zit in een bundel zonlicht die tussen twee flatgebouwen aan de overkant naar binnen valt. 'Maar goed, laten we dit gesprek maar een andere keer afmaken.'

Terry heeft een sluwe blik in zijn ogen en zegt: 'Weet je wat? Je moet Gina vragen om mee te doen. Die vindt het niet erg om in haar kont te worden geneukt.'

'Geen sprake van, Terry. Gina is prima voor ordinaire seksfilms, maar ze heeft niet de kwaliteit van een echte filmster. Laat de casting maar aan mij over. Laatst kwam ik een gast tegen die ik nog kende van vroeger, Mikey Forrester, die eigenaar is van een sauna. Hij heeft daar een paar gave meiden werken. De casting wordt geen enkel probleem. We hebben Gina helemaal niet nodig,' zegt Simon, en het lijkt wel of er een rilling door hem heen gaat als hij haar naam uitspreekt.

Terry haalt zijn schouders op. 'Nou, zelf weten, man, maar ik moest van haar zeggen dat ze je helemaal in elkaar slaat als ze niet mee mag doen in de film,' deelt hij Simon met een sadistische grijns mee.

Melanie knikt en bevestigt dit. 'Ja, ik zou maar uitkijken met haar als ik jou was, want het is godverdomme een spijkerhard wijf. Ze doet het echt, hoor.'

Simon, Sick Boy, slaat zich wanhopig op het voorhoofd. 'Schitterend is dit, ik word godverdomme gestalkt door een oud wijf en mijn hoofdrolspeelsters willen geen anaal doen. Nou, zeg maar tegen de Bruid van Begbie dat ze kan doodvallen.'

'Zeg dat zelf maar,' merkt Terry grijnzend op.

Nadat de vergadering is afgelopen, blijf ik achter en zeg tegen Simon: 'Wat de rolverdeling betreft, misschien kan ik je wel helpen. Ik kan wel een paar van mijn vriendinnen vragen of ze zin hebben om mee te doen. Meiden die van wanten weten, zeg maar.'

Simon knikt bedachtzaam.

'Ik moet nu weg, maar ik bel je nog wel,' zeg ik. Rab wacht op mij. Ik zie dat hij omkijkt en ik weet zeker dat er iets van jaloezie flonkert in zijn blik.

30 Pakjes

Ik heb me weer eens laten gaan met de shit, gekregen van Seeker. Ali heeft gezegd: als je ooit nog aan de drugs gaat, dan hoef je niet meer terug te komen, ik wil dat gesodemieter niet, voor Andy. En dat is redelijk, zeg maar, dus ik blijf voorlopig maar weg. Het grootste deel van de week heb ik op de bank geslapen; bij Monny, bij mijn moeder en bij die arme Parkie, en dat kan ik eigenlijk niet maken omdat hij zelf zo z'n best doet om af te kicken. Het laatste waar die arme lul behoefte aan heeft, is dat ik in zijn aanwezigheid lig te rillen van ellende. Dat is het allerergste van alles, één kleine terugval en je betaalt een zware prijs. Ik heb enorme last van ontwenning, zelfs na die ene scheve schaats. Het lijkt wel of dat lijf van mij zich alles nog herinnert wat ik in het verleden gedaan heb en nu zegt: 'Sorry, jochie, eigen schuld, dikke bult.'

Dus voor het eerst in dagen sluip ik naar huis. Andy is op school en ik hoop dat Ali ook niet thuis is. Ja, de tent is leeg, dus ik laat me vallen in die grote, versleten fauteuil, zet mijn Alabama 3-band op en zing luidkeels mee. Ik zie mijn kameraad Zappa de kat, de enige hier in huis die mij nooit veroordeelt. Ik bekijk wat spul dat ik laatst heb opgehaald in de bibliotheek in Leith en waar ik wat aantekeningen bij gemaakt heb. Ik ging eigenlijk naar binnen om te schuilen voor de regen, maar uiteindelijk zat ik aantekeningen te maken over de geschiedenis. Ik bedacht dat de wapenspreuk van Leith 'volharden' is, en dat moet ik dus ook doen. Ik zet de tv aan met het geluid uit, geef de planten wat water, en hoop dat Zappa niet weer de yucca heeft uitgegraven.

Maar dit wordt een klotedag, dat is zo voorbestemd. Want de bel gaat, en als ik de deur opendoe, sta ik als aan de grond genageld, man. Wie staat daar? De grote enge *catboy* zelf, pal voor mijn neus. Ik denk bij mezelf: wanneer is die vrijgekomen? En dan zinkt de moed in mijn schoenen en ik denk: wat heeft die Sick Boy allemaal lopen rondbazuinen? Ik sta een hele poos met mijn mond vol tanden, maar hij begint te glimlachen en dan weet ik uit te brengen: 'Franco, eh, wat leuk om je weer te zien, man. Hoelang ben je al vrij?'

'Twee weken, godverdomme,' zegt hij en loopt langs mij heen de flat in, en ik let goed op of de beslagen hakken van zijn laarzen geen krassen maken op de houten vloer. Ali zou door het lint gaan, want de huurbaas is een lastige klootzak. 'Ik heb godverdomme geen tijd verknoeid, binnen een paar uur had ik een wijf. Dat was godverdomme neuken voor Schotland, hé lul!' zegt hij. 'Wat voer jij zoal uit, godverdomme?' vraagt hij, en dan kijkt hij ineens heel vies. 'Je bent godverdomme toch niet aan de smack, hè?'

Nou, als je de blik van die tijger op je gericht krijgt, man, dan lul je niet meer.

'Eh, nee, niet echt, man; maar jezus, elke dag is meegenomen. Ik heb het in geen tijden aangeraakt, zeg maar.'

'Dat is dan godverdomme maar goed ook, want ik heb mijn buik vol van junkies. Wil je een lijntje coke?'

'Eh... eh... ik weet niet wat ik moet zeggen, man. Maar goed, dat weet ik eigenlijk nooit.'

Begbie beschouwt dat als ja, en haalt een plastic zakje te voorschijn. Hij schudt een behoorlijke hoeveelheid uit, en hoewel ik geen cokehead ben, vind ik dat ik het niet kan maken om niet mee te doen, man. Je moet nou eenmaal je fatsoen houden, niet? En één lijntje kan toch geen kwaad.

Franco begint het spul fijn te hakken. 'Ik heb gehoord dat je een poosje in Perth bent geweest,' zegt hij. 'Godverdomme, wat een kutbajes. Ik heb je wel gemist, stomme lul die je bent,' zegt hij met een lachje, waarmee hij denk ik bedoelt dat hij mij als mens gemist heeft, en niet dat ik *niet in de bak zat*, zeg maar.

Dus wat zeg je dan? 'Man, ik heb jou ook gemist, Franco. Je ziet er goed uit, fit en zo, dat moet ik zeggen, man.'

Hij slaat op zijn keiharde maagpartij. 'Ja, ik heb hard gewerkt in de bajes, en dat doet niet iedereen. Daar heb ik nu profijt van, reken maar van yes, godverdomme,' zegt hij en valt aan op een enorme lijn die hij heeft uitgelegd. 'Ik heb nu een jong wijf, we wonen in Wester Hailes, maar we gaan verhuizen naar Lorne Street, ik blijf daar godverdomme niet wonen, zeg. Maar het is een lekker wijf,' zegt hij, en geeft met zijn handen de vorm van een zandloper aan. 'Maar ze heeft wel een kleine, zeg maar. Ze woonde samen met een of andere agressieve kutlul, die heb ik godverdomme gelijk z'n bek helemaal opengelegd. De cunt had nog mazzel dat ik het daarbij gelaten heb, godverdomme. Ik logeerde bij mijn moeder, maar dat was dus volkomen kut, ze ouwehoert aan één stuk door over onze Elspeth en over die klootzak waarmee ze verkering heeft,' zegt Franco, stijf van de coke en de woorden uitspugend als een kalasjnikov, man.

Ik buig me over de coke en snuif diep, kom overeind en veeg mijn neus af. 'Tja... hoe is het met de kinderen?'

'Ik heb ze laatst nog opgezocht. Gaat wel goed met ze, maar van die trut van een June krijg ik godverdomme een tiet, zeg. Waarom ben ik godverdomme ooit iets met haar begonnen? Zelfs het neuken stelde niks voor, ik moet toen godverdomme hartstikke geschift zijn geweest, niet?'

'Heb je de, eh, de gevangenis al verwerkt, zeg maar?'

Die Begbie staat nu echt stijf van de coke en kijkt me aan alsof hij elk moment mijn kop eraf kan slaan. 'Wat bedoel je daarmee, godverdomme? Nou?'

'Eh, nou ja, het kostte mij een hele tijd voordat ik weer normaal functioneerde, en ik zat maar vijf minuten in de bak, vergeleken met jou, man,' zeg ik. Maar de Beggar Boy heeft de smaak te pakken en praat maar door over de gevangenis, en ik schijt bagger want ik moet denken aan de Rent Boy en het geld dat hij me gestuurd heeft en dat ik mijn mond voorbijgepraat heb tegen Sick Boy, en als die het nou doorvertelt aan Beggars?

Franco hakt nog meer cocaïne fijn, en ik sta nog te zwaaien op mijn benen van de eerste lijn. Hij lult nog een poosje door over al die zieke klootzakken in de gevangenis, daarna staart hij me aan met die kwaaie, agressieve blik van hem, en zegt: 'Hé, Spud, weet je, toen ik in de gevangenis zat... heb ik een pakje gekregen.'

Renton heeft hem dus ook uitbetaald! 'Ja, man. Ik heb er ook een gekregen! Van Mark...'

Begbie blijft stokstijf staan en kijkt mij recht in de ziel, man. 'Heb jij godverdomme een pakje van Renton gekregen?'

Ik sta te tollen en weet niet wat ik moet zeggen, dus ik kraam maar wat uit. 'Nou, weet je wat het is, Franco, ik weet niet zeker dat het van Rent Boy kwam, zeg maar. Ik bedoel, het lag gewoon op de mat, zonder afzender, zeg maar. Maar eh, ik dacht wel dat het van hem kwam, zeg maar.'

Franco gaat helemaal door het lint, hij slaat keihard met zijn vuist in de palm van zijn andere hand en begint door de kamer te ijsberen. De alarmbellen rinkelen nu keihard, man. Waarom reageert hij nu zo, als Renton hem ook uitbetaald heeft? 'Ja, Spud! Dat dacht ik godverdomme wel! Alleen die zieke, stelende kutjunkie is in staat om pakjes met flikkerporno te sturen, met van die vieze homo's die elkaar naaien, en dan aan mij geadresseerd! Een beetje zout in de fucking wond strooien,

Spud! DE LUL!' brult Franco, en slaat keihard met zijn hand op tafel, zodat er een glazen asbak op de grond flikkert die gelukkig heel blijft.

Homoporno... godverdomme... 'Ja, dat moet een geintje van de Rent Boy geweest zijn, zeg maar,' en ik probeer te bedenken wat hier achter zit, blij dat ik mijn bek gehouden heb over het geld.

'Al die zieke klootzakken die ik in de gevangenis in elkaar geschopt heb, stelde ik me voor dat het fucking Renton was,' sist de valse wilde kat. Hij legt nog een paar lijntjes uit. Hij snuift er een op en zegt: 'Ik ben bij Sick Boy geweest, in die nieuwe kutpub van hem, de Port Sunshine, godverdomme! Ja, die lul heeft het helemaal gemaakt. Maar je kunt hem natuurlijk niks wijsmaken, die lul is allang weer bezig met zijn volgende bedrog, godverdomme.'

'Daar weet ik alles van, man,' knik ik, en buig me over de andere lijn, ook al klopt mijn hart als een idioot en zweet ik als een otter van de eerste lijn.

'Ja, en ik zag Second Prize in Scrubbers Close, tussen van die daklozen.'

'Ik hoorde dat hij van de drank af is,' hijg ik, terwijl de drug als een trein door mijn lijf davert.

Begbie laat zich in mijn leunstoel vallen. 'Ja, totdat ik die lul even ernstig toesprak. Ik heb hem meegesleurd naar de EHI aan de Royal Mile. Hij wou godverdomme geen druppel drinken, dus ik goot stiekem een paar wodka's in die lul z'n limonade,' zegt hij met een vreugdeloze kakellach. 'Die is dus weer lekker aan de fles,' zegt hij. 'Een man heeft recht op een verzetje op z'n tijd; een beetje de hele dag van die kutpsalmen zitten zingen voor een stel zatlappen, de hele dag de fucking bijbel lezen? Flikker toch op met die kankerzooi, zeg, dus ik heb mooi een goeie daad gedaan en die lul gered van een leven vol verveling. Je wordt godverdomme gehersenspoeld, als je niet uitkijkt, door die klootzakken van de zendingspost. Ik zal die cunts eens een lesje christendom leren...'

Hier moet ik over nadenken, en hoe knap het was van Second Prize om weer op het rechte pad te komen. 'Maar van de dokters mocht hij toch niet meer drinken, Franco...' ik laat een vinger langs mijn keel gaan en maak een verstikkend geluid, 'dat betekent zijn einde.'

'Hij begon tegen mij ook met dat gelul; "de dokter dit, de dokter dat", maar ik heb het die lul recht in z'n smoel gezegd, kwaliteit van leven, daar gaat het om, godverdomme. Beter één jaar lol dan vijftig jaar lang een ellendige lul. Je zou godverdomme toch maar worden zoals al die ouwe cunts in de Port Sunshine. Ik heb gezegd dat ie maar een levertransplantatie moest regelen. Met een schone lei beginnen, godverdomme.'

Urenlang moet ik dat soort gelul aanhoren, en het is een hele opluchting als de Beggar Boy eindelijk weer eens opstapt, want al dat agressieve gepraat van hem is op den duur erg vermoeiend, zeg maar. Ik ben voortdurend bang dat ik ja knik in plaats van nee, en dat soort gedoe. Ook al tolt mijn kop van de coke, ik hou me in en geef de *catboy* de tijd om weg te gaan, dan ga ik zelf ook door de motregen richting Openbare Bibliotheek bij de George IV-brug. Volharden.

Mijn hoofd zit nog behoorlijk vol tegen de tijd dat ik de Edinburgh Rooms betreed en kijk naar een meisje dat het microfiche aanzet. 'Eh... sorry, zou je me even willen helpen? Ik heb dit nog nooit gedaan, zeg maar,' en ik wijs naar het apparaat.

Ze kijkt me even aan en zegt dan: 'Natuurlijk,' en doet voor hoe je het ding moet laden. Het is zo simpel dat ik me meteen een enorme stomme lul voel. Maar ik kan aan de slag! Dus ik begin te lezen over het grote verraad van 1920 toen Leith werd opgeslokt door Edinburgh tegen de wil van de bevolking in. Toen zijn alle problemen begonnen, man! De stemverhouding was vier tegen één, man, tegen met vier tegen één.

Als ik terugga naar de schone havenstad Leith, is het weer veranderd en regent het pijpenstelen. Ik heb geen geld voor de bus, dus het is kraag omhoog en grote stappen. In St. James's Centre hangen wat jongelui rond en een van hen is een kameraad van mij, Curtis. 'Hé, maatje, hoe gaat ie?' zeg ik, en de cokerush is inmiddels uitgewerkt.

'Oké, Sp-Sp-Spud,' zegt hij. Het ventje is een beetje gespannen, daarom stottert hij, maar als je cool blijft en hem niet onder druk zet, dan komt hij in het juiste ritme en communiceert hij weer als de beste, man. We ouwehoeren wat en ik vertrek weer, verlaat het winkelcentrum via John Lewis en richting Picardy Place. Ik bereik de Walk en loop zo dicht mogelijk tegen de huizen om nog een beetje droog te blijven.

Als ik de grens bereik tussen Pilrig en het niet-zo-zonnige Leith, zie ik Sick Boy op straat lopen, en hij lijkt in een betere bui te zijn. Ik ga ervan uit dat hij me negeert, maar nee hoor, hij verontschuldigt zich min of meer, voorzover hij daartoe in staat is. 'Spud. Wat laatst betreft, eh... zand erover?' zegt hij.

Hij heeft blijkbaar niet over mij geluld tegen Franco, ook al is de generalissimo in zijn pub geweest, dus ik voel me wat positiever tegenover hem.

'Ja, sorry, zeg maar, Simon. Bedankt eh, dat je niks gezegd hebt tegen Franco, zeg maar.'

'De kanker met die lul,' zegt hij hoofdschuddend. 'Ik vrees dat ik het veel te druk heb om me zorgen te maken over dat soort tuig.' Hij wenkt me een pub in, The Shrub Bar. 'We nemen even een pilsje totdat het ophoudt met regenen,' zegt hij.

'Gaaf, maar... eh, je zult me moeten voorschieten, man, want ik heb geen rooie rotcent,' zeg ik eerlijk.

Sick Boy ademt krachtig uit maar gaat toch naar binnen, dus ik loop achter hem aan. De eerste die ik binnen zie is neef Dode, hij staat aan de bar en we raken met hem in gesprek. Dode gaat helemaal op de toer van de Glasgower-in-Edinburgh: betere voetbalclubs, beter openbaar vervoer, betere pubs en discotheken, goedkopere taxi's, vriendelijker mensen, het gebruikelijk gelul uit Glasgow, man. En hij heeft waarschijnlijk nog gelijk ook, maar hij is nu wél in Edinburgh.

Zodra hij naar de plee gaat, kijkt Sick Boy hem minachtend na en vraagt: 'Wie de fuck is die lul?'

Dus ik vertel hem over mijn neef en zeg dat ik wou dat ik Dodes pincode wist, want als ik die wist, zou ik net zo lang zijn zakken doorzoeken tot ik zijn pinpas gevonden had, want die lul heeft een vette bankrekening. 'Ja, hij heeft het er steeds over dat je bij de Clydesdale Bank zelf je pincode kunt kiezen.'

Als Dode terug is, bestellen we er nog een en gaan aan een tafeltje zitten. En dan gebeurt er iets krankzinnigs! Die lul doet zijn jasje uit en Sick Boy en ik kijken elkaar aan. Daar is het, man, onder onze neus! Je ziet een tatoeage van een leeuw op de ene arm met daaronder 'Altijd Paraat' en King Billy op zijn paard op de andere. Ja, en vlak onder het paard staat op een banier zijn pincode getatoeëerd zodat hij het nooit meer kan vergeten: 1690.

31 '...één bil afgesneden...'

Het is een nijvere bedoening in onze flat in Tollcross. Er gaan voortdurend joints en kopjes koffie heen en weer. Rab en ik werken aan het script, Dianne is vlak bij ons bezig met de aantekeningen voor haar scriptie en geniet van ons gegiechel terwijl we naast elkaar achter de pc zitten. Ze werpt zo nu en dan een blik op het scherm, knort instemmend of doet een voorstel. In de hoek van de kamer zit Lauren ook aan een opdracht te werken, en ze probeert ons over te halen haar te helpen met haar werk. Ze is duidelijk erg nieuwsgierig naar wat wij uitspoken, maar keurt ons script geen blik waardig. Rab en ik jagen haar op stang door giechelend dingen te fluisteren als 'pijpen' of 'van achteren', terwijl Lauren blozend namen mompelt als 'Fellini' of 'Powell en Pressburger'. Uiteindelijk staat Dianne op en pakt haar spullen bij elkaar. 'Ik ga weg, ik kan er niet meer tegen,' zegt ze.

Lauren kijkt geïrriteerd naar ons. 'Vind jij het ook zo storend?'

'Nee,' zegt Dianne meesmuilend, 'maar elke keer als ik naar het scherm kijk word ik steeds geiler. Als je gezoem en gekreun hoort uit mijn kamer, dan weet je waar ik mee bezig ben.'

Lauren kijkt ongelukkig en bijt op haar onderlip. Als ze er zoveel last van heeft, waarom gaat ze dan ook niet naar haar kamer? Als we eindelijk een kladversie van zestig pagina's af hebben en uitprinten, wordt haar nieuwsgierigheid haar toch te machtig en komt ze even kijken. Ze bekijkt de titel, drukt op de 'Page Down'-knop en leest met stijgende afkeer en ongeloof. 'Wat afschuwelijk... walgelijk... obsceen gewoon... en niet eens leuk of zo. Het heeft geen enkele waarde. Rotzooi is het! Ongelooflijk, dat jullie dat soort mensonterende, uitbuitende viezigheid...' brabbelt ze. 'En jullie zijn van plan die dingen te gaan doen met mensen, met vreemden? Jullie zijn van plan al die dingen met je te laten doen?'

Ik voel me bijna verplicht om haar te vertellen: 'alles behalve anaal', maar in plaats daarvan klink ik nogal arrogant als ik reageer met een citaat dat ik voor dat soort gelegenheden vanbuiten heb geleerd. 'Ik zou graag willen weten wat erger is: honderdmaal verkracht door piraten, één bil afgesneden, spitsroeden lopen bij de Bulgaren, gegeseld en gehangen in het openbaar verbrand, in stukken gesneden, geketend in een galei, met andere woorden alle verschrikkingen doorstaan die wij allen hebben ondergaan,' ik kijk naar Rab en hij valt in: 'Of hier blijven en niets doen.'

Lauren schudt haar hoofd. 'Wat is dat voor onzin?'

Rab antwoordt: 'Dat is van Voltaire, uit *Candide*. Verbaast me dat je dat niet herkent, Lauren,' zegt hij, en ze steekt hoofdschuddend een sigaret op. 'En wat zei Candide terug?' Rab steekt een vinger op, kijkt mij aan en samen declameren we: 'Wat een schitterende vraag!'

Lauren zit woedend heen en weer te schuiven op haar stoel, alsof we haar opzettelijk zitten te stangen, maar we kicken gewoon op het script.

'Mooie bloemen,' zegt Rab in een poging de sfeer te verbeteren, en wijst naar mijn rozen. 'Ik zag nog zo'n bos in een emmer staan.' Hij glimlacht vrijpostig. 'Wat is hier aan de hand?'

Lauren werpt hem een blik toe, maar ik voel dat zijn opmerking onschuldig is, zodat ik onmiddellijk tot de conclusie kom dat het toch Sick... Simon moet zijn geweest. In ieder geval kunnen we Rab van ons lijstje schrappen.

We blijven zitten totdat de winkels opengaan, lezen het script door en brengen veranderingen aan. Ook al zijn Rab en ik zenuwachtig om naar Leith te gaan en het aan de anderen te laten zien, we verlaten de flat welgemoed door de opmerkingen van Lauren. We gaan naar een kopieerwinkel en laten een aantal exemplaren maken en binden. Als we eenmaal in een cafetaria zitten om te ontbijten, dringt het, ondanks onze vermoeidheid en de opluchting over het beëindigen van het script, pas tot me door hoe overstuur Lauren moet zijn geweest. In een opwelling van schuldgevoel vraag ik: 'Vind je dat we terug moeten en kijken hoe het met haar is?'

'Nee hoor, dan wordt het alleen maar erger. Geef haar gewoon wat tijd,' meent Rab.

En daar ben ik het mee eens; eigenlijk wil ik ook helemaal niet terug, want ik vermaak me uitstekend met Rab. Ik geniet van de sterke, zwarte koffie, het sinaasappelsap, de bagels, en van het feit dat we hier zitten met een script op tafel. Een filmscript dat *wij geschreven hebben*, dolblij dat we iets afgemaakt hebben. Rab en ik zijn gewoon achter de computer gaan zitten en hebben een script geschreven. Ik heb een warm, intiem gevoel voor hem en bedenk dat ik misschien wel meer van dit soort momenten met hem wil delen. Het gaat me nu niet alleen meer om de seks, in tegenstelling tot mijn toenemende seksuele obsessie met Simon, met Rab voelt het zelfs merkwaardig aseksueel. Niet gewoon neuken, maar ogenblikken als dit. Het zet me aan het denken. 'Wat zou je vriendin ervan vinden als ze wist dat jij de hele nacht porno hebt zitten schrijven met een andere vrouw?'

Voor Rab is de situatie zoals ze is. Hij houdt emotioneel afstand van mij, negeert mijn vraag schouderophalend en schenkt nog een keer in uit de cafetière. Er valt een stilte. Hij wil iets zeggen, maar bedenkt zich. We rekenen af, verlaten de cafetaria en nemen een bus richting Leith.

Op weg naar Leith zie ik hem in gedachten voor me, en als we de pub binnenstappen, staat hij daar. Simon Williamson. De anderen komen ook net binnen. Ursula in een trainingspak dat ieder Brits meisje afschuwelijk zou staan maar haar om de een of andere reden een cool uiterlijk geeft; Craig en Ronnie, de Siamese tweeling. Ik reageer verheugd als ik Gina weerzie, de eerste keer nadat ze me geholpen heeft. Ik ga naar haar toe en leg mijn hand op haar schouder. 'Bedankt dat je me toen geholpen hebt,' zeg ik zangerig.

'Je had over mijn truitje gekotst,' zegt ze op ruwe toon, en even schrik ik terug, maar haar agressie is flinterdun en ze begint te glimlachen. 'Het was maar een beetje. Overkomt ons allemaal wel eens.'

Dan komt Melanie ook binnen, een en al spontaniteit en vriendelijkheid, en ze omhelst me alsof we lang gescheiden vriendinnen zijn. Ik word steeds vrolijker als we iedereen een exemplaar van het script geven. 'Let wel,' zeg ik, 'dit is nog maar een voorlopige versie. Al jullie op- en aanmerkingen zijn welkom.'

De titel is meteen raak. Ze beginnen te gniffelen als ze de eerste pagina opslaan:

SEVEN RIDES FOR SEVEN BROTHERS

Ik vat snel de plot samen. 'Het gaat over zeven gasten die werken op een olieplatform. Eén van hen, Joe, sluit een weddenschap af met een ander, Tommy, dat ieder van de zeven "broers" tijdens het komende vrije weekend seks moet hebben. Maar ze moeten niet alleen neuken, ieder van hen moet zijn eigen seksuele behoefte bevredigen. Helaas willen twee van hen heel andere dingen doen, iets cultureels en sportiefs, en een derde is nog maagd. Dus heeft Tommy de meeste kans om de weddenschap te winnen. Maar Joe schakelt de hulp in van Melinda en Suzy die een luxueus bordeel runnen en die proberen voor elkaar te boksen dat er genoeg vrouwen zijn om alle zeven broers aan hun trekken te laten komen.'

Simon knikt enthousiast en slaat met zijn hand op zijn dij. 'Klinkt prima. Klinkt godverdomme hartstikke prima.'

Terwijl de anderen het script lezen, gaan Rab en ik naar beneden en drinken iets in de lege, gesloten pub. We praten ongeveer een halfuur lang over ons script en de universiteit, en gaan dan weer naar boven. Als we de deur opendoen, treffen we doodse stilte aan. O nee, denk ik, maar dan besef ik dat ze ons verbluft zitten aan te staren.

Plotseling verbreekt Melanie met haar harde lach de stilte. Ze gooit het manuscript op het bureau en heeft zichzelf niet meer in de hand. 'Dit is godverdomme waanzinnig,' zegt ze grijnzend tegen mij en brengt haar hand naar haar mond. 'Jij bent hartstikke geschift.'

Terry neemt het woord en kijkt naar Rab. 'Ja, niet gek, maar moet je horen, Birrell, dit is godverdomme geen werkstuk van de universiteit. Het moet uit je kruis komen, godverdomme, en niet uit je kop. Dit is het echte leven, man.'

Rab werpt hem een ongeduldige blik toe. 'Lees dat fucking script dan, Lawson. Zeven broers op een platform, godverdomme, als hun dienst erop zit leggen ze het aan met zeven wijven.'

Simon kijkt kwaad naar Terry, richt dan een vochtige blik op ons en lijkt oprecht geëmotioneerd te zijn. 'Dit is godverdomme geniaal, jongens,' zegt hij, terwijl hij opstaat, Rab bij de schouders pakt en mij op de wang kust, waarna hij achter de bar een paar flinke glazen Jack Daniels volschenkt. 'Alles zit erin, godverdomme, ik vond vooral de scènes met bondage en *spanking* erg goed. Héél pikant!'

'Ja, weet je,' leg ik uit, geheel en al in de wolken maar in een poging gereserveerd te blijven onder zijn opmerkingen, terwijl de dodelijke vermoeidheid van de doorwaakte nacht steeds meer voelbaar wordt, 'voor de Britse markt, hè. Dat is een uiterst Britse fetisj. De culturele achtergrond ligt in de kostscholen en de opvoeding door dienstmeisjes.'

Rab knikt enthousiast. 'Het geeft ook een beeld van onze erfenis aan softporno en de repressieve aard van onze censuur,' zegt hij, en onze pretenties nemen plotseling grootse vormen aan. 'Dat Lauren gewoon kan stellen dat dit niets met kunst te maken heeft, is eigenlijk niet te geloven.'

'Laat die kunst maar zitten, Birrell, wat ik leuk vind is dat stuk met die gast die helemaal geobsedeerd is door pijpen,' zegt Terry knipogend, en hij strijkt met zijn onderlip wellustig over zijn bovenlip.

Simon knikt bedachtzaam en zegt op tevreden toon en met de geest-drift van de beul: 'En dan nu de rolverdeling.'

'Ik wil al die broers wel spelen,' zegt Terry. 'Dat kan tegenwoordig makkelijk, met al die speciale effecten. Gewoon een paar pruiken, wat kostuums en brillen en zo...'

We moeten allemaal lachen, maar het klinkt ongeloofwaardig omdat we weten dat Terry het bloedserieus meent. Simon schudt het hoofd. 'Nee, we krijgen allemaal een rol, in ieder geval alle gasten die een stijve kunnen krijgen voor de camera.'

'Geen probleem wat mij betreft,' zegt Terry en hij klopt voldaan op zijn kruis. Hij wendt zich tot Rab. 'Wat ben jij stil, Birrell! Wil jij geen klein rolletje, met de nadruk op "klein"?'

'Rot op, Terry,' zegt Rab met een gemaakt lachje, 'hij is groot genoeg, hoor; hoewel zes pikken van dertig centimeter...'

'Droom maar lekker, Birrell,' zegt Terry spottend.

'Kinderen, alsjeblieft,' zegt Simon zelfingenomen. 'Misschien is het jullie ontgaan, maar er zijn dames aanwezig. Dat we een pornogra... een film voor volwassenen maken, wil niet zeggen dat we grof in de bek hoeven te worden. Doe dat thuis maar, en niet hier.'

We zijn apetrots op onze prestatie, Rab en ik. We maken ons klaar om naar de universiteit te gaan en de uitslagen van onze werkstukken te horen. Plotseling komt Simon op mij af en fluistert in mijn oor: 'Mijn hele leven ben je een droombeeld geweest, maar nu ben je echt.'

Híj heeft dus die bloemen gestuurd.

In de bus naar het centrum praat Rab aan één stuk door over film in het algemeen en onze film in het bijzonder, maar ik ben met mijn gedachten helemaal ergens anders. Ik zie of hoor hem niet meer, het enige waaraan ik kan denken is Simon. *Mijn hele leven ben je een droombeeld geweest, maar nu ben je echt.*

Ik ben echt voor hem. Maar ons leven is niet echt. Dit is het echte leven niet. Dit is vermaak. Als ik in de universiteit aankom, zie ik dat McClymont me een 5½ gegeven heeft. Niet geweldig, maar wel een voldoende. Er staan een paar nauwelijks leesbare krabbels onder geschreven.

Goed geprobeerd, maar het boet in aan kracht door de irritante gewoonte om Engelse woorden ten onrechte van een Amerikaanse spelling te voorzien. Niettemin maak je een aantal juiste beweringen, maar je vergeet de invloed van Schotse immigranten op het gebied van de medische en overige wetenschappen, want die beperkte zich niet alleen tot politiek, filosofie, onderwijs, techniek en architectuur.

Een voldoende. Dat deel van de studie heb ik afgesloten, en ik heb gelukkig nooit meer iets met die vieze oude gluiperd te maken.

32 Project nr. 18.741

Ik kijk uit over de achtertuinen waar een huisvrouw ergens de was aan het ophangen is. Er jagen smerige, zwarte wolken over de daken van de flatgebouwen die de prachtige, helderblauwe lucht verduisteren. De vrouw kijkt omhoog, fronst haar wenkbrauwen en beseft dat het elk moment kan gaan regenen. Uit frustratie geeft ze een schop tegen de wasmand.

Het was niet moeilijk om de rolverdeling voor de film te regelen; Craig en Ursula doen de bondagescènes, Terry neemt als prijsneuker Mel anaal. Ronnie is de voyeur die klaarkomt terwijl hij naar Nikki en Melanie kijkt die het met elkaar doen (en hij zal niet de enige zijn), en ik ben degene die de orgie organiseert. Ik zal Mikey Forrester charteren om zich te laten pijpen door een van die maffe hoertjes van hem. We hebben alleen nog een gast nodig voor de gewone neukscènes, en misschien voelt Rab daar wel iets voor, of misschien zelfs Renton, en ik heb ook nog een jonge dekhengst nodig voor de ontmaagdingsscène.

Het probleem om deze film te kunnen maken zoals we willen, is geld. Ik heb me voorgenomen dat dit geen flutfilm gaat worden. Ik zal ze wel eens laten zien dat het een grote fout was van die lui in Londen om SDW aan de dijk te zetten, als drijvende kracht, als sleutelfiguur in de seksindustrie. Maar het mag niet voor een appel en een ei gebeuren, want dat verwachten ze. Ik beschik niet over de bedragen waar die verwende gasten moeiteloos over kunnen beschikken. Maar Spud en dat soapstervriendje van hem hebben mij op een idee gebracht. Ik heb zo eens rondgevraagd en mijn plannetje zou kunnen slagen. Ik heb naast dat snertplan van hemzelf ook een briljant plan in gedachten, en daarin speelt Daniel Murphy uiteraard geen enkele rol.

Alex McLeish?

Het heeft allemaal te maken met kwaliteit van je personeel, Simon, en ik bewonder de mensen die je hier bij elkaar hebt, vooral die Nikki. Dat is een talent. Maar die Murphy, tja, als hij er eenmaal is doet hij wel mee, maar volgens mij heeft hij niet de professionele instelling om onderdeel uit te maken van een team.

Bedankt, Alex. Helemaal mijn idee: Murphy is niet meer dan een invaller, een noodoplossing. En ik heb besloten af te reizen naar het vasteland en op zoek te gaan naar nieuw talent, voor zover toegestaan volgens het Bosman-arrest. Het kan moeilijk zijn om de oude publiekslieveling Mark Renton terug te halen naar Leith. Ik heb dan ook besloten mijn scouting dichter bij huis te beginnen. Ik heb in de pub berichten op mijn antwoordapparaat gekregen van ene Paul Keramalandous van Links Agency, een yuppiereclamebureau in Queen Charlotte Street dat beweert het 'nieuwe Leith' te belichamen. Volgens het laatste bericht is Keramalandous geïnteresseerd in het Comité Bedrijven Tegen Drugs in Leith. Ik heb een tintelend gevoel in mijn lijf en loop tegelijkertijd te watertanden: aanwijzingen dat ik iets op het spoor ben. Ik bel hem terug. Het wordt een vruchtbaar gesprek; hij zegt dat hij contact gehad heeft met andere bedrijven en stelt voor om ergens volgende week een oprichtingsvergadering te organiseren in de Assembly Rooms. Hij vraagt of ik iemand in gedachten heb als introducé. Ik laat de paar fatsoenlijke kennissen die ik heb de revue passeren. Wie kan ik godverdomme meenemen? Lexo, met zijn vettige cafetaria-annex-Thai-café? Mikey Forrester met zijn sauna en schurftige hoeren? Geen sprake van. Dit is mijn project, en mijn project alleen. Ik stel aan Paul voor om de zaak kleinschalig te houden: ik, hij en een paar van de mensen die hij noemde.

'Perfect,' reageert hij helemaal cool, 'in ieder geval totdat we echt van start gaan. We moeten zeker niet inzetten op het te-veel-kapiteins-scenario.'

Ik maak passende, instemmende geluiden, hang op, en schrijf de nog te bevestigen datum in mijn agenda. Ik ben ervan overtuigd dat die lul binnen de kortste keren uit pure kruiperige dankbaarheid mijn reet zal lopen uit te likken. Opgepept door dit succesje, besluit ik over te gaan tot het grotere werk: de Rooie Rotlul.

Ik begin mijn charmeoffensief door Renton opnieuw te bellen en hem te vertellen over mijn project; dat wil zeggen, zoveel als ik kwijt wil. Terwijl ik met hem praat, heb ik moeite met zijn stiltes, en op een bepaald moment wordt het me bijna te veel. Ik wil dat gezicht van hem zien, die sluwe, berekenende blik, die elk moment kan veranderen in die van een koorknaap à la Aled Jones als hij het idee heeft dat je hem in de gaten hebt. 'Wat vind je ervan?'

Hij blijkt nogal onder de indruk te zijn. 'Ik zie zeker mogelijkheden,' zegt hij met wat klinkt als voorzichtig enthousiasme.

'Zeker weten, ze trappen er vast en zeker in.'

'Ja, die lui uit Glasgow zijn zo voorspelbaar,' overweegt Rents. 'Ik bedoel, iedereen in zowel Groot-Brittannië als de Republiek Ierland hoopt al decennialang dat die zes graafschappen van Noord-Ierland eindelijk eens verdwijnen, terwijl die rukkers nog steeds meedoen aan die poppenkast van het allerlaagste soort schorem daarginds.'

'Ja, je hebt gelijk, ze zijn niet bepaald origineel, vooral *The Huns*, die fans van Rangers; ze noemen hun legioen naar dat van West Ham, ze pikken het lied van Millwall. Maar ik durf te wedden dat de meesten van hen bij de Royal Bank of Scotland zitten, en misschien een paar bij de Clydesdale Bank.

'Wat ben je precies van plan hier?'

'Zoals ik al zei, ik moet een paar rekeningen op het vasteland hebben. Kom hierheen en doe mee, Mark,' dring ik aan. Ik moet even slikken. 'Ik heb je nodig. Je bent het aan me verplicht. Doe je mee?'

Hij aarzelt maar heel even. 'Ja. Kun je weer een keer hierheen komen? Dat we de zaak kunnen bespreken en de details regelen, zeg maar.'

'Ik kan er op vrijdag zijn,' zeg ik, en probeer niet te gretig te klinken.

'Tot vrijdag dan,' zegt hij.

Ja reken maar tot vrijdag, godverdomme, Renton, vuile stelende klootzak die je bent.

Ik leg de telefoon neer en mijn groene mobiel gaat over, waarvan ik het nummer alleen aan kerels heb gegeven. Het is Franco. 'Hé, ik heb ook een mobiel,' zegt hij. 'Leuk zijn die dingen, godverdomme. We gaan vanavond kaarten, Malky McCarron, Larry en zo. Nelly is ook terug uit Manchester. Doe je mee, lul?'

'Shit, ik moet werken,' zeg ik op gemaakt teleurgestelde toon, opgelucht dat ik niet bij de rotaryclub, de kaartavonden, van die mongool hoef te zijn. 'n Beetje het geld uit mijn zak laten kloppen door een stel dronken klaplopers, is niet mijn idee van een leuk avondje uit.

Maar het is wel interessant dat Begbie belde vlak nadat ik met Renton had gesproken. Volgens mij betekent het dat ze min of meer voor elkaar bestemd zijn.

33 Afwassen

Ali is maar één keer langs geweest, met de kleine, en we hebben nooit echt de kans gehad om te praten. Niettemin voel ik me verrassend levenslustig, man, want het onderzoek verloopt prima en ik blijf lekker van de heroïne af. Ali was nogal... eh... sceptisch, man, want ze is dat nu zo langzamerhand wel gewend, maar om eerlijk te zijn tegenover haar, volgens mij wil ze mij het voordeel van de twijfel geven. Een ander goed ding is dat ik en Sick Boy weer min of meer vrienden zijn, zeg maar. Ik heb later vandaag eens met hem afgesproken, omdat we samen aan een projectje werken.

Ik ben op bezoek geweest bij mijn jongere zus Roisin, die, ik kan daar net zo frank en vrij over zijn als Begbie, nou niet bepaald mijn favoriete vrouwspersoon is. Ze is tien jaar jonger dan ik, met maatschappelijke ambities, en ze heeft zich nooit thuis gevoeld in de levensstijl van de Murphy-clan, zeg maar. Maar haar vriendje is een coole gozer die momenteel in Spanje werkt en dus heeft hij mij zijn seizoenskaart gegeven voor Hibernian. Ik ben zelf al in geen eeuwen op Easter Road geweest, maar de jongens in het groen doen het prima. Die Alex McLeish doet mij een beetje aan Rents denken en ook aan die gast in NYPD *Blue*, hoe heette die ook weer? Robinson Crusoe? Nee, maar wel zoiets. Weet je, dat kan ook gewoon de *fur colouring* zijn. Maar nu hebben we die Fransman achterin en die kleine zwarte op het middenveld. Dus misschien ga ik wel naar de thuiswedstrijd tegen Dunfermline, goed tegen de verveling, man, wat altijd de grootste ellende is. Verveling en stress. Tegen verveling neem je speed, en als je dan gestrest raakt, dan neem je je toevlucht tot die goeie ouwe *Salisbury Crag*.

Het is een ijskoude bedoening bij mijn kleine zusje, man. Ik bedoel, we mogen dan allebei negen maanden lang in dezelfde buik hebben gewoond en zo, maar toen we die verlieten, zijn we allebei in een totaal verschillende tijdzone beland, man. Dus nadat ik de kaartjes in mijn kontzak heb gestopt, verlaat ik zo snel mogelijk de flat van Rosh.

Op weg naar beneden hoor ik een enorm geschreeuw en gekrijs in het trappenhuis. Als ik op de volgende overloop ben aangekomen, zie ik dat het June is, de ex van Franco, met de twee kleine Begbies, en de kleinste van de twee staat te krijsen terwijl de grootste een pak slaag krijgt van June, die volledig over de rooie lijkt te zijn. 'IK ZAG TOCH ZELF DAT JE HEM SLOEG! ONTKEN DAT DAN NIET, GODVERDOMME! WAT HEB IK JE GEZEGD, SEAN!'

De jonge Begbie neemt het pak slaag in ontvangst, hij wankelt als een lappenpop, maar lijkt zich niet erg druk te maken. Hij is net een hiphopper, of een wild dier, dat ineenkrimpt maar de klappen incasseert. De kleinste kijkt doodsbenauwd en geeft geen kik meer.

'Hé!' roep ik. 'Oké, June?'

'Spud,' zegt ze, en plotseling begint ze te janken, ze schudt met haar hoofd en het lijkt wel alsof ze helemaal instort, weet je wel.

Dit is geen relaxte situatie, zeg maar. Ik bedoel, ik wist niet eens dat ze hier woonde. 'Eh... alles goed...?' zeg ik en ik pak de tassen met boodschappen waarvan een handvat losgescheurd is.

'Ja... bedankt, Spud. Het komt door die twee,' snikt ze, terwijl ze naar de kinderen wijst.

'Zo gaat dat met van die flinke jongens, hè?' zeg ik glimlachend. De kleinste glimlacht dunnetjes terug, maar de oudste uit het Begbie-nest werpt me een nare blik toe, angstaanjagend voor zo'n mormel. Tja, het is de vleesgeworden Zoon van Franco, dat kun je wel zien!

June pakt haar sleutels en doet de deur open, De kinderen stormen naar binnen, en de oudste schreeuwt iets over Sky Sport. June kijkt ze na, een tweemans sloopbedrijf. Ze kijkt me aan en zegt: 'Ik zou je graag uitnodigen voor een kop thee, Spud, maar het is zo'n rotzooi bij mij thuis.'

En dat is niet de enige waar het een rotzooi is. June ziet er zelf ook niet bepaald tiptop uit. Zoals ze het zegt, klinkt het alsof ze nodig eens met iemand moet praten. Ik weet dat ik een afspraak heb met Sick Boy en neef Dode in de pub, maar ik wil zelf ook wel eens met iemand praten. En dat lukt niet met Ali en al helemaal niet met Rosh hier boven, die niet wist hoe gauw ze me de flat uit moest werken. 'Kan nooit erger zijn dan bij mij thuis,' zeg ik. En June kijkt me aan, denkt na, en besluit dat het dan maar moet doorgaan.

Binnen is het inderdaad een klerezooi van kleren en speelgoed. Er staat een stapel afwas in de gootsteen die eruitziet alsof hij er al jaren staat. Er is nauwelijks een plekje op het aanrecht om de boodschappen op te zetten.

June loopt te rillen, ik geef haar een sigaret en steek die voor haar aan. Ze zet de waterketel aan en kan nergens schone kopjes vinden. Ze begint er een af te spoelen, probeert er wat afwasmiddel in te spuiten, maar er komt alleen een scheetgeluid uit de plastic fles. Uit een van de boodschappentassen haalt ze een nieuwe fles, maar omdat haar handen zo trillen krijgt ze de dop er niet af. Ze barst in tranen uit, deze keer is het niet gewoon snikken maar jammeren, met uithalen. 'Sorry hoor, ik ben op van de zenuwen, alles gaat mis... kijk eens naar die troep hier... moet je toch zien. Het komt door de kinderen... ze zijn gewoon te veel voor mij... en niemand helpt mij, ik bedoel, Frank is weer op vrije voeten, maar hij is nog maar één keer naar ze komen kijken, hij heeft ze helemaal niet mee uit genomen! Nog geen kwartier uit de gevangenis en hij liep alweer rond in dure shirts, en kleren, en juwelen... van die zegelringen... terwijl ik er niet meer tegen kan, Spud... ik kan er niet meer tegen...'

Ik kijk naar de berg afwas. 'Weet je wat? Ik help je wel even daarmee, we gaan die keuken van jou even opruimen. Dan voel je je meteen een stuk beter, man, als het opgeruimd is, want zo gaat dat, als je je al klote voelt en je hebt geen energie meer en zo, en er staat ook nog een berg afwas in de gootsteen, dat is het toppunt, man, absoluut het toppunt, en je laatste beetje energie gaat door het putje, man. Want gedeelde smart is halve smart, June, en zo is het, man.'

'Ach nee, laat maar...'

'Hé! Kom op!' Ik doe een schort om. 'Aan de slag, man, aan de slag!'

June blijft protesteren terwijl ik aan de afwas begin, maar het klinkt niet van harte. Ze wordt wat enthousiaster als we blijken op te schieten, en binnen de kortste keren is alles weg, man, het probleem is verdwenen, het aanrecht is leeg en schoon en alles is weer mogelijk. Gewoon positief denken en aan de slag, weet je wel. Net als bij mij en het schrijven, niet lullen maar poetsen!

Ik heb een goede daad verricht, man, een praktische, goede daad. Ik sta te tollen op mijn benen, man, alsof ik stijf sta van de sterkste speed die de mensheid ooit heeft uitgevonden. Ik moet wel stellen dat June er geestelijk gezien een stuk beter aan toe is dan daarnet, zeker weten.

Maar als ik aankom in de pub, ben ik te laat voor mijn afspraak met Sick Boy en misschien is hij naar de amusementshal, drie kilometer verderop. Neef Dode luistert naar me, kijkt me aan en houdt zijn horloge voor mijn gezicht.

34 Project nr. 18.742

Ik zit in zo'n smerige klotepub aan de Walk te wachten op een geflipte junkie die mij moet redden uit de klauwen van deze stomvervelende lul uit Glasgow met het vroeggrijze haar, zwaargebouwd en met de constante agressieve blik in de ogen die je normaal gesproken alleen maar ziet bij de geiten van Gorgie City Farm. Welkom terug in Schotland, zeg dat wel. Die vette lul van een neef Dode, die pseudo-Germaanse, Noord-Europese, hypocriete, protestantse kutlul; die gemuteerde holbewoner uit een achterstandswijk aan de westkust, heeft het gore lef om met Latijnse spreuken aan te komen zetten; Latijns, tegen mij, een renaissancemens met zowel mediterraan als jakobijns bloed in de aderen. Hij bestelt een rondje, heft het glas en zegt: '*Urbi et orbi*.'

'Bedankt, *similia similibus curantur*,' zeg ik met een humeurige grijns.

Neef Dode zet grote ogen op, zijn zwarte pupillen lijken alles om zich heen op te zuigen. 'Die ken ik nog niet, wat betekent dat?' zegt hij, en hij is gewoon onder de indruk en behoorlijk opgewonden.

Ik heb geen flauw idee wat het betekent, maar ik val nog liever dood dan dat ik dat ga toegeven aan zo'n ongewassen cunt. 'Lang leve de nadorst,' zeg ik knipogend. 'Heel toepasselijk.'

Neef Dode houdt zijn hoofd scheef en kijkt me bedachtzaam aan. 'Jij lijkt me een intelligente vent, dat zie ik zo. Het is altijd prettig als je iemand ontmoet die op je eigen golflengte zit,' zegt hij hoofdschuddend en er verschijnt een gepijnigde uitdrukking op zijn gezicht. 'Dat is het probleem, weet je, ik ontmoet niet zoveel mensen die op mijn golflengte zitten.'

'Dat kan ik me voorstellen,' zeg ik met een stalen gezicht waarvan de ironie niet besteed is aan die kauwgom kauwende kuttenkop van hem.

'Ik bedoel, die kameraad van jou, die Spud, aardige jongen hoor, daar niet van, maar niet bepaald slim. Maar jij hebt ze echt wel allemaal op een rijtje,' zegt hij en tikt met zijn wijsvinger tegen zijn eigen kop. 'Ja, Spud zei nog dat je in de filmbusiness zit en zo.'

Vreemd dat Murphy mij zo'n goede pers heeft gegeven. Niet porno-maar filmbusiness, toe maar, zeg. Ik word er bijna sentimenteel van, misschien ben ik toch te onaardig geweest tegen die lul-met-de-lange-vingers. 'Tja, je hebt geen keus, Dode. Wat zeggen de Ouden ook weer? *Ars longa, vita brevis.*'

'Kunst duurt lang, het leven kort, een van mijn favoriete spreuken,' zegt hij met een brede grijns op dat smoel van hem.

Uiteindelijk komt die gast van Murphy toch nog aankakken, en hij wekt de indruk zo stoned als fuck te zijn. De rattenneuker uit Glasgow gaat naar de plee, en ik maak geen geheim van mijn ongenoegen. 'Waar bleef je nou, godverdomme? We zitten hier niet in Tipperary. Ik heb urenlang naar dat stomme gelul van die eikel moeten luisteren!'

Maar hij ziet er zelfvoldaan uit. 'Ik kan er niks aan doen, man, ik kwam June tegen, zeg maar. Ik heb haar helpen afwassen, dat moest gewoon, weet je wel.'

'O ja,' zeg ik veelbetekenend. Dat had ik godverdomme wel kunnen raden. Maar ja, zo is Spud, kan geen enkele verleiding weerstaan, hoewel ik toch behoorlijk wanhopig zou moeten zijn voordat ik godverdomme met iemand als June aan de crack ging. Grappig, maar ik had het niet van haar gedacht, vooral niet met de kinderen erbij, maar ik geloof dat iedereen het tegenwoordig doet, en eerlijk is eerlijk, ze ziet er inderdaad uit als een afgetrapte, doorgeneukte heroïnehoer. 'En hoe is het met June?' vraag ik zonder te weten waarom, want eigenlijk kan het me geen flikker schelen.

Spud tuit de lippen, blaast uit en maakt het ordinaire geluid van een scheet, zo hard dat het in een beschaafder etablissement een gênante vertoning zou zijn geweest. 'Eerlijk gezegd heeft ze het nogal kwaad, man,' zegt hij, terwijl neef Dode terugkomt van het toilet en nog een rondje bestelt.

'Dat wil ik best geloven,' zeg ik, en we weten allemaal wat ik bedoel.

Dode tikt met zijn bierglas tegen dat van Spud. 'Oké, Spud! We gaan ertegenaan, vanavond!' Dan herhaalt hij dat stompzinnige gedoe bij mij, en ik dwing mezelf tot een zwakke maar kameraadschappelijke glimlach.

Ik heb dringend behoefte aan ander gezelschap en glimlach vriendelijk tegen de jonge barjuf, iets waardoor ze vroeger onwillekeurig aan haar kapsel zou gaan prutsen. De enige reactie die ik nu krijg is een koele plooi om een mondhoek.

We bezoeken nog een aantal cafés en bereiken het stadscentrum, waar we een bezoek brengen aan het beroemde City Café in Blair Street, een oude stamkroeg van mij. Het valt me op dat er sinds mijn laatste bezoek poolbiljarts zijn geplaatst. Die moeten meteen weer weg, dat trekt te veel dom volk. Op dat moment heb ik plotseling de kloten vol van neef Dode en dat eindeloze slappe gelul van hem, zo erg zelfs dat ik opgelucht reageer als ik Mikey Forrester zie binnenkomen met die zwakzinnige, maar sexy hoer in zijn kielzog.

Ik ben vanavond erg populair hier in het City Café, want ik heb het niveau van de clientèle behoorlijk opgeschroefd. In mijn gezelschap bevindt zich de smerigste junk die Leith ooit heeft voortgebracht, een ongewassen kankerprotestant uit Glasgow, en nu ook nog de schurftige Forrester, een typisch voorbeeld van een hoop stront met een zijden jas aan. Ik vraag me af waar ik in godsnaam plotseling terecht ben gekomen: in een zeepvrije zone? Na sluitingstijd kan het barpersoneel onmiddellijk Rentokil inhuren.

'Dit is Mikey Forrester,' zeg ik tegen Dode. 'Hij is mede-eigenaar van een aantal sauna's en heeft een hele stal met lekkere hoeren die er echt werk van maken. Hij gebruikt de oudste truc die er is: hij stopt ze vol met drugs en zet ze aan het werk op de afdeling klantenservice om hem te kunnen terugbetalen, als je begrijpt wat ik bedoel.'

Dode draait zich om, knikt begrijpend en bekijkt Mikey snel van top tot teen met een blik die zowel afkeuring als afgunst uitstraalt.

'Ja, dat doet Seeker ook,' zegt Spud, en zelfs na al die jaren kleeft die zwakzinnige puberlach nog steeds aan die mongolenkop van hem, als een veeg stront aan een flessenhals.

Ik schud van nee. 'Seeker neukt ze alleen maar, het is de enige manier waarop een totale mislukking als hij aan zijn gerief kan komen,' leg ik uit. Ik kan een licht gevoel van schaamte vanwege deze steek onder water niet ontkennen als ik in mijn zak de fles GHB voel die Seeker me vanmiddag zelf gegeven heeft. Het is een gast die zo zijn nut kan hebben, al is het dan op een uiterst beperkt terrein. Ik buig me voorover naar Spud om hem iets in het oor te fluisteren en zie dat er een klodder bruin oorsmeer uitpulkt. Ik trek mijn neus op voor de zurige, gistende stank die hij afgeeft. 'Ik moet even met Mikey wat zaken bespreken,' en frommel hem een briefje van twintig in de hand. 'Hou jij die ongewassen lul gezelschap?'

'Sorry, jongens, ik moet even met een oude vriend praten,' zeg ik tegen Dode en loop in de richting van Forrester. Niemand mag Forrester eigenlijk, maar uiteindelijk lijkt iedereen zaken met hem te doen. Hij glimlacht me toe, en zijn gebit doet me denken aan de wijk Bingham in de stad die sinds mijn laatste bezoek grotendeels gerestaureerd is. Het verbaast me dat Mikey gekozen heeft voor smaakvol ogende porseleinen kronen in plaats van goud. Hij is zonnebankbruin en zijn dunnende, peper-en-zoutkleurige haar is helemaal afgeschoren. De zilverblauwe stof van zijn kleren ziet er prijzig uit. Alleen zijn dure leren schoenen, die nodig gepoetst moeten worden en vooral de witkatoenen sportsokken die elke idioot met kerst van zijn moeder krijgt, verraden dat hij een voormalige boezemvriend van Murphy is.

'Hé, Simon, hoe gaat ie?'

Ik ben hem erkentelijk dat hij me aanspreekt met Simon in plaats van met Sick Boy en sla een navenant hartelijke toon aan. 'Soepel, Michael, soepel.' Ik richt me tot het meisje in zijn gezelschap. 'En is dit die lieve jongedame over wie je me verteld hebt?'

'Eén van hen,' grijnst hij en vervolgt: 'Wanda, dit is Sick... eh, Simon Williamson. Hij is die gast waarover ik het gehad heb, die net terug is uit Londen.'

Het is wel een lekker wijf: slank, strak, en donkere huid, een *Latina* zeg maar, daar heeft neef Dode vast wel een benaming voor. Ze verkeert nog in het eerste, blozende stadium van de heroïnehoer, als ze er nog fantastisch uitzien, vlak voordat het grote verval intreedt. Dan moet ze *aan de pijp* om nog overeind te komen en nog te kunnen werken, daarna worden ze lelijk en Mikey of een andere klootzak verlegt hun werkterrein van de sauna naar de straat of een of ander crackhol. Ach, Vrouwe Economia, die indrukwekkende *Grande Dame*, wier wegen zo onvoorspelbaar zijn. 'Ben jij die filmgast?' vraagt ze toonloos, en met het lugubere, ietwat arrogante air van de *smackhead* dat ik sinds mijn zestiende zo langzamerhand overal tegenkom.

'Aangename kennismaking, schat,' zeg ik glimlachend, neem haar hand in de mijne en kus haar zedig op de wang.

Jij bent ervoor geknipt, meid.

Mikey en ik worden het snel eens over een rolletje voor haar. Ik mag die Wanda wel; ook al is ze totaal afhankelijk van Mikey en daarom geheel in zijn macht, ze laat heel spontaan haar afkeer voor hem blijken. Daardoor wordt het voor hem eigenlijk nog leuker om zijn macht over haar op te voeren. Maar ze heeft zo haar trots, hoewel de dope de laatste sporen daarvan zal wegvreten, nog voordat haar uiterlijk eraan gaat; en dat is een formule die Mikey geen windeieren zal leggen.

Dat is dus geregeld, en ik begeef me naar Spud en Dode, die Spud met luide stem uitlegt hoe het zit met vrouwen. 'Dat is het enige wat je moet doen met vrouwen, ervan houden,' lalt hij dronken. 'Heb ik gelijk of niet, Simon? Zeg het dan!'

'Daar zit misschien wel wat in, George,' zeg ik met een glimlach.

'Ervan houden, en dapper zijn, je moet sterk zijn om ervan te houden. *Fortes fortuna adjuvat*... het geluk is met de dapperen. Waar of niet, Simon? Waar of niet?'

Spud probeert iets terug te zeggen, zodat ik gelukkig niet enthousiast hoef te reageren op die rattenneukende mongool. 'Jawel, maar soms is het, zeg maar...'

Neef Dode legt hem het zwijgen op met een korte, krachtige handbeweging waardoor hij bijna een andere gast een vol glas bier uit de hand slaat. Ik knik verontschuldigend naar die vent. 'Niks te maren, niks soms. Als ze klagen, geef je ze gewoon nog meer liefde. Als ze dan nog steeds klagen, zelfs nóg meer liefde,' verklaart hij.

'Helemaal gelijk, George. Ik ben er vast van overtuigd dat een man in staat is meer liefde te geven dan een vrouw kan ontvangen. Daarom zijn wij de heersers van de wereld, zo simpel is dat,' leg ik kort en duidelijk uit.

Dode kijkt me stomverbaasd aan, zijn ogen rollen in hun kassen als een fruitautomaat die elk moment de jackpot kan uitspuwen. 'Die vent, Spud, die vent is godverdomme geniaal!'

Neef Dode is zo'n typische Glasgow-cunt die razendsnel dronken is, zo lam als een Maleier na twee fucking pilsjes. En in plaats van dan gewoon onderuit te gaan, zoals het hoort, houdt hij het godverdomme urenlang vol, wankelend en eindeloos hetzelfde stompzinnige, agressieve lulverhaal herhalend. 'Bedankt, George,' knik ik. 'Maar ik moet wel zeggen dat ik een beetje mijn buik vol krijg van kroegen. Weet je, voor mij als café-eigenaar is zo'n tent natuurlijk stomvervelend, het zit hier weer vol met idioten,' en ik knik in de richting van Forrester, 'waar ik liever niets mee te maken heb. Kunnen we niet iets te eten ophalen en ergens anders heen gaan?'

'Ja!' brult Dode, 'we gaan allemaal naar mij thuis! Ik heb me godverdomme toch een einde-tape, die moeten jullie allemaal horen. Een kameraad van mij speelt in een band... het einde gewoon. Echt het einde!'

'Fantastisch,' glimlach ik knarsetandend. 'Is het goed als ik nog wat mensen mee vraag, van het vrouwelijk geslacht, zeg maar?' zeg ik, zwaaiend met mijn rode mobiel.

'Is dat goed? Is dat goed? Wat een vent! Wat een vent!' schreeuwt Dode tegen alle drinkers die zich om ons heen verzameld hebben, terwijl ik door de grond wil zakken. Sommige mensen zouden zich gevleid voelen door een dergelijk vertoon van genegenheid, maar ik dus niet. Ik ben ervan overtuigd dat een positieve referentie van een hersenloze mongool meer schade kan aanrichten aan je reputatie dan negatieve kritiek uit de hipste gelederen der connaisseurs.

We lopen richting deur, ik voorop, en probeer me zo snel mogelijk door de meute voort te bewegen, ik neem slechts de tijd even te glimlachen tegen een meisje met een knap gezicht in een strakke groene deux-pièces, maar verpest door een foute permanent. Ik moet ook nog even met moeite om een paar moddervette dertigers heen lopen die gezond eten voorgoed hebben afgezworen en de rest van hun leven willen teren op wodka, Red Bull en snacks. Op het laatste moment weet ik nog net een meute jongelui te omzeilen met vissenbekken en een linke blik in de ogen die zich een weg baant naar de bar.

Dode overstelpt Spud nog steeds met loftuitingen aan mijn adres terwijl we het nachtelijke Edinburgh in stappen. Ik huiver. Niet van de kou en niet van de drugs. Ik besef ten volle de hoogte, diepte en breedte van mijn verraad, dat zich in al zijn exquise monsterlijkheid openbaart door de lof van neef Dode. Godverdomme, wat kan het leven toch mooi zijn.

35 Geld pinnen

We gaan terug naar het huis van Dode met wat drank. Sick Boy heeft ook nog een fles absint gekocht, wat ik nogal link vind, zeg maar, omdat we Dode dronken willen voeren en het zelf niet willen worden. Sick Boy bekijkt met minachting de foto van de Rangers aan de muur en ik laat me op de grote leren bank vallen. Zo, even zitten.

Neef George is helemaal door het dolle bij het vooruitzicht van de sekspoezen die straks langskomen, en om eerlijk te zijn, man, er kunnen je natuurlijk slechtere dingen overkomen, zeg maar. Maar volgens mij zei Sick Boy dat alleen maar om zeker te weten dat we hier terecht zouden komen, weet je wel.

Dat zal ik maar niet tegen de neef zeggen, want dat wil die lul-van-de-westkust vast niet horen. 'Waar blijven die wijven, Simon, zijn ze een beetje... geil, zeg maar?'

'Als boter, jongen,' antwoordt Sick Boy. 'Te gekke wijven zijn het. Ze spelen in seksfilms, stuk voor stuk,' legt de ziekste *catboy* uit het nest spinnend uit, en Dode tuit zijn lippen en rolt met zijn ogen. De Zieke Lul knikt naar mij, maakt met zijn hand praatbewegingen voor zijn mond, en schenkt de absint in.

'Eh,' zeg ik in een poging hem af te leiden, 'vertel eens, Dode, waarom word jij eigenlijk *neef* Dode genoemd?' Ik zie dat Sick Boy stiekem wat GHB in het glas van Dode doet. Dat is niks voor mij, man. Ze zeggen dat als je er te veel in doet, je een hartstilstand kunt krijgen, man, zo maar ineens, zeg maar. Maar Sick Boy weet blijkbaar wat hij doet, het lijkt wel alsof hij heel zorgvuldig met zijn blote oog de juiste dosis afmeet.

Dode wil met alle plezier zijn verhaal kwijt om mijn nieuwsgierigheid te bevredigen. 'Dat ging als volgt: een kameraad van mij in Glasgow, Bobby heet ie, noemt iedereen gewoon "neef".' Sick Boy reikt hem zijn glas aan. 'Zo noemde hij me al, zeg maar, toen we nog klein waren, in Drum,' zegt hij en neemt een flinke slok. 'Een paar gasten uit de stad die verder van niets wisten, hoorden hem steeds praten over neef Dode... en zo is het blijven hangen,' verklaart hij, voortdurend slokjes uit zijn glas nemend.

Het duurt niet lang voordat zijn ogen zwaar worden, hij heeft niet eens in de gaten dat Sick Boy de tape van het bandje van zijn kameraad uitzet en er een van The Chemical Brothers opzet. 'Seksfilms...' zegt hij met dubbele tong en zakt steeds verder achterover op de bank. Dan gaan zijn ogen dicht en hij is uitgeteld.

Ik en Sick Boy gaan meteen door zijn zakken, en ik had gedacht dat ik me een beetje klote zou voelen, omdat Dode eigenlijk best een toffe peer is. Maar nee, man, die dieveninborst van mij neemt meteen de overhand, en ik sta gewoon te trippen terwijl ik die lul helemaal kaal strip, maar Sick Boy zegt: 'Sodemieter op, man,' wijzend op de stapel bankbiljetten die ik uit zijn zakken heb gehaald.

En hij heeft gelijk, man, ik word gewoon een beetje hebzuchtig; ik dacht, die gast mist een paar biljetten niet. Maar ik weet waar Sick Boy naar op zoek is, zijn pinpas van de Clydesdale Bank, die we snel vinden en in beslag nemen.

Om 23:57 uur gaan we naar beneden, naar de pinautomaat, toetsen zijn pincode in, en zijn niet verbaasd dat het de juiste is, nemen vijfhonderd pond op, en herhalen dat om 00:01 uur. 'Die lui uit Glasgow,' zegt Sick Boy grinnikend, en voegt er dan op warme toon aan toe: 'Wat een stomme lullen.'

'Ja, gelukkig wel,' zeg ik.

'Zo is dat,' zegt Sick Boy. Hij geeft me de helft van het geld, maar wacht even voordat hij het me in de hand drukt. 'Geen skag, hè. Koop er maar een cadeautje van voor je vrouw.'

'Ja, natuurlijk,' zeg ik. Die lul wil zelfs nog bepalen hoe ik het geld moet uitgeven, man, en dat gaat me dus echt te ver. Maar op zich is het wel een goed gevoel, net als vroeger, ik en Sick Boy op het roverspad, en ik herinner me dat wij vroeger hartstikke goed waren, man, wij waren de besten. Nou ja, misschien niet zo goed als een paar anderen. Ik vind het wel klote voor neef Dode, want hij is eigenlijk best oké, een soort kameraad zelfs, maar het is nu te laat, weet je wel. En bovendien moet hij niet zo superieur doen, met dat chauvinistische protestantse gelul van hem, man. Als je het zo hoog in je bol hebt, dan kom je vroeg of laat iemand tegen die je een lesje leert. Sick Boy weet daar alles van; maar hé, nu lijk ik Franco wel!

We gaan terug naar de flat van Dode en stoppen zijn pinpas in zijn portefeuille en zijn portefeuille in zijn binnenzak. Sick Boy zet koffie, laat hem afkoelen en geeft Dode een paar slokken. Door de cafeïne komt hij weer bij, zijn been schiet uit, hij schopt tegen de tafel en gooit wat glazen om.

'Wauw, *catboy*, wauw!'

'Je was finaal uitgeteld, Dode,' lacht Sick Boy, terwijl onze favoriete Glasgow-lul geïrriteerd overeind komt en zijn ogen uitwrijft.

'Ja...' zegt Dode terwijl hij langzaam bij zijn positieven komt. 'Die absint is dodelijk, zeg,' kreunt hij en kijkt naar de klok op de schoorsteenmantel. 'Kut, *tempus fugit*, nietwaar?'

'Echt iets voor die ongewassen lui uit Glasgow,' zegt *Felinus Vomitus*, en dat is mijn nieuwe bijnaam voor die Sick *Catboy*, 'ze lullen je de oren van het hoofd, maar als het op drinken aankomt, leggen ze het meteen af tegen ons uit Leith!'

Dode komt met een ruk overeind en strompelt in de richting van de meegebrachte etenswaren. 'Willen jullie zien wat drinken is? Dan zal ik jullie godverdomme laten zien wat drinken is!'

Ik en de Sickest Boy wisselen een blik, en hopen dat Dode out gaat voordat zijn geld op is.

36 Project nr. 18.743

Het gekletter van zware aluminium vaten op de stenen vloer. Het luide, kameraadschappelijke schreeuwen van het brouwerijpersoneel terwijl ze het ene na het andere biervat vanaf de vrachtwagen op de matras laten rollen, daarna over de houten glijbaan naar beneden waar iemand de val van het fust breekt op een kussen, het oppakt en stapelt. Die vreselijke herrie, die harde stemmen...

Ik barst godverdomme van de koppijn. Ik herinner me met afgrijzen dat ik heb afgesproken om vanavond bij mijn moeder te komen eten. In mijn huidige toestand weet ik niet wat ik afschuwelijker moet vinden, haar overdreven gedoe of de onverschilligheid van mijn ouwe heer die zo nu en dan overgaat in regelrechte vijandigheid. Ik herinner me Kerstmis een aantal jaren geleden, toen hij me alleen trof in de keuken en mij dronken en agressief toebeet: 'Ik heb je godverdomme door, klootzak,' en ik weet nog dat ik verbaasd en angstig reageerde. Wat had ik misdaan waar hij achter was gekomen? Later realiseerde ik me natuurlijk dat hij niets speciaals bedoelde, maar gewoon zijn eigen zelfhaat op mij projecteerde, en beweerde dat hij mij en mijn karakter doorhad omdat hij hetzelfde was als ik. Maar er is één belangrijk verschil: hij is een loser en ik niet.

Mijn kopt barst uit elkaar. Wat een avond gisteren: wat een gedoe voor een paar honderd pond van die lul uit Glasgow. De heer Murphy is natuurlijk door het dolle met zijn aandeel in onze gestolen goederen, maar voor mij was het niet meer dan een kwestie van proefdraaien.

Spud heeft het dan misschien aardig gedaan in een gedevalueerde thuiswedstrijd voor de Uefa Cup, maar dat wil niet zeggen dat hij wordt opgesteld voor de uitwedstrijd op het vasteland. En Alex?

Het is een kwestie van opportunisme, Simon, en ik ben geneigd Renton op te stellen, vanaf het vasteland. Het is een temperamentvolle speler en hoewel hij ons in het verleden wel eens in de steek heeft gelaten, moet je op dit niveau soms een zeker risico durven nemen. Alex Ferguson heeft dat bewezen met Eric Cantona. Maar ik denk echt dat dit te veel gevraagd is voor Murphy. Die Nicola Fuller-Smith daarentegen bevalt me wel.

Ik ben het helemaal met je eens, Alex. Jij en ik herkennen het ware talent onmiddellijk.

Die kutkater gaat me nog lelijk opbreken vandaag; ik loop te sidderen van ellende terwijl de jongens van de brouwerij vrolijk zingen en Morag naar mij roept: 'De Beck's is bijna op hier!'

Dit is niet wat ik mij van dit leven had voorgesteld. Ik loop moeizaam en bibberend de trap op met een krat bier en daarna nog twee, en laad als een robot de koeling achter de bar in. Daarna geef ik me over aan mijn zenuwen en steek in het kantoor een sigaret op. Het is gemakkelijker om te kappen met heroïne dan met sigaretten. De post wordt bezorgd en er is goed nieuws in de vorm van een brief, afkomstig van de hoofdcommissaris van politie!

Lothian Police

TEN DIENSTE VAN DE GEMEENSCHAP

12 maart
Uw ref.: SDW
Onze ref.: RL/CC
Betreft: Ondernemers Leith Tegen Drugs

Geachte Heer Williamson,

Hartelijk dank voor uw brief van 4 maart jongstleden.

Sinds geruime tijd ben ik ervan overtuigd dat de strijd tegen de drugs alleen gewonnen kan worden met de hulp van de gezagsgetrouwe burgerij. Aangezien een groot deel van de handel in drugs zich afspeelt in cafés, clubs en discotheken, vormen waakzame horeca-exploitanten zoals u de frontlijn van deze veldslag, en het verheugt mij dan ook ten zeerste om te merken dat u voor uw standpunt uitkomt en uw horecagelegenheid tot een drugsvrije zone bestempelt.

Hoogachtend,

R. K. Lester
Hoofdcommissaris
Lothian Police

Het is nog ruim een uur voor openingstijd en ik neem de brief mee naar een lijstenwinkel aan de Walk en laat hem in chic goud inlijsten. Bij terugkomst hang ik hem op een goed zichtbare plek achter de bar. In wezen dient hij nu als een soort vergunning om drugs te dealen, omdat niet één dienstkloppende smeris het in zijn hoofd zal halen om mij te arresteren en zodoende zijn hoogste baas voor lul te zetten. Reken maar dat ik nu met rust word gelaten, en dat wil je uiteindelijk toch in dit leven, als mens: met rust gelaten worden zodat je je rustig kunt bemoeien met anderen. Met andere woorden, zodat je volledig kunt functioneren als volledig gediplomeerd, bonafide lid van de kapitalistische klasse.

De zonnebank die ik besteld heb, wordt bezorgd. Ik wil geen melkwitte lijven op de set. Ik kruip eronder voor een proefritje van een halfuur.

Letterlijk opgewarmd ga ik naar buiten en bel vanuit een telefooncel *The Evening News*. Terwijl ik praat knijp ik mijn neus dicht: 'Er is een gast in Leith, in die Port Sunshine Tavern, eh, die probeert zo'n campagne van de grond te krijgen, "Ondernemers van Leith Zeggen Nee Tegen Drugs" of zoiets. Hij heeft een aanmoedigingsbrief gekregen van de hoofdcommissaris van politie.'

Bij het noemen van de hoofdcommissaris krijgt iedereen het altijd druk. Binnen een uur komt er een halfgare puistenkop langs met een fotograaf, op hetzelfde moment dat mijn eerste klanten, die ouwe Ed en zijn maats, komen binnenzetten en een blik werpen op het schoolbord om te zien wat de dagschotel is (shepherd's pie). De verslaggevers nemen een paar foto's en stellen een paar vragen, en ik leun voldaan achterover en geef mijn volledige medewerking. Ik vertel die lul dat de stoofschotels van Mo net zo beroemd zijn in Leith als de jachtschotel van Betty Turpin vroeger in Weatherfield. Dat gastje is diep onder de indruk, en blij met mijn verhaal.

Het was niet eens zo'n beroerd begin van de dag, en ik ben inmiddels vijfhonderd pond rijker. Dit is natuurlijk peanuts als je nagaat hoeveel we nodig hebben om een echte, kwalitatief hoogstaande neukfilm te maken, maar inmiddels zie ik al een veel groter project dagen aan de horizon. Ik heb ervoor gekozen om mij bezig te houden met het filmgenre pornografie, maar dat blijf ik niet eeuwig doen. Ik zal iedereen een poepje laten ruiken. In mijn overwinningsroes leg ik een enorme lijn coke uit die onmiddellijk doel treft, en ik moet met spoed achter een tissue aan om de stroom snot te stelpen.

Het is best raar dat een zuipsessie met Spud Murphy en een of andere idiote Glasgow-lul zo inspirerend kan zijn. De cocaïne is klasse, en mijn kater verdwijnt als sneeuw voor de zon. De telefoon gaat, Morag neemt op en houdt aan de andere kant van de bar de hoorn omhoog. Die is haar overwicht in goud waard, dat ouwe wijf. Ja, ik zou ook een bloedgeile studente in dienst kunnen nemen, iemand als Nikki bijvoorbeeld, want het oog en de pik willen ook wat, maar ze zou deze tent nooit kunnen runnen zoals die ouwe muts dat doet. 'Voor jou,' zegt ze.

Ik verwacht dat het een of ander topwijf is, hoop zelfs dat het Nikki is, maar nee, het is Spud, godverdomme; hij wil naar een discotheek om het geld van die arme Dode stuk te slaan, alsof ik en hij nu weer ineens de dikste maatjes zijn.

'Sorry, joh, veels te druk momenteel,' deel ik hem haastig mee.

'Eh, en donderdag dan, zeg maar?'

'Donderdag kan ik ook niet. Wat dacht je van nooit? Is dat oké wat jou betreft, nooit?' vraag ik kortaf en snauw dan: 'mooi zo!' in de verbijsterde stilte aan de andere kant van de lijn, voordat ik de de hoorn neerknal. Ik neem hem weer op en bel iemand die me een dienst kan bewijzen, namelijk mijn ouwe kameraad Skreel in Possil, en vraag hem of hij iemand wil opzoeken voor mij. Al op jeugdige leeftijd heb ik besloten dat andere mensen niets anders waren dan dingen die ik kon manipuleren, kon regisseren als het ware, om een situatie te scheppen die voor mij het voordeligst was. Ik merkte ook dat het beter was om daarbij mijn charme te gebruiken dan dreigementen, en dat je met liefde en genegenheid meer bereikte dan met geweld. Wat het eerste betreft, hoefde je het alleen maar terug te nemen of daarmee te dreigen. Er zijn natuurlijk altijd lui die je schitterende plannetje verkloten. Meestal zijn dat je kameraden en vriendinnetjes. Mijn beste kameraad ging ervandoor met mijn geld. Renton. Een tweede figuur die mij besodemieterd heeft was mijn schoonvader.

Beide klootzakken krijg ik nog wel. Maar nu wil ik eerst Skreel spreken, mijn ouwe kameraad uit Glasgow. Ja, het wordt tijd dat we elkaar weer eens zien, nu ik mij voorgoed North of the Border heb gevestigd. Ik begroet hem hartelijk, praat even met hem over koetjes en kalfjes, en kom dan terzake. Skreel kan zijn oren niet geloven. 'Je wilt dat ik een meid zoek die *waar* werkt?'

'Achter het loket in Ibrox Stadium,' herhaal ik op geduldige toon. 'Liefst een verlegen meisje, kwetsbaar, onschuldig, zo eentje die nog bij haar ouders woont. Maakt niet uit hoe ze eruitziet.'

Die laatste opmerking maakt hem nog achterdochtiger. 'Wat voer jij godverdomme in je schild, Williamson?'

'Lukt je dat?'

'Laat dat maar aan mij over,' snauwt hij terug. 'Nog meer van je dienst?'

'Een lul met een bril die nog bij zijn moeder woont...'

'Simpel zat.'

'...maar die op het hoofdkantoor van de Clydesdale Bank in Glasgow werkt.'

Skreel vraagt opnieuw of ik mijn verzoek wil herhalen, en begint dan hardop te lachen. 'Ben jij aan het koppelen?'

'Zo zou je het kunnen noemen,' zeg ik. 'Ik ben een soort Cupido, zeg maar,' merk ik schertsend op. Ik neem afscheid van hem, hang op, en voel in mijn zak het geruststellende zakje coke.

37 '...een politiek correcte hoer...'

Lauren heeft zwaar de pest in op mij en ik kan haar nergens vinden. Misschien is ze teruggegaan naar Stirling. Het goede nieuws wat dat betreft is dat het haar allemaal bepaald niet koud laat. Dianne reageert heel relaxed en is gewoon aan haar eigen werk bezig. Ze tikt met haar potlood tegen haar tanden en zegt bedachtzaam: 'Lauren is een felle tante, maar ze is nog jong en ze draait wel weer bij.'

'Dat kan maar beter niet te lang duren,' zeg ik. 'Ze geeft me het gevoel dat ik een fucking hoer ben...' Als ik mezelf dat woord hoor uitspreken, raak ik innerlijk verscheurd: ik moet denken aan wat ik gisteren heb afgesproken met Bobby en zijn kameraad Jimmy. Over waar ik vanavond heen ga. In de sauna is het anders, je bepaalt zelf hoever je gaat, hoewel er van je verwacht wordt dat je minimaal je klanten afrukt, en verder ga ik persoonlijk niet, mijn eigen ongeschoolde uitbreiding van mijn armzalige massagetechniek. Ik kan niet zonder die baan en ik kan niet zonder het geld, vooral nu de paasvakantie eraan komt. Maar uitgaan met iemand, naar zijn hotelkamer gaan, dat is een grens die ik me had voorgenomen niet te overschrijden. Gewoon een hapje en een drankje, zei Jimmy. *Alles wat je verder wilt doen... dat is een kwestie van jullie beiden.*

Ik ben er klaar voor, verzorgd tot in de puntjes, met mijn rood-zwarte jurk onder mijn zwarte Versace-overjas. Ik probeer de flat te verlaten zonder dat Dianne me ziet, maar ze ziet me wel en fluit als een bouwvakker. 'Zo, aangekleed gaat uit.'

Ik glimlach zo raadselachtig mogelijk.

'Vuile trut, mazzelkont,' zegt Dianne lachend.

Ik loop de straat op, nog onwennig op mijn hoge hakken, en houd een taxi aan. Ik stap uit ongeveer vijftig meter voor het chique New Town Hotel. Ik kom niet graag al voor de deur aan, ik doe het liever op mijn eigen manier, in mijn tempo, zodat ik alles in me kan opnemen. De voorgevel is prachtig achttiende-eeuws, maar vanbinnen is alles uitgebroken en hypermodern ingericht. In de hal bij de receptie zijn enorme ramen aangebracht, bijna tot aan de vloer. De automatische deuren schuiven fluisterend open en een portier in jacquet knikt naar mij. Ik loop naar de bar en hoor mijn hakken op de marmeren vloer klikken.

Ik wil niet laten merken dat ik op iemand wacht, wat wel het geval is, voor het geval ze vragen op wie, want dat weet ik niet. Hoe ziet een Baskische politicus eruit? In dit soort situaties kan ik me nooit helemaal beheersen. De barkeeper heeft mij vaker gezien, ik weet het zeker, misschien in de sauna, en hij knikt stroef naar me. Ik glimlach vriendelijk terug en er gaat een warme golf door mij heen, alsof ik te snel een dubbele whisky achterover heb geslagen. Nee, het is veel erger, ik voel me helemaal naakt, of als een tippelende stoephoer met een veel te korte minirok en hoge laarzen aan. Maar dit escortgedoe is veel relaxter, ze willen niet dat hun klanten, de mannen die in dit hotel logeren, zich hoeven te generen. Als ik een of andere goedkope hoer was, dan stond ik nu langs de baan, waarschijnlijk met een paar smerissen om me heen.

Mijn cliënt is een belangrijke nationalistische politicus uit Baskenland die, althans officieel, hier op bezoek is om te zien hoe het Schotse parlement werkt. Er zitten twee mannen in blauwe pakken aan de bar, en allebei kijken ze naar mij. De ene is mooi bruin en heeft wit haar, de andere heeft donker haar en een olijfkleurige huid. Ik hoop dat het die met het donkere haar is, maar ik vermoed dat het de andere is.

Plotseling wordt er op mijn arm getikt. Ik draai me om en achter mij staat een stereotiepe Spanjaard in een lichtblauw pak waarvan de kleur overeenstemt met zijn ogen. Hij is in de vijftig, maar ziet er goed uit voor zijn leeftijd. 'Ben jij Niekie?' vraagt hij hoopvol.

'Ja,' zeg ik en hij kust me op beide wangen. 'En jij bent zeker Severiano?'

'We hebben een gemeenschappelijke vriend,' zegt hij, en glimlacht een rij blinkende kronen bloot.

'En wie mag dat dan wel zijn?' vraag ik, en ik krijg het gevoel dat ik meespeel in een Bond-film.

'Jiem, je kent Jiem toch wel...'

'O ja, Jim.'

Even vrees ik dat hij me meteen mee naar boven wil nemen, maar hij bestelt nog een rondje en zegt op zelfverzekerde toon: 'Jij bent erg mooi. Een mooi Schots meisje...'

'Ik ben Engels, om precies te zijn,' zeg ik.

'O,' zegt hij, duidelijk teleurgesteld.

En hij is natuurlijk wel een Bask. Vanaf nu moet ik een politiek correcte hoer zijn. 'Hoewel, mijn voorouders zijn Schots en Iers.'

'Ja, je hebt Keltische botten,' zegt hij op goedkeurende toon. Ik krijg genoeg van dat Miss Argentinië-gedoe. We praten nog wat over koetjes en kalfjes, drinken onze glazen leeg en gaan naar buiten, waar een taxi staat te wachten die de korte afstand overbrugt naar de andere kant van de New Town, wat een wandeling van een kwartiertje is, misschien twintig minuten op mijn hakken. Ik plak een tandpastalach op mijn smoel terwijl hij doorgaat met zijn complimenten. 'Zo mooi, Niekie... je bent zo mooi...'

We dineren in een restaurant dat momenteel helemaal in is. Ik begin met een voorgerecht van fruits de mer, bestaande uit inktvis, krab, kreeft en steurgarnalen, en dat is gegarneerd met een fantasierijke saus van citroen en kruiden. Het hoofdgerecht is *nouvelle cuisine*: gegrild lamsvlees met spinazie en andere groenten, en als dessert neem ik gekarameliseerde sinaasappel met een garnering van roomijs. We nemen er een fles Dom Perignon bij, een fruitige maar behoorlijk zware Chardonnay, en na afloop elk twee glazen cognac. Na de maaltijd verontschuldig ik me even, ga naar het toilet waar ik alles uitkots. Daarna poets ik mijn tanden, neem wat zuiveringszout en gorgel met Listerine. Het eten was heerlijk, maar na zeven uur 's avonds verteert mijn maag niets meer. Daarna bestelt Severiano een taxi en gaan we terug naar het hotel.

Ik ben een beetje aangeschoten en zenuwachtig als we op zijn kamer aankomen. Ik zet de tv aan, een nieuwsuitzending of documentaire vertoont beelden van de hongersnood in Afrika. Severiano haalt de gratis wijn uit de ijsemmer en schenkt twee glazen in. Hij doet zijn schoenen uit, gaat op bed liggen, leunend tegen een stapel opstaande kussens. Hij grijnst naar mij, en zijn lach houdt het midden tussen die van een vertederend jongetje en een geile ouwe viezerik, en verraadt hoe hij geweest is en wat hij binnenkort zal worden. 'Niekie, kom naast me zieten,' zegt hij en wijst naast zich op bed.

Een fractie van een seconde denk ik erover om in te stemmen, maar dan schakel ik onmiddellijk over op mijn zakelijke alter ego. 'Ik wil je wel masseren, ook plaatselijk. Maar verder ga ik niet.'

Hij kijkt me treurig aan, zijn grote Latijnse ogen worden vochtig. 'Als het zo moet zijn...' zegt hij en ritst zijn gulp open. Zijn lul buitelt naar buiten als een enthousiaste puppy. En wat doe je met enthousiaste puppy's?

Nou, ik begin hem dus te aaien, maar dan doet zich het oude probleem weer voor: ik ben niet goed in het aftrekken van mannen. Met mijn ogen vreet ik hem op, want ik geniet van de macht die ik over hem heb. Zijn brandende ogen contrasteren scherp met de ijzige blik van

Simon, ijs dat ik, zoals dat in die ene reclame heet, graag zou willen doen smelten. Mijn pols wordt moe van het aldoor op en neer bewegen, en het heeft geen enkele stimulerende werking op mij. Stomvervelend vind ik het zelfs. Hij merkt het en raakt zichtbaar gefrustreerd. Wat ik wel leuk vind is de manier waarop de eikel steeds uit de erg lange voorhuid te voorschijn piept, en ik besluit dat ik er maar beter van kan genieten. Ik kijk hem aan, lik mijn lippen en zeg: 'Meestal doe ik dit niet, maar...'

De Bask is door het dolle vanwege dit extraatje: 'O, Niekie... Niekie, schatje...'

Ik onderhandel snel over een prijs, een hoge prijs, gebruikmakend van mijn uitstekende onderhandelingspositie, en neem hem in mijn mond, maar niet voordat ik extra spuug heb aangemaakt als barrière tegen een smerige smaak. Hij heeft een erg lange voorhuid, dus de kans is groot dat zijn pik bij de eikel nogal vies is. Maar wat ik proef is scherp en fris, wat me doet denken aan Spaanse uien, maar dat kan ook een kwestie zijn van etnocentrische associaties. Ik ben dan misschien niet goed in aftrekken, maar pijpen kan ik als de beste; als kind stopte ik ook voortdurend alles in mijn mond.

Als ik merk dat hij bijna klaarkomt, haal ik zijn onwillige pik uit mijn mond, en hij begint te kreunen en te smeken, maar ik wil zijn geil niet in mijn mond. Hij is nu helemaal over de rooie, en ik verstar van angst; hij omklemt mijn lichaam en een paar seconden lang vrees ik dat hij me zal verkrachten, en ik probeer te bedenken wat voor fysiek geweld ik kan inzetten als verdediging. Dan merk ik dat hij alleen maar tegen me op ligt te rijden als een hond; ik voel zijn hete adem in mijn oor, hoor hem koortsachtig iets mompelen in het Spaans en voel hoe hij klaarkomt op mijn jurk.

Het was geen verkrachting, maar er was ook niet echt sprake van wederzijdse instemming, en ik voel me vernederd. Ik duw hem kwaad weg en hij krimpt van schaamte ineen op het bed, zich uitgebreid verontschuldigend: 'O, Niekie, het spijt me zo... vergeef me alsjeblieft...' en hij grijpt zijn jasje en geeft mij het geld, in de hoop dat ik hem op slag zal vergeven, terwijl ik naar de met spiegels beklede badkamer loop, een handdoek onder de kraan houd en zijn zaad van mijn jurk veeg.

Daarna is hij allercharmantst, hij blijft zich verontschuldigen, en terwijl we de wijn verder opdrinken, kalmeer ik enigszins. Ik raak lichtelijk aangeschoten en hij vraagt of hij een paar polaroids van me mag maken, gekleed in slipje en beha. Ik trek mijn jurk uit en droog de natte plek met de inpandige haardroger, terwijl hij zijn camera instelt.

Hij laat me poseren, en terwijl hij enkele foto's maakt, ben ik blij dat ik mijn push-upbeha aan heb. Het valt me op dat ik er op de eerste foto wreed en afwijzend uitzie, en dus probeer ik op de tweede een gemaakt lachje. Ik maak me zorgen om mijn knokige knieën, en ik weet zeker dat ik een buikje begin te krijgen. Maar ik raak vertederd door zijn enthousiasme en mijn eigen paranoia, en ik maak er een showtje van, inclusief enkele gymnastische oefeningen. Fout dus, want Severiano wordt weer zo geil als boter, springt van het bed af en probeert me te zoenen. Inmiddels maak ik me echt zorgen, ik ben halfnaakt en daardoor nog kwetsbaarder. Ik deins terug, hef mijn open hand op en werp hem een ijzige blik toe, zodat zijn hartstocht enigszins afneemt. 'Vergeef maai, Niekie,' smeekt hij, 'iek ben een zwain...'

Ik trek mijn jurk weer aan, stop het geld in mijn handtas, neem lief maar uiterst gereserveerd afscheid en laat hem alleen achter in zijn hotelkamer.

Ik loop de gang door naar de liften, zowel opgelucht als vernederd, en beide gevoelens lijken te strijden om de voorrang. Ik dwing mezelf te denken aan het geld en hoe gemakkelijk ik het verdiend heb, en ik voel me meteen weer een stuk beter.

De lift arriveert. Er staat een jonge kruier in met een slechte huid en een karretje vol met bagage. Hij knikt naar me, ik wring me naar binnen en zie de uitslag op zijn kaak en kin. Het is geen acne, want het is maar aan één kant van zijn gezicht. Het lijkt wel of hij gevochten heeft of met zijn dronken kop langs een muur of over het trottoir is geschuurd. Terwijl we naar beneden gaan, kijkt hij me met een schuldige glimlach aan en ik reageer met wat naar ik hoop eenzelfde lachje is. De deuren van de lift gaan open en ik sta in de centrale hal, verward, met bonzend hoofd. Ik wil maar één ding: weg uit dit hotel, weg van deze plaats des onheils.

Ik steek de hal over en zie door de glazen deur het trottoir dat glinstert van de regen en de lichten op straat. Plotseling gaat hij open en met een schok van afgrijzen herken ik de man die het hotel komt binnenlopen. Het is mijn docent, godverdomme, McClymont, hij komt recht op mij af en zijn gezicht verandert in een grijns van herkenning.

Jezuschristus.

Zijn smoel verfrommelt zich als een prop krantenpapier en er komt een gemene, minachtende blik in zijn ogen. 'Juffrouw Fuller-Smith...' die stem, wreed en tegelijk zacht, klinkt als een rasp in mijn oren.

Jezuschristus. Ik voel hoe mijn hartslag oploopt, het geluid van mijn hakken op het marmer is plotseling oorverdovend. Ik word overweldigd door een golf van emotie. Het lijkt alsof alle ogen in de hotellobby op

McClymont en mij gericht zijn, alsof we midden op een groot toneel in een spotlight staan. 'Hallo, ik eh...' begin ik, maar hij bekijkt me met een vreemde blik, alsof hij al mijn diepste geheimen kent. Hij bekijkt me van top tot teen en er glinstert iets staalhards in de ogen van deze geile docent. 'Drink even iets met me.' Hij knikt in de richting van de bar, en het is eerder een bevel dan een uitnodiging.

Ik ben even sprakeloos. 'Ik kan niet... ik eh...'

McClymont schudt langzaam het hoofd. 'Ik zou zwaar teleurgesteld zijn als je niet even meekomt, Nicola,' zegt hij met rollende ogen, en ik begrijp wat hij bedoelt. Ik heb weliswaar mijn laatste werkstuk ingeleverd, maar er is nog steeds iets waardoor ik moet gehoorzamen. Mijn absentie is aanzienlijk en hij kan me op grond daarvan nog laten zakken. En als dat gebeurt, weigert mijn vader nog langer te betalen, en dan kan ik het verder wel schudden. Ik heb geen andere keus dan op mijn schreden terug te keren. Ik probeer mijn kalmte te herwinnen en volg hem naar de bar. De barkeeper werpt mij een kille blik toe als McClymont vraagt wat ik wil drinken.

Dus daar zit ik dan aan de bar, naast die geile ouwe bok, en voordat ik de overhand kan nemen door hem te vragen wat hij hier doet, is hij me voor met dezelfde vraag. 'Ik wacht op mijn vriendje,' zeg ik en neem een slok van mijn glas maltwhisky. Dit komt allemaal door Simon en McClymont is te spreken over mijn drankkeuze. 'Maar hij belde net om te zeggen dat het later wordt.'

'Hè, wat jammer nou,' zegt McClymont.

'En jij dan? Kom je hier vaker?' vraag ik.

McClymont verstart enigszins, hij beseft kennelijk dat ik ofwel een studente van hem ben, of een vrouw, of jonger dan hij, of alledrie, en daarom zou hij eigenlijk degene moeten zijn die hier de vragen stelt. 'Ik had een vergadering van de Caledonian Society,' zegt hij op formele toon, 'en op weg naar huis begon het opeens te plenzen, en dus besloot ik hier even wat te gaan drinken. Woon je hier ergens in de buurt?' vraagt hij.

'Nee, in Tollcross, ik... eh...' Ik schrik me dood als ik plotseling vanuit mijn ooghoek Severiano de Bask de bar binnen zie komen, in gezelschap van een andere man in een kostuum. Ik wend me van hen af, maar de gast in het kostuum, niet de Bask, komt recht op ons afgelopen. 'Angus!' roept hij, en McClymont draait zich om en herkent de ander grijnzend. Die ziet mij naast hem zitten en trekt zijn wenkbrauwen op. 'En wie is deze beeldschone jongedame?'

'Dit is Nicola Fuller-Smith, Rory, ze studeert aan de universiteit. Nicola, dit is Rory McMaster, lid van het Schotse parlement.'

McMaster is een saai uitziend rugbytype van halverwege de veertig, en ik geef hem een hand.

'Waarom komen jullie niet bij ons zitten?' vraagt hij, en hij wijst naar de Bask die mij met een grimas op zijn gezicht aankijkt.

Ik wil nog protesteren, maar McClymont heeft onze drankjes al gepakt en neemt ze mee naar het tafeltje. Ik probeer met een verkrampte grijns 'sorry' te zeggen tegen de Bask die mij benauwd aankijkt, alsof hij bedrogen wordt. Ik ga zitten en neem een zedige houding aan, voorzover mijn jurk het toelaat. Ik voel me machtelozer en meer te kijk gezet dan ik me ooit zou voelen terwijl ik met een vreemde neuk voor de camera. 'Dit is señor Enrico De Silva, van het regionale Baskische parlement in Bilbao,' zegt McMaster. 'Angus McClymont en Nicola... eh, Fuller-Smith, klopt dat?'

'Ja,' zeg ik, zwakjes glimlachend, en ik voel mezelf steeds kleiner worden. Enrico, tegen mij stelde hij zich voor als Severiano. Hij werpt me een droevige, samenzweerderige blik toe. 'Deze jongedame, zij ies uw partner, *no*?' vraagt hij aarzelend aan McClymont.

McClymont bloost licht, begint te glimlachen en zegt dan lachend: 'Nee, nee, miss Fuller-Smith is een studente van mij.'

'En oewat studeert zaai?' vraagt Enrico, alias Severiano, alias de Bask.

Er maakte zich een lichte woede van mij meester. Hé lul, ik zit godverdomme hier. Ik ben McClymont voor: 'Mijn hoofdvak is film en ik doe Schotse Geschiedenis en Instellingen als bijvak. Erg interessant, weet je,' vertel ik met een zure glimlach terwijl ik me realiseer dat ik een paar minuten geleden die man zijn pik nog in mijn mond had.

Ik verontschuldig me en ga naar het toilet, en ik weet dat ze alledrie naar mijn kont kijken terwijl ik wegloop en dat ze over me praten, maar ik kan er niks aan doen, ik heb even tijd nodig om na te denken. Ik voel me hulpeloos en ik weet niet wie ik moet bellen op mijn mobiel. Bijna bel ik Colin thuis, zo wanhopig en onredelijk ben ik, maar uiteindelijk besluit ik Simon te bellen. 'Ik zit momenteel behoorlijk in de problemen, Simon. Ik ben in het Royal Stuart Hotel in de New Town. Kun je me alsjeblieft helpen?'

Simon klinkt kil en geïrriteerd, hij zwijgt even en zegt dan: 'Ik denk dat Mo het wel even alleen af kan. Ik ben er aanstonds.'

Aanstonds? Wat heeft dat godverdomme te betekenen? Ik breng mijn make-up in orde, borstel mijn haar en verlaat het toilet.

Als ik terugkom bij ons tafeltje zitten de drie mannen, verbonden door gezamenlijke geilheid, met elkaar te praten. Ze hebben het over mij gehad, dat weet ik zeker. Met name McClymont is inmiddels behoorlijk dronken. Hij steekt een enorm lulverhaal af over iets, volgens mij over de prominente positie van Schotland binnen de *Union*, en eindigt met: '...en dat is precies waar onze Engelse vrienden doorgaans geen rekening mee houden.'

Het is niet zozeer deze opmerking maar zijn intense, giftige blik waar ik niet goed van word. 'Ik kan je niet helemaal volgen. Is dat een nationalistische of een unionistische opmerking?'

'Gewoon, een algemene opmerking,' zegt hij, terwijl hij rimpels om zijn ogen trekt.

Ik pak mijn glas whisky. 'Grappig eigenlijk, ik heb altijd gedacht dat "North Britons" een term was die ironisch of sarcastisch gebruikt werd door nationalisten in Schotland. Ik was verbaasd toen ik erachter kwam dat hij bedacht is door Unionisten die zichzelf geaccepteerd wilden zien als behorend bij Groot-Brittannië.' Ik kijk naar mijn Bask en het Schotse parlementslid. 'Dus het was een ambitieuze term, want er is geen Engelsman die zichzelf ooit een "South Briton" heeft genoemd. Ongeveer zoiets als het feit dat "Rule Britannia" is geschreven door een Schot, als een soort vergeefs pleidooi om tot iets te worden toegelaten,' zeg ik, bedroefd mijn schoofd schuddend.

'Precies,' zegt de Schotse parlementariër, 'daarom geloven wij...'

Ik kijk nog steeds naar McClymont terwijl ik met de politicus praat. 'Maar aan de andere kant is het een beetje sneu dat Schotland zich nog steeds niet heeft kunnen vrijmaken van de Union. En dat duurt al zo lang. Ik bedoel, kijk eens naar de Ieren, hun is het wél gelukt.'

McClymont kijkt woedend en wil iets zeggen, maar ik zie Simon de hotellobby binnenkomen en zwaai naar hem. Hij ziet er strak uit, in zijn vrijetijdsjack en *crew-neck*-trui, maar hij is bruiner dan anders. Ja, het is duidelijk dat hij op de zonnebank heeft gelegen. 'Hé, Nikki, schatje... sorry dat ik zo laat ben, lieverd,' zegt hij, buigt zich voorover en kust me. 'Klaar voor de beentjes van de vloer?' vraagt hij, en dan pas kijkt hij voor het eerst naar de mannen in mijn gezelschap. Zijn uitdrukking is die van een verwende kat die zojuist de restjes heeft gekregen, rancuneus maar vlijmscherp, en hij geeft hun plichtmatig een hand. Hij is een en al bombast, meester van de situatie. 'Simon Williamson,' zegt hij kortaf, en vervolgt op innemender toon: 'ik neem aan dat mijn vriendin in goede handen is geweest?'

De anderen kijken naar de Bask en beginnen nerveus en schuldbewust te grinniken. Ze voelen zich niet op hun gemak in zijn gezelschap, en zijn duidelijk geïntimideerd. Maar ik voel me afschuwelijk en vernederd, en voor het eerst sinds ik mannen aftrek, voel ik me een hoer. Simon helpt me mijn jas aan te doen en ik ben dolblij dat ik eindelijk weg kan.

We stappen in de auto en ik merk dat ik huil, maar het gevoel een hoer te zijn was van tijdelijke aard en is weer helemaal verdwenen. Ik besef dat mijn tranen niet oprecht zijn, want ik wil dat Simon mij thuisbrengt en met me naar bed gaat. Maar mijn tranen laten Simon volledig koud. 'Wat is er?' vraagt hij op vlakke toon terwijl hij Lothian Road in rijdt.

'Ik heb mezelf in een klotesituatie gewerkt,' zeg ik.

Simon denkt even na en zegt dan op matte toon: 'Kan gebeuren,' hoewel, aan zijn stem te horen, hem blijkbaar niet. We stoppen bij mij voor de deur en kijken naar de lucht. Het is onbewolkt en er fonkelen vele sterren. Zoveel heb ik er nog nooit gezien, althans niet in de stad. Colin heeft me ooit meegenomen naar de oostkust, naar een huisje bij Coldingham, en daar was de hemel helemaal bezaaid met sterren. Simon kijkt omhoog en zegt: 'De sterrenhemel boven mij en de normen en waarden in mij.'

'Kant...' zeg ik met een mengeling van bewondering en ontzetting, want ik vraag me af waar hij heen wil met die verwijzing naar normen en waarden. Weet hij wat ik heb uitgespookt? Maar hij draait zich om en kijkt verontwaardigd. Hij zegt niets maar zijn blik spreekt boekdelen. 'Dat was mijn favoriete citaat van mijn favoriete filosoof,' leg ik uit, 'Kant.'

'O, dat is ook mijn favoriete citaat,' zegt hij, en begint te glimlachen.

'Heb je filosofie gedaan? Heb je Kant bestudeerd?' vraag ik.

'Een beetje,' zegt hij en vervolgt: 'Het is de traditionele Schotse *lad o'pairts*. Je gaat van Smith via Hume naar Europese denkers als Kant, weet je wel.'

Er klinkt iets zelfverzekerds door in zijn stem waardoor ik bijna ineenkrimp, omdat het me doet denken aan McClymont. Als ik iets niet wil dan is het om door hem aan McClymont herinnerd te worden, dus ik stel voor: 'Kom je nog een kop koffie drinken boven, of wil je liever wijn?'

Simon kijkt op zijn horloge. 'Koffie is prima,' zegt hij.

We lopen de trap op en ik bedank hem nogmaals voor zijn tussenkomst, in de hoop dat hij nieuwsgierig wordt, maar hij lijkt niet geïnteresseerd. In de hal aangekomen staat mijn hart even stil als ik een streep licht onder de deur naar de woonkamer zie. 'Dianne of Lauren maakt het laat vannacht,' zeg ik fluisterend, en ga hem voor naar mijn kamer. Hij neemt plaats in de stoel, ziet mijn cd-rek, en bekijkt mijn verzameling, maar de uitdrukking op zijn gezicht is nog steeds ondoorgrondelijk.

Ik ga koffie zetten en kom even later de slaapkamer binnen met twee dampende bekers. Hij zit op het bed en leest in een boek met moderne Schotse poëzie dat op de leeslijst van McClymont staat. Ik zet de bekers op de grond en kom naast hem zitten. Hij laat het boek zakken en glimlacht naar mij.

Ik zou hem wel willen opvreten, maar er schittert iets keihards in die blik wat mij weerhoudt. Hij kijkt bij me naar binnen en dwars door mij heen. Plotseling worden zijn ogen warm, een ongelooflijk contrast met een seconde geleden. De gloed uit die ogen is zo sterk dat ik als betoverd ben, ik voel mezelf inkrimpen en wegzinken, tot er niets meer van me overblijft. Het enige waarvan ik me bewust ben is mijn verlangen naar hem. Ik hoor hem iets zeggen, in een vreemde taal, en hij neemt mijn gezicht zachtjes tussen beide handen. Hij wacht even, zijn peilloze zwarte ogen kijken diep in mij, en dan kust hij me: op mijn voorhoofd, op beide wangen, zachte, stevige zoenen, aandachtige plofjes die onweerstaanbare informatie verzenden naar mijn zachte kern.

Ik voel hoe mijn lichaam en geest zich van elkaar scheiden, het lijkt of de kracht waarmee dat gebeurt gelijk opgaat met het rammelen van de cv-radiator naast ons. Terwijl hij mijn rug streelt, denk ik aan de rode rozen, aan de zich openende knoppen, en ik laat me achterover vallen op het bed. Precies op dat moment overvalt mij een enorme wilskracht, de gedachte gaat door mij heen dat hij me aan het veranderen is en dat ik dat ook met hem wil doen, ik leg mijn arm in zijn nek, trek hem tegen mij aan en open mijn mond. Ik kus hem zo hard dat onze tanden tegen elkaar aan slaan. Ik kus en lik zijn ogen, zijn neus; ik proef het zout tussen zijn neusgaten en bovenlip, kus zijn wangen en dan weer zijn mond. Ik laat zijn hoofd los en grijp zijn bovenlijf, trek zijn trui omhoog, hij steekt zijn armen niet omhoog om mij te helpen, maar schuift mijn jurk over mijn schouders naar beneden, Maar ik beweeg mijn armen ook niet, want met mijn nagels klauw ik zachtjes in het spierweefsel op zijn rug, dus we bevinden ons in een impasse, want hij krijgt zo mijn jurk ook niet uit. Toch lukt het hem als een meesterzakkenroller op de een of andere manier mijn beha los te krijgen. Hij brengt zijn handen naar de voorkant en rukt jurk en beha weg met zo'n grof geweld dat ik zijn rug moet loslaten omdat anders de bandjes van mijn jurk losscheuren. Hij ontbloot mijn borsten en alles komt weer tot rust terwijl hij ze streelt en teder en vol ontzag beroert, als een kind aan wie de zorg is toevertrouwd van een zacht, donzig huisdier.

Opnieuw kijkt hij me diep in de ogen en met een ernstige, bijna droevige en teleurgestelde uitdrukking op zijn gezicht, zegt hij: 'Het moest er maar eens van komen, niet?'

Hij gaat staan en trekt zijn trui uit terwijl ik mijn benen van het bed af zwaai, me opduw en eerst mijn jurk en daarna mijn slipje uittrek. Er klopt zo'n vurige hitte tussen mijn benen dat het me niet zou verbazen als mijn schaamhaar elk moment spontaan zou wegschroeien. Ik kijk naar Simon, hij heeft zijn broek en witte Calvin Klein-slip uitgetrokken, en gedurende een fractie van een seconde schrik ik me rot omdat het lijkt alsof hij geen penis heeft. Zijn pik is weg! In die flits lijkt het alsof hij gecastreerd is, en het schiet door me heen dat dat zijn terughoudendheid qua seks verklaart, omdat hij geen lul heeft! Maar dan zie ik dat hij er wel degelijk eentje heeft, reken maar, alleen lijkt het vanaf mijn gezichtspunt alsof hij, als een geladen geweer, recht op mij gericht is. En ik verlang naar die pik. Ik wil hem nu in mij hebben. Ik wil niet tegen hem zeggen dat we later wel kunnen vrijen; later kan ik je wel pijpen, kun jij me naar hartelust likken, vingeren en onderzoeken, maar laten we alsjeblieft doen wat moet, neuk me nu, onmiddellijk, want ik sta in lichterlaaie. Maar hij kijkt me diep in de ogen en knikt, die lul knikt gewoon naar me, alsof hij gedachten kan lezen. Dan ligt hij op me en glijdt in mij, vergroot mij, dringt tot in mijn diepste binnen. Ik snak naar adem, ga verliggen en hij wordt harder, maar ik zorg dat we omrollen, en we veranderen in een schoppende, stampende, maaiende massa, en ik weet niet wie van ons het tempo verlaagt, maar we genieten nu samen met volle teugen en de snelheid van ons liefdesfeest wordt opgepompt door een geheel zelfstandige kracht, en we rammen tegen elkaar in deze geile strijd van één tegen één die aanvoelt als een massale veldslag. Een ogenblik lang voelt het alsof ik ons allebei verslagen heb, hem en mijzelf; alsof ik meer en meer wil, meer dan hij mij kan geven, meer dan welke man ook mij ooit zal kunnen geven. Maar dan voel ik een enorme kracht in mij opwellen, die uit mij lijkt te ontsnappen en mij met zich meesleurt. Ik kom klaar met woeste, explosieve salvo's, en pas als mijn orgasme verzwakt, besef ik dat ik luidkeels heb liggen schreeuwen. Ik hoop dat Lauren en Dianne niet thuis zijn, omdat het nogal aanstellerig klinkt, belachelijk en opschepperig. Simon beschouwt het als een teken om te doen wat hij wil doen, hij veegt mijn haar naar achteren, brengt mijn gezicht dicht bij het zijne en dwingt mij hem aan te kijken terwijl hij zo hard klaarkomt dat zijn orgasme het mijne verlengt. Dan trekt hij mij tegen zich aan, en terwijl ik hem aankijk, meen ik in een flits een traan bij hem te zien. Maar ik kan me niet bewegen om te controleren of dat inderdaad zo is, zo stevig houdt hij me vast, en bovendien ben ik totaal uitgeput. We liggen uitgeteld in mijn van zweet doordrenkte bed, en het enige wat ik kan bedenken, terwijl ik wegdommel met de geur van zijn zweet en het kruidige aroma van onze seks in mijn neus, is hoe heerlijk het kan zijn om eens goed geneukt te worden.

38 Project nr. 18.744

Dat was een aangename verrassing, zoals meestal als ik gebeld word op mijn witte mobiel. De seks met Nikki was natuurlijk te gek, maar er was sprake van dat eerste-keer-syndroom: hoe goed het ook gaat, er is altijd een routineus element dat lichtelijk weerzinwekkend is. Later, toen ik op het punt stond weg te gaan, vroeg ze of ik een spelletje met haar speelde. Die opmerking was eerder speels dan serieus bedoeld, of misschien ook wel om iets zwaarwichtigers te verbergen nog voordat het goed en wel de kop had opgestoken. Het maakt niet uit, want het is net als bij andere sporten: de meest talentvolle spelers weten dat je je moet concentreren op je eigen spel in plaats van op dat van je tegenspeler. En dus grijnsde ik raadselachtig en reageerde niet. Laat die progressievelingen maar barsten die liggen te zeiken over 'eerlijkheid' in relaties; dat zou de zaak stomvervelend maken. Nee, in relaties gaat het om macht en de tijd is aangebroken om het kalm aan te doen met haar. Zij gaat er eerder aan dan ik, en ik zal genieten van het moment waarop dat gebeurt. Ik zeg dat mijn telefoon veranderd is en geef haar het nummer van de rode mobiel. Het leukste is om haar nummer te deleten op de witte en op de rode in te toetsen.

Dat ging er raar aan toe bij haar voor de deur, toen ze zag dat ik naar de sterren keek. Ik citeerde iets uit een song van Nick Cave en dacht even dat ze me een cunt noemde. Ik had niet in de gaten dat ze het over de filosoof Kant had. Ik heb Renton er nog over gebeld. Volgens hem heeft Cave dat woordelijk van Kant gejat. Waar moet dat godverdomme heen met de wereld, als je favoriete songwriters je verneuken door ordinair te jatten?

Ja, de seks was te gek. Haar fitheid, kracht en souplesse zijn indrukwekkend, en dat betekent dat ik op mijn gewicht moet letten en regelmatig naar de sportschool moet blijven gaan. Maar de kick die ik ervan kreeg verbleekt als ik de lectuurhal van Barr aan het begin van de Walk binnenloop en een vroege editie van de *News* koop. Het artikel staat op pagina zes, met een foto van ondergetekende en eentje van hoofdcommissaris Roy Lester, die er verrassend jong uitziet, met een snor, en een beetje lijkt op een van de Village People. Ik loop even binnen bij Mac's Bar, bestel een flesje Beck's en lees gretig:

CAFÉHOUDER LEITH OP ANTIDRUGKRUISTOCHT
Barry Day

Een caféhouder uit Leith heeft de oorlog verklaard aan de rücksichtslose handelaars in drugs als XTC, speed, marihuana en heroïne. De in Leith geboren Simon Williamson, sinds kort eigenaar van The Port Sunshine Tavern in Leith walgde ervan toen hij onlangs twee jongelui in zijn zaak betrapte op het innemen van pillen. 'Ik dacht dat ik alles wel zo'n beetje had meegemaakt, maar ik was diep geschokt. Wat me vooral raakte was het brutale en openlijke van het geheel. De zogenaamde drugscultuur heerst tegenwoordig alom, en dat moet een halt worden toegeroepen. Ik heb gezien hoe drugs het leven van mensen kan ruïneren. Wat ik van plan ben is veel meer dan een campagne, het is een morele kruistocht. Het wordt tijd dat wij ondernemers de daad bij het woord voegen.'

De heer Williamson keerde onlangs terug naar zijn geboortegrond in Leith, na een jarenlang verblijf in Londen. 'Ja, ik heb te doen met een heleboel jongelui van tegenwoordig die geen kansen hebben en hun toevlucht nemen tot een wetteloos leven. Uiteindelijk ben ik ook maar een mens. Maar er komt een moment dat je moet zegen: genoeg is genoeg, en dat het maar eens afgelopen moet zijn met de zachte aanpak. Er zitten al veel te veel mensen thuis zielig te zijn...'

Dit is uitstekend nieuws voor ene Simon David Williamson. Op de foto staat een ernstig kijkende Williamson, staande aan de bar, met als onderschrift: *Drugsdreiging: Simon Williamson vreest het ergste voor de jeugd van Edinburgh.* Maar het allermooiste is het hoofdredactioneel commentaar:

Leith kan trots zijn op plaatselijke ondernemers met principes. Simon Williamson, wiens nieuwe initiatief het begin lijkt te zijn van een algemene campagne tegen de enorme plaag die onze huidige samenleving teistert. Hoewel dergelijke problemen internationaal van karakter zijn en zich bepaald niet beperken tot Edinburgh, is er een cruciale rol weggelegd voor plaatselijke bewoners om deze uitwassen met wortel en tak uit te roeien. Williamson is de verpersoonlijking van het nieuwe Leith, progressief en op de toekomst gericht, maar tegelijkertijd met verantwoordelijkheidsgevoel voor zijn 'eigen volk', met name voor de jongelui die het slachtoffer worden van gewetenloze dealers die niets anders willen dan hun jonge leven verwoesten. Dergelijke schurken moeten zich echter realiseren dat het motto van Leith 'volharden' is, en dat is precies wat Simon Williamson van plan is. *The News* steunt hem en zijn campagne van ganser harte.

Schitterend. Ik drink het flesje leeg, ga terug naar de flat en leg een lekker lijntje uit om het te vieren. Mijn campagne. Iedereen is dol op pioniers. Ik moet denken aan Malcolm McLaren en The Pistols. Nou, Malcolm, die oude versleten handleiding van jou gaat nu herschreven worden.

Ik besluit met de taxi naar mijn moeder te gaan. Als ik daar aankom, is ze helemaal door het dolle heen. 'Ik ben zo trots op je! Mijn Simon! Inne de *Evening News*! Na alles watte iek heb moeten meemaken mette die drugs!'

'Alles wordt anders, mam,' zeg ik, 'ik weet dat ik vroeger geen lieverdje was, maar de tijd is aangebroken om mijn leven te beteren.'

Ze werpt een eigenwijze en zelfvoldane blik op mijn ouwe heer, terwijl ze citeert uit de krant. 'Allemaal voore de jonge mensen! Iek wiest dat het goed zou komen mette hem! Iek wiest het!' zingt ze gloriërend tegen mijn vader, die onderuit hangend naar de paardenrennen zit te kijken en volledig onverschillig lijkt voor haar enthousiasme. Hij zit er altijd naar te kijken, hoewel hij tegenwoordig nooit meer gokt.

Het lijkt me een goed moment om die ouwe lul even zout in de wond te strooien. 'Er zit ook een nieuw vriendinnetje aan te komen, mam, en deze is heel bijzonder,' zeg ik en ze omhelst me opnieuw. 'O, jongen... hoor je dat, Davie?'

'Hmpf,' gromt de ouwe boef, en hij werpt mij een sceptische blik toe. Iemand met een seizoenkaart bij Cad Rovers herkent altijd een verwante geest op de tribune van Bounders. Maar dat maakt niks uit, vader, want Simon David Williamson staat nog steeds op *pole position*, terwijl David John Williamson aan de andere kant een gefrustreerde, verbitterde, oude mislukkeling is die niets bereikt heeft, behalve dat hij een fantastische, vrome vrouw jarenlang een hel op aarde heeft bezorgd.

Ik weet nog dat ik, toen ik nog klein was, echt naar hem opkeek en hij nog heel aardig tegen mij deed, eerlijk is eerlijk. Hij nam me overal mee naar toe, gaf me cadeautjes om het niet tegen mijn moeder te zeggen. Ja, toen was hij nog heel aardig. Andere kinderen zeiden vaak tegen mij: 'Ik wou dat mijn pa net zo was als de jouwe.' Maar zodra ik in de puberteit zat en belangstelling kreeg voor de meiden, was het afgelopen. Ik werd een rivaal voor hem, die hij bij iedere gelegenheid zou mijden of dwarsbomen. Maar dat leverde niet veel op, want ik had besloten mijn eigen weg te gaan. 'Nog denkbeeldige winnaars, pa?' vraag ik.

'Een paar,' zegt hij met tegenzin, en hij wenst alleen maar de schijn van beleefdheid te wekken omdat zij erbij is. Als we alleen waren geweest, had hij zijn krant laten zakken, mij recht aangekeken en op dreigende, agressieve toon gevraagd: 'Wat moet jij hier?' Zo ongeveer zou hij me welkom geheten hebben, godverdomme.

Mijn moeder tettert nog steeds door over mijn bijzondere vriendin, en plotseling besef ik dat ik eigenlijk niet weet wie ik daarnet bedoelde, alleen dat ik behoefte heb aan een vaste vriendin. Bedoel ik Nikki, na de avonturen van vannacht, of Alison, die bij mij achter de bar komt werken, of dat dikke wijf uit Glasgow? Waarschijnlijk wel. Maar ik wil me eerst op het project concentreren. Als me dit lukt, dan is het een geniaal stukje werk. Wie ook mijn nieuwe vriendin wordt, wat mama betreft staat haar taak in dit leven vast: 'Zolang ze maar goed zorgt voor mijn jochie, en mijn bambino niet vanne mij affe wiel nemen,' waarschuwt ze poeslief maar dreigend de nog onbekende slet in mijn leven.

Ik blijf niet lang; uiteindelijk run ik een pub. Ik ben de deur nog niet uit of mijn groene mobiel gaat, en het is Skreel met de gevraagde informatie. 'Ik heb het voor je geregeld,' zegt hij.

Ik betuig hem mijn eeuwige dank, en zonder tijd te verliezen bel ik naar de pub en zeg tegen Mo dat zij en onze nieuwe, charmante barjuf Ali zich even zelf moeten redden, en mompel iets over een congres over vergunningen dat ik bijna vergeten was. Ik ga meteen naar Waverley Station en neem de trein naar Glasgow. Ik heb het script bij me en bestudeer de volgorde waarin de diverse scènes moeten worden opgenomen. We doen eerst de neukscènes en maken daar enorm veel opnames van. We beginnen met een orgie en werken dan naar voren. Als ik in Stad der Ongewassenen uitstap, heb ik een erectie die (godzijdank) onmiddellijk verdwijnt zodra ik Skreel op het perron zie staan. Hij ziet eruit als wat hij is: iemand die zo verpest is door de junk dat hij voor de rest van zijn leven die verwilderde blik en getraumatiseerde uitstraling zal houden. Dat is het grote verschil, het uiterlijk van totale verwoesting dat de ex-verslaafden uit de arbeidersklasse onderscheidt van hun lotgenoten uit de middenklasse. Het is de skag plus de cultuur van armoede en het totale gebrek aan ervaring, verwachting of hoop op een ander bestaan. En dan heeft Skreel het nog beter gedaan dan de grootste optimist zou kunnen hopen. De fatale OD van zijn kameraad Garbo ten gevolge van eersteklas spul heeft hem weer helemaal bij de les gebracht. Nu is hij clean, althans zo clean als een Ongewassen Glasgower kan zijn. Hij vraagt hoe het met Renton gaat, wat mij van hem tegenvalt, en ook met dat beruchte schorem van de oostkust. 'En Spud? Hoe gaat het daarmee?'

Ik schud somber het hoofd om een man die ooit een vriend was maar tegenwoordig alleen omschreven kan worden als een nauwelijks te accepteren kennis. Nee, dat klopt niet. Hij heeft meer van een afrukking tegenstander. Eigenlijk kan Spud beter hierheen verhuizen, hij is niet veel beter dan een Glasgower die uit de koers geraakt is. 'Het wil niet zo vlotten met Spud, Skreel. Je kunt een paard wel naar het water trekken, maar, nou ja, ik heb in ieder geval mijn best gedaan, wij allemaal,' zeg ik vroom.

Skreel heeft tegenwoordig lang haar dat zijn enorme flaporen camoufleert. Zijn adamsappel springt op en neer onder een dun, ratachtig sikje. 'Wat jammer, het was zo'n leuke gast.'

'Spud is Spud,' zeg ik glimlachend, en ik geniet bijna van de verdere aftakeling van die lul als ik bedenk hoe ik en Alison... nee, nu niet aan denken. Lesley. Ik krijg een vreemd, knagend gevoel in mijn borstkas, en ik moet het toch aan hem vragen. 'Lesley... alles oké met haar?'

Skreel werpt mij een achterdochtige blik toe. 'Ja, maar je gaat niet liggen klooien met haar.'

Het verbaast me dat ze nog in leven is. Ik geloof dat ik haar de laatste keer in Edinburgh heb gezien, vlak nadat de kleine Dawn was gestorven. Daarna hoorde ik dat ze in Glasgow zat en omging met Skreel en Garbo. Toen hoorde ik dat ze ge-OD had, en ik ging ervan uit dat het net zo met haar was afgelopen als met Garbo. 'Is ze nog aan de drugs?'

'Nee, laat haar met rust. Ze is clean. Ze is met een schone lei begonnen, getrouwd en een kind.'

'Ik zou haar wel weer eens willen zien, vanwege vroeger.'

'Ik weet niet waar ze is. Ik heb haar een keer in het Buchanan Centre gezien. Ze is een nieuw leven begonnen,' herhaalt hij. Ik merk dat hij me uit de buurt van Lesley wil houden. Nou ja, mij best, er staan belangrijker dingen op het spel.

Mijn contactpersoon heeft prima zijn best gedaan voor mij. We gaan de Clydesdale Bank binnen en de gast die hij aanwijst achter de balie is precies wat ik in gedachten had: een vadsige lul met overgewicht, met holle, bijna verdoofde ogen achter een bril à la Elvis Costello. Als die geile meid op hem afkomt, zal het bloed onmiddellijk van zijn hersenen naar zijn kruis schieten en zal hij alles doen wat zij hem opdraagt. Ja, Nikki brengt hem binnen de kortste keren aan het jodelen, terwijl hij dankbaar haar toilet schoonschrobt met een tandenborstel. Ja, dit is mijn man. Of liever, haar man.

Ze is me nog iets schuldig nadat ik haar gisteravond bevrijd heb uit de klauwen van die drie blauwpakken. Ze keken alledrie alsof ze meteen boven op haar wilden springen. Ze was een beetje van streek, dat coole, chique, geile wijf. Voor dit soort werk moet je lef hebben, en ik hoop dat ze er net zoveel zin in heeft als ik van haar verwacht.

Wat mij betreft, ik kan nauwelijks wachten om te beginnen met het meisje van mijn dromen. Ik heb zo'n gevoel van Terry Thomas-aan-dek-op-een-oceaanstomer-met-een-rijke-weduwe, en ik voel onder mijn neus of er niet spontaan een snor is gegroeid. Mijn project, mijn film, mijn *scene*.

39 '...een kwestie van tieten...'

Lauren is terug uit Stirling. Ik vraag me af wat er bij haar ouders thuis gebeurd is: ze lijkt totaal veranderd en is ineens ruimdenkend geworden. Ze verontschuldigt zich bijna voor haar bemoeizucht, terwijl ze bij haar standpunt blijft dat ik uiteraard ongelijk heb. Gelukkig gaat de telefoon en het is Terry die ons uitnodigt voor een lunch in de pub. Ik wil er graag heen omdat we over twee dagen voor de camera moeten neuken, dus misschien is het wel een goed idee elkaar iets beter te leren kennen. Ik moet moeite doen om Lauren mee te krijgen, zij wilde onze hernieuwde vriendschap vieren door met een joint te gaan zitten lachen bij het tv-journaal vóór de colleges van vanmiddag. Maar ik dring aan, krijg haar zelfs zover dat ze zich opmaakt, en we vertrekken naar het centrum.

Vlak voordat ik de deur dichttrek, gaat de telefoon, en deze keer is het mijn vader. Ik voel me meteen schuldig om mijn recente activiteiten in het hotel, maar hij praat alleen maar over Will en kan het nog steeds niet verwerken dat zijn zoon mogelijk homoseksueel is. Wat is het verschil tussen zijn beide kinderen? Ze pijpen allebei, alleen doet zijn dochter het voor de kost. Ik sta te popelen om op te hangen en de stad in te gaan.

De Business Bar is een van die tenten die het midden houden tussen een pub en een discotheek, met in de hoek een deejaytafel en een stel decks. Het is smoordruk, want er gaan geruchten dat N-sign hier komt deejayen; hij is blijkbaar een oude vriend van Rabs broer Billy en van Terry Sap. Terry stelt ons voor aan Billy, een echte *hunk*. Als ik goed naar Rab kijk, blijkt hij een slap aftreksel van zijn broer te zijn. Billy glimlacht en geeft ons een hand, en gedraagt zich als een echte gentleman, ietwat ouderwets, zonder dat het gemaakt overkomt. Hij ziet er fit en kerngezond uit, en ik merk dat mijn hormonen onmiddellijk op hem reageren, maar hij verdwijnt meteen weer achter de bar en hij heeft geen tijd om versierd te worden.

Terry probeert iets met Lauren, die zich echt niet op haar gemak voelt. Op een bepaald moment zegt ze dat hij zijn handen thuis moet houden.

'Sorry, mop,' Terry heft zijn handen ten hemel, 'ik ben nu eenmaal nogal tactiel ingesteld, weet je wel.'

Ze trekt een vies gezicht en gaat naar de plee om even rust te hebben. Terry zegt op kalme toon tegen mij: 'Je moet eens met haar praten. Wat is die meid opgefokt, zeg. Als er ooit iemand een stevige beurt moet hebben, dan is zij het wel. Gegarandeerd.'

'Eigenlijk was ze behoorlijk *chilled-out* voordat jij met haar begon,' zeg ik plagerig, maar in feite ben ik het wel met hem eens. Ik zou er wat voor over hebben als iemand haar eens flink naaide, want dan zou ze pas echt *chilled-out* zijn. Ze heeft te veel aan haar hoofd, en ze wordt er alleen maar gefrustreerd en opgefokt van en maakt zich zorgen om de kleinste dingen. En dan ook nog van anderen.

'Is dat niet Mattias Jack aan dat tafeltje in de hoek?' vraagt Rab aan Terry.

'Ja, ik bedoel "jawohl"! Billy zei dat hij vorige week Russell Latapy en Dwight Yorke hier op bezoek had. En waar voetballers zijn, daar zijn de wijven,' zegt Terry grijnzend. 'Maar wat vind je van deze twee, zijn het geen schatjes, Rab?' Hij heeft één arm om mijn middel gelegd en de andere strekt hij uit naar de naderende Lauren om haar in zijn omarming te betrekken. Maar ze blijft op een afstand staan en kijkt op de klok. 'Ik ga naar college.' Rab en ik drinken onze glazen leeg en laten Terry pratend met Billy aan de bar achter. Terwijl we vertrekken, zeg ik glimlachend: 'Tot donderdag.'

'Ik verheug me erop,' zegt Terry vrolijk.

'Sorry voor dat gelul,' zegt Rab terwijl we de North Bridge oversteken en langs het Scotsman Hotel lopen.

Hoewel het een heldere dag is, staat er een sterke, woeste wind, en mijn haar waait alle kanten uit. 'Ik vond het harstikke leuk, je hoeft je heus niet steeds te verontschuldigen voor je vrienden, Rab. Ik ken Terry nu wel zo'n beetje en ik vind hem hartstikke gaaf,' zeg ik, en probeer mijn wapperende haren in te tomen en achter mijn oren te duwen. Ik zie Lauren lopen, ze eet een Chunky KitKat, zet zich schrap tegen de wind, vloekt en knippert met haar ogen omdat er stof in gewaaid is. Ik realiseer me dat het volgende college het Bergman Seminar is, en ik voel er veel voor weg te blijven omdat ik me al behoorlijk verdiept heb in die opdracht. Ik ga toch en voel me schuldig omdat ik me stierlijk verveel terwijl Rab en Lauren helemaal opgaan in het onderwerp. Na afloop van het college heb ik geen zin om te blijven hangen; Rab gaat weg, en Lauren en ik gaan naar huis en Dianne heeft voor ons drieën pasta klaargemaakt.

Het eten is prima, uitstekend zelfs, maar ik stik er bijna in als ik *haar* op tv zie. De Britse sensatie van de Olympische Spelen, zoals Sue Barker haar noemt, Carolyn Pavitt. En Carolyn heeft het blond geverfde haar en de tandpastalach die tegenwoordig haar imago bepalen. Ze doet poeslief en een beetje fanatiek, zodat John Parrott en een voetballer die te gast is nog meer macho worden dan ze al zijn. Ik hoop dat Ally McCoist en zijn team gehakt maken van die stomme, tietloze teef, en haar genadeloos ontmaskeren als de hersenloze mongool die ze is. '*A Question of Sport*'? Wat weet zij godverdomme van sport? Eigenlijk zou het een kwestie van tieten moeten heten. En waar zijn die van jou, meid?

Ik knipper met mijn ogen en kijk nog eens goed. Ze heeft ineens *wel* tieten! Vol afgrijzen staar ik naar haar en realiseer me dat ze zich heeft laten behandelen! De tietloze, atletische, aanstellerige Britse olympische medailleteef heeft, naast haar geverfde blonde haar en haar stifttanden, een paar zakjes met siliconen laten implanteren ter voorbereiding op een nieuwe carrière in de media.

Ik ken die hypocriete teef, dat liegbeest...

Dianne gaat vanavond naar haar ouders. Lauren en ik blijven thuis, tv kijken. Ze ergert zich aan een kunstprogramma waarin een stel intellectuelen praten over het verschijnsel van Japanse meisjesauteurs. Ze laten foto's zien op de stofomslag van een aantal romans, bijna softporno-opnames. 'Maar kunnen ze ook schrijven?' vraagt een expert. Een hoogleraar Volkscultuur snauwt ongeduldig maar bloedserieus: 'Ik zie niet in wat dat ermee te maken heeft.'

Lauren reageert spinnijdig! We roken een joint en krijgen trek. Ik neem nog een bord pasta en Lauren trekt een fles rode wijn open. Ik neem maar een kleine portie, maar die ligt als een steen in mijn maag en ik denk aan de polaroidfoto die Severiano/Enrico genomen heeft, en ik ga naar het toilet en kots alles weer uit. Daarna poets ik mijn tanden en neem wat *milk of magnesia* om mijn maag tot rust te brengen.

Als ik terugkom, kijk ik vol afgunst naar Lauren die naar hartelust zit te eten; ze eet erg veel voor zo'n klein meisje. Zo zou iedereen wel willen zijn: al die meiden uit de showbiz die beweren dat ze geen anorexia hebben en eten zoveel ze willen. Ik weet wel beter, maar dat geldt niet voor Lauren. Ze zit altijd te eten. De rode wijn is binnen de kortste keren op en algauw gaat er een fles witte open. Het is een ontspannen avond en het voelt net zoals vroeger, zij en ik samen, de meiden gezellig een avondje thuis. Dan wordt er op de voordeur geklopt, en Lauren schrikt op en kijkt dan kwaad. 'Niet opendoen,' zegt ze. Ik haal mijn schouders op, maar ze blijven kloppen.

Ik sta op.

'Toe nou, Nikki, niet doen...' smeekt Lauren.

'Misschien is het Dianne, misschien is ze haar sleutel kwijt of zoiets.' Ik doe de deur open en het is natuurlijk niet Dianne, het is Simon met een brede grijns op zijn gezicht. Hij ziet er zo geweldig uit, om op te eten gewoon, dat ik hem wel binnen móét laten, hoewel ik weet dat hij een spelletje met mij speelt. Als hij de kamer binnenkomt, kijkt Lauren zwaar teleurgesteld. 'Ik rook de pasta,' zegt hij met een vette lach en een blik op haar bijna lege bord. 'Dat is de Italiaan in mij.'

'Wil je wat? Er is genoeg over,' zeg ik, en ik zie dat Lauren haar blik afwendt.

'Nee, dank je, ik heb al gegeten.' Hij wijst op zijn maag en kijkt naar Lauren. 'Leuk truitje,' deelt hij haar mee. 'Waar heb je dat gekocht?'

Ze kijkt naar hem en een seconde lang vrees ik dat ze zal zeggen: 'Dat gaat je geen fuck aan,' maar in plaats daarvan mompelt ze: 'Gewoon, bij Next.' Ze staat op en brengt haar bord naar de keuken. Ik hoor dat ze direct naar haar kamer gaat en vraag me af of dat de reactie is die Simon bedoeld heeft met zijn opmerking.

Als om mijn vermoeden te bevestigen trekt hij zijn wenkbrauwen op. 'Die meid moet eens een goeie beurt hebben,' zegt hij op zachte, ongeduldige en samenzweerderige toon. 'Mooi kind wel. Dat zie je zo, zelfs met die afschuwelijke kleren aan. Ze is toch niet lesbisch, hè?'

'Ik geloof het niet,' zeg ik, half lachend.

'Jammer,' zegt hij bedachtzaam, en er klinkt iets van teleurstelling door in zijn stem.

Ik grinnik hardop, maar hij reageert niet en ik zeg: 'Als ik Lauren zie, moet ik altijd denken aan het eerste hoofdstuk van *Middlemarch*, van George Eliot.'

'Fris mijn geheugen even op,' zegt Simon, 'ik heb behoorlijk wat gelezen, maar in citaten ben ik niet zo'n kei.'

'Miss Brodie enzovoort... beschikte over het soort schoonheid dat lijkt te worden geaccentueerd door armoedige kleding, en ze leek door haar eenvoudige manier van kleden des te waardiger over te komen,' citeer ik.

Simon denkt even na en besluit dat hij niet onder de indruk is. Ik ben teleurgesteld, en baal er tegelijkertijd van dat ik zo reageer. Ik zou eigenlijk moeten zeggen dat hij beter op kan rotten. Waarom is de goedkeuring van deze man met dubieuze reputatie plotseling zo belangrijk voor mij?

'Moet je horen, Nikki, ik heb een voorstel,' zegt hij op ernstige toon.

Plotseling tolt mijn hoofd. Wat bedoelt hij? Ik houd het luchtig. 'Ik weet alles van dat soort voorstellen,' zeg ik. 'Ik heb vanmiddag wat gedronken met Terry. Volgens mij kan hij niet wachten tot donderdag.'

'Ja, het wordt een grote dag,' zegt hij peinzend, 'maar dit is iets heel anders. Ik zou graag willen dat je me helpt, met eh, het werven van fondsen. Puur zakelijk.'

Puur zakelijk? Na wat er die avond gebeurd is? Waar heeft hij het over? Dan vertelt hij me over een maf plan van hem dat zó spannend klinkt, zo intrigerend, dat ik wel ja móét zeggen.

Sick Boy, zeg dat wel.

Ik weet dat hij spelletjes met mij speelt, met die bloemen en zo, maar dat is precies wat ik ook met hém van plan ben. Alle intimiteit, alle tederheid van die nacht is verdwenen. Ik ben nu gewoon een zakenpartner van hem, een pornoster. Ik bevind mij midden in een mijnenveld, ik weet het, maar ik kan mezelf niet bedwingen. Oké, Sick Boy, ik speel het spelletje mee, zolang jij wilt. 'Ik heb vandaag Billy ontmoet, de broer van Rab. Lijkt me een aardige gast,' zeg ik, en let op zijn reactie.

Simon tilt een wenkbrauw op. 'Business Birrell,' zegt hij. 'Grappig eigenlijk, pas tijdens het hengstenbal ontdekte ik dat Rab een broer van hem is. De gelijkenis is sterk, hè? Ja, ik heb een paar jaar geleden een onenigheidje met hem gehad, vlak nadat hij die Business Bar geopend had. Ik kwam binnen met Terry die een overall aan had. We raakten aangeschoten. Ik zei tegen Business: "Boksen, dat is toch een ontzettend burgerlijke sport, vind je niet?" Ik bedoelde het ironisch, maar volgens mij was dat niet aan hem besteed. We mochten er niet meer in,' zegt hij gniffelend, en in zijn stem klinkt eerder minachting dan jaloezie door voor Rabs broer.

'Hij heeft wel een prima zaak daar,' moet ik toegeven.

'Jawel, maar hij is niet de baas. The Business Bar is van de geldschieters achter Billy Birrell,' zegt hij op wrange toon. 'Hij is gewoon een soort superbarkeeper. Vraag maar aan Terry, als je me niet gelooft.'

Simon is dan misschien niet jaloers op Billy, maar wel op zijn bar. Eén ding is zeker, en dat is dat het een veel chiquere tent is dan The Port Sunshine.

'Moet je horen, Nikki...' begint Simon, 'over laatst... ik wil een keer echt met je uit. Ik ga vrijdag op bezoek bij mijn oude kameraad Renton in Amsterdam, in verband met die fondsenwerving. Op donderdag filmen we, dus dat wordt zuipen na afloop. Wat doe je morgen?'

'Niks,' zeg ik ietsje te gretig, en wil nog 'neuken met jou' zeggen, maar ik houd me in. Ik moet me beheersen. 'Nou... ik was van plan om naar de Commonwealth Pool te gaan, als ik klaar ben in de sauna.'

'Prima! Hartstikke gaaf. Ik kom vaak in het fitnesscentrum daar. We spreken daar af en dan neem ik je daarna mee uit eten. Is dat oké?'

Dat is meer dan oké. Mijn hart gaat als een bezetene tekeer, want ik heb hem te pakken. Hij is nu van mij, en dat betekent, ja, wat betekent dat eigenlijk? Het betekent dat het mijn film is, mijn team, mijn geld: het betekent alles.

Kort daarna gaat hij weg en Lauren komt weer de kamer in, opgelucht door zijn vertrek. 'Wat moest hij?' vraagt ze.

'O, nog wat details over de film,' zeg ik en zie dat haar gezicht vertrekt.

'Hij heeft het wel erg getroffen met zichzelf, niet?'

'Ja zeker. Als hij zin heeft om zich af te trekken, reserveert hij eerst ergens een hotelkamer,' zeg ik.

Voor het eerst sinds tijden barsten we samen in lachen uit.

Toch ken ik hem nog lang niet goed, maar ik heb het sterke vermoeden dat Simon nooit erg geleden heeft onder een gebrek aan eigendunk. Maar vanaf nu gaat het tussen hem en mij; onvermijdelijk, onverbiddelijk.

40 Project nr. 18.745

Dat was een heerlijk dineetje, bij Sweet Melinda in Marchmont. We hadden afgesproken in de Commonwealth Pool, en Nikki zag er zo fantastisch uit in haar rode bikini, dat ik bijna een hartaanval kreeg. Ik was bang om mijn zelfbeheersing te verliezen en begon fanatiek te zwemmen, en zij zwom moeiteloos zestien baantjes mee, wat gelijkstaat aan ongeveer dertig baantjes in een gewoon zwembad. Daarna met een taxi naar het restaurant. Ze zag er beeldschoon uit, bijna hemels, ze gloeide helemaal na de lichamelijke inspanning, en ik had de grootste moeite mijn blik op de taximeter te houden. Volgens mij was Nikki een beetje nijdig omdat ik haar meenam naar een restaurant in een buitenwijk in plaats van het stadscentrum, maar dat veranderde op slag toen ze de ambiance zag, de bediening en vooral het aanbod aan fruits de mer. Ik genoot van de gebakken inktvis met Pernod en bieslookmayonaise, en Nikki at haar vingers op bij de gegrilde Coquilles St. Jacques met zoete chilisaus en crème fraîche. We namen er een heerlijke Chablis bij en vers, knapperig, zelfgebakken brood.

Ik kan maar aan één ding denken: haar meenemen naar mijn huis; het beeld van haar volmaakte lijf in die rode bikini staat zo scherp in mijn geheugen gegrift dat ik moeite heb om het gesprek gaande te houden of zelfs maar over het project te dénken. En ze is bepaald niet bedeesd. Achter in de taxi ritst ze mijn gulp open en steekt haar hand naar binnen terwijl ze me ongelooflijk fel tongt. Op een bepaald moment bijt ze zo hard in mijn onderlip dat ik bijna gil van de pijn en haar van me af duw.

We houden er even mee op, ik betaal de chauffeur en mijn gulp staat nog open. Op de trap doet ze mijn riem los, ik trek haar vest over haar hoofd, schuif haar bloesje omhoog en doe in dezelfde beweging haar beha af. Staande in de hal rukken we elkaar de kleren van het lijf. De deur tegenover mijn flat gaat open en die pedofielachtige vent die daar met zijn moeder woont, steekt zijn hoofd om de deur, kijkt naar ons en smijt de deur weer dicht. Ik haal mijn sleutel te voorschijn, we betreden de woning, Nikki trekt haar zwartfluwelen broek uit en de mijne valt op de grond, terwijl ik de voordeur achter ons dichtschop. Ik help haar uit haar broek en haar witkanten slipje en begin aan haar kut te slurpen, die vaag naar chloor smaakt. Ze geniet van de bewegingen van mijn tong, vooral als ik hard op haar clit begin te zuigen. Ik voel hoe ze haar nagels in mijn nek zet en daarna in mijn wangen, en ik kan nauwelijks nog ademhalen, maar ze duwt me terug en beweegt, en ik laat die lekkere kut niet los, maar ze draait zich in allerlei bochten om bij mijn pik te komen. Met haar tong deelt ze scherpe, elektriserende likjes uit, daarna stopt ze hem helemaal in haar mond. Deze impasse houdt een poosje aan, totdat we instinctief het contact verbreken, elkaar in de ogen kijken en alles traag en wazig wordt als bij een verkeersongeluk. We tasten met onze handen elkaars lichaam af, en spiegelen zo elkaars geduldige, bijna forensische liefkozingen. Ik voel iedere spier, pees en zenuw onder haar perzikzachte huid, en ik voel ook hoe ze mij aandachtig aftast, alsof het vlees langzaam van mijn botten wordt gehaald.

Het wordt steeds geiler, en ze pint me vast op de grond met de enorme kracht in die dijen van haar die er zo bedrieglijk zwak uitzien. Ze heeft het uiteinde van mijn pik vast, wrijft ermee langs haar poes, en duwt hem dan bij haar naar binnen. We neuken langzaam en ontspannen totdat we allebei klaarkomen. Dan strompelen we naar mijn bed en gaan op het dekbed liggen. Uit de la van mijn nachtkastje haal ik een zakje coke. Ze wil eerst niet, maar ik hak toch twee lijntjes. Dan rol ik haar op haar buik en maak met een hoekje van het dekbed het kuiltje onder aan haar wervelkolom droog. Ik stik bijna door de schoonheid van dat kontje onder mijn neus, leg een lijntje uit onder aan haar ruggengraat en snuif het op. Ik laat mijn vinger tussen haar billen glijden, over het kuiltje van haar aars waardoor ze zich ietwat spant, en dan in haar kletsnatte vagina. En terwijl de cokerush door mij heen raast zoals de sneltrein naar Norwich door Hackney Downs, glij ik weer in haar, en ze zit weer op haar knieën en duwt en beukt tegen mij aan. 'Snuif op...' hijg ik, en wijs naar het lijntje op het nachtkastje.

'Ik... wil... die... troep... niet...' hijgt ze, kronkelend als een slang, en mijn pik met enorme kracht en fantastisch overwicht vasthoudend.

'Snuif het op, godverdomme,' schreeuw ik, en ze kijkt om naar mij met een scheve grijns op haar gezicht en zegt: 'O, Simon...' en ze pakt het opgerolde bankbiljet en snuift het poeder op terwijl ik haar neuk, iets kalmer terwijl ze aan het stofzuigen is, maar dan ram ik zo hard mogelijk op haar in en houd mijn handen om haar slanke middel; die kronkelende slang verstart, wij zijn als de beide onderdelen van een zuiger, en als we klaarkomen barsten we tegelijk in gegil uit.

's Nachts neuken we nog een paar keer. Als de wekker gaat, sta ik op, maak een Spaanse omelet en zet espresso. Na het ontbijt neuken we nog een keer, Nikki gaat naar de universiteit en ik doe nog een lijntje, neem nog een dubbele espresso, pak wat kleren en toiletartikelen in een tas voor in Amsterdam, hang hem op mijn schouder en ga kalm aan en opgetogen naar mijn werk.

Als er één gegarandeerde manier is om je goede humeur te verliezen dan is het mijn kroeg betreden. Ik heb problemen, en ik probeer erachter te komen of die met personeel of met sanitair te maken hebben. Van allebei een beetje, want het ziet ernaar uit dat er een oude trut onder hoge druk staat. 'Alweer naar Amsterdam? Daar ben je net geweest! Dat kan toch niet, Simon, dat kan gewoon niet,' zegt Mo, het hoofd koppig gebogen, en ze weigert me aan te kijken terwijl ze de bar oppoetst.

'Morag, ik geef toe dat ik de laatste tijd behoorlijk veel van je geëist heb, maar je hebt nu Alison als extra hulp. En deze zakelijke vergadering is van groot belang,' zeg ik en laat de oude dragonder mopperend achter.

Op weg naar het vliegveld is het steenkoud. Mijn vlucht is uiteraard vertraagd, en pas vroeg in de avond ben ik in de flat van Renton. De sfeer is er om te snijden, er is sprake van een voelbare spanning tussen hem en die Katrin van hem, die ik bepaald niet verminder (gelukkig) door haar een flesje belastingvrije parfum van Calvin Klein cadeau te geven. Goed genoeg voor een derderangs wijf. 'Voor jou, Katrin,' zeg ik grijnzend; ik blijf haar aankijken en zie alleen maar keihard Teutoons staal in haar blik. Maar misschien is het wel een ontzettend geile donder, die kleine moffin. Het duurt even, maar dan wordt haar blik zachter, en ze kijkt zelfs een beetje verlegen. 'O, nou, daaaank je...' zegt ze lijzig.

Ik doe dit natuurlijk alleen maar om Renton te stangen, maar ik weet niet of dat lukt want hij gunt mij niet de voldoening om daar ook maar iets van te merken. We gaan naar Café Thijssen, en die rooie rukker belt een kameraad van hem die hij per se aan mij wil voorstellen. Die gast is hier blijkbaar werkzaam als groothandelaar in porno. Ja, hij heeft zo nog wel zijn nut, die grote klootzak. Wat we bedacht hebben is dat we twee rekeningen gaan openen bij twee verschillende banken in Zürich, een voor algemene filmzaken en een afzonderlijk voor de productie. De instructie aan de eerste bank is dat zodra het totaal van de rekening de £ 5000 overschrijdt, het teveel wordt overgeboekt naar de andere rekening bij de tweede bank. 'Zwitserse banken stellen geen vragen,' legt

Renton uit, 'en twee rekeningen betekent dat het geld vrijwel onnaspeurbaar is. Die pornogasten en sommige van de grote clubjongens hier doen het allemaal zo.'

'Prima, Rents. Laten we dat zo maar regelen,' zeg ik. We gaan over op een ander onderwerp, maar na een poosje merk ik dat hij er niet met zijn gedachten bij is, en ik weet wel waarom. 'Gaat die lieve Katrin niet even iets met ons drinken, Mark?' vraag ik glimlachend, terwijl we via een hellende brug de gracht oversteken naar een kroeg aan de overkant.

Hij mompelt iets terug terwijl we het café binnengaan.

Het is een prachtige, typisch Nederlandse, bruine kroeg, met plankenvloer, houten lambrisering en enorme ramen waar het late middaglicht door naar binnen valt. Ik draai me om en geniet van het uitzicht, zodat Renton wel moet bestellen. Oude gewoonten zijn moeilijk af te leren. '*Mak ik twee beer?*' zegt hij tegen het glimlachende barmeisje.

Na een poosje komt die vriend van hem opdagen, een Nederlander genaamd Peter Mühren, die hij 'Miz' noemt. Miz is blijkbaar groothandelaar in wat hij 'volwassen erotiek' noemt. Hij ziet eruit alsof het woord 'viespeuk' ooit speciaal voor hem bedacht is. Hij is mager, heeft kort zwart haar, een verweerd gezicht, felle rattenoogjes en een vies, rafelig baardje. Die gore gluiperd moet ik in de gaten houden. Hij neemt ons mee naar de rosse buurt en lult vijf kwartier in een uur. 'Ik heb een kantoortje aan de Nieuwezijds Voorburgwal. Vandaaruit handel ik in video's; van mijn eigen productiemaatschappij of die van mijn vrienden, en Europese en Amerikaanse import tot bizar en zelfs softseks, als het goed gemaakt is. Als het lekker geil is, het beeld scherp, en de seks enthousiast en creatief genoeg is, dan verkoop ik het door,' zegt hij. De vieze, gore gluiperd.

Ergens in de rosse buurt gaan we een smalle trap op naar zijn kantoor. Aan een kant bevindt zich een glazen cel met daarin een enorme videomontagetafel, een paar beeldschermen en een mengpaneel. Het lijkt erop dat Miz zijn tijd voornamelijk hier doorbrengt. Hij legt uit dat hij veel Amerikaanse DVD's importeert en ze illegaal monteert. Hij knipt en plakt er scènes uit en maakt zo nieuwe films. 'Het gaat hem om de montage,' zegt hij nonchalant, 'en hoe je het verpakt. Ik maak gebruik van de DTP-faciliteiten van een vriend van me.'

Miz doet alsof hij heel wat voorstelt, maar ik heb dat soort shit al lang gezien in Londen. Het is best indrukwekkend door het geld dat het oplevert, maar het is nauwelijks uitdagend te noemen. Het duurt niet lang voordat ik me stierlijk begin te vervelen, en ik stel voor dat we nog ergens een pilsje gaan drinken.

We gaan naar buiten en lopen langs de roodverlichte ramen met de hoeren. Er komen herinneringen aan deze plek naar boven. 'Weet je nog dat we hier geweest zijn toen we zestien waren, Rents?' Tegen Miz zeg ik: 'We gingen allebei naar dezelfde hoer, zo'n grote vieze. We tossten erom, Rents ging eerst en ik wachtte buiten. Toen het mijn beurt was, zei ze: "Ik hoop dat jij er langer over doet dan die vriend van je. Hij was heel snel klaar, maar hij vroeg om een kopje koffie, en toen heb ik een kopje voor hem gezet." Dus toen ik uren later naar buiten kwam en dat wijf achterliet alsof er een Japanse munitietrein bij haar naar binnen was gereden...' ik moet lachen als ik die rooie rotlul iets hoor mompelen over de snelheid van een Japanse munitietrein, maar ik vertel verder en negeer die lul zijn sneue poging om zijn eer te redden, '...vroeg ik de lul: "Was de koffie lekker?"'

We gaan een club binnen. Rents stapt nonchalant en zelfverzekerd naar binnen en knikt naar iedereen alsof zijn pik ineens tien centimeter langer is geworden dan dat dunne witte miezertje dat tussen dat belachelijk rode schaamhaar uit piept op de foto's die we achter in de bushokjes hingen. Het geeft een vreemd gevoel om weer in zijn gezelschap te verkeren. Aan de ene kant is het een geweldige kick, zondere enige sentimentaliteit, anderzijds geeft het gevoel van wederzijds wantrouwen de hele onderneming iets heel spannends.

Ik neem enkele joints en een paar pilsjes, maar doe het verder kalm aan. Na een poosje neemt Rents mij terzijde, en net als vroeger blijkt zijn zwakke punt, ondanks zijn stoïcijnse houding, nog steeds te zijn dat hij ongelooflijk begint te ouwehoeren zodra hij te veel gedronken heeft. Het lijkt nu erger te zijn dan ooit, en hij lult maar door dat hij tegenwoordig bijna niets meer drinkt en nog maar zelden harddrugs doet. Gelukkig voor hem was ik zelf meestal zo bezopen dat ik niet meer wist wat hij allemaal zei. Maar deze keer ligt het anders voor Rent Boy. 'Het gaat helemaal fout met Katrin,' zegt hij. 'Ik kom binnenkort zeker weer eens terug. Dit project bevalt me wel, ik denk zelfs dat het kans van slagen heeft...' Hij aarzelt even. 'Begbie zit nog steeds vast, niet?'

'Die zit nog wel een paar jaar, heb ik gehoord.'

'Voor doodslag? Flikker toch op,' zegt Renton spottend.

Ik schud langzaam van nee. 'Franco was niet bepaald een modelgevangene. Die lul heeft in de bajes een paar medegevangenen vermoord, plus een paar cipiers. Ze hebben de sleutel allang weggegooid,' en ik maak een wegwerpgebaar.

'Mooi zo, dan wil ik het wel proberen.'

Goed nieuws voor Simon le Bourgeois, althans binnen afzienbare tijd bourgeois. De nacht wordt nog leuker wanneer Miz wat coke scoort bij een paar Marokkaanse flikkers, waarvan er eentje naar mij staat te lonken, alsof ik geïnteresseerd ben in zijn slijmerige reet. Ik neem het spul mee naar het toilet en snuif twee lijntjes, voor elk neusgat één.

Na een discussie over ras en drugs, waarbij Renton *mij* ervan beschuldigt een racistisch standpunt in te nemen, ga ik naast Miz tegenover hem zitten. 'Jij moet bij mij niet komen aankakken met dat antiracistische gezeik, Renton, want ik weet wel beter, ik heb geen greintje racisme in me,' zeg ik. Ik merk dat Miz aan de praat is geraakt met een meisje met een enorme kokkerd. Het ding begint midden op haar voorhoofd en eindigt op het puntje van haar kin, vlak boven een leuk, klein mondje. Ze ziet er zo fucking... Ik wil onmiddellijk met haar neuken, en niet praten met Renton die mij allerlei flauwekul in mijn oor zit te fluisteren over cocaïne.

Plotseling is die meid met die prachtige fok verdwenen. Ik vraag aan Miz wie ze is en hij zegt, o, een vriendin, en ik zeg: 'Heeft ze een vriendje? Zoek haar op. Zeg maar dat ik haar aardig vind. Zeg maar dat ik met haar wil neuken.'

Hij kijkt me doodernstig en beledigd aan en zegt: 'Hé, dat is toevallig wel een heel goeie vriendin waar je het over hebt, man.'

Ik bied hem uitgebreid maar ongemeend mijn verontschuldigingen aan en, niet gehinderd door enige gevoel voor ironie, die accepteert hij. Aan de bar ga ik op zoek naar het meisje, maar ik kom terecht bij Jill uit Bristol. Ik weet niet of ze kan lezen, schrijven of een trekker besturen, maar ik durf er iets onder te verwedden dat ze kan rammen en klepperen als de deur van een schijthuis in de storm. Ik blijk gelijk te hebben, want de rest van de nacht doen we dat in haar hotel en in de beste verstandhouding. Ik bel Rents op zijn mobiel en hij antwoordt op pruilerige toon: 'Waar was jij ineens gebleven?'

Ik deel hem mee dat ik een aardige jongedame heb ontmoet, en hij kan wat mij betreft lekker naar huis, naar dat maffe wijf van hem, en genaaid worden zoals hij altijd genaaid wordt: geestelijk. Katrin kun je moeiteloos vervangen door... hoe heette die rare meid ook weer waar hij vroeger mee omging?... Hazel. Ja, hoe meer alles verandert, des te gelijker het blijft.

Maar die Jill lust er wel soep van; ze is een volstrekt pretentieloze meid op vakantie, die gelukkig doet wat volstrekt pretentieloze meiden op vakantie horen te doen. De volgende ochtend gaan we zelfs zover dat we telefoonnummers uitwisselen.

Ik baal een beetje dat ik geen gratis ontbijt kan meepikken in haar hotel, omdat ik bij Renton mijn tas moet oppikken. Als ik bij de flat van Rents aankom, verwacht ik hem half en half aan te treffen in een gezellig onderonsje met Miz en de Marokkanen, maar Katrin doet de deur open. Ze is gekleed in badjas en laat mij binnen. 'Si-mahnn...' zegt ze op dramatische, omfloerste toon.

Renton is ook op; hij ligt, gehuld in een oranje badstof badjas, op de bank te zappen, zoals hij vroeger altijd al deed. Zijn rode haar vloekt ongelooflijk met de kleur van zijn jas. 'Mark, mijn mobiel is leeg, kan ik de jouwe even lenen? Ik moet even sms-en met een bloedgeil wijf.'

Hij staat op en haalt de telefoon uit zijn jaszak. Ik tik de volgende tekst in:

HOI, LEKKER DING. WANNEER KAN IK WEER LOOS OP DIE LEKKERE REET VAN JE? IK HOOP DATTIE NIET TE SLAP GEWORDEN IS IN DE BAJES. BINNENKORT ISSIE WEER HELEMAAL VAN MIJ.

JE OUWE MAATJE

Ik kijk in mijn adresboekje en tik het nummer van Franco in. *Message sent.* Ik ben een soort Cupido, zeg maar.

Ik neem snel afscheid, haast me naar het station en haal nog net de trein naar Schiphol. In de trein breekt me het zweet uit bij de gedachte dat Renton misschien waardevolle spullen uit mijn tas gejat heeft. Ik kijk en zie dat mijn schitterende Ronald Morteson-trui er nog in zit. Nog belangrijker is of hij iets verdachts heeft aangetroffen. Ik weet hoe die lul is, hij heeft de inhoud vast en zeker uitgekamd. Nee, alles zit er nog in.

Op het vliegveld van Edinburgh neem ik een taxi naar de pub. Rab is er met een paar medestudenten en een heleboel spullen. Betacams, DV's, 8-millimeter-camera's, een monitor, en spullen voor licht en geluid. Hij stelt me voor aan de studenten Vince en Grant, en ik ga hun voor naar boven.

De filmset is minimalistisch: een boel matrassen op de kale vloer. Terwijl ze hun apparatuur opstellen en de sterren het vertrek betreden, hangt er een voelbare elektrische spanning in de lucht. Mijn hart staat stil als Nikki binnenhuppelt, naast me komt staan en koerend vraagt: 'Hoe was het in Amsterdam?'

'Fantastisch, waarover straks meer,' zeg ik glimlachend en zwaai naar Melanie die net binnenkomt. Mijn tweede hoofdrolspeelster is uitermate sexy – zoals een exotische vismaaltijd op een bepaald moment precies is wat je je ervan voorgesteld had, maar het is bepaald geen haute cuisine. Ze had mooier moeten zijn, maar economische en maatschappelijke omstandigheden hebben ervoor gezorgd dat ze anders met zichzelf is omgegaan dan Nikki. Als ik verder doordenk, moet ik God op mijn blote knieën danken dat ik een Italiaanse moeder heb.

Mijn cast, mijn crew; en wat een fraai zootje. Afgezien van Mel, Gina en Nikki, is er Jayne, haar bevriende hoer uit de sauna, en de Zweedse (of Noorse) Ursula, die lang niet zo mooi is als haar naam doet vermoeden, maar wel een fantastische neukmachine is. Dan is er nog Wanda, de hoer van Mikey, die met de benen over elkaar in een hokje zit en er nogal gestoord uitziet met haar door de smack uitgedoofde ogen. En verder Terry, zijn neukvrienden Ronnie en Craig en ikzelf. Rab en zijn studentenvriendjes zitten er ietwat ongemakkelijk bij.

Tijdens de repetitie wordt het duidelijk dat ik problemen ga krijgen met Terry en zijn aanhang. Wat de seks betreft, valt het nog wel mee, daar hebben ze een behoorlijke routine in, maar ze zien het verschil niet tussen neuken voor de camera en het maken van een pornofilm. Bovendien zijn hun acteerprestaties afgrijselijk. Zelfs de meest elementaire tekst, en reken maar dat die fucking elementair is, wordt door hen verkloot. Ik heb bedacht dat ik hun zelfvertrouwen wil vergroten door te beginnen met waar ze goed in zijn. En dus nemen we eerst de seksscènes op, te beginnen met de slotscène, de orgie, die hen zal bemoedigen en moet leiden tot een gevoel van *esprit de corps.*

Maar er zijn zoveel startproblemen. Melanie heb ik gecast in een rol als puber, wat ongeveer overeenkomt met haar leeftijd. Maar op haar armen staat 'Brian' en 'Kevin' getatoeëerd. 'Melanie, je moet een onschuldige maagd voorstellen. We moeten die tatoeages afdekken.'

Gehuld in sigarettenrook trekt ze haar wenkbrauwen op en begint samen met Nikki te giechelen. Gina kijkt om zich heen met een blik alsof ze iedereen in het vertrek wil naaien, aan stukken scheuren en opvreten. Daar heb je wat aan. Jammer dat het zo'n slettenbak is.

Ik klap in mijn handen en vraag om stilte. 'Oké, mensen. Kom, schatjes, kom op. Luister! Vandaag is het begin van de rest van je leven. Wat jullie tot nu toe gedaan hebben is softporno. Wat we hier gaan doen is het echte pornowerk. Dus het is van het grootste belang om geconcentreerd te werken en op tijd te beginnen en te stoppen. Kent iedereen zijn tekst?'

'Jaha,' zegt Nikki op lijzige toon.

'Denk 't wel,' gniffelt Melanie.

Terry haalt zijn schouders op en ik begrijp dat hij nog geen fucking woord geleerd heeft. Ik rol met mijn ogen en zoek inspiratie op het plafond. Het is maar goed dat we beginnen met de neukscènes.

Melanie en Terry staan te popelen om te beginnen. Ze kleden zich totaal onbeschaamd uit, en de vrienden van Rab houden zich bezig met de apparatuur. Het is best gek om Terry naakt te zien, terwijl Rab mij de opname laat zien op de monitor van de Betacam. Ik zet een van de digitale videorecorders aan en stel de camera zo in dat ze allebei in beeld zijn. Grant rommelt nog wat aan de belichting en stelt zijn spots in, en Vince zegt dat het geluid in orde is. 'Actie! Kom op, Tez, stop je knuppel in dat hok, jongen,' zeg ik. Niet dat hij een dergelijke aanmoediging van mij nodig heeft, want hij duikt meteen op haar en begint haar te bewerken, eerst met zijn vingers en daarna met zijn tong. Ik zoom mijn nieuwsgierige camera langzaam in op die slurpende tong en die natte gleuf. Ze beweegt zich een beetje stijfjes en ik zet de camera stil. 'Je lijkt wat gespannen, mijn lieve Melanie,' merk ik op.

'Ik kan me niet concentreren als iedereen kijkt,' klaagt ze. 'In de pub was het anders, toen iedereen bezig was.'

'Nou, je zult toch moeten. Zo zit de porno-industrie nu eenmaal in elkaar, schat,' zeg ik. Ik zie hoe Nikki naar hen kijkt, met een wulpse, dierlijke blik in de ogen, haar scherpe tongetje gaat langs haar geile, ietwat wrede lippen, en ik voel de inspiratie komen. Die teef is als een open boek voor mij, en ze staat te springen om aan de slag te kunnen. 'Moet je horen, nieuwe spelregel voor op de set. Ofwel je trekt je kleren uit, of je lazert op naar beneden,' zeg ik, terwijl ik mijn broekriem losmaak.

Rab is verbijsterd, staande achter zijn statief. Hij kijkt eerst naar Nikki en dan naar Gina, die haar truitje al uitgetrokken heeft. Nikki trekt het hare ook uit en ik blijf even kijken hoe dat kledingstuk zich over haar hoofd beweegt. Godverdomme, wat is die meid geschikt voor dit werk. Op sportieve, meisjesachtige toon zegt ze tegen de crew: 'Kom op, jongens,' terwijl ze haar beha losmaakt en haar keiharde, gebruinde tieten ontbloot die een onmiskenbaar signaal afgeven naar mijn kruis. Ze knoopt haar rok los, stroopt haar slipje af, stapt eruit en toont de wereld haar fris geschoren kutje.

'Nik-kiiee...' zeg ik, onwillekeurig klinkend als Ben Dover in zijn video's, waarbij de bewonderende uitspraak van het grootste belang is.

'Klaar voor de actie,' zegt ze pruilend en spinnend.

Godverdomme, die meid had ik jaren geleden moeten ontmoeten. Dan waren we vast en zeker wereldkampioen geworden. Maar dat kan alsnog.

Concentratie, Simon. Ik zoek dekking achter de camera en probeer mij zo professioneel mogelijk op te stellen.

Gina loopt rond met zwabberende tieten en Terry's ogen zijn zo groot als schoteltjes. Soms word ik er niet goed van, die ziekelijke obsessie van hem voor kwantiteit in plaats van kwaliteit.

Die arme Rab schijt nog steeds in zijn broek, maar het is inmiddels wel duidelijk dat hij wil blijven. 'Ik doe gewoon mijn werk... mijn vriendin kan ieder moment bevallen... ik wil dit helemaal niet... ik ben gewoon cineast en geen fucking pornoster!'

'Nou ja, de crew kan doen wat ze willen, maar ik krijg de smaak te pakken,' zeg ik, trek mijn T-shirt uit en kijk in de spiegel aan de muur. Mijn pens ziet er niet beroerd uit, het vele bewegen en mijn dieet beginnen hun vruchten af te werpen. Ik kom snel aan, maar val ook weer snel af. Gewoon even streng zijn; geen frituur, sterke drank in plaats van bier, drie keer per week naar de sportschool in plaats van één keer, lopen in plaats van steeds in een auto stappen, cocaïne in plaats van wiet, en weer gaan roken. Resultaat: de pondjes vliegen eraf.

Wanda kijkt op en zegt op een lijzige smacktoon dat gasten met hun kleren aan er het meest sexy uitzien, waar ik en de rest van de sterrencast niet blij mee zijn. 'Hé, Rab, hoor je dat? Je bent populair onder heroïnehoeren,' zegt Terry, en Wanda steekt nonchalant haar middelvinger naar hem op.

Maar mijn tactiek slaagt, want binnen de kortste keren gaan Terry en Melanie er als bezetenen tegenaan, en ik begin zelf ook geil te worden. Nikki komt naar mij toe gelopen en zegt: 'Ik denk dat ik wel op je knie wil zitten.'

Bijna reageer ik met 'ga weg, ik ben aan het regisseren', maar het klinkt als een laag en hijgerig 'oké', terwijl die heerlijke billen elegant neerdalen op mijn schoot. Ik voel hoe mijn pik stijf wordt en zich opricht in de holte van haar ruggengraat, terwijl we naar Terry en Mel kijken. Ik moet me blijven concentreren en niet vergeten dat ik hier de regie heb. 'Achterover, Terry; ga erop zitten, Mel...'

Discipline.

Mel slurpt aan Terry's pik, likt de eikel, zuigt aan de schacht, en even later leidt Terry haar achter de rugleuning van de grote fauteuil... Nikki gaat verzitten en leunt verder achterover tegen mij aan...

Discipline stilt mijn honger...

Mel leunt met haar ellebogen op de fauteuil, en Terry stopt hem er van achteren bij haar in. Nikki's haar vloeit over haar schouders en rug, de perzikachtige geur hangt in mijn neus... dreigt mijn zinnen te bedwelmen...

Discipline lest mijn dorst...

Terry trekt zich terug en ik spreek hem bemoedigend toe, terwijl ik mijn hand achteloos laat rusten op Nikki's dij, op die gladde, smetteloze, zijdezachte huid...

Discipline maakt mij sterker...

Terry heeft hem er weer in gestopt en hij en Mel neuken keihard met de kracht van een zuiger. Mel geeft het tempo aan, ze ramt achterwaarts tegen die pik van hem alsof ze hem wil verslinden. Terry heeft die dromerige, zelfgenoegzame blik in zijn ogen van mannen die genieten van seks, alsof het allemaal niet zoveel voorstelt. Dat afstand nemen als je bij een lekker wijf bent, om te voorkomen dat je te snel klaarkomt, of als je bij een hoer bent, maar dan gaat het erom hem omhoog te houden. Maar in wezen gaat het om hetzelfde gevoel.

...als 't me de kop maar niet kost...

Ik besluit de actie op dit punt stop te zetten. 'Cut! Stop, Terry! STOP!'

'Wat heeft dit godverdomme...' kreunt Terry.

'Oké, Mel, Terry. Ik wil nu dat jullie de omgekeerde missionarisstand doen, het klassieke standje dat absoluut in een pornofilm moet.'

Terry kijkt naar mij en kreunt: 'Zo valt er toch niet te neuken, zeg.'

'Het gaat er niet om of *jij* lekker neukt of niet, Terry, maar dat het *erop lijkt* dat je lekker neukt. Denk aan het geld, man! Denk aan de kunst!'

Ik kijk om me heen en zie dat de anderen elkaar lekker liggen op te geilen, behalve Rab en de crew. Gina kijkt naar mij met een smerige grijns op haar smoel en vraagt: 'Wanneer mogen wij?'

'Ik zeg wel als het zover is,' zeg ik, terwijl ik ervan overtuigd ben dat de meeste scènes waarin zij speelt niet door de montage komen.

Melanie is prima gebouwd voor de Johannes Paulus II – zoals wij in de business de omgekeerde missionarisstand (OM) noemen – soepel en lenig, maar tegelijkertijd krachtig. Terry ligt op zijn rug, zijn pik wordt omgeven door Melanie die erop heen en weer gaat. Met zijn handen heeft hij haar middel vast, hij past het ritme aan en stoot harder toe, en Melanie kijkt fronsend. 'Zo is het prima, Terry, doe je best. Neuk haar! Mel, probeer in de lens te blijven kijken. Geil de camera op terwijl je met Terry neukt. Terry is niet meer dan een neukende pik, een paal om je op te bevredigen. Jij bent de ster, liefje, jij bent de ster...' Nikki voelt achter zich en legt haar hand om mijn lul, '...dit is jouw show.'

Ik duw Nikki zachtjes opzij, sta op en pak haar hand. Ik roep: 'Cut!' en zeg tegen Nikki: 'Ik wil dat je meedoet, daar met Terry's lul. Terry, je doet het geweldig. Jij likt nu Mel uit terwijl Nikki je afzuigt.'

'Maar ik wil godverdomme klaarkomen!' kreunt hij terwijl Ursula naar hem toe komt met handdoeken. Hij trekt een chagrijnig smoel en gaat dan naar het toilet om zich op te frissen.

'Kom op, Tel,' roep ik tegen hem, 'doe godverdomme niet zo ondankbaar. Ik zei: jij likt Mel uit terwijl Nikki jou afzuigt. Ja, het is hier godverdomme afzien.'

En we maken die opname. Ik krijg toch een beetje raar gevoel als ik Nikki zo bezig zie met Terry's pik, te meer omdat ze er zichtbaar van geniet. Ik ben blij als het achter de rug is en iedereen gaat lunchen, dat wil zeggen iedereen behalve Rab en ik, want wij bekijken op de monitor wat we tot dusver gefilmd hebben. Ik moet de anderen oproepen per mobiel, want ze blijven maar in de pub zitten. Het lijkt erop dat Nikki gedronken heeft, waarschijnlijk om zich moed in te drinken. Het is heel vreemd, maar ik begin een raar soort bezitterigheid tegenover haar te ontwikkelen. Het staat me niks aan dat zij voor de camera genaaid wordt door Lawson. En het wordt allemaal nog veel erger.

Gina staat nog steeds te zeiken tegen mij: 'Ik en Ursula hebben helemaal nog niks gedaan. En Ronnie en Craig ook niet.'

'De personages worden stuk voor stuk ten tonele gevoerd, zo werken we langzaam naar een climax toe,' herhaal ik. 'Geduld!' Ik zet Terry en Mel weer aan het neuken. 'Probeer het eens in haar kont, Terry,' zeg ik. 'Kom op, Lawson, wat anale actie, graag...'

Ik hoef hier weinig overtuigingskracht te tonen: het is zoiets als Dracula de weg naar de halsslagader wijzen. Terry duwt Mel van zich af, legt haar op haar rug en duwt haar benen tot achter haar schouders. Hij spuugt stevig in haar aars en duwt behoedzaam zijn pik naar binnen. Ik knik tegen Nikki en we pakken ieder een bil van Mel vast terwijl Terry in haar glijdt. Ik heb Rab instructies gegeven om de camerapositie zo in te stellen dat we een close-up op haar aars hebben en eentje op haar gezicht, zodat we bij de montage kunnen cutten.

Melanie bijt op haar tanden en trekt een grimas (noodzakelijk shot voor de vrouwenhaters die 'die teef willen zien lijden'), maar naarmate ze beter in het ritme komt en hem lekker in zich heeft, neemt ze een dromerige uitdrukking aan (noodzakelijk shot voor de luie onkuise yuppievrouw die na een dag hard werken op kantoor niets anders wil dan onderuit op de bank en eens lekker in haar reet te worden genaaid). Het is van het grootste belang dat de gezichtsuitdrukkingen alle emotionele mogelijkheden coveren. Dat is natuurlijk wat porno in diepste wezen is, een sociaal en emotioneel proces. Iedereen kan genitaal communiceren... Nikki kust mij stevig op de lippen en neemt dan mijn lul in haar mond. Ik zie Rab bij de bar staan, Gina kijkt nog steeds naar hem en neemt dan een verveelde uitdrukking aan, Craig zuigt op Wanda's tepels en ik besluit dat ik geen van hen zal laten bepalen wat ik moet doen, nooit... maar dan realiseer ik me plotseling dat er iets ontbreekt. 'Cut!' roep ik, terwijl Nikki aan mijn pik begint te zuigen.

'Wat?' Terry pompt gewoon door. 'Ben je nou helemaal besodemieterd!'

Nikki haalt mijn pik uit haar mond en kijkt me aan.

'Nee, Terry, nee, kom nou. Dit moet in de OAM, de omgekeerde, anale missionarisstand.'

'Kut...' zegt hij, maar hij haalt zijn lul eruit.

Nikki kijkt naar Terry, dan naar Mel. 'Hoe voelt dat?' vraagt ze.

Mel lijkt dik tevreden. 'In het begin doet het een beetje pijn, maar daar wen je wel aan. Terry doet het heel goed, hij stopt hem er altijd recht in. Sommige jongens, die niet weten hoe het moet, rammen een beetje tegen dat randje huid aan, het perineum, en dat wordt dan helemaal beurs en pijnlijk. Maar Terry weet hoe het moet, hij stopt hem er meteen recht in,' zegt ze.

Terry haalt trots zijn schouders op. 'Kwestie van ervaring.'

'Die nachten in Saughton, hè, Tel,' zeg ik voor de gein, en daar moet Rab Birrell om lachen en ook Gina, die één en al 'Vrouwenvleugel' uitstraalt. Ik krijg de smaak te pakken en zing op de melodie van 'Summer Nights' uit *Grease*: *'But ah-ha, those Saugh-haugh-ton nah-hahts... tell me more... tell me more...'*

Ieder barst in lachen uit en zelfs Terry lacht mee.

Maar Nikki doet plotseling heel zakelijk, neemt de regie van mij over en wil blijkbaar verder met de opnames. 'Moet je horen, Mel,' zegt Nikki, 'weet je wat ik echt heel mooi vond, wat me echt opwond? Dat was toen Terry op je kont spuugde en het zo naar binnen werkte. Mag ik dat ook bij je doen?'

'Ja hoor, als je wilt,' zegt Mel glimlachend.

Terry wordt er niet warm of koud van, maar ik ben helemaal verrukt. Ja, Nikki is hier de steractrice. Die meid heeft klasse. Alex McLeish?

Als we haar niet snel vastbinden, komen de roofdieren ons omcirkelen, Simon. Denk aan Agathe, Latapy...

Volgens mij kan het niet anders, Alex. Maak je geen zorgen, ik neem het wel voor mijn rekening. Er gaat heel wat om achter de schermen.

Maar nu moet er weer geregisseerd worden, en ik herinner Terry eraan dat dit een teamsport is en dat iedereen zich aan de regels moet houden en in conditie moet blijven. 'Denk erom, Terry, je mag niet klaarkomen in Mel. Het is een kwestie van terugtrekken, even rukken en dan in haar gezicht spuiten. Je weet hoe het verhaal van de pornografie in elkaar zit: pijpen, vingeren, beffen, neuken in verschillende standjes, anaal, dubbele penetratie, en uiteindelijk het spuitshot. Onthou goed dat het scenario zó in elkaar zit.'

Terry kijkt bedenkelijk. 'Ik naai niet met een wijf als ik mijn geil er niet in kan spuiten.'

'Vergeet niet, Terry, dit heeft niks met seks te maken. Dit is toneel, dit is kunst. Het maakt niet uit of je het lekker vindt of niet...'

'Natuurlijk vind ik het lekker, krenten in de pap,' zegt hij, '...want jij en ik zijn gewoon een stijve pik, meer niet. De wijven maken de dienst uit.'

Op de achtergrond zijn Ronnie en Ursula met elkaar bezig, en Craig neukt Wanda, die erbij ligt als een opgewarmd lijk. Zij fungeren als decor voor de hoofdact die zich afspeelt op het voortoneel.

'Ik ben zover,' zegt Terry, die weer een stijve heeft, en Rab kijkt uitdrukkingloos toe. Die lul van een Grant licht de actie uit met zijn spots, en we kunnen weer beginnen. Hij knikt naar Rab, en Vince kondigt aan dat het geluid loopt.

'ACTIE!'

Zodra we weer draaien, spuugt Nikki hard op Melanies kont en masseert haar speeksel naar binnen. Gina lurkt aan Terry's pik, Mel hangt er als een krab boven en kan er elk moment bovenop gaan zitten. Op het moment dat ze zich laat zakken, gaat de deur open en komt Morag binnen. 'Simon... o...' Ze snakt naar adem, haar ogen zijn zo groot als schoteltjes, '...eh... die man van de *Sunday Mail* staat beneden. Met een fotograaf...' Ze draait zich razendsnel om, rent weg en smijt de deur dicht.

De *Sunday* fucking *Mail*... een fotograaf... wat moet dat, godverdomme... ik herinner me vaag dat ik vanavond een vergadering heb van de Ondernemers Leith Tegen Drugs, maar dat duurt nog even...

Dan hoor ik plotseling een door merg en been gaand gekrijs achter mij. Ik draai me om en zie dat Mel is uitgegleden en met haar volle gewicht boven op Terry terecht is gekomen.

'AAAAUUUUWWWW! STOMME TRUUUUT!' Hij schreeuwt het uit van de pijn.

Melanie staat weer op en zegt: 'O, Terry, sorry hoor, ik schrok me dood toen de deur openging, en toen gleed ik uit...'

Het is Terry zijn pik, het lijkt wel of dat kloteding afgescheurd is. Het is één hoopje ellende, met alle kleuren van de regenboog. Hij schreeuwt het uit. Nikki belt een ambulance op haar mobiel, en ik moet aldoor denken aan die afrukking *Sunday Mail*... wat moeten we godverdomme beginnen als zijn pik het begeeft? Hij is mijn fucking hoofdrolspeler... 'Rab, hou jij de zaak hier in de gaten. Zorg dat Terry in het ziekenhuis komt...'

'Maar wat...'

'De fucking pers staat beneden te wachten!'

Beneden staat er zo'n typische nieuwsgeile persmuskiet van de roddelpers te wachten, van wie je je kunt voorstellen dat hij, gekleed in een smoezelige regenjas, over twintig jaar nog precies hetzelfde werk doet. 'Tony Ross,' zegt hij, zijn hand uitstekend. Ik ben doodsbenauwd voor die cameraman, en kijk naar Mo die wanhopige gebaren naar mij staat te maken. 'Het gaat over Ondernemers Leith Tegen Drugs. Wij doen daar een artikel over.'

'O... wat een timing. Ik sta op het punt naar de eerste vergadering te gaan, in de Assembly Halls. Waarom gaan jullie niet mee,' zeg ik uitnodigend, in een poging hen zo snel mogelijk de deur uit te krijgen.

'Ik moet foto's hebben van de bar,' zegt de fotograaf teleurgesteld.

'Dat kan altijd nog. Ga mee naar de Assembly Halls, dan kan ik jullie voorstellen aan de andere leden,' zeg ik tegen de verslaggever, terwijl ik de deur uit loop en de beide mannen min of meer verplicht met mij mee te gaan.

Maar Morag komt ook achter mij aan en roept me terug. 'Simon,' sist ze, 'wat heeft dat te betekenen?'

'We moeten eerste hulp hebben, Mo. Terry is niet goed geworden. Hou jij het even in de gaten?'

Ik loop met de jongens van de pers Coronation Street in en realiseer me dat ik wel erg vroeg ben voor de vergadering, en ik zeg tegen de portier van de Assembly Rooms: 'Shit, ik dacht dat het al halfacht was.' Tony Ross stelt voor om terug te gaan naar de Port Sunshine, maar ik weet hem Noble's binnen te loodsen. Dat geeft mij de gelegenheid om uitgebreid te lullen over het drugsproject, maar ik ben er niet helemaal met mijn hoofd bij omdat ik me zorgen maak over Terry's pik en over de vertraging die het hele filmen gaat oplopen. Ik verontschuldig me, ga naar buiten en bel Rab. Het ziet er niet goed uit.

Ik neem Ross en de fotograaf mee terug naar de Leith Assembly Rooms voor de inaugurele bijeenkomst van de Ondernemers Leith Tegen Drugs. Paul Keramalandous is een prima gast om mee te netwerken, een yuppie uit de reclamewereld die alcohol levert aan de drugsbaronnen die proberen een deel van de markt te beheersen voor hun producten.

Paul valt op in deze omgeving. De andere leden van het Ondernemers Leith Tegen Drugs-forum zijn klassieke verontruste burgers; stomme rukkers die nog nooit in de buurt van drugs zijn geweest en ook nooit zullen komen, en zelfs niemand kennen die ervaring heeft. Er is een aantal oude winkeliers uit Leith, maar de meesten vertegenwoordigen de in aantal toenemende *blue-chip*-zaken. Er is een gemeenteraadslid, een alcoholicus met een rood gezicht die twintig jaar geleden zijn kruit heeft verschoten en nu alleen nog begrafenissen afloopt waar niemand anders heen wil.

Ross stelt een paar vragen, zijn collega schiet wat plaatjes, maar algauw beginnen ze het stomvervelend te vinden en ze verdwijnen, waar ik ze alleen maar gelijk in kan geven. Er zit al met al aardig wat expertise om de tafel, maar dat is geconcentreerd in drie personen. De rest is te dom om voor de duvel te dansen, maar ze hebben in ieder geval het benul om hun bek te houden, zodat de discussie nog redelijk intelligent verloopt. We besluiten een vette subsidie aan te vragen die beschikbaar wordt gesteld door een of ander ministerie of semi-overheidsinstelling, voor stadsontwikkeling en educatieve doelen, en we stellen een commissie samen die dat geld en de overige zakelijke belangen van de groep moet gaan beheren. Ik ben al dikke maatjes met mijn eveneens mediterrane kameraad Keramalandous, en steun zijn kandidatuur voor het voorzitterschap, omdat ik het gevoel heb dat hij mijn eigen kandidatuur evenzeer van harte zal steunen. Ja, ik zal met alle plezier Gordon Brown zijn naast Tony Blair, en ik doe mezelf voor als fiscaal behoedzame, onbuigzame Schot. 'Het is een ondankbare taak, maar ik ben bereid penningmeester te zijn,' deel ik de strakke gezichten rond de tafel mee. Godverdomme, als dit stelletje de crème de la crème moet voorstellen van de middenstand uit Leith, dan moet de havenplaats zich ernstig zorgen gaan maken over zijn toekomst. 'Ik bedoel, ik vind echt dat het iemand moet zijn die gewend is professioneel met geld om te gaan. Het lijkt me belangrijk dat er open en eerlijk moet worden omgegaan met geld uit de openbare middelen, en dat dat ook zichtbaar moet zijn.'

Er wordt alom enthousiast geknikt.

'Heel verstandig. Ik stel voor om Simon te verkiezen als penningmeester,' zegt Paul.

Iedereen is het hiermee eens en zijn voorstel wordt unaniem aangenomen. Na een ondraaglijk saaie vergadering neem ik Paul mee naar Noble's voor een drankje, en het lukt me het gemeenteraadslid af te schudden dat steeds bij ons in de buurt bleef in de hoop ook uitgenodigd te worden. De drank vloeit rijkelijk, en op den duur raken we aardig aangeschoten. 'Die trui,' vraagt hij, 'is dat een Ronald Morteson?'

'Inderdaad,' zeg ik met enige trots, 'maar let op: Shetland-wol, geen Fair Isle.'

Er staat een jonge, knappe meid achter de bar, en ik gun haar een brede glimlach. 'Onbekend gezicht.'

'Klopt, ik ben vorige week pas begonnen,' zegt ze.

We beginnen elkaar wat uit te dagen, en Paul doet vol enthousiasme mee, zonder dat hij zich realiseert dat ik dit hele gedoe voor hem op poten zet. Anders dan in mijn puberteit, begin ik tegenwoordig alleen maar een wijf op te geilen als er sprake van is dat ik er financieel of seksueel beter van kan worden.

De sluitingstijd in Noble's komt veel te snel, en nadat ik heb vastgesteld dat Paul graag een borrel drinkt en ook dol is op vrouwen, besluit ik hem uit te nodigen in de Port Sunshine, en doe de bar boven open om met hem nog een afzakkertje te nemen. 'Dat was een lekker wijf, daar in die pub. Als je wilt heb je d'r zó te pakken.'

'Ik zal je eens wat anders laten zien,' zeg ik. Paul trekt onwillekeurig zijn wenkbrauwen op, waarmee hij verraadt een volstrekte sekstijger te zijn. Mooi zo. Ik ga het kantoortje in, zet het videobewakingssysteem van de pub aan en zorg dat er een lege cassette in zit. Ik pak een band die we vanmiddag hebben opgenomen en stop hem in de videorecorder onder het grote tv-scherm in de bar.

Het scherm wordt gevuld door Nikki's fantastische reet, en we doen enkele passen terug om beter te kunnen zien hoe ze aan Terry's pik zuigt, terwijl hij Mel beft die over hem heen gehurkt zit. Als ze op een bepaald moment achterover buigt, lijkt zijn krullenbol over te gaan in haar schaamhaar. 'Dit is ongelooflijk...' hijgt Paul, 'neem je dat hier allemaal op?'

'Ja, we zijn bezig met de opnames van een avondvullende film,' zeg ik, terwijl de camera inzoomt op Nikki die op Terry's lul zuigt, haar gretige ogen waarmee ze de kijker en passant het gevoel geeft dat ze ook hem pijpt. Godverdomme, wat een professional, dat wijf, een regelrechte ster. Prima shot was dat. 'Lekker wijf, hè?'

Paul nipt aan zijn glas, zijn ogen puilen uit als een schoothondje dat geneukt wordt door een rottweiler. Zijn stem klinkt zacht en schor. 'Ja... wie is dat?' mompelt hij.

'Ze heet Nikki. Je zult haar nog wel ontmoeten. Goeie vriendin van mij, leuk meisje, met een goede opleiding, zeg maar. Studente, hier aan de universiteit van Edinburgh, en niet aan zo'n brei-academie of zo die in de jaren tachtig uit de grond werden gestampt.'

Hij kijkt dromerig en een fijne grijns krult zijn mondhoeken. 'Doet ze, eh... wil ze... ik bedoel, doet ze ook andere dingen?'

'Ik denk dat ik haar wel iets kan laten doen, voor jou.'

'Dat zou ik zéér op prijs stellen,' zegt hij, met één opgetrokken wenkbrauw.

Ik leg twee lijntjes coke uit, gewoon om te zien hoe hij reageert. 'Tijd voor wat sneeuw!'

Paul kijkt me geschrokken en ongemakkelijk aan, als een jonge meid in zo'n bizarre pornofilm die plotseling beseft dat ze voor het eerst in haar kont wordt geneukt terwijl de hele wereld via internet meekijkt, en dat was eigenlijk niet helemaal de bedoeling.

'Vind je echt dat we, eh... misschien, eh, is het niet helemaal gepast, onder de omstandigheden...?'

Ik besluit op de toer te gaan van 'je vindt het best lekker'. Als die lul niet regelmatig zijn neus vol snuift, dan ben ik de persoonlijke modeadviseur van de heer Daniel Murphy.

'Kom op, Paul,' zeg ik, terwijl ik glimlachend de coke fijnhak, 'hang nou niet de keurige kutlul uit. Wij zijn zakenlui, met een prima opleiding en achtergrond. Wij zijn geen achterbuurtvolk. Wij weten waar het in deze wereld om draait, wij houden van doorzetten, zijn geen lijntrekkers, het woord zegt het al.'

'Nou ja... een kleintje dan misschien,' zegt hij grijnzend en met één wenkbrauw.

'Zo mag ik het horen, Paul. Zoals ik al zei, behoren wij niet tot de onderklasse. Ik krijg hier soms van dat volk binnen, man, dat wil je niet weten. Maar wij *staan daar boven*. Het is gewoon een versnapering. Meer niet, man.'

Ik snuif een lekkere lijn op, Paul haalt zijn schouders op en doet het ook. En het zijn godverdomme geen misselijke krengen die ik daar heb uitgelegd, eerder lamsruggen dan poedelpoten. Ik had gedacht dat die lul wel zou zien dat de bewakingscamera aanstond, maar blijkbaar niet. 'O... prima spul, zeg...' zegt Paul, en hij begint te maaien met zijn armen en lult voor het vaderland weg, 'mijn baas van het reclamebureau krijgt zijn spul in brokken aangeleverd. Er vliegt iemand speciaal voor hem van Botafogo via Madrid hierheen. Het komt recht uit die gast zijn reet, verzegeld in was. Dat was het beste wat ik ooit gehad heb... maar dit is fantastisch...'

Dat is het zeker, maatje. Maar goed: taak volbracht, opdracht uitgevoerd, en ik besluit ietwat overhaast een einde te maken aan een genoeg-lijke avond. 'Oké, Paul, je moet me nu verontschuldigen, joh,' zeg ik, en loop met hem naar de deur. 'Ik moet nog wat dingen doen.'

'Ik wil anders nog wel even doorgaan... ik ga net zo lekker...'

'Dan moet je dat wel in je eentje doen, Paul, ik heb een afspraak met een vriendin,' zeg ik glimlachend. Paul knikt begripvol, maar hij kan zijn teleurstelling niet verbergen, nu hij high en wel de deur uit wordt gezet. Ik loop met hem naar de buitendeur, geef hem een hand. Die sneue lul is zo stoned als een deur. Hij houdt een taxi aan en verdwijnt. Ik had Paul graag nog even willen laten blijven, maar hij liet zich veel te snel in de kaart kijken. Mijn ouwe heer citeerde regelmatig die zin uit een oude film met James Cagney: 'geef een sukkel nooit een tweede kans', en het bleek het beste advies te zijn wat hij me ooit gegeven heeft. Het is wel een harde leerschool, maar als je te zacht met ze bent, dan leren ze het nooit. En dan worden ze later nog harder genaaid, en door iemand die nog genadelozer is. Om aardig te zijn moet je wreed zijn, zoals de oude Shake al zei. Of was dat Nick Lowe?

Paul. Wat een lul. En dat zal ik dan even voorstellen aan Nikki, aan *mijn* Nikki? Geintje zeker. Zulke wijven zijn een klasse apart, en die zijn niet voorbehouden aan dat soort losers.

Ik denk de hele dag al aan haar. Sommige meiden doen iets met je, en het is moeilijk vast te stellen wat ze nou precies in je raken. Zij is er ook zo een; bloedmooi, maar ze kan je iedere keer een ander aspect van haar schoonheid laten zien. Contactlenzen of een leesbril. Het haar loshangend en golvend, of in een paardenstaart, vlechtjes of opgestoken. Haar kleren sexy, peperduur design, of losjes en sportief. Houding en lichaamstaal warm en uitnodigend, en dan weer afstandelijk. Ze weet *precies* op welke knopjes ze moet drukken bij een man, en dat doet ze ook nog zonder erbij na te denken. Ja, ze is mijn soort vrouw.

41 Leith gaat nooit verloren

Het is zondagmorgen, man, en Ali slaapt nog, dus ik ga even naar de bibliotheek. Het gaat een stuk beter met de coke want ik zit nu helemaal in dit boek, maar het gaat nog niet echt goed, tussen haar en mij, zeg maar. Ik weet zeker dat iemand haar rare dingen heeft ingefluisterd. Ik weet niet of het haar zus is, of Sick Boy. Hij zal het wel zijn want ze werkt nu in die pub van hem. Die gluiperd heeft mij gewoon gebruikt voor dat project met neef Dode. Daarna wilde hij er niets meer over horen. In ieder geval heeft hij niets tegen Franco gezegd over dat geld van Renton, en dat doet hij waarschijnlijk ook niet meer omdat wij te veel van elkaar weten.

Het voordeel als je geen vrienden hebt, is dat ik nu kan doorwerken aan mijn boek over Leith. 's Zaterdags is de verleiding groot, met al die lui op straat die barsten van de drugs, dus ik ga de stad in, naar de Edinburgh Rooms. Ik vind die microfiches maar raar. Al die informatie, al die geschiedenis, ook al is het bij elkaar geselecteerd op één filmrolletje door de hoge omes die hun ei kwijt moesten. Maar er zijn vast ook nog andere verhalen in omloop.

Leith, 1926, de Algemene Staking. Je leest erover, en wat er toen allemaal gezegd werd, en je ziet duidelijk waar de Labour Party toen in geloofde. Vrijheid voor de gewone lul. Nu is het meer van 'zet de Tory's buiten de deur' of 'hou de Tory's buiten de deur', wat een vriendelijke manier is om te zeggen 'zorg dat wij aan de macht blijven, man, want wij vinden het leuk hier'. Maar ik maak een boel aantekeningen en de tijd vliegt om.

Als ik aankom in de straat van de Dichter, is het er niet pluis. Ik storm goedgemutst de flat binnen met mijn aantekeningen. Andy is met zijn speelgoed bezig, en ik kijk naar Ali, die een paar tassen gepakt heeft. En inderdaad, het ziet ernaar uit dat ze een uitwedstrijd gaan spelen. 'Waar was je?' vraagt ze.

'Eh, ik was in de bibliotheek, zeg maar, onderzoek voor mijn boek over Leith, weet je wel?'

Ze kijkt me ongelovig aan en ik ben meteen bereid haar alles te laten zien, maar ze heeft een gespannen en schuldige uitdrukking op haar gezicht. 'Wij gaan naar mijn zus. Het is hier...' Ze kijkt naar Andy die een plastic Luke Skywalker een pak slaag laat uitdelen aan een Darth Vader, en ze vervolgt met zachte stem: '...je weet wat ik bedoel, Danny. Ik wou een briefje voor je achterlaten. Ik heb even tijd nodig om na te denken.'

O nee, nee, nee, nee, nee. 'Hoelang, zeg maar? Hoelang?'

'Dat weet ik niet. Een paar dagen,' zegt ze schouderophalend en ze neemt een trek van haar sigaret. Meestal rookt ze niet waar de kleine bij is. Ze heeft grote gouden oorringen in en een wit jack, en ze ziet er zo goed uit, man, zó goed.

'Ik heb niks gehad,' zeg ik. 'Ik heb niks in mijn zakken,' zeg ik, en keer ze met veel omhaal binnenstebuiten. 'Ik bedoel, ik heb al tijden niks gehad, ik ben alleen maar met mijn boek bezig.'

Ze schudt langzaam en zwijgend het hoofd en tilt langzaam een tas op. Daar word ik dus niks wijzer van, die zegt niks.

'Waar moet je over nadenken?' vraag ik, en vervolg: 'Je moet zeker nadenken over hem, hè? Dat is het zeker, hè?' Ik verhef mijn stem een beetje, zeg maar; maar ik beheers mezelf weer snel, want ik wil geen scène waar de kleine bij is. Dat heeft hij niet verdiend.

'Er is helemaal geen *hem*, Danny, wat je ook mag denken. Het probleem is jij en ik. We hebben niet zoveel meer samen. Eerst je kameraden, toen je groep, en nu je boek.'

Nu is het mijn beurt om stil te zijn. De kleine kijkt me aan en ik glimlach moeizaam.

'Je weet waar ik ben als je me nodig hebt,' zegt ze, doet een stap naar voren en kust me op mijn wang. Ik wil haar vastgrijpen en in mijn armen houden en zeggen dat ze niet weg moet gaan, dat ik van haar hou en dat ze altijd bij me moet blijven.

Maar ik zeg niks, want ik kan geen woord uitbrengen, geen stom woord. Ik mag doodvallen als ik die woorden uit mijn mond krijg die ik juist zo graag wil zeggen. Het lijkt wel... het lijkt wel of ik gewoon verlamd ben, man.

'Laat maar zien dat je je een poosje alleen redt, Danny,' fluistert ze terwijl ze in mijn hand knijpt, 'bewijs maar dat je het aankunt.'

En de kleine Andy lacht terug naar mij en zegt: 'Dag, papa.'

En weg zijn ze, man, gewoon vertrokken.

Ik kijk uit het raam en zie ze de straat uitlopen richting Junction Street. Ik laat me in de stoel vallen. Zappa, de kat, springt plotseling op de armleuning, en ik schrik me rot. Ik aai zijn vacht en begin te janken, met droge snikken, alsof ik een of andere aanval krijg. Op een gegeven moment krijg ik bijna geen adem meer. Maar na een poosje kalmeer ik. 'Jij en ik, jochie,' zeg ik tegen de kat. 'Voor jou is het een stuk makkelijker, Zappa, man, jullie katten zijn emotioneel onafhankelijk. Bij jullie is het gewoon het dak op en hoppa!' zeg ik tegen het beest en kijk hem in zijn groene spleetogen. 'Maar voor jou geldt dat niet meer, jongen,' zeg ik, en begin te lachen, 'ik bedoel, sorry dat je gecastreerd bent, dat hoort eigenlijk niet, maar het is voor je eigen bestwil, man, weet je wel. Maar ik had wel met je te doen toen ik met je naar de dierenarts ging.'

De kat trekt zijn bek open en miauwt, dus ik sta op om te kijken of er wat te eten voor ons is. Dat stelt niet veel voor, voor de *homo sapiens* noch voor de *felix domesticus*, de kast is zo goed als leeg. De kattenbak stinkt als de ziekte en er is geen kattenbakvulling meer.

'Bedankt, man,' zeg ik tegen Zappa, 'je hebt me echt geholpen. In plaats van hier een beetje medelijden met mezelf te zitten hebben, moet ik er nu uit om kattenvoer en kattenbakkorrels te kopen. Kom ik tenminste onder de mensen. Ik ga even naar Kirkgate, man, en misschien koop ik wel wat kattenkruid voor je, word je lekker stoned van.'

Ja, het begint overal te kriebelen en ik zit geen ogenblik rustig. Ik ga de straat op, loop naar Kirkgate en doe boodschappen bij de Kwik Save. Ik kom weer naar buiten bij het standbeeld van koningin Victoria aan het einde van de Walk. Het is druk op straat, want het is een verrassend zachte dag voor maart. Er zijn jongens aan het hiphoppen op platgeslagen dozen, jonge moeders en kinderen eten snoepgoed. Een heleboel politici hebben kraampjes opgezet en proberen revolutionaire pamfletten aan de man te brengen. Het is wel raar, maar die politici lijken stuk voor stuk uit chique milieus te komen, studenten en zo. Niet dat ik ertegen ben of zo, maar volgens mij zouden het lui zoals ik moeten zijn die verandering willen, maar het enige waar wij ons druk om maken is drugs. Dat was wel anders tijdens de Algemene Staking. Wat is er met ons gebeurd?

Ik zie Joey Parke en hij komt naar me toe gelopen. 'Hé, Spud? Hoe gaat ie? Kom je maandag naar de groep?'

'Ja...' zeg ik. Ik wist niet eens dat er maandag groep was.

Ik vertel die arme Parkie alles, en ik vertel dat Ali weg is, dat ze met Andy naar haar zus vertrokken is.

'Wat lullig. Maar ze komt toch wel weer terug zeker?'

'Ze zegt dat het maar voor een paar dagen is, dat ze even tot zichzelf moet komen. Ze wil zien of ik het ook alleen kan redden. Daar flip ik dus behoorlijk van, weet je wel? Ze werkt in een pub, de pub van Sick Boy. Weet je wat het is, man, als ik het in m'n eentje red, dan zegt ze: "Die redt zich verder wel", en dan peert ze hem. Als ik het verkloot, dan zegt ze: "Moet je die klootzak zien", en dan peert ze hem ook. Het ziet er niet best uit, zeg maar.'

Parke heeft andere dingen te doen, dus ik ga naar huis om Zappa zijn eten en verse korrels te geven. Ik verpak de oude, met pis en stront doordrenkte korrels in een krant en dan in een plastic zak. Hij heeft het helemaal naar zijn zin met zijn voer en schone plee, krabt op zijn vaste plekje op de vloer, rent in de rondte en gaat op zijn rug liggen kroelen, en ik denk bij mezelf, dat soort actie zou ik ook wel willen, man.

Daar zit ik dan moederziel alleen thuis. Ik bedenk dat ik misschien nog wel iets van de dag kan maken en haal de aantekeningen te voorschijn die ik van het geschiedenisboek gemaakt heb, en lees ze nog eens door. Mijn handschrift is niet geweldig, weet je, dus het kost moeite om alles te lezen. Dan gaat de bel, en even denk ik dat zij het is, dat ze terug is en zich bedacht heeft: 'nee, het heeft geen zin, Danny Boy, ik kan niet zonder jou, ik hou te veel van je', en opgewonden doe ik de deur open, maar het is Ali niet.

Het is allebehalve Ali.

Het is Franco.

'Oké, Spud? Ik kom even lullen.'

Ik had behoefte aan gezelschap, wat voor gezelschap dan ook, maar wat ik eigenlijk bedoelde was niet dit soort gezelschap. Ik ben nooit zo dol geweest op gevangenisverhalen, ook niet toen ik zelf vastzat, maar thuis zijn ze een nachtmerrie om aan te horen. Dus ik doe mijn uiterste best, hoewel dat niet meevalt met Franco, om het over andere dingen te hebben, zoals mijn boek over de geschiedenis van Leith. Ik begin hem erover te vertellen, dat ik mensen als hem wil ondervragen over Leith. Maar eh, ik eh... heb geloof ik iets verkeerds gezegd, want Franco reageert helemaal niet blij. 'Waar heb je het godverdomme over? Probeer je me in de zeik te zetten?'

Ho, ho, ho, *catboy*. 'Nee, Franco, kom op, man, ik wil alleen maar dat het boek over het echte Leith gaat, weet je wel, over de échte inwoners. Zoals jij, man. Iedereen in Leith kent jou.'

Franco verstart in zijn stoel, maar gelukkig lijkt hij zich zelfs een beetje gevleid te voelen.

En ik probeer te zeggen wat ik eigenlijk bedoel, en loop daarbij op eieren. 'Want alles verandert, man. Aan de ene kant heb je het Scottish Office en aan de andere kant het parlement. *Embourgeoisement*, man, zo noemen die intellectuelen het. Over tien jaar lopen er hier geen gasten zoals jij en ik meer rond. Neem nou Tommy Younger's, man, dat is nu een bar-café, Jayne's heet het nu. Weet je nog, de nachten en soms ook ochtenden die we daar hebben doorgebracht?'

Franco knikt, en ik weet dat hij een tiet van mij begint te krijgen, en daar word ik helemaal zenuwachtig van, en als ik zenuwachtig ben, praat ik aan één stuk door en kan ik niet meer ophouden... als ik verlegen ben, trek ik geen bek open, als ik zenuwachtig ben, lul ik vijf kwartier in een uur. 'Net als met de sabeltijger, man. Ze willen hier alleen nog maar gasten met geld, ik bedoel, kijk eens wat er gebeurd met de Dumbiedykes. Ze willen ons allemaal in nieuwbouwwijken stoppen, aan de rand van de stad, origineel waar, Franco.'

'Fuck toch op, ik ga helemaal niet naar een nieuwbouwwijk buiten de stad,' zegt hij. 'Ik heb een tijdje in Wester Hailes gewoond toen zij en ik net bij elkaar waren. Maar één fucking kroeg, lul, er gebeurt daar godverdomme geen flikker.'

'Het duurt niet lang meer, Franco, of het oude Leith is verdwenen. Kijk eens naar Tollcross, man, dat is nu een financieel centrum. Kijk naar de South Side: een studentendorp. Stockbridge is al jaren in handen van yuppies. Wij en Gorgie-Dalry zijn binnenkort de enige arbeiderswijken in het centrum, man, en dat komt dan alleen maar door de voetbalclubs. Nog een geluk dat die in de stad zijn gebleven, zeg.'

'Ik ben geen fucking arbeider,' zegt hij, naar zichzelf wijzend, 'ik ben een fucking zakenman,' zegt hij met stemverheffing.

'Maar Franco, wat ik bedoel is...'

'Is dat godverdomme duidelijk?'

Dit is bekend terrein, ik heb dit al zo vaak met hem meegemaakt. En als er één ding is dat ik geleerd heb, dan is het wel om me onder dergelijke omstandigheden een beetje gedeisd te houden. 'Ja, natuurlijk, man, natuurlijk,' en ik steek mijn handen in de lucht, ten teken van mijn onvoorwaardelijke overgave.

De Beggar Boy lijkt ietwat tot bedaren gebracht, waar wat is het toch een lastige, opgefokte gast, zeker weten. 'Laat ik je dit wel vertellen, Leith gaat nooit verloren, godverdomme,' zegt hij.

Die gozer heeft dus niet begrepen wat ik bedoel. 'Misschien niet Leith, man, maar het Leith *dat wij kennen*,' zeg ik, maar ik besluit er niet verder op door te gaan, want ik weet hoe hij reageert. Hij zegt: 'Ach, welnee.' Ik zeg: 'Welja, man, het is al aan het verdwijnen, dat is toch duidelijk.' En hij zegt: 'Niet waar, en wel omdat ik dat zeg, godverdomme,' en daar laat ik het maar bij.

Hij legt twee forse lijnen coke uit, en ik zit met mijn belofte aan Ali, maar ja, hou ik mezelf voor, ik heb beloofd dat ik van het spul af zou blijven, en voor mij betekent dat smack, en dat ik ook niet meer zou chinezen, maar coke? Wie heeft er ooit iets gezegd over coke? Bovendien is het Franco's coke, en van hem kun je niets weigeren.

Met gonzende koppen gaan we ergens een biertje drinken, en ik houd Begbie uit de buurt van de Port Sunshine, wat niet zo moeilijk is omdat hij altijd naar Nicol's gaat. Franco krijgt een sms-bericht op zijn mobiel. Hij leest het vol ongeloof. 'Wat is er, Franco, man?'

'EEN OF ANDERE KLOOTZAK GAAT GODVERDOMME TE VER!' krijst hij, en twee meiden achter kinderwagens schrikken zich halfdood.

'Wat is er?'

'Een fucking sms-je... er staat niet bij van wie...' De *catboy* is niet blij, hij friemelt met de toetsen van zijn mobiel. We stappen de pub binnen, en hij zit nog steeds te spelen met de toetsen van zijn telefoon als ik terugkom van de bar met de glazen. Begbies mobiel rinkelt opnieuw, en hij neemt op, op zijn hoede deze keer. 'Wie is daar?'

Hij luistert zwijgend en klaart dan op, gelukkig. 'Oké, Malky. Gaaf.'

Hij zet hem uit en zegt: 'Kaarten bij Mikey Forrester. Met Norrie Hutton, Malky McCarron en zo. Kom, we gaan wat eten.'

Ik zeg dat ik geen rooie cent heb, wat niet waar is, maar een kaartavond met Begbie betekent net zo lang doorspelen tot hij al je geld gewonnen heeft, ongeacht hoelang het duurt. Dus daar doe ik niet aan mee. 'Kom maar gewoon wat drinken dan, lul,' zegt hij.

Zo'n aanbod mag je natuurlijk niet afslaan, dus we gaan naar de slijter, en Begbie gaat maar door over Mark Renton en dat hij van plan is hem te vermoorden. Ik voel me niet op mijn gemak als hij in zo'n stemming is, en ik ben ook niet zo dol op gasten als Malky, Norrie en Mikey Forrester. Ze zitten rond de tafel en er gaan massa's coke rond, en flessen Jack Daniels en blikjes bier. Ik stop nadat ik dertig pond verloren heb. 'Zorg jij maar voor de muziek, Spud,' zegt Begbie, maar je kunt niet zomaar opzetten wat je zelf wilt, want hij geeft je gewoon instructies. 'Hé, lul, zet Rod Stewart eens op... *every day ah spend ma tahmm... drinkin wahun, feelin fahnnn...*'

'Ik geloof niet dat ik iets van Rod Stewart heb,' zegt Mikey. 'Vroeger wel, maar toen ze vertrok, heeft ze bijna al mijn platen meegenomen.'

Franco kijkt hem aan. 'Dan haal je ze godverdomme terug bij die pokkenteef! Ik kan toch godverdomme niet kaarten zonder Rod Stewart. Zo hoort het op een kaartavond: je wordt bezopen en je zingt mee met Rod

Stewart. Daar gaat godverdomme niks boven, lul.'

'Heb je die foto's van Rod Stewart gezien aan de binnenkant van die cd?' vraagt Norrie. 'In vrouwenkleren, op eentje is ie net een ouwe hoer. En op een andere is ie verkleed als flikker!'

Ik kan me die foto's van Rod Stewart goed herinneren: haar nat achterover gekamd, een snor en een bril. Maar ik zorg wel dat ik mijn bek houd, want ik zie de reactie van Franco.

'Wel godverdomme. Wat zeg je daar, Norrie?'

'Gewoon, die cd, *Greatest Hits*. Op één foto is hij verkleed als wijf en op een andere als flikker.'

Begbie beeft van woede. 'Hoezo, verkleed als flikker? Wou jij beweren dat Rod Stewart een fucking flikker is? Rod fucking Stewart? Wou jij dat godverdomme beweren?'

'Ik heb geen idee of hij een flikker is of niet,' zegt Norrie lachend.

Malky ziet de bui al hangen. 'Kom op, Frank, jij moet delen.'

Mikey zegt: 'Rod Stewart is helemaal geen flikker. Hij heeft die Britt Ekland genaaid. Heb je haar gezien in die film met die gast van Callan, die film die is opgenomen in de Schotse Hooglanden?'

Maar dit is allemaal niet besteed aan Franco. Hij zegt tegen Norrie: 'Dus als jij vindt dat Rod Stewart een flikker is, dan vind je zeker ook dat iemand die Rod Stewart goed vindt, dat die ook een flikker is?'

'Nee, ik... eh...'

Maar het is te laat, man. Ik draai me om en hoor een klap en geschreeuw, en als ik weer kijk, zie ik Norries gezicht niet meer, het lijkt alsof hij een donker masker op heeft. Maar het is een gordijn van bloed, want Franco heeft de fles van Jack op Norries hoofd kapotgeslagen.

'Hé Franco, man, er zat nog wat in, in die fles,' klaagt Mikey, terwijl Franco opstaat en naar de deur loopt. Malky loopt met Norrie naar de badkamer. Ik loop achter Franco aan, de deur uit en de trap af. 'Stomme kutlul met zijn fucking rotopmerkingen,' zegt hij. Hij kijkt me strak aan, maar ik wend mijn blik af, ik denk bij mezelf: ik moet zorgen dat we bij Nicol's komen en een paar pilsjes bestellen, dat ie wat afkoelt, en dan als de sodemieter naar huis. Dat soort agressief gezelschap kan ik missen als kiespijn, daar zit ik niet op te wachten.

42 '...zijn penis gescheurd...'

Arme Terry, het zag er niet best uit met hem. We belden een ambulance, en in het ziekenhuis aangekomen werd hij onmiddellijk onderzocht en kreeg hij te horen dat zijn penis gescheurd was. Hij was er ernstig aan toe, want hij werd vanaf de eerste hulp direct naar zaal gebracht. 'Als de reacties gunstig zijn,' zei de dokter, 'dan komt het wel weer goed, en zullen alle functies weer hersteld worden. Er kunnen echter complicaties optreden, maar in dit stadium denken we nog niet meteen aan amputatie.'

'Wat...?' zei Terry, totaal verbijsterd, zich realiserend dat er alleen maar bedden werden vrijgemaakt als er sprake was van een noodgeval.

De behandelend arts keek hem streng aan. 'Dat is het ergste scenario, meneer Lawson. Maar ik kan niet genoeg benadrukken hoe ernstig de situatie is.'

'Ik weet wel dat het ernstig is! Dat weet ik godverdomme ook wel! Het is mijn fucking pik!'

'U moet veel rusten en iedere vorm van inspanning vermijden. De medicijnen die wij hebben voorgeschreven moeten voorkomen dat u onwillekeurig een erectie krijgt, terwijl het weefsel zich hopelijk spontaan herstelt. Dit is een van de ernstige gevallen van ruptuur die ik tot dusver in mijn praktijk heb meegemaakt.'

'Maar we waren alleen maar...'

'Dit komt veel vaker voor dan u denkt,' legt de dokter hem uit.

Rabs mobiel gaat en het is Simon. Rab zegt dat hij nogal overstuur is, maar dat komt natuurlijk eerder vanwege de consequenties die dit voorval heeft voor de film dan uit mededogen voor Terry. Zelfs Rab en ik vinden het moeilijk hier grapjes over te maken. Uiteindelijk kijkt hij me aan en zegt: 'Ik heb altijd al gedacht dat Terry nog eens in problemen zou komen door zijn pik, dat zei iedereen bij ons in de wijk. Maar wat we nooit hadden verwacht is dat zijn pik in problemen zou komen door *hem*!'

Maar echt leuk vinden we het allemaal niet. Gina, Ursula, Craig, Ronnie en Melanie zijn verbijsterd en kunnen het simpelweg niet geloven. Mel voelt zich klote nu de ernst van de situatie tot haar doordringt. 'Ik kon er echt niks aan doen...'

'Het was een ongelukje,' zeg ik en streel haar rug. Ik geef iedereen een kus en ga naar huis, waar ik Lauren en Dianne het hele verhaal vertel. Dianne brengt haar hand naar haar mond en Lauren kan nauwelijks een glimlach onderdrukken. Ze heeft een vegetarische lasagneschotel gemaakt en we zitten aan de eettafel.

'Dus dat betekent het einde van jullie pornofilmplannen,' zegt Lauren, en ze schenkt zichzelf een glas witte wijn in.

Het is bijna jammer om haar teleur te moeten stellen, zo blij is ze. 'Nee hoor, schat, *the show must go on*.'

'Maar...' Lauren kijkt zeer beduusd bij het horen van dit nieuws.

'Simon is vastbesloten, die film komt er. Hij is al op zoek naar een vervanger.'

Lauren barst in woede uit. 'Jullie worden geëxploiteerd. Hoe kun je dat doen! Ze gebruiken je gewoon!'

Dianne stopt een volle vork in haar mond en kijkt mij gespannen aan. Ze slikt en haalt haar schouders op. 'Lauren, dit gaat jou niets aan. Doe een beetje rustig aan, alsjeblieft.'

Ik word hier niet goed van. Ik moet nu proberen haar over haar eigen neurose heen te laten kijken. 'Ik heb er genoeg van om film te studeren als ik de gelegenheid krijg om er een te maken. Waar maak je je eigenlijk zo druk om?'

'Maar het is pornografie, Nikki! Je wordt gebruikt!'

Ik zucht. 'Wat kan jou dat schelen? Ik ben niet gek, het is mijn keuze,' zeg ik.

Ze kijkt me aan en er broeit een kalme, beheerste woede in haar blik. 'Jij bent mijn vriendin. Ik weet niet wat ze met je gedaan hebben, maar ik neem er geen genoegen mee. Wat jij doet is een belediging van je eigen sekse. Jij drijft vrouwen terug in een positie van slavernij en onderdrukking. Daar studeer jij toch in, Dianne! Zeg jij eens wat,' dringt ze aan.

Dianne pakt het houten slacouvert en neemt nog wat salade. 'Het ligt wat complexer, Lauren. Ik ontdek steeds meer naarmate mijn onderzoek vordert. Ik geloof niet dat porno op zich hier een issue is. Volgens mij heeft het te maken met ons consumptiepatroon.'

'Nee... nee, niet waar, want lui die het voor het zeggen hebben zijn altijd mannen!'

Dianne knikt instemmend, alsof Lauren haar argumentatie bewezen heeft. 'Ja, maar waarschijnlijk is dat in de porno-industrie minder dan ergens anders. Wat dacht je van lesbische scènes, gefilmd door vrouwen ter wille van vrouwen? Hoe past dat in jouw paradigma?' vraagt ze.

'Het is een vals soort bewustzijn,' blaat Lauren.

Ik heb geen tijd voor deze discussie, als ik er al zin in zou hebben. 'Wat doe je lullig, Lauren,' zeg ik, terwijl ik van tafel ga en mijn weekendtas pak. 'Laat de afwas maar staan, jongens. Die doe ik wel als ik terugkom,' beloof ik. 'Ik ben aan de late kant.'

'Waar ga jij naartoe?' vraagt Lauren.

'Naar een vriendin om de tekst door te nemen,' zeg ik, en ik laat die sneue burgertrut achter met haar frustraties.

Ze komt zelfs overeind, maar Dianne grijpt haar bij de pols, duwt haar terug op haar stoel, en spreekt haar toe alsof ze een klein kind is, en zo gedraagt ze zich ook: 'Lauren! Zo is het wel genoeg! Ga zitten en eet je bord leeg. Kom nou, zeg.'

Ik hoor allerlei geluiden achter me terwijl ik de trap afloop en de kou in stap. Ik neem de bus naar Wester Hailes, waar Melanie woont. Het duurt een eeuwigheid voordat ik haar flat gevonden heb. Als ik er eindelijk aankom, heeft ze net haar zoontje naar bed gebracht. We repeteren wat tekst, daarna wat acties, en uiteindelijk blijf ik slapen.

De volgende ochtend wachten we tot haar moeder komt, dan nemen we bus 32 naar Leith. Het motregent, en tegen de tijd dat we bij de pub aankomen, zijn we doornat. De acteurs zitten er enigszins sneu bij, en het valt me op dat er geen camera klaarstaat. Maar er is wel een vreemde aanwezig: een lange, slanke man van ongeveer vijfendertig met krulhaar, bakkebaarden en felle ogen zit op een stoel.

'Dit is Derek Connolly,' stelt Simon hem voor. 'Derek is beroepsacteur en hij is hier om ons te coachen. Misschien heb je hem wel eens op tv gezien, als de Schotse boef in *The Bill*, *Casualty*, *Emmerdale* of *Taggart*.'

'In *Taggart* was ik advocaat, om precies te zijn,' zegt Derek.

We beginnen met een rollenspel en gaan dan over op het script. Het is niet te merken of hij zich ergert aan onze acteerprestaties. Ik betreur dat ik niet beter mijn best heb gedaan in de universitaire toneelclubs waarvan ik lid was. Elke oefening is meegenomen.

Na afloop ga ik mee naar Simons flat en vertel hem dat ik gerepeteerd heb met Mel. 'Had haar maar mee naar hier genomen,' zegt hij.

Maar niks ervan, dat wil ik niet. Ik wil hem helemaal voor mezelf.

43 Project nr. 18.746

Ondanks het voorjaar is het nog steeds kil, en het kost me moeite om me los te maken van Nikki. Bovendien zie ik ertegen op om Mo en Ali onder ogen te komen in de pub. Ik stel dat ogenblik uit, ga met haar ergens ontbijten en neem haar mee naar de montagekamer in Niddrie waar ik een paar kopieën maak van de band waarop Paul aan zijn gerief komt.

'Wat is dat allemaal?'

'O, even wat buitenschoolse activiteiten,' zeg ik, waarna ik op mijn groene mobiel de reclamejongen uit Leith bel. Nikki zegt dat ze naar college moet en dat ze me later nog wel zal bellen. Ik kijk naar haar terwijl ze zich voorbereidt om te vertrekken, en zie hoe haar kont elegant beweegt in die lange rok. Gek eigenlijk, maar in onze verziekte manwijvencultuur zijn er nog maar weinig vrouwen die weten hoe ze behoorlijk een rok moeten dragen, dus als er eentje is die dat wel weet, dan valt die onmiddellijk op. Ze trekt haar lange jas-met-capuchon aan, ritst hem dicht, en vanonder haar met bont afgezette capuchon lacht ze me breed toe, zwaait ten afscheid en vertrekt.

Ik bel Paul en zeg dat ik hem dringend moet spreken, om twaalf uur in de Shore Bar aan het Water of Leith. We komen precies tegelijk aan. Paul maakt een gespannen indruk, maar dat is nog niets vergeleken bij hoe hij zich straks zal voelen. Ik leg een factuur, een chequeboek en een pen voor zijn neus. 'Oké, Paul, als je hier even wilt tekenen.'

'Jij hebt ook haast, zeg,' zegt hij en zet zijn bril recht – hij is blijkbaar verziend – en bestudeert de factuur en het chequeboek. 'Kan dit niet even wachten... wat... dit is het geld voor de voorlichtingsvideo... waar gaat dat heen? Ik heb die factuur nooit eerder gezien. Wat is dat, Banazzurri Films?'

Ik kijk om mij heen, in de bar met de houten lambriseringen, hoge plafonds en enorme ramen. 'Dat is mijn filmproductiemaatschappij. Genoemd naar de Banana Flats om de hoek waar ik opgegroeid ben, met een ietwat melige verwijzing naar mijn Italiaanse roots.'

'Maar... waarom?'

'Nou,' leg ik uit, 'Sean Connery noemde zijn productiemaatschappij Fountainbridge Films, naar de plek waar hij opgegroeid is. Ik vond dat nogal geinig eigenlijk.'

'Maar wat heeft dat te maken met het voorlichtingsproject van Leith Ondernemers Tegen Drugs?'

'Geen flikker. Het is bedoeld als gedeeltelijke voorfinanciering voor een film genaamd *Seven Rides for Seven Brothers*. Er zijn nogal wat onkosten in de aanloopperiode. Het betreft een volwassen, of als je wilt, pornografische film.'

'Maar... maar... wat heeft dit godverdomme te betekenen! Dit kun je niet maken, man! Ga toch weg!' Paul komt overeind, alsof hij me wil aanvliegen. Daar had ik eerlijk gezegd niet op gerekend.

'Moet je horen, ik stort het terug zodra ik de overige financiering geregeld heb,' leg ik sussend uit. 'Het is een kwestie van zaken. Soms moet je hier lenen om daar te betalen, of omgekeerd,' zeg ik glimlachend, en moet denken aan die Nederlandse pornopief Peter Mühren, alias Miz.

Paul staat op en wil weglopen. Hij blijft staan en wijst naar mij. 'Als je echt verwacht dat ik dat teken, dan ben je hartstikke gek. En laat ik je dit vertellen: ik ga nu meteen naar de commissie én de politie, en dan zal ik ze eens precies vertellen wat voor een stuk schorem jij bent!'

Hij schreeuwt nogal, en het is maar goed dat de bar nog leeg is. 'Wat raar,' zeg ik, 'ik had gedacht dat jij iemand was die van fucking wanten wist. Maar dat is dus een vergissing.' Ik haal een exemplaar van de videoband te voorschijn. 'Ik denk dat je baas hier wel interesse voor heeft, lul. Je mag hem vernietigen, er zijn meer exemplaren. Niet alleen voor je baas, maar ook voor *The News*, en eentje voor die lul in de gemeenteraad. Er staat op dat jij die lijn coke snuift en dat je vertelt over het spul van je baas.'

'Je maakt een geintje...' zegt hij langzaam en hij kijkt mij strak aan. Er begint een spiertje naast zijn oog te trillen.

'Nou nee,' zeg ik, en geef hem de cassette. 'Neem maar mee, als je me niet gelooft. Ga even zitten.'

Hij denkt hier even over na. Dan laat hij zich verslagen en gehoorzaam op zijn stoel zakken, en er komt een meisje aan met twee grote koppen cappuccino. Hier aan de Shore weten ze wel hoe ze cappuccino moeten maken. Ik heb een slecht voorgevoel dat het niet helemaal besteed zal zijn aan Paul omdat hij er niet helemaal met zijn gedachten bij is, sterker nog, waarschijnlijk zijn zijn smaakpapillen zich al aan het voorbereiden op bajesvoer. Dit is véél erger voor hem dan de ergst denkbare nachtmerrie. Maar ik wil ook niet dat hij vanaf nu als een gebroken man door het leven gaat, dat valt op en dan verraadt hij zichzelf veel te gemakkelijk. 'Je moet het niet zo zwaar opvatten, hoor. Je bent heus niet de eerste lul die veel te gretig toehapt en het lid op zijn neus krijgt,' zeg ik, denkend aan Renton, 'en je bent ook heus niet de laatste. Beschouw het maar als een levenslesje. Vertrouw niemand uit een achterstandswijk met geld op zak,' zeg ik, samenzweerderig knipogend, 'want dat komt altijd uit de zakken van een of andere onnozele lul. En deze keer ben jij de onnozele lul,' zeg ik en wijs naar hem. 'Maar je zult er sterker van worden, gegarandeerd.'

'Wie geeft jou het recht om mij dit aan te doen?' vraagt hij op smekende toon.

'Je hebt net je eigen vraag beantwoord, man. Denk eens na. En als je nu even wilt opzouten, ik heb andere dingen te doen. Ik bedoel, je mag eerst je cappuccino wel opdrinken, hoor, de cappuccino is uitstekend hier.'

Maar nee hoor, hij laat hem staan, en ik bedenk hoe ik mijn best doe om het kalm aan te doen met de drugs van het millennium: cafeïne en cocaïne. Maar terwijl hij als een gebroken man wegstrompelt, zijn auto in op weg naar de voorstad, met zijn carrière op de wip, besluit ik zijn kop ook te nemen, en ik kijk naar de krijsende en in de lucht cirkelende meeuwen en denk, ja, Leith is de beste plek op aarde. Hoe is het mogelijk dat ik het zo lang heb uitgehouden in dat gore, treurige Londen?

Die acteur Derek Connolly lijkt een goeie greep te zijn. Hij en dat wijf van hem, Samantha, doen de act van de broer die gewoon recht op en neer wil en versierd wordt in een Bed and Breakfast. Dus we huren een sjofele tent bij de Links. Rab protesteert vanwege zijn studie, maar met wat moeite haal ik hem over om met Vince en Grant, en met medename van hun apparatuur en DV-camera's, ter plaatse te komen. We maken opnames met de handcamera van de versiering en een rechttoe-rechtaan wip, en het resultaat mag gezien worden. Met inbegrip van de incomplete orgie heb ik nu twee broers 'gedaan'.

Ik ga terug naar mijn pub om te kijken hoe het moreel onder de troepen is. Het is er behoorlijk druk. Vanuit mijn ooghoek zie ik Begbie met een gezicht van zeven weken onweer met zijn kameraad Larry door de zijdeur binnenkomen, en dus besluit ik Terry in het ziekenhuis een bezoekje te brengen voordat ik met Nikki naar Glasgow ga. Mo moppert omdat ze er alleen voor staat. Ali komt binnen en ze ziet er slecht uit. Ik zeg tegen Morag dat de zaken nu eenmaal lopen zoals ze lopen, en dat ik naar Glasgow moet om de mogelijkheden van uitbreiding te onderzoeken. 'Uitbreiding? Glasgow? Waar heb je het over?'

'Een keten van pubs met als thema Leith. Filialen van de Port Sunshine in het westen en dan in het zuiden.' Ik kijk om me heen en zie de rotzooi. 'Exporteren,' zeg ik lachend. 'Notting Hill, Islington, Camden Town, het centrum van Manchester, Leeds... als paddestoelen schieten ze de grond uit!'

'Dat hoort niet, Simon,' zegt ze hoofdschuddend, en ik probeer mijn snor te drukken voordat Begbie en zijn boezemvriend mij in de gaten krijgen. Maar het is al te laat. Hij ziet me en staat vrijwel meteen naast me.

'Blijf je godverdomme niet wat drinken?' vraagt hij op commanderende toon.

'Ik zou het graag doen, Frank, maar ik moet op bezoek bij een kameraad in het ziekenhuis, en daarna moet ik met de trein naar Glasgow. Bel me later in de week maar op mijn mobiel, dan gaan we ergens wat drinken.'

'Ja... wat is je fucking nummer ook weer?'

Ik geef hem het groene nummer, Begbie tikt het in op zijn telefoon en stelt vast dat het niet het nummer is waar het sms-je vandaan kwam. 'Is dat je enige mobiel?'

'Nee, ik heb er nog eentje voor zakelijk gebruik. Waarom?' vraag ik. Ik heb zelfs drie mobieltjes, maar die voor de wijven gaat niemand iets aan behalve mijzelf.

'Ik kreeg laatst godverdomme een sms-je van een of andere klootzak dat te ver ging. Het kwam van een buitenlands nummer. Ging niet over toen ik terugbelde.'

'O ja? Beledigende telefoontjes? Als je niet oppast gaan ze je nog stalken, Franco,' zeg ik bij wijze van geintje.

'Wat heeft dat godverdomme te betekenen, lul?' zegt Begbie dreigend.

Mijn bloed bevriest in mijn aderen, want ik was bijna vergeten hoe ongelooflijk paranoïde die gast is. 'Geintje, Frank, rustig aan, ouwe jongen, godverdomme,' zeg ik op luchtige toon. Ik maak een vuist en duw hem in een kameraadschappelijk gebaar tegen zijn schouder aan.

Er valt een stilte van ongeveer twee seconden die minstens tien minuten lijkt te duren, en ik zie een enorm zwart gat voor mij waarin mijn leven lijkt te gaan verdwijnen. Dan, terwijl ik besef dat ik te vrijpostig ben geweest, lijkt hij te kalmeren, en slaagt hij erin zelfs een soort grapje te maken. 'Niemand stalkt mij, godverdomme, iedereen blijft bij mij uit de fucking buurt. Zelfs mijn zogenaamde fucking vrienden,' zegt hij en werpt mij een harde maar hoopvolle blik toe.

'Zoals ik al zei, Frank, we bellen nog wel deze week. Ik heb het een beetje druk de laatste tijd, ik moet de fijne kneepjes hier nog leren, maar binnenkort krijg ik het wat rustiger,' zeg ik.

Larry kijkt me sluw grijnzend aan: 'Ik heb gehoord dat je het ook druk hebt gehad met andere dingen.'

Er gaat een koude rilling over mijn rug en ik vraag me af welke cunt zijn mond voorbijgepraat heeft, maar ik knik geheimzinnig en verlaat het pand, met een laatste glimlach richting Franco en Larry. Bij het weggaan zeg ik tegen Mo: 'Rondje voor de jongens van de zaak, Mo. Proost, jongens!' zing ik, en als ik buiten ben, huppel ik bijna Leith Walk af, mijn voeten zijn zo licht als die van een kind. Ik ben dolblij dat ik heb weten te ontkomen uit de pub.

44 '...recordbrekers...'

Het ligt ongetwijfeld aan de mensen met wie ik omga, maar ik begin me al behoorlijk te gedragen als een autochtoon. Het leven is heerlijk, het is een warme lentedag, dus ik loop met verende pas en reageer brutaal en minachtend op het gefluit van een paar bouwvakkers, want ik voel me een arrogant, geil rotwijf. Nu ik mijn verslagen heb ingeleverd kan ik me dat veroorloven. Ik loop door de inmiddels van toeristen vergeven straten in het centrum op weg naar het ziekenhuis om Terry te bezoeken. Die arme Terry.

Er zit soms nog wat kou in de lucht, maar met een trui aan is het niet onaangenaam. Ik merk dat ik me prima voel met betrekking tot de film, en verrassend genoeg niet zozeer tot de seks. Ik ben er niet vies van, maar het blijkt nooit zo goed te zijn als ik verwacht. Het lijkt te veel op werk, te veel op acteren voor de camera, en daarom is het vaak saai en oncomfortabel. Soms voel je je net als die recordbrekers, van dat gezeik met honderd man in een mini of zo, en het slaat nergens op dat Simon de opnames met horten en stoten begint, alsof hij op die manier macht over ons wil uitoefenen. Maar het belangrijkste is toch om ergens bij te horen, om betrokken te zijn, dat geeft je het gevoel dat je leeft.

Gisteren hebben we bij Tantallon in North Berwick de kasteelscène opgenomen, mogelijk een van de moeilijkste scènes. Simon had door een bevriende meubelmaker een schandpaal laten namaken. Ronnie had zijn bril op en Ursula zag er op haar best uit in een kort wit rokje, zodat haar blonde haar en zonnebankbruin goed uitkwamen. 's Morgens vroeg filmden we Ronnie die in een touringcar stapte, terwijl zij hem achtervolgde. Toen gingen we naar het busstation. De bus naar North Berwick was bijna leeg. We filmden hoe Ronnie plaatsnam in de bus, hij zag eruit als een nerd, met zijn bril, notebook en camera. Rab zat achter in een bestelwagen en maakte zo de buitenopnames.

In de bus filmden we hoe Ursula tegen Ronnie zei: 'Mag ik naast je komen zitten? Ik kom uit Zweden.'

Ronnie heeft het meest opgestoken tijdens de acteerlessen, en Derek vindt dat hij een natuurtalent is. 'Helemaal niet,' verklaart hij, 'ik ben geïnteresseerd in oude kastelen.'

Toen deden we de schandpaalscène, waarin zij beweert dat ze vastzit en hij haar niet kan weerstaan en haar van achteren neemt. En zo komt de derde broer aan zijn gerief.

Terwijl ik naar de juiste ziekenzaal loop, bedenk ik dat de spanningen tussen Rab en Terry niet zijn opgelost alleen maar omdat Terry uitgeschakeld is. Volgens mij geniet Rab in stilte van Terry's ellende, hoewel Terry zelf inmiddels een stuk opgewekter is. Zijn nachtkastje is overladen met fruit en allerlei blikjes en doosjes met eten. Hij heeft een soort beugel om zijn middel die zijn beschadigde penis beschermt. 'Ik vind dit fascinerend. Zit ie in het gips? Is ie gespalkt? Hoe ziet ie eruit?' vraag ik.

'Nee, gewoon een verband erom.'

Simon komt binnengerend, om zich heen kijkend alsof hij zojuist eigenaar is geworden van dit ziekenhuis. Het is hier warm, hij heeft zijn trui uitgetrokken en niet om zijn middel gebonden zoals gebruikelijk is, maar om zijn nek geslagen, als een bekakte cricketer. Hij glimlacht naar me en wendt zich dan tot de patiënt: 'En hoe is de behandeling hier, Terry?'

'Er lopen een paar lekkere verpleegsters rond, zeker weten, maar ik word er gek van, godverdomme. Zodra ik een stijve krijg, sterf ik van de pijn.'

'Ik dacht dat ze je medicijnen hadden gegeven zodat je geen stijve kon krijgen, zeg maar,' zegt Rab.

'Dat soort troep werkt misschien bij jouw soort, Birrell, maar tegen mijn stijve is geen kruid gewassen. De dokter maakt zich ook zorgen, hij zegt dat ik geen paal meer mag krijgen, anders geneest het niet.'

Simon kijkt hem somber aan, een blik die niet veel goeds voorspelt. 'We kunnen de opnames niet langer uitstellen, Terry. We moeten op zoek naar een vervanger. Sorry, joh.'

'Je vindt nooit iemand die mij kan vervangen,' zegt Terry op neutrale toon, ontdaan van iedere vorm van arrogantie.

'Nou, de opnames verlopen fantastisch,' zegt Simon enthousiast. 'Ronnie en Ursula waren steengoed gisteren, en Derek en zijn vriendin deden het geweldig in de lift.'

Terry kijkt Simon recht in de ogen met de kennelijke bedoeling hem te intimideren. 'Tussen haakjes, Sicky, waarom heb je die trui eigenlijk om je schouders, als een of andere flikker?'

Simon werpt hem een ijskoude, geïrriteerde blik toe en betast de lamswol tussen duim en wijsvinger. 'Dit is een trui van Ronald Morteson. Als jij ook maar iets wist van kleren, dan zou je begrijpen wat dat betekent en waarom ik hem op deze manier wens te dragen. Maar goed,' hij kijkt naar mij en dan weer naar Terry, 'ik ben blij dat het een stuk beter met je gaat. Kom Nikki, het werk roept.'

'Zeg dat wel,' reageer ik met een glimlach.

Rab werpt Simon een dodelijke blik toe, en is strontbenieuwd waar wij heen gaan, maar voor hij de kans krijgt iets te vragen, zijn we al vertrokken richting centrum en hoofdstation, waar we de trein naar Glasgow nemen.

In de trein geeft Simon mij bijzonderheden over onze prooi, en het klinkt allemaal erg spannend, maar tegelijkertijd is het zorgwekkend dat we al die moeite doen om die gast op te sporen. Zoals Simon hem beschrijft, zakelijk en ontdaan van iedere ironie, zie ik onze man duidelijk voor mij en ik krijg het idee dat wij van de geheime dienst zijn. 'Een gast zonder vrienden die altijd thuis zit, type modeltrein, ietsje te zwaar voor zijn leeftijd. Van het soort dat door zijn ouders liever thuis gehouden wordt, bewust of onbewust, door ze veel te veel en veel te vaak te eten te geven zodat ze zo onaantrekkelijk mogelijk worden voor het andere geslacht. Onze proefpersoon heeft ook nog eens een slechte huid, veroorzaakt door het gruwelijke soort acne uit de jaren zeventig dat tegenwoordig door een verantwoord dieet en een juiste huidverzorging vrijwel niet meer voorkomt. Je ziet het nog wel eens bij Oost-Europese voetballers, op tv of zo, met van die bleke koppen, maar hier in het westen zie je dat bijna niet meer, zelfs niet in Glasgow. Onze held is waarschijnlijk nogal traditioneel van instelling. Wat we van hem willen hebben is een lijst met klanten; namen, adressen en rekeningnummers. Gewoon een uitdraai, en liever nog op schijf.

'Stel dat hij niet op mij valt?' vraag ik.

'Als hij niet op je valt, dan is hij een flikker. En als dat het geval blijkt te zijn, dan ga ik op hem af,' zegt hij glimlachend. 'Ik kan best nichterig doen als ik wil,' grijnst hij, 'althans het flirten,' vervolgt hij met een vies gezicht, 'niet de seks.'

'Maar het is onzin wat je zegt, hoor, niet iedere heteroman valt op mij,' zeg ik hoofdschuddend.

'Natuurlijk wel, anders zijn ze homo, of in ontkenning, of...'

'Of wat?'

Zijn grijns wordt nog breder en ik zie de kraaienpootjes bij zijn ogen. Hij ziet er zo echt Italiaans uit, wat een sterk karakter spreekt er uit dat gezicht. 'Hou eens op met vissen.'

'Of wat?' dring ik aan.

‘Ze willen geen zaken en plezier vermengen.’

‘Dat heeft jou ook niet weerhouden,’ zeg ik glimlachend.

Simon trekt een overdreven verdrietig gezicht. ‘Dat bedoel ik nou net. Ik ben niet tegen jou bestand, en dat geldt ook voor hem, let op mijn woorden.’ Hij vervolgt op zachte toon: ‘Ik geloof in jou, Nikki.’

Ik weet wat hij bedoelt, en zijn woorden hebben het beoogde effect. Ik sta te trappelen van ongeduld. Als de trein stopt, stappen we uit. We gaan op zoek naar de pub en zien hem binnen alleen aan de bar staan, de man van mijn zweterige, paranoïde nachtmerries. Simon knikt en verlaat de kroeg. Ik slik mijn trots in en ga tot de aanval over.

45 Easy Rider

Mijn hoofd is goed naar de kloten, zeg maar; vooral omdat ik stevig aan de wiet ben geweest en daarna een paar pammetjes om weer bij te komen, dus ik was er niet helemaal bij toen Chizzie the Beast belde. Nooit meer aan die gast gedacht, een echte klootzak eigenlijk, maar om de een of andere reden was hij niet bij me weg te slaan. Ik wist niet dat hij vrij was. Ik had behoefte aan gezelschap, en Chizzie wist van een paard dat topfavoriet was via een kameraad van hem, Marcel, die nog nooit een foute tip had gegeven. Dus wij naar Slateford, waar we bij Benny ons geld inzetten, en daarna terug naar het motorjacht waar we onze knol Snow Black, een outsider tegen 8-1, in de race van 14.45 uur op Haydock naar de finish zien flitsen.

Ik geloof mijn eigen ogen niet, man. Vanaf de start bepaalt ons paard het tempo. Halverwege loop hij alleen vooraan. Op het laatste rechte eind komen er een paar andere knollen een beetje dichterbij, maar onze held gaat als een speer. Sterker nog, het is de saaiste race die ik ooit gezien heb. Niet dat we reden tot klagen hebben of zo, man, integendeel. Wij zitten maar te schreeuwen van: 'YEEEESSSSS!!!' en we omhelzen elkaar bij de tv in de bar, maar plotseling verstar ik bij de gedachte wie er nog meer in die armen hebben gelegen en hoe die zich gevoeld moeten hebben. Ik maak me los met de smoes dat ik even een rondje ga bestellen om onze overwinning te vieren. Terwijl ik in mijn zak graai naar het geld, vind ik nog wat pammetjes.

Terwijl we ons verdiepen in de beginnelingen, is de frustratie van Benny's gezicht af te lezen. 'Een hete tip, zeker?' moppert hij.

'Zeg dat wel, *catboy*,' zeg ik grijnzend.

'Altijd je ogen en oren openhouden,' grijnst Chizzie. 'Puur mazzel, joh. Zo gewonnen, zo geronnen.'

En ik voel me te gek, man, want ik heb vier ruggen in mijn zak, man, en Chizzie achtenhalf. Vier ruggen! Daar kan ik Ali en Andy van op vakantie nemen, naar Disneyland, naar Parijs! Toffe peer, die Marcel, dat moet ik toegeven, en Chizzie ook, dat hij mij heeft laten meegenieten.

We gaan terug naar de kroeg en nemen een paar pilzen om het te vieren, en besluiten dan de stad in te gaan. Eigenlijk wil ik die gast van Chisholm zo snel mogelijk kwijt, maar hij heeft me natuurlijk wel een prima dienst verleend, en ik kan hem niet zo maar dumpen, dus ik hoor eigenlijk wel een poosje met hem op te trekken. We staan te wachten op een taxi, of zelfs een bus, maar er komt niks, want het is vanavond voetbal en dan is het hele Schotse openbaar vervoer bezet. Chizzie loopt het parkeerterrein van S&N Breweries op, volgens mij om te pissen. Maar even later stopt er een blauwe Ford Sierra naast mij, en wie zit er achter het stuur? Uw dienstwillige dienaar Gary Chisholm.

'Uw rijtuig staat klaar, directeur,' zegt Chizzie grijnzend, met een fonkelende gouden tand als de slachttand van een tijger.

'Eh... o ja...' zeg ik en stap in, '...die politici hebben altijd hun bek vol over de zogenaamde klasseloze samenleving, dus het maakt niet uit in wie z'n auto je rijdt. Alles is van iedereen, toch?'

'We moeten de stad in en een stuk in de kraag hebben vóór het spookuur aanbreekt, lul,' zeg hij en barst uit in een zwakzinnige, hoge kakellach waar de rillingen van over mijn rug lopen.

We laten de auto achter in Johnston Terrace, lopen swingend de Royal Mile op en gaan, boven aangekomen, naar binnen bij Deacon's. Ik knik naar een paar bekende gezichten die zojuist uit de Court zijn gekomen. Na een poosje begint het bier voor ons te stromen, maar ik kan er niet zo goed tegen, ik ben meer het type voor drugs.

Chizzie begint te vertellen over oude vrienden van hem: bajesklanten, agressievelingen en meer van dat soort volk. Ik hou niet van dat soort gesprekken, man, want het gaat altijd over beschadigde *catboys*, zeg maar. Ik ga naar de plee en denk alleen maar aan dat geld in mijn zak, man, en dat ik met dat geld makkelijk een meid kan krijgen, en zonder erbij na te denken trek ik een pakje condooms uit de automaat en stop het in mijn zak. Ik voel hoe de pammetjes een gat in mijn zak branden, man. Die gaan er binnen niet al te lange tijd aan.

Als ik terugkom in de bar, blijkt Chizzie dezelfde gedachten te hebben gehad als ik, en daar word ik helemaal zenuwachtig van. 'Ik heb zin om te neuken, godverdomme.' En hij vervolgt: 'Dit is een prima tijd, tussen vier en zes. Er lopen nu van die halfbezopen wijven rond die de hele middag aan de drank zijn geweest en geen flauw benul meer hebben wie ze zijn. Nou, Chizzie gaat op jagerspad.'

En je hoeft inderdaad niet ver te zoeken. Er staat een wijf tegen de bar geleund. Ze heeft rood haar en haar legging is helemaal uitgelebberd, en het lijkt wel alsof ze er een hoop stront in heeft hangen. Ze is zo straalbezopen, man, dat een normaal mens nog niet bij haar in de buurt zou willen komen, maar krijg de fuck, Chizzie staat al naast haar. Hij geeft haar wat te drinken, zegt iets tegen haar, en komt met haar naar ons tafeltje. 'Hoe gaattie, jochie?' vraagt ze aan mij. 'Ik ben Cass,' zegt ze. Godverdomme, dat wijf is alcoholist. Ze lacht keihard, houdt haar gezicht vlak bij het mijne, legt haar hand even op mijn ballen en knijpt dan in mijn dijen. Een dikke rooie kop, opgeblazen door de alcohol, met allemaal gele, verrotte tanden, vlak naast de mijne. Mijn gebit is ook klote, en als ik eraan denk wordt mijn gezicht net zo rood als het hare. Als ik drink, krijg ik normaal gesproken nooit een rooie kop, ik word er juist altijd lijkbleek van. Ze heeft er wel haar best op gedaan, want ze heeft een heleboel eyeliner en lippenstift op. Ze wil van ons weten wat ons sterrenbeeld is en meer van dat soort vrouwengelul.

Maar ze is bloedgeil man, en dat komt helemaal uit haarzelf.

Nou, ik zie een beetje dubbel, want ik kan tegenwoordig niet zo goed tegen de drank. Dat bier is zo zwaar, man. Maar Chizzie neemt de touwtjes in handen, hij neemt ons mee de pub uit en naar Johnston Terrace, waar we in de gejatte auto stappen. Chizzie ramt bij het achteruitrijden bijna een geparkeerde auto, maar daarna rijden we bij het vallen van de duisternis over de kinderkopjes naar Holyrood Park.

Dat wijf is behoorlijk opstandig. Ze vloekt als een ketter, en nu laat ze haar roodharige kut aan ons zien, klimt over de leuning van de voorstoelen heen en probeert tussen ons in te komen zitten. Chizzie vloekt terug want ze zit op de versnellingspook zodat hij niet kan schakelen en er ontstaat een schreeuw- en scheldpartij terwijl we de helling af rijden. 'Moet je dit zien, klootzakken. Wie wil er nu nog neuken?' schreeuwt ze tegen ons. Ik bedoel, ik heb het in tijden niet met Ali gedaan, maar je moet wel erg wanhopig zijn om het te willen aanleggen met dit wijf.

Chizzy moet lachen en rijdt bijna tegen de grote zwarte hekken van Holyrood Park aan, maar hij kan ze nog net ontwijken. Hij brengt de auto tot stilstand en wij stappen uit. Ik kijk om me heen en zie de hoge heuvel van Arthur's Seat. Achter ons wordt met man en macht gebouwd. Iets voor de regering, voor de parlementsverkiezingen of zo, zeg maar. Het is een stuk frisser geworden nu de zon onder is.

'Waar gaan we heen?' vraagt ze zo nu en dan met dubbele tong, terwijl we achter Chizzie aan lopen naar het uiterste punje van de bouwplaats. We komen achter een hoge schutting, uit het zicht van de weg en uitkijkend op de heuvel. Er is niemand in de buurt, hoewel er achter de muur nog bouwvakkers aan het overwerken zijn, maar die kunnen ons niet zien.

'Een lekker plekje voor een feestje,' zegt Chizzie knipogend. Het begint donker te worden. Ik haal een pammetje uit mijn zak en stop het in mijn mond, van de zenuwen, man, gewoon van de zenuwen.

'Het wordt tijd dat we terzake komen, meid,' zegt Chizzie lachend, en die lul ritst zijn gulp open en haalt hem eruit, zijn pik zeg maar, zo'n dik, rubberen ding. Andere lullen zien er vaak hartstikke lelijk uit, man. 'Hé, schiet een beetje op,' zegt hij tegen dat wijf, met iets dreigends in zijn stem, 'stop 'm er eens in.'

Dat maffe wijf kijkt een beetje verbaasd; alsof ze nu pas doorheeft waar het allemaal om te doen is. Dan haalt ze haar schouders op, gaat op haar knieën zitten en begint aan Chizzie's lul te lurken. Chizzie staat er maar zo'n beetje bij en kijkt verveeld. Na een poosje zegt hij: 'Dat stelt godverdomme niks voor. Je kunt godverdomme niets eens behoorlijk pijpen.' Hij kijkt grijnzend naar mij en zegt: 'Ik moet dat stomme wijf geloof ik eens leren hoe je iemand afzuigt, Spud.'

Hij grijpt haar bij haar haren en sleurt haar mee naar de stapels bakstenen. 'Oké... ik kom al... ik kom al, godverdomme,' gilt ze, terwijl ze hem op zijn vuist slaat.

Hij gaat helemaal over de rooie. 'Kalm aan, Chizzie! Godverdomme!' schreeuw ik, maar de valium werkt al en mijn stem klinkt als een zacht gejank.

'Hou godverdomme je bek,' snauwt Chizzie tegen haar zonder aandacht aan mij te besteden, en ze kijkt hem chagrijnig aan. Hij dwingt haar weer op haar knieën te gaan zitten bij de bakstenen. 'Ga daar eens bovenop staan, Spud,' zegt hij. Ik ben ver heen, dus ik doe wat hij zegt en klim boven op de bakstenen.

'Oké, haal je lul te voorschijn.'

'Ja, oké! Ik moet hem... eerst...' zeg ik onduidelijk terwijl ik vanuit mijn ooghoek de Dynamic Earth Dome meen te zien bewegen... en dan barst ik in een luid gelach uit.

'Ja, stomme klotelul,' schreeuwt dat rare wijf tegen mij, en haar gezicht is een en al agressie, alsof ik aan haar haren trek, terwijl ik haar niks misdaan heb.

'Nee... zo zit het niet,' zeg ik, 'ik probeer gewoon aardig te doen, zeg maar...'

Chizzie moet ook lachen en schreeuwt: 'Lazer op, lul! Ik probeer dat stomme kutwijf hier iets duidelijk te maken...'

Ze heeft geen idee waar het allemaal over gaat en ik eerlijk gezegd ook niet. 'Raymond zei tegen mij, misschien krijg je de kleine nog wel terug,' mompelt ze, dronken en helemaal in haar eigen wereld, net als ik...

'Schiet op, trut,' zegt Chizzie. Ik zie zijn vertrokken gezicht, en begin te giechelen als een idioot kind terwijl hij mijn gulp openritst en mijn lul te voorschijn haalt. Chizzie! Hij kijkt de vrouw aan. 'Zie je dat, wijven en pijpen?' zegt hij tegen mij. 'Ik ben er nog nooit een tegengekomen die het een beetje behoorlijk kan.' En tegen haar: 'En nou opletten, godverdomme, want dit is de beste les die je ooit zult leren,' zegt hij en kijkt mij weer aan. 'Zo gaat dat met wijven. Je denkt altijd dat ze goed kunnen koken vanwege je moeder, maar behalve het simpele werk kun je ze niks toevertrouwen dat fantasie of... subtiliteit vereist. Het is toch niet voor niks dat alle topkoks kerels zijn, zoals op tv? Zo is het ook met pijpen. De meeste wijven proppen hem gewoon in hun mond en beginnen te zuigen, op en neer, op en neer, alsof ze een kut willen maken van hun mond. In de bajes heb ik van een gast geleerd hoe het hoort... eerst ga je met je tong over de hele lengte...' Hij grijpt mijn pik en begint te likken... bij Spud ben je dan altijd zó klaar... ha ha ha...

Dynamic Earth... het schijnt daar heel leuk te zijn.

'Hé lul, wat doe je?' Ik hou mijn adem in terwijl hij zijn koude tong zachtjes langs de gevoelige huid van mijn lul laat gaan... Chizzie praat als de presentator van een kinderprogramma... alles tolt om mij heen en het wordt donker...

'Doe het nou, verdomme!' sist Chizzie, en even denk ik dat hij mij bedoelt, maar hij bedoelt dat wijf, en ze begint eindelijk te doen wat hij wil en neemt zijn eikel in haar mond.

'Beter... dat is beter,' zegt hij, 'en nu likken over de eikel... je wordt lekker hard, jochie...'

Dat klopt wel, maar ik voel niks. Helemaal niks...

Ik hoor Chizzie en ik moet denken aan die gast die een Oscar gewonnen heeft en 'I'm the king of world' schreeuwt omdat hij een film gemaakt heeft, die ik nogal langdradig vond want ik heb hem afgelopen zomer gezien, en ik moet denken aan Sick Boy, en ik durf te wedden dat die dat voor de spiegel staat te doen, van 'I'm the king of the world'... en Chizzy gaat maar door: '...en dan neem je hem zachtjes in je mond... zachtjes aan... subtiel, daar gaat het om... het is godverdomme geen wedstrijd wie het meeste in zijn mond kan proppen... blijf je tong bewegen... om de hele lengte van die pik heen... dat is beter... beter...'

'Jezus, Chizzie, man,' hijg ik, en ik krijg een slap gevoel in mijn maag, kijk naar die rotkop van Chizzie om mijn pik heen, en als er ooit een kop is die je niet om je pik heen wilt hebben dan is het die wel, en plotseling besef ik wat er daaronder bij mij aan de hand is, en ik trek me terug...

Hij werpt eerst mij een woedende blik toe en dan die dronken slet die nog steeds aan zijn lul staat te lurken. 'Zie je dat!' zegt hij op triomfantelijke toon. 'Nu doet die trut tenminste wat ik zeg... wauw...'

'Ik viel bijna van die stenen af... die stenen...' zeg ik.

Maar inmiddels zie ik alles om mij heen door een waterig waas, terwijl Chizzie haar hoofd agressief vastpakt. 'En nu sneller, en zuigen nu... zuigen... ZUIGEN, FUCKING KUTHOER!' En hij neukt nu gewelddadig haar mond, haar hoofd, stoot zijn pik in haar keel en imiteert het hysterische commentaar bij de paardenrennen: 'En Chizzie komt het laatste rechte stuk op, hij ligt op kop en geeft die fucking hoer nog eens goed de sporen en de winnaar is Chizzie... WOOOOAAAAHHHH!!!'

Hij houdt haar roodharige hoofd in een houdgreep en blijft zijn onderbuik in haar gezicht stoten. Dan trekt hij zich terug en zij blijft alleen achter, kokhalzend en half stikkend in zijn geil, en haar mond afvegend. Hij knikt haar toe. 'Gefeliciteerd, je bent zojuist geslaagd voor Chizzie's Seks Academie.'

Dat was niet oké, man, nee, nee, nee, dus ik strompel van de stapel stenen af en ga op mijn knieën naast dat mens zitten. 'Het is goed,' zeg ik troostend, en het lijkt wel of we daar allebei behoefte aan hebben, weet je dat? Plotseling zegt ze: 'Jullie zijn allebei klootzakken,' en ze probeert me in mijn kruis te slaan maar ik word niet stijf, dus ik kus haar op haar mond en zeg: 'Oké... 't is al goed,' en trek haar legging en onderbroek uit. Ik probeer die droge keutel eruit te slaan, een soort bruine golfbal, en vinger dan haar kut totdat ikzelf hard word. Het kost me moeite om een condoom uit mijn zak en om mijn pik te krijgen, maar ik moet wel... moet wel... moet wel... er komen dikke, stinkende, half gestolde druppels geil uit haar kut gedropen, weet je wel, en mijn snikkel glijdt erin als een warm mes door de boter. Ondertussen hoor ik Chizzie op de achtergrond spottende en neerbuigende opmerkingen maken, en zij grauwt terug tegen hem, en ik krijg het gevoel dat ik er niet helemaal bij hoor. Ik naai haar een poosje, maar het stelt niks voor, en het is niet half wat ik me ervan had voorgesteld, en ik ben zo'n stomme zak om te denken dat het net zo zou zijn als bij Ali, en ik word kwaad, man, kwaad op mezelf, en zij schreeuwt spottend tegen mij: 'Hé, schiet eens op jij! Neuk eens wat harder! Is dit godverdomme alles wat je in huis hebt?' En ik blijf doorrammen tot ik mijn geil in dat stomme plastic zakje spuit...

Ik rol van haar af en probeer mijn broek op te trekken met het condoom nog om mijn pik. Chizzie is inmiddels bij haar, grijpt haar vast en legt haar op haar buik. Hij hoest wat slijm op en zij zegt: 'Wat heeft dat godverdomme...' maar hij zuigt wat snot vanachter uit zijn neus, mengt dat tot een vette cocktail in zijn mond en spuugt die op haar met droge stront bedekte aars. Chizzie is positief, in de medische betekenis van het woord, want in het echte leven is hij ontzettend negatief, zeg maar, dus hij maalt niet om een condoom. Ik ga ervan uit dat hij denkt of weet dat zij ook positief is, maar het maakt hem waarschijnlijk geen zak uit omdat hij haar keihard in haar kont neukt. Het is niet de bedoeling dat je het zo doet, maar dat je langzaam begint... niet dat ik en Ali dat nog doen, we doen helemaal niks meer... maar ze ligt te kreunen en zachtjes te janken, en ze ziet eruit als een opgezwollen, aangespoelde walvis die op eigen kracht niet meer in zee kan komen.

Als hij klaar is, staat hij op en veegt zijn met stront besmeurde pik af aan een min of meer schoon deel van haar legging.

Ze rolt zich om, haar gezicht is helemaal rood, snot loopt uit haar neus, en ze schreeuwt: 'Vuile klootzak!' en trekt haar legging weer aan.

'Hou je bek, godverdomme!' snauwt Chizzie en stompt haar vol in het gezicht. Er klinkt een geluid van brekend bot, en ik verstar helemaal, zelfs met alle drank en valium in mijn lijf, alsof ik die stomp zelf te incasseren had. Ze begint oorverdovend te krijsen en hij schopt bijna haar ene tiet eraf.

Ik hervind mijn stem, want dat kan godverdomme helemaal niet, man. 'Hé, kom op, godverdomme, Chizzie...' zeg ik, 'dat kun je niet maken.'

'Dat maak ik wel uit, wat ik wel of niet kan maken, man,' zegt hij en wijst op haar, terwijl ze zacht snikkend haar ene tiet zit te masseren, 'smerige slettenbakken moeten zich eens goed wassen! Zo bijvoorbeeld!'

En hij staat gewoon over haar kop te pissen, van die vieze, verschaalde bierzeik, man. En ze beweegt zich niet, ze zit daar maar een beetje te janken. Ze ziet er zo zielig uit, zo ellendig, bijna niet menselijk meer, en ik denk bij mezelf, zouden de mensen mij ook zo zien, als ik echt finaal naar de kloten ben van de drugs, zeg maar? Er komt een eenzame jogger aan, helemaal in het wit gekleed, hij loopt langs, kijkt naar ons en rent verder zonder zijn vaart in te houden. Ik hoor de bouwvakkers naar elkaar roepen. Die Chizzie is een nare klootzak, iedereen weet dat. Als je doet waar Chizzie toe in staat is... maar daar heeft hij ook voor vastgezeten. Hij heeft zijn schuld aan de maatschappij terugbetaald, zeg maar. Maar wat vindt de maatschappij van mij als ze me zo zien, in zijn gezelschap?

En plotseling besef ik dat ik zelf ook een grote klootzak ben. Toch lijkt het alsof ik niet zo... kwaadaardig ben, man, niet zo kwaadaardig en niet zo... berekenend, zeg maar. Zoals bij de meeste mensen is mijn slechtheid meer een passief soort slechtheid, ik ben slecht door verzuim, door niets te doen omdat ik niet genoeg om mensen geef om in te grijpen, zeg maar, behalve dan de mensen die ik echt ken. Waarom kan ik niet om andere mensen geven dan degenen die ik ken? Chizzie, nou ja, dat is een gevaarlijke gast om mee om te gaan, maar in de bajes was hij een echte kameraad, en hij belde mij met die tip over dat paard, en dat leidt toch wel tot iets... want ik neem Andy en Ali mee naar Disneyland en alles wordt weer koek en ei, en dat komt eigenlijk allemaal door Chizzie...

We smeren 'm, ik en Chizzie, we lopen het park door naar de uitgang op Abbeyhill, op weg naar de volgende pub. We laten dat maffe wijf achter met haar ellende en verloedering. Ik kijk nog een keer om naar haar, want zoals zij is, zal ik worden, man, dat weet ik zeker, als Ali mij ooit aan de dijk zet, bedoel ik... en dat heeft ze eigenlijk al gedaan, dus misschien... maar nee, want ik heb geld op zak en ik ga het weer goedmaken met haar en ik heb dat boek over Leith en we gaan naar Disneyland, man...

We lopen wat rond en bereiken uiteindelijk de pub. Ik zeg nog even tegen Chizzie dat het eigenlijk niet kan wat hij gedaan heeft, en hij draait zich om en zegt: 'Je moet geen medelijden hebben met dat soort cunts. Dat is jouw probleem, Spud, je bent veel te aardig tegen dat soort cunts. Cunts zoals jij denken dat als iedereen die fucking vluchtelingen maar aardig vindt en zo, dat alles dan wel goedkomt, maar zo werkt dat niet. En weet je waarom, jochie?' Zijn gezicht is slechts centimeters van het mijne verwijderd, maar toch kan ik er nauwelijks op focussen. 'Weet je waarom? Omdat ze de kluit belazeren, daarom. Let godverdomme op mijn woorden.'

Ik ben half bezopen en heb een pak met bankbiljetten in mijn zak. Maar er is iets in dat smoel van Chizzie wat mij dwarszit. Het heeft niet echt te maken met wat hij gezegd heeft of wat hij dat arme mens heeft aangedaan, niks van dat alles. Ik denk erover na, en het zit hem in de manier waarop hij zijn wenkbrauwen optrekt, je aanstaart en dan zijn hoofd achterovergooit. Ik weet dat ik die lul voor zijn bek ga rammen, minuten voordat ik het daadwerkelijk doe. In die tussentijd sta ik hem op te naaien, zodat we allebei weten wat er gaat gebeuren.

En dan ineens haal ik enorm naar hem uit en eerst denk ik dat ik gemist heb want ik voel niks aan mijn hand of arm, maar dan zie ik het bloed uit zijn neus spuiten en hoor ik geschreeuw rond de bar.

Na mijn klap houdt Chizzie zijn hand voor zijn gezicht. Dan staat hij ineens op, hij pakt zijn bierglas en het bier spat overal heen. Ik kom ook overeind en hij haalt naar mij uit maar mist, en de barkeeper schreeuwt iets tegen ons. Chizzie heeft het glas weggegooid en roept: 'MEE NAAR BUITEN!'

En ik loop naar de deur maar bedenk me: ik ga niet met Chizzie naar buiten, no way, man, dus bij de deur aangekomen blijf ik staan en laat hem voorgaan. Als hij buiten is, doe ik de deur achter hem dicht en op slot. Chizzie probeert de deur in te trappen, om mij te pakken te krijgen, maar de beide barkeepers komen erbij, doen de deur open en schreeuwen tegen hem dat hij moet opsodemieteren. Chizzie probeert binnen te komen, maar een van die gasten grijpt hem en hij begint op de barkeeper in te rammen. De twee zetten het op een matten en de andere barkeeper grijpt mij vast en smijt me de deur uit. En vanaf nu is het, zeg maar, ik en Chizzie tegen die gasten van de pub, en dat ik een koud kunstje ben voor die gasten want ik zit onder de drank en de valium en Chizzie is ook bezopen en bovendien ben ik niet echt een vechtersbaas. Dus we krijgen een flink pak slaag, dan gaan zij weer naar binnen en laten ons bont en blauw en kreunend achter.

We lopen weg, op een afstandje van elkaar en schreeuwend en vloekend, en dan maken we het min of meer weer goed en willen weer een kroeg in. Maar we worden nergens toegelaten, totdat we uiteindelijk in een of ander smerig hol terechtkomen waar ze iedereen binnenlaten, hoe bezopen, verfomfaaid of bebloed je ook bent. Na een poosje raak ik buiten bewustzijn, en als ik weer bijkom merk ik dat Chizzie verdwenen is. Ik sta op, loop naar de deur en bevind me ergens in Abbeyhill en begin gewoon te lopen.

'ALISON! A-LI-SOOONN...' Ik hoor geschreeuw, en kleine kinderen, die in de Abbeyhill Colonies op straat spelen, kijken behoedzaam naar mij, en ik glij uit, val van een trapje af en hou me vast aan de leuning. Het geschreeuw weerklinkt opnieuw en voor het eerst besef ik dat ik het zelf ben.

Ik strompel richting Rossie Place, langs de grote rode flatgebouwen op weg naar Easter Road, en ik loop nog steeds te schreeuwen, alsof ik twee stel hersens heb, het ene denkt en het andere schreeuwt.

Er komen twee meisjes langs met Hibernian-shirts aan, en de ene zegt: 'Hou je kop, mongool.'

'Ik ga naar Disneyland,' zeg ik.

'Volgens mij ben je daar al,' zegt de andere.

46 Project nr. 18.747

Nikki is goddelijk. Ik houd haar al een poos in de gaten; ze weet precies hoe ze mensen moet bespelen, hoe hun het gevoel te geven dat ze bijzonder zijn. Ze vraagt bijvoorbeeld niet of je zin hebt in een peuk, ze zegt: 'Wil je een sigaret met me roken?' Of: 'Zullen we wat drinken samen?' en dat is dan altijd rode wijn, nooit witte. Daarmee onderscheidt ze zich als klassewijf van die gepermanente trutten uit Fife of Essex met hun wittewijnscheten. 'Zal ik thee voor ons zetten?' Of: 'Ik heb zin om met jou naar de Beatles te luisteren. "Norwegian Wood". Fantastisch.' Of: 'Waarom gaan we geen nieuwe kleren kopen?'

Wat de financiële kant van ons project betreft, doet zij het beter dan ik, en ik maak me enigszins zorgen over mijn gebrek aan succes. Het filmen gaat in ieder geval wel een stuk beter, hoewel ik de dubieuze eer had Mikey Forrester te filmen terwijl hij gisteravond door Wanda werd gepijpt in de lift van Martello Court. Brian Cullen, een oude kameraad van me uit Leith, is verantwoordelijk voor de beveiliging van de grootste toren van Edinburgh, ik bedoel natuurlijk Martello Court en niet die sprietige hondenlul van Mikey. Maar goed, broer nummer vier is nu ook aan zijn trekken gekomen.

Ik maak me zorgen over het project, maar mijn gebeden worden gelukkig verhoord, want Skreel belt op. 'Hé, jongen, hoe gaat ie?' zegt hij, terwijl ik probeer een nies te onderdrukken om niet die hele lijn sneeuw uit te proesten die ik zojuist achterover heb geslagen. Tegenwoordig gaat de meeste shit in mijn holtes zitten. Ik snuit mijn neus, en er zit meer spul in mijn zakdoek dan in mijn longen. Ik krijg de neiging mijn snot uit te wassen. Mijn neus is naar de kloten, ik moet maar weer aan de pijp.

'Skreel. Ik zat net aan je te denken, ouwe rukker van me. Ik zeg net tegen een vriend: Skreel, mijn kameraad in Glasgow, dat is pas een vent. Heeft me nog nooit in de steek gelaten. Heb je nog nieuws, ouwe jongen? Hè?'

'Wat heb jij godverdomme zitten slikken, Sick Boy?'

'Is het zo duidelijk?' gniffel ik. Zo gaat dat als ik coke snuif. Ik heb geboekt met Satan voor een ellendige, langzame, peperdure reis naar de hel.

'Dat zou ik godverdomme denken. Maar goed, die meid die jij zoekt heet Shirley Duncan. Het is een kleine dikkerd, woont nog bij haar moeder in Govanhill. Geen vriendjes. Verlegen. Zij en haar vriendinnen gaan vrijdags na het werk altijd iets drinken in de All Bar One. Daar zal ze vanavond ook wel zijn.'

Bijna menselijk, die lul uit Glasgow. 'Ik zie je om zes uur bij Sammy Dow.'

'Dik voor mekaar, ouwe lul.'

Ik trek een broek en colbert van Armani aan, met daaronder mijn lamswollen Ronald Morteson-trui. Mijn schoenen zijn van Gucci. Helaas kan ik geen passend paar sokken vinden in de la, dus ik heb geen andere keus dan een paar witte Adidas aan te trekken die zo'n raar handdoekeffect geven. Ik moet onderweg naar Waverley Station even een Sock Shop in voordat ik in de trein stap, want anders ben ik de lul.

Ik koop een paar donkerblauwe sokken en overweeg even de Adidassokken aan Skreel te geven, maar misschien vat hij dat verkeerd op. Vlak voordat ik op de trein stap, luister ik even mijn voicemail af. Renton meldt dat hij weer in Schotland is. Die cunt is zo paranoïde, hij wil niet eens zeggen waar hij logeert, waarschijnlijk omdat hij bang is dat ik het doorvertel aan een handlanger van François. Maar ik kom er wel achter.

Ik bel het Malmaison Hotel in Glasgow, met de gedachte dat als ik iets duurs neem, ik wel moet doorgaan met mijn plan.

In Glasgow stap ik uit de trein en ga bij Sammy naar binnen. Skreel staat aan de bar. Ik realiseer me dat het ongeveer vier jaar geleden is. Ik probeer geen spier te vertrekken als hij me aan een paar aanwezige Glasgow-klojo's voorstelt als Sick Boy. 'Sick Boy hier is een *Embra*-man,' zegt Skreel lachend, 'dat is min of meer een contradictio in hoe-heet-hetook-weer, maar dat hou je toch.'

Glasgow-volk... als je hun messen afpakt en ze wat persoonlijke hygiëne bijbrengt, dan zouden het prima huisdieren zijn. Maar Skreel heeft het nu voor het zeggen, hij heeft de zaakjes voor mij geregeld, dus ik ben zonder meer bereid een toontje lager te zingen en hem de hoofdrol te gunnen, in afwachting van de aria die ik straks ga zingen. 'Waar is die meid eigenlijk?' vraag ik zachtjes, en begin te zingen zoals iemand in een tekenfilm die ik ooit gezien heb, volgens mij was het Catnip in *Herman & Catnip*: *'I'm in the mood for luff...'*

'Ik wil helemaal niet weten wat voor streek jij hier wilt uithalen, grote klootzak,' zegt Skreel glimlachend, wat betekent dat hij er *alles* over wil weten. Maar de envelop die ik in zijn zak stop, legt hem het zwijgen op.

'Ik vertel het je nog wel een keer, maar nu nog niet,' zeg ik, waarmee de kous af is.

We verlaten de pub en steken door de motregen George Square over richting Merchant City, de bespottelijke naam die die lui van hier aan dit opgedirkte deel van hun kutstad geven. Een smeris houdt een dronkelap aan en dwingt hem zijn blikje bier weg te gooien. Wat een gelul. Als ze in Glasgow echt een zero-tolerance tegen drankmisbruik willen voeren, dan kunnen ze net zo goed de hele bevolking in veewagens stoppen en afvoeren naar de Hooglanden. Ik stel dit voor aan Skreel en hij zegt dat als ik zijn kameraad niet was, hij me onmiddellijk zou neersteken.

En ik zeg dat ik ook niet anders van hem verwacht had.

Het is een traditionele All Bar One, zo een die overal kan staan. Het gebrek aan karakter in dit soort tenten lijkt ook het laatste greintje fut uit de bezoekers te zuigen. Het is net een showroom van Ikea waar je, nadat je kantoor gesloten is, heen gaat om samen met je collega's dronken te worden en hopelijk iemand te vinden die dronken of wanhopig genoeg is om je mee naar huis te nemen en met je te neuken. Ik zie een massa sneue permanentjes, veel meer dan je op zaterdag ooit in het winkelcentrum aantreft.

We gaan naar de bar, Skreel wijst Shirley Duncan en vertrekt met een opgewekt: 'Succes.'

Hé, hallo schatje. Ik had meteen kunnen raden dat zij het was. Ze zit aan een tafeltje met twee andere meiden, waarvan de een wel oké lijkt en de ander bloedgeil. Het meisje van mijn dromen, mijn Shirley, is meer dan een paar pondjes te zwaar. Ik ben het op één punt met Renton eens: hoe walgelijk dikke wijven zijn. Je kunt er niet mee voor de dag komen, het is een maatschappelijk onaanvaardbare tekortkoming die het gevolg is van hebzucht en gebrek aan zelfbeheersing en, laten we wel wezen, van geestelijke zwakte. Althans bij vrouwen; bij een man kan het wijzen op een sterke persoonlijkheid, op *joie de vivre*.

Ik schat haar rond de twintig (nog zoiets van dikke wijven: hoe dikker ze zijn, hoe minder de leeftijd ertoe doet), en ze heeft een dominante moeder die haar aankleedt. 'Die ouderwetse jarenvijftigjurk van goedkope stof die ik op de markt gevonden heb staat je mieters, kind.' Ik troost mij aan de bar met een Jack Daniels en cola, en wacht tot haar vriendin, de geile, mijn kant op komt. Ik glimlach naar haar en ze reageert door de pony uit haar ogen te vegen en mij gemaakt verlegen aan te kijken. Maar dit sterretje kan niet verhullen dat ze hunkert naar de lange paal die toegang verleent tot het podium waarop het grote Spel des Levens wordt gespeeld en waaraan we allemaal mee willen doen.

'Is het vrijdags vroeg in de avond altijd zo druk hier?' vraag ik, terwijl Sting zingt over zijn avonturen als Engelsman in New York.

'Ja, zo gaat dat hier in Glasgow,' zegt ze. 'En waar kom jij vandaan dan?'

O, dit is allemaal zo doodsimpel. Ging het maar om haar en niet om Dikkertje Dap daarginds. 'O gewoon, Edinburgh, voor zaken, maar ik dacht, ik ga nog even wat drinken voordat ik terugreis. Net klaar met werken?'

'Ja, net.'

Ik stel me voor aan die meid, en ze heet Estelle. Ze biedt me een drankje aan, maar ik sta erop haar te trakteren. Ze zegt dat ze met vriendinnen is, dus als echte gentleman uit Edinburgh geef ik een rondje.

Ze is onder de indruk, en het is wel duidelijk waarom. 'Is dat een Ronald Morteson-trui?' vraagt ze, terwijl ze de wol tussen haar vingers betast. Ik glimlach bij wijze van stilzwijgende instemming. 'Dat dacht ik wel!' Ze werpt me een vriendelijke, waarderende blik toe die je nooit ziet bij vrouwen uit Edinburgh of Londen, tenzij ze tweemaal zo oud zijn. *I'm a Leither in Glasgow-land, oh, oh...*

Terwijl ik met de drankjes bij hun tafeltje kom, zie ik dat ze alledrie al behoorlijk aangeschoten zijn, zelfs Shirley Duncan. Estelle kijkt me aan en wendt zich tot Marilyn, het derde meisje. 'Zij is in de stemming om een beer te schaken,' giechelt ze, en spuugt wat van haar drankje uit.

'Dat kwam in het verkeerde gaatje, zeker,' zeg ik glimlachend terwijl ik Shirley Duncan aankijk, die mij een angstige blik toewerpt. Ze is de lelijkste van de drie, dat is buiten kijf.

'Ja, meestal gaat het bij haar in het goeie gaatje,' zegt Marilyn lachend, en Estelle geeft haar een por in de ribben. Ik onderdruk mijn natuurlijke behoefte om die Marilyn verder aan te pakken, en zelfs Estelle zou in geval van nood nog kunnen, maar dit is puur zakelijk.

Shirley kijkt gegeneerd; ja, ze valt duidelijk uit de toon in dit gezelschap. 'Wat voor werk doe jij, Simon?' vraagt ze timide.

'O, PR. Reclame voornamelijk. Ik ben onlangs verhuisd van Londen naar Edinburgh om enkele projecten op te zetten.'

'Met wat voor klanten werk je?'

'Film, televisie, dat soort dingen,' zeg ik. Ik blijf slap ouwehoeren met ze en bestel nog een rondje, en hun gezichten worden rood en opgezwollen doordat de alcohol door hun bloedbaan jaagt en hun hormonen alle kanten op spatten. Ja, alsof er een neonbak boven hen straalt: PIKKEN GRAAG.

En ik weet gewoon dat ik die verrekte Estelle binnen een halfjaar in de buurt van King's Cross op haar rug de kost laat verdienen, als ik haar nu mijn speciale behandeling zou geven. Ja, er zijn meiden van wie je ziet dat ze verkloot zijn, dat pappie of stiefpappie schade heeft aangericht die niet meer te herstellen is en die zich, als een soort maatschappelijk eczeem, misschien even rustig houdt maar elk moment weer naar de oppervlakte kan komen. Je ziet het in die ogen, een blik waaruit gekwetstheid en verwoesting spreekt die zich uiten in de behoefte om een destructief soort liefde te geven aan een kwade macht, en daarmee door te gaan totdat het kwaad hen verteert. Het leven van dat soort meiden is gekenmerkt door misbruik en mishandeling, en ze zijn geprogrammeerd, geloof het of niet, om hun volgende beul net zo fanatiek op te sporen en na te jagen als het roofdier hen.

Later die avond gaan we naar Klatty's, ik maak me los van Estelle en Marilyn en stort me helemaal op Shirley Duncan, dit tot hun en haar grote ontzetting. Ze is fris en dik, en ik voel me zowel kinderlokker als maatschappelijk werker. Kort daarop beginnen we te kussen en begeven ons in de richting van Malmaison. Ze zegt: 'Ik heb dit nog maar één keer gedaan...'

Als we in bed liggen, bijt ik op mijn tanden en denk aan het project. Maar ik heb een pik als een betonnen paal en ik ga met mijn handen over haar zware borsten, langs haar kwabbige dijen en over het maanlandschap van haar kont. Ik ben koud in haar of ze komt al klaar. Om mijn zelfbeheersing te bewaren besluit ik dat zelf niet te doen, maar kreun, laat mijn lichaam verstijven na een forse stoot vanuit het bekken, en doe alsof ik klaarkom.

Ik realiseer me dat ik nog nooit eerder een orgasme heb gefaket. Het voelt prima.

Als het ochtendlicht binnenvalt, wordt de omvang van mijn zelfopoffering pas goed duidelijk, en ik moet bijna overgeven. Ze staat op en zegt: 'Ik moet werken vanmorgen.'

'Wat?' vraag ik, ietwat ongerust. 'Moet jij werken als de Rangers uit spelen?'

'Nee, hoor. Ik werk niet meer op Ibrox. Sinds vorige week werk ik op een reisbureau.'

'Echt waa...'

'Ik vond het zo fantastisch vannacht, Simon. Ik bel je gauw! Ik moet nu voortmaken,' en ze gaat de deur uit. Daar lig ik dan, verkracht door een vette zeug, dankzij die incompetente cunt van een Skreel!

Ik laat ontbijt op mijn kamer bezorgen en begeef me vol zelfhaat richting Queen Street. Ondertussen bel ik Skreel op zijn mobiel. Hij is één en al onschuld, maar die ongewassen lul heeft me gewoon genaaid, dat weet ik zeker. 'Ik had geen idee, ouwe lul. Maar waarom ga je niet gewoon nog even met haar om? Ze kan je vast wel de naam geven van iemand die er nog wél werkt.'

'Hmm.' Ik schakel mijn telefoon uit en hoop dat Nikki meer succes heeft gehad dan ik.

47 '...Lekker Veel Friet...'

Ik heb pijn en ben bekaf. Mel en ik moesten de scène in de boksring doen met Craig. Maar gelukkig hoefde ik daarna niet ook nog met hem te neuken. Het script was veranderd, en dat was het eerste wat we merkten toen we op een koude ochtend bij elkaar kwamen in een boksclub in Leith. Rab stelt de camera op en komt daarna naar mij toe. 'Ik zou dit niet doen als ik jou was, het stond niet in het script.'

Ik reageer niet maar schiet Simon aan. 'Waar slaat dit op: "Jimmy haalt een dildo van vijfenveertig centimeter lengte te voorschijn met aan elke kant een eikel en voorzien van een maatverdeling"?'

'Tja,' zegt hij en gebaart naar Mel dat ze erbij moet komen staan. 'Ik had het gevoel dat er meer spanning moest zijn tussen de meiden voorafgaand aan die grote lesbische scène. Tot dusver is het allemaal veel te soft, te zusterlijk, te gezellig. Ze vinden allebei dat ze het alleenrecht hebben op de lul van Tam, snap je?

Ik kijk Mel aan en ze streelt mijn arm. 'Het komt allemaal wel goed.'

Maar het is allesbehalve een gemakkelijke scène. Melanie en ik bewegen ons op handen en voeten door de ring, met de dildo in ons, tussen ons in. We moeten ons achterwaarts naar elkaar toe bewegen, degene van ons die het grootste deel van de dildo in zich heeft wanneer onze billen elkaar raken, heeft gewonnen en wordt als beloning geneukt door Craig. Het allerergste is de manier waarop Simon dit heeft opgezet; hij heeft publiek meegebracht dat ons moet toejuichen, lui uit de pub die eerst naar oude seksfilms van Terry hebben zitten kijken.

Het voelt anders. Voor het eerst sinds ik hiermee begonnen ben, voel ik me gebruikt, ontmenselijkt, als een voorwerp, tegenover al die lelijke kerels uit de kroeg die om de ring staan te schreeuwen en te brullen, met vertrokken gezichten. Op een gegeven moment stromen de tranen over mijn wangen. Simon moedigt mij aan: 'Kom op, Nikki, kom op, schatje... je bent de beste... je bent zó sexy...' Het irriteert me mateloos, waardoor ik me nog klotiger voel. Ik voel dat ik droog word, ik raak gespannen. Ik wil dat hij zijn bek houdt. Wat hij ook zegt, ik hoor steeds de woorden in zijn hoofd: *in Engeland zien we graag dat mensen genaaid worden.* Na eindeloze retakes vallen Mel en ik uiteindelijk uitgeput in elkaars armen. Het doet pijn, voelt rauw, en ik voel me vernederd. 'Even pauze, meiden. We hebben genoeg lekker materiaal voor de montage,' zegt Simon.

Als 'winnares' begint Mel aan haar optreden met Craig. Simon slaat zijn arm om mijn schouder. Zijn omhelzing voelt aan als slijm. 'Blijf van me af,' zeg ik en duw zijn arm weg. Als Mel klaar is, gaan we er samen vandoor, naar de Botanic Gardens, waar we een joint roken en mannen van alle leeftijden bekijken die langskomen, en proberen te raden of ze naar porno kijken of niet. Dan doen we 'tanga of boxershort', gevolgd door 'klein- of grootgeschapen' waarbij we de inhoud van de onderbroek op waarde proberen te schatten. Naarmate we stoneder worden, worden we ook steeds luidruchtiger, spottender en agressiever en deze vorm van plaatsvervangende wraak is als zalf op onze wonden.

Later die avond komt Simon langs. 'Je was heel fantastisch, Nikki, en dan in zo'n moeilijke scène.'

'Het deed verrekte pijn,' zeg ik kortaf, 'ik voel het nog steeds.'

Simon kijkt me aan met een blik alsof hij zelf ieder moment in huilen kan uitbarsten. 'Sorry... ik wist niet dat het zo erg zou worden... het kwam door die lui die langskwamen, die klootzakken uit Terry's seksclub...' Ik stort me in zijn armen. 'Je was zo fantastisch, Nikki, maar zoiets laat ik je nooit meer doen.'

'Beloofd?' vraag ik. Ik kijk hem aan en geniet van het gevoel dat de omhelzing mij geeft, waardoor ik me zo klein voel.

'Beloofd,' zegt hij.

'Hoe dan ook,' zeg ik, 'zo kwam broer nummer vijf aan zijn trekken.'

'Hoe zit het met dat andere?' vraagt Simon, en ik vertel hem dat alles in kannen en kruiken is.

Omdat ik wist dat hij zou bellen. Na het werk nam hij me mee uit eten in een tent genaamd Lekker Veel Friet. Ik stond erop dat we daar gingen eten omdat ik het zo'n grappige naam vond. Simon, Terry en de rest in Edinburgh doen erg neerbuigend over Glasgow en zijn inwoners, maar ik ben hier een aantal keren uit geweest met studiegenoten en objectief bezien vind ik het hier sfeervoller, aangenamer en levendiger dan in Edinburgh.

De Friet was ons tweede afspraakje. Tijdens het eerste, bij O'Neill's, kostte het me geen enkele moeite hem op te vrijen en hem mee te krijgen naar een andere tent. We kwamen terecht in een kleinere, rustiger pub en hij wekte de indruk smoorverliefd te zijn.

Toen de avond ten einde kwam, liep die arme stakker met zijn hoofd in de wolken, terwijl hij me naar Queen Street bracht om de laatste trein te halen. Op het perron liet ik me door hem knuffelen, en door onze kleren heen voelde ik zijn erectie. Maar ik was natuurlijk te zeer een dame om daar iets van te laten merken.

Ik stapte op de trein en zwaaide ten afscheid zo uitgebreid mogelijk naar hem. Terwijl hij in de verte steeds kleiner werd, stelde ik me hem voor hoe hij er ook uit zou kunnen zien, slanker, met een moderne bril of zelfs contactlenzen, en dacht... nee.

Dus onze volgende afspraak is in De Friet, waar ik van plan ben mijn slag te slaan. Simon zegt dat ik op mijn hoede moet zijn, maar hij heeft er geen idee van hoever Alan heen is. 'Ik wil gewoon een uitdraai van alle klanten van jouw filiaal, Alan. Niemand hoeft te weten dat de informatie van mij komt, ik wil het alleen maar doorverkopen aan een marketingbedrijf. Met de rekeningnummers, graag.'

'Ik... ik... ik zal zien wat ik kan doen.'

Ik ga naar het toilet en daar bel ik Simon op mijn mobiel en vertel hem het goede nieuws.

'Nee, Nikki, rustig aan een beetje, bereid je voor op eventuele bezwaren van zijn kant.'

'Maar hij is stapel op mij! Hij staat te popelen!'

'Hij staat dan nu misschien te popelen, maar om dit voor elkaar te krijgen moet je steeds bij hem blijven, vierentwintig uur per dag, zeven dagen per week. Ben je daartoe bereid?'

'Nee, maar...'

'Het lijkt nu misschien voor elkaar, maar als hij alleen in zijn bedje ligt, nadat hij zich helemaal suf gerukt heeft op jou en de verbittering en zelfhaat toeslaan, begint hij natuurlijk te twijfelen.'

Simon mag dan geen al te brede mensenkennis hebben, hij heeft des te meer kijk op de menselijke zwakheden. Het klopte wel. Maar wie zou zijn geile fantasieën niet in praktijk willen brengen? Welke man kon dat negeren?

Maar Simon had gelijk, Alan begon zich al te bedenken. Zolang ik bij hem was, leek er niets aan het handje, maar zodra hij alleen was, leek hij razendsnel bij zinnen te komen. Toen ik terugkwam van het toilet, zei hij dat hij me een lijst met namen en adressen kon geven, maar rekeningnummers... dat zou hem in ernstige problemen kunnen brengen. Waarom had ik eigenlijk rekeningnummers nodig als het om marketing ging?

Wat moest ik zeggen? Ik wil ze verkopen aan een hacker die dan in het systeem kan komen en alle rekeningen kan leeghalen.

Nee, met geen mogelijkheid!

'Grapje,' zeg ik lachend.

Hij kijkt me gespannen aan en lacht nerveus terug.

'Ik ken de machtigingscode niet. Of de elektronische handtekening. Dat geeft de bank extra ruimte op hun d-base. Dan kunnen ze zo snel mogelijk gegevens inscannen van toekomstige klanten, daar gaat het ze eigenlijk alleen maar om.' Ik neem een frietje uit een schaaltje. 'Heerlijk,' zeg ik, tevreden dat de friet hier zo lekker is.

48 Hoeren van Amsterdam, deel 5

Edinburgh is zoals ik het me herinner: koud en vochtig, ook al is de winter officieel voorbij. Ik vraag de taxichauffeur naar Stockbridge te rijden en mij af te zetten bij de flat van mijn kameraad Gavin Temperley. Temps was een van mijn weinige vrienden die nooit drugs gebruikten, dus hij was degene met wie ik contact heb gehouden. Hij heeft nooit tijd gehad voor figuren als Begbie.

Als ik aanbel, komt er net een meisje, in de twintig en erg knap, naar buiten. Temps kijkt ietwat bescheten. Ze hebben duidelijk ruzie gehad. 'Eh, sorry dat ik jullie niet aan elkaar heb voorgesteld,' zegt hij terwijl we naar binnen gaan. 'Dat was Sarah. Eh, ik sta momenteel even niet op nummer één in haar hitparade.'

Ik bedenk dat ik er wel genoegen mee zou nemen om überhaupt op haar lijst voor te komen.

Ik zet mijn tassen neer en Gav en ik gaan naar de pub, waarna we besluiten ergens een curry te gaan eten. De currytent is prima en niet duur, er komen veel verloofde en getrouwde stellen, maar ook grote groepen bezopen jongeren. In Amsterdam heb je wel een paar aardige currytenten, maar curry is daar niet zo populair. Een paar tafeltjes verderop zit een groep dronken herrieschoppers en ik denk bij mezelf: dat is waarschijnlijk maar beter ook. Gelukkig zit ik met mijn rug naar hen toe en dus kan ik beter genieten van mijn brinjal bhaji en kerriegarnalen dan Gav, die met zijn gezicht naar hen toe zit en veel meer last heeft van hun lawaaierige, stompzinnige grappen. Na een poosje raken we zelf zo aangeschoten dat we er geen erg meer in hebben. Dan besluit ik naar beneden te gaan om te pissen.

Als ik het toilet uit kom, staat mijn hart eerst stil en klopt vervolgens in mijn keel. Er komt een herrieschopper met gebalde vuisten de trap af gerend, recht op mij af. Ik blijf aan de grond genageld staan. Godverdomme... dat is hem... ik besluit te blijven staan en hem vol te raken, op zijn been, en...

Nee, toch niet.

Het is gewoon zo'n stuk tuig dat zich agressief langs mij wringt, maar ik heb niets tegen hem. Sterker nog, ik heb de neiging deze sociopaat te kussen omdat hij Begbie niet is. Dank je wel, fucking headbanger.

'Wil je soms een foto?' vraagt hij en loopt door.

'Sorry hoor, ik dacht even dat je een bekende was,' leg ik uit.

De mongool mompelt iets en loopt de plee in. Een ogenblik lang heb ik de neiging om achter hem aan te gaan, maar besluit het niet te doen. Eén ding dat Raymond, mijn shotokan-karateleraar, er bij mij ingehamerd heeft, het allerbelangrijkste op het gebied van vechtkunsten, is wanneer je ze *niet* moet toepassen.

Na het eten gaan Gav en ik terug naar zijn flat, en tot diep in de nacht zitten we te drinken en te praten over van alles wat er in ons leven gebeurd is. Er is iets in zijn manier van doen wat mij treurig stemt. Ik vind het vreselijk dat ik me zo voel en ik wil me ook niet superieur voordoen, want ik mag hem echt verdomd graag, maar het lijkt wel alsof hij zijn beperkingen heeft ontdekt en onder ogen ziet zonder te genieten van wat hij bereikt heeft. Hij vertelt dat hij werkzaam is op het ministerie van Sociale Zaken en Werkgelegenheid en daar heeft hij zijn eindpunt bereikt. Zijn aanvragen om promotie zijn zo vaak afgewezen dat hij ermee opgehouden is om te solliciteren. Hij heeft het gevoel dat hij te boek staat als zuiplap. 'Raar eigenlijk, toen ik begon was je zowat verplicht om te drinken. Een reputatie als kroegtijger betekende dat je een sociaal type was, dat je kon netwerken. Tegenwoordig word je afgeschreven als alcoholist. Sarah... ze wil dat ik ermee kap en met haar op reis ga, naar India en zo,' zegt hij hoofdschuddend.

'Waarom doe je dat niet?' zeg ik op bemoedigende toon.

Hij kijkt me aan alsof ik hem heb voorgesteld pedofiel te worden. 'Zij heeft makkelijk praten, Mark, ze is vierentwintig en niet vijfendertig. Dat is nogal een verschil.'

'Sodemieter op, Gavin. Als je niet gaat, heb je de rest van je leven spijt. Als je het niet doet, raak je haar kwijt en zit je over twintig jaar nog op dat kutkantoor, als trillende zuiplap, als sneue lul waarvan iedereen denkt: blij dat ik niet zo ben. En dat is dan nog het gunstigste scenario, ze kunnen je ook om het minste of geringste op de keien zetten.'

Gavin werpt mij een holle, glazige blik toe, en ik besef hoe vernederend en kwetsend mijn dronkemansgelal voor hem moet zijn. Vroeger kon je dit allemaal rustig zeggen, mensen belachelijk maken om hun werk, maar iedereen doet er tegenwoordig zo moeilijk over, en omdat we allemaal een stuk ouder zijn, staat er inmiddels veel meer op het spel. 'Ik weet het niet,' zegt hij op vermoeide toon, neemt een slok en vervolgt: 'Soms denk ik wel eens dat ik te veel vastgeroest ben. Dat dit het allemaal wel zo'n beetje is.' Hij kijkt om zich heen in het stijlvol ingerichte vertrek. Het is een schitterend appartement in het negentiende-eeuwse Edinburgh; compleet met erker, grote marmeren haard, blankhouten vloer, tapijten, antieke of nepantieke meubelen, gesausde muren. Alles ziet er piekfijn uit, en je kunt zien dat de hypotheek op dit pand de voornaamste reden is dat hij niet weg wil. 'Misschien heb ik de boot wel gemist,' zegt hij als een boer met kiespijn.

'Welnee, doe het gewoon,' dring ik aan. 'Je kunt deze flat toch verhuren, dan trek je er weer in als je terug bent.'

'Ik zie wel,' zegt hij glimlachend, maar we weten allebei dat hij niet op reis gaat, de stomme kutlul.

Gav voelt mijn minachting en zegt: 'Jij hebt makkelijk praten, Mark; maar ik ben heel anders,' zegt hij bijna smekend.

Ik zeg bijna: hoezo makkelijk praten, godverdomme? Het is een psychische kwestie voor hem. Maar ik mag niet vergeten dat ik te gast ben bij hem en dat hij een vriend is, en dus beperk ik mij tot: 'Zelf weten, joh, jij bent als enige verantwoordelijk voor je eigen leven, en jij weet wat het beste voor je is.'

Na deze opmerking kijkt hij zo mogelijk nog somberder.

De volgende dag besluit ik de stad in te gaan. Ik zet een muts op om mijn opvallende rode haar te verbergen en de bril die ik anders alleen nodig heb voor bij het voetbal of in de bioscoop. Ik hoop dat dit, samen met het feit dat ik negen jaar ouder en behoorlijk aangekomen ben, voldoende vermomming vormt. Ik zal in ieder geval Leith mijden als de pest, omdat daar de kans het grootst is dat ik handlangers van Begbie tegen het lijf loop die mij persoonlijk kennen. Ik hoorde dat Seeker nog steeds voor aan Leith Walk woont, en ik ben zo stom bij hem op bezoek te gaan, mijn tweede deprimerende ontmoeting.

Seekers ondertanden zitten met een soort metalen beugel aan elkaar vast. Zo ziet zijn onheilspellende glimlach er nog valser uit, net als van die Jaws-vent uit de Bond-films met Roger Moore. Gav Temperley vertelde mij dat een knokploeg uit Fife of uit Glasgow, het ligt eraan met wie je praat, hem de tanden uit zijn bek had willen slaan. Ik ben blij dat ze dat niet gelukt is, want zijn dodelijke grijns is een kunstwerk op zich. Temps zei verder dat Seeker gruwelijk wraak had genomen op de meesten van die gasten, stuk voor stuk. Misschien is dat gelul, maar wat wel waar is, is dat als ik in zijn gezelschap kan worden waargenomen, me dat misschien een bepaald soort immuniteit biedt tegen de oude handlangers van Begbie. Misschien.

Seeker behandelt me alsof ik nooit ben weggeweest, probeert me onmiddellijk junk aan te smeren, en reageert verbaasd als ik zijn aanbod afsla. Terwijl ik in zijn huis zit, raak ik al snel verbijsterd door mijn eigen volstrekte idiotie om hierheen te komen. Seeker en ik zijn nooit bevriend geweest; ons contact was altijd puur zakelijk. Hij had geen vrienden, en een blok ijs waar bij anderen het hart zit. Hoewel Seeker nog steeds overkomt als groot en hard, ben ik ook verbaasd hoe weinig fysieke angst hij mij inboezemt, en ik vraag me af of dat ook het geval zal zijn met Begbie. Het beangstigende aan Seeker is zijn kalme, vreugdeloze verdorvenheid. Vanonder de bank trekt hij het omgekeerde deksel van een kartonnen doos, model Monopoly, te voorschijn. Ik kan mijn ogen niet geloven, maar er liggen strategisch geplaatste, gebruikte condooms in.

'Resultaat van een week hard werken,' zegt hij, me met die trage doodskopgrijns aankijkend, en veegt het lange haar uit zijn gezicht. 'Dit was een meidje dat ik heb meegenomen van The Pure,' deelt hij op neutrale toon mee, en wijst naar een van de condooms. Ze liggen erbij als dode soldaten op een slagveld, een holocaust. Ik had er niet graag bij willen zijn toen ze gevuld werden.

Ik weet nooit wat ik moet zeggen onder dat soort omstandigheden. Ik zie een poster voor een optreden van David Holmes in The Vaults aan de muur hangen. 'Dat was zeker een mooie avond,' merk ik op in de richting van het affiche knikkend.

Seeker negeert me en wijst het volgende condoom aan. 'Dat was een studente van Substantial, een Engelse,' vervolgt hij. Een ogenblik lang heb ik de illusie dat die dingen zelf vrouwen zijn, gesmolten en verkleind tot een hoopje roze rubber door een laser uit Seekers pik. 'En deze hier,' wijzend op een bruin verkleurd exemplaar, 'was een wijf dat ik op een avond tegenkwam in The Windsor. Die heb ik in alle gaten geneukt,' zegt hij, en vervolgt met de standaardtrits, 'mond, kut, kont.'

In gedachten zie ik Seeker boven op een of andere maffe meid terwijl hij haar in haar kont naait en zij op haar tanden bijt van de pijn en op de achtergrond de meedogenloze waarschuwing van haar ouders en vrienden hoort over het vermijden van slecht gezelschap. Misschien ligt ze na afloop nog wel lekker te flikflooien ook met die klootzak, alleen maar om zichzelf ervan te overtuigen dat het haar eigen keuze was, een soort samenzwering en niet iets wat veel weg heeft van een verkrachting. Misschien probeert ze ook wel zo snel mogelijk weg te komen.

Seekers piskleurige ogen vallen op het volgende condoom. 'Dat was een smerige hoer, die heb ik godverdomme toch geneukt...'

Hij stond erom bekend dat hij probeerde meiden vol te stoppen met drugs. Hij en Mikey Forrester gaven ze skag en neukten ze dan terwijl ze stoned waren. Ze vonden het schitterend om wijven verslaafd te krijgen en ze dan te naaien in ruil voor een shot. Ik kijk naar Seeker en bedenk hoe mensen zich door het Kwaad laten inpakken, hun mogelijkheden laten inperken en bepalen voor zo'n geringe beloning. Wat houdt hij eraan over? Een por in een lijk.

Dus dit is momenteel mijn referentiegroep: een uitgebluste assistent-ambtenaar en een oude smack-dealende kennis met wie Begbie nauwelijks contact heeft gehad. Ja, ik moet hier zo snel mogelijk weg. Ik bel mijn ouders, die tegenwoordig in Dunbar wonen, en spreek met hen af dat ik op bezoek kom. Bij mijn vertrek zegt Seeker: 'Zeg, mocht je van mening veranderen en tóch een zakje willen...'

'Oké,' knik ik.

Als ik buiten kom kijk ik de Walk af, en Leith oefent zowel aantrekkingskracht als walging uit. Het is alsof je aan de rand van een steile rots staat, je voelt je onweerstaanbaar aangetrokken tot de afgrond en tegelijkertijd ben je doodsbang. Ik stel me een loempia en een mok thee in The Canasta of een halve liter Guinness in The Central voor. Eenvoudige genoegens. Maar nee, ik draai me om. In Edinburgh zijn ook cafetaria's en pubs.

Ik bel Sick Boy, die er nog steeds probeert achter te komen waar ik in Edinburgh verblijf, maar hij is niet te vertrouwen, vind ik, en bovendien wil ik Gav geen last bezorgen. Ik vraag hem hoe de zaken staan en hij doet enthousiast over de film en de voortgang van het project. Maar hij heeft ook slecht nieuws over Terry Lawson. 'Ga je vanmiddag nog bij hem op bezoek?' vraag ik.

Zijn stem klinkt kortaf en zakelijk in mijn oor. 'Ik zou dolgraag gaan, maar ik speel pelotte in de Jack Kane. Birrell gaat wel,' zegt hij, en in één adem geeft hij Birrells telefoonnummer. Ik mocht Rab wel toen ik hem in Amsterdan ontmoette. Ik kende zijn broer vaag van lang geleden, aardige gast, prima bokser ook. Ik bel Rab en hij herhaalt het verhaal over Terry. Rab gaat bij hem op bezoek, dus we spreken af in The Doctor's Pub, en hij heeft twee wereldwijven bij zich die hij voorstelt als Mel en Nikki.

Ik weet meteen wie ze zijn, en kennelijk hebben ze ook over mij gehoord. 'Dus jij bent de beroemde Rents waar we zoveel over gehoord hebben,' zegt Nikki ontspannen glimlachend, met prachtige grote ogen die mij betoveren en parelwitte tanden. Ik voel een kramp in mijn ziel en een elektrische schok als ze haar hand op mijn pols legt. Dan pakt ze haar sigaretten en zegt: 'Rook je een sigaretje met me?'

'Ik ben jaren geleden opgehouden,' zeg ik.

'Geen slechte gewoontes dus?' zegt ze plagend.

Ik haal mijn schouders op, probeer zo raadselachtig mogelijk te doen en zeg: 'Nou ja, ik ben een oude vriend van Simon.'

Nikki schudt het lange bruine haar uit haar gezicht, gooit lachend haar hoofd in de nek. Haar enigszins nasale accent verraadt haar Zuid-Engelse, stedelijke achtergrond, maar zonder het aanstellerige van de bourgeois of het platte van de arbeidersklasse. Ze is zo'n opvallend mooie vrouw dat het vlakke van haar stemgeluid bijna als een belediging klinkt. 'Simon. Mooi figuur. Dus jij gaat meewerken aan de film?'

'Ik zal het proberen,' zeg ik glimlachend.

'Mark gaat de distributie en de financiële kant regelen. Hij heeft veel contacten in Amsterdam,' legt Rab uit.

'Gaaf,' zegt Melanie in een schitterend plat Edinburghs accent waar je glas mee kunt snijden.

Ik haal nog een rondje aan de bar. Ik ben jaloers op Sick Boy, Terry, Rab en alle anderen die voor de camera mogen neuken met die twee, en ik besluit dat ik zo snel mogelijk intiem ga worden met dit groepje. Ik weet vrijwel zeker dat Sick Boy met minstens één van de twee neukt.

Maar het is nu bezoektijd, dus we gaan naar het ziekenhuis en wandelen naar de ziekenzaal. 'Hé, Mark,' zegt Terry hartelijk. 'Hoe is het in Amsterdam?'

'Niet slecht, Terry. Wat lullig van je feestartikel, zeg,' zeg ik op meelevende toon. Terry ken ik nog van vroeger. Dat was me er ook altijd eentje.

'Tja... een ongeluk zit in een klein hoekje, zeg maar. Ik moet hem slap houden, en dat valt niet mee met al die lekkere verpleegsters hier.'

'Je moet het op langere termijn zien, Terry,' zeg ik bemoedigend en knik in de richting van de meiden, die in gesprek verwikkeld zijn, 'je zult hem nog nodig hebben.'

'Reken maar, godverdomme, krenten in de pap. Een toekomst zonder seks...' Hij schudt het hoofd in oprechte angst, zo afschuwelijk is die gedachte.

Ik merk dat Mel en Nikki al een tijd staan te grinniken en blijkbaar iets in hun schild voeren. Ze stralen iets ondeugends uit. Ze komen in beweging en stellen het scherm op rond Terry's bed. Tot mijn stomme verbazing ontbloot Nikki haar tieten, gevolgd door Mel, ze beginnen elkaar langzaam en geil te kussen en elkaars borsten te strelen. Ik ben helemaal beduusd, en probeer wat ik zie te rijmen met het Edinburgh uit mijn herinnering.

'Niet doen... hou op...' gilt Terry en zijn hechtingen barsten nu waarschijnlijk los terwijl zijn pik overeind komt. 'HOU GODVERDOMME OP...'

'Wat zeg je?' vraagt Mel.

'Toe nou... dit is geen geintje...' smeekt hij, met zijn hand voor zijn ogen.

Proestend van de lach houden ze eindelijk op en laten hem in vertwijfeling achter. Terry wil niets liever dan dat wij weggaan, en kort daarna vertrekken we.

'Ga je mee iets drinken, Mark?' stelt Mel voor terwijl we de zaal verlaten.

'Ja, laten we samen wat whisky gaan drinken,' zegt Nikki poeslief. In disco's heb ik heel wat meiden zoals zij ontmoet: flirterig, één en al seks. Het tintelt in je hoofd en geeft je een bijzonder gevoel, totdat je beseft dat ze overal hetzelfde zijn. Maar ik heb geen enkele overtuigingskracht nodig om met hen mee te gaan. Ik heb behoefte aan gezelschap, hoewel het erg onrustig is in mijn darmen. 'Ik moet even naar de wc.' Ik ben niet meer gewend aan de cultuur van curry's en pinten pils van hier.

Ik ga op zoek naar het herentoilet. Het is er ruim; een lange pisbak, een aantal wastafels en zes aluminium wc's. Ik neem het hokje dat het dichtst bij de muur is, doe mijn broek en onderbroek omlaag en leeg mijn darmen. Wat een opluchting. Ik veeg mijn kont af en hoor dat iemand plaatsneemt in het hokje naast het mijne.

Hij gaat zitten, en als ik klaar ben met mijn kont afvegen, hoor ik een vloek, gevolgd door kloppen op de metalen scheidingswand. De stem klinkt bekend. 'Hé, makker, er is geen fucking schijtpapier meer in deze plee. Schuif even wat door, godverdomme.'

Ik wil zeggen: natuurlijk, en even mee kankeren over het slechte onderhoud van de wc's, maar plotseling zie ik een gezicht voor mij en het bloed bevriest in mijn aderen. Maar dat kan niet. Niet hier. Dat kan godverdomme niet.

Ik kijk door de ruimte onder de scheidingswand, een gat van ongeveer vijfentwintig centimeter. Een paar fraaie zwarte schoenen. Er zitten stalen vetergaatjes in. En sokken.

De sokken zijn wit.

Instinctief trek ik mijn in gympen gehulde voeten terug van de opening, en de stem schreeuwt dreigend: 'Schiet godverdomme eens op!'

Zenuwachtig haal ik wat papier van de rol en schuif het langzaam onder de wand door.

'Zo ja,' mompelt de stem chagrijnig.

Ik trek mijn broek en onderbroek op en antwoord met mijn meest bekakte stem: 'Oké,' zwetend van doodsangst. Ik maak zo snel mogelijk dat ik wegkom en was niet eens mijn handen.

Rab, Nikki en Melanie staan op mij te wachten bij de frisdrankautomaat, maar ik ga de andere kant op en verdwijn bibberend een gang in. Ik moet opschieten. Ik zou eigenlijk kalm moeten blijven en vanaf een afstandje in de gaten houden wie er uit dat hokje komt om op de een of andere manier een einde te maken aan de martelende onzekerheid in mijn hoofd, maar nee, ik moet zien dat ik zo ver mogelijk weg kom van dit kutziekenhuis. Die lul is echt. Hij leeft. Hij is op vrije voeten.

49 Home alone 2

Die kut-June belde op dat ik als de sodemieter moest langskomen omdat Sean Michael pijn had gedaan, godverdomme. En ik bedenk dat die kleine etter van een Michael eens moet worden duidelijk gemaakt dat hij godverdomme niet zo'n mietje moet zijn. 'Val me godverdomme niet lastig,' zeg ik. Als ze die kinderen beter had opgevoed, dan zouden ze nu niet zo strontvervelend zijn.

En nu begint die ander: 'Wat is er, Frank?'

Ik leg mijn hand op de hoorn. 'Die kut-June. Ligt te zeiken dat de kinderen aan het vechten zijn. Dat horen jongens toch te doen, wat krijgen we godverdomme nou,' zeg ik. Ik haal mijn hand weer van de hoorn af.

'Kom godverdomme hierheen, Frank!' Ze staat nog steeds tegen mij te schreeuwen met die kankerkrijsstem van haar. 'Er zit overal bloed!'

Ik ram de telefoon neer en trek mijn jack aan.

'We zouden uitgaan,' zegt Kate en ze kijkt mij teleurgesteld aan.

'Mijn zoon ligt fucking dood te bloeden, stomme trut!' zeg ik, ren naar buiten en bedenk dat ze eigenlijk een ram voor haar bek verdient omdat ze zo gevoelloos is. Misschien krijgt ze die nog wel ook. Ik begin godverdomme een tiet van haar te krijgen. Zo gaat dat nou altijd met wijven. 't Is allemaal leuk en aardig in het begin: maar die wittebroodsweken lopen godverdomme een keer ten eind.

De auto is verrot dus ik loop de Walk op en de eerste die ik zie is Malky die uit het gokkantoor komt. En je kunt er vergif op innemen waar hij naartoe gaat als hij daar naar buiten komt: de fucking kroeg. Zo zeker als fuck. Ik heb die lul niet meer gezien sinds ik die brutale cunt van een Norrie op de kaartclub met een fles op z'n kop heb geslagen. 'Hé, Franco! Tijd voor een pilsje?'

Ik heb eigenlijk geen tijd, maar ik barst van de dorst. 'Even snel dan, Malky. Crisis thuis, godverdomme; de ene trut kankert tegen me door de telefoon, de andere thuis. Je kunt maar beter in de fucking bajes zitten.'

'Vertel, wat is er gebeurd?' zegt Malky.

Oké dan, lul. Grappig, nu ik weer aan Norrie denk, herinner ik me die keer, jaren geleden, dat ik Malky's kop heb opengelegd na een ruzie over iets op tv, bij Goags Nisbet thuis. Waar ging dat ook weer over?... tennis. Ik weet niet meer wie er speelde, maar het was op fucking Wimbledon. Ja, ik heb toen een fles sherry op die lul z'n kop kapotgeslagen. Maar dat is nu allemaal vergeten en vergeven, want iedereen was toen zo bezopen als wat, en dan gebeuren dat soort dingen. Ja, die stem van Malky. Hij haalt twee halve liters pils en begint te vertellen over die stomme lul Saybo uit Lochsend.

'Saybo, de klootzak, had een stiletto in zijn zak. Hij kreeg ruzie met die groep van Denny Sutherland en een of andere cunt wilde hem in zijn kloten schoppen maar miste en raakte de broekzak met dat mes erin, dat mes springt open en schiet recht in die cunt zijn ballen.'

Ik probeer me de details te herinneren van die keer toen ik Malky met die fles op zijn harses sloeg. Ging het nou om tennis, of was het squash? Het was een sport met van die fucking rackets. Hij was voor die ene speler en ik voor de andere... ik weet het niet meer, het was allemaal veel te wazig.

Malky lult maar door over Nelly die weer terug is uit Manchester en dat hij de tatoeages heeft laten weghalen uit zijn smoel met speciale chirurgie, weet ik veel, dat soort gezeik. Verbaast me niks, wat zag die cunt eruit: tropisch eiland op zijn voorhoofd, een slang op zijn ene wang en een anker op de andere. Wat een lul, zeg. Zo ben je natuurlijk een weerloos slachtoffer bij zo'n identiteitsparade op het politiebureau. Die zak vond zichzelf altijd een hele jongen. Nou, het lijkt me leuk dat die gast weer terug is, zolang hij zich maar niet beter probeert voor te doen dan hij is.

Na nog een paar pilzen ga ik naar huis en tref haar onder aan de trap aan, bekvechtend met een wijf dat zich onmiddellijk uit de voeten maakt als ze mij ziet. 'Waar bleef je nou? Ik wacht op een taxi!' zegt ze.

'Zaken,' zeg ik en kijk eens goed naar Michael. Het ventje drukt een stuk laken tegen zijn kin dat onder het bloed zit.

Ik kijk naar Sean en loop naar hem toe, hij doet een stap naar achteren en krimpt in elkaar. 'Wat heb jij godverdomme uitgevreten?'

Ze antwoordt voor hem. 'Zijn kop had eraf kunnen liggen! Het had dwars door een ader kunnen gaan!'

'Maar wat is gebeurd, godverdomme?'

Haar ogen spatten zowat uit haar kop, alsof ze onder de drugs zit. 'Hij heeft een stuk ijzerdraad in de deuropening gespannen, precies op de hoogte van Michaels hals. Toen riep hij dat Michael moest komen, dat ET op tv was. Michael kwam helemaal opgewonden aangerend, net als dat joch in die telefoonreclame dat een penalty neemt voor Hibernian tegen Hearts. Gelukkig zat het niet precies op de goede hoogte, anders was zijn fucking kop eraf geweest.'

Eigenlijk vind ik het heel leuk, want het blijkt dat dat joch tenminste initiatief heeft, godverdomme. Ik en Joe deden altijd dat soort dingen met elkaar toen we nog klein waren. Hij laat tenminste zien dat hij het lef heeft om dat soort dingen te doen, in plaats van de godganse dag van die fucking videospelletjes zitten spelen zoals de meeste kids tegenwoordig. Ik kijk naar Sean.

'Dat heb ik gezien in *Home Alone 2*,' zegt hij.

Ik sta die stomme teef van een June aan te kijken, met mijn handen in de zij. 'Dus eigenlijk is het jouw fucking schuld,' zeg ik tegen haar, 'dat je hem naar die fucking video's laat kijken.'

'Hoezo mijn fucking...'

'Dat je video's draait waar die kids al dat fucking geweld van leren,' snauw ik tegen de teef, maar ik ga geen ruzie met haar maken, niet hier op straat. Want anders sla ik haar weer in elkaar, en dat heeft me de vorige keer de das omgedaan, dat die teef me aangaf en ik haar wel helemaal verrot moest rammen. De taxi arriveert en we stappen in. 'Ik neem hem wel mee om het te laten hechten, sodemieter jij maar op,' zeg ik tegen haar, want ik wil hier op straat niet gezien worden met al dat gelazer. Anders denken de mensen soms dat we nog iets met elkaar hebben. Je hoeft toch geen genoegen te nemen met friet van vorige week als je elke dag een vers Happy Meal kunt hebben, zeg ik altijd maar.

Ja, ze ziet er tegenwoordig uit als een heroïnehoer, ik vraag me af of ze zich volspuit waar de fucking kids bij zijn. Nee, daar heeft ze het geld niet voor, maar ze ziet er wel afgetrapt genoeg voor uit.

Ik trek Michael mee de taxi in en we rijden weg, de twee anderen achterlatend. Die kleine etter houdt nog steeds dat stuk laken tegen zich aan gedrukt. Maar dat kan echt niet, wat Sean met hem gedaan heeft. 'Pest hij je vaak?' vraag ik.

'Ja...' zegt Michael, en zijn ogen worden vochtig, als een meid.

Die kleine cunt moet eens goed worden toegesproken door een wijs man, en wel meteen, want anders wordt zijn leven één grote ellende. Dat is zo zeker als fuck. En zij maakt zich daar niet druk om, nee, zij niet. Die wacht gewoon af tot er iets fout gaat en dan maar krokodillentranen huilen, godverdomme. 'Nou, je hoeft er niet om te gaan janken, Michael. Ik was jonger dan oom Joe, en ik heb het ook altijd te verduren gehad. Je moet leren om voor jezelf op te komen. Pak een fucking honkbalknuppel en sla die lul z'n hersens in, wacht gewoon tot hij ligt te pitten, zeg maar. Dat zal hem godverdomme leren. Dat werkte ook bij Joe, alleen ramde ik hem op zijn kop met een baksteen. Zo pak je dat aan. Hij mag dan sterker zijn dan jij, maar hij is niet sterker dan een baksteen op z'n bek.'

Je ziet dat die kleine daarover nadenkt.

'En je hebt mazzel dat je mij nog hebt om je dit allemaal te vertellen, want toen ik zo oud was als jij, was het gewoon mij tegen oom Joe, er was nooit iemand die het voor mij opnam, ik stond er helemaal alleen voor. Die ouwe lul die voor mijn vader moest doorgaan, die kon het allemaal geen ene fuck schelen.'

De kleine zit te draaien op zijn kont en trekt een raar gezicht. 'Wat is er nou weer?' vraag ik.

'Wij hebben op school geleerd dat je niet mag vloeken. Juffrouw Blake zegt dat het niet netjes is.'

Juffrouw Blake zegt dat het niet netjes is. Geen wonder godverdomme dat Sean deze kleine etter te grazen neemt. 'Ik weet wel waar die fucking juffrouw Blake van jou behoefte aan heeft,' zeg ik. 'Schooljuffen en -meesters weten geen fuck, neem dat maar van mij aan,' en ik wijs op mezelf. 'Als ik ook maar naar één fucking meester geluisterd had, dan was ik godverdomme totaal mislukt in de maatschappij.'

Daar moet het joch over nadenken, dat zie je godverdomme zó. Net z'n vader, ook zo'n groot denker. We komen bij het ziekenhuis aan, gaan naar de eerste hulp en er komt een verpleegster bij die zo'n stompzinnig onderzoekje doet. 'Dat moet gehecht worden.'

'Je meent het,' zeg ik. 'Ga je het naaiwerk zelf doen?'

'Ja, als u even plaatsneemt, dan wordt u zo opgeroepen,' zegt ze.

We moeten godverdomme uren wachten. Wat een kutkankerzooi hier. In de tijd dat ze dat onderzoek deden, hadden ze hem drie keer kunnen hechten. Ik begin mijn geduld te verliezen en sta op het punt die kleine fucker weer mee te nemen en het thuis zelf te doen, als we worden opgeroepen. Al die fucking vragen, zeg; alsof ze denken dat ík dat kutjoch heb verminkt. Het scheelt niet veel of ik verlies mijn zelfbeheersing, maar ik hou me in om te voorkomen dat hij Sean gaat verlinken, al was het maar per ongeluk.

Als we eindelijk klaar zijn, fluister ik tegen hem: 'En denk erom dat je Sean niet verlinkt op die kutschool, ook niet tegen juf Blake of hoe ze ook mag heten. Zeg maar dat je gevallen bent, oké?'

'Oké, pap.'

'Goed. En vergeet niet wat ik je gezegd heb.'

Ik zeg dat hij even moet wachten terwijl ik op zoek ga naar een plee om een peuk te roken. Je kunt hier tegenwoordig nergens meer roken, godverdomme.

Het duurt uren voordat ik de plees gevonden heb, ik moet eerst nog een hele fucking trap op. Als ik er eindelijk ben, moet ik schijten. Ik weet zeker dat die fucking coke die ik gehad heb, versneden was met een fucking laxeermiddel. Ja, iemand gaat een klap voor zijn bek beuren. Ik stap een hokje binnen, doe mijn broek omlaag en merk dan pas dat het papier in dit schijthuis op is. Juist die plees zouden ze brandschoon moeten houden, het zijn fucking haarden van infectie. Geen wonder dat die lui in het ziekenfonds vallen als fucking vliegen. Gelukkig zit er in het hokje naast mij ook iemand te schijten. 'Hé makker,' ik ram op de aluminium muur, 'er is geen fucking schijtpapier meer in deze plee. Schuif even wat door, godverdomme.'

Het is even stil.

'Schiet godverdomme eens op.'

Er wordt wat papier doorgeschoven. Zou godverdomme tijd worden ook.

'Zo ja,' zeg ik en begin mijn reet af te vegen.

'Oké,' zegt die gast en hij klinkt nogal bekakt. Zeker zo'n arrogante klotearts. Ik hoor eerst één deur en dan de volgende. Wast z'n handen niet eens. Fucking ziekenhuizen!

Die smerige viespeuk heeft mazzel dat hij al weg is als ik uit de plee kom. En ik geef mijn handen een extra goeie beurt, want ik ben niet zo'n smeerlap als sommige anderen. Stel dat het die klootzak was die met zijn gore poten de hechtingen heeft aangebracht bij die kleine van mij...

50 '...een visschotel...'

Die Mark is me ook een rare. Ik vraag me af of we hem in verlegenheid hebben gebracht door onze blotetietenshow voor die arme Terry. We stonden bij de wc's op hem te wachten, maar hij verdween met de noorderzon zonder iets met ons te gaan drinken of zelfs maar gedag te zeggen. 'Misschien heeft ie in z'n broek gescheten,' lacht Mel, 'en moest ie naar huis voor een verschoning!'

We namen een paar drankjes. Daarna ging ik naar huis, wachtte op een telefoontje uit Glasgow en bereidde een visschotel terwijl ik met Dianne praatte. Ze heeft gesprekken gehad met de meiden van de sauna, Jayne, Freida en Natalie.

Dianne is tevreden over hoe de zaken gaan. 'Wat ben ik blij dat je me met die meisjes in contact hebt gebracht, Nikki. Ik heb inmiddels genoeg materiaal voor een statistisch representatieve groep, wat mijn onderzoek een soort wetenschappelijke onderbouwing geeft.'

Het is een kiene meid en ze beschikt over een enorm arbeidsethos. Soms benijd ik haar. 'Jij gaat het nog ver schoppen, meid,' zeg ik. Ik loop naar de keuken om de plantengieter te vullen en zet een bandje van Polly Harvey op. Ik geef de planten water, want een paar staan er nogal zielig bij.

Ik hoor dat mijn mobiel gaat in de voorkamer en ik roep tegen Dianne dat ze hem moet opnemen. Ze luistert een poos naar iemand en zegt dan: 'Sorry hoor, u heeft de verkeerde. Ik ben Dianne, een flatgenoot van Nikki.'

Ze geeft de telefoon aan mij en het blijkt Alan te zijn. Hij was zo wanhopig dat hij het verschil niet hoorde tussen een Engels en een Edinburghs accent. Ik stel me voor hoe hij daar dag in dag uit voortploetert in die bank, wachtend op het gouden horloge met inscriptie.

'Nikki... ik wil je nog een keer ontmoeten... we moeten praten,' jengelt hij terwijl ik naar mijn kamer loop. Arme Alan. De wijsheid van de jongeling gekoppeld aan de dynamiek van de grijsaard. Een gouden combinatie voor een bankemployé, maar verder niet verzilverbaar, in ieder geval niet voor hem.

Ze moeten altijd praten.

'Nikki?' smeekt hij op deerniswekkende toon.

'Alan,' zeg ik, om aan te geven dat ik inderdaad nog aan de lijn ben, maar waarschijnlijk niet lang meer, als hij niet snel ophoudt mijn tijd te verdoen.

'Ik heb nog eens nagedacht...' zegt hij op dringende toon.

'Over mij? Over ons?'

'Ja, natuurlijk. Over wat je zei...'

Ik kan me niet herinneren wat ik gezegd heb, wat voor belachelijke beloftes ik gedaan heb. Ik wil iets van hem, en wel meteen. 'Moet je horen, wat heb je op dit moment aan, een boxershort of een tanga?'

'Hoe bedoel je?' vraagt hij geërgerd. 'Wat is dat voor een vraag? Ik ben op mijn werk!'

'Draag je dan geen onderbroek op je werk?'

'Jawel, maar...'

'Wil je weten wat ik aan heb?'

Er valt een stilte aan de andere kant van de lijn, gevolgd door een lang aangehouden: 'Nwaah...'

Ik voel bijna zijn hete adem in mijn oor, de arme schat. Mannen, het zijn zulke... honden. Ja, dat is het juiste woord. Ze noemen ons ook honden, nou ja teven, maar dat is allemaal projectie, omdat ze verdomd goed weten dat ze dat zelf zijn, het is hun aard: een kwijlende, geile, verachtelijke meute. Geen wonder dat een hond een allemansvriend wordt genoemd. 'Het is niet bepaald sexy lingerie, gewoon een vaal, vaak gewassen slipje, en een paar gaatjes erin en slappe elastiek. En de reden is dat ik een straatarme studente ben. En ik ben straatarm omdat jij me niet gewoon een uitdraai wilt geven met de namen van de rekeninghouders van je filiaal en hun rekeningnummers. Ik heb hun pincodes niet, ik ga ze heus niet kaalplukken, ik wil alleen maar die lijst verkopen aan een marketingbedrijf. Ze betalen me vijftig pence per naam. Voor duizend namen is dat dus vijfhonderd pond.'

'Ons filiaal heeft meer dan drieduizend klanten...'

'Schatje, dat is vijftienhonderd pond, daarmee kan ik in één keer al mijn schulden afbetalen. En reken maar dat ik dat soort dienst rijkelijk ga belonen.'

'Maar als ik betrapt word...' Hij ademt langzaam uit. Alans constante staat van ellende weerspreekt het gezegde 'zalig zijn de armen van geest'.

'Lieverd, je wordt niet gepakt,' zeg ik, 'daar ben je veel te slim voor.'

‘Laten we morgen om zes uur afspreken. Dan geef ik je de lijsten.’

‘Je bent een engel. Maar ik moet nu ophangen, ik heb een visschotel in de oven staan. Tot morgen, lieverd!’

Ik leg de hoorn neer en loop naar de oven in de keuken. Dianne kijkt op van haar stapel boeken. ‘Problemen met mannen?’

‘Mannen vormen geen probleem,’ zeg ik plechtig, ‘geen enkel probleem.’ Ik stoot mijn bekken naar voren en grijp in mijn kruis. ‘Kutpower overwint alles.’

‘Ja,’ zegt Dianne, en ze tikt met haar pen tegen haar tanden. ‘Dat is een van de treurigste dingen die ik heb ontdekt in mijn onderzoek. Al die meiden met wie ik gesproken heb, hebben die power – tieten-, kont- en kutpower – en ze verkopen het veel te goedkoop. Ze geven het bijna gratis weg. Dat is godverdomme tragisch, meid,’ zegt ze, bijna op waarschuwende toon.

De vaste telefoon gaat op het antwoordapparaat en het duurt even voordat ik doorheb wiens stem het is. ‘Hoi, Nikki, ik heb je nummer gekregen van Rab. Ik wil me even verontschuldigen voor mijn verdwijntruc van gisteren. Het was nogal eh, gênant...’ Ineens besef ik dat het Mark Renton is en neem op.

‘O, Mark, maak je geen zorgen, schat.’ Ik onderdruk een lachje terwijl Dianne mij vragend aankijkt. ‘We hadden er zo’n vermoeden van. Je zei toch dat je curry gegeten had? Wat zijn je plannen verder?’

‘Nu? Niks. De vriend bij wie ik logeer is uit met zijn vriendin, dus ik zit hier een beetje tv te kijken.’

‘Helemaal in je zielige uppie?’

‘Ja. Wat ben jij van plan? Zin om ergens iets te gaan drinken?’

Ik weet het niet zeker, en ik weet ook niet of ik Mark zo aardig vind. ‘O, ik ben niet echt in een kroegstemming, maar kom gerust een glaasje wijn drinken en wat wiet roken, als je wilt,’ zeg ik. Nee, hij is niet mijn type, maar hij weet veel van Simon, en die is op dit moment wél mijn type.

En dus komt Mark een uur later aanzetten, en ik ben verbaasd hoewel niet gechoqueerd, dat hij en Dianne elkaar blijken te kennen van vroeger. Dat kan alleen in Edinburgh, het grootste dorp van Schotland. We zitten wat te blowen met z’n drieën, en ik probeer het gesprek richting Simon te duwen, maar het wordt mij al snel duidelijk dat Mark en Dianne helemaal in elkaar opgaan. Ik voel me het derde wiel aan de wagen. Uiteindelijk stelt hij voor om naar Bennett’s of de IB te gaan.

‘Ja, cool,’ zegt Dianne. Dit is vreemd. Ze laat haar werk nooit in de steek, en ze was nog wel van plan vanavond flink aan haar proefschrift te werken.

'Ik heb geen zin om uit te gaan,' zeg ik. 'Ik dacht dat jij het zo druk had,' zeg ik lachend.

'Zo dringend is het niet,' glimlacht Dianne met op elkaar geklemde tanden. Mark gaat even pissen en ik trek een raar gezicht tegen haar.

'Wat is er?' vraagt ze met een vage glimlach.

Ik maak stotende neukbewegingen met mijn heupen en gebalde vuisten. Ze draait passief met haar ogen, maar er speelt een subtiel lachje om haar lippen. Hij komt terug en ze vertrekken.

51 Project nr. 18.748

Renton wil nog steeds niet in de buurt komen van de schone havenplaats Leith. Ik kan hem geen ongelijk geven. Hij wil niet eens zeggen waar hij logeert, hoewel ik weet dat zijn ouders niet meer in de stad wonen.

Nikki vertelt me dat de vonken eraf vlogen in haar flat tussen Rents en Dianne. Blijkbaar heeft hij vroeger ook iets met haar gehad. Ik kan me haar niet herinneren, en toch vormen de ex-meiden van Renton bij lange na geen menigte zoals bij de uitverkoop in Princes Street. Maar hij probeerde zijn meiden altijd voor mij verborgen te houden, waarschijnlijk omdat hij bang was dat ik ze van hem afstal. Renton kon verrassend intens een relatie aangaan, tot op het verliefde af. Maar wat is dat voor een vrouw, die het aanlegt met zo'n rooie?

Skreel heeft een ander wijf voor me geregeld, genaamd Tina, die minder moeilijk deed dan de eerste en mij zonder problemen een lijst gaf van seizoenkaarthouders. Ze zei dat ze in het geniep fan van Celtic is. Dat krijg je ervan als je je personeel aanneemt op basis van gelijke kansen voor iedereen.

Ik zit in de pub en verkeer in opperbeste stemming, ondanks de aanwezigheid van een stelletje hooligans die zich ophouden bij de jukebox. Die Philip, die ik een paar keer gezien heb in gezelschap van Begbie, heeft voortdurend het hoogste woord. Hij beschouwt zichzelf blijkbaar als de leider, maar hij heeft in ieder geval meer respect voor mij nu hij weet dat Franco en ik elkaar kennen, zeg maar.

Philip leidt een soort treitercampagne tegen een lange slungel in de groep, die idiote Curtis met het spraakgebrek die altijd door hen wordt afgezeken. Ze staan indruk te maken op de meidjes die erbij zijn, maar het is allemaal van een bedroevend allooi. 'Hij is gewoon een fucking flikker,' zegt Philip, en een andere mongool schudt met zijn schouders alsof hij een zenuwaandoening heeft. Zo erg waren wij toch niet toen we zo oud waren?

'Niet waar! Ik ben g-g-geen f-f-flikker!' roept die arme Curtis wanhopig en hij verdwijnt naar het toilet.

Philip ziet dat ik hun kant op kijk en hij wendt zich tot de meiden en dan weer naar mij. 'Hij is dan misschien geen flikker, hij is in ieder geval nog maagd. Hij heeft nog nooit geneukt. Waarom doe jij het niet een keer met hem, Candice?' zegt hij tegen een stoephoertje.

'Fuck op,' zegt ze en kijkt mij gegeneerd aan.

'Ach ja, maagdelijkheid,' zeg ik glimlachend, 'daar moet je zorgvuldig mee omgaan. De meeste problemen in het leven komen als je geen maagd meer bent,' leg ik uit, maar zelfs de meligste teksten zijn niet besteed aan dit gezelschap.

Ik ga naar de plee en zie daar Curtis staan, en hij is inderdaad een beetje sloom. In feite geeft zijn aanwezigheid op deze planeet voeding aan het anarchistische concept dat er geen goede wetten bestaan; onze wetgeving inzake incest bijvoorbeeld bestaat om te voorkomen dat er meer lui zoals hij ontstaan. Hij is een kruimeldief, bevriend met Spud, wat ik me goed kan voorstellen. Een volgeling van Begbie en Spud in een en dezelfde bende, zich ophoudend onder mijn dak, godverdomme. Het schijnt dat die klootzak van een Philip en zijn maten voortdurend de pik hebben op Curtis. Zoals ik met Spud op school, bij de rivier, in de Links en langs de spoorlijn. Gek genoeg begin ik me bijna schuldig te voelen. Hij staat naast mij te pissen en hij glimlacht onnozel naar mij, één en al zenuwen en verlegenheid. Ik kijk onwillekeurig naar beneden en zie hem.

Hem.

Het is de grootste lul die ik ooit gezien heb; de pik, niet die sneue die eraan vast zit.

Ik pis verder, beschouw mijn eigen lul, schud hem droog, stop hem terug en rits mijn broek dicht. Dat wil ik hem ook wel eens zien doen. Die mongool heeft een grotere fucking pik dan ik, een grotere fucking pik dan wie ook. Doodzonde. Terwijl ik naar de wastafels loop, vraag ik terloops: 'Hoe gaat ie, joh? Curtis, geloof ik, hè?'

Hij draait zich om en werpt mij een nerveuze blik toe. Hij neemt de wastafel naast mij, doodsbenauwd. 'Ja...' antwoordt hij. 'G-g-g-gaat wel.' Hij knippert met zijn betraande ogen en zijn adem stinkt afschuwelijk, alsof hij aan zijn eigen ongewassen pik heeft zitten lurken – wat voor hem een fluitje van een cent moet zijn, zelfs met een hernia – nadat hij zijn zak heeft opgeladen met door goedkope drank en slechte drugs zuur geworden geil. Hij doet me denken aan zo'n chemisch toilet bij een houseparty of een popconcert dat nodig schoongemaakt moet worden. Maar die gast heeft ook zijn voordelen. 'Jij bent een kameraad van Spud, hè?' vraag ik en voeg er direct aan toe: 'Spud is een maatje van mij. We zijn jeugdvrienden.'

Curtis kijkt mij aan om te zien of ik hem sta te verneuken of niet. Niet dat hij het zou doorhebben als ik dat inderdaad deed. Dan zegt hij: 'Ik ma-ma-mag Spud heel graag,' en vervolgt bitter: 'Hij is de enige die mij nooit a-a-afzeikt...'

'Prima gast...' Ik knik, en zijn gestotter doet mij denken aan een oud anti-oorlogslied: *The average age of the American combat soldier was ni-ni-nineteen.*

'Hij begrijpt dat je zo nu en dan verlegen kunt zijn,' zegt hij op gluiperige toon.

Kameraad van Spud. Mijn god, ik hoor die twee al met elkaar converseren. 'Soms word ik ineens verlegen, zeg maar.' 'Ja, ik ook, zeg maar.' 'Maak je geen zorgen, neem wat pammetjes.' 'Ja, gaaf.'

Ik neem mijn tijd, knik vol begrip onder het handen wassen. Jezus, deze meurende plee moet nodig eens worden schoongemaakt. Waar betaal ik die schoonmakers voor? Maar het leven zou te simpel worden, te fucking on-Schots, als mensen gewoon hun werk zouden doen. Die verlegen lul hier, wat moet die eigenlijk doen? 'Niks mis mee, met verlegen zijn. Dat is iedereen wel eens geweest,' lieg ik en houd mijn handen onder de droger. 'Neem een pilsje van me,' zeg ik glimlachend, en schud het overtollige water van mijn handen.

Hij reageert verslagen op mijn aanbod. 'Ik blijf hier niet,' zegt hij en wijst verontwaardigd in de richting van de bar, 'ze zitten me alleen maar a-a-af te zeiken!'

'Weet je wat, ik was toch van plan om een pilsje te gaan drinken in The Caley, ik heb wel een pauze verdiend. Waarom ga je niet mee?'

'Oké,' zegt hij, en we glippen door de zijdeur naar buiten. Het is fucking kutkoud en er valt natte sneeuw. En het is zogenaamd al voorjaar, godverdomme! Die kleine naast mij is, zoals dat heet, een pik met een ribbenkast, het lijkt wel alsof iedere kruimel die er bij hem binnenkomt wordt opgevreten door die lul van hem. Als hij gaat neuken, verliest hij bij het klaarkomen waarschijnlijk zoveel vocht dat hij wekenlang op de intensive care moet. Die grote, heen en weer bewegende adamsappel, die vale, puisterige huid... het is bepaald geen filmster. Maar in de wereld van de porno, als hij een stijve kan krijgen en houden...

We stappen de uitnodigende warmte van Caley binnen, met zijn open haard, en ik bestel een paar pilzen en dubbele cognacs en neem die mee naar een rustig tafeltje in de hoek. 'Waarom hebben die vrienden van jou het steeds op je gemunt?'

'Omdat ik een beetje verlegen ben... en omdat ik st-stotter...'

Ik denk hier even over na en het kost me moeite mijn onverschilligheid te verbergen, maar desondanks zeg ik: 'Word je verlegen door dat stotteren, of stotter je omdat je verlegen bent?'

Curtis haalt zijn schouders op. 'Ik ben naar de dokter geweest, maar die zei dat het va-van de ze-ze-zenuwen kwam...'

'Waar ben je zo zenuwachtig voor? Je bent toch niet anders dan die kameraden van je. Je hebt toch geen twee koppen of vijf poten of zo. Jullie hebben allemaal dezelfde kleren aan, gebruiken dezelfde drugs...'

Die kleine buigt het hoofd en wekt de indruk dat er geen enkele actie is onder die honkbalpet van hem. Dan fluistert hij op gekwelde toon: 'M-m-maar... a-a-als je het n-n-nog niet gedaan hebt, en zij w-w-wel...'

The average length of the Scottish wanker was ni-ni-ni-nineteen inches...

Ik heb hier niets op te melden. Ik knik zo invoelend mogelijk. Met een steeds ongemakkelijker gevoel besef ik dat die cunts in de meeste gevallen voor de wet niet eens oud genoeg zijn om te mogen neuken, laat staan drinken. Godzijdank heb ik dat diploma van hoofdcommissaris Lester boven de bar hangen.

'Die Philip vindt zichzelf een hele p-p-piet omdat hij omgaat met B-B-Begbie. En vroeger was hij mijn be-be-beste vriend. Ik ben dan misschien verlegen te-te-tegenover meisjes, maar ik ben geen f-f-f-flikker. Danny... Spud, die snapt heel goed dat je verlegen kunt zijn t-t-tegenover mei-mei-meiden die je t-tof vindt.'

'Dus je bent nog nooit uit geweest met een van die meisjes waar jullie mee omgaan?'

Hij krijgt een kop als vuur. 'Nee... nee... eh, nee...'

'Dat is maar goed ook voor die meiden. Je zou ze zo in tweeën rammen met dat ding.' Ik knik in de richting van zijn kruis. 'Ik zag het toevallig. Je hebt vast borstvoeding gehad. Heb je Italiaans bloed?' vraag ik.

'Nee... eh, Schots.' Hij kijkt me aan alsof *ik* soms een smerige holtor ben.

Die cunt is een volstrekte pacifist in de oorlog tussen de seksen. Gelukkig voor de wijven, want met zo'n stormram zou hij de hele strijd in z'n eentje gewonnen hebben.

'Je hebt toch zeker zo nu en dan wel eens gelegenheid gehad?' vraag ik.

Hij is nu echt helemaal van de kook, zijn ogen schieten vol tranen als hij zich door een vernederende situatie uit het verleden heen worstelt.

'Ik was een keer me-met een meisje en ze vond hem te g-g-groot, ze zei dat ik een f-f-freak was.'

Wat een pech voor die lul dat zijn eerste neukervaring met zo'n dom wijf was. 'Schei uit, man. Zij was de freak, de stomme fucking trut,' zeg ik hoofdschuddend en hem op zijn gemak stellend. Daar zit hij dan: met afhangende schouders, een achterbakse, nerveuze oogopslag, een adem die zo erg is dat een vrouw nog liever zijn kringspier zou kussen, en een verschrikkelijk spraakgebrek. Ik durf ook te wedden dat het allemaal komt door een of andere stomme trut die niet besefte dat ze op een goudmijn was gestoten. 'Zeg, ken jij Melanie?'

Zijn ogen beginnen te twinkelen. 'Die van die seksfilms die bij jou boven gemaakt worden?'

'Kut!' vloek ik, 'dat mag niemand weten.' Ik adem scherp in en weersta de verleiding hem te vragen wie hem verteld heeft over onze club. 'Ja, die,' zeg ik kalm.

'Ja, die h-heb ik wel eens ge-ge-gezien, zeg maar.'

'Wat vind je van haar?'

Hij begint peinzend te glimlachen. 'Nou, iedereen vind haar wel tof... en die andere, die zo k-k-keurig praat...' zegt hij smachtend.

Die kleine lul moet niet te veel hooi op zijn vork nemen. 'Mooi zo, want ze vindt jou ook heel aardig. Allebei trouwens.'

Die arme fucker begint weer te blozen als een idioot.

'Echt waar.'

'Nee... j-j-je ve-ve-verneukt me...'

Een hele dag is niet genoeg om ook maar enig resultaat te bereiken bij die gast. 'Luister eens, joh. Ik ben half-Italiaans, van moederskant. Ben jij katholiek?'

'Jawel, maar ik g-g-ga nooit naar de ke...'

Ik leg hem met een wegwerpgebaar het zwijgen op. 'Maakt niet uit. Ik ben het ook, en ik zweer op het leven van mijn moeder dat Melanie jou aardig vindt en wel een keer met jou wil in een van onze seksfilms.' Ik sta op en loop met een stalen gezicht naar de bar en bestel nog een rondje. Laat die lul daar maar eens over nadenken. Als ik terugkom, wil hij iets zeggen, maar omdat ik verantwoord met mijn tijd omga, ben ik hem voor: 'En je krijgt er nog voor betaald ook. Je krijgt betaald om Melanie een beurt te geven en ook nog andere meiden. En het is geen gewone seksfilm, het is een echte pornofilm. Wat vind je ervan?'

'J-j-je maakt een g-g-geintje...'

'Zie ik eruit alsof ik een geintje maak? Mijn hoofdrolspeler Terry is geblesseerd en we hebben nieuw bloed nodig. Jij bent er geknipt voor.

Betaald worden om met Mel te neuken? Kom nou, joh!'

'M-m-maar ik vind Candice zo aardig,' pruilt hij.

Godverdomme, nog zo'n onvermoede romanticus. Wat ontzettend sneu. Die meid met dat haar in de Sunshine. 'Moet je horen, joh, ik weet dat ze je daar zitten af te zeiken,' ik wijs naar buiten, 'maar ze hebben niet veel meer af te zeiken als jij een pornoster bent die neukt met klassewijven. Denk daar maar eens over na,' zeg ik met een knipoog. Ik drink mijn glas leeg en laat die kleine cunt achter om datzelfde te doen.

Bij terugkomst in de Sunshine zie ik Spud in de hoek zitten, hij wordt straal genegeerd door Ali. Na een poosje staat hij op en probeert haar wat geld te geven, en ze zegt dat hij weg moet gaan. Hij is onbekwaam en het is een schande hoe hij eruitziet: als een zatlap onder de speed. Zijn haar is ongekamd en er zit genoeg vet in om alle frietboeren van Leith te kunnen bedienen. Zijn ogen zijn zo zwaar dat het lijkt alsof hij ze constant dicht heeft; ringen onder zijn ogen als van zwart rubber, gesprongen bloedvaten in een huid die de kleur en samenstelling heeft van oud brood. Hé, hallo, stuk! Hier is je liefhebbende echtgenoot, Ali. Meid wat een goede partij! Verlies ik je even een paar jaar uit het oog, en moet je zien wat er gebeurt. Het is niet zozeer dat je je standaard verlaagd hebt, maar dat je een fucking comédienne geworden bent. Maar geen van die lollige meiden, van Marti Caine tot French and Saunders en Caroline Aherne, heeft ooit zoveel lachers op hun hand gehad als jij toen je een kroeg binnenkwam met dat aan je arm. Hij begint nu tegen haar te schreeuwen en ik vrees dat mijn aanwezigheid de zaak alleen maar erger zal maken, dus ik gebaar naar Ali dat ze hem moet lozen.

Ik zie Curtis weer binnenkomen, opzettelijk zijn kameraden negerend. Philip probeert vriendschappelijk een arm om zijn schouder te slaan, maar wordt door hem weggebonjourd. Hij loopt recht op Spud af, gaat met hem de pub uit en helpt hem verder op weg. Mijn nieuwe hoofdrolspeler. De nieuwe Terry Sap!

Mo en Ali lijken het samen prima te kunnen redden want ze hebben niet eens gemerkt dat ik weg was. Ik besluit het erop te wagen, sluip via de zijdeur naar buiten en de hoek om en ga naar mijn flat. Ik sta op het punt om voor de inspiratie een video van Russ Meyer op te zetten, als ik mezelf zie in de spiegel aan de muur. Het valt me op dat mijn jukbeenderen meer uitsteken. Ja, ik ben inderdaad aan het afvallen.

Sjimon, *gefelisjiteerd met het sjuksjesj van dezje filmonderneming.*

Nou, dank je wel, Sean. Ik heb me nooit echt verdiept in pornografie, maar een goed geprodisjeerde film sjtel ik zjeer op prijsj, om nog maar te zjwijgen over een lekker geil wijf.

Alles loopt op rolletjes. Bijna alles. Ik herinner me wat Mo zei: dat Francis Begbie was geweest en naar mij gevraagd had.

En ja hoor, ik check mijn groene mobiel en ik heb een sms-je van hem, of liever van 'Frank', zoals hij zichzelf noemt:

MOET JE SPREKEN OVER IEMAND
DIE NIET LANG MEER TE LEVEN HEB

Ik zie het al voor me: 'Frank'. Fucking kutlul. Dat moet wel over Renton gaan. Renton 'heb' niet lang meer te leven. Er is ook een sms-je van Seeker. Als er ooit een man een communicatiemiddel op het lijf geschreven was, dan is het de sms voor Seeker:

GEHEEL TOT UW DIENST

Drugs. Mooi zo. Ik heb niet veel geld meer. Ik haal het zakje te voorschijn, hak de inhoud fijn en snuif een lekker lijntje op dat onmiddellijk doel treft. Ik heb dringend behoefte aan een sigaret, ik steek er een op en de rook voelt zo schoon en fris aan in mijn longen in combinatie met de coke.

Ik kijk in de spiegel, kijk lang en diep in de spiegel. 'Moet je horen, Franco, het wordt tijd dat jij en ik eens openhartig met elkaar praten, dat de lucht gezuiverd wordt tussen ons. Het gaat over die obsessie van jou voor Renton. Ik bedoel, laten we wel wezen, het moet nu maar eens gezegd worden, Franco, en ik weet zeker dat je mijn openhartigheid in deze kwestie zult waarderen, en dit gaat veel verder dan de geldkwestie van destijds. Jij bent gewoon een afgewezen minnaar. En dat weet heel Leith natuurlijk. Oké, we gaan ervan uit dat je duidelijk smoorverliefd op hem bent. Heb je bij alle jongens in de bajes met wie je vree, steeds hem voor ogen gehad? Ik vind het heel naar voor jullie twee dat het niks geworden is. Grappig, maar ik dacht altijd dat jij het mannetje en Rents het vrouwtje was. Maar nu heb ik zo mijn twijfels. Ik wéét gewoon dat jij het huilende, mekkerende, rood geranselde, voorovergebogen kreng in je bloemetjesjurk bent met tranen in je ogen, terwijl hij smerige dingen tegen je zegt en je aars voor zichzelf insmeert met vet, en als hij je berijdt, sta jij te janken en te jammeren, vuile gore jongenshoer die je...

De deurbel.

Ik doe open en daar staat hij. Hij staat vlak voor mijn neus.

'Franco... ik dacht net aan je... kom binnen, joh,' stamel ik, en ik besef dat ik net zo klink als die Curtis van vanavond.

Aan zijn verwoestende blik te oordelen is het of die klootzak mijn gedachten gelezen heeft. Godverdomme, was ik hardop aan het praten? ...nee toch... maar als hij geluisterd heeft door de brievenbus... en me heeft horen praten, want ik stond om het hoekje...

'Fucking Renton...' sist hij.

Kutchristus, doe mij dit niet aan, zeg... 'Wat?' weet ik verbijsterd uit te brengen.

Begbie voelt dat er iets mis is. Hij kijkt me aan op die nare, aftastende manier en zegt zacht: 'Renton is terug, godverdomme. Hij is gezien.'

Terwijl ik in die koude, kilometers diepe blik staar, klinkt er een stem in mijn achterhoofd, een primitieve, instinctieve reactie: doe iets, Simon, doe iets. Doe iets voor Schotland, o nee, voor Italië. 'Renton? Waar? Waar de fuck is die lul!' En mij wordt een blik in de hel gegund, een zwarte vlek achter de pupillen in die ogen vol waanzin, ik kijk met mijn eigen verzengende blik, en het voelt alsof ik een hoogoven probeer te blussen met een waterpistool. Ik verwacht dat hij elk moment als een cobra zal toeslaan, en ik smeek hem bijna: doe het nu, godverdomme, verlos me uit mijn lijden, want zelfs onder invloed van de coke houd ik dit niet lang meer vol.

Begbie blijft me aanstaren, en gelukkig wordt zijn stem zachter wanneer hij me toesist: 'Ik had gehoopt dat jij me dat kon vertellen.'

Ik sla mezelf op mijn voorhoofd, draai me om en begin te ijsberen, terugdenkend aan de ellende die Renton ons bezorgde, mij bezorgde. Ik blijf plotseling staan, wijs naar Franco, inderdaad met een beschuldigende vinger, want het was door zijn stompzinnigheid dat die tas met geld gestolen is, hij was er verantwoordelijk voor. 'Als die cunt hier is, dan wil ik mijn fucking geld...' maar dan realiseer ik me hoe Begbie mij ziet, en voeg er, mijn hand op mijn voorhoofd gedrukt aan toe: 'Ik probeer hier een fucking film te draaien, en ik heb geen cent te makken!'

IJzersterke zet. Franco lijkt er genoegen mee te nemen. Hij knijpt zijn ogen nog verder dicht. 'Je hebt het nummer van mijn fucking mobiel. Als Renton contact met jou opneemt, dan bel je mij godverdomme gelijk!'

'En omgekeerd ook, Franco,' zeg ik, genietend van mijn eigen woede, daarin geholpen door de op volle toeren werkende coke, en ik voel de kracht en de zuiverheid van mijn minachting, de overtuigingskracht van mijn act. 'En je raakt die fucking cunt niet aan voordat ik mijn geld terug heb, met rente, daarna mag je met hem doen wat je wilt... maar ik wil wel een handje helpen natuurlijk.'

Ik kom waarschijnlijk nogal overtuigend over in mijn drift, want Begbie zegt: 'Oké,' draait zich om en gaat weg.

Renton. Niet te geloven dat ik die lul bescherm. Maar niet lang meer. De bankrekeningen zijn geopend. Zodra de film klaar is, scheiden onze wegen zich.

Ik loop met Franco mee de trap af. Hij draait zich om en vraagt: 'Waar ga jij naartoe?'

'Eh... terug naar de pub. Ik ben even weg geweest, maar ik moet weer terug.'

'Gaaf, dan drinken we wat,' zegt hij.

En zo volgt dit stompzinnige wezen mij naar mijn pub en ik heb geen andere keus dan iets met hem te drinken aan de bar. Een voordeel is dat hij me een zakje coke verkoopt, waarmee ik het in ieder geval red totdat ik het spul van Seeker krijg. Niettemin is het een allesbehalve ideale situatie waarin ik verkeer. Spud is tenminste vertrokken, maar pas nadat hij ruzie met Alison heeft gemaakt, die blijkbaar gehuild heeft. Die vlooienbaal is bezig het moreel van mijn personeel te ondermijnen.

Begbie is nog steeds één en al paranoia, en hij raast maar door over pakjes, waardoor mijn hartslag van opwinding op hol slaat, dat Renton een gestoorde flikker is, en dat alles klinkt als muziek in mijn oren. O, ik wil zo graag dat Renton hem ontmoet, eigenlijk alleen maar om te zien, puur uit nieuwsgierigheid, hoever Franco zal gaan. Verrassend genoeg wil hij iets weten over de film.

'Ach,' zeg ik relativerend, 'eigenlijk is het allemaal één grote grap, Frank.'

'Die pornoacteurs en zo, die gasten, zijn die... ik bedoel, moeten die een bepaalde lengte hebben, of zo?'

'Nee, niet echt, ik bedoel, hoe langer hoe beter natuurlijk,' zeg ik.

Franco grijpt als een orang-oetan in zijn kruis, waar ik nogal onpasselijk van word. 'Dus dan kan ik wel meedoen!'

'Jawel, maar het belangrijkste is om een stijve te houden als het moet. Een boel gasten met lange lullen krijgen hem niet omhoog voor de camera, als het erop aankomt. Een stijve krijgen en houden is het allerbelangrijkste, daarom is Terry zo goed...' Ik ben uitgeluld, en plotseling merk ik dat Franco mij een blik vol haat en woede toewerpt. 'Alles oké, Frank?'

'Ja hoor... maar ik moet steeds aan die lul Renton denken...' zegt hij. Hij slaat zijn bier achterover en begint te raaskallen over zijn kinderen, over hoe June niet goed voor ze zorgt. 'Zoals ze er godverdomme uitziet, alsof ze zó uit een fucking concentratiekamp komt, alsof ze godverdomme aan het wegteren is...'

'Tja, ik hoor van Spud dat ze er niet best aan toe is. Maar dat komt van de pijp. Ik bedoel, er gaat bij mij heel wat coke door, Frank, maar wat ik wil zeggen is dat de pijp veel van je vergt,' leg ik uit, en met alle plezier noem ik Murphy in dit verband even.

Begbie kijkt me geschrokken aan en zijn vingers worden wit om het glas heen. Ik haal diep adem terwijl die cunt explodeert. 'De pijp... crack... June... WAAR MIJN FUCKING KINDEREN BIJ ZIJN?!'

Ik zie mijn kans schoon en val hem in de rede. 'Moet je horen, Spud heeft haar een keer helpen afwassen, en ik zeg dit alleen maar omdat ik vind dat jij het moet weten, dat met de kinderen en zo...'

'Oké,' zegt hij en kijkt naar Alison die er nogal verfomfaaid uitziet. 'DIE VENT VAN JOU IS EEN LUL! EEN WAARDELOZE FUCKING JUNKIELUL! DAT KIND VAN JULLIE MOET UIT DE OUDERLIJKE MACHT WORDEN ONTZET, WEET JE DAT!'

Dan stormt Franco de bar uit, Alison blijft ontredderd achter en barst na een paar seconden in luid snikken uit. Mo troost haar. 'Wat...' snottert ze, 'wat zegt hij nou, godverdomme... wat heeft Danny gedaan...?'

Ik moet nu de bardienst wel overnemen terwijl zij hun meelijwekkende act opvoeren. Ik ben blij dat die mensaap van een Begbie verdwenen is, maar baal ervan dat hij mijn personeel overstuur heeft gemaakt. De volgende klant op de lopende band vol gedoemden die moet doorgaan voor een kroeg, is niemand anders dan Paul, mijn collega van de Leith Ondernemers Tegen Drugs, die eruitziet of de ellende van de hele wereld op zijn smalle schouders rust. Ik neem hem mee naar een rustig hoekje in de kroeg en hij begint meteen te zeiken over dat geld. 'Ik steek mijn nek uit, Simon!'

Ik geef die lul gelijk het volle pond: 'Jij houdt gewoon je bek dicht, of die kutcarrière van jou is naar de kloten, let op mijn woorden!' Deze introductie laat niets aan duidelijkheid te wensen over, en ik vervolg op vriendelijker toon: 'Moet je horen, Paul, maak je geen zorgen. Je begrijpt gewoon niet hoe de zakenwereld, hoe mijn business, in elkaar zit. We krijgen het echt wel terug,' zeg ik opgewekt, blij dat ik als enige overeind blijf, omringd als ik ben door losers.

Wat een misselijkmakend schijtfiguur.

'Kijk, die man begrijpt alles van zakendoen,' zeg ik glimlachend, terwijl die oude Eddie de bar komt binnenschuifelen, neus in de wind als een Romeinse keizer. 'Hé, Eddie, hoe gaat ie, ouwe reus?'

'Gaat wel,' kreunt Eddie.

'Mooi zo!' zeg ik met een lachje. 'Wat zal het zijn? Ik trakteer, Ed,' zeg ik.

'Als jij trakteert, doe dan maar een halve liter en een dubbele Grouse.'

Zelfs deze oude hondsbrutale, alcoholistische uitvreter kan vandaag mijn humeur niet verpesten. '*Certainement*, Eduardo,' zeg ik lachend en roep vervolgens tegen de Marjory Proops van Leith: 'Mo, lieveling, wil jij even de honneurs waarnemen?' Ik knik tegen de geruïneerde Paul en loop naar Ed aan de bar. 'Ik heb mijn kameraad Paul hier even wegwijs gemaakt in de trucjes van de handel. Wat deed jij ook weer voor de kost, Eddie?'

'Ik ben vroeger *whaler* geweest, op een walvisvaarder,' zegt de chagrijnige ouwe lichtmatroos.

Een zeeman. *Hello sailor*, of moet ik zeggen *hello whaler*? 'O, dan ken je Bob Marley zeker wel?'

De ouwe zeerot schudt het hoofd. 'We hadden geen Bob Marley aan boord van de Granton. In ieder geval niet toen ik meevoer,' deelt Ed bloedserieus mee, en hij slaat de Grouse achterover.

'Jouw beurt voor een rondje, Paul,' zeg ik breed grijnzend, 'en dat houdt in zo'n glaasje gouden vocht voor Eddie hier. Het is een kenmerk van een beschaafde samenleving, hoe je met ouderen omgaat, en wij hier in Leith liggen op dat punt vele lichtjaren voor op onze tegenstanders. Heb ik gelijk of bij het rechte eind, hè, Ed?'

Eddie werpt een agressieve blik naar Paul. 'Ja, doe mij nog maar een whisky, maar ik wil alleen een Grouse,' waarschuwt hij de verbouwereerde reclameman, alsof hij die arme klootzak daarmee een grote dienst bewijst.

Ik besluit die zeikerige, zijen yuppielul de rug toe te keren en Mo en Ali verder te laten genieten van het gezelschap van verbitterde zeelui, want op datzelfde moment stapt Terry Sap de pub binnen. 'Tel! Ontslagen?'

'Ja,' grijnst hij. 'Maar ik moet nog voorzichtig aan doen en mijn pillen slikken.'

'Prima. Wat wil je drinken?'

Ik word prompt nóg vrolijker. Straks zijn we weer helemaal compleet. Alex?

Van het grootste belang, Simon. Helaas win je tegenwoordig niks meer met een compleet elftal. Je hebt minstens veertig man nodig, allemaal fit.

'Ik mag godverdomme niet drinken met die kutpillen,' klaagt Terry en hij haalt een hand door zijn krullen. De pornosnor die hij voor de gein heeft laten staan, is verdwenen.

'Jeetje, Tel, wat een nachtmerrie. Niet neuken, niet drinken,' zeg ik lachend en knik in de richting van de vrienden van Ed die in de hoek van hun pilsje genieten. 'Maar ik zorg wel dat je in de nabije toekomst weer mee kunt doen.'

'Ja,' zegt hij vol zelfmedelijden, terwijl ik vanuit mijn ooghoek zie hoe die rukker van een Paul zich ervan bewust is dat ik hem ijskoud de rest van de avond kan negeren, eindelijk zijn verstand gebruikt en mismoedig het pand verlaat.

Om Terry op te vrolijken neem ik hem mee het kantoortje in en leg een paar lekkere lijntjes uit van het gram dat ik van Begbie heb. Ik vertel Tezzo over het bezoek van mijn voormalige collega monsieur François Begbie. 'Je zou kunnen zeggen dat hij over de rooie was,' zeg ik, terwijl ik de lijntjes fijnhak met mijn creditcard en met een knikje Terry uitnodig zijn gang te gaan, 'maar dat ziet hij zelf misschien anders. Evengoed is dit zijn coke, dus hij heeft ook zijn nut, zo nu en dan.'

Terry buigt zich lachend voorover om een flinke snuif te nemen. 'Over de rooie? Over de Rooie Zee, zul je bedoelen,' zegt hij, en gaat vol in zijn achteruit.

Ik volg zijn voorbeeld en begin te lullen over mijn plannen voor de film. Terry begint enigszins ongemakkelijk te kijken. 'Alles goed, Tel?'

'Nee... mijn lul... het komt vast door de coke, maar hij begint pijn te doen, hij klopt helemaal.'

Die arme Terry verdwijnt als een menselijk wrak. Wat tragisch, om een ooit trotse man op deze manier ontmand door het leven te zien gaan. Aangezien hij nog steeds niet zeewaardig is, begin ik me zorgen te maken over het seksleven van die arme Melanie en dus besluit ik haar even te bellen. Misschien is het een goed idee als ze eens kennis zou maken met de jonge Curtis.

52 Heroïnehoer

Ik ben godverdomme pislink. Dat wijf gaat eraan, die ontaarde moeder. Ja, die gaat ervan lusten... maar die kids kunnen niet naar een tehuis en als mijn moeder ze niet wil... dus ze zal eieren voor haar geld moeten kiezen want ik en Kate kunnen die kutkinderen ook niet hebben... DIE SMERIGE KUTHOER!

Dankzij haar moet ik ook nog de pissende regen in, door zo'n fucking stortbui. Het water loopt zelfs in mijn schoenen omdat ik door een verstopte afvoer midden in een plas terechtkom. Ik ga naar huis, gooi mijn jack uit, smijt die ouwe kutschoenen weg en trek mijn nieuwe Timberlands aan. Kate zegt: 'Waar ga je naartoe, Frank?'

'Naar die fucking heroïnehoer die mijn kinderen mishandelt.'

Die fucking regen, daar word je godverdomme niet goed van. Iedereen loopt te snotteren en te snuiven, maar bij de helft is het de Colombiaanse Griep, door al het fucking spul dat ze opsnuiven. Sick Boy is nog het ergste van allemaal, en ik heb zelf ook geen bezwaar tegen een witte neus zo nu en dan, maar spuiten, dat is iets voor losers, en dan ook nog waar die fucking kinderen van mij bij zijn!

Dus ik kom binnen en kijk om me heen en zij kijkt mij aan met een brutale blik alsof ze alles wil ontkennen. Ik zeg gewoon tegen de kids: 'Jas aan, we gaan naar oma.'

Geen sprake van dat ik ze meeneem naar mij. Rot op, zeg. Ik denk dat mijn moeder ze wel wil hebben, als ze eenmaal weet wat er aan de hand is en het gevaar beseft waarin ze verkeren.

'Wat... wat is er aan de hand?' vraagt June.

'Jij, smerige kuthoer, uit mijn ogen, godverdomme, ik waarschuw je,' zeg ik tegen dat kankerwijf. 'Mijn geduld is fucking op, en ik sta niet voor mezelf in als je die gore, fucking junkiebek van je opentrekt!'

Ze kent me goed genoeg om te weten dat ik geen fucking geintjes sta te verkopen, ze spert haar ogen wijdopen en haar smoel wordt nog witter dan eerst. Moet je d'r nou zien, waarom heb ik dat nooit eerder gezien? Ik vraag me af hoelang ze al gebruikt. De kids maken zich klaar en zeggen: 'Waar gaan we naartoe, pap?'

'Naar oma. Die weet tenminste wél hoe je kinderen opvoedt.' Ik kijk haar aan. 'En ze laat zich niet in met fucking junkies.'

'Wat bedoel je? Waar heb je het over?' heeft die fucking teef het lef tegen mij in te brengen.

'Wou je het soms ontkennen? Wou je ontkennen dat Spud fucking Murphy hier laatst was?'

'Ja... maar er is niks gebeurd, en bovendien,' zegt ze en ze krijgt een waanzinnige blik in de ogen, 'gaat het je niks aan wat ik doe.'

'Afwassen, waar de jongens bij zijn? En dat gaat mij godverdomme niks aan?' Ik wend me tot de kids. 'Wegwezen jullie. Mama en ik hebben even een privé-gesprek. Ga naar de trap en wacht daar op mij! Vooruit, oprotten!'

'Afwassen... ja... maar...' zegt ze, 'ik had gewoon wat hulp nodig, meer niet...'

Terwijl die twee etterbakken opdonderen, zeg ik tegen haar: 'Ik zal je afwas geven. WAS DIT MAAR AF, GODVERDOMME!' Ik ram haar vol op de bek, dat het bloed uit haar neus spuit. Ik grijp haar bij het haar, en het is zo vet dat ik het om mijn vuist moet draaien om goed houvast te krijgen. Ze krijst als een varken. Ik draai de kranen open, doe de stop in de gootsteen, laat hem vollopen, en steek haar kop erin. 'AFWASSEN, TEEF!'

Ik trek haar kop weer omhoog, ze blaast water en bloed uit haar neus en spartelt als een vis aan een haak. Ik hoor een stem en die kleine Michael staat in de deuropening en vraagt: 'Wat doe je met mama, pap?'

'Wacht op de trap, godverdomme! Ik spoel gewoon haar gezicht af, want ze heeft een bloedneus! Nou opgesodemieterd! Godverdomme!'

De kleine etter smeert hem, en ik duw haar kop weer onder water. 'IK ZAL JE GODVERDOMME AFWASSEN, GORE HEROÏNEHOER, IK ZAL JE GODVERDOMME AFWASSEN!'

Ik trek haar kop weer omhoog, maar die kleine, vuile psychohoer grijpt een fucking aardappelschilmes van het aanrecht en steekt op mij in. Het blijft tussen mijn fucking ribben zitten. Ik laat haar los en ze slaat een bord op mijn kop kapot. Ik geef haar weer een ram, ze smakt achterover tegen het aanrecht en begint te gillen, en ik trek het mes van tussen mijn ribben. Overal bloed, godverdomme. Ik geef haar een trap, laat haar in foetuspositie achter en ga naar de kinderen buiten, maar die ouwe teef van de overkant staat in haar deuropening met haar armen om de kids heen. 'Kom jongens,' zeg ik, maar ze blijven staan, dus ik grijp Michael want ik heb geen tijd om hier een beetje te staan fucken, en June staat weer op haar benen en gilt tegen mij en tegen die ouwe teef: 'BEL DE POLITIE! HIJ WIL MIJN KINDEREN MEENEMEN!'

'Mam!' jankt die kleine slijmbal van een Michael. Sean had die etter zijn fucking kop moeten afsnijden, hij is waarschijnlijk niet eens van mij, kleine fucking flikker die hij is, en ik geef hem een klap voor zijn bek met de achterkant van mijn hand, en ze grijpt zijn arm vast op de trap, en het lijkt wel of dat kankerjoch het onderwerp is van een potje touwtrekken. Hij krijst als een varken, ik laat hem los en ze flikkeren allebei achterover tegen de trap. Die ouwe teef staat nu ook te schreeuwen en plotseling stormen er twee polities de trap op en een van hen brult: 'Wat is hier aan de hand?'

'Niks. Bemoei je godverdomme met je eigen zaken,' zeg ik.

'Hij wil mijn kinderen meenemen!' krijst ze.

'Klopt dat?' vraagt de oudste van de twee smerissen.

'Het zijn ook *mijn* fucking kinderen!' zeg ik.

Die ouwe teef op de trap zegt: 'Hij heeft z'n vrouw mishandeld, ik heb het zelf gezien! En die kleine ook, dat arme schaap!' Ze wijst godverdomme naar mij en schreeuwt: 'Hij deugt niet, die daar, hij is verrot tot op het bot!'

'Hou jij je grote bek dicht, godverdomme, ouwe kankerteef! Het gaat jou geen fuck aan!'

De oudere smeris zegt: 'Meneer, als u niet meegaat naar de straat, arresteer ik u voor huisvredebreuk. Als deze dame een aanklacht indient, zit u zwaar in de problemen!'

En dus besluit ik na een enorme schreeuw- en scheldpartij om maar weg te gaan, want ik wil godverdomme niet de bak in vanwege die fucking slet. En die politiecunts kijken me godverdomme aan alsof ik een fucking kinderlokker ben. Oké, ik had Michael niet moeten slaan, maar dat was godverdomme haar schuld, omdat ze me godverdomme weer liep op te fokken. Nou ja, ik zal wel weer naar het maatschappelijk werk moeten, en iedereen weet dat zij het is, dat zij de fucking kutkankerhoer is die fucking drugs gebruikt waar de kids bij zijn, mijn fucking kids...

Als ze dan toch iemand moeten arresteren, laten ze dan die cunt oppakken van *Home Alone 2*. Ik weet dat hij zelf nog een kind was toen hij in die films speelde, maar ik snap niet hoe iemand daarmee kan leven en zichzelf nog recht in de fucking ogen kan kijken.

53 '...zelfs in slappe toestand is hij bijna een halve meter lang...'

Ik ga naar Simons flat. Het is er een troep, maar dat maakt mij niets uit. Ik storm op hem af, grijp hem vast en druk mijn lippen op de zijne. Hij is gespannen, star. 'Hé, we hebben bezoek,' zegt hij. We lopen naar de zitkamer, en op de leren bank zit een jonge gast die ik me vaag herinner uit Simons pub. Een van die vage, onappetijtelijke figuren die je waarneemt vanuit je ooghoek. Nu lijkt hij op een normale jongeman: slungelig, puisterig, zenuwachtig en met een luchtje. Ik glimlach naar hem en zie dat die arme schat vuurrood wordt en zijn ogen tranen, en hij zijn blik afwendt.

Ik kijk naar hem en vraag me af wat hier aan de hand is. Simon zegt niks. Er wordt geklopt, ik doe open en het zijn Mel en Terry. Ze kust me, loopt verder, omhelst Simon en neemt plaats naast de jongen. 'Hoe gaat ie, Curtis, ouwe reus?'

'Ja, wel goed,' zegt hij.

Terry houdt zich nog steeds erg rustig. Hij neemt plaats op een stoel in de hoek.

'Dit is Curtis,' zegt Simon tegen mij. 'Hij is onze nieuwe acteur.' Het joch glimlacht moeilijk terug naar mij en ik ga ervan uit dat dit een geintje is. Dan kijkt Simon van Mel naar mij en verklaart zich nader: 'Ik wil dat jullie, dames, van dit grove materiaal de geilste dekhengst maken die Leith ooit heeft voortgebracht, Nou ja, op één na geilste,' zegt hij met een lachje en buiging die getuigen van enige zelfspot.

'Het is een grote jongen,' grinnikt Mel, 'als je begrijpt wat ik bedoel.'

'Laat eens zien, Curt, niet zo verlegen,' zegt Simon terwijl hij naar de keuken loopt.

Curtis' ogen schieten weer vol tranen en hij wordt zo rood als een biet. 'Kom op, je hebt het me gisteravond ook laten zien,' grijnst Mel.

Ik kijk haar verbaasd aan terwijl hij onhandig zijn riem losmaakt en zijn gulp openritst. Dan begint hij zijn ding uit zijn broek te halen en er komt geen einde aan. Zelfs in slappe toestand is hij bijna een halve meter lang, en hij hangt zowat tot op zijn knieën. Ik ben sprakeloos. Maar bovendien de breedte van dat ding... Ik heb nooit zo erg op lengte en omvang gelet, maar... Dat joch mag meedoen. Vijfendertig centimeter, hoe kan iemand zo vrij rondlopen? Maagd nog (todat Melanie hem gisteravond te grazen nam, ongetwijfeld), een freak bijna, maar wel geknipt voor onze film.

Simon zegt dat hij zijn schaamhaar moet afscheren, om hem nog groter te laten lijken, zoals echte pornoacteurs ook doen.

Terry zegt: 'Hij moet wel goed opletten onder het scheren, straks snijdt hij zich nog, met zo'n ding.'

'Jij hebt mooi lullen, Terry. Zijn de hechtingen er al uit?'

Ik vraag me af hoe we hem moeten 'inrijden' zodat hij ook echt kan optreden, hoewel ik ervan uitga dat Mel op dat terrein al enige activiteiten ontplooid heeft.

'Ik help je wel met scheren,' biedt Mel aan.

Die kant van de zaak lijkt geen problemen op te leveren. Simon wenkt mij de keuken in. 'Mel heeft hem gisterenavond ingewijd, zij zorgt wel voor hem,' bevestigt hij. 'We moeten dat joch uit elkaar halen en hem dan weer naar ons model opbouwen, net als bij Eliza Doolittle. En niet alleen wat zijn neuktechniek betreft. Iedere mongool kan neuken, en elke idioot met een partner kan een aantal standjes aanleren.' Hij kijkt stiekem om het hoekje naar Terry. 'Mijn god, wij verdoven onszelf helemaal met onze obsessie voor seks. Prepareer hem volledig tot een denkend en neukend wezen. Kleding. Uiterlijk. Houding. Manieren.'

Ik knik instemmend, maar er is werk aan de winkel. We spreken met de anderen af op een later tijdstip in de pub. Voordat Simon weggaat, geeft hij Curtis een in cadeaupapier verpakte doos. 'Cadeautje, maak maar open.' Curtis scheurt het papier eraf en er blijkt een ordinaire, blonde opblaaspop in te zitten. Simon zegt: 'Ze heet Sylvie. Kun je mee oefenen als je je 's nachts eenzaam voelt, hoewel dat in de toekomst wel niet vaak meer zal voorkomen. Welkom bij *Seven Rides!*'

Die arme Curtis weet niet goed wat hij aan moet met Sylvie, omdat ze straks naar de Port Sunshine gaan. Simon dringt erop aan dat ik even bij hem blijf omdat hij de vorderingen wil bespreken in wat hij 'het project' noemt.

We hebben nu twee lijsten met namen, op verschillende diskettes. De vader van Rab heeft geholpen om ze compatibel te maken zodat ze nu hetzelfde format hebben. Er zijn 182 seizoenkaarthouders van Rangers die een rekening hebben bij het filiaal in Merchant City van de Clydesdale Bank. Daarvan hebben er 137 de pincode 1690. Ik heb geen flauw idee hoe Simon daarachter is gekomen, hoewel hij het wel geduldig aan me heeft uitgelegd, net als Mark, maar ik snap er nog steeds niks van. Ondanks McClymonts module *Scottish Studies* begrijp ik nog steeds geen hout van de Schotse cultuur of mentaliteit. Van die 137 doen er zesentachtig aan internetbankieren.

Het belangrijkste gegeven is dat het saldo op die zesentachtig rekeningen varieert van 3.216 pond rood tot een tegoed van 42.214 pond. Simon legt uit dat hij en Mark erin geslaagd zijn in te breken in het onlinebanksysteem van de Clydesdale Bank. Met de pincode 1690 hebben ze een totaalbedrag van 62.412 pond afgeboekt van de grotere rekeningen en dat gedeponeerd op een algemene rekening bij de Swiss Business Bank in Zürich. Wat hij ook uitlegt zijn twee lijntjes coke.

'Ik heb mijn eigen spul,' zeg ik, terwijl ik tabak, vloei en wiet uit mijn schoudertas haal.

'Ja, dat weet ik. Deze zijn allebei voor mij. Ik heb namelijk twee neusgaten,' zegt hij. 'Althans voorlopig. Over drie dagen wordt het grootste deel van het bedrag, op vijfduizend pond na, overgemaakt op een bedrijfsrekening die we in Zwitserland geopend hebben bij de Banque de Zürich op naam van Bananazzuri Films.'

'Dus dat gaan we nu vieren in de pub?'

'Welnee...' zegt Simon, 'jij, ik en Rents zijn de fondsenwervers. Wij zijn de enigen die hiervan op de hoogte zijn. Nooit iets tegen iemand zeggen,' waarschuwt hij, 'of we verdwijnen alledrie voor lange tijd achter de tralies. Dat geld blijft op die rekeningen staan, het is véél meer dan we ooit nodig hebben voor het draaien van die film. We gaan straks wel naar de anderen toe. Ik, jij en Rents gaan het eerst in kleine kring vieren.'

En ik ben verrukt, opgewonden en tegelijk doodsbang, terwijl ik me afvraag waar we in godsnaam aan begonnen zijn. We voegen ons bij Mark in het restaurant Café Royal, waar we genieten van oesters en flessen Bollinger. Mark schenkt de champagne in de glazen en fluistert tegen mij: 'Fantastisch gedaan.'

'Jij ook trouwens,' zeg ik, ietwat verbluft, maar bovenal bezorgd vanwege de omvang van de door ons gepleegde fraude. 'Dit zijn onze zaken, het betreft alleen ons drieën?' vraag ik bijna smekend en Mark knikt ernstig en instemmend. 'Dat betekent dus dat Dianne hier niets van mag weten?'

'Dat klopt,' zegt Mark op plechtige toon. 'Als je hierop wordt gepakt, is het zowat levenslang. Maar luister eens, Rab dan?' vraagt hij bezorgd. 'Hij moet iets gehoord hebben van zijn ouwe heer over die computerprogramma's.'

'Rab is volledig te vertrouwen,' zegt Simon, 'maar hij kan wat puriteins doen zo nu en dan, en hij zou in zijn broek schijten als hij enig idee had van de fraude. Maar hij denkt dat het om de creditcard van een of andere idioot gaat. Ik heb hem rijkelijk betaald voor zijn diensten. We hebben het er gewoon niet meer over,' zegt hij met een glimlach en begint dan opgewekt te zingen, een vreemd deuntje dat ik nooit eerder gehoord heb.

On the green, grassy slopes of the Boyne
Where the Orangemen with William did join
And they fought for our glorious delivery
On the green grassy slopes of the Boyne

Orangemen must be loyal and steady
For no matter what 'ere may betide
We must still mind our war cry 'no surrender!'
And remember that God's on our side...

'Ik hou van Schotland,' zegt Simon en hij neemt een slok champagne. 'Er lopen zoveel mongolen rond die alle shit geloven die je ze voorhoudt, dat het geld als water binnenstroomt. Dat hele gedoe met Celtic en Rangers is de beste zwendel die ooit bedacht is. Het is niet alleen een manier om die mongolen kaal te plukken, maar ook hun kinderen en kleinkinderen. Het bedrog gaat gewoon door; die Murray, McCann en dat soort jongens weten verdomd goed wat ze doen.'

Mark glimlacht naar mij en dan zegt hij tegen Simon: 'Nu we alledrie min of meer rijk zijn, neem ik niettemin aan dat je inzet om die film te maken niet vermindert.'

'Geen sprake van,' antwoordt Simon. 'Het gaat niet om geld, Rents. Dat besef ik nu pas. Elke fucking boerenlul kan geld verdienen. Hier gaat het om het creëren van iets wat straks geld voor ons gaat verdienen. Het gaat om expressie, om zelfverwezenlijking, om leven, om verwende rijke cunts met een zilveren lepel in hun bek te laten zien dat wij hetzelfde kunnen als die klootzakken, en veel beter.'

'Mmm,' zegt Mark, 'daar drink ik op,' en hij heft het glas in de volgende toast.

Simon kijkt mij aan, zegt niets, maar tuit zijn lippen en kijkt ernstig. Dan zegt hij op berispende toon: 'Geen koopwoede, Nikki, ik ga je uitgavenpatroon in de gaten houden. Als je blut bent, vraag je gewoon.'

Ik weet nog steeds niet of ik Simon kan vertrouwen, en ik geloof dat zelfs hij en Mark elkaar niet vertrouwen. Maar het geld en de zelfverfraaiing kunnen me nauwelijks iets schelen. Ik geniet hiervan, ik heb het gevoel dat ik leef.

'Hoe dan ook, als we gepakt worden, hoef je voor de rechter alleen maar met je ogen te rollen en te verklaren dat je bedrogen bent door twee gluiperds uit een achterstandswijk en je wordt onmiddellijk op vrije voeten gesteld, terwijl Rents en ik moeten hangen, nietwaar, Mark?'

'Absoluut,' zegt hij, terwijl hij ons nog wat champagne inschenkt.

Na de maaltijd gaan we naar Rick's Bar in Hanover Street. 'Is dat Mattias Jack niet?' zegt Simon terwijl hij naar een gast in de hoek wijst.

'Kan zijn,' zegt Mark peinzend, en hij bestelt nog een fles champagne.

Simon en ik gaan naar zijn flat in Leith en liggen de hele nacht te neuken als beesten. De volgende dag ga ik naar huis, rauw tussen mijn benen, maar met een voldaan gevoel, bereid mijn colleges voor en draai mijn dienst in de sauna. Als ik thuiskom van mijn werk, zit Mark in de flat te praten met Dianne. Hij begroet me gereserveerd en vertrekt.

'Wat heeft dat te betekenen?'

'Mark is een oud vriendje van me. Morgen gaan we weer ergens iets drinken.'

'Gewoon om herinneringen op te halen?'

Ze glimlacht verlegen en trekt een wenkbrauw op. Ze glimt helemaal en ik vraag me af of ze al met hem geneukt heeft.

Later die avond zitten Simon, Rab en ik in de montagekamer in Niddrie, waar Simon me al eerder mee naartoe genomen heeft. Ik wist niet dat er dit soort werkruimtes bestonden in Edinburgh, sterker nog, ik heb zoiets nooit eerder gezien. De eigenaar van Vid In The Nid is een oude kameraad van Rab uit de tijd dat hij met de hooligans naar het voetbal ging. Een groot aantal van hen schijnt nu ondernemer of zoiets te zijn, en deze Steve Bywaters heeft meer van een maatschappelijk werker dan van een ex-hooligan. Als het op het uitwisselen van kennis en ervaring aankomt, zijn ze twee handen op één buik, als een paar vrijmetselaars. 'We hebben alles, we kunnen alles hier doen,' zegt hij, en hij ziet eruit als een gladgeschoren, wedergeboren christen.

Als we bezig zijn, zegt Rab: 'Te gek, niet?'

Sick Boy schudt het hoofd. 'Jawel, maar we kunnen dit ook in Amsterdam doen. De OPA, weet je nog, Rab?'

'Ja, reken maar,' zegt Rab, maar ik vermoed dat Simon zo zijn eigen agenda heeft.

54 Project nr. 18.749

Als Curtis en zijn vriendjes het City Café betreden en mij uitnodigen om bij hen te komen zitten, is het er stampvol met publiek dat straks naar de disco's gaat. We zitten vlak bij wat studentikoze types die vol zitten met stomvervelende samenzweringstheorieën, opgewonden debatterend over wie er niet echt dood zou zijn: Elvis, Jim Morrison of prinses Di. Ze zijn zo vervuld van hun eigen besef van jeugdige onsterfelijkheid dat ze zich niet kunnen voorstellen dat anderen wel doodgaan, ze zitten in hun eigen levensbevestigende, doodontkennende, burgerlijke droomwereld.

Een aantal kids uit achterstandswijken, waaronder Philip, lachen snerend om hun flauwekul; ze weten dat het allemaal bullshit is. Vanaf hun vroege jeugd zijn ze in hun wijken en in de binnenstad bekend geraakt met de dood in de vorm van de aidsepidemie in de jaren tachtig, en ze geloven niet meer in dat soort onnozele fantasieën. Grappig eigenlijk, maar ik weet zeker dat mijn generatie er hetzelfde over dacht als die bevoorrechte kids uit de buitenwijken. Maar dat is allang voorbij, zeker in mijn geval. 'Al die fuckers zijn morsdood, gerust wel,' zeg ik tegen een van de studenten, en dat tuig met zegelringen buldert van het lachen en begint ze ook in de maling te nemen.

Terwijl dit aan de gang is, zeg ik tegen Curtis: 'Nou moet je die kameraden van jou eens zien, hoe ze die studenten zitten af te zeiken.' Hij laat langzaam het hoofd zakken. 'Stel je nu eens voor dat het vijftien jaar later is: wie hebben er een mooi huis, een baan, een zaak, geld, een auto, en wie moet er in een achterbuurt rondkomen van een uitkering?'

'Tja...' knikt Curtis.

'En weet je hoe dat komt?'

'Omdat ze een opleiding hebben en zo?'

Niet slecht. 'Voor een deel, ja. Nog meer redenen?'

'Omdat zij rijke ouders hebben die hun geld geven om iets op te zetten? En rijke vriendjes en zo?'

Die gast is nog niet zo dom als hij eruitziet. 'Goed gezien, Curt, goed gezien. En als je die twee dingen bij elkaar optelt, wat krijg je dan?'

'Kweetnie.'

'Verwachtingen. Ze krijgen al die dingen omdat ze dat verwachten. Iets anders hebben ze niet te verwachten. Mensen als jij en ik verwachten die dingen niet. Wij weten dat wij moeten buffelen als beesten om ze te krijgen. Voor iemand als ik, zwaar opgeleid maar ondergewaard, heeft het niet veel zin om dat soort leven te gaan leiden. Waarom denk je anders dat ik me beweeg in het grijze grensgebied van de economie en in de marge van de maatschappij? Omdat ik die lui zo leuk vind die zich daar ophouden? Omdat ik me thuisvoel tussen criminelen, hoeren, junkies en dealers? Flikker toch op. Ik ben pooier geweest, dief, inbreker, fraudeur en dealer, niet omdat ik dat allemaal zo leuk vind maar omdat ik niet kan opereren in de legale zakenwereld op een niveau dat ik beschouw als passend bij mijn kennis en vaardigheden. Ik heb er een puinhoop van gemaakt, Curt, een vette puinhoop. Maar dat kan en zal veranderen,' leg ik uit, op mijn horloge kijkend omdat het tijd is ons bij de anderen te voegen. 'Moet je horen,' zeg ik, een slok van mijn drankje nemend, 'heb je nog iets gehad aan die opblaasbare sekspop?'

'Eh, nee...' zegt hij, in verlegenheid gebracht. 'Ik zat ermee te spelen en hij viel steeds voorover in mijn kruis...'

'Viel voorover in je kruis! Godverdomme, als ik wist dat ie dat deed, dan had ik hem zelf gehouden!' Ik moet lachen om dat wanhopige smoel van hem.

We drinken onze glazen leeg en gaan naar de disco van N-sign om wat opnames te maken van dansende discogangers. Curtis danst met zijn kameraden en Rab richt zijn camera op hem. Dan zoekt hij in de dansende menigte Nikki, die met Mel heeft staan praten en nu op weg is naar hem. Ze gaat even voor zijn neus staan dansen, pakt hem bij de hand en neemt hem mee naar het kantoor van de disco dat Carl voor ons uitgeruimd heeft.

Nadat de disco gesloten is, beginnen we aan het echte werk en bereiden we ons voor op het draaien van een van de sleutelscènes. Rab en zijn vrienden zetten de apparatuur klaar in het kantoor.

'Denk je heus dat Melanie en Nikki me e-e-echt aardig vinden?' vraagt Curtis.

'Wat bedoel je?'

'Nou, volgens mij d-d-doen ze alleen maar a-a-aardig omdat jij dat z-z-zegt.'

'Als je een wijf aankijkt met die trouwe hondenogen, dan valt ze voor je, wat dacht je dan? *You've got the power*,' verzeker ik hem.

'Maar meiden v-v-...' zijn gezicht vertrekt tot een grimas, '...v-vinden mij nooit a-a-aardig.'

'De stomme trutten niet, misschien. Maar dat zijn geen vrouwen van de wereld. Een meid die verder komt dan Pilrig, leert hoe ze een keteltje moet lappen, dat begint met een klein scheurtje en eindigt met een groot gat,' zeg ik glimlachend, '*and I dehl-dehl, dehl-dehl-dehl-dehl-dehl...*' het begin van die klassieke Bowie-song. Maar dat is niet echt besteed aan Curt. Terwijl hij nog even gaat pissen van de zenuwen, zeg ik tegen Nikki: 'Probeer Curt het idee te geven dat hij begerenswaardig is, zijn zelfvertrouwen is momenteel erg laag.'

Als hij terug is van het toilet, gaat Nikki naar hem toe, en ik hoor haar zeggen: 'Curtis, ik sta te popelen om met je te neuken.'

De lul zijn mond hangt open, hij knippert met zijn ogen en wordt vuurrood. 'W-w-wat wil je daarmee z-z-zeggen?'

Ik kan het niet helpen, maar ik moet vreselijk lachen. 'Je bent een komisch genie, Curtis! Dat komt in het fucking script!' En ik begin meteen als een gek te schrijven in mijn exemplaar van het script.

Na wat peptalk tegen mijn steracteurs krijg ik een teken van Rab en zijn we klaar om los te barsten.

'Oké jongens, dit wordt de sleutelscène in de film. "Joe" wint hier zijn weddenschap met "Tim". Curtis, jouw personage "Curt" zet hier voor het eerst in de film een punt. Dus maak je geen zorgen als je een beetje zenuwachtig bent, je *moet* juist zenuwachtig zijn. Ik wil dat jullie precies dezelfde tekst zeggen als daarnet. Dus Nikki, jij brengt hem naar het kantoor, smijt de deur dicht, gaat er met je rug tegenaan staan en zegt...'

'Ik wil met je neuken,' zegt Nikki op verleidelijke toon terwijl ze Curtis aankijkt.

'En jij, Curt, zegt...' Ik knik naar hem.

'W-w-wat wil je daarmee z-z-zeggen...?'

'Fantastisch. Dan neem je hem mee naar het bureau, Nikki. Laat je maar leiden door Nikki, Curt. Oké, laten we het maar eens proberen.'

Het is natuurlijk nooit zo goed als een spontane neukscène, maar na vele pogingen is de oogst een aantal bruikbare opnames. We hebben nu zes broers gehad, en het enige probleem is dat Terry's beschadigde pik nog niet genoeg hersteld is voor een anale scène. Maar geen probleem, ik heb een idee.

55 Hoeren van Amsterdam, deel 6

Heb Martin en Nils meegedeeld dat ik een poos niet in de disco kom. Aan Katrin vertelde ik dat ik een tijdje naar huis moest, naar mijn ouders. Maar wat volgens mij ook mijn gemoedstoestand had moeten bepalen, in werkelijkheid was dít het. Het kostte me de grootste moeite om me van haar los te rukken. Van Dianne Coulston.

We hebben het grootste deel van de nacht liggen vrijen, in het logeerbed bij Gav. Ik verlangde naar haar, begeerde haar, was volstrekt afgepeigerd maar binnen de kortste keren weer klaar voor actie. Ervaring leert mij dat dit niets te maken heeft met liefde of emotie, het is gewoon een reactie van twee vreemde lijven in elkaars aanwezigheid. Dat het wel weer overgaat. Sterf maar met die ervaring.

Vanochtend draagt ze mijn T-shirt en dat is altijd een goed gevoel, als een meisje dat doet, en we zitten in de keuken waar we brood roosteren en koffie drinken. Gav komt binnen, hij staat op het punt naar zijn werk te gaan. Hij ziet haar, trekt zijn wenkbrauwen op en verlaat mokkend het vertrek. Ik wil niet dat hij zich een vreemdeling voelt in zijn eigen huis en dus roep ik hem na: 'Gav! Kom hier!'

Hij komt bedeesd terug. 'Dit is Dianne,' zeg ik.

Dianne glimlacht en steekt haar hand uit, die hij schudt. Hij neemt wat toost en een kop thee met mij en, ja, met mijn vriendinnetje. Maar ik zit ook te denken aan Katrin en wat ik aan Dianne moet vertellen. Ik pieker er nog steeds over als ik vertrek en de stad in ga.

Als het volkomen normale vreemd begint te lijken, dan weet je dat je je leven hebt lopen verkloten. Ik bevind me in Princes Street Gardens met mijn schoonzus Sharon en haar dochtertje Marina die ik nooit eerder gezien heb. Het is jaren geleden dat ik Sharon voor het laatst gezien heb. De laatste keer was volgens mij toen ik haar naaide op de begrafenis van mijn broer, op het toilet, toen ze zwanger was van Marina.

Niet alleen heb ik emotioneel helemaal niets meer met de persoon die ik toen was, ik kan me zelfs niet voorstellen hoe zo'n persoon eruitziet. Het is natuurlijk mogelijk dat ik mezelf voor de gek hou, dat weet je nooit zeker, maar zo voelt het wel. Zou ik nog steeds dezelfde persoon zijn als ik hier gebleven was? Waarschijnlijk niet.

Sharon is dik geworden. Haar lichaam heeft lagen vet aangemaakt. De oude Sharon, met een weelderig figuur en dikke tieten, is nu verpakt in diverse vetrollen. De gedachte komt niet bij mij op hoe ik er in haar ogen uitzie, dat is haar probleem, ik wind geen doekjes over mijn negatieve reactie. Als we eenmaal aan de praat zijn, voel ik me schuldig over die nauwelijks verhulde afkeer van mij. Ze is best een aardige vrouw. We zitten op de piazza met een kopje koffie, terwijl Marina op de draaimolen zit en naar ons zwaait vanaf een paard met een onheilspellende kop.

'Wat lullig dat het niks geworden is tussen jou en die gast met wie je samenwoonde,' zeg ik.

'Nee, we zijn vorig jaar uit elkaar gegaan,' zegt ze. Ze steekt een sigaret op en biedt mij er ook een aan, die ik afsla. 'Hij wilde kinderen, ik niet meer,' legt ze uit en vervolgt: 'Maar ik denk dat er meer aan de hand was.'

Ik knik langzaam en krijg het bekende ongemakkelijke gevoel wanneer iemand onmiddellijk intieme details over zichzelf begint te vertellen. 'Dat kan gebeuren.'

'En jij, heb jij een relatie?'

'Tja, dat ligt een beetje gecompliceerd... Ik ben vorige week iemand tegen het lijf gelopen,' zeg ik, en voel dat mijn gezicht begint te stralen en er een glimlach om mijn mond komt wanneer ik aan haar denk. 'Iemand die ik nog van vroeger ken. En ik heb ook iemand in Holland, maar dat ligt een beetje moeilijk. Hoewel, nee, dat is afgelopen.'

'Nog steeds dezelfde oude Mark, hè?'

Ik ben altijd meer iemand geweest voor relaties dan voor een enkele wip, zonder in een van beide echt uit te blinken. Maar als je iemand tegen het lijf loopt, denk je altijd, ongeacht hoe vaak je het in het verleden verkloot hebt... ja. We worden zo sterk gedreven door hoop dat je verwachtingspatroon geen enkele rol speelt. 'Moet je horen...' ik haal de envelop uit mijn tas en geef die aan haar, 'dat is voor jou en Marina.'

'Dat wil ik niet,' zegt ze, en duwt mijn hand weg.

'Je weet niet eens wat erin zit.'

'Ik heb een vermoeden. Het is zeker geld?'

'Ja. Neem het nou maar.'

'Nee.'

Ik kijk haar onderzoekend aan. 'Luister, ik weet wat iedereen in Leith over mij zegt.'

'Er praat hier niemand over jou,' zeg ze, op een manier die troostrijk moet klinken maar die in werkelijkheid mijn fucking ego danig ondermijnt. Er móét toch wel over mij gepraat worden...

'Het is geen drugsgeld, eerlijk waar. Het is geld dat ik verdiend heb in mijn disco,' leg ik uit, en slaag erin geen vies gezicht te trekken door de ironie van mijn bewering. Iedereen waar ook ter wereld die tegenwoordig een dansclub runt, heeft zijn geld, al is het maar indirect, te danken aan drugs. 'Ik heb het niet nodig, ik wil iets voor je doen... voor mijn nichtje dan. Alsjeblieft,' smeek ik, en verklaar mezelf nader. 'Mijn broer en ik waren totaal verschillend, allebei hartstikke gek, maar heel anders.' Sharon reageert met een glimlach en ik voel een wederzijdse genegenheid, als ik me het gezicht van mijn broer Billy voor de geest haal, als ik me herinner hoe hij voor mij opkwam, en plotseling wilde ik dat ik wat aardiger tegen hem geweest was. Minder vijandig, minder dogmatisch en zo. Maar dat is gelul. Je bent wat je bent en je was wie je was. Kanker toch op met die wroeging over vroeger. 'Wat ik grappig genoeg mis aan hem is niet hoe we waren, maar de mogelijkheid dat het later misschien beter was gegaan tussen ons. Ik ben in zoveel opzichten veranderd, en dat had hij waarschijnlijk ook gedaan.'

'Wie weet,' zegt ze, twijfelend en op haar hoede, en ik weet niet of ze hem bedoelt of mij, of misschien wel allebei. Ze kijkt naar de envelop, voelt eraan. 'Daar zit wel een paar honderd pond in.'

'Acht ruggen,' zeg ik.

Haar ogen worden zo groot als schoteltjes. 'Achtduizend pond! Mark!' Ze dempt haar stem en kijkt om zich heen alsof we in een spionagefilm spelen. 'Je moet niet met zoveel geld op zak rondlopen! Voor je het weet word je beroofd of zoiets...'

'Zet het dan maar gauw op de bank. Kijk, ik laat het hier liggen, dus als jij het niet meeneemt, blijft het op tafel liggen.' Ze wil iets zeggen maar ik ben haar voor. 'Kijk, als ik het me niet kon veroorloven, zou ik het echt niet doen. Zo'n idioot ben ik nou ook weer niet.'

Sharon stopt het geld in haar tas en knijpt in mijn hand. De tranen springen in haar ogen. 'Ik weet niet wat ik moet zeggen...'

Dat lijkt me het juiste moment om weg te gaan. Ik zeg dat ik met Marina naar *Toy Story* ga, zodat zij ondertussen naar de bank kan en naar wat winkels kijken. Terwijl ik hand in hand wegloop met het kind, vraag ik me af wat Begbie zou doen als hij nu plotseling oog in oog met mij kwam. Dan zou hij toch niet... Ik word helemaal paranoi dat hij die kleine of Sharon zal lastigvallen, dus we nemen een taxi naar de Dominion, omdat ik Franco niet zo gauw zie opduiken in Morningside. Nadat de film is afgelopen, breng ik Marina naar Sharon.

Later, als ik over de George IV-brug loop, zie ik een ander bekend gezicht, maar dat kan niet, die kan nooit uit de bibliotheek komen! Ik ga achter hem lopen en tik hem als een smeris op de schouder. Hij springt bijna uit zijn schoenen van schrik en draait zich om, en zijn vijandige blik verandert in een brede grijns.

'Mark... Mark, man... hoe gaat ie, joh?'

We gaan een kroeg binnen om iets te drinken die ironisch genoeg 'Scruffy Murphy' heet, een oude bijnaam van Spud waarmee hij vaak geplaagd werd. Ik weet niet meer hoe de pub vroeger heette. Ik bestel twee halve liters Guinness en ontkom niet aan de indruk dat Spud er nog net zo sjofel bij loopt als vroeger. We nemen plaats aan een tafeltje en hij vertelt me over een project over de geschiedenis van Leith waaraan hij werkt, en ik sla steil achterover. Niet omdat het me zo interessant voorkomt, wat overigens wel het geval is, maar vanwege het idee dat Spud zich met zoiets bezighoudt. Maar hij praat er vol enthousiasme over voordat we het over vroeger krijgen. 'Hoe is het met Swaney? Die leeft zeker niet meer?' informeer ik naar een oude kameraad.

'Thailand,' zegt Spud.

'Je lult,' antwoord ik, opnieuw verbijsterd. Swaney fantaseerde er altijd over om naar Thailand te gaan, maar ik kan me niet voorstellen dat hem dat ook inderdaad gelukt is.

'Ja, die *catboy* heeft het gemaakt,' knikt Spud, en ook hij lijkt overdonderd door het onwaarschijnlijke van dat feit. 'En dat met één been.'

We praten nog even door over Johnny Swan, maar er is maar één ding dat ik van hem wil weten, en ik vraag het zo terloops mogelijk. 'Zeg, Spud, zit Begbie nog in de gevangenis?'

'Nee, die is al tijden vrij,' deelt Spud mee, en mijn hart zakt in mijn schoenen. Mijn gezicht voelt verdoofd en mijn oren tuiten. Het is moeilijk om mij te concentreren op wat hij zegt en mijn hoofd tolt. 'Vlak na nieuwjaar. Die *catboy* kwam een paar dagen geleden nog langs, zeg maar. Hij is nog leiper dan vroeger. Blijf bij hem uit de buurt, Mark, hij weet niet van het geld...'

Ik antwoord zo kalm mogelijk. 'Welk geld bedoel je?'

Spud reageert met een brede, warme grijns en in een uiting van enthousiasme omhelst hij mij. Voor zo'n scharminkel heeft hij nog behoorlijk wat kracht in zijn armen. Hij laat me weer los en er staan tranen in zijn ogen. 'Dank je, Mark,' zegt hij.

'Ik weet niet waar je het over hebt,' zeg ik schouderophalend en doe er verder het zwijgen toe. Wat je niet weet, kunnen ze ook niet uit je rammen. Ik vraag niet naar het immuunsysteem van hem, Ali of hun kind. Sick Boy is een dwangmatige leugenaar, en hij doet het een stuk minder goed, en in ieder geval minder leuk, dan vroeger. Ik werp een blik op de caféklok '...Moet je horen, joh, ik moet weg, afspraak met mijn vriendin.'

Spud kijkt ietwat sneu en bedenkt dan plotseling iets. 'Zeg, catboy, eh... zou je wat voor me willen doen?'

'Ja, natuurlijk,' knik ik onwillig, en probeer te raden hoeveel hij van me wil hebben.

'Nou, Ali en ik... wij eh, zeggen de flat op. Ik logeer een tijdje bij een kameraad, maar daar kan ik de kat niet mee naartoe nemen. Wil jij hem niet een poosje hebben?'

Ik vraag me af wat voor kat hij bedoelt, en dan realiseer ik me dat hij het over een echte kat heeft. Ik heb een gruwelijke hekel aan die mormels. 'Sorry hoor, maar ik ben geen kattenmens... en bovendien logeer ik bij Gav.'

'O...' zegt hij en hij kijkt zo godvergeten zielig dat ik wel iets voor hem móét doen, dus ik bel Dianne en vraag haar of ze een poosje voor een kat wil zorgen. Dianne reageert cool en zegt dat Nikki en Lauren het al eens eerder over een kat gehad hebben en dus kunnen ze het met deze proberen. Ze zegt dat ze het met hen zal overleggen. Dat doet ze, en ze belt onmiddellijk terug. 'Die kat heeft een nieuw, tijdelijk tehuis,' zegt ze.

Spud is in de zevende hemel en we spreken een tijd af waarop het beest naar Tollcross zal worden vervoerd. Terwijl ik Spud verlaat en me in de richting van Tollcross begeef, maakt dwars door mijn verdoving een withete woede zich van mij meester die mij vanbinnen lijkt aan te vreten.

Ik beheers mezelf en bel mijn zakenpartner op zijn mobiel. 'Simon, hoe is ie?'

'Waar ben je?'

'Doet er niet toe. Weet je zeker dat Begbie nog steeds vastzit? Ik hoorde net dat hij op vrije voeten is.'

'Wie heeft je dat verteld?'

Sick Boy de Snob schakelt moeiteloos over op zijn Schotse accent, maar klinkt niet overtuigend. 'Dat doet er even niet toe.'

'Nou, het is gelul. Hij zit nog steeds vast, volgens mij nog jaren.'

Leugenachtige cunt. Ik zet de telefoon uit, loop via de Grassmarket naar de West Point en richting Tollcross, terwijl er koortsachtige gedachten door mijn hoofd spoken en gruwelijke gevoelens aan mijn maagwand knagen.

56 '...terwijl hij over mijn schouders gedrapeerd ligt...'

Het klikt nogal tussen mij en Zappa, de kat waar we voor zorgen. Na een programma vorige week op Channel Four over *cat-flexing*, ben ik dat met hem gaan doen. Ik til hem dertig keer naar positie één terwijl hij over mijn schouders gedrapeerd ligt en ik vanuit hurkzit omhoog kom. Dan ga ik naar positie twee, waarbij ik hem dertig maal optil met mijn ene hand onder zijn maag en de andere onder zijn borstkas.

Lauren komt binnen en reageert verbaasd: 'Nikki, wat doe je met die arme kat?'

'*Cat-flexing*,' leg ik uit, en hopelijk denkt ze niet dat ik nu ook al aan bestialiteit doe. 'Als je een druk leven leidt, worden huisdieren nog wel eens verwaarloosd, en dit is een manier om fit te blijven en tegelijkertijd de band met je kat te verstevigen. Je krijgt beweging en contact. Dat zou jij ook eens moeten proberen,' zeg ik en leg de kat neer.

Lauren schudt twijfelachtig het hoofd, maar ik heb haast, want we gaan de laatste pornoscène draaien met Terry en Mel, en met Curtis als stand-indekhengst. Ik ga snel naar Leith waar de anderen zich verzameld hebben in de flat van Simon.

Curtis heeft een zwakzinnige grijns op zijn gezicht. Die jongen is nog erg kneedbaar, wat neuken betreft. Hij loopt achter mij en Melanie aan als een jonge hond die om eten, of in dit geval seks, smeekt. Nee, dat is niet helemaal eerlijk. Dat joch wil meer. Hij wil liefde, hij wil erbij horen en geaccepteerd worden, en op zijn geheel eigen, oprechte manier herinnert hij ons aan wat wij eigenlijk allemaal willen. Hij wil niets meer dan dat we hem aardig vinden. Van hem houden, zelfs. Wij plagen hem ermee, soms op het wrede af.

En waarom? Zwelgen wij in onze macht, of – zoals Lauren zou beweren – haten wij ten diepste waarmee we bezig zijn?

Nee, zoals ik al eerder zei is hij gewoon een ruwe versie van onszelf: iemand die op zoek is maar helaas nog niets gevonden heeft. Maar in dit geval speelt de tijd in het voordeel van deze kleine klootzak. Misschien beïnvloedt dat ons gedrag, onze manier van doen tegenover hem. Ik voel het geloof ik nog een tijdlang tussen mijn benen als hij in mij geweest is. Ik heb een klein, strak kutje en ik had nooit gedacht dat *dat* erin paste. Maar je staat soms versteld van wat je blijkt te kunnen.

'Vind je dit lekker?' vraag ik en houd mijn hals voor zijn neus.

'Ja, ruikt lekker, zeg maar.'

'Ik zal je wat leren over parfum, Curtis, en over een heleboel andere dingen. Als ik dan oud en rimpelig ben en jij nog steeds een knappe jongeman die door de hele stad jonge meisjes ontmaagdt die half zo oud zijn als jij, wat alle ouder wordende mannen willen die iets bereikt hebben, dan zul je geen hekel aan mij hebben, maar met warme gevoelens aan mij terugdenken en mij als mens behandelen.'

Mel neemt glimlachend een slok van haar glas rode wijn, wellicht onbewust van de ernst van mijn mededeling.

Maar Curtis reageert geschokt. 'Ik zal nooit onaardig tegen jou doen!' gilt hij bijna.

Die jonge jongens, zo lief en teerhartig, worden uiteindelijk allemaal monsters. Maar vaak worden ze weer liever naarmate ze ouder worden, aardiger en attenter. Maar daar heeft Sick Boy nooit van gehoord. Curtis is net zo goed zijn sterpupil als de mijne. En ik ben niet blij met de lessen die hij hem leert.

Rab en de rest van de crew zetten de camera's klaar. Maar Curtis was lief. Hij wilde Mel niet in haar kont neuken. 'Dat is vies, dat wil ik niet.'

'Goed zo, Curtis,' zeg ik, terwijl Mel aandringt: 'Ik vind het niet erg hoor, Curtis.'

Dan zegt Simon ineens: 'Oké, hier laten we het bij, jongens,' en kijkt op zijn horloge. 'Kom, we gaan naar de film!' Ik heb geen idee wat hij in zijn schild voert en Rab begint te klagen, maar Simon stopt ons allemaal in een taxi en neemt ons mee naar The Filmhouse, waar een retrospectief van Scorsese-films wordt vertoond. Vanavond draait *Raging Bull* met Robert De Niro.

Na afloop aan de bar zegt Curtis enthousiast tegen Simon: 'Dat was een gave film!'

Simon wil reageren, maar ik ben hem voor. 'Was er een speciale reden, zeg maar? Dat je ons hier mee naartoe hebt genomen?' vraag ik.

Simon negeert mijn vraag en zegt tegen Curtis: 'Jij bent een acteur, Curt. De Niro is ook een acteur. Is hij kilo's aangekomen en liep hij rond als een vetzak? Liet hij zich naar alle hoeken van de ring meppen?' Hij kijkt naar mij. 'Nee. Hij kon het gewoon omdat hij acteur is. Zei hij op de set tegen Scorsese "dat vind ik vies" of "dat doet pijn" of "dat komt nogal kil, afstandelijk en uitbuitend op mij over"? Dat dacht ik niet. Omdat hij *acteur* is,' benadrukt hij, en vervolgt: 'Ik heb het niet tegen jou hoor, Mel, jij gedraagt je niet als prima donna.'

Nu snap ik dat dit gedoe evenzeer voor mij bedoeld is als voor Curt. Zijn poging tot manipulatie is net zo moeilijk te negeren als de stijve van Terry. 'Wij zijn geen acteurs, wij doen aan pornografie,' zeg ik. 'Wij moeten onze eigen...'

'Nee. Dat is burgerlijke bullshit. Domme burgers zijn de enigen die nog niet doorhebben dat porno tegenwoordig een algemene stroming is. Bij Virgin verkopen ze pornofilms. Greg Dark regisseert de videoclips van Britney Spears. Pornobladen, mannenbladen en vrouwenbladen zijn tegenwoordig allemaal hetzelfde. Zelfs op die truttige, gecensureerde BBC laten ze je zo nu en dan heel plagerig iets zien. Jongelui zien als consument geen verschil meer tussen porno en gewoon amusement, zoals ze dat ook niet zien tussen alcohol en andere drugs. Als je er high van wordt, neem je het, en anders niet. Zo simpel is het.'

'Vind je het niet een beetje bevoogdend om Curt te vertellen wat jongelui denken?' zeg ik, maar het klinkt lullig en allesbehalve overtuigend tegenover de door hem gepresenteerde harde feiten.

'Ik zeg alleen maar wat ik zie gebeuren. Ik probeer een film te regisseren.'

'Dus onze instemming zegt jou niks?'

'Instemming is een rekbaar begrip, dat moet wel. Zo niet, hoe zou de mensheid dan evolueren? Er moet sprake zijn van een ontwikkeling, van een door de tijd veranderend perspectief, er moet zoiets zijn als flexibele instemming.'

'Er komt geen enkele flexibiliteit in mijn aars, Simon. Dat heb je te accepteren. Daar moet je maar mee leven.'

'Nikki, maak er niet zo'n punt van. Als jij niet anaal wilt, mij best. Dat recht heb je. Maar als regisseur van deze rolprent behoud ik mij het recht voor om tegen een van mijn hoofdrolspelers te zeggen dat hij of zij preuts en onprofessioneel is,' zegt hij glimlachend.

Zo doet hij dat, hij maakt een grapje van wat voor hem belangrijk is. Hij denkt bovendien dat hij het meningsverschil gewonnen heeft, godverdomme, maar dat is niet zo. 'Wij zijn seksueel actief, en we faken niks. Seksuele activiteit is gebaseerd op wederzijdse instemming. Zonder instemming is er sprake van dwang, of verkrachting. De eerste vraag die zich voordoet, is: wil ik verkracht worden om mee te doen in een film? Het antwoord is nee. Misschien de andere meisjes wel, dat moeten ze zelf weten,' zeg ik, en wil Mel niet aankijken. Ik kijk Simon strak aan en zeg: 'De tweede vraag is: wil jij een verkrachter worden om deze film te maken?'

Hij kijkt me aan en zijn ogen gaan wijd open. 'Ik dwing niemand te doen wat hij niet wil. En zo is dat.'

Ik ben geneigd hem te geloven, totdat ik in de taxi naar Leith toevallig hoor wat hij in een door coke gevoede tirade en onderbroken door telefonisch geschreeuw tegen Rab, tegen Curtis zegt: 'Je neukt met je lul, maar je vrijt met je hele lichaam en ziel. Je lul is eigenlijk niks. Sterker nog: je lul kan soms je ergste vijand zijn. En waarom? Omdat je lul niet zonder gaatje kan. Dat betekent dat het meisje het altijd voor het zeggen heeft, zolang de relatie puur lichamelijk is en er dus alleen geneukt wordt. Het maakt niet uit hoe groot je lul is of hoe goed je ermee bent, geen enkele lul is onvervangbaar. Er staan duizenden, miljoenen pikken in de rij om het plaatsje van jouw lul in te nemen, en elke knappe meid die niet op haar achterhoofd gevallen is, weet dat. Maar de meesten weten dat niet. Nee, de enige manier om de zeggenschap in een relatie terug te winnen op het meisje, is door in haar hoofd te komen.'

Mijn god, ik ben gewaarschuwd. Ik moet me geen zorgen maken over mijn kont, maar mijn kop.

Maar op dit moment maak ik me zorgen over Mels kont. Ik heb net zo'n beschermende neiging tegenover haar kont als tegenover mijn eigen. Ik roep mezelf tot de orde en besef dat ik reageer als Lauren. Het is Mels eigen zaak; ze heeft me zelfs verteld dat ze het lekker vindt. We zijn weer terug in de flat en de genotmiddelen komen te voorschijn.

Simon heeft nog wat coke gesnoven en ik hoor hem tegen Curtis praten terwijl Mel zich omkleedt. 'Curtis, jongen, je wordt steeds beter met die dolk van je. Je hebt respect voor meiden, allemaal tot je dienst, maar voor deze scène is wat meer power nodig. Heb je ooit gehoord van de uitdrukking "laat die teef maar lekker lijden"?'

'Nee, maar ik vind Melanie wel aardig...'

Sick Simon schudt het hoofd. 'Zachtjes beginnen, maar als je er eenmaal in zit, dan is het rammen! Dat vinden ze lekker, een beetje pijn. Ze kunnen er beter tegen dan wij. Ze kunnen godverdomme toch ook kinderen krijgen.'

'Maar niet door je kont,' bemoei ik me ermee.

Hij merkt dat ik heb meegeluisterd en slaat zich op het voorhoofd. 'Ik probeer Curt hier te regisseren,' snauwt hij mij toe, 'kan ik gewoon even mijn werk doen, ja, Nicola, lieveling?'

'"Die teef laten lijden", is dat jouw achtergrond, een milieu van vrouwenhaters?'

'Nikki, alsjeblieft, laat mij mijn werk doen. We maken eerst die film af, dan kunnen we er daarna over debatteren.'

Gelukkig hoeven we maar één opname te maken van de drie anale posities: op de rug en benen ver uiteen, op z'n hondjes, en de omgekeerde anale missionaris. Na afloop ga ik naast Mel zitten. 'Hoe was het?' vraag ik.

'Het deed pijn, fucking pijn,' zegt ze en blaast hard door getuite lippen. 'Maar tegelijk ook lekker. Als je denkt dat het ondraaglijk wordt, wordt het ineens lekker, en als je denkt dat het lekker gaat, wordt het ondraaglijk.'

'Wauw,' zegt Sick Boy, en hij slaat zijn arm om haar heen. 'Prima werk, jongens. Nu heeft de laatste broer, Terry Sap, ook zijn beurt gehad. Nu moeten Terry en jij, Mel, nog even de standjes simuleren en dan gebruiken we de pik van Curtis voor de close-ups van de penetratie. We hebben nog wat materiaal nodig voor de orgiescène, een paar overzichtsshots, maar dan zijn de broers klaar. *Seven Rides*: wat een kick, daar kunnen geen drugs tegenaan!'

57 Klarinet

Het was fantastisch om Mark weer te zien en het deed me goed dat hij zo positief reageerde op mijn boek. Ik was zo opgetogen toen ik thuiskwam, dat ik, ondanks dat ik nogal bezopen was, het manuscript te voorschijn haalde en het laatste hoofdstuk nog eens doornam. Het leek wel of Rents mij geïnspireerd had, man. Het laatste stuk gaat over skag en aids en zo, over al die gasten die zijn weggevaagd, zuivere criminelen maar ook toffe gozers, zoals die maffe Tommy.

En nadat ik het had doorgelezen, kon ik gewoon niet geloven dat het af was, man. Ik bedoel, de spelling is klote, maar dat zoeken ze maar uit, ik wil het ook niet té netjes afleveren want dan hebben die arme gasten bij de uitgever niks te doen als ze het persklaar moeten maken.

Ik merkte dat het al bijna ochtend was en ik wilde maar één ding: het pakket naar het postkantoor brengen zodat het zo gauw mogelijk op de mat lag bij die ene uitgever die al die dingen doet over de geschiedenis van Schotland en zo. Daarna wilde ik naar Ali en haar vertellen over het geld, en dat we naar Disneyland gaan, met de kleine en zo, weet je wel. Ik heb het laatst ook al geprobeerd in de Port Sunshine, maar ze had het druk en ik was bezopen en kwam niet eens behoorlijk uit mijn woorden. Ze wilde dat ik meteen weer wegging, dat zag ik wel. Het is te laat om nog naar bed te gaan en ik sta helemaal te trippen, dus ik zet het bandje van Alabama op en sta in m'n eentje een beetje te swingen.

Ik ga naar de kantoorboekhandel voor een grote gevoerde envelop en meteen door naar het postkantoor. Ik kus het pakketje voordat ik het in de brievenbus stop. Daar ga je, schoonheid!

Het lijkt me het beste om even te gaan pitten, dan Ali en Andy opvangen als ze hem van school haalt en ze vertellen over Disneyland! En misschien niet eens die bij Parijs maar in Florida! Ja, daarginds, in de zon, dat zou te gek zijn, vooral omdat het hier altijd kloteweer is. Terry Lawson vertelde dat hij er een keer geweest is en dat het vet cool was.

Dan bedenk ik ineens dat ik eigenlijk wel een feestje verdiend heb omdat je niet iedere dag een boek af hebt! *Yes!* Al mijn schulden afbetaald, geld op zak, ik, Ali en Andy binnenkort naar Disneyland. Paar biertjes maar, zeg maar. Dus ik denk bij mezelf, waar zal ik het gaan vieren? Je moet oppassen in Leith, man, want Leith is heel iets anders dan Edinburgh. Het barst van de pubs in Leith en of je wilt of niet, je komt altijd wel een bekende tegen en dat hoeft niet altijd een goede bekende te zijn. Je moet verdomd voorzichtig zijn met wie je iets viert.

Ik loop vanaf Junction Street de Walk op en kom langs Mac's Bar. Aan de overkant is de Central Bar en ik weet dat je verder op de Walk nog de Bridge Bar hebt, en EH6, de Crown, de Dolphin Lounge, de Spey, de Caledonian Bar, Morrisons, de Dalmeny, de Lorne, de Vicky, de Alhambra, de Volley, de Balfour, de Walk Inn of Jayne's zoals het tegenwoordig heet, Robbie's, de Shrub, de Boundary Bar, de Brunswick, de Red Lion, de Old Salt, de Windsor, Joe Pearce, de Elm... en dat allemaal uit mijn blote hoofd, alleen al aan Leith Walk en dan tel ik nog niet eens de zijstraten en zo mee. En dus moet je bij een bezoek aan de Walk ernstig rekening houden met een enorme zuippartij. Net als in Duke Street en Junction Street, en zelfs Constitution Street en Bernard Street. En dus besluit ik naar de chique, trendy, serene en geheel opgeknapte Shore te gaan, man, een geschikte plek voor een man van de letteren uit Leith om iets te drinken.

Het ziet er hier heel anders uit, man, helemaal gerestaureerd; het havengebied is één en al chique bars en restaurants, en de pakhuizen zijn verbouwd tot wooneenheden voor yuppies. In de krant stond dat de prostituees niet meer mochten werken waar ze altijd gewerkt hebben, in verband met klachten van de bewoners. Dat vind ik dus niet eerlijk, want ze hebben er altijd gewerkt, en je weet van tevoren toch in wat voor buurt je terechtkomt als je daar per se wilt wonen.

Ik stap een grote oude pub binnen, helemaal met houten lambrisering en zo en bestel een halve liter koude Guinness. Ik kijk naar de rondcirkelende zeemeeuwen buiten, en zie dat er een cruiseschip binnenloopt.

En wat gebeurt er? Ik zit daar en Curtis komt binnen. 'Ik dacht al dat ik je hier binnen zag gaan. Ik zeg nog t-t-tegen mezelf...' die arme lul z'n gezicht trekt helemaal scheef en hij knippert met z'n ogen, '...d-d-dat is toch geen kroeg voor Sp-Sp-Spud.'

Tja, man, dat was dus een grote vergissing van mij, dat ik gisteren ben doorgezakt met Rents. De drank zit nog in mijn bloedbaan en na een paar halve liters raakte ik alweer aangeschoten. Die kleine Curtis heeft ook iets te vieren omdat hij heeft meegedaan aan een orgie met meiden van die film die Sick Boy aan het maken is. Ik moet er niet aan denken dat Ali in die pub van hem werkt, met al die lui die daar ook komen. Soms denk ik wel eens dat hij haar er ook bij wil hebben, en dan bevriest het bloed in mijn aderen. Want hij kan mensen dingen laten doen die ze normaal gesproken absoluut niet zouden doen. Maar Ali niet, man, nee, niet mijn Ali. En eigenlijk wil ik helemaal niet naar die school en haar en Andy aan het schrikken brengen, dus ik neem wat speed aan van Curtis en probeer mezelf een beetje te fatsoeneren.

Tegen de tijd dat ik bij die school aankom, ben ik helemaal opgewekt, maar zodra Ali mij ziet merk ik aan haar blik dat ik me onder de opgewekte oppervlakte eigenlijk knap klote voel. Ze heeft een jack aan met bontrandjes en een capuchon dat ik niet eerder heb gezien, een trui, legging en laarzen. Ze ziet er gaaf uit. Die kleine etter is ook goed ingepakt, met sjaal en muts en zo.

'Wat wil je, Danny?'

'Hoi, pap,' zegt de kleine.

'Hé, ouwe reus, alles goed?' zeg ik tegen het joch, en vervolg tegen Ali: 'Goed nieuws. Ik heb wat poen verdiend en ik wil jullie meenemen naar Disneyland... Parijs... of anders Florida, als je dat wilt! En ik heb het boek af en het is onderweg naar die gasten van de uitgeverij! En ik kwam Mark gisteren tegen, Rents, weet je wel. Hij woont in Amsterdam, en we hebben een paar biertjes gedronken. Hij vindt het een gaaf idee, van dat boek en zo...'

De uitdrukking op haar gezicht is geen spat veranderd, man. 'Danny... waar heb je het over?'

'Moet je horen, zullen we naar een cafetaria gaan, dan kunnen we er even over praten,' zeg ik en ik glimlach naar het joch. 'Een milkshake bij Alfred, vent?'

'Ja,' zegt hij, 'maar dan bij McDonald's. Die hebben veel lekkerder milkshakes.'

'Nee, joh, nee, want Alfred stopt er alleen de beste dingen in, die bij McDonald's barsten van de suiker, en dat is heel slecht voor jou, jochie. Dat komt door die globalisering, man, en dat is helemaal verkeerd...' ik merk dat ik weer sta te raaskallen en Ali werpt mij dodelijke blikken toe, '...maar we kunnen wel naar McDonald's als je wilt, hoor...'

'Nee,' zegt Ali op kille toon.

'Toe nou, mam,' zeurt de kleine.

'Nee,' zegt ze, 'we hebben het veel te druk voor dat soort dingen. Tante Kath wacht op ons, en ik moet vanavond werken,' zegt ze. Dan draait ze zich plotseling naar mij toe, komt vlak voor mij staan, en een ogenblik lang denk ik dat ze me wil kussen, maar in plaats daarvan fluistert ze in mijn oor: 'Je hebt gebruikt, godverdomme! Blijf uit de buurt van dat joch als je drugs op hebt!' Ze draait zich even plotseling weer om, grijpt Andy bij de hand en ze lopen weg.

Hij draait zich nog een paar keer om en zwaait naar mij: ik dwing mezelf terug te glimlachen en hoop dat hij de tranen in mijn ogen niet ziet.

Ik ga terug naar de Shore, naar een andere pub. Het is er druk en er speelt een jazzband. Ik voel me hartstikke klote, man, het lijkt wel of het leven elke zin verloren heeft. Ik zit me af te vragen wat voor zin het heeft om geld te hebben als de mensen aan wie je het wilt besteden, niet bij je willen zijn. Wat heb ik eigenlijk nog met ze?

Nee, man, ik heb het allemaal verkloot.

Ik draai me om en kijk naar de band, naar een jonge meid met een klarinet die hartstikke goed is. Ze speelt zo prachtig dat ik er bijna van moet janken, man. Dan zie ik een ouwe kerel aan de bar staan met een brede grijns op zijn gezicht. En op dat moment maakt een gruwelijke gedachte zich plotseling van mij meester: iedereen in deze kroeg, plus Ali en zelfs de kleine Andy, hebben niet lang meer te leven. Over tien of twintig of dertig of veertig of vijftig of zestig jaar of hoelang het ook mag duren. Ja, al die prachtige mensen, man, en ook alle gekken en klootzakken, zijn er dan niet meer. En dat duurt nog maar even, goed beschouwd.

Ik bedoel, wat de fuck heeft het allemaal voor zin, zeg maar?

Ik verlaat de Shore en ga weer naar huis. Ik weet niet wat ik moet doen. Kort daarna belt Franco op, hij wil dat ik vanavond met hem naar Nicol's ga. Hij wil met me praten over June. Misschien heeft Franco ook gemerkt dat ze er niet zo goed uitziet. Misschien laat het die *catboy* toch niet zo koud hoe het met haar gaat. Hij zegt dat hij Second Prize meebrengt. Dat lijkt me leuk, om Secks weer eens te zien, zeg maar. 'Om acht uur en geen minuut later, godverdomme. Zie je dan, lul.'

Ik zit er even over na te denken, maar ik ben er eigenlijk niet voor in de stemming. De telefoon gaat weer en het is Chizzie het Beest. Vlak nadat Franco gebeld heeft. Dit tijdstip zal wel een gewoonte uit de gevangenis zijn. Maar Chizzie deugt niet, die vermijd ik liever. 'Te gek hè, vorige week? Ga je mee wat drinken, maatje?' vraagt hij.

'Nee joh, ik doe het even rustig aan.' Geen sprake van dat ik nog een keer met *hem* op stap ga.

Zijn stem klinkt plotseling nasaal, achterbaks. 'Ik zag die vrouw van jou laatst nog, maatje; dat was zij toch, achter de bar in de Port Sunshine? Lekker wijf, zeg. Ik hoor dat jullie uit elkaar zijn?'

Mijn bloed wordt koud, man. Ik kan geen woord uitbrengen.

'Ja, ik dacht nog: die vraag ik een keer een avondje mee uit. Hapje eten, glaasje drinken. Ik weet hoe je het een wijf naar de zin moet maken, maatje! Ja, daar weet ik alles van.'

Mijn klopt boem boem boem in mijn keel, man, maar ik laat niks merken en zeg monter: 'Ach, ik ga wel even iets mee drinken. Dat is goed voor mij. Een avondje stappen is niks mis mee. Zullen we afspreken in Nicol's in Junction Street? Daar staan een paar lekkere wijven achter de bar. En een van hen is altijd in voor een geintje, zeg maar.'

Hij hapt. 'Zo mag ik het horen, Murphy. Hoe laat?'

'Acht uur.'

Maar ik ga mooi niet naar die kuttent in Junction Street. Ik ga naar de Port Sunshine, een oogje in het zeil houden.

58 Extra bonus

Ik heb die cunt van een Second Prize zijn huis uit weten te sleuren en daarna Spud Murphy gebeld, want ik wil het naadje van de kous weten over dat gezeik met June. Ofwel iemand heeft het bij het verkeerde fucking eind, ofwel iemand probeert mij te fucken. Kameraden. Niemand is je fucking kameraad, daar kom je wel achter als je ouder wordt. Second Prize staat aan het poolbiljart, stijf van de stress, drinkt een fucking glaasje tomatensap, als de eerste de beste fucking flikker. Ik zal die lul tomatensap leren. Fucking aso. 'Al dat gedoe over alcoholisme is gewoon gelul. Je kunt godverdomme best een grote pils hebben, daar ga je heus niet dood van. Eén fucking pils!'

'Nee, ik mag niet drinken, Frank, van de dokter,' zegt hij. Hij heeft een idiote blik in die varkensogen van hem, alsof hij gehersenspoeld is met wat die cunts het Licht van de Heer noemen. Licht van de fucking Heer, mijn reet.

De kanker met dat hele gelul. 'Wat de fuck weten die klootzakken ervan? Tegen mij zeiden ze dat ik moest ophouden met roken. Zij rookt drie pakjes per dag. Tegen mij zegt ze: "Wat moet ik doen, Frank, ik kan niet zonder sigaretten voor tegen de zenuwen. Het is het enige wat helpt, die pillen helpen geen zak." Dus ik zeg tegen haar: "Als je ophoudt met roken, dan weet je er alles van." Ze zou godverdomme in shock raken, ze zou erin blijven. Dus ik zeg: "Als je nog niet dood wilt, dan hoef je er godverdomme ook niet mee te kappen." Dus een grote pils kan er best in.'

'Nee, echt niet...'

'Luister jij eens goed, ik trakteer jou op een grote pils en zo is dat, godverdomme,' zeg ik en ik ga naar Charlie achter de bar en bestel twee grote pilzen. En die cunt kan het maar beter opdrinken ook, ik ga mijn goeie geld niet verspillen aan bier dat ie laat staan. Terwijl ik terugkom met het bier, zie ik een gast de kroeg binnenkomen, maar fucking Spud is het niet. Ik ga naar Second Prize en leg de ballen klaar. 'Oké, ik maak je helemaal af, lul.'

Ik moet denken aan die kutmoeder van mij en hoe ik haar een plezier probeerde te doen. Niet dat dat haar ook maar een fuck kan schelen, zolang zij maar naar die fucking bingo van haar kan. Als het aan mij lag, gingen die kutzalen stuk voor stuk dicht; wat een verspilling van tijd en geld, godverdomme. Heel anders dan bij de paarden, daar kun je tenminste lol hebben.

Maar goed, Second Prize krijgt een flink pak slaag in het eerste potje. We beginnen aan een volgende pot en ik kijk steeds naar de deur. Spud is in geen velden of wegen te bekennen. 'Je hebt je pils nog niet aangeraakt, lul,' zeg ik tegen Secks.

'Ach, Franco... ik kan het niet, man...'

'Kan niet of wil niet?' zeg ik en kijk hem eens diep in de ogen. Om de een of andere reden dwaalt mijn blik af naar die gast die aan de bar het sportkatern van de *Record* zit te lezen. Er is iets met hem. Ofwel ik ken die cunt van de gevangenis, of ik heb over hem gehoord. Hij was een fucking beest. Ik kende al die cunts, ik zorgde ervoor dat ik ieder gezicht herkende. Ze meden me allemaal als de pest, want ze wisten dat ik ze recht in hun fucking smoel wilde kijken. Wat had hij ook al weer gedaan? Was hij het die dat kind gepakt had, of dat blinde meisje verkracht had, of dat joch te grazen had genomen? Ik kan het me godverdomme niet meer herinneren. Het enige wat telt is dat dat fucking monster daar een beest, een fucking kinderverkrachter is. Ik zie die cunt daar zitten, in dezelfde pub als ik en Second Prize. Zit daar doodgemoedereerd aan de fucking bar in de fucking *Record* te lezen.

Charlie tapt die cunt gewoon een fucking pils, alsof het een normale klant is, en die ouwe cunts, aan het tafeltje in de hoek, kijken mij aan. Eén en al vrolijke glimlach, maar ze kijken op dezelfde manier naar mij als naar die klootzak aan de bar. Het enige wat ze zien is een of andere klootzak uit de fucking gevangenis. Nou, ik ben niet zoals die cunt en dat zal ik ook nooit worden. Die klootzak zit daar rustig te drinken, alsof dat zo maar kan! Zwerft over straat, houdt zich op bij scholen, wacht kleine kinderen op en loopt achter ze aan naar huis...

Ja, daar zat ie dan, doodgemoedereerd te zuipen in de kroeg, in *mijn* fucking kroeg. Een fucking beest. IJskoud, op z'n dooie gemak. 'Daar zit een beest, een kinderverkrachter,' zeg ik tegen Second Prize die de ballen klaarlegt, 'een uitgebroken beest.'

Second Prize kijkt me aan met een blik waaruit blijkt dat hij geen fucking poot gaat uitsteken. Door al dat christelijke gelul over vergeving en zo zijn z'n hersens verweekt. Iedereen is hier godverdomme stapelgek geworden. 'Die gast komt hier alleen even wat drinken, Frank, laat hem toch met rust, zeg. Kom op,' zegt hij en stoot het pak ballen open, heel snel, alsof hij weet dat ik op weg ben naar die cunt aan de bar.

Wat is er godverdomme aan de hand met iedereen?

Hij staart me aan en knippert, want hij heeft de blik in mijn ogen gezien, laat zijn hoofd zakken en zegt: 'Je hebt de gestreepte ballen, Frank,' maar ik luister niet echt want ik kijk steeds naar die lul aan de bar.

'Een beessst,' zeg ik tegen Secks en laat de sss aan het eind lekker sissen. Ik concentreer me weer op mijn bal en krijg een pijnscheut als ik me vooroverbuig waar die teef van een June me gestoken heeft. Ik trek een grimas, geef een groene streep een enorme ram en stel me voor dat het het hoofd van die lul is. Ik begin mijn fucking geduld te verliezen.

'Mooie bal, Franco,' zegt Second Prize, of iets dergelijks, maar ik hoor die cunt niet omdat ik me weer omdraai naar die lul aan de bar.

'Misschien staat ie wel op een kind te loeren. Een van mijn jongens bijvoorbeeld,' zeg ik, en ik begeef me nu daadwerkelijk in de richting van de bar.

Second Prize zegt op jankerige toon: 'Franco... toe nou...' Hij pakt zijn nog onberoerde pils en zegt: 'Laten we wat drinken,' maar het is al te laat voor dat soort gelul, hij weet dat ik niet meer naar hem luister. Ik loop door en ga pal achter die kinderlokker staan.

'Zes zes zes, godverdomme. Het getal van het beest,' fluister ik de cunt in het oor.

Hij draait zich als door een wesp gestoken om. Hij heeft iets arrogants over zich, alsof hij dit allemaal al eerder heeft meegemaakt. Ik kijk hem strak aan, alsof ik rondroer in zijn ziel en ik zie de doodsangst, maar ik zie nog meer, ik zie het verrotte, het fucking smerige verrotte in die klootzak, en hij kijkt alsof hij hetzelfde ziet in mij, alsof we godverdomme iets gemeen hebben. Dus ik moet iets doen, voordat de rest van die klootzakken hier het ook zien, want ik ben helemaal niet hetzelfde als hij, *no fucking way*.

Wat zie ik allemaal in die cunt...

Het beeld dat hij van zichzelf heeft, totaal verpest door het brutaliseren van anderen, raast en dreunt om hem heen terwijl hij voor mij staat, die gast die ik me vaag herinner als Begbie. Ja, hij is doodsbang, duizelig van angst en pijn; hoe fucking pervers het ook is, hij voelt zich opwindend misselijk. Zijn lichaam en geest halen allerlei geintjes met hem uit. En die lul beseft het effect van zijn macht over andere mensen doordat hij de impact voelt van mijn macht over hem. Hij voelt de absolute bevrijding die het gevolg is van totale overgave aan de wil van een ander.

En dat gaat godverdomme veel verder dan geweld; het gaat zelfs verder dan seks; het is een soort liefde, een uiterst bizarre, arrogante vorm van zelfbewondering, die veel verder gaat dan het eigen fucking ego. Ik ontdek iets... ik...

Nee... nee... hou op met dat gelul...

Maar dat is de kern van je bestaan als harde man; het is een soort reis, een fucking zelfvernietigende zoektocht naar je eigen grenzen, want de fucking grenzen dienen zich altijd aan in de vorm van een nog hardere man. Een grote, sterke, keiharde man die te machtig voor je is, die je iets kan leren, die je duidelijk maakt waar je staat, waar je fucking beperkingen liggen. Chizzie... zo heet die lul... Chizzie.

O nee... die lul wil iets zeggen en dat kan ik godverdomme niet tolereren. Ik voel hoe ik mijn wenkbrauwen ietsje optrek, als mijn glas omhooggaat in de richting van dat beest... hoe heet ie ook weer?... van die Chizzie zijn hals.

De cunt krijst als een fucking varken, hij grijpt naar zijn hals en het bloed spat over de bar. Waarschijnlijk een slagader geraakt. Eigenlijk wilde ik hem dat helemaal niet aandoen, het is gewoon een extra fucking bonus. Een extraatje voor hem, want als het aan mij had gelegen, was het veel langzamer gegaan. Ik wilde hem godverdomme horen gillen, bidden en smeken, net als de kinderen die hij verkracht heeft. Maar het enige krijsen dat ik hoor komt van die stomme lul van een Second Prize, terwijl het bloed naar buiten pompt en een van die ouwe zakken zegt: 'Jezuschristus.'

Ik draai me razendsnel om en ram Secks voor z'n bek, zodat hij ophoudt met gillen als een klein meisje. 'Hou je bek jij, godverdomme!'

Het beest strompelt langs de bar en valt, het bloed pompt over het linoleum op de vloer. Second Prize staat bij de jukebox een of ander stompzinnig gebed te mompelen.

'Dit kan niet, Franco,' zegt Charlie hoofdschuddend, 'beest of geen fucking beest, dit is wel mijn pub.'

Ik kijk de cunt aan en richt een wijsvinger op hem. Second Prize staat nog steeds als een mongool te bidden. 'Hoor eens,' zeg ik tegen Charlie en die twee ouwe zakken, 'die cunt is een beest, een kinderverkrachter. Het volgende slachtoffer was misschien jouw kleine geweest of de mijne,' zeg ik, en die cunt schopt in een laatste stuiptrekking van zich af en sterft, en plotseling wordt het heel rustig en ik voel me kalm en vredig alsof ik een fucking heilige ben geworden of zo. 'Nou, Charlie,' zeg ik, 'geef me tien minuten en bel dan de politie. Het waren twee jonge criminelen die hem hebben omgelegd,' zeg ik tegen iedereen. 'Als iemand mij verlinkt... en dat om een kinderverkrachter, dan pak ik niet alleen hem, maar ook al zijn vrienden en bekenden. Duidelijk?'

Charlie zegt: 'Niemand verlinkt hier niemand om een fucking kinderverkrachter, Franco. Weet je nog dat Johnny Broughton nog geen vijf of zes jaar geleden die gast doodschoot, hier in deze fucking pub? Hoe denk je dat ik me nu voel?'

'Dat weet ik godverdomme ook wel, Charlie, maar er is geen fuck aan te doen. Ik zorg wel dat je geen problemen krijgt, dat weet je best,' zeg ik; ik loop naar de voordeur en doe die op slot. Ik wil niet dat Spud of wie dan ook hier nu komt binnenzetten.

Ik grijp een doek vanachter de bar en veeg de rand van de tafel, mijn keu, en de ballen schoon. Ik schenk onze bierglazen leeg en spoel ze om. Ik loop naar Second Prize en zeg: 'Kom op, Rab, wij gaan achterlangs. Denk eraan, Charlie, tien minuten, en dan pas bellen. Wij zijn hier niet geweest, oké?'

Ik kijk om naar die twee ouwe zakken: Jimmy Doig en Dickie Stewart. Die zeggen niks. En Charlie baalt wel als een stekker van dat gelazer met die kutpolitie, maar hij verlinkt je niet. 'Ik zou de boel maar eens goed schoonmaken, Charlie,' zeg ik, 'Ik bedoel, er is hier een beest geweest. Je weet niet hoe erg de zaak geïnfecteerd is,' zeg ik tegen de ouwe zakken. Die ene is oké, de andere zit te trillen als een riet. 'Alles goed, ouwe?'

'Ja, Frank, ja jongen, maak je geen zorgen,' zegt de toffe, Jimmy Doig. Ouwe Dickie reageert krampachtig maar weet er toch uit te persen: 'Oké, Frankie jongen.'

We verlaten de kroeg door de achterdeur en ontsnappen via een klein tuintje en een smal steegje, en zorgen ervoor dat we niet worden opgemerkt op straat of vanuit de flats.

We lopen naar Spud, en ik hoop dat die slome lul nog thuis is. Ik zeg tegen Second Prize dat hij moet opsodemieteren, de stad in, want hij loopt te shaken als die ene gast, die Shakin Stevens, de gast die die belabberde Elvis-imitatie deed in *Top of the Pops*.

Spud komt net de trap af, op weg naar buiten, en hij kijkt uiterst bezorgd als hij mij ziet. 'Eh, Franco... sorry dat ik zo laat ben, man, ik had Ali aan de telefoon... dat duurde nogal lang. Ik was net op weg naar Nicol's.'

'Ik ben er zelf ook nog niet geweest. Ik was in de stad met Second Prize, die cunt wilde niet mee naar Leith,' zeg ik. 'Hij is bang dat hij weer aan de drank raakt.'

Hij kijkt me aan en zegt: 'O.' Dan vraagt hij: 'Je wilde iets weten... over June?'

‘Ach, fuck, dat is niks,’ zeg ik en vervolg: ‘Moet je horen, ik kan nu niet met je naar Nicol’s. Ik heb een beetje ruzie met m’n vriendin en ik moet terug naar haar, maar ik moet eerst naar mijn broer Joe.’

‘Goed... eh, dan ga ik er maar eentje nemen in de Port Sunshine, kan ik ook even met Ali praten.’

‘Tja,’ zeg ik, ‘die verrekte kutwijven ook, niet dan?’ Ik laat hem onder aan de trap staan en ga naar Joe in de hoop dat die nieuwsgierige snol van een wijf van hem niet thuis is, en op dat moment hoor ik de gillende sirenes van een ambulance en twee fucking politieauto’s door de fucking Walk scheuren.

3 Vertoning

59 Hoeren van Amsterdam, deel 7

Ik ben weer in Amsterdam, maar het voelt niet meer zo vertrouwd. Ik vraag me af of dat komt omdat ik niet meer bij Dianne ben, of omdat ik juist wel in het gezelschap verkeer van die leugenachtige klootzak Sick Boy. Hoe dan ook, Amsterdam is niet meer de rioolstort die het ooit geweest is.

Ik kon mezelf bijna niet van haar losmaken toen ik met hem op het vliegtuig stapte. Haar liefde maakte mij totaal onbevreesd; zelfs mijn Begbie-paranoia was op het riskante af aan het vervagen. Wat mij betreft had die klootzak me gemakkelijk kunnen achtervolgen met een bijl in de aanslag tijdens die wandelingen onder de bomen langs Colinton Dell, en het kon me ook niks schelen. Toen ik haar voor het eerst ontmoette, was ze een hip, vroegrijp schoolmeisje, en veel verder dan ik dus. Ik was gewoon een domme rukker. Maar nu is Dianne een vrouw, cool en intelligent, absoluut niet de maffe *raver* die ik verwacht had, maar slim, belezen en daardoor sexier dan ooit.

Dianne.

Ik ben niet zo gek om te denken dat het iets met het noodlot of lotsbestemming te maken heeft. Terugkijkend steekt zij eerlijk gezegd niet uit boven de andere meiden met wie ik toen omging. Maar ik ben alleen geïnteresseerd in het hier en nu. Zoals ze haar bril naar het puntje van haar neus schuift en eroverheen kijkt als ik naar haar idee iets twijfelachtigs zeg. Zoals ik haar 'brillenjood' noem en zij mij 'rooie ballen', verschrikkelijk eigenlijk. Nog verontrustender is dat ik het erg leuk vind. Zijn we eigenlijk al lang genoeg bij elkaar voor dat soort onzinnige intimiteiten? Blijkbaar wel.

Ik hou van haar, en volgens mij zij ook van mij. Ze zegt van wel, en volgens mij is ze wel zo eerlijk om zowel haar eigen gevoelens te onderkennen als oprecht te zijn over dat soort zaken. Je kunt niet liegen tegenover je eigen ziel.

Ik heb berichten achtergelaten voor Katrin en gevraagd wanneer het haar schikt dat ik mijn spullen kom halen. Ze heeft niet gereageerd.

Samen met Martin ga ik naar de flat aan de Brouwersgracht en ik laat mezelf binnen. We laden wat persoonlijke bezittingen van mij in zijn bestelwagen en die zal ik later opslaan in het kantoor. De rest mag ze houden. Terwijl ik de laatste doos inpak, komt er een gevoel van blijdschap en opluchting over me, alsof ik aan een enorme dreiging ontsnapt ben.

Sick Boy, die ik in het hotel heb achtergelaten, valt me voortdurend lastig via zijn mobiel. We gaan naar de montagestudio van Miz en als we er aankomen zit hij al met een bevriende technicus genaamd Jack de rushes door te nemen. Sick Boy maakt gebruik van de faciliteiten van Miz, maar doet niettemin uiterst kortaf en onaangenaam tegen hem. Het is gewoon gênant. Om de situatie te redden neem ik Miz mee uit lunchen. Dat lijkt Sick Boy wel te bevallen, maar als we elkaar later volgens afspraak ontmoeten in een bruin café, heeft hij nog steeds een chagrijnig smoel.

Miz is een en al enthousiasme over de film en hij heeft het er steeds over dat we een exemplaar aan zijn vriend Lars Lavish moeten geven die kennelijk *hot* is in het wereldje van de pornofilm. 'Lars gaat natuurlijk naar het Pornofilm Festival in Cannes,' zegt hij geestdriftig, 'jullie ontmoeten hem nog wel.'

Ik houd Simon staande bij de bar en vraag hem: 'Wat heb jij eigenlijk tegen Miz? Wil je die video liever monteren in Niddrie? Daar komen we uiteindelijk wel terecht als jij je godverdomme niet een beetje weet te gedragen.'

'Ik word niet goed van die gluiperd,' snuift hij verachtelijk. 'Er is natuurlijk geen sprake van dat hij connecties heeft met een topjongen als Lars Lavish...'

'Toch lult hij niet uit zijn nek. Hij kan ons helpen om een vertoning te krijgen op de beste pornofestivals, zoals in Cannes.'

'Ja hoor,' mompelt Sick Boy. 'Nou, ik heb zijn hulp niet nodig om mijn film waar dan ook vertoond te krijgen. En als hij denkt dat hij mee kan vliegen op het succes van Bananazzurri, dan kan hij beter meteen opsodemieteren. Ja, op het ogenblik heb ik die cunt nog nodig, maar die Nederlandse klootzak irriteert me en zijn coke is ook shit. Als het een beetje meezit ben ik de eerste cunt die drugs binnensmokkelt in Amsterdam.'

De volgende ochtend klop ik al vroeg op zijn kamerdeur, maar hij is al vertrokken. Zoals te verwachten, tref ik hem in de montagestudio, waar hij nu overdreven kruiperig doet tegenover Miz. Het is wel duidelijk dat een bijdrage van mijn kant niet nodig is, dus ik ga naar mijn kantoor en regel enkele dingen voor de club. Met tegenzin deel ik Martin mee dat ik een einde moet maken aan ons partnerschap en dat hij maar beter een van onze andere compagnons kan inschakelen. Hij neemt het redelijk op en maakt het mij daardoor erg gemakkelijk: godverdomme, wat een toffe gozer.

Later ontmoeten we in een andere club Miz en Sick Boy die plotseling een misselijkmakende boezemvriendjesact opvoeren. Het is in ieder geval beter dan eerst, en ik stel me minzaam en relaxed op. Plotseling sta ik oog in oog met Katrin. Ik wil iets zeggen, maar ze smijt de inhoud van haar glas in mijn gezicht en begint me uit te maken voor rotte vis. Ze wil me zelfs te lijf gaan, maar haar vrienden houden haar in bedwang en voeren haar af.

Die lul van een Sick Boy vindt het allemaal erg vermakelijk. 'Een echte *sherrikin*, ja, een echte *sherrikin*,' galmt hij opgewekt met een nep-Glasgows accent, en slaat zich op de dijen.

Ik zie de spottende uitdrukking op zijn gezicht en beheers me door te bedenken hoe vreemd onze relatie is, die zo mogelijk nog geheimzinniger geworden is doordat we elkaar jarenlang niet gezien hebben. Ik denk dat wij in enkele opzichten op elkaar leken, we wisten allebei dat decadentie een slechte levensstijl was voor bewoners van een nieuwbouwwijk. Sterker nog, een bespottelijke levensstijl. De *raison d'être* van onze sociale klasse was simpelweg overleven. De kanker ermee, onze punkgeneratie ging het niet alleen naar den vleze, we hadden zelfs de brutaliteit om gedesillusioneerd te zijn. Vanaf onze vroege jeugd waren Sick Boy en ik al verknipte *soulbrothers*. Al die minachting, sneren, ironie, belachelijkmakerij; wij hadden ons eigen kleine wereldje, lang voordat drank of drugs in het spel kwamen en ons stimuleerden ons er helemaal in terug te trekken. We liepen parmantig rond en straalden een cynisme uit dat zo sterk was en droop van de minachting, dat niemand ons naar ons idee iets kon doen, of het nu ouders waren, broers of zusters, buren, leraren, idioten, criminelen of hippe lui. Maar het was niet eenvoudig om een decadente levensstijl te ontwikkelen in de Fort of The Banana Flats. Drugs vormden de simpelste optie. Toen ze eenmaal begonnen te gebruiken, begonnen de drugs daarmee te knagen aan de dromen die ze ooit bedacht, gevoed en versterkt hadden en uiteindelijk aan het fraaie bestaan dat de middelen beloofd hadden. En het werd hun allemaal te veel, alsof het fucking dwangarbeid was, en dat was iets wat we allebei keihard wilden vermijden. Waar ik bang voor ben is niet de heroïne, niet de drugs, maar die maffe symbiotische relatie die wij hebben. Ik vrees dat die een dynamiek in zich heeft die ons terug dwingt naar het slachtveld, nu meer dan ooit, na wat Spud mij verteld heeft over Franco.

Maar Sick Boy heeft keihard gewerkt aan de montage, dat is buiten kijf. Ondertussen had ik de gelegenheid om flink door te werken in de club. 'Heb je hier een kopie die ik kan bekijken?' vraag ik.

Hij bijt op zijn tanden. 'Neee... lijkt me beter van niet. Ik hou het allemaal liever bij me, totdat ik iedereen de bijna definitieve versie laat zien.'

'O? En wanneer is dat, denk je?'

'Ik hoop zodra we terugkomen, morgenochtend dus, zo vroeg mogelijk, in de pub in Leith.'

Zijn pub in Leith, alleen maar omdat die lul denkt dat ik er niet bij zal zijn. 'Waarom,' vraag ik vooroverleunend in mijn stoel, 'al die geheimzinnigheid?'

Die arrogante cunt blijft een grote bek houden, zolang hij leeft. 'Terwijl jij voor Koning Disco speelde en Boy Birrell thuiszat en de gelukkige huisvader uithing, heeft een of andere stomme rukker,' hij wijst hier op zichzelf, 'al die tijd in een montagestudio een film in elkaar zitten zetten totdat hij erbij neerviel. Jij gaat hier niet de filmcriticus zitten uithangen, ben je besodemieterd; dan krijgen we hetzelfde met Birrell, gevolgd door Nikki en dan Terry. Nee zeg, pleurt op. Zo krijg ik mooi alle klappen, zeker. Nou nee, bedankt.'

Hij denkt zeker dat *ik* de klappen ga krijgen, als ik Begbie tegen het lijf loop in Leith. Die cunt moet niet proberen om mij op te naaien.

60 '...een film van Simon David Williamson...'

Ik voel een dof, dreunend gebonk achter mijn ogen. Ik sta onder de douche en probeer de volgende kater van me af te spoelen. Ik wou dat ik de klaterende waterstraal kon absorberen, dat mijn lichaamsvocht onmiddellijk kon worden vervangen. Ik grijp de fles met douchegel, spuit wat van de synthetisch geurende pasta op mijn handpalm en wrijf het over mijn lichaam. Ik maak me zorgen of mijn maag nog wel strak is. Ik moet vaker naar de sportschool. Ik kom in de buurt van mijn kut en probeer zo zakelijk mogelijk te blijven en niet aan Simon te denken; zijn donkere wenkbrauwen, gebeeldhouwde Italiaanse trekken, ijzige glimlach en de lieve woordjes uit die slangenmond. Maar bovenal de magnetische diepte van die grote ogen; bruin maar schijnbaar zwart, een en al pupil, die zelfs bij een afkeurende blik niet kleiner worden maar slechts hun glans ietwat verliezen en dof worden zodat je je spiegelbeeld er niet meer in kunt zien. Alsof je niet bestaat, alsof je uitgewist wordt.

Ik probeer me te concentreren op de radio die op de rand van het bad staat. Een kruiperige, overdreven pratende presentator vraagt een jonge vrouw naar haar favoriete platen en wat die muziek voor haar betekent. Ik herken onmiddellijk de laffe, slappe, enigszins nasale stem die antwoordt. Als ze de titel van die plaat, die shitplaat, noemt, weet ik dat zij het is, nog voordat de presentator haar naam heeft genoemd. 'Jive Bunny and the Mastermixers, "Swing the Mood!" O, ik vind dat zó'n mieters nummer! Het is gewoon... ik weet niet... weet je, soms heb je een song op een leeftijd dat alles nog mogelijk is... nou, ik was veertien en mijn turncarrière was net begonnen...'

Carolyn Kut-Pavitt.

Carolyn Pavitt en ik waren ooit boezemvriendinnen, tussen grote aanhalingstekens. Dat vonden anderen althans; ouders, leraren, leeftijdgenoten, maar vooral onze trainers. Alleen maar omdat die kleine Nikki en Carolyn samen op turnen zaten. Maar hoewel wij met elkaar verbonden waren door onze gezamenlijke deelname aan de sport, ervoeren wijzelf die geweldige vriendschap niet. Als brave meisjes werden wij beschouwd als verwante geesten. In werkelijkheid waren wij al meteen vanaf het begin elkaars grootste rivalen.

Als turnende pubers waren wij felle concurrenten van elkaar. In het begin was ik beter dan die klungelige Carolyn, hoewel dat lelijke eendje in een zwaan veranderde zodra ze op de mat stond. Het probleem was dat zodra we echt begonnen te puberen, ik de tieten kreeg en zij de bekers.

Ik merk dat ik de douche op z'n allerkoudst heb gedraaid en de stem van 'Engelands Carolyn Pavitt' niet meer hoor. Ik voel alleen maar de bijtende kou en het zwoegende ademhalen in mijn borst, en ik heb het gevoel dat ik ga flauwvallen, maar ik stap snel en hijgend onder de douche uit. Ik zet de radio uit en wrijf mezelf droog met de handdoek, en er straalt een weldadige warmte vanuit mijn binnenste door mij heen tot aan mijn huid. Stomme trut, Carolyn Pavitt.

Ik loop naar mijn kamer om me aan te kleden en twijfel tussen mijn strakke kasjmierwollen trui en de ruimvallende angora. Ik besef dat ik nodig naar de sportschool moet en besluit de laatste aan te trekken. Ik vraag me af welke zij gekozen zou hebben. Maar vandaag kan ik nergens lang mee zitten, want ik ben een en al opwinding. Simon belde gisteravond laat en zei dat ik vanochtend om halftien in de pub moest zijn voor de eerste vertoning van de film! Ik moet denken aan Carolyn. Stop die bronzen medaille maar in je reet, vroeg-artritische trut die je bent!

Als ik in Leith aankom, is Simon in opperbeste stemming. Het is duidelijk dat hij weer aan de cocaïne gezeten heeft. Hij kust me op de mond, knipoogt en draait zich om.

Rab is er ook en we praten even over onze studie. Hij doet het beter dan ik, geloof ik. Ik zeg dat ik volgens mij ga zakken omdat ik er niet genoeg voor gedaan heb. We kletsen wat vrijblijvend in het rond, maar door zijn ietwat vorsende en tegelijk medelijdende blik begin ik me behoorlijk klote te voelen. Ik ga bij Mel, Gina, Terry en Curtis zitten. Mark Renton komt binnen en hij maakt een gespannen en verstrooide indruk. Simon roept: 'De Rent Boy doet Leith aan! Een korte kroegentocht in Leith!'

Mark negeert hem, knikt naar mij en wisselt groeten uit met de anderen. Simon staat achter de bar drankjes in te schenken, maar blijft tegen Mark praten. 'Ik vroeg me al af wanneer je het lef zou hebben om je gezicht hier te laten zien. Ben je stiekem met de taxi tot aan de voordeur gekomen?'

‘Ik zou het regiedebuut van mijn ouwe kameraad voor geen geld willen missen,’ zegt Mark half snerend, ‘vooral omdat hij mijn veiligheid gegarandeerd heeft.’

Er is hier iets niet in de haak, maar Simon reageert op Marks overduidelijke agressie met een veelbetekenende grijns. ‘Oké... wie ontbreekt er nog... Miguel zei dat hij zou komen...’ Hij draait zich om en ziet Mikey Forrester binnenkomen, luisterrijk gekleed in een onwaarschijnlijk sneeuwwit trainingspak en behangen met goud, gevolgd door Wanda. ‘Ha, als je het over de duvel hebt! Miguel! Net op tijd, kom erbij! Gekleed voor het grote succes, zie ik,’ zegt hij sarcastisch. Forrester lijkt niets door te hebben, hij lijkt zelfs opgetogen, totdat hij Mark Renton ziet. Er valt een ijzige, vijandige stilte voordat ze elkaar koel en onwillig toeknikken. De enige die de ijzige sfeer tussen hen niet lijkt op te merken is Simon. ‘Hier jongens,’ brult hij triomfantelijk, terwijl hij een kartonnen doos openrukt en ons ieder een videoband geeft.

Simon legt een aantal lijntjes uit, maar iedereen weigert behalve Terry en Forrester. ‘Des te meer is er voor de zwaargewichten,’ zegt hij met een mengeling van opluchting en minachting in zijn stem, maar we reageren niet omdat we vol ongeloof het doosje van de videoband bestuderen.

Het gevoel van teleurstelling en verraad dat mij bekruipt is simpelweg misselijkmakend. Ik zie de voorkant en voel meteen de inslag van een sluipschutterskogel in mijn hartstreek. Mijn gezicht met die make-up; een karikatuur, veel opzichtiger en ordinairder dan in werkelijkheid, vooral in combinatie met die goedkope kleuren. Veel erger is dat hij de foto gebruikt heeft die hij beloofd had juist niet te gebruiken, die waarop één tiet kleiner lijkt dan de andere. Ik zie eruit als een camptravestiet, of als de opblaassekspop die hij voor Curtis gekocht heeft; die lelijke, opzichtige foto en de vette letters: NIKKI FULLER-SMITH in SEVEN RIDES FOR SEVEN BROTHERS.

Waar ik echt niet goed van word, zijn de credits:

EEN FILM VAN SIMON DAVID WILLIAMSON
GEPRODUCEERD DOOR SIMON DAVID WILLIAMSON
REGIE SIMON DAVID WILLIAMSON
GESCHREVEN DOOR SIMON DAVID WILLIAMSON
IN SAMENWERKING MET NIKKI FULLER-SMITH
EN RAB BIRRELL

De anderen denken er blijkbaar net zo over als ik. 'Heb je die film al gezien: "Ik Doe Alles Alleen"?' zegt Rab hoofdschuddend, en hij gooit zijn videoband terug in de doos.

'Ja, hij *doet* alles blijkbaar ook alleen,' zeg ik furieus en kijk van de doos met video's naar Simon en weer terug. Ik heb een beklemd gevoel op mijn longen en ik druk mijn nagels in mijn handpalmen.

Het kost mij geen enkele moeite om aan mijn Simon, mijn minnaar, te denken als Sick Boy. Het gemopper klinkt steeds luider, maar hij doet alsof hij niets hoort, hij staat nonchalant te fluiten terwijl hij nog een video uit de doos haalt. 'Wat heb jij godverdomme gedaan aan het script?' vraagt Rab op vijandige toon. 'En waar is die eersteklas kwaliteit van de verpakking? Het ziet er klote uit,' zegt hij, tegen de doos schoppend.

Sim... nee, Sick Boy is allesbehalve verontschuldigend. 'Kinderen toch, wat doen jullie ondankbaar,' berispt hij ons op arrogante toon. 'Ik had Terry wel kunnen vermelden als assistent-regisseur en Rents als productieassistent, maar voor de public relations is één naam veel handiger, daarmee is de zakelijke kant veel beter afgedekt. En zo krijgt deze lul hier,' hij wijst lankmoedig op zichzelf, 'de volle laag. Stank voor dank, godverdomme!'

'Wat heb jij gedaan aan het script?' herhaalt Rab, traag en duidelijk, terwijl hij mij aankijkt.

'Er moest hier en daar wat veranderd worden. Als regisseur, producent en eindredacteur heb ik dat recht.'

Terry werpt een snelle blik op Renton die zijn wenkbrauwen optrekt. Terry beweegt zijn hoofd naar achteren en zijn blik gaat langs het door nicotine vergeelde plafond. Ik schrompel helemaal weg vanbinnen, niet zozeer door het verraad maar door de arrogante manier waarop Simon ermee omgaat. Daar staat hij in zijn zwarte T-shirt, broek en schoenen, als een duistere engel, armen over elkaar, en kijkt op ons neer alsof we de stront onder zijn schoen zijn. Ik heb mezelf overgeleverd aan een volstrekte klootzak.

En zo zitten we dan zwijgend te wachten, bevangen door een toenemend gevoel van onbehagen, terwijl een opgefokte Sick Boy een band in de videorecorder stopt. Hij kust het doosje. 'Wij doen mee. Wij hebben hier een product. Wij leven,' zegt hij op zachte toon. Dan loopt hij naar het raam, kijkt naar buiten, naar de drukke straat beneden, en schreeuwt: 'WIJ LEVEN!'

Zittend naast Mel en Gina kijk ik naar de eerste gemonteerde versie van ons werkstuk. Het begint zoals we gedacht hadden, met de televisiescène waarin Mel en ik het met elkaar doen. Ik ontkom niet aan de indruk dat mijn lichaam er prima uitziet; lenig, gebruind, soepel. Ik kan de vergelijking met Mel met glans aan, terwijl ze vijf jaar jonger is dan ik! Ik kijk het vertrek rond om de reacties te peilen. Terry zit er brutaal en zelfvoldaan bij en gaat helemaal op in de porno. Curtis, Mel en Ronnie hebben een afwachtende houding, en Rab en Craig zitten er ongemakkelijk bij. Renton en Forrester lijken ondoorgrondelijk en Gina vreemd opgewonden, op het verlegene af.

We zitten nu in de fabriekskantine waar de 'broers' plannen maken voor hun tripje naar 'Glasburgh'. De scène lijkt een onhandig eerbetoon aan de openingsscène van *Reservoir Dogs*, maar op de een of andere manier is hij wel geslaagd. Naarmate de film vordert, lijkt er niet zoveel mis te gaan, hoewel Simon iets mompelt over 'overgangen' en 'eindversie'. We komen bij de scène waarin Simon en ik in de trein zitten en vervolgens neuken in wat het treintoilet moet voorstellen, maar wat in werkelijkheid de plee van hier is.

'Wauw,' zegt Terry. 'Godverdomme, wat een reet...' Dan draait hij zich om naar mij en zegt glimlachend: 'Sorry, Nik.'

Ik knipoog terug naar hem, want ik begin me een beetje beter te voelen. Het is ongeveer wat ik verwacht had en de eerlijkheid gebiedt mij toe te geven dat Simon het geheel aardig gemonteerd heeft. Er zit een flink tempo in, hoewel het acteren van een bedenkelijk niveau is. Soms is het gestotter van Curtis duidelijk hoorbaar, en het is duidelijk dat Rab niet tevreden is over de algehele beeldkwaliteit. Maar het heeft wel iets, er spreekt een bepaalde energie uit. Als we ongeveer tot op driekwart gevorderd zijn, merk ik dat Mel pisnijdig is. 'Nee... nee... dat kan niet...' zegt ze half tegen zichzelf. Ik draai me om, ze kijkt sprakeloos toe terwijl ze op Curtis' lange lul zuigt. Maar ze zuigt erop *nadat* ze net in haar kont is geneukt. 'Wat is dat!' gilt ze.

'Wat is wat?' reageert Sick Boy.

'Zoals je dat aan elkaar hebt geplakt, lijkt het alsof ik op zijn pik zuig nadat hij in mijn kont heeft gezeten,' grauwt ze naar Sick Boy.

En vervolgens krijg ik een vergelijkbare gemonteerde behandeling. Een close-up van mijn gezicht, dan een shot van de pik van Curtis die kennelijk op en neer beweegt in mijn kont, maar in werkelijkheid is het een take van Mels kont. 'Niemand heeft mij in mijn kont geneukt! Wat heeft dit godverdomme te betekenen, Simon?!'

'Ja,' zegt Curtis ter ondersteuning van mij, 'dat had je helemaal niet moeten doen, hé.'

'Zo is het gewoon gemonteerd,' is Sick Boy's commentaar. 'Kwestie van creativiteit. We hebben opnames gebruikt van Mel die in haar kont geneukt wordt, en tijdens de montage hebben we Mels billen kunnen bijkleuren zodat ze op die van jou lijken.'

Ik herhaal mezelf en hoor hoe paniekerig mijn stem klinkt: 'Ik heb gezegd dat niemand mij in mijn aars mocht neuken! Waarom moesten die scènes per se in die volgorde worden gemonteerd? Dat ben ik helemaal niet! Het is Mel!'

Sick Boy schudt het hoofd. 'Moet je horen, het was een redactionele beslissing, een creatieve beslissing. Jij wilde niet in je kont geneukt worden als actrice, en dat is ook niet gebeurd. Denk je dat Ving Rhames echt in zijn kont geneukt is door die gast die Zed speelde in *Pulp Fiction*?'

'Nee, maar dit is een pornofilm...'

'Het is een film,' zegt Simon. 'We deden alsof. Wij deden wat Tarantino deed met Ving Rhames, omdat Ving ook deed alsof. Zei hij verontwaardigd tegen Tarantino van: "Oooo, ik wil die scène niet doen omdat het publiek anders misschien denkt dat ik een flikker ben"? Wat denk je, godverdomme?'

'Nee,' schreeuw ik, 'want dit is heel anders! Dit is een pornofilm en bij porno verwacht het publiek dat de acteurs niet doen alsof, maar echt seks hebben met elkaar!'

'Nou, Nikki, wij hebben advies ingewonnen bij ervaren pornofilmers in Holland en in de Smoke. Mark en ik dachten... nou ja, weet je wel...'

Ik kijk naar Mark die zijn handpalmen laat zien. 'Wil je mij erbuiten laten,' zegt hij tegen Simon, 'jij hebt het hier voor het zeggen. Dat blijkt wel uit het doosje.' Hij pakt er een en houdt het demonstratief omhoog. Rab komt kwaad tussenbeide en neemt het voor ons op. Hij wijst naar Simon en zegt: 'Het is gewoon niet eerlijk, Simon. We hadden een afspraak. Je hebt die meiden gewoon verneukt.'

Mel barst bijna uit elkaar van woede, ze grijpt met kracht de armleuningen van haar stoel beet. 'We zien eruit als een stel fucking sletten. Ik ken niet één meid die een vent pijpt nadat hij net in haar kont heeft gezeten!'

Terry werpt haar een ontspannen blik toe. 'Die meiden zijn er wel, hoor, neem dat maar van mij aan,' beweert hij.

Ze laat zich niet van haar stuk brengen. 'Ja, maar niet op video, Terry, dat de hele wereld het kan zien!'

Simon stopt zijn handen in de zakken van zijn zwartleren broek, om te voorkomen dat hij wild gaat gebaren. 'Moet je horen, iedereen weet dat die dingen niet zo gaan in een film. Iedereen weet dat als je iemand in haar kont genaaid hebt, je eerst je pik wast voordat je hem in haar mond stopt, of in haar kut.'

Mel komt overeind en schreeuwt: 'Maar zo staat het niet in dat fucking script. Je hebt ons belazerd, godverdomme!'

Sick Boy haalt zijn handen weer uit zijn zakken. 'Niemand heeft iemand belazerd!' schreeuwt hij en slaat met zijn open hand op zijn voorhoofd. 'Monteren is een creatief proces, een vak, een kunstvorm, bedoeld om de erotische ervaring te maximaliseren. Ik heb vier dagen en nachten in die montagestudio gezeten, mijn ogen brandden zo'n beetje uit mijn kop, en dan krijg ik dit soort shit als dank! Ik heb creatieve vrijheid nodig om dit materiaal te monteren! Jullie zijn een stelletje fascisten!'

Ze staan nu tegenover elkaar te schreeuwen en te schelden. 'Gore slijmlul die je bent!' brult Mel. Gina zegt: 'Kalm aan een beetje, zeg,' maar ze is een en al leedvermaak.

'Hou je bek, stomme kutprimadonna,' zegt Simon tegen Mel, en hij ziet er plotseling uiterst gemeen uit, zoals ik het nooit bij hem voor mogelijk had gehouden. Hij is al lang niet meer het schoolvoorbeeld van de coole, ondernemende gast die ik heb leren kennen, maar een nare, vulgaire, platvloerse schurk.

Maar Mel laat zich niet intimideren, want zij is ook iemand anders geworden; ze doet een stap naar voren en schreeuwt hem recht in het gezicht: 'KANKERLUL!'

Ze staan pal tegenover elkaar te schreeuwen, en ik houd het niet meer uit, die herrie, dat gekrijs van die twee, en hoe gemakkelijk dit soort gedrag hun afgaat. Het is een pure nachtmerrie uit je kindertijd, als je ouders plotseling veranderden in demonische karikaturen van zichzelf.

Gina grijpt Mel vast en Rab probeert Sick Boy te kalmeren die voortdurend op zijn hoofd slaat of liever kopstoten uitdeelt in de palm van zijn hand. Terry werpt een vermoeide blik naar Mark. Mikey Forrester zegt iets doms ter ondersteuning van Simon en voegt Mark toe dat hij een schooier is of onder schooiers thuishoort of zoiets. Mark snauwt hem woedend toe: 'Dat is altijd jouw stijl geweest, stiekeme verrader, fucking klootzak...' Mikey schreeuwt iets terug tegen Mark over stelen van je vrienden, en ik huiver voor het geval hij het heeft over onze viool uit 1690. Iedereen staat nu te schreeuwen, te wijzen en te duwen. Het wordt me allemaal te veel. Ik doe de deur open, ga de trap af en loop via de bar de straat op. Ik adem met diepe teugen de stinkende, van uitlaatgassen vergeven voorjaarslucht in en ren door Leith Walk. Ik wil zo ver mogelijk van hen weg zijn. Ik geloof niet eens dat iemand mij heeft zien weggaan.

Ik loop richting centrum, optornend tegen een harde, bijtend koude wind, en realiseer me dat we in een erg saaie tijd leven. Dat is onze pech: op destructieve uitbuiters als Sick Boy of ijskoude opportunisten als Carolyn na is er niemand die echte passie vertoont. Alle anderen zijn lamgeslagen door alle gelul en middelmatigheid om hen heen. In de jaren tachtig was het sleutelwoord 'ik', in de jaren negentig 'het', na het millennium is het 'achtig'. Alles moet vaag en onder voorbehoud zijn. Vroeger was materie belangrijk, daarna was stijl alles. En nu is het pas goed als het fake is. En ik dacht dat ze allemaal echt waren, Simon en de rest.

Op de een of andere manier voelt het als een stomp in mijn maag dat in dit *global communications village* mijn vader kan zien hoe ik in mijn kont geneukt word zonder dat dat in werkelijkheid gebeurd is. Ik baal verschrikkelijk van het idee dat ik anale seks gehad heb; voor een vrouw is het een ontkenning van haar vrouwelijkheid. Maar het meest van alles baal ik ervan dat het allemaal fake is. Mijn familie. De jongens op de universiteit, vooral de verbitterde, onvolwassen exemplaren die ik heb afgewezen, die zich in hun kamertjes bij de bewegende beelden zitten af te rukken. En anderen, die denken dat ze mij en mijn seksuele persoonlijkheid kennen. En als de vrouw van McClymont naar bed is gegaan, gaat hij klaar zitten met de afstandsbediening en een glas whisky onder handbereik voor een lekker partijtje sjorren terwijl ik in mijn kont word geneukt. 'Gaat u zitten, juffrouw Fuller-Smith. Of misschien blijft u liever staan... ha ha ha.' Ja, Colin zal het zeker zien, misschien komt hij zelfs wel naar de flat. 'Nikki, ik heb die video gezien. Ik begrijp alles nu, en dat je niets meer met mij te maken wilt hebben... het is duidelijk dat je gefrustreerd en in de war bent...'

Er komt een auto langs gescheurd en er slaat een golf natte modder tegen mij aan die langzaam en ijskoud in mijn laarzen druipt. Als ik thuiskom voel ik me ellendig. Lauren is thuis en staat net op, ze heeft haar badjas nog aan. Ik heb een exemplaar van de videoband in mijn hand en plof naast haar op de bank neer. 'Heb je een sigaret voor me?' smeek ik bijna.

Ze kijkt me aan en ziet de tranen in mijn ogen. 'Wat is er, lieverd?'

Ik smijt de video in haar schoot. Ik werp me tegen haar aan en barst uit in een hartstochtelijke huilbui met gierende uithalen. Ze houdt me stevig vast. Ik hoor mezelf huilen, maar het is alsof het iemand anders is, ik voel alleen haar warmte en ruik haar frisse geur, ondanks mijn snotneus. 'Maak je geen zorgen, Nikki, het komt wel goed,' zegt ze troostend.

Ik wil nog dichter bij haar zijn, bij die warmte van haar, zelfs midden in die warmte, in het hart van dat vuur, ik wil erdoor beschermd worden tegen alles wat mij pijn kan doen. Ik grijp haar nog steviger vast, zo stijf dat er onwillekeurig een kreunend geluid aan haar ontsnapt. Ik wil dat ze... Ik hef mijn hoofd op om haar te kussen. Ze beantwoordt mijn kus, ik zie terughoudendheid en een lichte angst in haar ogen. Ik wil dat ze vrijer, niet zo stijf doet als anders, ik wil dat ze zich ontspant en voor mij openstaat... maar als ik mijn hand over haar platte buik laat glijden, verstijft ze en duwt me opzij. 'Niet doen, Nikki, niet doen, alsjeblieft.'

Mijn lichaam verstijft ook, net als het hare. Alsof we allebei een straf lijntje coke hebben gesnoven. 'Sorry, ik dacht dat je het graag wilde, ik dacht dat je dat altijd al wilde.'

Lauren schudt het hoofd en heeft een onbegrijpende, gechoqueerde uitdrukking op haar gezicht. 'Dacht je echt dat ik een pot was? Dat ik een oogje op je had? Waarom? Waarom kun je niet accepteren dat mensen je ook wel gewoon aardig kunnen vinden, zelfs van je kunnen houden, zonder dat ze meteen met je willen neuken? Is je gevoel voor eigenwaarde zo laag?'

Is dat zo? Ik weet het niet; wat ik wél weet is dat ik dit niet pik van haar. Wie denkt ze wel dat ze is? Wie de fuck denken ze allemaal wel wie ze zijn: Carolyn Pavitt in *A Question of Sport*, Sick Boy Simon die zich aanstelt alsof hij een filmtycoon is. En nu is het Lauren die mij even de les gaat lezen. Mij een beetje opgeilen totdat ze bijna heeft wat ze denkt te willen hebben en dan gillend wegrennen. 'Lauren, je bent negentien. Je hebt gewoon de verkeerde boeken gelezen en met de verkeerde mensen gepraat. Gedraag je als iemand van negentien en niet als moeder. Dat hoort niet zo.'

'Jij moet mij nodig vertellen wat wel hoort en wat niet, terwijl je dat allemaal met mij probeert,' snauwt ze brutaal terug, een en al arrogantie in haar kuisheid.

Als reactie kan ik alleen maar met een zwaktebod komen: 'Dus seks tussen vrouwen hoort niet? Bedoel je dat?'

'Doe je godverdomme niet dommer voor dan je bent. Jij bent niet lesbisch en ik ook niet. Speel dan ook niet van die domme spelletjes,' zegt ze.

'Maar ik heb wel bepaalde gevoelens voor jou,' zeg ik zwakjes, en inmiddels voelt het alsof Lauren mijn grote zus is en ik de jonge, onnozele maagd.

'Nou, ik niet voor jou. Doe even normaal en neuk iemand die met je wíl neuken, en als het kan niet voor geld,' zegt ze spottend, terwijl ze opstaat en naar het raam loopt.

Dat komt aan als een stomp in mijn maag. 'Jij moet eens een flinke beurt hebben!' zeg ik en storm naar de slaapkamer, precies op het moment dat Dianne de voordeur opendoet. Ze is naar de kapper geweest: een pagekapsel dat haar prima staat.

'Hallo, Nikki,' zegt ze glimlachend, terwijl ze worstelt met haar sleutels, haar tas en een paar mappen. Ze tuit haar lippen in een uitdrukking van een ondeugend soort plezier door wat ze zojuist gehoord heeft.

Op dat moment schreeuwt Lauren mij na: 'Ja, het heeft je ontzettend goed gedaan, zeg. Al die stijve lullen!'

Dianne trekt haar wenkbrauwen op. 'O! Heb ik iets interessants gemist?'

Ik pers er een zwak lachje uit en ga naar mijn kamer, waar ik me op bed laat vallen. Ik doe nooit meer porno. En ik ga ook nooit meer naar die kutsauna.

61 Afgewezen

Mijn hele lijf voelt aan alsof ik kiespijn heb die door mij heen dreunt. Want het was Chizzie, die gast die vermoord is. Dat stond zelf in de krant. En ik weet ook wie het gedaan heeft. Nog erger is, dat ik weet wie dit alles heeft opgezet: die gast zonder vrienden, zonder wijf, zonder helemaal niks, deze Murphy hier. Want ik kan het niet uit mijn hoofd zetten. De heer Murphy, mevrouw Murphy en kind Murphy, dat bestaat dus niet meer, man. Het is nu weer gewoon Spud, de eenzame *catboy*, de loser.

Ali wil niet meer met mij praten, man, ik mag zelfs Andy niet meer zien van haar. Het is van kwaad tot erger geworden, man. Ik ging laatst op een avond naar de Port Sunshine om de zaak uit te leggen, en ik was zo nuchter als een pasgeboren kalf. Ik dacht dat ze het wel leuk zou vinden van dat geld en van mijn plannen, maar het enige wat ze zei was: 'Ik wil nu nergens met jou naartoe, Danny, en ik wil ook niet dat mijn zoon op vakantie gaat van drugsgeld.'

'Het is geen drugsgeld... het is...' Op dat moment zie ik Sick Boy en Terry Sap door de achterdeur de pub verlaten met een stapel videobanden. '...ik heb ervoor gewerkt.'

'O ja? Wat voor werk dan? Dit is pas werk, Danny,' zegt ze, en ze draait zich om, want de kroeg gaat open, er komt een vent binnen en ze gaat hem bedienen. 'En ik zou het op prijs stellen als je hier niet meer komt, want je houdt me van mijn werk af.'

Dus hier zit ik dan weer, alleen in dit ellendige huis. Ik moet denken aan die gast die ik laatst in Bernard Street tegen iemand anders hoorde zeggen: 'Mijn computer is vastgelopen. Ik ben alles kwijt.' Ik voel me net als die gast en zijn computer, man. En het is bovendien nogal een zootje in huis, daar is geen ontkennen aan. Maar je wordt hartstikke depri, als je alleen bent. Ik wil Zappa terug, man, ik dacht dat ik dat beest zou verwaarlozen, maar ik heb behoefte aan gezelschap. Dus ik bel Rents weer, maar het lijkt wel of hij zijn mobiel niet aan heeft.

Verder dan de Port Sunshine ben ik nog niet geweest sinds ik het nieuws over Chizzie gehoord heb. Ik bedoel, ik dacht dat er misschien gedonder van zou komen, maar ik wist eigenlijk wel dat dat nooit zou gebeuren. Ik wil precies weten wat er gebeurd is, maar niet van Begbie, ik wil die gast nooit meer zien, ik kan beter proberen Second Prize op te sporen. Maar nee, man, nee, ik ga niet op zoek in Leith terwijl Franco daar ook rondschuimt. Chizzie... wat heb ik Chizzie aangedaan?

Somber, man. Het ziet er somber uit.

Maar plotseling zie ik een sprankje licht en ik ga er meteen opaf. Het is de post, en er is een brief voor mij, nee een rekening, dat zie je zó.

Het is van de uitgever want er staat een stempel op met 'Scotvar Publishing'. Mijn conclusie is dus meteen dat ze het willen doen, dat ze de Geschiedenis van Leith gaan uitgeven! Wo-ho-ho! Ik wil het meteen aan Ali laten zien! Dan denkt ze wel anders over Disneyland! Ik loop gewoon de pub in en laat overal die brief zien, vooral als Sick Boy er ook is. Ja man, ja! Binnen de kortste keren ben ik op tv, om erover te praten, zeg maar. Misschien krijg ik zelfs wel een voorschot, wauw, man. Ik moet die brief ook heel voorzichtig openmaken, voor het geval er een cheque in zit. Ik houd hem tegen het licht, maar hij is te dik om erdoorheen te kunnen kijken. Ik maak hem open. Er zit geen cheque in, maar die sturen ze natuurlijk nooit samen met zo'n brief. Dat honorarium, daar wordt altijd later pas over onderhandeld, weet je wel.

Scotvar Publishing Ltd.
13 Kailyard Grove, Edinburgh EH3 6NH
Tel: 0131 987 5674 Fax: 0131 987 3432 Website: www.scotvar.co.uk

Uw ref:
Onze ref: AJH/MC
Betreft: Geschiedenis van Leith

1 April

Geachte heer Murphy,

Hartelijk dank voor uw manuscript, dat ik zojuist gelezen heb. Helaas is het niet helemaal waar wij momenteel naar op zoek zijn, en na overleg hebben wij dan ook besloten het niet uit te geven.

Hoogachtend,
Alan Johnson-Hogg

BTW-nummer: 671 0987 276
Directie: Alan Johnson-Hogg, Kirsty Johnson-Hogg, Conrad Donaldson QC

Dit is een klap, man. Ik zit hier als aan de grond genageld, ik voel me helemaal rauw en uitgehold vanbinnen. Het is net als wanneer je een blauwtje hebt gelopen bij een meid die je erg aardig vindt, niet dat mij dat de laatste tijd vaak is overkomen, sinds ik zeg maar met Ali ben, maar dat je al tijden gek bent op een meid, en je zegt van: hé, wat dacht je, eh, jij en ik, zeg maar... en zij zegt ineens: Nee, geen sprake van. Rot op, zeg.

Afgewezen, man.

Ik lees de brief nog een keer, en ik denk bij mezelf: is het eigenlijk wel een afwijzing? Ik bedoel: die vent schrijft dat het een poosje duurde voordat hij besloot het weg te flikkeren, 'na overleg', wat betekent dat ze er ook over gedacht hebben om het te nemen, man. Toen besloten ze dat ze het 'momenteel' niet willen, en dat betekent voor mij maar één ding: dat ze het over een paar weken of maanden natuurlijk wél gaan uitgeven. Als de markt gunstig is en zo.

Dus ik pak de telefoon en bel die gast op. 'Kan ik even spreken met ene Alan Johnson-Hogg?'

Een vrouw met een niet echt bekakte maar gemaakt-bekakte stem vraagt: 'Met wie spreek ik?'

'Eh, ik ben een schrijver waar hij belangstelling voor heeft, en ik, eh, wil reageren op een brief van hem... weet je wel?'

Er valt een korte pauze en dan zegt een echte kakstem: 'Johnson-Hogg. Kan ik u helpen?'

Als ik erover nadenk word ik dus doodnerveus van kakkers, dus ik denk: niks ervan, en steek van wal: 'Eh, hoi, Murphy is de naam, Danny Murphy, maar ze noemen me Spud, weet je wel. Ik heb jullie een manuscript gestuurd, zeg maar. En ik snap niet precies wat er in die brief staat, weet je wel.'

'O ja...' grinnikt hij. 'De Geschiedenis van Leith, nietwaar?'

'Ja... je denkt misschien dat ik niet goed bij mijn hoofd ben, zeg maar, maar ik begreep niet helemaal wat je bedoelde in die brief, man.'

'Nou, ik vond hem nogal rechtdoorzee, eerlijk gezegd.'

'Dan verschillen we toch van mening, man. Want je schrijft dat je het *momenteel* niet wilt hebben. Dus voor mij betekent dat dat je het later misschien wel wilt. Dus wanneer kun je het wel hebben, dacht je?'

Er klinkt gekuch aan de andere kant van de lijn, en dan zegt die gast: 'Het spijt me dat ik misschien dubbelzinnig ben geweest, meneer Murphy. Laat ik wat duidelijker zijn: het is een onvolgroeid werkstuk en u hebt bepaald nog niet het niveau bereikt waarop uw werk uitgegeven kan worden...'

'Wat bedoel je, man?'

'Nou, de grammatica... de spelling...'

'Jawel, maar dat soort dingen doen jullie toch?'

'...om nog maar te zwijgen over het feit dat de onderwerpkeuze niet in ons fonds past.'

'Maar jullie hebben toch al eerder boeken over de geschiedenis van Leith uitgegeven...' Ik merk dat mijn stem helemaal omhooggaat, want het is niet eerlijk, het is gewoon niet eerlijk, niets is meer eerlijk...

'Dat waren serieuze werken van de hand van gedisciplineerde auteurs,' snauwt die gast mij toe, 'dit is een slecht geschreven verheerlijking van de hooligancultuur en van mensen die niets noemenswaardigs bereikt hebben in de plaatselijke gemeenschap.'

'Wie bepaalt er eigenlijk...'

'Sorry, meneer Murphy, uw boek is waardeloos en ik heb het druk. Goedendag.'

En die lul hangt gewoon op. Al die weken, al die maanden heb ik mezelf voorgehouden dat ik met iets belangrijks bezig was, met iets groots, en waarvoor in godsnaam? Helemaal voor niks, voor wat waardeloze shit, net als ikzelf.

Ik pak het origineel van die hoop rotzooi, flikker het in de haard, steek het aan en kijk toe hoe dat stukje van mijn leven in rook opgaat, net als de rest. Ik staar in de vlammen en moet denken aan Chizzie... ik heb Chizzie gedood... een rotzak, maar dit heeft hij niet verdiend, ook al was het eigenlijk Begbie, het moest Begbie wel zijn... de toestand waarin hij verkeerde toen hij die nacht bij mij kwam... hij zei dat hij uit de stad kwam, maar daar geloofde ik geen woord van...

En hier zit ik dan, het geld brandt in mijn zak, dus ik ga de straat op richting centrum, want Begbie drinkt nooit verder dan Pilrig. Ik ga The Old Salt in en daar zit neef Dode. Die arme stakker oogt al net zo terneergeslagen als ik. Hij ziet er lang niet zo zelfverzekerd uit als anders, hij is totaal naar de kloten. 'Ik begrijp er niks van, Spud. Ik dacht dat ik genoeg geld over had voor boodschappen en zo; ik was van plan om met mijn dochtertje op vakantie te gaan. Maar ik ben hartstikke blut, ik heb geen nagel meer om mijn kont te krabben. Ik kan haar niet eens meer een weekje meenemen naar een fucking vakantiekamp. Nou mag ik die kleine niet eens meer zien van haar. Ik kan de hypotheek niet meer betalen, ik kan de rekeningen niet meer betalen. Ik weet dat ik nogal ruig geleefd heb, maar ik sta nu duizend pond rood en ik snap niet hoe dat kan. Het is godverdomme kut, jongen, ik kan niet eens meer een vakantie betalen voor die kleine...'

Arme Dode... best een aardige gast, heeft mij altijd geholpen... belachelijk dat ze die jongen dat hebben aangedaan... de wereld zou een stuk beter zijn zonder smerige, zinloze junks als Murphy... die heeft Chizzie gedood, neef Dode kapotgemaakt... en ook die arme Ali... zelfs de kleine Andy...

Dode protesteert als ik hem driehonderd pond toestop. 'Nee, Spud, nee...'

'Neem nou maar, man. Ik heb momenteel genoeg en jij hebt mij ook altijd geholpen,' zeg ik tegen hem. Ik ga weg en kan hem niet in de ogen kijken.

Ik hoor hem nog tegen een ouwe gast zeggen: 'Zie je die man daar, dat is een heilige, godverdomme, en zo is het...'

En ik denk bij mezelf, je moest eens weten, man, je moest eens weten, en ik moet nog één laatste goede daad verrichten, man, een laatste goede daad...

...en ik kom thuis en het eerste wat ik zie liggen is dat boek. *Misdaad en straf.*

62 Hoeren van Amsterdam, deel 8

Het voelde vreemd genoeg heel goed om Ali weer te zien, hier in het City Café. Vreemd genoeg, want hoewel we bij hetzelfde groepje hoorden, samen drugs deden en zo, zijn we om de een of andere reden nooit echt intiem geworden. Ik denk dat ze me altijd doorzien heeft, altijd gevoeld heeft dat ik een hypocriet was, een winner die deed of hij een loser was. Ja, een slimme, ambitieuze lul die op een goede dag zo maar de hielen kon lichten en een hoop rotzooi achterlaten die de anderen konden opruimen. Misschien had ze mij al door voordat ik er zelf achter kwam wat voor iemand ik was.

Maar misschien was het een verrassing voor haar dat ik Spud toen geholpen heb. Nooit gedacht dat het iets zou worden tussen die twee, hoewel dat nu ook niet meer het geval is. 'Mark,' zegt ze en omhelst me kort maar vol warmte, zodat ik me een beetje raar voel.

'Hé, Ali, dit is Dianne. Dianne, dit is Simon.'

Dianne begroet Ali warm en Sick Boy gereserveerd, en ik bedenk dat mijn verhalen over hem hun uitwerking bij haar niet gemist hebben, hoewel ze op dat terrein meestal haar eigen oordeel vormt. Waarschijnlijk heeft Nikki in dezen een belangrijke rol gespeeld. Op bijna smekende toon vroeg hij: 'Ga mee iets drinken in de stad, Mark. Nikki is blijkbaar kwaad op me, ze beantwoordt mijn telefoontjes niet meer.' Ik dacht bij mezelf: eigen schuld, lul. Pas toen hij zei dat Ali mee zou gaan, stemde ik in.

'Gezellig, dit,' zegt Sick Boy, 'oude vrienden weer bij elkaar. Ik had eigenlijk François ook moeten uitnodigen,' grinnikt hij en werpt mij een zijdelingse blik toe. Ik reageer niet, maar ik realiseer me dat als Begbie nog steeds zo gek is (en uit wat ik gehoord heb, begrijp ik dat hij lijper is dan ooit), mijn ouwe kameraad Sick Boy, mijn zakenpartner, de cunt die ik alsnog schadeloos heb gesteld, een moordaanslag op mij beraamt. Het gaat veel verder dan verraad of wraak. En hij loopt te trippen als een gek, staat blijkbaar stijf van de coke. Ali neemt mij terzijde, maar ik hoor nauwelijks wat ze zegt omdat ik wil horen wat Sick Boy tegen

Dianne zegt: 'Nikki heeft veel met je op, wist je dat, Dianne?'

'Ik vind haar erg aardig,' zegt Dianne op geduldige toon, 'en Lauren ook.'

'Dat is, kort gezegd, een trut met een probleem,' gniffelt Sick Boy met schokkende schouders. Dan zegt hij: 'Zin in een toeter, Di? Neem dit zakje maar, dan kunnen jij en Ali even naar achteren, je neus poederen...'

'Nee, dank je,' zegt Dianne op kalme, gereserveerde toon. Ze mag Sick Boy niet. Dit is godverdomme fantastisch, ze mag die gast dus absoluut voor geen meter! En ik besef plotseling dat hij aan kracht aan het inboeten is. Zijn gezicht is vleziger geworden, de fonkeling in zijn ogen zwakker, de zelfbewuste bewegingen hoekiger en minder soepel... leeftijd?... cocaïne?

'Mij best,' zegt Sick Boy grijnzend en toont hun zijn handpalmen.

In het besef dat eventuele psychologische spelletjes die hij wil spelen met Dianne geen enkele kans van slagen hebben, kan ik nu mijn aandacht volledig op Ali richten. Maar het moet gezegd dat die lul het me wel moeilijk maakt, als ik hem dingen hoor zeggen als: 'Volgens mij kun je een sukkel als Robert Burns niet vergelijken met de grote Schotse dichters van tegenwoordig.'

Dianne schudt het hoofd, blijft cool, maar reageert wel. 'Wat een onzin. En wie zijn dan de grote dichters van tegenwoordig? Noem er eens eentje die beter is dan Burns.'

Sick Boy schudt driftig het hoofd en maakt een afwerend gebaar met zijn hand. 'Ik ben Italiaan, ik denk en voel op een vrouwelijke manier, emotioneel, in plaats van al die anale toespelingen waar de Noord-Europese mannen zo dol op zijn. Ik kan me geen namen herinneren, dat wil ik ook niet, maar ik heb ooit een bundel met moderne Schotse poëzie gelezen, en daarin bleef geen spaan heel van Burns.'

Het is duidelijk uit zijn stemverheffing en zijn zijdelingse blikken dat hij mij in het gesprek wil betrekken, en dus concentreer ik me op Ali, en volgens mij heeft ze dat door. 'Ik kan me niet herinneren dat je er ooit zo goed hebt uitgezien, Mark,' zegt ze.

'Dank je,' ik geef haar een kneepje in haar hand, 'en jij ziet er ook fantastisch uit. Hoe is het met de kleine?'

'Welke bedoel je? Met Andy gaat het prima. Met de andere heb ik zojuist gebroken,' zegt ze, en schudt mismoedig het hoofd.

'Hij is toch niet weer aan de drugs, hè?' vraag ik, en ik maak me oprecht zorgen om dat vooruitzicht. Hij leek oké toen we laatst samen iets dronken, nou ja, in de vernieling maar niet onder de skag. Arme

Spud. Een betere vent dan hij kom je niet meer tegen, een merkwaardig kwetsbare maar goedaardige man; helaas heeft hij zichzelf al zo lang zó verkloot dat het steeds moeilijker is geworden om de echte Spud te leren kennen, afgezien nog van de drugs. Aan zijn goede bedoelingen zal het nog steeds niet liggen, maar daarmee is de weg naar de hel voor hem geplaveid. Hij is een soort mens die door de nieuwe orde geheel achterhaald is, maar hij is nog steeds een mens. Sigaretten, alcohol, heroïne, cocaïne, speed, armoede en hersenspoeling door de media: de vernietigingswapens van het kapitalisme zijn veel subtieler en effectiever dan die van het nazisme, en hij is een weerloos slachtoffer.

'Ik weet het niet, en het kan me eigenlijk ook niks meer schelen,' zegt ze zonder al te veel overtuigingskracht.

Want dat is het probleem met die zieke puppy die hij is, je moet je wel om hem bekommeren, en dan verkloot hij alles weer en verkloot ook nog de relatie met jou. Hij heeft in z'n eentje waarschijnlijk meer ellende berokkend dan Begbie, Sick Boy, Second Prize en ik samen ooit zouden kunnen. En ook al ga ik al jaren niet meer met hem om, ik weet zeker dat ik gelijk heb en dat hij nooit zal veranderen. Maar Ali bekommert zich wel degelijk om hem, daarom knijpt ze nu bijna mijn hand fijn in haar beide handen, en daarom zijn er rimpels rond haar bruine ogen, maar haar ogen zijn nog vurig en ze is nog steeds mooi, reken maar. Ali is een geweldige vrouw en Spud zou zijn handen moeten dichtknijpen. 'Praat eens met hem, Mark. Jij was altijd zijn beste vriend. Hij heeft altijd tegen je opgezien... het was altijd Mark voor en Mark na...'

'Dat is alleen omdat ik ben weg geweest, Ali. Het kwam niet door wie ik was, ik was een soort ontsnappingsmogelijkheid voor hem. Ik weet hoe hij denkt.'

Ze doet niet eens een poging mij tegen te spreken, wat nogal verontrustend is, godverdomme. Nu voel ik me schuldig omdat ik hem in de steek laat in plaats van hem te steunen. 'Het is tegenwoordig veel erger, Mark. Ik geloof niet eens dat het door de drugs komt, dat is nog het ergste van alles. Hij is zo depressief, zijn zelfvertrouwen is helemaal verdwenen.'

'Als hij geen zelfvertrouwen heeft met een meid als jij aan zijn zijde, dan is hij niet goed wijs,' zeg ik, omdat ik de sfeer een beetje licht wil houden.

'Precies!' mengt Sick Boy zich in ons gesprek en zegt tegen haar: 'Ik ben blij dat het afgelopen is tussen jou en Murphy, Ali.'

Plotseling komt hij in beweging, springt overeind en rent naar de jukebox. Tot mijn verbijstering zet hij 'Alison' van Elvis Costello op, en kijkt haar vervolgens recht aan. Godverdomme, wat een gênante vertoning, en Dianne en ik weten bij god niet wat we moeten doen.

Hij gaat naar de bar en bestelt een rondje cognac, we kijken elkaar aan en denken er alledrie over om weg te lopen. Daarna gaat hij naar achteren en gebaart naar mij, ik sta op en ga aarzelend achter hem aan naar de toiletten, waar hij een cabine in beslag heeft genomen. 'Kalm een beetje, man,' zeg ik terwijl hij vier lijntjes uitlegt op de stortbak, 'denk aan Ali.'

Hij negeert mij en slaat een van de lijntjes achterover. 'Ik ben Italiaan, één en al fucking hartstocht. Als die andere klootzakken hier, die fucking Schotten, niet tegen die hartstocht opgewassen zijn, dan zijn er genoeg kroegen in Leith waar ze kunnen gaan zuipen. Zij en ik...' hij snuift nog een lijntje... 'wauw!... zij en ik zijn voor elkaar voorbestemd. Kom op, Renton, kom op, fucking Hollandse driekusman, haal je vingers uit die dijk en stop dit in die neus van je...'

Zonder na te denken, bijna gehypnotiseerd door zijn stem, snuif ik de lijntjes op, in elk neusgat één. Het zijn godverdomme net verfstrepen op de weg, en ik voel hoe mijn hart als een razende klopt in mijn borst. Dat was dus heel stom van mij.

'...want ze wordt namelijk wel genaaid vanavond. Zeker weten. Wat wil je wedden dat ik haar naai? Zeg het maar. Die pleeborstel heeft haar schromelijk verwaarloosd, nog een paar drankjes en het geil loopt langs haar benen... let goed op, Rents, kijk maar eens hoe een expert zoiets aanpakt... jij hebt haar nooit genaaid, hè... let goed op...'

Cocaïne verandert mannen in hun allerergste, achttien jaar oude karikaturen. Ik probeer mijn hoofd erbij te houden, probeer te voorkomen dat die troep mij ook zo verandert.

Hij loopt recht op de bar af en ik neem zwetend plaats aan tafel bij de meiden, terwijl hij komt aanzetten met een dienblad waarop nog meer cognac en glazen bier staan. Ik schrik godverdomme van de ontzetting op het gezicht van Dianne en Ali terwijl hij het blad neerzet. 'Ik wil niet al te sentimenteel worden,' zegt hij knipogend en op honingzoete toon tegen haar, 'maar Spud en jij, dat wordt dus niks meer, Ali. Jij en ik pasten altijd al veel beter bij elkaar,' zegt hij en deelt de glazen uit.

Ali is boos maar ze probeert haar toon licht te houden. 'O ja, zodat je mij ook kunt gaan uitbuiten?'

'Wanneer heb ik dat ooit met jou geprobeerd, Ali? Ik heb je altijd als een dame behandeld,' zegt Sick Boy grijnzend.

Dianne stoot mij aan. 'Heb jij cocaïne gebruikt?'

'Klein beetje maar, om te voorkomen dat hij vervelend zou worden,' fluister ik zwakjes tussen op elkaar geklemde kaken.

'Dat heeft dan wel geholpen,' zegt ze sarcastisch.

Ondertussen zit Sick Boy in te praten op Ali, zijn gezicht vertrokken in een grimas. 'Of niet soms? Of niet soms?'

'Alleen maar omdat je wist dat je wat mij betreft kon oprotten,' zegt Ali, en heft haar glas.

Met een verbeten grijns om zijn mond zegt hij: 'Volgens mij heb je mij nooit vergeven dat ik Lesley toen zwanger heb gemaakt.'

Ali en ik kunnen onze oren nauwelijks geloven. Jaren geleden is Dawn, de baby van Lesley, gestorven aan wiegendood, en dit is de eerste keer dat hij toegeeft de vader van dat kind te zijn.

Hij lijkt te beseffen dat hij iets gedenkwaardigs gezegd heeft, en er trekt razendsnel iets van twijfel over zijn gezicht dat onmiddellijk wordt vervangen door een wrede grijns. 'O ja, ik hoorde van Skreel dat ze met een of andere ambtenaar getrouwd is. Huisje, boompje, beestje en zo. Twee kinderen. Alsof ons dochtertje, onze kleine Dawn, nooit bestaan heeft, godverdomme,' zegt hij op verbitterde, smalende toon.

Ali snauwt hem toe: 'Wát zeg je daar? Dit is voor het eerst dat je toegeeft dat de baby überhaupt bestáán heeft! Je behandelde Lesley als een stuk stront!'

'Ze was ook stront... ze kon niet eens behoorlijk voor die kleine zorgen,' zegt Sick Boy hoofdschuddend.

Ali zit met open mond naar hem te luisteren, en ik probeer koortsachtig te bedenken wat ik moet zeggen.

Sick Boy kijkt haar aan met een blik alsof hij iets heel belangrijks mee te delen heeft. 'Weet je wat het is, Ali, ik wil niet lullig doen, maar eigenlijk ben jij godverdomme precies hetzelfde. Als jij bij Murphy blijft, komt die kleine van jou in een tehuis voor moeilijk opvoedbare kinderen terecht, reken daar maar op. Dat wil zeggen, als dat arme mormel niet allang onder het onged...'

'FUCK OP, MONGOOL!' schreeuwt Ali, en ze smijt haar cognac in zijn gezicht. Hij knippert met zijn ogen en wrijft zijn gezicht droog met de mouw van zijn shirt. Zo kijkt ze enkele ogenblikken op hem neer, balt haar vuisten en stormt de deur uit. Dianne staat ook op en gaat achter haar aan.

Het meisje dat de cognac heeft ingeschonken komt vanachter de bar met een doekje en helpt Sick Boy. 'Die komt wel terug,' zegt hij, en er klinkt iets droevigs door in zijn stem. Glimlachend voegt hij eraan toe: 'Ze werkt voor mij en ze heeft het geld hard nodig!'

Hij slaat zijn cognac in één teug achterover. Een bizarre angst overvalt mij en ik kijk voortdurend naar de deur, in afwachting van Franco die komt binnenzetten. De situatie is zo hopeloos dat zijn verschijning bijna onvermijdelijk lijkt. Ik ben niet bang voor mezelf, vanwege al die coke in mijn lijf, maar voor Dianne. Die fucking gluiperd van een Forrester en zijn kontlikkerij. Toen ik die lul alleen al zag in de Port Sunshine, sloeg ik helemaal op tilt. Ik durf te wedden dat hij onmiddellijk naar Begbie is gegaan om te melden dat ik weer terug ben. Dan bedenk ik dat als Sick Boy zijn macht aan het verliezen is, dat misschien ook wel geldt voor Franco. In gedachten zie ik mijn handpalm met grote kracht recht op Franco's neus afschieten zodat die verdwijnt in zijn hersenen.

Dianne komt terug, maar zonder Alison. 'Ze heeft een taxi genomen,' zegt ze, 'en ik wil ook graag weg.'

'Natuurlijk,' zeg ik, en neem een laatste slok cognac. Ze wekt niet zozeer een afkeurende of ongemakkelijke indruk, als wel een van verveling, en dat maakt nogal indruk op mij. Ik realiseer me dat ze niet bepaald zit te wachten op dit soort shit. Ik verontschuldig ons en we maken ons klaar om te vertrekken. Sick Boy maakt geen enkel bezwaar. 'Vraag je aan Nikki of ze mij wil bellen?' vraagt hij op dringende toon. Ik zie zijn opvallend witte tanden en hij lijkt op een karikatuur van zichzelf.

Buiten aangekomen lopen we naar Hunter Square en stappen daar in een wachtende taxi. Mijn hartslag gaat tekeer door die coke. Ik ben zo high als de sodemieter en we gaan nergens heen. Ik weet dat ik als een plank naast haar in bed zal liggen, of de hele nacht naar die kut-tv zal zitten kijken, totdat het spul uitgewerkt is.

Dianne zwijgt, en ik besef dat ik het voor het eerst verkloot heb bij haar. Ik ben niet van plan daar een gewoonte van te maken. Na een poosje wordt de stilte onaangenaam van karakter, en ik moet haar wel verbreken. 'Sorry, schat,' zeg ik.

'Die vriend van jou is dus een lul,' deelt ze mee.

Ik heb haar nog nooit dat woord horen gebruiken, en op de een of andere manier klinkt het niet, uit haar mond. Kut, ik word oud. Vroeger werd ik altijd onoverwinnelijk van dit spul, alsof er een ijzeren staaf dwars door mij heen liep. Die staaf is er wel, maar nu valt de toestand van het vlees eromheen des te meer op: oud, taai, rimpelig, wegschrompelend, en bovenal: sterfelijk.

De taxi scheurt langs de Meadows en voordat we in Tollcross aankomen, heb ik Begbie al minstens drie keer gezien.

63 '...als je het eens wat kalmer aan deed...'

Hier ben ik dan weer in de sauna waar ik niet meer naartoe zou gaan. En Bobby zit me ook weer lastig te vallen. Dat hebben ze allemaal, die kerels, oud of jong, knap of lelijk; het zijn meedogenloze fuckers, stuk voor stuk, en al helemaal als het op neuken aankomt. Hij houdt mij in dienst omdat hij me mag, zegt hij. En dat klopt; mijn massagetechniek is niet bepaald geweldig en ik kan nog steeds niet behoorlijk een vent afrukken, maar de meeste klanten zijn veel te wanhopig om iets te merken van mijn apathie en mijn gebrek aan technische vaardigheden. Maar nu vindt Bobby dat het tijd wordt om over te gaan van afrukken naar afzuigen.

'De klanten zijn dol op jou. En je verdient er een aardig centje mee, meid,' legt hij uit.

Het is niet het juiste ogenblik om te vertellen dat ik veel meer doe met mijn vriendjes en soms ook met vreemden voor een camera. Waarom dan die terughoudendheid bij een snelle pijppartij achter gesloten deuren in de 'Miss Argentina'? In de eerste plaats omdat ik niet wil dat het deel van mijn leven dat vrij is van commerciële seksuele transacties nog kleiner wordt. Alles op zijn plaats en zijn tijd, zoals mijn vader altijd zei. Er is nog zoveel meer te doen en te plannen dan de hele dag lang aan een pik zuigen.

In de tweede plaats zijn de meeste klanten helaas niet meer dan een stel geile reuen, en het idee alleen al dat ik hun geslachtsdelen in mijn mond moet stoppen is meer dan walgelijk.

Het pleit enorm voor Bobby dat hij blijkbaar beseft dat zijn eigen aanwezigheid in wat hij 'voorin' noemt, de sfeer nadelig beïnvloedt. Qua nadelige invloed noem ik het feit dat ik Mikey Forrester ken. Zijn gezicht neemt acuut een vijandige uitdrukking aan en hij zegt: 'Dat is een smeerlap, een crimineel, een junkie. Wat hij runt is een neukhol, een beerput, en geen sauna. Door zijn kwalijke reputatie worden wij allemaal besmeurd.'

'Ik heb zijn massagesalon nog nooit gezien.'

'Massagesalon me reet! Die gast heeft wel lef, zeg, ze doen daar niet eens een poging tot massage. Die meiden daar weten niet wat een massage is! Er wordt openlijk in drugs gehandeld, cocaïne. Als ik mijn zin kreeg zou dat soort tuig onmiddellijk de tent moeten sluiten. Allemaal de bak in!' Plotseling praat hij zachter en slaat hij een samenzweerderige toon aan: 'Jij moet je niet inlaten met dat soort volk, zo'n leuke meid als jij. Dat is vragen om moeilijkheden. Want één ding is zeker met dat schorem: vroeg of laat daal je af tot op hun niveau. Daar kun je vergif op innemen.'

Ik denk bij mezelf: dat hebben ze al, en glimlach beleefd naar hem. Niemand lijkt de heer Forrester aardig te vinden, en hij zal het er wel naar gemaakt hebben. Als ik weer thuis ben, vertel ik erover aan Mark die met Dianne in de keuken pasta staat te koken. Hij werpt het hoofd lachend in de nek. 'Mikey...'

'Is dat die pooier?' vraagt Dianne.

'Hij runt een sauna,' zeg ik. 'Niet die waar ik werk,' voeg ik er haastig aan toe.

'Zou ik een keer met hem kunnen praten? Voor mijn proefschrift?' vraagt ze.

Mark slaagt er niet in zijn afkeuring onder stoelen of banken te steken bij het idee alleen al. 'Ik ken hem niet echt,' zeg ik. Aan Mark vraag ik: 'Ik herinner me dat jij en hij mot hadden in de pub, klopt dat?'

'Mikey en ik zullen elkaar nooit een kerstkaart sturen,' zegt Mark grijnzend en hij buigt zich voorover, doet fijngehakte ui, knoflook en paprika in een koekenpan en roert fanatiek in het sissende mengsel. Hij draait zich om naar Dianne en mij en alsof hij onze gedachten kan lezen, zegt hij lachend: 'Als je je tenminste kunt voorstellen dat wij überhaupt kerstkaarten sturen.'

Ik denk niet dat Mikey of een van mijn andere nieuwe vrienden ooit een kerstkaart van Bobby zullen krijgen. Ikzelf waarschijnlijk wel. Nu Simon *persona non grata* is, breng ik meer tijd dan voorheen door in de sauna en draai ik zoveel mogelijk diensten en probeer op die manier zoveel mogelijk geld te verdienen. Simon wil ik niet om geld vragen omdat hij sinds het filmdebacle door iedereen volledig genegeerd wordt, of zoals Oscar Wilde het zou zeggen: hij moet deze karbonade alleen opeten. Uit solidariteit met mijn sekscollega's heb ik zijn telefoontjes niet beantwoord: hij laat vreemde, verontrustende boodschappen achter die erop wijzen dat hij het spoor bijster raakt. Uiteraard wordt de afstand van Mark en mij tot hem versterkt door het onuitgesproken pact tussen ons. Uiteindelijk zijn wij partners in het project.

De relatie tussen Mark en Simon is uiterst merkwaardig, ze zijn vrienden maar lijken elkaar openlijk te minachten. Terwijl ik, Dianne, Lauren en Mark van de lasagne eten, kan ik het niet laten om te zitten razen over zijn gierigheid en zijn onbetrouwbaarheid. Mark stelt tegenover mijn woede: 'Het is altijd beter om het iemand betaald te zetten dan om kwaad te worden.'

Hij heeft gelijk, maar ik moet toegeven dat ondanks mijn grote mond mijn vijandige gevoelens tegenover Simon gevaarlijk aan het afnemen zijn. Ik mis de intrige. Daarentegen laat Lauren haar haat voor hem de vrije loop. 'Hij manipuleert mensen, Nikki, ik ben blij dat je met hem gebroken hebt. Hij is gestoord, moet je horen wat voor rare berichten hij achterlaat op je voicemail. Je belt hem niet, hoor.' Ze begint vreselijk hard en blaffend te hoesten. Lauren ziet er belabberd uit, en klinkt ook zo.

Zelfs Dianne, die nooit iemand bekritiseert of zich in andermans zaken mengt, moet toegeven dat dat helemaal geen slecht idee is. Aan Lauren vraagt ze: 'Heb je kou gevat?'

'Nee, gewoon een hoestbui,' zegt Lauren, en tegen mij zegt ze: 'Jij bent gewoon te goed voor ze, Nikki.'

Even later besluit Lauren een antigrieppil te nemen en vroeg onder de wol te gaan. Mark en Dianne vertrekken ook, ik weet niet waarheen, waarschijnlijk naar Marks flat om te neuken. De avond valt en ik besluit lekker te gaan lezen in plaats van mij in de studie te storten. Ik ben intens opgelucht dat de examens achter de rug zijn. Terwijl ik geniet van *Kapitein Corelli's mandoline* en Zappa aai die opgekruld op mijn schoot ligt, probeer ik niet aan Simon te denken bij het herlezen van de passage waarin Corelli voor het eerst zijn opwachting maakt. Het is stom, het personage lijkt helemaal niet op hem... het is gewoon... het is al een week geleden.

Er wordt op de deur geklopt, ik schrik en Zappa springt angstig van mijn schoot af. Ik ben gespannen en tegelijkertijd opgetogen omdat ik weet dat hij het is. Dat moet wel. Ik loop door de hal naar de voordeur en speel maffe spelletjes met mezelf: 'als hij het is, zijn we voor elkaar bestemd', in de hoop dat hij het wel is en niet is.

Hij is het. Zijn ogen gaan wijdopen als ik de deur opendoe, maar zijn lippen blijven strak. 'Nikki, het spijt me. Ik ben een beetje egoïstisch geweest. Mag ik binnenkomen?'

Het besef dringt zich bij me op dat ik dit in mijn seksueel actieve leven van ongeveer tien jaar al wel een miljoen keer heb meegemaakt. 'Waarom?' vraag ik gereserveerd. 'Je wilt zeker alleen praten?'

Zijn antwoord verrast mij. 'Nee, ik wil niet praten,' zegt hij hoofdschuddend. Het valt me op hij er goed uitziet; slank postuur, zonnebankbruin, ietwat verfomfaaid uiterlijk dat acceptabel is bij de rijpe man, mits gesoigneerd. 'Ik heb wel genoeg gepraat,' zegt hij en heeft die gekrenkte en gekwetste uitstraling waarvan je weet dat het een manipulatieve truc is, maar... 'en het was allemaal bullshit,' stelt hij onomwonden. 'Ik wil luisteren. Ik wil *jou* horen praten. Dat wil zeggen als je het de moeite waard vindt om tegen mij te praten, en eerlijk gezegd kan ik je geen ongelijk geven als je dat niet zou willen.'

Ik kijk hem zwijgend aan.

'Oké,' zegt hij met opgeheven handen en een bedroefde glimlach. 'Ik wilde alleen zeggen dat het me spijt van alle rotzooi die ik veroorzaakt heb. Maar destijds was ik ervan overtuigd dat het goed was,' zegt hij theatraal, draait zich om en loopt naar de trap.

De paniek grijpt me bij de keel en ik heb geen controle over mijn woorden. Mijn hoofd tolt, mijn verwachtingspatroon staat op zijn kop. 'Simon... wacht... kom even binnen.' Ik doe de deur helemaal open, hij haalt zijn schouders op, draait om en komt in de deuropening staan maar maakt geen aanstalten binnen te komen.

In plaats daarvan steekt hij zijn hand op als een schooljongen die de aandacht van de onderwijzer vraagt. Het werkt, het is niet te geloven, maar ik krijg de onbedwingbare neiging om die fucking klootzak in mijn armen te nemen en te zeggen 'toe maar, kom maar, lieverdje, kom maar mee naar bed, dan ga ik je lekker neuken'. 'Nikki, ik probeer de zaken op een rijtje te zetten,' zegt hij met een droevige blik in zijn fonkelende ogen. 'Ik ben jou niet waard als ik dat niet doe. Ik dacht dat ik een aardig eind op weg was om met mezelf in het reine te komen, maar aan de blik in je ogen zie ik dat ik nog een hele weg te gaan heb.'

'Simon...' Ik hoor mezelf blaten, en het geluid lijkt van een ander te komen, 'als je het eens wat kalmer aan deed. Met de cocaïne of zo... Dat heeft zo'n negatief effect op je.'

Ik denk na over wat ik zojuist gezegd heb en tot mijn ontzetting besef ik dat ik hem nog nooit heb meegemaakt zonder dat hij onder de coke zat.

En deze keer is duidelijk geen uitzondering. 'Helemaal correct,' zegt hij vastberaden. Zijn ogen worden weer groot en sentimenteel, en hij zegt: 'Nikki, ik ben aan het verdrinken. Door jou wil ik een beter iemand worden, en met jouw liefde weet ik dat ik een beter iemand *kan* worden,' zegt hij zacht, en ik zie de zweetdruppels op zijn voorhoofd staan.

Dan volgt dat heerlijke en tegelijk afschuwelijke ogenblik waarin je beseft dat iemand je staat te besodemieteren, maar met zoveel flair en overtuigingskracht... nee, het is omdat hij precies zegt wat je op dat moment wilt horen. Hij staat met één arm uitgestrekt tegen de deurpost geleund. Hij is niet zoals Colin, niet zoals de rest. Hij is niet zoals de rest omdat hij fucking onweerstaanbaar is. 'Kom maar binnen,' fluister ik.

64 Gewoon een beetje stoeien

De kater begint op te spelen en ik wandel het centrum in om wat frisse lucht in mijn kop te krijgen. Langs St. Andrew's waar een nieuw busstation wordt gebouwd. Het oude was een puinhoop, en het is jaren geleden dat ik er voor het laatst was. Dat was trouwens toen ik, Rents, Sick Boy, Franco en Second Prize naar Londen gingen, met al die smack bij ons. Een en al paranoia, man, een en al paranoia. Als we gepakt waren, hadden we jaren achter de tralies gezeten, zeker weten!

Geen zon, man: iedereen op straat heeft zich dik ingepakt tegen de grijze motregen en de koude wind, overal komen ze vandaan met hun boodschappentassen. Ja, iedereen is hier weer behoorlijk koopziek vandaag, man.

Ik loop door de straten om na te denken, man, om na te denken over die *catboy* uit Dostojevski die zogenaamd de volmaakte misdaad had gepleegd. Die chagrijnige oude woekeraarster waar iedereen de pest aan had, net als aan die smerige kinderlokker Chizzie. Wat een gelul in de krant, zeg, twee jonge jongens, beweert Charlie van Nicol's Bar. Ik durf te wedden dat Begbie z'n tanden in z'n nek gezet heeft, zeg maar. Nee, niemand zal treuren om Chizzie, om zo'n beest, evenmin als om een junkie. Want daar ging die gast van Raskolnikov de fout in. Hij bleef in de buurt, bleef in z'n nest liggen en ging kapot onder de psychische druk omdat hij iemand vermoord had. Maar ik blijf niet in de buurt en ben niet van plan eraan kapot te gaan, ik word niet beter van deze moord, alleen de meest dierbaren.

Ik loop in Rose Street en zie hem; hij doet nogal opgewonden, hij praat met brede armgebaren, hij werpt zijn hoofd naar achteren en buldert van het lachen. Nu heeft hij een hand in de zij en de andere op de schouder van het meisje naast hem.

Ik heb geprobeerd hem te bellen op zijn mobiel, om een pilsje te drinken en te zeggen dat ik Zappa terug wil, want ik mis dat maffe beest. De vriendin van Rents en die meid waar Sick Boy mee omgaat hebben hem. Ja, het is een hecht viertal, en dat soort gelul. Trouwens, ik zie Rents en die meid nog niet de bloemetjes buiten zetten hier, maar je weet maar nooit. Rents wel misschien, maar die meid lijkt me daar een beetje stijf voor. Het is een kwestie van misschien wel en misschien niet. Rents kent dit schatje nog van vroeger, dat weet ik wel zeker. Ze lopen arm in arm. Rents lijkt zich geen zorgen te maken of ook maar iets te geloven over het gevaar betreffende de Beggar. Hij heeft waarschijnlijk niet eens de geruchten gehoord over wat er met Chizzie gebeurd is.

'Spud! Hé, man,' roept hij en omhelst me. 'Dit is Dianne.'

Ze kijkt me aan alsof ze me wil doorgronden, doet dan een stap naar voren en kust me op de wang. Ik kus haar terug.

'Alles goed, mop? Hoe gaat ie?' vraag ik haar.

'Wel goed. En jij?' vraagt ze joviaal, en ja, het is inderdaad moppie, man. Niet het soort meid dat je associeert met Rents. Hij had altijd meer belangstelling voor moeilijke meiden: gothic of new-agewijven met littekens op hun polsen die aan één stuk door lulden over 'healen' en 'innerlijke groei'. Hij heeft zich altijd aangetrokken gevoeld tot duistere personen.

'Nou, man, nog steeds ondergedompeld in de maalstroom van Leith?' klets ik verder.

Rents is zeg maar veranderd, man. Vroeger zou hij er uitgebreid op ingegaan zijn, maar nu kan er niet meer dan een minzaam glimlachje af voor deze halve zool. 'Ga je nog wel eens naar het voetbal?' vraagt hij.

'Ik heb de seizoenkaart van het vriendje van mijn zus. Die Sauzee is fantastisch,' leg ik uit.

Renton kijkt even peinzend voor zich uit. 'Tja, ik weet niet of ik het zo leuk zou vinden om voor een club te zijn die alles wint. Mij te schaapachtig, onhip,' zegt hij op een manier waaruit niet blijkt of hij het serieus meent of mij loopt te kloten. 'Ja, daarom ben ik voor Hearts,' zegt die kleine Dianne lachend en werpt hem een vrolijke blik toe. Dat is een leuke poes, haar gezicht verandert helemaal als ze glimlacht.

'Dat is allemaal voorbij, schatje, die duistere tijden hebben we gehad. Stel je voor dat je met de doodgeschoten albatros van Hearts om je nek door het leven moet,' zegt Rents lachend, en ze knuffelen elkaar open en bloot op straat.

'Hoelang blijf je hier?' vraag ik.

'De bedoeling was een paar weken, maar ik denk erover om wat langer te blijven. Biertje?'

We stappen een kroeg voor toeristen en weekenddrinkers binnen voor een paar pilsjes. Terwijl Dianne bij de jukebox staat, fluistert Rents: 'Ik was al een poosje van plan je te bellen om wat te gaan drinken, maar ja, ik wil liever niet te veel in het openbaar verschijnen zolang er bepaalde elementen rondschuimen,' zegt hij met een grimas op zijn gezicht.

'Kijk maar uit, man, je weet wat ik bedoel,' fluister ik.

De Rent Boy glimlacht alsof het hem allemaal geen ene moer uitmaakt. Misschien is dat ook wel zo. Maar volgens mij heeft hij niet door hoe volslagen mataglap Franco is. We verlaten de kroeg en gaan onze eigen weg, zij waarschijnlijk naar een geheime plaats en ik in de richting van de haven naar mijn kameraad Begbie. Want voor mij begint alles nu zo'n beetje in elkaar te vallen: het busstation, het project, Dostojevski, Renton en Begbie. Het is grappig, man, maar Renton heeft precies wat ik wil. Hij heeft Begbie precies gekregen waar ik hem wil hebben.

En dus wandel ik de heuvel af richting Leith en bedenk dat als je uit Leith komt, je eigenlijk uit twee steden komt, Leith en Edinburgh, in plaats van één. De oude haven strekt zich voor mij uit, donker en vochtig, de natriumstraatverlichting gaat aan en verandert al het bruin, grijs en donkerblauw in fel wit, geel en oranje. Ik besef dat wij hier niet veel zuidelijker liggen dan St. Petersburg, en misschien voelde die mafkees van een Raskolnikov zich toen ook wel zo.

De Walk af, langs alle pubs die zo uitnodigend zijn als er iemand naar buiten komt, praten, lachen en luide muziek, rook en zo nu en dan geschreeuw. Langs de frietzaken met op de stoep zuiplappen, echtparen en groepjes jongelui. Langs de bushaltes met zenuwachtige oude vrouwtjes die misschien wachten op de bus naar hun achterstandswijk na een avondje bingo, en ook de oude zuiplappen, stuk voor stuk gasten die al zo'n jaar of twintig niet meer in Leith wonen maar zich er nog steeds door aangetrokken voelen, want het bloed van Leith stroomt nog steeds door hun aderen.

Ik loop Lorne Street in, naar de trap waar Begbie woont, en klop op de deur. Ik hoor iets achter de deur, alsof er iemand op het punt staat te vertrekken. De deur gaat open en die lange Lexo-catboy komt naar buiten.

'En denk er goed om wat ik gezegd heb,' roept Begbie hem na, zijn gezicht staat strak en die lange Lexo knikt alleen maar, loopt langs mij heen en duwt me bijna om.

Begbie kijkt hem na terwijl hij de trap afloopt, kijkt mij kort aan, gaat naar binnen en wenkt me dat ik mee kan komen. Ik volg hem en trek de deur achter mij dicht.

'Die cunt moet héél voorzichtig zijn. Ik maak hem godverdomme koud, die lange lul, dat garandeer ik je, Spud,' zegt hij en loopt de keuken in. Hij doet de koelkast open, haalt er twee blikjes pils uit en geeft mij er een.

'Proost, catboy,' zeg ik, om mij heen kijkend. 'Gave tent hier.'

Volgens mij ruik ik een kleine; er hangt iets van pis en poeder in de lucht. Dan komt er een jonge meid, tamelijk knap maar met een zorgelijke uitdrukking op haar gezicht, de keuken in. Ze knikt naar mij, maar Begbie stelt ons niet aan elkaar voor. Hij wacht tot ze een strijkijzer uit de kast gehaald heeft en de keuken verlaten heeft. 'Die fucking Lexo probeert mij af te schepen met een fooi. Ik heb die cunt eens goed de waarheid verteld, ik zeg: ik en jij waren toch compagnons, maar ik heb godverdomme wat anders gehoord...' Franco legt een paar lijntjes coke uit. 'Op een gegeven moment kwam hij me niet meer opzoeken in de bajes, en hij heeft nooit met een woord gerept over dat fucking Thaicafé, of dat we geen fucking compagnons meer waren. En ineens begint hij godverdomme te zeiken over al die schulden die hij moest afbetalen om dat fucking café te starten, maar ik zeg die cunt recht in z'n smoel, dat het hier helemaal niet over fucking geld gaat, het gaat hier over fucking kameraden. Het gaat godverdomme om het fucking principe.'

Op het aanrecht zie ik een groot broodmes leggen op een snijplank. Dat zou perfect zijn, man, maar niet hier... niet waar die meid en die kleine bij zijn. Ik neem een lijntje.

'Mijn coke is godverdomme op,' zegt hij en haalt zijn mobiel te voorschijn, 'maar ik bestel nog wel wat.'

'Nee, ik heb nog wel wat thuis. Ga mee, dan halen we het op en drinken daarna een pilsje.'

'Oké, lul,' zegt Franco en hij trekt zijn jack aan. Tegen zijn meid roept hij: 'Ik ga even weg, oké,' en ik loop achter hem aan naar buiten.

Hij lult maar door over Lexo. 'Die cunt moet godverdomme héél voorzichtig zijn, of ik maak hem godverdomme hartstikke dood, die lange lul.'

Ik ril vanbinnen, niet van angst, misschien komt het door de coke, en ik zeg: 'Ja, daar ben jij wel toe in staat, Franco. Je hebt die gast van Donnelly ook koud gemaakt.'

Franco blijft stokstijf midden op straat staan en werpt mij een ijskoude blik toe, man. Dat was zijn veroordeling voor doodslag. Het was een kwestie van hem of Donnelly, iedereen was het daarover eens, en Franco was zwaargewond geraakt, die gast had hem twee keer gestoken met een geslepen scherpe schroevendraaier. 'Waar heb je het godverdomme over?'

'Niks, Frank, kom op, we halen die coke op en dan trakteer ik je op een biertje.'

Begbie kijkt me een ogenblik lang aan en komt dan in beweging; we gaan naar mijn huis. We lopen de trap op en ik ga uitgebreid al mijn zakken langs, zogenaamd op zoek naar coke. Ik loop de keuken in en leg wat messen klaar. Ik hoop dat het allemaal vlug zal gaan. 'Hé Franco, kom eens hier,' roep ik.

Franco komt de keuken in. 'Waar blijft die coke, godverdomme, stomme lul die je bent.'

'Ja, jij hebt die Connelly koud gemaakt, hè?' zeg ik.

'Je weet niet half wat er gebeurd is, Spud,' zegt hij gemeen lachend, en klikt zijn mobiel aan. 'Ik regel wel even wat spul, stomme fucker die je bent.' Hij drukt cijfers in.

'Chizzie, het beest,' zeg ik. Franco klikt zijn telefoon dicht. 'Wat moet jij van me, godverdomme?' Begbie schrikt en kijkt me aan, en zijn blik zou de hel volledig kunnen doen bevriezen, man. Als je in die ogen kijkt, is het of je geen vel meer hebt man, geen kleren meer aan je lijf, er blijft niks meer van je over dan een bloederige homp rauw vlees die als een pudding in elkaar zakt en zich over de grond verspreidt.

Misschien komt het door de coke en de zenuwen, maar ik vertel de Begbie-catboy het hele verhaal, mijn plan, en dat hij mij eigenlijk een enorme dienst bewezen heeft. Maar hij wordt pislink, man, dus ik besluit over te gaan op plan B. Ik knik in de richting van de messen die ik heb klaargelegd op tafel en zeg: 'Hé, Franco, man, ik ben vergeten je dit te geven...'

'Wat...'

En ik stoot met mijn kop in zijn gezicht, man, maar ik raak zijn mond in plaats van zijn fok. Gedurende één tel voel ik me totaal opgefokt en begrijp ik bijna iets van Begbies geweldskick. Daar sta ik dan, in vechthouding, hem aan te staren. Tot mijn grote schok valt hij me niet eens aan. Hij voelt aan zijn lip en ziet het bloed aan zijn vinger. Dan blijft hij een poosje naar me staan kijken.

'GODVERDOMME, ZIEKE LUL DIE JE BENT!' brult Begbie, hij schiet naar voren en ramt zijn kop in mijn gezicht. Ik struikel achterover terwijl een scherf van withete pijn als een elektrische schok met kracht tot boven in mijn hersens schiet. Hij slaat me weer en ik lig op de grond zonder dat ik me herinner dat ik gevallen ben. Ik heb tranen in mijn ogen, hij stampt zijn zware schoen in mij, ik krijg geen adem meer en begin te kotsen, mijn lijf trilt en ik heb bloed in mijn mond en mijn keel. Dit was niet de bedoeling... het moest snel gebeuren...

'...doe het snel...' kreun ik.

'Ik maak je godverdomme niet koud! Jij gaat niet dood! ALS JIJ ECHT WILT DAT IK JE KOUD MAAK, DAN BEN JE FUCKING DOOD... JIJ FUCKING...'

Begbie houdt zich even in terwijl ik met moeite opkijk en hem duidelijk in beeld probeer te krijgen, en het lijkt of hij op het punt staat in lachen uit te barsten, maar trekt zijn gezicht tot een grimas en stompt keihard tegen de muur. 'STOMME LUL! WIJ GEVEN NOOIT OP! WIJ ZIJN FUCKING HIBERNIAN! WIJ ZIJN FUCKING LEITH! DAT SOORT FUCKING SHIT DOEN WIJ NIET!' schreeuwt hij bijna smekend, en vervolgt dan op zachtere toon: 'Elkaar in de steek laten... Spud...' Maar dan komt er weer een krankzinnige trek op zijn gezicht. 'Ik heb je door! IK HEB JE GODVERDOMME DOOR! JE WILT ME GEBRUIKEN, GORE KANKERLUL!'

Ik probeer overeind te komen op mijn elleboog en tot bezinning te komen. 'Ik... ik wil dood... ik heb wel geld gekregen van Renton, en jij niet... hij heeft jou belazerd. Ik heb alles uitgegeven. Aan de junk.'

Ik zie hem niet, ik zie alleen de tl-lamp aan het plafond, maar ik voel zijn blik. 'Jij... ik weet wat je in je schild voert...'

'Ik heb de hele fucking zooi uitgegeven, man,' zeg ik, glimlachend ondanks de pijn, 'sorry, catboy...'

Franco haalt snuivend adem alsof ik hem een trap in zijn maag heb gegeven, en ik wil nog meer zeggen, maar krijg een keiharde klap tegen de zijkant van mijn hoofd en ik hoor een weerzinwekkend gekraak, alsof mijn kaak gebroken is. De pijn is misselijkmakend maar heeft tegelijk een verdovend effect. Ik hoor zijn stem, die alweer vreemd smekend klinkt, man. 'Je hebt Alison en de kinderen! Wat moet er van hen komen als jij doodgaat, egoïstische klootzak?'

Hij geeft me weer een serie trappen, maar ik voel niks en ik overdenk alles nog eens... Alison, die kleine Alison... en ik herinner me die zomer, wij samen bij the Shore, het Water of Leith, zij in die zomerse positiejurk en ik die over haar dikke buik wrijf en de kleine zachtjes voel schoppen. En ik zeg tegen haar, terwijl we allebei vreugdetranen in onze ogen hebben, dat die kleine alles zal doen wat ik nooit gedaan heb. En dan sta ik in het ziekenhuis met hem voor het eerst in mijn armen. Haar glimlach, zijn eerste pasjes, zijn eerste woordje: 'papa'... Ik hef mijn hand op en zeg, naar adem snakkend maar diep gemeend: 'Je hebt gelijk, Franco... je hebt gelijk. Bedankt, maatje... bedankt dat je me van gedachten hebt doen veranderen. Ik wil leven...'

Ik kan Franco's gezicht niet zien, ik zie alleen maar duisternis, althans met mijn ogen zie ik niks, met mijn geest wel. En het is kil en kwaadaardig wat ik zie, en ik hoor hem praten: 'Dat is nu te laat, lul, dat had je godverdomme moeten bedenken voordat je een grote bek opzette en mij probeerde te gebruiken, godverdomme...'

En hij geeft me weer een rotschop...

En ik probeer te kreunen, man, maar het lijkt wel of ik er niet meer bij ben, ik reageer niet meer en zak langzaam weg... het is donker... ineens voel ik iets kouds en iemand die me bij bewustzijn probeert te krijgen door me in mijn gezicht te slaan, en ik denk dat ik in het ziekenhuis ben maar ik zie Franco's gezicht. 'Wakker worden, het zonnetje schijnt, kleine kutlul, we willen niet dat je alle lol mist natuurlijk! Want je gaat wel dood, hoor, lul, maar heel fucking langzaam...'

En hij ramt weer een vuist vol in mijn gezicht en het enige wat ik zie is Alison en de kleine die naar me glimlachen, en ik bedenk hoe ik ze zal missen, en dan hoor ik Ali: 'DANNY! WAT IS HIER AAN DE HAND... WAT HEB JE MET HEM GEDAAN, FRANK?!'

Ze is thuis en ze heeft de kleine bij zich... en Begbie schreeuwt terug tegen haar: 'DIE LUL IS ZIEK, GODVERDOMME! BEN IK DAN GODVERDOMME DE ENIGE NORMALE HIER? HIJ MOET EEN PAK SLAAG HEBBEN!'

Dan is hij verdwenen en Ali zit te janken, ze zit op haar knieën naast mij en legt mijn hoofd in haar schoot. 'Wat is er aan de hand, Danny? Ging het om drugs?'

Ik spuug bloed. 'Het was een misverstand... meer niet...' Ik kijk naar de kleine, hij huilt ook, en hij is bang. 'Oom Frank en ik waren aan het stoeien, jochie... gewoon een beetje aan het stoeien...'

Ik probeer mijn hoofd overeind te houden, probeer dapper te zijn voor hen, maar de pijn giert door mijn hele lijf en alles begint langzaam te draaien en ik voel hoe ik wegzak en het bewustzijn verlies, en in een donkere, peilloze diepte stort...

65 Project nr. 18.750

Ik zit wat te drinken met mijn oude kameraad en nieuwe zakenpartner in het City Café, en vertel hem het goede nieuws. Renton, die ietsje dikker lijkt te worden, staart naar de brief die ik hem zojuist gegeven heb, en dan met onverholen eerbied naar mij. 'Hoe de fuck heb je dat nou weer voor elkaar gekregen, Simon?'

'Komt allemaal door de preview die ik gemaakt heb en hun heb toegezonden,' leg ik uit. Aan zijn blik zie ik dat het volgens hem komt door de connecties van die cunt van een Miz. Ik laat hem gewoon in die waan. Renton haalt zijn schouders op en er plooit zich een bewonderende grijns om zijn mond. 'Nou, we hebben het tot nu toe op jouw manier gedaan en ik moet toegeven dat het niet slecht loopt,' zegt hij, terwijl hij de brief nog een keer bestudeert. 'Volledige vertoning op het Festival voor de Pornofilm in Cannes. Hoe je het ook bekijkt, dat is niet niks.'

Normaal gesproken is vleierij een balsem voor de ziel, maar als het uit de mond van Renton komt, moet je je voorbereiden op de cynische trap na. Wij bespreken het opzetten van de website voor onze film, www.sevenrides.com, en wat er volgens ons op moet staan. Maar mijn voornaamste doel is ervoor te zorgen dat we iets te verkopen hebben. Dat betekent dat er ergens in een pakhuis in Amsterdam een figuur videobanden in doosjes moet zitten stoppen. En ik ken maar één iemand die altijd beweert dat hij zoveel te doen heeft in Amsterdam.

Dus we gaan op pad, maar het is verre van aangenaam werk, dat sloven in een pakhuis. De sfeer is er afschuwelijk, claustrofobisch. Zodra ik terug ben in Edinburgh moet ik nodig weer eens naar Porty Baths, en dus tel ik tot tien en besluit de belachelijk hoge taxikosten daarheen maar voor lief te nemen. Renton rijdt mee tot aan het centrum en lapt met tegenzin een briefje van tien.

Ik zit in het bubbelbad in Portobello, geniet van het warme water en de stimulerende stralen, en realiseer me dat dit een van de dingen is die ik de afgelopen tien jaar in Londen zo gemist heb. Ja, de bubbelbaden van Porty. Het is onmogelijk om aan de buitenstaander de luxueuze, bijna tranceachtige stemming uit te leggen waarin je terechtkomt, die niet te vergelijken is met welke sauna of welk stoombad ook. Zo heerlijk ouderwets, dat grote, Jules Vernes-achtige ijzeren vat met zijn metertjes, buizen en ventielen. De oude wijven die hier overdag komen, genieten er ook naar hartelust van.

Ik bedenk dat dit de juiste gemoedstoestand is om het goede nieuws bekend te maken, dus ik stap met tegenzin uit het water, sla een handdoek om mij heen, loop naar mijn kluisje en haal de mobiel te voorschijn. Het signaal is hierbinnen opmerkelijk sterk. Ik bel iedereen die ik kan verzinnen en vertel het nieuws over de uitverkiezing voor Cannes. Nikki gilt van verrukking, Birrell mompelt iets van 'Mooi zo', alsof ik hem net verteld heb dat een gevangenisstraf van tien jaar waartoe hij zojuist veroordeeld is, met een paar maanden is bekort. Terry reageert op een hem typerende manier: 'Te gek, al die Franse meiden en die sjieke wijven die nodig een beurt moeten hebben!'

Ik begeef me in de richting van Leith en de pub. Ik wil net naar boven sluipen om het antwoordapparaat van Bananazzurri af te luisteren, als Morag mij in de bocht van de trap klem zet, en ik kijk vol schrik in die half gekke, starende ogen onder een pas gepermanent hoofd. 'Mo. Je bent naar de kapper geweest. Staat je goed,' zeg ik glimlachend.

Mo is niet blij en lijkt momenteel volstrekt ongevoelig voor mijn charmes. 'Daar gaat het nou niet om, Simon, om mijn haar. Er is hier een man geweest van de *Evening News*. Die wilde van alles weten over jou, en of ik iets wist over films die hierboven gemaakt zouden zijn.'

'En wat heb je gezegd?'

'Ik heb tegen hem gezegd dat ik nergens van wist,' zegt ze hoofdschuddend.

Morag verlinkt mij niet, dat weet ik zeker.

'Dank je, Mo. Dat is huisvredebreuk, godverdomme. Als die gluiperd weer een keer komt, waarschuw me dan. Ik laat hem overhoop schieten en zijn huis in brand steken,' zeg ik en ze reageert geschokt.

Ik wil doorlopen naar boven, maar die oude teef zegt klagend: 'Ik heb hulp nodig beneden, Simon. Ali moest naar het ziekenhuis omdat haar man gewond is geraakt.'

'Wie, Spud?'

'Ja.'

'Wat is er gebeurd?'

'Dat wisten ze niet, maar zo te horen is hij er niet best aan toe.'

'Oké, vijf minuutjes...' zeg ik, en voel me vreemd genoeg nogal ongerust over Murphy. Ik bedoel, het is niet zo dat we nog steeds boezemvrienden zijn, maar ik wens die vlooienbaal ook geen greintje kwaad toe. Ik loop achteruit de trap op en zwaai naar dat geschrokken gezicht onder mij. 'Even de e-mail checken...'

'En Paula heeft gebeld vanuit Spanje, ze vroeg zich af hoe het hier gaat. Dus ik zeg goed, maar ze is een goeie vriendin van me, dus ik kan je niet uit de wind blijven houden, Simon. Ik ga niet liegen tegen Paula.'

Ik blijf stilstaan. 'Wat bedoel je?'

'Nou, die meneer Cresswell van de brouwerij, die aardige man, zegt dat hij nog geen geld heeft gezien voor de levering van vorige week. Ik heb gezegd dat jij contact met hem zou opnemen en de zaak zou regelen.'

Ik denk eerst even na voordat ik tegen Mo zeg: 'Cresswell is een tobber, een bedrijfsman. Hij begrijpt niet dat in de zakenwereld de kost voor de baat uit gaat, dat geld moet rollen. Nee, die zit daar maar een beetje in zijn sjieke kantoor, in Fountainbridge te doen alsof hij begrijpt hoe het in de echte zakenwereld toegaat. Eén dagje in de kolenmijn en hij is er geweest. Ik praat wel met hem,' schreeuw ik tegen haar, draai me om en ga naar het kantoor waar ik snel een verkwikkend lijntje snuif voordat ik aan mijn bardienst begin.

Ik heb voor vanavond een bijeenkomst uitgeschreven, hier in de pub, Joost mag weten waarom, om iedereen op de hoogte te brengen. Het komt waarschijnlijk door de coke die als een razende door mijn systeem jaagt, en ik praat veel liever hier wat mensen de oren van het lijf dan dat ik alcohol schenk voor jonge en oude dwazen beneden. Ik heb besloten Forrester erbuiten te houden in de veronderstelling dat er gelazer van komt als hij en Renton hier allebei aanwezig zijn. Natuurlijk heeft Renton het gore lef om niet op te komen dagen. Rab Birrell komt binnenzetten, gevolgd door Terry die onmiddellijk wil weten hoeveel het schuift. Iedereen heeft alleen nog maar dollartekens in zijn ogen. Wie de fuck denken ze wel dat ik ben? Dat komt natuurlijk door Renton, die heeft vast iedereen op zijn mobiel gebeld en van alles in het hoofd gepraat.

'Sorry, Tel, een typisch geval van platzak, met andere woorden: geen cent te makken.'

'O? Dus ik krijg niks voor wat ik gedaan heb?'

'Je bent niet aangenomen op basis van winstdeling, Terry,' leg ik uit. 'Je bent betaald als dekhengst. Ik heb het hier steeds voor het zeggen gehad.'

'Mij best,' zegt hij met een grijns waardoor ik me aanzienlijk minder op mijn gemak voel. 'Zo gaan die dingen, hè?'

Op een bepaald moment was Terry door zijn enthousiasme prima om mee samen te werken. Zijn gebrek aan ambitie houdt in dat hij nooit een rol van betekenis zal spelen in de seksindustrie. Je doet je best, je geeft ze de kans om iets te leren en zich te ontwikkelen. De rest moeten ze zelf doen. Maar hij neem het sportief op. Te sportief.

Eens kijken hoe hij het volgende opvat. 'We hebben een probleempje,' kondig ik zonder omhaal van woorden aan. 'We kunnen duidelijk niet allemaal naar Cannes, dat kan Bruin niet trekken. Dus dat worden ik, Nikki, Mel en Curtis. De sterren. Rents ook, die heb ik daar nodig voor de zakelijke kant. En de rest? Dat is een kwestie van te veel koks bederven de brij.'

'Ik kan sowieso niet,' zegt Rab, 'met de kleine en mijn studie en zo.'

Terry komt plotseling overeind en loopt naar de deur. 'Tez,' roep ik en probeer een grimas van plezier te onderdrukken.

Hij draait zich om en zegt: 'Moet ik nou godverdomme hierheen komen alleen om te horen te krijgen dat ik geen geld krijg en niet mee mag naar Cannes ?' Eerlijk gezegd kan ik geen enkele reden bedenken, dus ik sta met mijn mond vol tanden, en hij vervolgt: 'Zonde van mijn fucking tijd hier. Ik ga naar het ziekenhuis om Spud op te zoeken,' snauwt hij en verdwijnt.

'Ik ook,' zegt Rab; hij staat op en volgt Terry. Losers, of niet soms? Ik bedenk dat Rab Spud helemaal niet kent, dus ik neem aan dat hij helemaal niet naar het ziekenhuis gaat maar gewoon weg wil.

Op dat moment komt Nikki binnen en verontschuldigt zich dat ze te laat is. Ze kijkt bezorgd toe terwijl de anderen vertrekken. Ik zeg tegen haar: 'Laat ze godverdomme de kontkanker krijgen, en wel meteen. We hebben die lui niet nodig, nooit gehad ook. Het plebs wil het voor het zeggen hebben, en dat kunnen we niet hebben. Ik heb er meer dan genoeg van om dat spelletje mee te spelen.'

Craig kijkt gespannen, Ursula begint te lachen en Ronnie grijnst wat. Nikki, Gina en Mel kijken me aan alsof ik de zaak nader moet gaan verklaren. 'Als de verkoop eenmaal op gang komt, verrekenen we alles wel tusen ons,' leg ik uit. 'Wat nou? Je kunt toch geen geld verdelen als er godverdomme niks te verdelen valt!'

Ik geef een kort college over de economische aspecten van de seksindustrie, wat aan de meesten van hen niet besteed is. Uiteindelijk vertrekken ze, maar Nikki blijft nog even hangen, en ik merk dat het haar niet lekker zit hoe ik Rab en Terry behandeld heb. Mijn maag krimpt ineen terwijl ik plotseling een afkeer voor haar voel, wat verschrikkelijk is omdat ik waarschijnlijk verliefd ben op die vrouw. Ze heeft iets door, begint over koetjes en kalfjes te praten, en vertelt dat ze erover denkt om op te houden met werken in de sauna. Ik zeg dat ik dat geen slecht idee vind, omdat er alleen maar gluiperds in dat soort gelegenheden komen. Ik vraag me af of ze misschien mooi weer aan het spelen is en wat geld van mij wil lenen. Ten slotte gaat ze naar de sauna en we spreken af dat we elkaar later vanavond zien.

Dus mijn crew lijkt aanzienlijk te zijn geslonken, maar ik maak me even niet druk over onbezonnen idioten als Terry. Ik ga naar het kantoor, hak wat coke fijn en leg een lekker mals lijntje uit, als de telefoon gaat: zo'n krantenlul. 'Kan ik even spreken met de heer Williamson?'

'De heer Williamson is momenteel niet aanwezig,' zeg ik. 'Volgens mij is hij aan het pelotten bij Jack Kane... of anders in Portobello.'

'Wanneer verwacht u hem terug?'

'Ik weet het niet precies. De heer Williamson heeft nogal een volle agenda, de laatste tijd.'

'Met wie spreek ik?'

'Met de heer Francis Begbie.'

'Nou, zou u willen vragen of de heer Williamson mij wil terugbellen als hij er weer is?'

'Ik zal de boodschap doorgeven, maar Simon is nogal een vrije jongen,' zeg ik tegen de hoorn terwijl ik met een briefje van vijftig de coke opsnuif.

'Nou, vergeet niet te zeggen dat hij mij moet terugbellen. Het is belangrijk. Ik moet even een paar dingen helder hebben,' zwatelt die opgeblazen gast verder.

'Je kunt mijn boevenreet likken, lul,' zeg ik. Ik smijt de telefoon neer terwijl het lijntje coke mijn ruggengraat doet verstijven. Ik rol het knisperende briefje van vijftig weer open en bewonder de schoonheid ervan. Geld geeft je de luxe positie dat je je nergens zorgen over hoeft te maken. Je kunt doen alsof je het plat en vulgair vindt, maar je moet eens zien hoe plat en vulgair het is als je helemaal niks hebt.

Maar nu lokt allereerst het grote werk: we gaan de Cannes-Cannes doen.

66 Hoeren van Amsterdam, deel 9

Ik heb genoeg van relaties die veel onderhoud behoeven. Toch zit ik hier weer in Amsterdam, in weer een ander soort relatie. Omdat Sick Boy weer een chagrijnige bui heeft.

We zitten in een koud, tochtig pakhuis in Leyland, ergens in een buitenwijk en stoppen videobanden in dozen. We zijn bij Miz en het is een hier een klotezooi, allerlei troep ligt tot aan het plafond op pallets opgeslagen. Er brandt een tl-buis die van dat zieke, blauwgele licht afgeeft dat weerkaatst op de aluminium panelen die tot de roestrode balken reiken. Ik probeer de winstmarge te berekenen 2000 x £10 : 2 = £10.000, maar dit gaat eeuwen duren en Sick Boy is strontchagrijnig. Ik ben vergeten hoe ongelooflijk die lul kan kankeren, hardop kan zeiken over de kleinste dingen, ergernis die hij ook voor zichzelf kan houden. Maar zelfs dat is beter dan deze broeierige stilte, die bijna tastbaar in de lucht hangt. Het is duidelijk dat hij zichzelf te goed vindt voor dit soort werk, maar hij vergeet dat ik rustig kan genieten van dat geklaag en gemopper van hem.

'We moeten personeel hebben, Renton,' zegt hij en hij trommelt met zijn vingers op een lege doos op zijn schoot. 'Waar is dat moffenwijf van jou? Of is die definitief uit de picture nu je hem er bij Dianne in stopt?'

Ik zwijg en pas het aloude principe toe dat je Sick Boy en je liefdesleven strikt van elkaar gescheiden moet houden. Ik heb tot nu toe geen enkele aanleiding gehad om anders over hem te denken. 'Rot op, lul. Hou eens op met dat gekanker, godverdomme en pak die kutbanden in,' zeg ik en vraag me inderdaad ondertussen af waar ze is; ver weg, mag ik hopen. Ik buig mijn hoofd voor het geval hij aan mijn ogen ziet wat ik denk.

Ik voel zijn blik in mij branden. 'Je moet oppassen met die Dianne,' zegt hij. 'In Italië hebben we een uitdrukking over het opwarmen van oude soep. Dat wordt nooit iets. Opgewarmde kool, man. *Minestra riscaldata!*'

Ik heb de neiging om met mijn vuist vol in die lul zijn bek te rammen. In plaats daarvan glimlach ik tegen hem.

Er schiet hem kennelijk iets te binnen en hij knikt instemmend. 'Maar ze heeft in ieder geval de juiste leeftijd. Ik ben dol op vrouwen van die leeftijd. Nooit aanpappen met vrouwen van in de dertig. Dat zijn allemaal verbitterde, vergiftigde krengen met hun eigen agenda. Het liefst jonger dan zesentwintig, maar geen tienermeiden, die zijn te onvolwassen en bovendien gaan ze na een poosje irriteren. Nee, van twintig tot vijfentwintig, dat is de gouden leeftijd voor wijven,' legt hij uit, en begint te graaien in zijn grabbelton aan obsessies: film, muziek, Alex Miller, Sean Connery; en recentelijk: lelijke permanentjes, heroïnehoeren, Alex McLeish, Franck Sauzee, tv-presentatoren, derderangs films.

Hij lult maar door en het interesseert me allemaal niks. Ik kan er godverdomme niet toe komen om zoiets stompzinnigs uit te kramen als: 2001 is niks vergeleken bij *Solaris*, en dan urenlang moeten toehoren hoe hij het tegendeel beweert. Of omgekeerd, dat hij het zegt en dan van mij verwacht dat ik hem bestrijd. En zo kijken we elkaar uitdagend aan, alsof een afwijkende mening het bewijs is dat je een slappe nicht bent. Het kan me allemaal geen reet schelen en het is me zelfs te veel moeite om te zeggen dat het me geen reet kan schelen.

Terwijl ik de zoveelste afbeelding van Nikki's kont in een videodoosje stop, merk ik dat ik steeds minder naar hem luister. Nikki heeft een schitterende kont, daar niet van, maar als je de afbeelding van die reet al driehonderd keer in een doosje hebt gestopt, neemt de aantrekkingskracht ervan af. Misschien moet je pornografische voorstellingen gewoon niet te vaak zien; misschien word je er ongevoelig voor en verdoven ze je seksuele gevoelens. Het gezeur van Sick Boy neemt in heftigheid toe: over plannen, verraad, het droeve lot van de gevoelige man die zich omringd weet door junkies, vrijmetselaars, niksnutten, schooiers, hoeren en wijven die zich niet eens behoorlijk kunnen kleden.

Ik hoor mezelf instemmend maar ongeïnspireerd zeggen: 'Mmmm.' Maar na een poosje schudt Sick Boy mij door elkaar en schreeuwt: 'Renton! Ben jij hartstikke fucking doof geworden?'

Het duurt even voordat ik reageer: 'Nee.'

'Luister dan, godverdomme, onbehouwen lul! Wij hebben een gesprek!'

'Wat dan?'

'Ik zei dat ik thee wil drinken uit een porseleinen servies,' deelt hij mee. Hij merkt dat hij eindelijk mijn aandacht heeft, maar ik mag doodvallen als ik weet waar die lul het over heeft. Hij kijkt om zich heen en verklaart zich nader. 'Nee, wat ik echt wil is theedrinken in een omgeving waarin dit de sfeer bepaalt, deze aardewerken rotzooi,' hij houdt een Ajax-beker omhoog, 'en dat geldt niet voor porselein hier,' snauwt hij, gooit een videodoos op de grond en springt overeind. Zijn adamsappel beweegt op en neer in zijn hals als een big in de buik van een slang.

Dan smijt hij de mok tegen de muur, en ik huiver als de scherven in de rondte vliegen. 'Kijk uit, lul, die beker is van Miz,' zeg ik.

'Sorry hoor, Mark,' zegt hij schaapachtig, 'het zijn de zenuwen. Te veel coke gehad, de laatste tijd. Ik moet het wat kalmer aan doen.'

Ik heb coke nooit echt lekker gevonden, maar een heleboel mensen wel en die blijven dat spul maar in hun neus rammen. Omdat het gewoon voorhanden is. Mensen nemen vaak troep tot zich waar ze helemaal niet goed van worden, alleen maar omdat ze het zich kunnen veroorloven. Het is naïef om te veronderstellen dat drugs zich onttrekken aan de wetten van het moderne consumptiekapitalisme. Met name als ze zelf bijdragen aan de status van het product.

Het duurt nog twee deprimerende uren voordat ons werkje erop zit. Mijn handen zijn opgezet en mijn duim en pols doen pijn. Ik bekijk de hoge stapels ingepakte videobanden. Ja, nu beschikken we over 'product' zoals hij het graag noemt, klaar om gedistribueerd te worden na Cannes. Ik kan nog steeds niet geloven dat hij ons op het Filmfestival van Cannes heeft weten binnen te loodsen. Natuurlijk niet op het Festival, maar op de pornografische variant die tegelijkertijd gehouden wordt. Als ik dat feit vermeld, het liefst als hij een vrouw aan het versieren is, waar hij vrijwel altijd mee bezig is, is het bij hem altijd tegen het zere been. 'Het is wel degelijk een filmfestival en het is ook in Cannes. Wat lul je nou, godverdomme?'

Ik ben blij dat ik het pakhuis kan verlaten en weer de stad in kan. Deze keer nemen we het ervan, we logeren in het American Hotel aan het Leidseplein. Ik heb een paar keer iets gedronken in de bar, maar kon me niet voorstellen dat ik er ooit nog zou logeren. We zitten aan de bar en betalen belachelijk hoge prijzen voor onze drankjes. Maar we kunnen het ons veroorloven en dat blijft nog wel een poosje zo. Althans voor een aantal van ons.

67 Voetbal op sky

Ik wacht op Kate en de kleine, ze moet godverdomme voor me koken voordat ik naar de fucking pub ga om voetbal op Sky te kijken. Ze moet godverdomme wel opschieten, want de tijd staat niet stil. Dus ik zit hier een beetje naar die grote kut-tv te staren, die staat tegenwoordig hele dagen aan. Ik heb ook zo'n aansluiting voor Sky. Maar de wedstrijd van vanavond wil ik in de kroeg zien. Beter sfeertje.

Ik denk terug aan Pasen en aan dat beest van een kinderlokker. Er ontstond wat rumoer destijds, maar niet meer dan het gewone geleuter: of iemand een groepje jongelui die fucking pub uit had zien komen bla bla bla... Prima moment om iemand om te leggen, op een nationale feestdag. Het publiek had andere dingen aan z'n kop dan zo'n fucking kinderlokker. Soms denk ik dat ik weer eens naar Charlie moet, en naar die ouwe zakken, om zeker te weten dat ze hun fucking bek niet voorbijpraten.

Want ik heb deze wereld een grote fucking dienst verleend, want die kutbeesten verdienen niet beter dan koud te worden gemaakt, zo denk ik er godverdomme over. Reken maar. Ik sta helemaal achter die krant, *The News of the World*. Die publiceren namen en adressen van die klootzakken, zodat wij ze tenminste kunnen komen afmaken. Kunnen we het hele probleem in één keer de wereld uit helpen. Zoals die zieke lul van een Murphy... en dat is dan zogenaamd je kameraad, godverdomme... net als Renton ooit... die ruk ik nog eens een keer zijn hart eruit en dan ga ik in het gat staan pissen.

Maar dan begin je je bezorgd te maken. Bezorgd dat je net zo zult worden als zij, als die fucking gekken, net als in Amerika. Zo praten ze daar ook.

En dan kijk je naar dat fucking boek, die fucking bijbel. Daar zijn er genoeg van in die kutbajes. Ik snap niet hoe iemand die kutzooi kan lezen; gij dit, gewon dat, dat is godverdomme niet eens behoorlijk Engels. Maar ze beweren dat volgens de bijbel God de mens heeft geschapen naar zijn eigen evenbeeld. Volgens mij wil dat zeggen dat als je niet probeert om op Hem te lijken, dat een enorme belediging aan die Lul zijn adres is, en zo zie ik het. Dus in zekere zin speelde ik voor God toen ik die kinderneuker koud maakte. *So fucking what?*

Ik zap wat heen en weer, maar overal zie ik ze: kinderlokkers, babyverkrachters, pedofielen, de hele kankerzooi. Zo'n fucking mongool van een psycholoog beweert dat ze als kind zelf allemaal misbruikt zijn, daarom zijn ze zo. Wat een gelul. Er zijn duizenden klootzakken die als kind misbruikt zijn en niet zo worden. Dus je zou kunnen zeggen dat ik die klootzak een grote dienst heb bewezen, want nu kan hij niet meer misbruikt worden, in de bajes en zo. Iedereen tevreden.

Ik word gek hier in huis, en waar blijft dat wijf nou? Ik ga de trap af en haal de *News*. Buiten is het verrekte koud en dus ren ik het huis in met de krant, die vol staat met de gebruikelijke shit, maar dan valt mijn oog op iets waardoor ik aan de grond genageld sta.

KUT.

Mijn hart klopt in mijn keel, terwijl ik lees:

NIEUWE AANWIJZING IN ZAAK CAFÉMOORD

De politie is nog steeds op zoek naar aanwijzingen in de zaak van de moord vorige maand in een pub in Leith. Een woordvoerder maakte bekend dat men een aanwijzing had gekregen via een anoniem telefoontje die mogelijk een 'veelbelovend' licht wierp op de zaak. De politie wil graag nogmaals in contact treden met de beller.

Op Witte Donderdag werd de 38-jarige inwoner van Edinburgh Gary Chisholm (38) badend in het bloed aangetroffen op de vloer van een pub in Leith door de eigenaar Charles Winters (52). De heer Winters bevond zich in de kelder onder de bar om een nieuw vat bier aan te slaan, toen hij geschreeuw en gegil hoorde vanuit de bar. Hij rende naar boven en trof de heer Chisholm met doorgesneden keel aan op de vloer van zijn verlaten pub. Hij zag twee jongelui in de leeftijd van vijftien tot vijfentwintig rennend het pand verlaten. Toen hij de heer Chisholm te hulp schoot, bleek het daarvoor te laat te zijn.

Naar aanleiding van de nieuwe aanwijzing verklaarde inspecteur van politie Douglas Gillman: 'Het is juist dat wij met betrekking tot deze zaak aanvullende informatie hebben verkregen die ons op dit moment wellicht kan helpen. Wij doen een beroep op de mannelijke beller die op donderdagavond contact met ons opnam, om dat opnieuw te doen.'

Ondertussen dringt de familie van het slachtoffer in verslagenheid er bij de politie op aan het publiek op te roepen alle mogelijke tips te melden die kunnen leiden tot aanhouding van de dader. De zuster van Chisholm, mevrouw Janice Newman (34), verklaarde: 'Gary was een fantastische vent, die nog geen vlieg kwaad zou doen. Ik begrijp niet hoe iemand het monster kan beschermen dat mijn broer vermoord heeft.' Nadere inlichtingen over deze zaak kunnen worden gemeld op nummer 0131-989 7173.

Wat een gelul zeg. Dat is het eerste wat je in de bajes te horen krijgt, als de politie zo begint, dan zitten ze dus op een dood fucking spoor, het is gewoon hun manier om druk op de zaak te zetten. Plotseling moet ik denken aan die cunt van een Second Prize, en dat die klootzak al die tijd geen contact met mij heeft opgenomen. Die vuile, gore kankerlul... als die zijn fucking bek voorbijgepraat heeft... weer zo'n zogenaamde fucking kameraad...

FUCKING GOD...

Niet dat ik geloof in dat godsdienstige gelul, die klootzakken hebben meer ellende op hun geweten dan alle kinderlokkers bij elkaar, daar in Ierland bijvoorbeeld. En het is bewezen dat die geile paters de grootste kinderneukers van allemaal zijn, dus als je erover nadenkt, klopt het dus allemaal. Maar dat is het probleem met sommige lui: ze nemen godverdomme de tijd niet om eens rustig te gaan zitten en over dingen na te denken. Geen fucking hersens.

Kate komt huis en nadat ze gekookt heeft en de kleine naar bed heeft gebracht, gaat ze haar haren wassen. Nu staat ze het te föhnen. Ik snap niet waarom die d'r haar moet wassen als ze toch nergens naartoe gaat. Misschien voor morgen, dan moet ze weer werken in die fucking klerenwinkel. Ik durf te wedden dat er daar of in een van die andere winkels in dat winkelcentrum een of andere cunt werkt die het op haar voorzien heeft. Een of andere brutale kutlul die denkt dat hij heel wat is. Zo'n mooie jongen, zo'n fucking rokkenjager als Sick Boy, een klootzak zonder geweten die een meid alleen maar gebruikt.

Zolang zij het godverdomme maar niet met zo iemand aanlegt. Reden tot zorg. 'Weet je nog wat er tussen jou en mij gebeurde, toen we elkaar net kenden?' vraag ik.

Ze kijkt me aan en zet de föhn uit. 'Wat bedoel je?' vraagt ze.

'In bed, weet je nog?'

Uit haar blik blijkt dat ze weet wat ik bedoel. Dat betekent dat ze erover nadenkt. 'Dat is eeuwen geleden, Frank. Je kwam net uit de gevangenis. Wat maakt het uit?' zegt ze met een ietwat bedenkelijke uitdrukking op haar gezicht.

'Het maakt nu niks meer uit, maar wat mij godverdomme wel uitmaakt is of anderen er iets van weten. Je hebt het toch aan niemand verteld, hè?'

Ze pakt een sigaret uit het pakje en steekt hem aan. 'Wat...? Natuurlijk niet. Dat is iets tussen jou en mij. Dat gaat niemand wat aan.'

'Zo is dat,' zeg ik. 'Maar je hebt het dus aan niemand verteld, hè?'

'Nee.'

'Ook niet aan dat ene wijf, die Evelyn?' vraag ik. Voordat ze kan antwoorden, zeg ik: 'Want ik weet verdomd goed wat er gebeurt als wijven bij elkaar zitten. Jullie praten, of niet soms? Ja, jullie lullen vijf kwartier in een uur.'

Je ziet dat dit haar aan het denken zet. Wee haar gebeente als ze godverdomme tegen me liegt. 'Maar niet daarover, Frank. Dat is privé, en bovendien is het zo lang geleden. Daar denk ik niet eens meer aan.'

O, dus daar denkt ze niet eens meer aan. Ze denkt niet eens meer aan het feit dat ze twee weken lang met een gast geslapen heeft die hem niet omhoog kon krijgen. Natuurlijk denkt ze daar nog steeds aan, godverdomme. 'Dus jij praat daar niet over, tegen die kut-Evelyn en die andere kutvriendin van je, die met dat haar...'

'Rhona,' zegt ze behoedzaam.

'Die kut-Rhona, ja. Dus jij wilt godverdomme beweren dat jullie niet met elkaar praten? Over jullie vriendjes, zeg maar?'

Haar ogen staan wijdopen, alsof ze bang is. Wat voor reden heeft ze om bang te zijn, godverdomme? 'Ja, we praten wel,' zegt ze, 'maar niet over dat soort dingen, zeg maar...'

'Waarover?'

'Over intieme dingen, dingen die in bed gebeuren en zo.'

Ik kijk haar recht aan. 'Dus jij praat niet over dingen die in bed gebeuren, ook niet met je vriendinnen?'

'Natuurlijk niet... wat heeft dit te betekenen, Frank, wat is er aan de hand?' vraagt ze.

Ik zal godverdomme vertellen wat er aan de hand is. 'Goed, en die keer dan toen we met een stel lui uit waren, in de Black Swan, weet je dat nog? Evelyn was er ook bij en zij met dat haar ook, hoe heet dat wijf ook weer?'

'Rhona,' zegt ze op ongeruste toon, 'maar Fran...'

Ik knip met mijn vingers. 'Rhona, die ja. Goed, nou, die lul met wie je voor mij was, die cunt die ik toen op z'n bek heb geslagen in de stad?'

vraag ik en haar ogen gaan nog verder open. 'Ik weet nog dat we toen in de pub waren, in de Black Swan, en dat jij beweerde dat hij toch klote was in bed, dat zei jij toen godverdomme over die gast, weet je nog wel?'

'Frank, dit slaat nergens op...'

Ik wijs met mijn vinger naar haar. 'Geef godverdomme antwoord! Heb je dat toen gezegd of heb je dat godverdomme niet gezegd?'

'Jawel... maar dat zei ik gewoon... ik was opgelucht omdat ik van hem af was... ik was blij dat ik jou had!'

Blij dat ze mij had, godverdomme. Opgelucht dat ze van die lul af was. 'Dus je zei het alleen maar voor het effect, om indruk te maken op die kutvriendinnen van je.'

'Ja, precies!' zegt ze bijna stralend, alsof ze zich nu heeft vrijgepleit.

Maar ze beseft niet dat ze zichzelf heeft vastgepraat met al dat slappe gelul. Net als iedereen die zijn bek niet kan houden en zichzelf steeds dieper in de shit lult. 'Mooi, dus dan was het níét waar, dan was hij dus níét klote in bed. Hij was fantastisch. Hij was dus veel beter dan ik, godverdomme. Is dat dan soms de waarheid. Nou, vooruit, godverdomme?'

Ze staat op het punt in janken uit te barsten. 'Nee, nee... ik bedoel... wat maakt het uit hoe hij in bed was, ik zei het gewoon omdat ik hem haatte... omdat ik blij was dat ik van hem af was. Het maakt niet uit hoe hij in bed was...'

Daar moet ik fijntjes om glimlachen. 'Dus je zei het alleen maar omdat het uit was, omdat je hem niet meer zou zien.'

'Ja!'

Ze lult uit haar nek, godverdomme. Er klopt geen fuck van. 'En wat gebeurt er dan als wij uit elkaar gaan? Als je mij niet meer ziet? Ga je dan dat soort dingen over mij lopen rondbazuinen, in iedere fucking kroeg in Leith? Dat ga je doen, hè?'

'Nee... nee... dat is helemaal niet waar...'

Die moet even een fucking lesje hebben. 'Dat is je godverdomme geraden ook! Want luister goed, als je er ooit één woord tegen iemand over zegt, dan laat ik geen spaan van je heel. Dan is er geen spoor meer van je over... duidelijk?!'

Ze kijkt om naar de kinderkamer en dan weer naar mij. Dan barst ze in huilen uit. Ze denkt godverdomme dat ik die kleine van haar iets zal doen, alsof ik zelf een fucking kinderverkrachter ben. 'Toe nou,' zeg ik, 'ga nou niet janken, Kate, kom op... moet je horen, ik bedoelde het niet zo,' en ik loop naar haar toe, sla mijn armen om haar heen en zeg: '...er zijn alleen zoveel mensen die mij haten, weet je wel? Er wordt van alles beweerd over mij, achter mijn rug en zo... en ik heb bepaalde dingen gekregen... over de post... geef ze geen stok... dat bedoel ik godverdomme niet... geef ze geen stok om deze hond mee te slaan...'

Ze drukt mij stevig tegen zich aan en zegt: 'Ik zal geen kwaad woord over je spreken, Frank, tegen niemand, want jij bent altijd aardig tegen mij en je slaat me niet, maar maak me alsjeblieft niet zo bang, Frank, want dat deed hij ook en zo kan ik niet leven, Frank... jij bent niet zoals hij, Frank... hij was een stuk schorem...'

Ik ga overeind zitten en druk haar hoofd tegen mijn borst. 'Het is al goed,' zeg ik, maar ondertussen denk ik: je kent mij helemaal niet, meid. Ik begin hoofdpijn te krijgen en mijn hart begint als een wilde te bonzen. Ik zie ze ineens allemaal voor mij: Second Prize die zijn mond voorbijpraat, Lexo, die lul Renton en fucking Scruffy Murphy. Ja, die cunt heeft mazzel dat ik toen niet heb doorgepakt, godverdomme. Misschien doe ik dat alsnog. Mij proberen te naaien! Net zo erg als een kinderlokker. Godverdomme, wat heeft die een mazzel gehad.

En die lul schijnt ook alles te weten over die kindernaaier Chizzie. Ik kom er wel achter hoe hij daaraan komt, dat ram ik er wel uit. Die denkt dat hij er zo vanaf komt omdat we elkaar al zo lang kennen.

Zo komt hij er dus helemaal niet vanaf.

Maar ik ga niet meer de bak in, geen sprake van, dat wil ik godverdomme nog wel eens zien. Ik moet nu een beetje oppassen. Het lijkt wel of iedereen het weet. Ik weet verdomde goed dat die kutkop van mij spelletjes met mij speelt, maar toch komen ze allemaal steeds dichterbij. Ik streel Kate door het haar, maar ondertussen verstijf ik helemaal, ik moet hier als de sodemieter weg want ik sta niet in voor wat ik anders ga doen. En dus kom ik overeind in mijn stoel en zeg dat ik nu wegga om naar het voetbal te kijken.

'Goed...' zegt ze, en ze kijkt naar de tv alsof ze wil zeggen: je kunt hier ook wel kijken.

Ik knik in de richting van het scherm. 'Ik kijk liever in de pub, met de jongens. Het gaat om de sfeer.'

Ze denkt even na en zegt dan: 'Ja, dat zal je goed doen, Frank. Je moet er nodig even uit in plaats van steeds in die stoel te zitten.'

Ik probeer te bedenken wat ze daar nou godverdomme weer mee bedoelt. Misschien is het wel erg verdacht dat ik steeds binnen zit, maar ik heb die kleine cunt van een Philip een huis in Barnton laten leeghalen, waarna ik hem weer twee zegelringen heb teruggegeven voor de moeite. Ik moet er inderdaad nodig weer eens uit. Maar ze wil me godverdomme wel héél erg graag buiten de deur hebben. Zelf kan ze niet weg vanwege de kleine, maar misschien komt er wel iemand op bezoek. 'Jij blijft lekker rustig binnen?'

'Ja.'

'Je verwacht geen bezoek? Komt die fucking Rhona soms?'

'Nee.'

'Of die slet van een Melanie? Die hangt steeds hier in Leith rond.'

'Nee, ik ga lekker lezen,' zegt ze, en laat me het boek zien.

Fucking boeken. Allemaal troep, dat brengt alleen maar op rare ideeën. 'Dus er komt niemand langs?'

'Nee.'

'Oké, tot straks dan,' zeg ik. Ik trek mijn jack aan en ga naar buiten, de kou in. Maar goed ook, godverdomme, dat er niemand op bezoek komt. Zo'n cunt als Sick Boy, bijvoorbeeld, ik weet hoe de zieke geest van die lul werkt. Die zegt natuurlijk tegen die Melanie: jij hebt vast wel leuke vriendinnetjes die ook genaaid willen worden voor de camera...

GODVER...

Ik ram mijn vuist keihard tegen de muur in het trappenhuis...

Die lul weet wat hem te wachten staat als hij dat ooit flikt.

Op weg naar de kroeg zie ik dat kutwijf June over de Walk lopen, en ik steek de straat over, zogenaamd om achter haar aan te gaan. Ik moet die teef een straatverbod geven, de gore, brutale stoephoer; ik zou die zeug nog niet tot op vijfentwintig meter willen naderen. Het enige wat ik haar wil zeggen is dat het de schuld was van Murphy en Sick Boy dat ik godverdomme zo in de war raakte, maar dat kutwijf draait zich om en rent weg! Ik schreeuw nog dat ze godverdomme moet blijven staan zodat ik het kan uitleggen, maar die stomme gleuf is al aan de horizon verdwenen. Val dood, achterlijke tyfusteef!

Ik pak mijn mobiel en herinner Nelly en Larry aan de afspraak van vanavond, want ik weet dat Malky al aan de bar staat. Malcohol, alcohol. En ja hoor, die lul is er al en Larry en Nelly komen niet veel later. Maar hier hangt hetzelfde soort sfeertje. Iedereen kijkt me aan met een blik van: 'Ja, jou ken ik wel.' En dat zijn dan godverdomme je kameraden, of zogenaamde kameraden.

We kijken naar de wedstrijd van de Hibernians op Sky. Ze doen het hartstikke goed dit seizoen, en op Sky verliezen ze nooit. Die ene, Zitelli, scoort met een mooie lob. Drie-een, fucking eitje. Maar iedereen heeft het nog steeds over die fucking kinderlokker, althans zo lijkt het. En ik zit daar maar en wou dat ze over iets anders begonnen, maar tegelijkertijd vind ik het ook wel mooi om aan te horen.

'Ik durf te wedden dat het een van die jonge gasten was, die lui die hun poten vol met zegelringen hebben,' zegt Malky. 'Die klootzak kon natuurlijk bij een van die gasten zijn poten niet thuishouden toen hij nog klein was of zo, en nu is hij groot en gaat het van wam! deze is voor jou, gore kinderneuker!'

'Wie weet,' zeg ik en kijk naar Larry die een grote domme grijns op zijn smoel heeft. Waar is die stomme lul zo vrolijk over?

En die lul begint godverdomme een mop te vertellen. 'Staat een kruidenier in Fife in zijn winkel, het is fucking koud en hij staat over een elektrisch kacheltje gebogen. Er komt een wijf binnen, dat kijkt achter de toonbank en vraagt: is dat je mooiste ham? Zegt die kruidenier: nee, ik sta gewoon mijn poten te warmen.'

Ik begrijp geen kloot van die lul z'n gevoel voor humor. Malky is de enige die lacht.

Nelly draait zich om en zegt: 'Als ik de vent tegenkom die die kinderneuker heeft omgelegd, dan kreeg ie meteen een grote pils van me.'

Door de manier waarop hij dat zegt, krijg ik de neiging om te roepen: haal je geld maar uit je zak, lul, want hij staat hier voor je neus, godverdomme, maar kameraden of geen kameraden, hoe minder mensen ervan weten, des te beter. Ik moet steeds denken aan Second Prize. Weet je, als hij weer aan de drank is en zijn mond voorbijpraat... Larry zit nog steeds te grijnzen. Ik raak behoorlijk geïrriteerd en besluit naar de plee te gaan om een lijntje te snuiven.

Ik kom terug, neem weer plaats aan het tafeltje en iemand heeft nog een rondje besteld. Malky wijst naar een vol glas en zegt: 'Die is voor jou, Frank.'

Ik knik naar hem, neem een slok en zie over de rand van het glas dat Larry mij zit aan te staren met een stompzinnige grijns op die kutkop van hem.

'Wat je me godverdomme aan te staren, lul?' vraag ik.

Hij haalt zijn schouders op. 'Niks,' zegt hij. Zit me daar godverdomme aan te gluren alsof hij alles weet wat er in mijn kop omgaat. Nelly heeft ook iets in de gaten en terwijl ik hem onder tafel het zakje met coke doorgeef, zegt hij: 'Wat is er aan de hand, godverdomme?'

Ik knik in de richting van Larry. 'Die cunt zit me de hele tijd aan te staren met die stomme grijns op zijn smoel, alsof ik een of andere mongool ben,' zeg ik.

Larry schudt het hoofd, heft zijn open handen op en zegt: 'Wat?' Nelly krijgt een staalharde blik in zijn ogen. Malky draait zich achter de bar in onze richting. Sandy Rae en Tommy Faulds zitten aan de bar te drinken, en er staan nog een paar jochies bij het poolbiljart.

'Nou, wat heb je te zeggen, Larry?' vraagt hij.

‘Ik heb niks te zeggen, Franco,’ zegt Larry, één en al vermoorde onschuld. ‘Ik zit gewoon aan dat doelpunt te denken,’ en hij knikt naar het tv-scherm achter ons, terwijl de herhaling begint.

Dus ik denk bij mezelf: oké, ik laat het erbij, maar soms zet die lul een veel te grote bek op dan goed voor hem is. ‘Oké, maar dan hoef je nog niet zo stompzinnig naar me te zitten grijnzen, als de eerste de beste fucking mongool. Als je wat te melden hebt, trek dan je fucking muil open.’

Larry haalt zijn schouders op en draait zich half om, terwijl Nelly naar de plee gaat. Geen slechte coke dat, Sandy levert alleen het beste spul, en met minder neem ik trouwens geen genoegen. Ze weten wel beter dan mij versneden troep te verkopen.

‘Die kameraad van jou, Sick Boy, dat is me ook een mooie, hè Franco? Met die vieze films en zo,’ zegt Larry grijnzend.

Ik wil niet dat de naam van die klootzak in mijn bijzijn genoemd wordt. Die lul haalt een paar stoephoeren naar boven in die pub van hem, laat ze daar naaien, en denkt dat hij godverdomme een grote filmproducent uit Hollywood is. Zoiets als die fucking Steven Spielberg, of hoe die lul ook mag heten.

Nelly komt terug van de plee, Malky kijkt hem aan en zegt: ‘Wie z’n rondje is het?’

Maar Nelly negeert hem, want je ziet dat hij op de plee iets bedacht heeft waar hij nu over wil praten. ‘Weet je waar ik godverdomme aan moest denken?’ vraagt hij, en voordat iemand kan reageren, zegt hij: ‘Iedereen hier heeft in de bak gezeten,’ en hij neemt een flinke slok van zijn bier. Hij morst een paar druppels op zijn Blue Sherman, maar dat merkt hij zelf niet. Stomme schijtlul.

We kijken elkaar aan en knikken.

‘Weet je wie nog nooit vast heeft gezeten? Dat weet jij wel,’ zegt hij en kijkt naar mij, ‘ik weet het,’ hij wijst naar zichzelf, ‘jij weet het,’ en kijkt Malky aan, ‘en jij weet het ook,’ zegt hij tegen Larry, die weer die stompzinnige grijns op zijn smoel heeft.

En ik moet denken aan die lange lul van een Lexo, dat was de eerste die onmiddellijk bij me opkwam, maar Nelly verrast me als hij zegt: ‘Alec Doyle. Hoelang heeft die gezeten? Een jaar? Anderhalf? Stelt geen flikker voor dus. Die lul leidt een *magisch* leven.’

Malky kijkt Nelly streng aan. ‘Wat bedoel je daarmee? Wou je beweren dat Doyle een matennaaier is?’

Nelly heeft nog steeds die harde blik in zijn ogen. ‘Het enige wat ik beweer is dat die lul een magisch leven leidt.’

Larry krijgt ook een ernstige uitdrukking op zijn gezicht. 'Je hebt geen ongelijk, Nelly,' zegt hij zachtjes.

'Godverdomme, natuurlijk heb ik geen ongelijk,' zegt Nelly en kijkt uiterst geërgerd.

Malky vraagt aan mij: 'Wat vind jij, Frank?'

Ik laat mijn blik rond de tafel gaan, kijk ze allemaal recht in de ogen, Nelly ook. 'Voor mij is er nooit iets mis geweest met Doyle. Je kunt iemand niet zo maar een matennaaier noemen, zonder met keiharde bewijzen te komen. Fucking feiten, dus.'

Dat vindt Nelly niet leuk, maar die lul zegt niks. Nee, het bevalt hem helemaal niet. Je moet oppassen voor die cunt, want hij kan zo maar ontploffen, maar ik hou hem verrekte goed in de gaten.

'Klopt, Frank,' zegt Larry en hij knikt instemmend, 'maar Nelly heeft ook een punt,' zegt hij, terwijl hij het zakje overneemt van Nelly en naar de plee loopt.

'Ik heb nooit iemand een matennaaier genoemd,' zegt Nelly tegen mij, terwijl Larry wegloopt, 'maar denk eens na over wat ik zei,' zegt hij en knikt tegen Malky.

Ja, Larry moet ook maar eens over wat dingen gaan nadenken. Er is altijd wel iets aan de hand met die lul, en wee zijn gebeente als ik er godverdomme achter kom wat dat is.

Nou ja, we zijn allemaal zo gestrest als wat van de cocaïne, en we besluiten op te stappen. We drinken wat in de Vine en daarna nemen we er nog een paar bij Swanney's. Het is hier nog het echte, onbedorven Leith, maar alles is als de sodemieter aan het veranderen. Waar ik van baal is wat ze gedaan hebben met de Walk Inn. Niet te geloven, zeg; ik heb daar mooie avonden beleefd. We bezoeken nog een paar kroegen en eindigen dan waar we begonnen zijn.

Die kleine etter van een Philip is er nu ook. Hier, in deze pub, godverdomme. Ik wil niet dat die kleine etterbak en zijn kameraden rondhangen in dezelfde kroeg die ik bezoek. 'Opzouten, godverdomme,' zeg ik.

'Eh, ik wacht eigenlijk op Curtis, hij komt me halen met de auto,' zegt hij, en vervolgt op hoopvolle toon: 'Hé, heb je niet wat coke voor me?'

Ik bekijk die kleine rat van top tot teen. 'Waar haal jij godverdomme het geld vandaan voor coke?'

'Van Curtis.'

O ja, dat zal wel. Die fucking kliek rond Sick Boy, die lui bulken allemaal van de poen. Een paar mensen beweren dat Renton gezien is, in het centrum en zo. Als die Sick Boy hem ook gezien heeft en het mij godverdomme niet heeft laten weten...

Die kleine etterlul van een Philip loopt hier nog steeds rond. Ik knik naar Sandy Rae die naast Nelly aan de bar zit. Larry en Malky zijn inmiddels bezopen, en staan te pielen bij de fruitautomaat. Sandy komt naar mij toe. Ik voorzie die lul van een paar zakjes van een gram. Die slungel met de lange lul komt binnen, ze gaan naar buiten, starten de auto en ik hoor hoe ze met piepende banden wegrijden.

Nelly komt bij mij staan en we kijken naar Larry en Malky. 'Die lul van Wylie staat me godverdomme de hele avond al op te naaien,' zegt Nelly.

'Ja,' zeg ik.

'Ik zal je wat vertellen, Franco, hij heeft mazzel dat hij een kameraad van jou is, anders had ik die lul al lang voor zijn bek geslagen.' Hij kijkt naar Larry. 'Met zijn grote kutbek.'

'Je gaat je gang maar, hoor.'

Dus Nelly staat op, loopt naar Larry en ramt zijn kop een paar keer tegen de gokautomaat. Hij draait hem om en geeft hem een prachtige ram voor zijn smoel. Larry gaat neer en Nelly trapt nog eens lekker op hem in. Malky legt zijn hand op Nelly's schouder en zegt: 'Zo is het wel genoeg.'

Nelly houdt op en Malky helpt Larry overeind en brengt hem naar de deur. Larry kijkt om naar Nelly en zegt iets, probeert tevergeefs zijn hand op te heffen en een waarschuwende vinger op Nelly te richten, maar Malky sleept hem de pub uit.

'Stomme kutlul,' zegt Nelly, en kijkt mij aan.

Ik denk bij mezelf: ik en Nelly zijn maten, maar binnenkort staan we tegenover elkaar, dat is zo zeker als wat. 'Die lul vroeg er godverdomme om,' zeg ik en knik instemmend. Malky komt weer naar binnen. 'Ik heb hem in een taxi gezet met een briefje van tien en gezegd dat hij moest opsodemieteren. Niks mis met die gast, een beetje van de kaart alleen.'

'Had hij nog wat te melden?' vraagt Nelly, 'want hij kan een pak slaag krijgen wanneer hij maar wil.'

'Ja, kijk maar uit voor die lul, Nelly,' zegt Malky, 'want die gluiperd trekt zó een mes en hij heeft een geheugen als een olifant.'

'Ik vergeet anders ook niks, godverdomme,' zegt Nelly, maar je kunt zien dat hij die opmerking van Malky goed in zijn oren knoopt. En morgen, als hij wakker wordt, is het van 'ach, kut, ik heb gewoon te veel coke gehad en zo, en toen heb ik, geloof ik, Larry op zijn bek geslagen'. Want gasten als hij hebben coke nodig en flink wat drank om zo stoer te doen. En dat is nou precies het verschil tussen mij en hem.

68 Project nr. 18.751

Telkens als ik Nikki thuis opzoek, is hij er ook altijd; hij hangt om die Dianne heen als een vlieg om een strooppot. Het is gewoon bizar, dat wij met twee meiden omgaan die een flat delen. Een beetje zoals vroeger. De Rent Boy ligt op de bank te wachten tot mejufrouw Dianne klaar is, hij leest een boek over pornografie en werknemers in de seksindustrie. Hij heeft precies het juiste meisje gevonden; ik stel me voor hoe ze intellectueel zitten te lullen over neuken maar het nooit echt doen. Ik heb hem en zijn nieuwe meid wat echte actie aangeboden met professionals, en wat zegt hij? 'Ik hou van mijn vriendin. Ik heb die shit niet nodig.' Neemt U mij niet kwalijk, Hoogweledele Kutlul.

Hij legt die stomme kop van hem met dat rode haar op zijn elleboog. 'Moet je horen, Si. Ik wil in contact komen met Second Prize. Heb jij hem onlangs nog ergens gezien?'

Ik ben stomverbaasd. Second Prize dient onder alle omstandigheden gemeden te worden. 'Waarom, in de naam van de Lijdende Kutchristus, wil jij die gast ontmoeten?'

Rents gaat rechtop zitten, buigt zich voorover, denkt na, en besluit deze keer niet te liegen. Je hoort de raderen kraken. 'Ik wil met hem afrekenen. Dat geld, van die keer in Londen. Ik heb inmiddels met iedereen afgerekend, behalve met hem en je-weet-wel-wie.'

Renton is een debiel. Iedere vorm van respect die ik met tegenzin voor hem heb opgebouwd, verdwijnt als sneeuw voor de zon. Dat ik me heb laten naaien door zo'n stuk schorem. Maar nee, hij was gewoon een idiote, wanhopige junkie die één keer mazzel heeft gehad. 'Je bent hartstikke gek. Zonde van het geld. Je kunt net zo goed een blanco cheque uitschrijven aan de brouwerij van Tennent Caledonian.'

Dianne en Nikki komen de kamer in en Rents gaat staan. 'Ik heb gehoord dat hij clean is. Er wordt beweerd dat hij bijbelfreak geworden is.'

'Dat kan ik me niet voorstellen. Je kunt het Leger des Heils proberen of een van de slaaphuizen. Of de kerken. Ze komen, geloof ik, altijd bij elkaar in Scrubbler's Close, al die alcoholische godsdienstwaanzinnigen, niet?'

Ik moet toegeven dat Dianne er sexy uitziet, hoewel ze duidelijk van een ander allooi is dan Nikki (nou ja, ze gaat niet voor niks om met Renton). 'We zien er fantastisch uit, dames,' zeg ik glimlachend. 'Wij moeten in een vorig leven wel héél braaf geweest zijn, hè, jochie?' zeg ik grijnzend tegen Rents.

Renton reageert met een enigszins gepijnigde uitdrukking op zijn gezicht, loopt naar Dianne en kust haar. 'Goed... ben je klaar?'

'Ja,' zegt ze, en terwijl ze vertrekken, roep ik hun na: 'Pas op. Geef je ogen goed de kost, Renton!'

Ik krijg geen reactie. Die Dianne mag mij niet en ze zet Rents ook tegen mij op. Ik kijk naar Nikki. 'Die twee passen goed bij elkaar,' merk ik op, en ik probeer zo vriendelijk mogelijk te klinken.

'Mijn god,' zegt ze op theatrale toon, 'die twee zijn zóóó verliefd.'

Ik heb de neiging te zeggen dat ze haar vriendin moet waarschuwen voor die slijmerige, koudbloedige, Noord-Europese ratelslang. Maar dat is een zinloze onderneming, je moet proberen gracieus te blijven hier in Gracemount. Nikki is heel erg met zichzelf ingenomen sinds het nieuws uit Cannes, en ze beweegt met grote gebaren als een ouderwetse Hollywood-diva. En dat is niet onopgemerkt gebleven: Terry noemt haar sinds kort Nikki Fuller-Shit.

Ze is zo weg van zichzelf dat ze zich opnieuw gaat verkleden en deze keer verschijnt in een blauw-zwart ensemble dat ik niet eerder gezien heb. Het is niet zo ravissant als wat ze eerst aan had, maar ik wend een enorm enthousiasme voor om te voorkomen dat we de hele fucking avond hiermee bezig blijven. En ze kakelt maar door over Cannes. 'Joost mag weten wie we allemaal tegenkomen! Ik!' Ik sluip de kamer van Dianne binnen om even rond te snuffelen. Ik zie een verslag liggen waar ze al een hele tijd mee bezig is en begin erin te lezen.

met het toenemende consumentisme voorziet de seksindustrie, net als vele andere bedrijfstakken, in een gespecialiseerde behoefte. Terwijl er nog steeds sprake is van een verband tussen armoede, drugsgebruik en straatprostitutie, beslaat dit slechts een klein deel van wat tegenwoordig een van de grootste en meest gevarieerde bedrijfstakken in Groot-Brittannië is. Niettemin wordt ons gemiddelde beeld van 'sekswerkers' nog steeds grotendeels bepaald door het stereotype van de tippelaarster.

Wat leren die lui tegenwoordig allemaal op de universiteit? Een graad in de theorie achter de stoephoer? Ik moet er ook maar eens heen, om mijn eredoctoraat op te eisen.

We gaan iets drinken in het City Café, en ik zie Terry die probeert een studente achter de bar te versieren. Het schijnt dat dit zijn stamkroeg geworden is. Ik wil Nikki een teken geven om weer te vertrekken en naar EHI te gaan, maar ze ziet me niet en Lawson heeft mij ontdekt.

'Sicky en Nikki!' roept hij en wendt zich tot de barjuffrouw. 'Bev, schenk mijn goeie ouwe vrienden hier in wat ze willen,' zegt hij glimlachend en knijpt Nikki in haar kont. 'Zo hard als steen, mop, heb je getraind? Geen grammetje vet te veel.'

'Eerlijk gezegd ben ik nogal lui geweest de laatste tijd,' zegt ze op die stonede, lome toon. Waarom laat ze zich zo maar in haar kont knijpen, godverdomme? Straks laat ze zich nog door hem naaien terwijl hij zegt: 'Mmm, stevige vaginale wand. Heb je bekkenoefeningen gedaan?' Ik kijk Terry aan met een blik van: blijf met je poten van mijn fucking wijf, Lawson, vieze rukker.

Hij ziet me niet eens staan. 'Nou, dat zou je anders niet zeggen, echt waar. Ik zou zó op mijn knieën willen gaan zitten en die kont van jou aanbidden. Dus als die mazzelaar hier,' hij verwaardigt zich mij terloops toe te knikken, 'jou niet goed behandelt, dan weet je waar je terecht kunt.'

Nikki glimlacht, knijpt Terry in zijn zwembandjes en zegt: 'Jou kennende, Terry, zou je veel meer doen dan alleen aanbidden.'

'Zeker weten. En nu we het er toch over hebben, wat dachten jullie van een orgie? Ik was laatst in het ziekenhuis en ben helemaal genezen verklaard.'

'In je broek?' vraag ik. 'Dat moet dan zaal 45 geweest zijn, afdeling geslachtsziekten.'

'Ik wil, ik kan, en ik zal,' zegt hij en negeert mij opnieuw straal.

'Nou, Terry, we hebben een klein probleempje.' Ik vertel hem over *The News* en dat ik het voorlopig kalm aan wil doen totdat de film uitkomt.

'Dan doen we het wel in mijn flat. Laten we eerst drinken op Cannes. Dat wordt me een feest! Ik gun het jullie van harte.' Hij glimlacht op een manier die mij koude rillingen bezorgt en slaat een arm om mijn schouder. 'Sorry dat ik toen zo chagrijnig was, joh. Ik was gewoon jaloers. Maar je mag een ouwe kameraad zijn succes niet misgunnen.'

'Zonder jou was het nooit gelukt, Tel,' zeg ik, totaal verbouwereerd door zijn grootmoedigheid. 'Wat goed van je dat je hier in Gracemount zo gracieus doet over de hele zaak. Het is gewoon een kwestie van geld, man. Het kost een fortuin om iemand mee naar Cannes te nemen, zelfs voor een paar dagen. Maar je zult niks te klagen hebben zodra het geld binnenkomt.'

'Geen probleem. Ik moet hier rond die tijd toch nog een paar zaakjes regelen. Rab vindt het ook niet erg. Ik heb het er laatst nog met hem over gehad. Hij heeft het veel te druk met de kleine en zijn studie en zo.'

'Hoe gaat het met Roberto?' vraag ik.

'Goed, geloof ik. Dat saaie huisje-boompje-beestje is niks voor mij. Ik heb het één keer geprobeerd. Maar nee.'

'Voor mij ook niet,' stem ik in. 'Ik ben voorlopig niet geschikt voor het grote werk. Verantwoordelijkheid is het punt niet, sterker nog, zo nu en dan geniet ik van korte avontuurtjes, maar voor het grote werk ben ik nog niet klaar.'

'Hij heeft ons van tijd tot tijd allemaal belazerd,' mompelt Nikki vergenoegd, de drank is haar duidelijk naar het hoofd gestegen, net als die fucking dope die ze de hele dag al gerookt heeft. Hartstikke stoned is ze, en dan vraagt ze zich af waarom ze het nooit gemaakt heeft als turnster! 'En we zijn hem er nog steeds dankbaar voor.'

'Nou ja, soms,' zegt Terry.

'Ja. Waarom is hij eigenlijk zo? Waarom wil hij altijd iedereen manipuleren? Ik denk dat het komt omdat hij is opgegroeid in een gezin met alleen maar vrouwen. Ja, het is die Italiaanse achtergrond van hem. Hij roept een soort moederlijk instinct wakker in een vrouw,' zegt ze hardop.

Nikki begint me op mijn zenuwen te werken, dat staat als een paal boven water. Ik weet het niet, maar die neiging van haar om alles psychoanalytisch te bekijken gaat na verloop van tijd behoorlijk vervelen. Mijn ex-vrouw deed dat ook, en een tijdlang vond ik dat wel aardig. Het gaf mij het gevoel dat ze echt om me gaf. Totdat ik besefte dat ze dat bij iedereen deed, uit gewoonte. Uiteindelijk was ze een jodin uit Hampstead en haar hele familie werkte bij de media, dus wat had je anders verwacht? En na verloop van tijd kreeg ik er een hekel aan.

En nu begint Nikki ook al te zeiken. Ik merk dat ik steeds vaker redenen bedenk om niet bij haar te hoeven zijn. Ik herken de signalen: zodra ik oog krijg voor lelijker, minder sjieke, minder elegante, minder intelligente meiden, maar wel lekker geil. Ik realiseer me dat het een kwestie van tijd is voordat ik Nikki dump voor iemand aan wie ik binnen vijf minuten weer de pest heb. En ze neukt ook lang niet zo goed als ze denkt, met al dat turngedoe. In de eerste plaats is ze aartslui. Ze slaapt altijd, ligt de hele dag in haar nest, zo'n typische kutstudent dus, terwijl ik voor dag en dauw opsta. Ik heb nooit lang geslapen: twee of drie uur per nacht is voor mij genoeg. Ik word er doodziek van om midden in de nacht wakker te worden met een stijve en daarmee in een warme zak aardappelen te moeten porren.

Maar ze ziet er schitterend uit; hoe komt het toch dat ik op dit moment bijna alles liever zou doen dan haar mee naar huis te nemen en te neuken? Het duurt pas een paar maanden. Heb ik nu al genoeg van haar? Is mijn drempel werkelijk zo laag? Dat dacht ik niet. Als dat het geval zou zijn, dan ben ik ten dode opgeschreven.

We gaan terug naar haar flat en ze laat me een aantal foto's zien in een van die aftrekbladen voor mannen die niet meer weg te denken zijn uit de tijdschriftenwinkel. Die andere ex-turnster, Carolyn Pavitt, staat op het omslag. Nikki kent haar van vroeger en is volstrekt geobsedeerd door haar.

'Ze is lelijk,' zeg ik terloops. 'Het komt alleen maar omdat ze aan de Olympische Spelen heeft deelgenomen en omdat ze op tv is, daarom willen een boel kerels met haar naar bed. Prijsneuken, meer niet.'

'Jij zou haar ook neuken. Als ze hier nu binnenkwam? Dan zou je mij niet meer zien staan en helemaal voor haar gaan,' zegt ze met een bittere ondertoon in haar stem.

Dit soort bullshit kan ik niet handlen. Dat mens is fucking jaloers, beschuldigt mij ervan dat ik een oogje heb op iemand anders terwijl ik me niet eens een gezicht voor de geest kan halen totdat ze me een paar seconden geleden een foto van haar onder de neus hield. 'Beheers je, zeg,' mijmer ik, en vertrek. Ze slaat de deur met een klap achter mij dicht, maar erdoorheen hoor ik duidelijk een indrukwekkend gevloek en getier.

69 Politie

Die lul van een Donnelly heeft een mes en hij komt ermee op mij af gestormd en ik krijg mijn handen niet omhoog, het lijkt wel of ze vastgebonden zijn, alsof iemand ze vasthoudt of dat ze van lood zijn, en nu komt die lul van een kindernaaier, die Chizzie, ook op me af en ik probeer naar hem te schoppen en hij zegt: 'Ik vind je zo lief, jochie... dank je, jochie...'

En ik schreeuw het uit: 'BLIJF VAN ME AF, VIEZE KINDERLOKKER, IK VERMOORD JE, GODVERDOMME...' *maar ik kan mijn fucking armen nog steeds niet bewegen en die lul is bijna bij me... ik hoor gebons...*

Ik word wakker in bed met mijn hoofd op een arm en het was gewoon een droom, maar dat fucking gebons gaat nog steeds door, en ja, er wordt op de deur geklopt, en ze maakt me wakker en ik zeg: 'Doe even open...'

Ze gaat het bed uit, helemaal slaperig, maar als ze terugkomt is ze godverdomme klaarwakker en dodelijk ongerust en fluistert me toe: 'Frank, de politie, voor jou.'

GODVERDOMME, POLITIE...

Een of andere cunt heeft zijn fucking bek voorbijgepraat over die kinderneuker... Murphy... misschien is die lul overleden in het ziekenhuis of anders heeft die fucking Alison mij verlinkt... Second fucking Prize... of die ouwe zakken...

'Goed... ik maak me even klaar, hou die klootzakken aan de praat,' zeg ik, en ze loopt de slaapkamer uit.

Ik trek zo snel mogelijk mijn kleren aan. Ja, die cunt van een Second Prize heeft natuurlijk staan lullen over dat beest! Gij zult niet doden of dat soort gelul... of anders Murphy... hij leek helemaal op de hoogte te zijn...

KUT... KUT... KUT... KUT...

Ik kijk uit het raam hoe hoog het is, ik zou langs die regenpijp een paar verdiepingen naar beneden kunnen gaan en dan via een andere trap het gebouw uit. Maar er staan buiten misschien nog meer smerissen... nee, als ik op de vlucht sla, ben ik de lul... ik probeer me er gewoon uit te lullen... ik bel Donaldson even, die advocaat... waar is die fucking mobiel nou weer?...

Ik grijp in de zak van mijn jack... de mobiel is leeg, vergeten dat kutding op te laden... kut...

Er wordt op de deur geklopt. 'Meneer Begbie?'

Ja hoor, politie. 'Ja, wacht even.'

Als die klootzakken iets zeggen, dan zeg ik niks, dan bel ik gelijk Donaldson. Ik haal diep adem en loop de slaapkamer uit. Er staan twee smerissen op mij te wachten: een gast met flaporen die onder zijn pet uitsteken, en een meid. 'Meneer Begbie?' zegt het vrouwspersoon.

'Jawel.'

'Wij zijn hier in verband met een incident eerder deze week in Lorne Street.'

Ik denk diep na, dat met Chizzie was zelfs niet in de buurt van Lorne Street...

'Uw ex-vrouw, mevrouw June Taylor, heeft een klacht tegen u ingediend. U bent zich bewust van het tijdelijke contactverbod dat u is opgelegd totdat uw zaak voor de rechter komt?' vraagt die andere smeris op arrogante toon.

'Eh... jawel...'

Ik bekijk het papier dat ze mij geeft. 'Dit is een kopie van de voorwaarden van dat contactverbod. Die zijn u toegestuurd, maar wij stellen u deze kopie ter hand om u expliciet te herinneren aan de inhoud ervan. Het is ten strengste verboden dat u in contact treedt met mevrouw Taylor.'

De andere smeris vervolgt: 'Mevrouw Taylor beweert dat u haar benaderd heeft op Leith Walk, naar haar geroepen heeft en haar gevolgd bent tot in Lorne Street.'

GODZIJDANK, GODVERDOMME!

Het was gewoon die kankerteef van een June! Godverdomme, wat een opluchting! Ik begin keihard te lachen, en ze kijken mij aan alsof ik hartstikke gek geworden ben. Ik zeg: 'Ja... sorry, brigadier. Ik kwam haar gewoon op straat tegen en ik wilde mijn excuses aanbieden voor hoe ik me tegen haar gedragen had en zeggen dat het allemaal op een misverstand berustte, weet je wel. Maar dat viel helemaal verkeerd, daarom reageerde ik een beetje fout. Maar wist u wel,' zeg ik en til mijn shirt een stukje op, 'dat ze me gestoken heeft met een mes? En dan heeft ze godverdomme het gore lef om een klacht in te dienen tegen mij.'

Kate knikt instemmend en zegt: 'Dat klopt! Ze heeft Frank gestoken. Kijk dan!'

'Ík heb nooit een aanklacht tegen haar ingediend,' zeg ik schouderophalend, 'vanwege de kinderen, weet je wel.'

De vrouwelijke politieagent zegt: 'Nou, als u een aanklacht wilt indienen tegen die arme vrouw van u, dan kan dat, hoor. Maar voorlopig dient u zich aan deze voorwaarden te houden en bij haar uit de buurt te blijven.'

'Maak je geen zorgen,' zeg ik lachend.

Die andere juut met de flaporen probeert heel hard en zakelijk te doen, de lul. En hij probeert indruk te maken op die meid. 'Dit is een ernstige zaak, meneer Begbie. U kunt zwaar in problemen komen als u uw ex-vrouw lastigvalt. Is dat duidelijk?'

Ik denk er even over om die zeikstraal eens diep in de ogen te kijken totdat ze beginnen te wateren, maar ik wil geen al te brutale indruk wekken zodat ze echt lastig kunnen worden, dus ik zeg glimlachend: 'Ik zal bij haar uit de buurt blijven, maakt u zich daar maar geen zorgen over, brigadier. Ik wou dat u me dat tien jaar geleden was komen vertellen, dat had me een boel ellende bespaard!'

Ze blijven me doodernstig aanstaren. Ik bedoel: probeer je godverdomme een grapje te maken, snapt die fucking droogstoppel het niet. Reken maar dat ik uit de buurt van June zal blijven, maar dat geldt niet voor bepaalde andere types.

70 Eindje rijden

Ali is fantastisch, man, dat moet gezegd, dag in dag uit. Ik heb de kleine wijsgemaakt dat ik een auto-ongeluk heb gehad en dat 'oom Frank' mij gered heeft. Ze heeft gepraat met Joe, de broer van Franco, en gezegd dat niemand van plan was er ook maar iets over te zeggen tegen wie dan ook. Dat spreekt natuurlijk vanzelf, maar Franco is zó paranoia. Ik heb tegen Ali gezegd dat ze het geld op haar bankrekening moet storten. Het is voor haar en de kleine, ze mag het uitgeven waaraan ze wil.

Ik heb een gebroken kaak, hij zit helemaal in een harnas van ijzerdraad en ik kan geen vast voedsel eten; verder drie gekneusde ribben, een gebroken neus en dijbeen. Verder zit ik onder de blauwe plekken en heb ik achttien hechtingen op mijn hoofd. Ik zie er inderdaad uit alsof ik een auto-ongeluk gehad heb.

Ik mag vandaag al weer uit het ziekenhuis en Ali heeft het erover om bij me terug te komen. Maar ik wil haar en Andy niet in huis hebben zolang Begbie op het oorlogspad is. Ik moet eerst de lucht klaren tussen hem en mij. Het is natuurlijk een puinhoop tussen ons, maar het gekke is dat ik me nu een stuk beter voel, ik heb alles beter in de hand. Tegen Ali zei ik met mijn zachte, verwrongen stem: 'Ik wil niets liever dan dat je terugkomt, maar je hebt gelijk. Ik moet eerst met mezelf in het reine komen, leren om mezelf te redden, zoals dingen in huis doen en koken en dat soort zaken, voordat je terugkomt. Ik wil liever eerst bij jou en de kleine op bezoek komen, en jullie dan een dagje mee uit nemen, zeg maar.'

Ze moet lachen en kust me op mijn misvormde kop. 'Dat zou leuk zijn. Maar je kunt zo toch niet alleen naar huis, Danny.'

'Eigenlijk zit het alleen maar aan de buitenkant. Eigenlijk heb ik Franco altijd een poesje zonder klauwen gevonden,' mompel ik tussen mijn ingesnoerde kaken door.

Ali moet de kleine van school halen, maar als ik ontslagen word, zijn mijn moeder en onze Shauna en Liz er en die brengen mij naar huis. Ze maken de kachel aan, koken wat eten en maken aanstalten om weer weg te gaan, maar met kennelijke tegenzin, zeg maar. 'Eigenlijk is dit heel raar, Danny,' zegt Liz, 'waarom kom je niet bij ons?'

'Ja, jongen, ga mee naar mijn huis,' zegt mijn moeder.

'Nee, ik red me wel,' zeg ik, 'maak je maar geen zorgen om mij.'

Ze vertrekken en ik ben blij dat ze weer geweest zijn en ook weer opstappen, want later die avond wordt er op de deur geklopt. *No way* doe ik open. 'Ben je godverdomme thuis, Murphy?' schreeuwt de catboy door de brievenbus. Ook al heb ik alle lichten uit, ik voel die kwaadaardige blik door de gang turen. 'Dat is je godverdomme geraden van niet, want als je wel thuis bent en je doet die fucking deur niet voor me open...'

Ik schijt in mijn broek van angst, maar denk bij mezelf: dat gedoe met Franco begint weer opnieuw. Wat zou er gebeuren als ik de deur wél opendoe? Maar hij vertrekt weer.

Ik val in slaap in de stoel omdat ik zo lekker zit, maar na een poosje strompel ik naar mijn bed en ik word pas de volgende ochtend wakker als er weer op de voordeur wordt geklopt. Ik denk eerst dat hij het weer is, maar dat blijkt niet zo. 'Spud... ben je thuis?'

Het is Curtis. Ik doe de deur open en verwacht half en half dat Begbie die arme stakker met een mes op de keel in bedwang houdt. 'Hé Curtis, man; ja, ik ben thuis, ik hou me gedeisd.'

'Dat heeft die B-B-Begbie zeker gedaan, hè? Ik weet het omdat Ph-Philip met hem omgaat, zeg maar.'

'Nee, man, het waren een paar van die klootzakken die nog poen van mij kregen. Franco was degene die me te hulp schoot, zeg maar,' zeg ik, en ik weet dat ik ontzettend kan liegen, maar hij weet dat ik leugens vertel om hem te beschermen, om hem buiten deze hele zaak te houden. 'Dus,' zeg ik, 'ik hoor dat je naar dat filmfestival in Cannes gaat. Niet slecht, zeg.'

'Ja,' zegt hij enthousiast. 'Nou ja, niet het echte festival, alleen het pornofestival...' vervolgt hij, maar ik ben blij voor die jongen. Curtis is een aardige catboy. Ik bedoel, hij heeft me regelmatig bezocht in het ziekenhuis, weet je wel. Hij vermaakt zich als de beste met die lul van hem, maar hij laat zijn maten niet in de steek. Veel mensen in zijn positie vergeten ineens hun achtergrond, zoals Sick Boy. Ja, die denkt nu dat hij het helemaal gemaakt heeft, maar daar kan ik maar beter mijn mond over houden, want Curtis mag Sick Boy graag. Wat een leven zeg: neuken met mooie meiden en er nog voor betaald krijgen ook. Geen slechte deal, als je erover nadenkt. Ik bedoel: er zijn beroerdere manieren te bedenken om aan de kost te komen, dat zal iedereen toch moeten toegeven. Dan zegt hij: 'Ga je mee een eindje rijden? Ik ben met de auto, en hij is niet eens gejat.'

Dus we rijden via de A1 naar Haddington in die ouwe kar van hem, en ik wil dat hij steeds harder rijdt en dat doet hij, en ik bedenk dat ik mijn veiligheidsgordel los zou kunnen maken, op de rem trappen en dan door de voorruit naar buiten schieten. Maar dan zul je net zien dat ik voor de rest van mijn leven verlamd ben of zoiets. Het zou ook niet eerlijk zijn tegenover Curtis, en bovendien wil ik mijn leven weer op orde krijgen want ik heb Ali en Andy, in ieder geval heb ik de kans om hen weer bij me te krijgen. Dostojevski. Verzekeringsfraude. Wat een gelul allemaal, zeg maar.

We stoppen bij een kleine plattelandspub; het is maar een paar kilometer buiten Leith, maar een totaal andere wereld. Maar ik zou het hier niet uithouden, man. Soms denk ik wel eens: wij met zijn drieën in een huisje op het land, wat zou dat idyllisch zijn, maar dan besef ik dat ik me zou doodvervelen, niet door Andy en Ali, maar door het gebrek aan stimuli in het algemeen, zeg maar.

Ik leen de mobiel van Curtis, bel Rents en spreek voor later op de avond met hem af in een pub aan de Grassmarket. Ik zie Begbie nog niet naar de Grassmarket komen, en we hebben allebei geen zin om Begbie tegen het lijf te lopen.

71 Hoeren van Amsterdam, deel 10

Spud ziet er belabberd uit. Zijn kaak is aan een kant zo gezwollen dat het lijkt alsof er zich een tweede hoofd aan het vormen is, en als hij boven aan de trap bij Gav komt, is hij bekaf. Hij wil nog steeds niet zeggen wie hem zo toegetakeld heeft, hij mompelt alleen vaag iets tussen met ijzerdraad vastgezette kaken over gasten die nog geld van hem kregen. Sarah is erg geschrokken door de verwondingen van die arme lul. Als het inderdaad Begbie was die dit op zijn geweten heeft, dan heeft hij nog geen greintje aan agressie verloren. Gav en Sarah drinken iets met ons in een pub en gaan dan naar de bioscoop.

'Iedereen smeert hem als ik op de proppen kom,' zegt hij met zachte, vervormde stem, 'zal wel met mijn persoonlijkheid te maken hebben. Maar het is goed dat wij weer contact met elkaar hebben, hè Mark?' mompelt hij enthousiast en hoopvol.

Ik wil niet meteen zijn hoop de grond intrappen; ik pak mijn bierglas, zet het weer neer en haal diep adem. 'Moet je horen, Spud, ik blijf hier niet lang meer.'

'Vanwege Begbie?' vraagt hij, en ineens beginnen zijn ogen te twinkelen.

'Gedeeltelijk,' geef ik toe, 'maar niet alleen vanwege hem. Ik wil weg, met Dianne. Ze heeft haar hele leven in Edinburgh gewoond en ze wil wel eens wat anders.'

Spud kijkt me met bedroefde ogen aan. 'Goed dan... maar dan wil ik wel graag dat jij Zappa terugbrengt voordat jullie vertrekken. Dat doe je wel, hè, Mark? Het valt niet mee om die kattenmand te dragen, met die gekeusde ribben en met maar één arm.' Hij knikt gefrustreerd naar zijn mitella.

'Ja hoor, geen probleem,' zeg ik. 'Maar wil jij ook iets voor mij doen?'

'Ja,' zegt Spud, op een toon waaruit blijkt dat hij doorgaans niet waardig wordt geacht iets voor anderen te kunnen betekenen.

'Weet jij waar ik Second Prize kan vinden?'

Hij kijkt me aan alsof ik hartstikke gek geworden ben, wat waarschijnlijk ook het geval is, met al die shit waarmee ik me tot dusver al heb ingelaten. Dan glimlacht hij en zegt: 'Ja hoor.'

We nemen nog een paar biertjes en daarna zet ik Spud af bij zijn huis, zonder uit de taxi te komen. Ik rijd door naar Dianne, we gaan naar bed en vrijen. De volgende ochtend slapen we uit en vrijen nog een keer. Na een poosje merk ik dat ze verstrooid en gespannen is. Uiteindelijk zegt ze: 'Ik moet mijn bed uit en mijn scriptie nakijken. Nog één keer.'

Met tegenzin sta ik op en besluit naar Gav te gaan en haar rustig te laten werken. Het pist godverdomme van de regen en is bitterkoud. Hoezo, het is bijna zomer, me reet; het is eerder fucking hartje winter. De trilfunctie van mijn mobiel treedt in werking. Het is Sick Boy en hij is een en al achterdocht als ik vertel dat ik niet tegelijk met hem naar Cannes vlieg. Ik vertel hem dat Miz toch meegaat en dat ik eerst naar Amsterdam moet en een paar zaken moet regelen in de disco.

Als ik bij Gav kom, vertelt hij me dat hij Sick Boy en Nikki is tegengekomen in de stad en ze heeft uitgenodigd om te komen eten, samen met mij en Dianne. Dat vooruitzicht stemt mij niet echt vrolijk, en ik vraag me af of Dianne er wel zin in heeft. Maar als ik het haar voorstel, reageert ze heel positief, waarschijnlijk omdat Nikki een vriendin van haar is.

Op de bewuste avond is Sick Boy in een uitstekend, althans vrij redelijk humeur. Hij zit overduidelijk te flirten met Sarah, maar Nikki trekt zich er niets van aan, ze richt zich helemaal op Gav, die er verbijsterd bij zit, alsof hij betrokken wordt in de voorbereidingen tot een potje partnerruil, wat met die twee erbij niet zo'n vreemde veronderstelling is.

Na een poosje spreekt Sick Boy mij aan in de keuken. 'Ik heb jou nodig in Cannes!' zegt hij op klaaglijke toon. Hij heeft het altijd over bezuinigen op de reiskosten, nou, die stomme lul kan gewoon bij mij beginnen. 'Ik kan niet zo maar weg. Al mijn spullen liggen nog in Holland en dat moet daar weg, ik wil niet dat Katrin alles meeneemt, en dat doet ze als ik niet opschiet.'

Hij protesteert beter dan Deirdre in *Coronation Street.* 'Wanneer kom je?'

'Ik ben donderdag in Zuid-Frankrijk.'

'Dat is je geraden ook. Ik heb al een kamer gereserveerd, godverdomme,' snauwt hij en kijkt me met een smekende blik aan, terwijl hij de cognac ronddraait in zijn glas. 'Toe nou, Mark, dit wordt ons mooiste moment. Hier hebben we ons hele leven op gewacht, de jongens uit Leith in Cannes, godverdomme! We maken een goeie kans, man. Wat een ervaring wordt dat!'

'Daarom wil ik het godverdomme ook voor geen goud missen,' zeg ik, 'ik moet alleen wat dingen regelen met Katrin. Ze is nogal een moeilijk type... ik wil niet dat er spullen kwijtraken. Bovendien kan ik Martin niet zomaar in de steek laten: "Sorry, joh ik weet dat we zeven jaar samen in voor- en tegenspoed een disco hebben gerund, maar nu is mijn ouwe kameraad Simon weer op het toneel verschenen en hij wil dat ik pornofilms met hem ga maken."'

Hij heft zijn handen op en buigt het hoofd, terwijl Sarah met de vuile borden de keuken binnenkomt. 'Oké, oké...'

Van de gelegenheid gebruikmakend vervolg ik: 'Ik heb de afgelopen negen jaar een bestaan opgebouwd, dat kan ik toch godverdomme niet met een knopje uitdraaien alsof het de keukenlamp is, alleen omdat jij mij plotseling weer als *persona grata* wenst te beschouwen.' Sarah verlaat op eieren lopend de keuken.

Hij zegt iets terug en we vitten en kiften door tot het niveau van een crisis, maar plotseling zien we ondeugende lichtjes flonkeren in elkaars ogen en we barsten uit in een bulderende lachbui. 'Dit kan niet meer, Simon,' zeg ik. 'Het was prima toen we nog jongens waren, maar nu lijken we wel een paar ouwe nichten. Kun jij je voorstellen hoe we er over tien jaar voor staan?'

'Liever niet,' zegt hij en kijkt er oprecht gechoqueerd bij. 'Het enige wat ons nog kan redden is a. een heleboel geld, en b. veel jonge mooie wijven voor de deur. Als je twintig bent, red je het nog op je uiterlijk, als je dertig bent op je persoonlijkheid, maar boven de veertig lukt het je niet zonder geld of roem. Kwestie van één plus één is fucking twee. Iedereen denkt dat ik zo ambitieus ben, maar dat is niet waar. Voor mij is het een kwestie van levensonderhoud, een soort crisismanagement.'

Het zit me niet lekker dat hij open is over zijn gevoelens, want ik voel dat die cunt ondanks dat nihilistische gekoketteer bloedeerlijk is. Kan ik dit project zo maar van hem afnemen? Het lijkt zo wreed. Maar wat zou hij van *mij* hebben afgenomen, als Begbie mij gevonden had? Nee, Sick Boy is een lul. Niet dat hij zo'n enorme klootzak is, hij is gewoon een fucking superegoïst. Als je wilt zwemmen tussen de haaien, overleef je alleen als je zelf de grootste bent.

Maar vreemd genoeg heeft hij begrip voor mijn motieven, hij zegt dat ik groot gelijk had om Groot-Brittannië achter mij te laten. 'Het is volkomen naar de kloten, en als je geen geld of status hebt, ben je vanzelf een derderangs burger. Amerika, dat is het paradijs,' stelt hij, 'daar zou ik heen moeten gaan, mijn eigen kerk beginnen en al die naïeve, goedgelovige yanks geld uit de zak kloppen.'

Nikki komt de keuken in en zegt tegen mij met opgetrokken wenkbrauwen: 'Simon in de keuken? Een onwaarschijnlijke combinatie.' Ze kijkt hem aan. 'Gedraag je je een beetje?'

'Voorbeeldig,' zegt hij. 'Maar kom, Rents. Laten we ons bij de anderen voegen. We kunnen Temps niet zo lang alleen laten bij de meiden.'

We gaan bij de anderen aan tafel zitten, en Sick Boy, Gav en ik krijgen een ouderwets meningsverschil over de tekst van 'Giving It All Away' van Roger Daltrey. 'Het is *I'd know better now, giving it all away,*' meent Sick Boy.

'Nee hoor,' zegt Gav hoofdschuddend, 'het is *I know better now.*'

Ik maak een wegwerpgebaar naar die sukkels. 'Jullie verschil van mening is gewoon pedant gelul waardoor de essentie van die song niet wezenlijk verandert. Als je goed luistert, echt goed luistert, hoor je dat hij *I'm no better now* zingt, in de zin van ik ben niks veranderd, ik ben nog steeds hetzelfde, ik heb niks geleerd.'

'Bullshit,' briest Sick Boy, 'die song gaat over achteromzien met de wijsheid en volwassenheid van nu.'

'Precies,' beaamt Gav, 'zoiets van "als ik toen wist wat ik nu weet", dat soort werk.'

'Nee, hoor. Jullie vergissen je allebei,' beweer ik. 'Luister eens goed naar hoe Daltrey dat zingt, het is een soort klaagzang, er klinkt iets van verslagenheid in door; het is het relaas van een gast die eindelijk zijn beperkingen onder ogen ziet. *I'm no better now,* want ik ben nog steeds dezelfde opgefuckte cunt die ik altijd geweest ben.'

Sick Boy reageert plotseling vijandig en woedend alsof het allemaal heel erg belangrijk is: 'Je hebt geen idee waar je het over hebt, godverdomme, Renton.' Tegen Gav zegt hij: 'Leg het hem eens uit, Gav, leg het hem uit!'

De heer Williamson lijkt de kwestie nogal persoonlijk op te vatten. Het bekvechten gaat door totdat Dianne ingrijpt. 'Hoe kunnen jullie je nou zo opnaaien over zoiets stompzinnigs?' Ze schudt het hoofd en zegt tegen Nikki en Sarah: 'Ik zou wel eens één dag in het hoofd van die gasten willen doorbrengen, alleen maar om te voelen hoe het is om zoveel shit in je kop te hebben.' Ze streelt met een hand over mijn voorhoofd en de andere legt ze op mijn dij.

'Een uur lijkt me meer dan genoeg,' stelt Sarah.

'Ja,' reageert Sick Boy behoedzaam; hij glimlacht naar mij en ziet blijkbaar de waanzin van de situatie in. 'Vroeger zei Begbie altijd: "Wat een fucking shit, ik krijg er een fucking tiet van, dus hou godverdomme je bek of ik ram je godverdomme een dikke lip."'

'Ja, soms is te veel democratie strontvervelend,' zegt Gav lachend.

'Die Begbie lijkt me een mooi figuur. Die zou ik wel eens willen ontmoeten,' zegt Nikki.

Sick Boy schudt van nee. 'Dat denk ik niet. Ik bedoel: hij houdt niet echt van meisjes,' grinnikt hij, en Gav en ik gniffelen mee.

'Ook niet van jongens trouwens,' vervolg ik en we pissen in onze broek van het lachen.

Even later begint Nikki weer over Cannes. Dianne heeft me verteld dat Nikki het over niks anders meer heeft, en Sarah en Gav beginnen geprikkeld tegen elkaar te doen. Dianne en ik vatten dit op als een teken om op te stappen, en zij zegt dat ze haar scriptie nog een keer wil uitprinten. Helaas besluiten Nikki en Sick Boy dezelfde taxi te nemen als wij.

'Godverdomme, wat een lekker wijf, die Sarah,' zegt Sick Boy.

'Ja, hè?' zegt Nikki en ze is schor en zweterig van de drank.

'Ik stelde partnerruil voor, maar daar voelde ze niks voor,' bevestigt Sick Boy mijn eerdere vermoedens. 'Volgens mij was Temps ook een beetje over de zeik,' vervolgt hij. Tegen Dianne zegt hij: 'Ik heb jou niks gevraagd, Di, niet omdat ik je niet aardig vind, maar het is twee voor de prijs van één, en alleen al het idee van Rents in zijn blote kont...'

Ik had al tegen haar gezegd dat die lul mij al eerder gepolst had over partnerruil. Ze werpt hem een verzengende blik toe en begint te praten tegen Nikki, die inmiddels behoorlijk bezopen is. We lopen de trap op en begeven ons per stel naar onze afzonderlijke kamers, en ik hoor hoe Nikki en Sicky, zoals Terry hen noemt, tegen elkaar tekeergaan in een luidruchtige dronkemansruzie.

Ik lees de laatste versie van Diannes scriptie terwijl zij naar de badkamer gaat. Ik begrijp er niet veel van, wat ik als een goed teken beschouw, maar het ziet er allemaal, nou ja, academisch genoeg uit wat mij betreft: onderzoeksresultaten, bronvermeldingen, voetnoten, een uitgebreide bibliografie, enzovoort en het leest gemakkelijk weg. 'Lijkt me uitstekend,' zeg ik als ze weer binnenkomt. 'Ik bedoel, voorzover ik verstand heb van die dingen. Maar voor een relatieve buitenstaander leest het heel makkelijk.'

'Ik krijg er wel een voldoende voor, veel meer niet,' zegt ze zonder een spoortje moedeloosheid.

We praten over wat ze gaat doen nu ze haar studie beëindigd heeft, ze kust me en zegt: 'Je had het over een buitenstaander,' ritst mijn gulp open en haalt mijn stijf wordende pik te voorschijn. Ze houdt hem stevig vast, likt haar lippen. 'Eerst ga ik dit doen,' kondigt ze aan, 'en daarna nog veel, veel meer.'

Ik denk bij mezelf: we kunnen op dit gebied nauwelijks meer doen dan we al doen.

We slapen uit en we worden pas tegen het einde van de middag wakker. Ik zet twee mokken thee, neem die mee naar bed en besluit dat ik Dianne alles, maar dan ook alles, ga vertellen. Zo gezegd, zo gedaan. Ik weet niet precies wat ze al wist of geconcludeerd heeft. Ze reageert niet erg verbaasd, maar dat doet ze nooit. Ik kleed me aan, spijkerbroek en fleecetrui, terwijl zij overeind gaat zitten. 'Dus je gaat op zoek naar een alcoholische vriend die je bijna tien jaar niet gezien hebt en je gaat hem drieduizend pond in contanten geven?'

'Precies.'

'Weet je zeker dat je het goed doordacht hebt?' vraagt ze geeuwend en zich uitrekkend. 'Ik ben het niet vaak eens met Sick Boy, maar misschien doe je die gast meer kwaad dan goed door hem dat soort bedrag in één keer te geven.'

'Het is zijn poen. Als hij zich dood wil drinken, dan gaat hij zijn gang maar,' zeg ik, maar ik besef verdomd goed dat het een puur egoïstische gedachte is, dat *ik* deze rekening wil vereffenen.

De kou schijnt tot in de diepste vezels van de stad te zijn doorgedrongen. Het lijkt op een ziekte waarvan de oude stad maar niet kan genezen, omdat het weer, gesteund door de ijzige wind vanaf de Noordzee, onafgebroken winters van karakter blijft. Op de Royal Mile hangt een spookachtige sfeer, ook al is de avondschemering nauwelijks begonnen. Ik strompel over de kinderkopjes en vind de Close. Ik loop door de smalle, nauwe steeg die uitkomt op een kleine binnenplaats die omgeven is door oude, hoge huurkazernes. Een smal steegje gaat naar beneden, richting New Town.

De binnenplaats staat vol met mensen; ze luisteren allemaal naar een bebaarde oude man met wilde, getraumatiseerde ogen, die preekt uit de bijbel. Het barst hier van de alcoholisten, maar ook lui van de afkickcentra van de AA en de NA, waar de behoefte aan verdovende middelen wordt vervangen door regelmatig toegediende shots met fundamentalistische evangelische shit. Ik laat mijn blik rondgaan en ontdek hem in de menigte; hij is mager en gladgeschoren, maar wekt de stellige indruk dat hij ergens van aan het herstellen is, en dat is natuurlijk ook zo, die starre toestand van herstellend te zijn, die staat van onthouding waardoor je versteent. Het is Rab McNaughton, alias Second Prize, en ik ben hier om hem drieduizend pond in contanten te overhandigen.

Ik nader hem behoedzaam. Second Prize was een goede vriend van Tommy, een oude kameraad van ons die gestorven is aan aids. Hij beschuldigde mij ervan dat ik Tommy aan de junk had gebracht en heeft me zelfs een keer aangevallen. Die gast heeft altijd al een uiterst twijfelachtige persoonlijkheid gehad. 'Sec... Robert,' corrigeer ik mijzelf snel. Hij kijkt me even aan, stelt met weerzin vast wie ik ben en draait zich dan weer om naar de prediker, met fonkelende ogen, ieder woord van de geestelijke in zich opnemend en op gezette tijden 'amen' mompelend.

'Hoe gaat ie?' vraag ik.

'Wat moet je?' vraagt hij, zich weer even tot mij wendend.

'Ik heb iets voor je,' zeg ik. 'Het geld dat ik je schuldig ben...' Ik stop mijn hand in mijn zak, voel de bundel bankbiljetten, en bedenk dat dit inderdaad een volstrekt bespottelijk scenario is.

Second Prize kijkt mij aan. 'Je weet wat je ermee kunt doen. Jullie zijn allemaal slecht: jij, Begbie, die pornograaf Simon Williamson, Murphy de junkie... jullie zijn allemaal slecht. Jullie zijn moordenaars en jullie doen het werk van de duivel. De duivel woont daar in de haven van Leith, en jullie zijn zijn handlangers. Het is een slechte plek...' zegt hij en hij draait zijn ogen naar de hemel.

Er welt een verbijsterende mengeling van woede en vrolijkheid in mij op, en het kost mij moeite de verleiding te weerstaan om te zeggen dat hij uit zijn nek staat te lullen. 'Moet je horen, ik wil je dit geven, neem het nou maar, dan zie ik je wel weer in het hiernamaals,' zeg ik en prop de stapel bankbiljetten in zijn jaszak. Een dikke vrouw met krulhaar en een zwaar Glasgows accent komt op ons af en zegt: 'Wat is hier aan de hand? Wat is er aan de hand, Robert?'

Second Prize rukt het geld uit zijn zak en zwaait het heen en weer voor mijn neus. 'Dit! Dit is er aan de hand! Denk je echt dat je mij kunt kopen met deze rotzooi? Dat je mijn stilzwijgen kunt kopen, jij en Begbie? Gij zult niet doden!' zegt hij, met een felle blik in zijn ogen. Dan schreeuwt hij mij keihard en spugend in het gezicht, zodat mijn zenuwen aan flarden worden gescheurd: 'GIJ ZULT NIET DODEN!'

Hij smijt het geld de lucht in en de bankbiljetten dwarrelen heen en weer op de wind. De menigte beseft onmiddellijk wat er gebeurd is. Een met vuile korsten overdekte man in een smerige overjas grijpt een briefje van vijftig en houdt het tegen het licht. Een andere viezerik duikt op de straatkeien en binnen de kortste keren krioelt iedereen in een uitbarsting van hebzucht over de grond zonder nog maar een oog te werpen op de bejaarde prediker, die, zodra hij het geld door de lucht ziet vliegen, onmiddellijk zijn preek vergeet en zich in de graaiende mensenmassa mengt. Ik doe een paar passen naar achteren, grabbel een paar handen vol biljetten van de grond en steek die in mijn zak. Mijn redenering is dat ik hem het geld heb gegeven en dat hij ermee kon doen wat hij wilde, maar als hij kiest voor een algemene uitdeling, dan doe ik gewoon mee. Ik loop de steeg in richting de Close en de Mile en bedenk dat ik zojuist waarschijnlijk de helft van het totale aantal alcoholisten in de stad heb uitgeroeid en alle medewerkers van de plaatselijke afkickcentra tot wanhoop heb gedreven.

Ik ga terug naar Dianne en zie dat Sick Boy ook nog steeds in huis is, drijfnat en gekleed in een handdoek. 'Morgen Cannes,' zegt hij met een glimlach.

'Ik kom zo snel mogelijk,' zeg ik. 'Het is volkomen kut dat ik nog naar Amsterdam moet, maar wat moet dat moet. Hoe laat is jouw vlucht?'

Hij zegt om elf uur, dus de volgende ochtend regel ik een taxi voor ons beiden en Nikki naar het vliegveld. Tijdens het ontbijt snuift hij cocaïne en achter in de taxi neemt hij nog een flinke haal, terwijl hij aan één stuk door zit te zeuren over Franck Sauzee. 'Die gast is godverdomme goed, Renton, een absolute fucking god. Ik zag hem laatst uit Valvona & Crolla komen met een dure fles wijn, en ik dacht, dit missen we godverdomme al jaren in Easter Road, dat soort klasse,' en hij raaskalt maar door, tandenknarsend met wild draaiende ogen. Nikki is zo stoned en vol van Cannes dat ze nauwelijks doorheeft hoe hij eraan toe is. Ik zwaai hen uit en zeg dat ik zelf om halfeen het vliegtuig naar Amsterdam neem. Maar in werkelijkheid vlieg ik naar Frankfurt, waar ik overstap op een vlucht naar Zürich.

Zwitserland is zo fucking saai. Ik was op slag al mijn respect voor Bowie kwijt toen ik hoorde dat hij daar woonde. Maar met de banken is niks mis. Er worden helemaal geen vragen gesteld. Dus als ik het formulier teken waarmee ik de tegoeden van de Bananazzurri-rekening overboek op een nieuwe rekening bij de Citibank, kijkt er niemand verbaasd op. Nou ja, de dikke, brildragende bankfiguur in driedelig grijs informeert of ik de rekening wil openhouden.

'Ja,' zeg ik, 'want we moeten onmiddellijk bij het geld kunnen omdat we films willen produceren. Maar het tegoed zal binnenkort worden aangevuld omdat we al investeerders hebben voor ons volgende filmproject.'

‘Wij hebben enige ervaring in filmfinanciering. Het kan raadzaam zijn dat u of uw partner, de heer Williamson, de volgende keer dat u hier bent even overlegt met Gustave. We kunnen een filmproductierekening openen, gekoppeld aan deze rekening, zodat u direct cheques kunt uitschrijven en uw crediteuren kunt betalen.’

‘Hmm... dat klinkt interessant. Het spaart ons inderdaad een boel moeite als we alles onder één dak kunnen regelen, als het ware,’ zeg ik. Ik kijk op de klok, ik wil geen verdenking wekken maar ook geen minuut langer worden opgehouden dan absoluut nodig is. ‘We moeten het daar inderdaad eens over hebben, maar op dit moment moet ik even mijn vliegtuig halen...’

‘Natuurlijk... neemt u mij niet kwalijk...’ zegt hij, en de transactie wordt snel afgewikkeld.

Zo gemakkelijk was het allemaal. En terwijl ik terugvlieg naar Edinburgh kan ik alleen maar denken aan Sick Boy.

72 '...de branding van de Middellandse Zee...'

We vliegen business class met British Airways naar de Côte d'Azur met een directe vlucht vanuit Glasgow. Als we Nice naderen is de lucht strakblauw, en ik zie de branding van de Middellandse Zee over het gouden zand schuiven. Omdat we gaan landen, zijn de lampjes voor de veiligheidsgordels aan, maar Simon is voor de vierde keer van de spanning en de zenuwen naar het toilet gegaan. 'Dit is het dan, Nikki, dit is het. Wil je zien hoe er gesjoemeld en gesjacherd, gedeald en gedaan wordt?'

'Nee. Niet echt...' zeg ik, opkijkend uit mijn *Elle*, en zie zijn opengesperde neusgaten waarin aan de haartjes de cocaïne nog te zien is.

'Die klootzakken weten niet wat hun overkomt. Zoiets hebben ze nog nooit meegemaakt,' snuift hij, aan zijn neus wrijvend. Hij kijkt mij bijna smekend aan en kust me zacht op de wang. 'Jij bent een kunstwerk, meid,' zegt hij, en dan schieten zijn kameleonogen weer overal heen en richten zich op een meisje met lang, golvend haar, een op haar voorhoofd gelijmde zonnebril en een Prada-jasje aan. 'Moet je dat zien,' zegt hij hardop en wijst, 'al die moeite en dan alles verpesten door een oerlelijk permanent. Wedden dat ze uit de uitgeverswereld komt? Die moet onmiddellijk haar kapper ontslaan... nee, neerschieten die klootzak!' zegt hij. Hij steekt uitdagend zijn onderkaak naar voren en hier en daar maken mensen afkeurende geluiden.

Ik glimlach minzaam in de wetenschap dat het geen zin heeft hem te vragen om zachter te praten. Hij ratelt maar door tegen mij en vertelt mij zijn levensverhaal.

'Begbie gooide een glas naar beneden en verwondde een meisje zwaar aan het hoofd... ik heb wel met een luchtbuks op mensen geschoten... Renton mishandelde als kind dieren, er was iets met die gast... het zou mij niet verbaasd hebben als hij een seriemoordenaar was geworden... Murphy heeft mijn Coventry City-elftal van Subbuteo gejat... ik ontdekte het bij hem thuis en hij had het zogenaamd gekocht vlak nadat ik het mijne kwijt was... mijn ouders hadden het niet breed... het was een hele uitgave voor ze... mijn moeder, een keurige, oppassende vrouw, zei:

"Waar is dat mooie voetbalelftal toch dat we jou gegeven hebben, jongen?"... Wat moest ik zeggen? "Dat ligt bij die schooier thuis, mam. De spelers schuiven op dit moment heen en weer over het gebarsten linoleum van die smerige dief en worden onder de voet gelopen door dronken, ongeïnteresseerde zigeuners die de slaapkamers afzoeken naar kinderen om te misbruiken..." Dat kon ik toch niet zeggen tegen mijn moeder. Dat huis van Murphy, wat een vieze teringzooi...'

Ik reageer opgelucht blij als we uit het vliegtuig zijn. We halen onze bagage op en Simon loopt direct naar de taxistandplaats. 'Zullen we niet even wachten tot die anderen geland zijn met easyJet?' vraag ik.

'Dat dacht ik eigenlijk niet...' zegt hij bedachtzaam. 'Moet je horen, Nikki, het eh, Carlton was volgeboekt, dus ik heb hen moeten onderbrengen in het Beverly. Maar dat ligt ook centraal.'

'Is dat goedkoper?'

'Dat kun je wel zeggen, ja,' zegt hij grijnzend. 'Onze suite kost vierhonderd pond per nacht en hun kamers ieder achtentwintig pond per nacht.' Ik schud zogenaamd vol weerzin het hoofd, in de hoop dat hij denkt dat ik het echt meen.

'Maar ik moet een chique entourage hebben, zakelijk gezien...' zegt hij protesterend. 'Het zou een verkeerde indruk wekken als ik gezien word in een of ander schijthuis... niet dat het Beverly een schijthuis is, natuurlijk.'

'Wedden van wel?' zeg ik. 'Dit zaait tweedracht, Simon, wij zouden moeten optreden als een hecht team.'

'We hebben het hier over Lochend en Wester Hailes. Voor hen is het een en al luxe! Ik heb heus wel aan hen gedacht, Nikki, ze zouden zich anders voelen als een vis op het droge. Kun jij je Curtis voorstellen in het Carlton, wees nou eerlijk? En Mel, met haar tatoeages? Nee, ik wil hen en mijzelf niet in verlegenheid brengen,' zegt hij arrogant, steekt zijn neus in de wind, zet zijn zonnebril op en rijdt ons bagagekarretje naar de taxistandplaats.

'Wat ben jij een snob, Simon,' deel ik hem gnuivend mee.

'Onzin! Ik kom uit Leith, hoe kan ik dan een snob zijn? Ik ben eerder een socialist. Ik doe gewoon mee in het politieke spelletje van de zakenwereld, meer niet,' zegt hij bits en herhaalt: 'Die Renton moet mij niet belazeren, want dat zou zonde zijn van die kamer... het is maar goed dat ik zijn kamer in het Carlton heb afgezegd en er voor hem ook een geboekt heb in het Beverly... ik vertrouw die lul voor geen cent...'

'Mark is oké. Hij gaat om met Dianne en dat is een schatje.'

'Oké, hij kan heel meegaand zijn, als hij wil. Maar jij kent hem niet zoals ik hem ken. Vergeet niet dat ik ben opgegroeid met Rents. Ik ken hem als mijn broekzak. Het is tuig van de richel. Net als wij allemaal.'

'Wat een gevoel voor eigenwaarde, Simon! Dat had ik nooit van je gedacht.'

Hij schudt het hoofd als een hond die de zee uit komt lopen. 'Ik bedoel dat op een positieve manier,' zegt hij. 'Maar ik weet hoe hij in elkaar zit. Als Dianne een goede vriendin van je is, zeg haar dan dat ze haar portemonnee goed in de gaten moet houden.'

We nemen een taxi naar het Carlton en rijden over de drukke kustweg. 'Ik wilde eerst kiezen voor Hôtel du Cap,' zegt Simon, 'maar dat is te ver uit het centrum en dat zou veel taxi's betekenen. Dit ligt pal aan La Croisette,' vervolgt hij, en jaagt de trage, Latijns-Amerikaanse taxichauffeur op in indrukwekkend Frans: '*Vite! Je suis très pressé! Est-ce qu'il y a un itinéraire de dégagement?*'

Uiteindelijk komen we bij ons hotel aan en stappen uit de taxi. Er springen meteen twee portiers op onze bagage. 'Wilt u inchecken, *monsieur, mademoiselle?*'

'*Oui, merci,*' antwoord ik, maar Simon blijft buiten staan, hij kijkt uit over de zee en overziet de mensenmassa in La Croisette en draait zich dan om naar het grote, stralendwitte, vroeg-twintigste-eeuwse hotel. 'Alles goed, Simon?'

Hij neemt zijn Ray Ban-zonnebril af en stopt hem in het borstzakje van zijn geellinnen colbert. 'Laat me even genieten van dit moment.' Hij snuift de zeelucht op en knijpt in mijn hand. Ik zie dat de tranen in zijn ogen staan.

We lopen de foyer van het hotel binnen die een adembenemde rijkdom uitstraalt en beheerst wordt door zwarte en gouden pilaren. Er zijn drie kleuren marmer verwerkt: grijs, oranje en wit, alledrie uitgebreid bewerkt met profielen van bladgoud. Die enorme kristallen kroonluchters die aan lange koperen kettingen hangen, de marmeren vloer, de witte muren en overwelfde doorgangen stralen een ongekende weelde en luxe uit.

In de hotelkamer ligt een dik tapijt waarin je tot aan je enkels wegzakt. Het bed is kolossaal en we hebben een tv met vijftig zenders. De enorme badkamer staat vol met allerlei toiletartikelen en ter verwelkoming staat er een fles Rosé de Provence klaar in een ijsemmer. Simon trekt de fles open en schenkt voor ons allebei een glas in dat we meenemen naar het balkon met uitzicht op zee. Ik kijk naar buiten en zie dat het passerende publiek onder de indruk is van ons hotel. Ze slenteren over de boulevard en kijken vol bewondering omhoog naar ons. Simon heeft zijn zonnebril weer opgezet en zwaait vermoeid naar enkele op sterren jagende toeristen, die elkaar aanstoten en foto's van ons nemen! Ik vraag me af wie ze denken dat wij zijn!

We relaxen wat op het balkon, hier in het kloppende hart van de wereld, een en al diepe tevredenheid. We drinken van de rosé, de hitte vermengt zich met het gevoel van vrijheid dat ik in het vliegtuig had en de wijn van gisteren bij Gavin, en ik voel dat ik slaperig word.

Maar we zijn hier. Ik ben hier. Ik ben actrice, ik ben een ster, hier, in Cannes. 'Ik vraag me af wie er hier nu nog meer logeert? Tom Cruise? Leonardo DiCaprio? Brad Pitt? Misschien wel in de kamer hiernaast!'

Simon haalt zijn schouders op en klapt zijn mobiele telefoon open. 'Wat maakt dat uit? Ze zullen zich moeten richten naar onze plannen,' zegt hij terloops terwijl hij een nummer intoetst. 'Mel! Je bent in... mooi zo. Gedraagt Curtis zich een beetje?... mooi... geniet er maar van, we halen jullie om zeven uur op. Na de vertoning is er een feestje en ik zorg wel dat er gasten komen... niet dronken worden... ja, precies... nou, ga maar naar het strand of kijk wat tv... tot zeven uur in de lobby... oké,' zegt hij en klikt het toestel dicht. 'Wat een ondankbaar nest,' klaagt hij en bauwt Mel na: 'Ik en Curtis hebben geen geld, Si-min, hoe moeten we nou winkelen zonder geld?'

Ik voel me plotseling heel moe worden. 'Ik ga even een uurtje liggen, Simon,' zeg ik en loop de hotelkamer in.

'Ja,' zegt hij, en loopt achter mij aan.

Simon kiest een pornofilm uit een lijst die bij 'Films voor volwassenen' op het scherm verschijnt. Zijn keuze is gevallen op *Rear Entry: In Through the Out Door*. 'Dat is raar. Ik heb nooit geweten dat die elpee van Led Zeppelin een verwijzing was naar anale seks. Het bevestigt mijn gevoel dat Page een soort visionair was, weet je wel, dat gezeik met Crowley en zo?'

'Waarom kijken we hiernaar...?' mompel ik slaperig.

'Eén, om samen geil te worden en twee om te zien hoe de concurrentie het doet. Moet je dat zien!'

Een vrouw ligt op haar rug en wordt geneukt. De camera gaat naar achteren en je ziet dat die gast haar benen over zijn schouders heeft liggen. De suggestie is dat hij haar zo verder achterover drukt om haar beter in haar kont te kunnen neuken, maar vanuit die hoek is het onmogelijk te zien of hij haar in haar kont of in haar kut neukt. Wat mij opvalt is dat de vrouw diepe schrammen aan haar polsen heeft waarvan er enkele geel uitslaan. Ik vind dat niet alleen eng maar ook smakeloos, en ik verlies de weinige belangstelling die ik in de film had en word steeds slaperiger. Eigenlijk vind ik het helemaal niet leuk om anderen te zien neuken, sterker, ik vind het stomvervelend. Dit is een heerlijke matras, de hotelbadjas zit ook heerlijk, en ik val in slaap...

Ik word wakker, heb het koud en ontdek dat mijn badjas open ligt en de ceintuur losgemaakt is. Sick Boy zit zich over mij heen gebogen fanatiek af te rukken. Ik sla de badjas snel dicht.

'Kut... nou heb je het verpest,' hijgt hij verbitterd.

'Wat... je zit je op mij af te trekken!'

'Nou en?'

Ik kom geschrokken overeind. 'Zal ik blauwe lippenstift opdoen en dood gaan liggen?'

'Nee,' zegt hij, 'het heeft niets met necrofilie te maken, het is veel onschuldiger. Het was als eerbetoon bedoeld! Heb je nooit van Doornroosje, *The Sleeping Beauty*, gehoord, verdomme?'

'Je wilt niet met me vrijen, maar je zit je af te rukken en naar slechte porno te kijken. Wat voor een fucking eerbetoon is dat, Simon?'

'Je begrijpt het niet...' mompelt hij en haalt zijn snotneus op. Dan vervolgt hij bijna wanhopig: 'Ik moet een... een fucking perspectief hebben.'

'Wat jij moet doen is minder fucking coke snuiven,' schreeuw ik, maar niet helemaal voluit want ik ben nog steeds doodmoe.

En terwijl ik wegdoezel, hoor ik zijn stem monotoon verder zeuren. 'Hééé... jij rookt te veel dope en je lult onzin,' zegt hij, 'maar daarom hou ik zoveel van je. Je mag nooit veranderen. Wiet is een fantastische drug voor meiden, wiet en XTC. Ik ben zo blij dat je geen coke snuift. Dat is een drug voor jongens, meiden kunnen die niet handlen. Ik weet wat je gaat zeggen: dat is seksistisch. Maar nee hoor, het is één waarneming die bevestigd wordt door te erkennen dat er verschillen zijn tussen mannen en vrouwen, wat een erkenning is van de autonomie van de vrouw, en dat is een feministische stellingname. Applaus, schatje, applaus...' zegt hij terwijl hij de kamer verlaat.

Ik hoor de deur dichtvallen en denk: val maar dood jij.

73 Project nr. 18.752

Ik baan mij een weg door de smalle zijstraten, kom weer op La Croisette terecht en houd alles scherp in de gaten. Zodoende ets ik een onuitwisbare afbeelding van de plattegrond van de stad op mijn netvlies. Ik schat de vrouwen naar waarde zoals een zeer ervaren boer tijdens Islington's Royal Highland Show doet met het vee. Luister naar het klokken van de kippetjes op deze seksuele jaarmarkt, een onderzoekende blik is genoeg om je een beeld te vormen van het aanbod. PR-functionarissen met een bevroren glimlach om hun mond snauwen kortaf in hun mobiele telefoons, arrogante shoppers en hoopvolle rugzaktoeristen ontsnappen niet aan mijn terloopse maar gulzige blik.

Produceren is een fluitje van een cent. Als je porno kunt maken, waarom dan geen gewone film? Je wint wat geld in de loterij en je begint gewoon. Iedereen doet het. Iedere topcrimineel weet dat ex-criminelen de beste criminelen zijn. Was je zwarte geld wit zodra het kan. Geen gedoe verder, de bajes is voor types als Begbie die ondanks hun grote bek uiteindelijk gewoon losers en slachtoffers zijn. Een korte tijd in de bak, een halfjaartje of zo, in je jeugd, daar is niks mis mee, dat is alleen maar goed voor je levenservaring. Maar als je er na een halfjaar niet achter bent dat het niks voor jou is, dan ben je de lul. Niemand zit graag in de bajes, maar sommige sneue losers zijn niet gemotiveerd genoeg om eruit te blijven.

Hier wil ik zijn, in Cannes. Cannes betekent onbeperkte mogelijkheden. Maar dat komt niet zozeer omdat het anders is dan Leith of Hackney, het zit hem niet in de plek als zodanig, het zit hem in mij. Ik ben niet langer een wanhopige sjacheraar zonder handel. Pas nu besef ik dat, hoe cool ik in het verleden ook heb geopereerd, ik altijd iets voorspelbaars, iets wanhopigs heb gehad. En dat was omdat, als het er echt opaan kwam, ik alleen maar een façade en verder niets te bieden had. Maar nu eindelijk, na een stel zwetende lijven bij elkaar te hebben gebracht en het resultaat op film te hebben vastgelegd, heb ik iets te bieden, een product te verkopen. Iets wat ík gemaakt heb. Simon Williamson heeft een product, en dat is niet Sick Boy. Dit is keiharde business, het is niets persoonlijks. Ik breng een film van Simon David Williamson op de markt.

Ik ga terug naar naar het hotel met de bedoeling om even te zonnebaden, te ontspannen en misschien een paar meiden op te geilen. We hebben niet veel tijd en ik baal van die gasten van het hotel, vierhonderd pond per nacht en dan moet je nog vijftien pond per dag betalen om op het privé-strand aan de voorkant te mogen liggen, net als het fucking plebs dat niet eens in het hotel logeert en daarom van het strand geweerd zou moeten worden.

Nikki is op, maar aangezien we niet veel tijd hebben, besluiten we iets te blijven eten in het hotel. Ze doet niet moeilijk meer over dat afrukken van mij. Ik heb haar ervan proberen te overtuigen dat het als eerbetoon bedoeld was. Wijven: wat zou het anders moeten zijn? Maar goed, nadat we ons buikje rond hebben gegeten begeven we ons naar het schurftige hotel om Mel en Curt op te pikken voor de vertoning van *Seven Rides for Seven Brothers.*

De bioscoop waar hij vertoond wordt is een klein maar chic theater in een van de zijstraten. Het gerucht gaat dat Lars Lavish, Ben Dover, Linsey Drew en Nina Hartley (Nikki's heldin) ook naar de vertoning zullen komen, maar ik zie niemand die ik herken. Let wel, de zaal loopt aardig vol en er sluipen zelfs nog figuren binnen nadat het licht gedoofd is. Ik probeer het publiek in de gaten te houden, om de reactie te peilen in de halfvolle zaal.

Ik ben zo opgefokt dat ik geen coke nodig heb, maar ik neem evengoed toch maar een snuifje. Mel en Curtis ook. Ik kan een 'wauw' niet onderdrukken zodra Melanie voor het eerst naakt op het scherm verschijnt. Ze geeft me een speelse por in mijn ribben. Maar Nikki maakt pas echt indruk. Vanaf het moment dat ze haar strakke lycra topje uittrekt, haar kaalgeschoren kut ontbloot en zelfverzekerd door het beeld stapt, is de spanning in de zaal te voelen. Hier en daar wordt uitbundig gejuicht in het publiek. Ik kijk haar aan, zie dat ze verlegen reageert en knijp in haar hand. Maar de echte topper is Curtis, of liever gezegd, de pik van Curtis. Bij de eerste aanblik van die paal gaan er bewonderende kreten op en ik draai me om en zie hoe Curtis breed zit te grijnzen.

Na de voorstelling schudt iedereen ons buiten de hand, er worden kaartjes uitgewisseld en het regent uitnodigingen voor allerlei feestjes. Ik weet wel waar ik heen wil, en dat is geen pornoparty, het is het hoofdfeest van alle toppers uit de pornowereld in de grote feesttent aan La Croisette. Alle pornomensen willen daarheen, maar het lukt me vier uitnodigingen los te krijgen en wij zijn dus van de partij.

Na een paar drankjes is Nikki al behoorlijk aangeschoten en ik krijg een tiet van haar. 'Waarom praat je met zo'n rare stem, Simon?' onderbreekt ze me terwijl ik sta te lullen met een moordwijf met lang, sluik blond haar die blijkbaar iets hoogs is bij Fox Searchlight. 'Hij beschuldigt mij ervan dat ik me aanstel aan de telefoon, maar hij doet het zelf ook.'

Die Foxy-meid trekt een wenkbrauw op en ik dwing mijn lippen in een ijzeren glimlach. 'Wat voor accent bedoel je, Nicola? Zo praat ik dus altijd,' zeg ik langzaam.

Nikki stoot Mel aan en zegt: 'Zjo praat ik dusj altijd, Nicola. De naam isj Williamsjon. Sjimon David Williamsjon.'

'Aliasj Sjick Boy!' brult Mel en die twee domme, incapabele, jaloerse kutwijven staan te kakelen als die fucking heksen uit *Macbeth*. Er komt een of andere gluiperd langsgelopen die Fox Searchlight bij de arm pakt en haar meeneemt.

Ik ben pislink door hun stompzinnige bekrompenheid. 'Er is misschien een aanleiding om mij te dwarsbomen in mijn pogingen om te netwerken en die kutfilm van ons aan de man te brengen waar we het afgelopen halfjaar dag en nacht aan hebben gewerkt,' ik spuug de woorden woedend uit tussen op elkaar geklemde kaken, 'maar ik mag godverdomme hartstikke dood neervallen als ik inzie welke dat is.'

Ze kijken elkaar aan en zwijgen heel even. Dan zegt Melanie: 'Ooo...' en ze schieten allebei weer in de slappe lach. Laat ze doodvallen, ik begeef mij onder de andere gasten en richt mijn zoeklicht op die Fox die ik op het oog had.

Ik ga naar de plee en ik wil net wat coke gaan snuiven als ik een paar gasten een hokje zie binnengaan. Ik ga met ze mee, snuif een paar lijntjes met ze mee en kom weer helemaal opgeladen op het feest. Ik zie Nikki en Mel uitgebreid staan flirten met een paar gluiperige etternekken. Curtis lijkt met de noorderzon te zijn vertrokken. Ik loop naar de meiden toe. Een gast die niet met zijn poten van Nikki af kan blijven ziet mij aankomen en vraagt op hooghartige toon: 'En jij bent?'

Ik ga vlak voor hem staan. 'Ik ben de lul die je fucking neus gaat breken omdat je niet met je poten van mijn wijf af kunt blijven,' zeg ik en sla een arm om Nikki heen. De rukker staat wat te stuntelen en trekt zich dan schielijk terug. Nikki en Mel helaas ook, met de smoes dat ze nog wat drankjes gaan halen; geen van beiden lijkt erg onder de indruk van mijn optreden.

Ik ga terug naar de plee, waar een gast die eerder zijn spul met mij deelde, hoopvol op mij afkomt. 'Sorry, joh, privé-feestje,' zeg ik.

'Dat is niet helemaal eerlijk...' klaagt hij.

'Postdemocratisch tijdperk, man. En nou opgesodemieterd,' schreeuw ik, sla de deur voor zijn neus dicht en poeder mijn neus.

Ik verlaat het toilet en meng mij onder het publiek, helemaal in mijn element, totdat ik word afgeleid door een zangerige stem. 'Simon! Hoe gaat het, beste vriend?'

Het is die walgelijke lul van een Miz, en ik ben van plan onverschillig of zelfs onbeschoft te reageren nu ik hem niet meer nodig heb, maar hij zegt: 'Ik wil je even aan iemand voorstellen,' en hij knikt naar een lange vent met een snor die naast hem staat en die mij bekend voorkomt. 'Dit is Lars Lavish.'

Lars Lavish is een van de beste pornoacteurs van Europa die filmproducent geworden is. Zijn gave om op ieder moment een stijve te krijgen is legendarisch en hij stond bekend als de peetvader van de *gonzo porn*: in Parijs, Kopenhagen en Amsterdam hield hij op straat meisjes aan die hij dan meetroonde naar een studio waar hij geïmproviseerde pornofilms met hen maakte. Hij is wereldberoemd om zijn gouden tong. Zijn enige hulpmiddelen waren zijn charme en overredingsvermogen, de overtuigingskracht van zijn geld en zijn pik. Onlangs heeft hij een lucratief contract afgesloten met een grote filmdistributeur en nu doet hij alles zelf en heeft overal de eindregie van. Ik sta aan de grond genageld. Dit is mijn held, mijn leermeester. Ik kan nauwelijks denken, godverdomme, laat staan een woord uitbrengen.

Lars Lavish.

'Lars.' Ik schud hem de hand en vind het niet eens erg dat hij een arm om Nikki heen slaat.

'Leuk je te ontmoeten, Simon,' zegt hij grijnzend terwijl hij naar Nikki kijkt. 'Die meid hier is héél geil, weet je dat. De geilste die ik ken, man. *Seven Rides*, man wat is die goeoed! Volgens mij moeten wij maar eens een serieus gesprek hebben over de distributie van die film. Ik zit zelfs te denken aan een beperkte vertoning in bioscopen.'

Ik ben dood en bevind me nu in de hemel. 'Wanneer je maar wilt, Lars, wanneer je maar wilt.'

'Hier is mijn kaartje, bel me maar,' zegt hij. Hij kust Nikki en verdwijnt in de mensenmassa met Miz, die omkijkt en mij triomfantelijk toelacht.

Nikki en ik raken verzeild in een maf gesprek dat al gauw iets pissigs krijgt. 'Waarom zijn al die mannenbladen zoals *Loaded*, FHM, *Maxim* eigenlijk precies hetzelfde als pornobladen zoals *Mayfair*, *Penthouse* en

Playboy, met een schaars geklede juffrouw op het omslag en blote wijven binnenin? Omdat mannenbladen gemaakt worden voor mannen die zich willen aftrekken, dat wil zeggen voor alle mannen, maar die vinden dat ze eigenlijk geen rukkers zijn. Hoe kun je nou je seksuele fantasie de vrije loop laten en geen rukker zijn? Iemand als Renton zou ter verdediging met de volgende shit komen: dat hij seksueel gestimuleerd raakt door bepaalde dingen en dan heeft hij een interessant, volwassen gesprek met zijn interessante, volwassen vriendin en dan onderhandelen ze heel verstandig over hoe ze die fantasieën op een liefhebbende, vriendschappelijke en voor beide partijen bevredigende manier zullen uitleven...

'Maar...'

'GODVERDOMME, WAT EEN GELUL! Nee, wij hebben behoefte aan tieten en konten omdat die gewoon beschikbaar moeten zijn voor ons; wij moeten ze kunnen naaien, betasten en ons erover kunnen aftrekken. En waarom? Omdat wij mannen zijn? Nee, omdat wij consumenten zijn. Omdat wij die dingen lekker vinden, omdat wij vinden of er door anderen van zijn overtuigd dat wij er bevrediging, ontspanning en een gevoel van eigenwaarde door krijgen. Wij geilen erop en dus willen we minimaal de illusie hebben dat ze voor ons beschikbaar zijn. Tieten en konten kun je moeiteloos vervangen door cocaïne, frites, speedboten, auto's, huizen, computers, merkkleding, voetbalshirts. Daarom is er geen verschil tussen reclame en porno; allebei verkopen ze de illusie van de beschikbaarheid en de non-consequentie van de consumptie.'

'Ik vind dit een stomvervelend gesprek,' zegt Nikki en ze loopt weg.

Ze kan doodvallen, ik ben ongelooflijk high, en iedereen en alles zal zich moeten richten naar mijn fucking plannen.

74 '...een venijnige blaasontsteking...'

Lars Lavish probeert met zijn hand in mijn slipje te komen. Die pornogasten zijn nogal dom en maar op één ding gericht. Ik vind het stomvervelend, maar wel interessanter dan het gezelschap van Simon. Hij gedraagt zich als een liederlijk vervelende, van de coke vergeven eikel. Ik wil niet al te lullig tegen hem doen, uiteindelijk is dit zijn triomf waar hij met volle teugen van mag genieten, en hoogmoed komt toch wel voor de val en dat soort dingen. Maar hij gedraagt zich gewoon onmogelijk. Hij wil neuken met alles wat in beeld komt, net als Curtis, die daadwerkelijk alles neukt wat in beeld komt. Die chique meiden staan gewoon in de rij, morbide, nerveus giechelend tegen elkaar, om eens lekker overhoop te worden gehaald door *die* pik, waarover de berichten als een lopend vuurtje door de feesttent gaan. En aan zijn air kun je zien dat hij eindelijk één is met die pik van hem. Van voetbalveld tot pornoheld.

Hij is even weg met een meid, maar ze komen al weer te voorschijn. 'Hoe gaat ie, Curt?'

'Prima,' zegt hij en trekt het meisje aan de hand mee. Haar ogen puilen uit en ze wankelt op haar benen. 'Zo lekker is het nog nooit geweest!'

Daar kan ik niets tegen inbrengen.

Ik wenk hem en fluister in zijn oor: 'Weet je nog wat je toen zei over die gasten? Die bij je op school zaten? Dat ze je zo pestten omdat je zo'n rare was? Nou, wie heeft er gelijk gekregen?'

'Zij in ieder geval niet, ik had gelijk,' zegt hij, 'maar... het is jammer dat jongens als Danny en Philip en zo dit niet kunnen zien. Wat zouden ze genieten.'

Simon heeft het gehoord en zegt: 'Het is net als de metro in Londen, man. Ze rekenen erop dat de meeste mensen zich als schapen gedragen. Ze hangen geen vuilnisbakken op, weet je wel, ze gaan ervan uit dat je je troep bij je houdt. Ik weiger dat, ik gooi het neer waar ik maar wil. Maar er zijn genoeg mensen die dat niet doen en dus hoeven zij geen vuilnisbakken op te hangen.'

'Ik kan je niet volgen...'

'Wat ik bedoel, makker, is dat je je rotzooi achter je moet laten en niet bij je moet houden, en het is toch fantastisch om hier te zijn, zonder rotzooi,' zegt hij op arrogante toon.

Sick Boy, mijn god, de naam zegt het al, staat zich enorm uit te sloven bij een meid die Roni heet en die volgens hem voor Fox Searchlight werkt. 'Roni hier nodigt ons allemaal uit voor het feest van Fox Searchlight morgen,' zegt hij trots.

Ik neem hem even terzijde. 'Waarom breng je haar niet terug en neuk je haar niet meteen, Simon, daar is ze volgens mij wel aan toe. Of gaat de romantiek alleen maar door de neus?'

'Doe niet zo lullig, Nikki,' sneert hij. 'Ze is gewoon een excuus om kaartjes te krijgen voor dat feest.'

Hij is echt een en al bullshit. Het feest komt ten eind en we gaan even naar een disco, maar het is er zo druk dat we ons nauwelijks kunnen bewegen, dus we besluiten terug te gaan naar onze suite in het hotel. 'Dit is echt te gek,' zegt Curtis, onder de indruk als hij is door de overdadige luxe van het pand. We worden tegengehouden door een portier die op nogal aanmatigende toon aan ons vraagt of wij gasten zijn in het hotel.

'Nee, zelfs in mijn dolste dromen zou ik mezelf geen gast willen noemen,' zegt Simon met een stalen gezicht. De geüniformeerde dienstklopper staat op het punt ons buiten te zetten, maar dan haalt Simon zijn kamersleutel te voorschijn. 'Als gast mag je de meest elementaire vormen van gastvrijheid of hoffelijkheid verwachten. Wij logeren hier wel, maar nee, ik zou ons geen gasten willen noemen.'

De portier wil iets zeggen, maar Simon wuift hem terzijde als een misselijkmakende geur en loopt door. Ik volg hem met een ietwat verontschuldigende glimlach, en daarna komen de anderen. We gaan naar onze kamer en drinken de minibar leeg. Simon irriteert mij met zijn overdreven geflikflooi richting mejuffrouw Fox Searchlight. De snelheid waarmee die twee de cocaïne naar binnen werken is angstaanjagend om te zien.

'Een pornofilm... en Curtis hier is de steracteur?' vraagt ze en kijkt hem stomverbaasd aan. Curtis ligt op de bank en Mel schudt het hoofd. 'Ja, nou ja, Curtis, en Mel en Nikki ook natuurlijk,' verwaardigt Sick Boy zich te verduidelijken. 'Bij porno zijn vrouwen altijd de baas, maar Curtis heeft een bepaalde kwaliteit waardoor hij zich mijlenver verheft boven de standaard twintigcentimeteracteur! Ikzelf speel ook mee, uiteraard...'

'Echt waaaar...?' zegt juffrouw Searchlight, ze wrijft over zijn arm terwijl ze elkaar met hun ogen opvreten. Hun slijmerige geflirt geeft mij het gevoel alsof ik te veel suikerspin gegeten heb. Ik hoor hun gezever nog een poosje aan en val vervolgens op bed in slaap. Ik word midden in de nacht wakker met een volle blaas, strompel naar het toilet voor een lange, onregelmatige, pijnlijke plas die een venijnige blaasontsteking aankondigt. De minibar is leeg, Simon en Fox Searchlight zijn verdwenen, en Curtis en Mel liggen volledig gekleed in elkaars armen te slapen op de chaise longue.

Ik zit op de wc en probeer de giftige pis uit mijn blaas te duwen. Ik bel roomservice en bestel Nurofen. Gelukkig heb ik nog wat Cylanol in mijn tas en ik neem een poeder. Wat een vreselijk vooruitzicht; ik kan niet slapen, ik heb koorts en zweet als een otter. Simon komt de kamer binnen en ziet direct hoe ik eraan toe ben. 'Wat is er, schatje?'

Ik vertel het hem en op dat moment klopt er iemand van roomservice aan. Simon geeft mij de Nurofen. 'Maak je geen zorgen, schat, ze werken meteen... heb je je Cylanol al genomen?'

Ik knik zwakjes.

'Ik heb niet geneukt met Roni, hoor,' legt hij haastig uit, 'we hebben gewoon gewandeld langs het strand omdat iedereen in slaap was gevallen. Ik ben tegenwoordig monogaam, schatje, nou ja, buiten beeld dan.'

Gewandeld langs het strand. Dat klinkt zo romantisch dat ik nu zou willen dat hij haar even snel genaaid had in haar hotelkamer. Hij ziet Mel en Curt, gaat naar hen toe en maakt hen wakker. 'Het is bijna ochtend. Willen jullie nu weer teruggaan naar het Beverly en ons wat privacy gunnen, jongens? Alsjeblieft?'

Mel trekt een grimas maar komt niettemin overeind. 'Oké... kom, Curtis.' Curtis staat op en ziet de tranen in mijn ogen. 'Wat is er aan de hand, Nikki?'

'Vrouwenkwaaltjes. Gaat wel weer over. Tot gauw,' zegt Simon. Maar Curtis laat zich niet afschepen en loopt naar het bed. 'Gaat het een beetje, Nikki?'

Ik dank hem voor zijn belangstelling en terwijl hij me een lieve kus op mijn koortsige voorhoofd geeft, sla ik mijn armen om zijn magere middel. Dan komt Mel naar mij toe en ik omhels en kus haar. 'Het gaat wel weer een beetje. Volgens mij beginnen de poeders te werken. Het is gewoon blaasontsteking. Te veel wijn en sterke drank. Ik denk dat die scherpe champagne ook niet echt geholpen heeft.'

Als ze vertrokken zijn, gaan Simon en ik naar bed en liggen met onze ruggen naar elkaar toe, star en gespannen, ik met mijn pijn en hij met zijn cocaïne.

Uiteindelijk lukt het me te ontspannen in bed. Ik word pas halverwege de middag wakker doordat hij zo bedrijvig is. Hij gaat op het bed zitten met een dienblad van roomservice: croissants, koffie, sinaasappelsap, broodjes en vers fuit. 'Gaat het weer een beetje?' vraagt hij en kust me.

'Ja hoor, een stuk beter.' Ik kijk hem in de ogen en we zwijgen allebei.

Na een poosje knijpt hij in mijn hand en zegt: 'Nikki, ik heb me gisteravond en vannacht afschuwelijk misdragen. Dat kwam niet alleen door de drank en de cocaïne, het kwam door de omstandigheden. Ik wilde zo graag dat alles goed ging en ik moest en zou alles volledig onder controle hebben, ik leek wel een fascist.'

'Vertel mij wat,' merk ik op.

'Ik wil het goedmaken vanavond, voordat we met z'n allen naar het feest van Fox Searchlight gaan,' zegt hij, zijn gezicht barst open in een brede grijns en hij vervolgt: 'Ik heb fantastisch nieuws.'

Hij gloeit van trots en ik moet wel vragen: 'Wat voor nieuws?'

'O niks, we staan alleen maar op de shortlist voor de beste pornofilm van het Pornofilm Festival! Vanochtend ben ik gebeld!'

'Wauw... dat is zo... fantastisch, zeg maar,' hoor ik mezelf zeggen.

'Reken maar, godverdomme,' zegt Simon opgewekt. 'En jij, ik en Curtis zijn genomineerd in de categorie nieuwkomers voor actrice, regisseur en acteur.'

Er gaat zo'n geweldige golf van blijdschap en opluchting door mij heen dat ik bijna tegen het plafond stuiter. Om onze nominatie te vieren neemt Simon me mee uit eten naar wat hij noemt: 'Een van de beste restaurants, niet alleen hier in Cannes, maar van heel Frankrijk. En dat wil natuurlijk zeggen van de hele wereld.'

Ik draag een felgroene jurk van Prada en naaldhakken van Gucci. Ik heb mijn haar opgestoken, draag een stel gouden oorringen, een halsketting en een paar armbanden. Simon is gekleed in een geelkatoenen kostuum en een wit overhemd. Hij kijkt me aan en zegt hoofdschuddend: 'Jij bent het ultieme voorbeeld van vrouwelijkheid,' en lijkt overdonderd door bewondering.

Ik heb de neiging te vragen of hij dat vannacht ook gezegd heeft tegen Fox Searchlight, maar besluit mijn mond te houden omdat ik de sfeer niet wil verpesten. Wij zijn op dit moment samen hier, en ik besef dat dat niet altijd zo zal blijven.

En het is inderdaad fantastisch, zo'n klein Provençaals restaurant waar het koken is verheven tot een kunst. Van de *amuses-gueule*, via een sublieme *homard bleu sur lie de truffe noire et basilic pilé*, kipfilet *demi-deuil* in een inktzwarte truffelsaus, tot aan het *pièce de résistance*, een knapperige groene salade omgeven door een stapel truffels. Verrukkelijk. Als dessert kies ik de *coupe glacé* met een enorme kop vloeibare chocolade en een *brioche* om erin te dopen. Dit alles wordt weggespoeld met een fles champagne, 'Cristal' Louis Roederer, een Clos du Bois Chardonnay en twee dubbele Rémy Martins.

We zijn bedwelmd door alles en lispelen verleidelijk tegen elkaar in steenkolenfrans. Dan gaat Simons mobiele telefoon, de groene. Het irriteert me dat hij die dingen nooit afzet. 'Hallo?'

'Wie is het?' sis ik, geërgerd omdat de romantische sfeer met één klap verstoord is.

Simon legt zijn hand op het spreekgedeelte. Hij heeft een bezorgde uitdrukking op zijn gezicht, maar begint dan humeurig te glimlachen. 'Het is François. Een vreselijk belangrijke mededeling over een kaartavond in Leith die ik blijkbaar vergeten ben. Wat onattent van mij om een dubbele afspraak te maken.' Hij spreekt op rustige toon in zijn telefoon. 'Ik zit in Frankrijk, Frank, op het Filmfestival van Cannes, om precies te zijn.'

Er klinkt venijnig stemgeluid aan de andere kant van de lijn. Simon houdt de telefoon een eindje van zich af. Hij knipoogt kwajongensachtig naar mij en zegt tegen het apparaat: 'Frank, ben je daar nog? Hallo?'

Hij legt zijn hand weer op het spreekgedeelte en giechelt. 'François doet een beetje moeilijk. Echt iets voor mij om te vergeten dat het Filmfestival van Cannes samenviel met de kaartavond in Leith. Eigenlijk moet ik direct per helikopter naar Leith,' grijnst hij; zijn schouders schokken en ik moet nu ook lachen. 'Ben je er nog, Frank? Hallo?' roept hij in het apparaat. Dan schraapt hij met een vingernagel over het microfoongedeelte. 'Ik hoor je niet goed, er is storing op de lijn. Ik bel je straks wel terug,' zegt hij, zet de telefoon af en klapt hem dicht. 'Het is zo'n lul dat je niet eens een hekel aan hem kunt hebben. Het gaat veel verder dan dat,' zegt hij op verbijsterde, bijna bewonderende toon. 'Die gast gaat verder dan haat of liefde... hij is gewoon... zichzelf.'

Hij leunt voorover en pakt mijn hand vast. 'Hoe is het mogelijk dat er in dezelfde wereld iemand als hij en iemand als jij bestaat? Hoe kan deze planeet zulke uiteenlopende mensentypes produceren?'

En we gaan weer helemaal in elkaar op. Simon werpt zo nu en dan een arrogante, vernietigende blik om zich heen, maar over het algemeen vreten we elkaar met onze blikken op, plagend en dansend dringen we door tot in elkaars ziel. Als je dit soort intimiteit met elkaar hebt, dan kan neuken bijna alleen maar een anticlimax zijn. Bijna. 'Is er nog tijd om terug te gaan naar de hotelkamer, voordat we de anderen ontmoeten?' vraag ik.

'Ik zorg wel voor wat extra tijd,' zegt hij, op zijn mobiel wijzend.

Ik ga naar het toilet, stop een vinger in mijn keel, kots het eten uit en gorgel met mondwater dat ik in mijn tasje heb. Het eten was heerlijk, maar veel te vet en machtig om te laten verteren. Zoals de meeste moderne, intelligente vrouwen denk ik Jungiaans, maar Freud had wel een punt met zijn hekel aan dikke mensen. Waarschijnlijk omdat dikke mensen over het algemeen gelukkig en aangepast zijn en daarom geen geld uitgeven aan therapeuten, zoals al die broodmagere neurotici. Maar op dit moment ben ik ook gelukkig, ik heb genoten van het heerlijke eten en het weer uitgekotst voordat het schade kon aanrichten.

Als ik het restaurant in loop, merk ik dat er ergens een ruzie aan de gang is, en tot mijn verbijstering zie ik dat het bij onze tafel is. 'Het saldo van deze rekening kan niet ontoereikend zijn, dat kan helemaal niet, godverdomme,' roept Simon, zijn gezicht knalrood van de drank en waarschijnlijk ook cocaïne.

'Maar monsieur, alstublieft...'

'HEB JE ME GEHOORD! DAT KAN GODVERDOMME HELEMAAL NIET!'

'Alstublieft, monsieur...'

Simon spuugt zijn woorden uit als gif: 'Lazer op met dat gezeik, fucking knoflookvreter! Wil je dat Cruise hier blijft komen? Wil je dat DiCaprio hier nog komt eten? Ik heb hier morgen een afspraak met Billy Bob Thornton om een groot fucking filmproject te bespreken...'

'Simon!' roep ik. 'Wat is er aan de hand?'

'Sorry... oké, oké. Er is een misverstand in het spel. Probeer deze maar.' Hij geeft een andere creditcard, die onmiddellijk geaccepteerd wordt. Ondanks de chagrijnige uitdrukking van de gerant, maakt Simon een zelfgenoegzame en gerehabiliteerde indruk, en niet alleen weigert hij een fooi achter te laten, bij het verlaten van het restaurant roept hij keihard: 'JE NE REVIENDRAI PAS!'

Eenmaal buiten twijfel ik even of ik het voorval irritant of amusant zal vinden. Omdat ik me nog zo lekker voel, besluit ik tot het laatste en barst uit in een dronken, nerveuze giechelbui.

Simon werpt me een verstoorde blik toe maar begint dan ook te lachen. 'Dat was klinkklare onzin. Dat was de creditcard van Bananazzurri waar ik mee wilde betalen. Er staat hartstikke veel geld op die rekening. Al dat geld van het 1690-project staat erop en alleen ik en Rents hebben toegang en hij is in Amste...' Hij blijft stokstijf staan en er komt een koude, paniekerige blik in zijn ogen. 'Als. Die. Lul.'

'Doe niet paranoïde, Simon,' zeg ik lachend. 'Mark is morgen hier, zoals gepland. Zullen we teruggaan,' fluister ik in zijn oor, 'laten we gaan vrijen...?'

'Vrijen! Vrijen, godverdomme? Terwijl die rooie rotlul alles wegjat waar ik godverdomme voor gewerkt heb?'

'Doe nou niet zo dom...' smeek ik.

Alsof hij zichzelf met moeite kan beheersen, strekt hij zijn armen voor zich uit. 'Oké... oké... Waarschijnlijk stel ik me aan. Weet je wat, ga jij maar even terug en geef me een kwartiertje om tot rust te komen en een paar telefoontjes te plegen.'

Ik reageer met een pruillip, maar hij is niet te vermurwen. Ik loop door en ga met tegenzin naar de hotelkamer, waar ik voor mezelf iets te drinken inschenk en ik steeds moet denken aan die klootzak op het strand met dat wijf van Fox Searchlight.

Als hij terugkomt, is hij gekalmeerd en in een goed humeur. 'En? Heb je Mark te pakken gekregen?'

'Nee, maar ik heb met Dianne gesproken. Ze zei dat hij haar net gebeld had vanuit Amsterdam. Hij belt haar straks weer, dus ik heb haar gevraagd tegen hem te zeggen dat hij mij onmiddellijk moet bellen,' legt hij uit en vervolgt bijna smekend: 'Sorry, schatje, ik reageerde een beetje prikkelbaar. Te veel sneeuw...'

Ik loop naar hem toe en grijp hem door zijn broek heen stevig bij zijn ballen. Ik voel dat zijn pik stijf wordt. Zijn gezicht plooit zich in een brede glimlach. 'Gore slet, godverdomme,' zegt hij lachend, en hij zit binnen de kortste keren op mij en in mij, en we neuken onstuimig, nog geiler dan de eerste keren.

Later die avond ontmoeten we Mel en Curt en samen gaan we naar het feest van Fox Searchlight. In het begin is het er nogal saai, maar er verschijnt een uitstekende deejay die de zaak behoorlijk opvrolijkt, en we gaan helemaal uit ons dak. Na het feest stappen we in een sloep die ons naar een ander feest brengt op een privé-boot, een oud cruiseschip dat ligt afgemeerd in de Middellandse Zee en dat is omgebouwd tot filmstudio. Het is een speciaal feest voor het pornovolkje, met harde, vette Euro-techno en gratis drankjes. Simon staat stijf van de zenuwen, hij is voortdurend aan het bellen in een poging Mark te pakken te krijgen. Hij doet zijn uiterste best de zaak zo licht mogelijk op te vatten. 'Als je door deze muziek geen zin krijgt om in je kont geneukt te worden, Nikki, dan weet ik het niet meer.'

'Je hebt gelijk,' zeg ik, 'dan weet ik het ook niet meer.'

Ik, Mel en Curtis gaan loos op het dansdek, hoewel Curt zo nu en dan even verdwijnt en dan weer terugkomt met een grijns op zijn gezicht en een in staat van opperste verwarring verkerende starlet achter zich aan. Mel en ik worden voortdurend lastiggevallen door allerlei gasten, waaronder Lars Lavish en Miz; we genieten van ons gevoel van macht en wijzen iedereen af maar flirten als bezetenen en geilen iedereen op. Op een bepaald moment verdwijnen we samen in een toilet en vrijen met elkaar totdat we allebei klaarkomen, en dat is pas de tweede keer dat we zo intiem met elkaar omgaan zonder camera erbij.

Als we terugkomen aan dek, moe maar voldaan en met een brede grijns op ons gezicht, zien we dat Simon nog steeds wanhopig aan het bellen is. Er komen nog meer sloepen aan en het wordt steeds voller aan boord. Vanuit mijn ooghoek zie ik een slank meisje met lang blond haar, wat op zich niet verbazingwekkend is, maar de stem die tegen haar praat doet de adem in mijn keel stokken. Simon klikt zelfs van schrik zijn mobiel dicht. '...ja, maar veel mensen denken dat ik Terry Sap word genoemd vanwege de hoeveelheid sap die ik spuit als ik in de film klaarkom. Maar dat is nog uit de tijd toen ik met sapjes rondreed, wat jullie Amerikanen *soda* noemen, maar officieel heet dat koolzuurhoudende dranken. Moet je horen, mop, heb je zin om even naar beneden te gaan, het schip een beetje bekijken en zo? En misschien nog een beetje meer dan het schip?'

'Lawson!' roept Simon.

'Sicky!' brult Terry. Dan ziet hij Mel en mij. 'Nikki! Joehoe! Mel! Te gek!' Hij stelt zijn vriendin voor: 'Dit is Carla, zij zit ook in de business, San Fernando en zo, zeg maar. Hoe heet die film van jou ook al weer, mop?'

'*A Butt-Fucker in Pussy City*,' zegt de blondine met een Amerikaans accent.

'O ja, Birrell is hier ook, Birrell senior, bedoel ik. Die zei dat hij op bezoek ging bij zijn vriendin in Nice, dus ik heb mezelf maar uitgenodigd. Ik ben met de trein hierheen gekomen en heb mezelf de pornotent in gebluft. Ik heb tegen iedereen gezegd dat ik Terry Sap was uit *Seven Rides* en toen kreeg ik vanzelf een pasje,' en hij wijst naar een oranje badge waarop staat PRIVÉ PORNOFILMS, TERRY 'SAP' LAWSON, ACTEUR. 'Ik sta te popelen om terug te gaan naar Edinburgh en me in de hoerenbuurt in het West End te vertonen met dit op.'

'Fijn dat je het gered hebt, Tel,' zegt Simon afgemeten. 'Neem me niet kwalijk,' en hij loopt richting stuurboord en tikt een nummer in op zijn groene mobiel.

Terry knijpt me stevig in mijn kont en doet hetzelfde bij Mel, en met een vette knipoog gaat hij ervandoor met Carla die blijkbaar denkt – dankzij de manier waarop Simon *Seven Rides* gemonteerd heeft – dat Curtis' lul die van Terry is. 'Die zal nog teleurgesteld zijn,' zegt Mel lachend, 'maar nou ook weer niet zó teleurgesteld.'

Die Euro-techno is zo aanstekelijk dat ik bijna wilde dat ik XTC had, maar ik ben niet zo op chemische drugs. Na een poosje komt een geagiteerde Simon op ons af met het volgende nieuwsbulletin. 'Renton is nergens te vinden, dus hij moet wel onderweg zijn hierheen, maar die brillenjuf, hoe heet ze ook weer, Lauren, zegt dat Dianne verdwenen is! Althans, ik denk dat ze dat zei. Die teringhoer wil niet met mij praten, Nikki. Bel jij haar even,' zegt hij en duwt mij zijn witte mobiel in de hand. 'Alsjeblieft,' dringt hij aan.

Ik bel Lauren, praat ongeveer een minuut lang met haar en informeer naar haar gezondheid. Daarna vraag ik naar Dianne. Na het gesprek zeg ik tegen Simon: 'Dianne is een paar dagen op bezoek bij haar moeder, dat is alles. Ze voelde zich al een poosje niet lekker.'

'Wat is het nummer van haar moeder? Ik moet Dianne spreken!'

'Simon, wil je alsjeblieft even kalmeren? Je ziet Mark morgen. In het hotel. Dit wil hij voor geen geld missen!' dring ik aan en dans weer verder met Mel.

Maar Simon schudt het hoofd en heeft geen woord gehoord van wat ik zei. 'Nee... nee...' kreunt hij en ramt zijn vuist in zijn handpalm, 'die lul van een Renton... oké, lul, zo is het genoeg geweest!' Hij haalt zijn groene mobiel te voorschijn.

'Wie bel je?'

'Begbie.'

Melanie kijkt mij vol verbazing aan. 'Waarom gebruikt hij zijn groene mobiel om Begbie te bellen en zijn witte om Lauren te bellen?'

Hij heeft me dat ooit uitgelegd, maar sommige dingen zijn zo sneu dat je er liever niet over praat. Simon luistert nu met stijgend ongeduld naar een tirade vanaf de andere kant van de lijn, terwijl achter hem de zon rood ondergaat. Ten slotte snauwt hij in de microfoon: 'Hou eens op met dat gelul, godverdomme. Renton is terug. In Edinburgh!'

Er valt een korte stilte en Simon kijkt stomverbaasd. Hij zegt: 'Wat? Aan de overkant? Wel, godverdomme... hou hem vast, Franco! LAAT HEM NIET ONTSNAPPEN! HIJ IS ER MET MIJN GELD VANDOOR, GODVERDOMME!' Hij staart naar de stille telefoon in zijn hand en schudt hem agressief heen en weer. 'STOMME KUTLUL, GODVERDOMME!'

Miz komt met Lars Lavish bij ons staan. Hij tikt Simon zachtjes op de arm. 'Weet je, Simon, wij dachten...'

Tot mijn ontzetting draait Simon zich om, geeft Miz een krachtige kopstoot in het gezicht, begint hem af te ranselen en schreeuwt: 'STELLETJE NEDERLANDSE KLOOTZAKKEN, JULLIE HEBBEN MIJ GODVERDOMME MIJN GELD AFGEPIKT, STELLETJE SMERIGE, ORANJE HOMO'S...'

Het kost ons allemaal plus zes Zweedse uitsmijters de grootste moeite om hem van die arme Miz los te maken en onder controle te krijgen. Terry verschijnt weer op het dek en hij moet lachen terwijl Simon in een sloep wordt gezet. 'Je hebt geluk dat we geen politie willen op dit schip,' schreeuwt een uitsmijter tegen Simon, terwijl Curtis, Mel, twee meisjes, Terry, Carla en ik bij hem in de sloep stappen. Terry stapt voorzichtig in en geeft de spraakzame Zweed een hengst voor zijn kop. 'Kom op als je durft, cunt,' zegt hij uitdagend. De man staat als aan de grond genageld, chagrijnig over zijn kaak wrijvend, en hij wekt de indruk ieder moment in huilen te kunnen uitbarsten, terwijl de sloep zich losmaakt van het schip. We horen nog net het opgewonden geschreeuw van Miz: 'Hij is gek! Hij is hartstikke gek!' terwijl we in de richting van de kust varen.

Terry gaat naar Curtis toe. 'Die lul van jou komt mij aardig van pas, man,' zegt hij en slaat een arm om Carla heen. Hij kijkt aandachtig naar Curtis die aan elke kant een meisje heeft, en zegt: 'Jij weet er zelf trouwens ook wel raad mee.'

Ik kijk naar Simon die zijn ogen stijf dicht heeft geknepen, met zijn armen om zich heen geslagen zit te rillen als een riet en met een luide, koortsachtige fluisterstem steeds dezelfde woorden herhaalt: '... tolleranza zero... tolleranza zero...', steeds weer opnieuw.

'Simon, wat is er?'

'Ik hoop maar één ding: dat Francis Begbie Mark Renton vermoordt. Ik bid vurig dat dat gebeurt,' zegt hij en slaat een kruis.

75 Kaartavond

'S Middags al aan de drank: je gaat eraan kapot maar het is niet te evenaren. Maar soms denk ik dat ik ze zie, dat ze gewoon de kroeg in komen lopen. Die cunt Donnelly of die kinderlokker Chizzie. Dat is het probleem: er is geen fuck te doen en te veel tijd om na te denken, vooral thuis. Daarom moet ik er steeds uit, en liefst naar de kroeg. Niet dat je daar veel aanspraak hebt, godverdomme.

Nelly zegt geen woord en zit een beetje met zijn glas te spelen. 'Wat is er met jou aan de hand, godverdomme?' vraag ik.

'Larry heeft gisteravond gebeld. Toen ik weg was met jou.' Hij knikt naar Malky. 'Ze was alleen thuis, met de kinderen. Hij zegt van: "Ik kom naar je toe. Ik kom je pakken." Dan zegt hij: "Als je nog een beetje verstand hebt, dan ga je gelijk terug naar Manchester, of waar je ook vandaan komt..."'

'Die vrouw van jou komt toch uit Wales, of niet?' vraagt Malky.

'Ja, uit Swansea,' zegt Nelly chagrijnig, 'maar dat weet hij niet. Ik heb haar leren kennen in Manchester. Maar weet je wat die zieke lul later zei, op het antwoordapparaat?'

Ik en Malky schudden het hoofd.

'Ik zal jullie godverdomme eens laten horen,' zegt Nelly. 'Ik zal jullie godverdomme eens laten horen met wat voor klootzak ik de kroegen heb afgestroopt,' zegt hij en hij kijkt mij een partij verongelijkt aan, alsof ik hem gedwongen heb om met Larry te gaan zuipen, de lul. Ik hou mijn bek dicht, want ik wil hier straks wel om kunnen lachen, godverdomme.

En dus gaan we naar Nelly thuis en hij speelt zijn antwoordapparaat af. We horen Larry's stem, dat klopt, een zachte, gluiperige fluisterstem: 'Ga de stad uit. Ga de stad uit want anders kom ik naar je toe. Dan kom ik vanuit Muirhouse naar je toe. Ik kom je welterusten kussen.'

'Die lul heeft te veel fucking films gezien,' zegt Malky lachend.

Nelly werpt hem een agressieve blik toe. 'Ze schijt ervan in haar broek. Ze heeft het erover om met de kinderen naar haar moeder in

Wales te gaan. Dat we daarom toen eigenlijk uit Manchester vertrokken zijn.'

Ik kijk hem aan maar zeg niks. Malky trekt ook geen fucking bek open.

'Ik moet die lul eens even de oren wassen,' zegt hij. 'Als hij zo doorgaat, dan heeft ie zijn beste tijd gehad, dat zal ik je wel vertellen.'

Wie zit hij nou godverdomme voor de gek te houden? Hij heeft nog nooit in zijn leven iemand omgelegd. Al die fucking bullshit over wat hij zogenaamd heeft uitgespookt in Manchester met die bende van Cheetham Hill. Als het daar zo goed met hem ging, wat moet hij dan godverdomme hier? 'Moet je horen,' zegt Malky, 'dit begint uit de hand te lopen. Franco, wil jij met Larry praten en de zaak oplossen?'

Dus nu is het godverdomme Malky die iedereen loopt te vertellen wat hij wel en niet moet doen? Dat wil ik godverdomme nog wel eens zien. Maar dan denk ik: nee, speel nou het speeltje maar mee, en ik kijk Nelly aan en zeg: 'Als je wilt.'

Dan draait Malky zich om en zegt tegen hem: 'Maar dan moet je wel tegen die cunt zeggen dat je te ver bent gegaan en je excuses aanbieden voor wat je gedaan hebt in de pub.'

Nelly zegt een poosje niks en wij staan met zijn tweeën die lul aan te staren. Dan zegt hij: 'Als hij zijn excuses maakt voor die zieke telefoontjes naar mijn huis, dan maak ik mijn excuses voor dat pak slaag dat ik hem gegeven heb, eerder niet.'

'Oké,' zeg ik, 'genoeg geluld, zeg. En dat zijn zogenaamd vrienden, godverdomme. Dit moet zo snel mogelijk opgelost worden. Vanavond, onder het kaarten bij Sick Boy.'

'Denk je dat Larry komt?' vraagt Malky.

'Als ik zeg dat hij moet komen, dan komt hij, godverdomme.' En zo heb ik vandaag ook mijn goeie daad gedaan en ben ik weer eens de fucking vredestichter, zoals gewoonlijk. Die fucking kleuters vermoorden elkaar nog als lui als ik niet regelmatig tussenbeide kwamen. Maar wat een gezeik, zeg: ik heb er godverdomme migraine van gekregen, dus onderweg naar huis koop ik aan het begin van de Walk een krant en wat Nurofen Plus. Ik bel Sick Boy op zijn mobiel om hem te herinneren aan het kaarten vanavond.

'Ik zit in Frankrijk, Frank, op het Filmfestival van Cannes, om precies te zijn,' zegt die zalvende zeiklul.

Ik vrees dat die lul nog niet eens een grapje maakt ook. 'En onze fucking kaartavond dan? Ik heb toch gezegd dat we vanavond bij jou zouden kaarten!'

'Frank? Ben je daar nog? Hallo!'

'EN ONZE FUCKING KAARTAVOND DAN! IK HEB GEHOORD DAT RENTON GEZIEN IS! IK MOET GODVERDOMME MET JE PRATEN, VIEZE LUL!'

'Ben je er nog, Frank? Hallo?'

Watvoor spelletje speelt die fucking cunt...? 'ONZE KAARTAVOND, GODVERDOMME! IK VERMOORD JE, LUL!'

Er klinkt gekraak aan de andere kant van de lijn. Dan zegt die lul: 'Ik hoor je niet goed, er is storing op de lijn. Ik bel je straks wel terug.' En dan verbreekt hij godverdomme ijskoud de verbinding!

'KANKERLUL!'

Die lul denkt zeker dat hij mij kan behandelen als een stuk stront, dat vertrekt maar naar fucking Frankrijk met al zijn vriendjes van die smerige club, die fucking Terry Sap en al die andere fucking klootzakken, die fucking kinderneukers, die fucking verkrachters, die fucking seksmaniakken en lamlullen... ik zal die fucking gluiperd eens leren, die fucking leugenaar, die... Na het eten bel ik Nelly, Malky en Larry, en zeg dat die klootzak ons heeft laten barsten en dat we naar de Central Bar gaan. Als ik daar aankom, zijn Nelly en Malky er al, maar Larry is godverdomme niet komen opdagen. Hij belt mij op mijn mobiel en zegt dat hij wat later komt, maar dat hij zeker komt, godverdomme. Het lijkt me goed om Nelly een beetje onder druk te zetten. Je ziet dat die lul hartstikke gespannen is. Hoe dan ook, we zitten in de hoek en hebben de kaarten op tafel, en de halve liters Guinness gaan rond als een gek. Ik kom niet vaak in de Central, maar om de een of andere reden smaakt de Guinness me hier altijd prima.

Na een poosje is er nog steeds geen spoor van Larry. Mijn mobiel gaat, maar het is die cunt van een Sick Boy. Ik zal hem godverdomme storing geven... ik zal die lul godverdomme storen zoals hij nog nooit gestoord is... Ik loop de pub uit om een sterker signaal te krijgen. En ja hoor, het is die fucking Sick Boy. Maar goed ook, dat die klootzak mij terugbelt. 'Waar de fuck ben je?' vraag ik. 'Ik heb godverdomme het een en ander met je te bespreken! Onze fucking kaartavond, bijvoorbeeld!'

'Hou eens op met dat gelul, godverdomme,' zegt hij, en ik sta op het punt helemaal over de rooie te gaan, maar dan zegt hij: 'Renton is terug. In Edinburgh!'

Dus het is godverdomme waar... ik denk even na wat ik moet zeggen, ik kijk op, naar de overkant, en daar staat hij, godverdomme! Die rooie, stelende rotlul staat recht tegenover mij bij de pinautomaat aan de overkant, godverdomme! 'Hij staat...' ik schreeuw als een idioot in de telefoon: 'HIJ STAAT HIER GODVERDOMME AAN DE OVERKANT!'

Ik hoor Sick Boy dingen zeggen als: 'Laat hem niet ontsnappen, ik moet hem spreken als ik terugkom...' maar op dat moment kijkt die cunt van een Renton mijn kant uit, en ik klik mijn telefoon dicht.

76 Hoeren van Amsterdam, deel II

Die fucking kat van Spud! Als ik in Edinburgh aankom, denk ik er ineens aan. Ik bel hem en hij zegt dat hij al zijn geld aan Ali gegeven heeft en stelt mij de voorspelbare vraag of ik hem wat geld kan lenen, namelijk driehonderd pond. Wat moet ik zeggen? Hij is thuis, te bang om naar buiten te gaan.

En dus neem ik een taxi vanaf het vliegveld naar Dianne om de kat op te halen. Het duurt uren voordat ik dat klotebeest in zijn mandje heb, ik ben allergisch voor katten en loop te niezen als de ziekte. Tot ik mijn zelfbeheersing verlies, die kankerkat vastgrijp en hij uit woede een haal over mijn arm geeft. 'Je moet hem geen pijn doen, Mark,' snauwt Dianne, terwijl ik het blazende kutbeest in zijn mand stop en het deurtje vergrendel. Ze heeft haar koffers gepakt en ik neem haar mee naar Gavin. We spreken om acht uur af op het vliegveld, op tijd voor de vlucht van negen uur, de laatste vlucht naar Londen voor onze aansluiting naar San Francisco.

Ik weet dat Spud de deur niet uit durft, en dus zit ik hier in een taxi richting Leith met de kat van die stomme lul. Mijn kop barst uit elkaar en ik besef terdege dat ik Sick Boy grootschalig aan het naaien ben. Ik stap uit bij de pinautomaat in Pilrig.

De flappentap van de Clydesdale Bank is kapot en een grijze gast met een Glasgows accent staat er uit frustratie tegenaan te trappen. Nergens een fucking taxi te bekennen. En dus trek ik met enige aarzeling mijn muts over mijn oren en loop, met de kattenmand zwaaiend tegen mijn benen, naar de Halifax aan het begin van Leith Walk. De kat mauwt vervaarlijk, alsof hij de aandacht wil trekken die ik met alle geweld wil vermijden. Bij deze pinautomaat accepteren ze Link-kaarten: grappig eigenlijk, dat je na al die jaren dat soort dingen nog weet. Hoe verder ik vroeger Leith Walk op liep, des te veiliger ik me voelde. Nu voelt het als een afdaling in de Onderwereld. Maar ik blijf hier niet lang, want zodra ik die kat heb afgeleverd, spurt ik met gillende bandjes in een taxi naar mijn afspraak met Dianne, en dan is het hup! de grote zilveren vogel in.

De moed zakt me in de schoenen als ik een lange rij zie staan bij de pinautomaat aan het begin van de Walk. Een zatlap probeert er geld uit te krijgen. Ik loop behoedzaam naar hem toe, de stress sijpelt uit al mijn poriën. Ik hoor hoe in Junction Street een paar gasten elkaar bedreigingen naar het hoofd slingeren. Deze sfeer mis je toch in Amsterdam, de sfeer van nauwelijks verhulde haat en agressie, dat openlijk vertoon van paranoia. Dat zie je daar helemaal niet. Kom op, man, schiet eens op.

Plotseling hoor ik een bekende stem, ik blijf als door de bliksem getroffen staan, en met uiterste krachtsinspanning draai ik me om naar de overkant van de straat waar het geluid vandaan komt.

Begbie. Schreeuwend in een mobiele telefoon.

Dan ziet hij mij en staart me met open mond aan, staande voor de Central Bar. Hij staat als aan de grond genageld door de schok. Net als ik.

Dan klikt hij zijn telefoon dicht en brult: 'RENNTÚÚÚÚN!!!'

Mijn bloed bevriest in mijn aderen en het enige wat ik nog zie is Frank Begbie die de straat oversteekt en met van razernij vertrokken gezicht op mij af komt gestormd, en het lijkt wel alsof hij vlak langs mij wil rennen en het op een ander gemunt heeft en niets met mij te schaffen heeft. Maar ik besef verdomd goed dat hij het op mij voorzien heeft, en deze keer is het zwaar menens, en ik zou moeten wegrennen maar ik kan niet. Tijdens die luttele seconden schieten er miljoenen gedachten door mij heen. Ik besef hoe zinloos en bespottelijk mijn beheersing van de oosterse vechtsporten nu is. Al dat trainen en oefenen stelt nu geen flikker meer voor, alles wordt me uit handen geslagen door die uitdrukking op zijn gezicht. Ik kan niet meer abstraheren, want een oud bandje uit mijn jeugd speelt genadeloos in mijn hoofd: Begbie = Kwaad = Angst. Ik heb al mijn wilskracht verloren. Ergens in mij klinkt nog het stemmetje dat mij vertelt hoe ik simpelweg de wado-ryuhouding moet aannemen, zijn aanval moet afweren, met de palm van mijn hand zijn neus in zijn hersenen moet rammen of opzij moet stappen en een elleboog op zijn slaap moet geven; ja, dat stemmetje hoor ik. Maar het is een nauwelijks hoorbare impuls die totaal wordt overschreeuwd door de doodsangst die mij in een ijzeren greep houdt.

Begbie komt op mij afgestormd en ik kan niks doen.

Ik kan niet schreeuwen.

Ik kan niet smeken.

Ik kan helemaal niks doen.

77 Naar huis

Ali's zus Kath heeft mij nooit gemogen, man, en ze vindt het maar niks dat Ali weer met mij omgaat. Maar Ali wil gewoon weer naar huis, samen met Andy. Ik durfde het huis niet uit, maar ze kwam mij ophalen en toen zijn we samen naar de film geweest. Het ijzerdraad is van mijn kaak af, dus ik kan weer vast voedsel eten, ook al voelt alles nog stijf aan. Ali en ik hebben in tijden niet meer zo geknuffeld, en mijn kaak was niet het enige wat stijf was. Ik wilde vragen of ze nog even mee naar binnen ging, maar toen herinnerde ik me ineens dat ik bij mij thuis had afgesproken met Rents!

Dus ik maak mezelf met moeite van haar los, mijn kaak deed nog een beetje zeer, maar ik dans zo'n beetje over Leith Walk, high, maar ook op mijn hoede voor Franco. Je hoort allerlei verhalen, maar dat kunnen ook geruchten zijn. Dat weet je nooit zeker. Rents moet nu zo'n beetje bij mijn huis zijn, en ik word ongerust dat ik die lul heb misgelopen. Als ik bij het begin van de Walk ben, zie ik een oploopje, er staan een ambulance en een politieauto en een hele hoop volk. De rillingen gaan over mijn rug, alsof ik afkickverschijnselen heb, want als ik in Leith een politieauto of een ambulance zie, nou, dan schieten me onmiddellijk een aantal namen te binnen, maar op het moment denk ik maar aan één naam. Ik denk alleen maar 'naar huis', maar stel dat Begbie Mark te pakken heeft gekregen?

Mijn hart klopt in mijn keel, man.

GODVERDOMME! FUCK, NEE HÈ...

Ik zie hém het eerst. Begbie. Hij ligt op de grond. Begbie is geveld! Uitgeteld. Franco! Hij ligt voor lijk, op de grond en die gasten van de ambulance staan over hem heen gebogen, en er zit een jongen met rood haar naast hem en het lijkt wel... wel, godverdomme... het is de Rent Boy en hij ziet er ongeschonden uit... Rents en Begbie... en het lijkt wel...

Nee.

Nee...

Het lijkt wel alsof Rents *Begbie* heeft gepakt, en niet zo zuinig ook... Maar dan gaat er een ijzige rilling door mij heen, want waar is mijn kat, man, waar de fuck is Zappa?

Maar ik kan me hier niet mee gaan bemoeien, man, geen sprake van, godverdomme. Maar ik moet wel die kat vinden. Ik sla mijn kraag op, trek mijn honkbalpet diep in mijn ogen en begeef mij in de menigte. Dan zie ik Nelly in de drukte op Rents afkomen en hem een klap in zijn gezicht geven.

Rents strompelt naar achteren en voelt aan zijn kaak; Nelly schreeuwt hem iets toe en trekt zich terug in de menigte. Er komt een politieagent op Renton af, maar Mark schudt het hoofd, blijkbaar wil hij Nelly niet verlinken en hij stapt gewoon met Begbie in de ambulance.

En dan zie ik hem: Zappa, mijn arme kat, helemaal alleen, midden op straat! Dus ik ga ernaartoe en pak het mandje op met mijn goeie arm. Er zit een meisje naast hem dat hem door het gaas heen over zijn kop aait. Ze werpt mij een woedende blik toe! 'Ik weet van wie die poes is,' zeg ik, 'ik breng hem wel thuis.'

'Belachelijk; je kunt een poes toch zo maar niet achterlaten op straat,' zegt die meid.

'Ja, precies,' zeg ik, maar ik wil zo snel mogelijk weg, want ik vind het allemaal nogal freaky hier, de zenuwen gieren door mijn keel, weet je wel?

Dan ziet Nelly mij en hij komt meteen naar me toe. Hij wijst met zijn vinger naar mij en zegt: 'Fucking junkielul.'

Ik heb die eikel nooit gemogen en ik ben ook niet bang voor hem, zelfs niet in de beschadigde toestand waarin ik momenteel verkeer. Ik wil net iets terugzeggen, als er een jongen die ik wel in het gezelschap van Franco heb gezien, op Nelly afkomt en hem een stomp in zijn rug geeft, niet erg hard, en dan wegdanst tussen de omstanders. Nelly draait zich om en wil op zijn rug krabben, alsof hij jeuk heeft, en ziet dan dat zijn handen onder het bloed zitten. Ik zie de angst in zijn ogen, terwijl die andere gast zich tussen het publiek uit de voeten maakt met een grote grijns op zijn gezicht. Hij knipoogt even naar mij en maakt dat hij wegkomt. En dat doe ik dus ook. Ik ga zo snel mogelijk naar huis, met Zappa. Ik bedenk dat het niet zo aardig was van Mark om Zappa zo maar op straat achter te laten, dat was hartstikke gemeen, maar ja, hij stond natuurlijk wel onder druk, met Franco en zo.

Maar waar het om gaat is dat ik Zappa terug heb, en daarna komen Ali en Andy ook weer, en dan komt alles wel weer goed, zeker weten.

78 Hoeren van Amsterdam, deel 12

Ik kon niks doen.

Ik kon er geen flikker aan doen. Ik kon niet schreeuwen, niet smeken, helemaal niks. En die gasten in de auto zagen hem niet.

Ik kon niks doen.

De auto raakte Franco met volle snelheid, op nog geen meter afstand van mij. Hij sloeg over de motorkap en kwam met een smak op het wegdek terecht. Hij bleef doodstil liggen en er druppelde bloed uit zijn neus.

Ik loop naar hem toe zonder dat ik weet wat ik moet doen. Ik kniel naast hem neer, til zijn hoofd op en zie zijn fonkelende ogen heen en weer schieten, één al verbijstering en boosaardigheid. Dit wil ik niet. Echt niet. Ik wil dat hij mij stompt en schopt. 'Franco, man, het spijt me... dit is te gek, het spijt me, man...'

Ik sta te janken als een kind. Ik zit daar met Begbie in mijn armen en jank. Ik moet denken aan vroeger, aan de gouden tijden die we beleefd hebben, en ik kijk in zijn ogen en zie dat de wrok eruit wegtrekt, als een zwart gordijn dat opzij wordt geschoven om een hemels licht binnen te laten, terwijl zijn strakke, dunne lippen zich plooien in een kwaadaardige glimlach.

Hij glimlacht naar mij, godverdomme. Hij probeert iets te zeggen en het klinkt ongeveer als: 'Ik heb je altijd gemogen,' maar misschien hoor ik alleen maar wat ik wil horen, misschien verzin ik het. Hij begint te hoesten en er stroomt een golf bloed uit zijn mondhoek.

Ik probeer ook iets te zeggen, maar ik merk dat er iemand over me heen gebogen staat. Ik kijk op en zie een gezicht dat mij zowel vreemd als bekend voorkomt. Ik realiseer me dat het Nelly Hunter is en dat hij de tatoeages uit zijn gezicht heeft laten verwijderen. Ik wil iets tegen hem zeggen, maar hij haalt uit en stompt mij met volle vuist recht op mijn kaak.

Ik sla bijna achterover en er golft een doffe pijn door mijn hoofd. Godverdomme, dat was een beste. Ik zie dat hij zich schielijk terugtrekt tussen de sensatiebeluste omstanders, terwijl ik wankelend overeind kom. Ik voel een hand op mijn schouder en draai me met een schok om, bang als ik ben om in elkaar te worden geslagen door de kornuiten van Franco, maar het is een ziekenbroeder met zo'n groen jasje aan. Ze leggen Franco op een brancard en schuiven hem de ambulance in. Ik loop erachteraan, maar er komt een politieagent voor mij staan die iets zegt wat ik niet versta. Een andere smeris knikt eerst naar de ziekenbroeder en dan naar de eerste smeris. Hij gaat opzij en ik stap de ambulance in. De deur wordt dichtgeslagen en de motor gestart. Ik buig me over Franco heen en zegt dat hij niet moet opgeven. 'Het komt wel goed, Frank. Ik ben bij je, maatje,' zeg ik, 'ik ben bij je.'

Ik wrijf over mijn kaak, die verrotte zeer doet door de klap van Nelly. Welkom terug in Leith. Welkom thuis, zeg maar. Maar waar is tegenwoordig mijn thuis? Leith...? Nee. Amsterdam...? Nee. Als je je thuis voelt waar je hart is, dan ben ik thuis bij Dianne. Ik moet verdomme naar het vliegveld.

Ik knijp in Franco's hand, maar hij is inmiddels buiten bewustzijn en de broeders hebben hem een zuurstofmasker opgezet. 'Blijf tegen hem praten,' dringt een van hen aan.

Het ziet er volkomen kut uit. Het gekke is dat ik in de loop van jaren zoiets als dit gewild heb, zelfs gehoopt heb, en er in ieder geval over gefantaseerd, maar nu zou ik er alles voor over hebben als het anders was. Die gast van de ambulance hoeft mij niet aan te moedigen, want ik kan met geen mogelijkheid mijn mond houden. 'Tja... ik wilde een afspraak met je, Frank, om de zaak uit te praten. Het spijt me echt van die keer toen in Londen, maar Frank, ik was toen helemaal in de war, ik moest gewoon weg, ik moest van de junk af. Ik heb al die tijd in Amsterdam gezeten, maar nu ben ik voorlopig weer terug, Frank. Ik heb een leuke meid... je vindt haar vast heel aardig. Ik denk heel vaak aan de lol die we vroeger gehad hebben, het voetballen in de Links, hoe aardig je moeder altijd tegen mij was als ik bij jou thuis kwam, ze gaf me altijd het gevoel dat ik welkom was. Dat soort dingen vergeet je nooit. Weet je nog dat we op zondagochtend altijd naar The State in Junction Street gingen om naar de tekenfilms te kijken, of naar dat kleine, smerige bioscoopje aan het eind van Leith Walk, hoe heette dat ook weer?... The Salon! Als we genoeg geld hadden, gingen we 's middags naar Easter Road, weet je nog dat we dan altijd een lift versierden? Soms werden we gepakt als we onze namen en YLT spoten achter op de muur van Leith Academy Primary, en toen waren we pas elf en moesten bijna janken en dan liet de politie ons weer gaan! Weet je nog? Dat waren jij en ik, Spud, Tommy en Craig Kincaid. Weet je nog die keer dat wij allebei geneukt hebben met Karen Mackie? En die keer bij Motherwell toen jij die grote lul in elkaar sloeg en ik de schuld kreeg?'

En het vreemde is dat terwijl ik dit allemaal zeg en me al die dingen herinner, een deel van mijn hoofd heel ergens anders is. Ik bedenk dat Sick Boy een geboren uitbuiter is, instinctief, een wezen van zijn tijd. Maar zijn welslagen wordt beperkt doordat hij er veel te diep in betrokken is, in de intrige en de sociale aspecten ervan. Hij denkt dat het allemaal geweldig is, dat het in werkelijkheid allemaal iets voorstelt. En dus laat hij zich erdoor meeslepen en kan hij geen moment afstand meer nemen en ziet hij de details over het hoofd.

Zoals het geld pakken en weglopen.

Hij zal bepaald niet in zijn nopjes zijn als hij ziet dat het geld verdwenen is en ik ook. Zijn zelfverachting omdat hij voor de tweede keer grootscheeps genaaid is, zal waarschijnlijk de aanleiding zijn voor een ernstige geestelijke crisis. Als ik niet oppas heb ik niet alleen de dood van die arme Franco maar ook van Sick Boy op mijn geweten. Franco... afgezien van het zuurstofmasker ziet hij er nog precies hetzelfde uit. Plotseling begint hij te rinkelen en ik realiseer me dat zijn mobiele telefoon gaat in de zak van zijn jack. Ik kijk naar de broeder, die naar mij knikt. Ik pak de telefoon en klik hem aan. Er klinkt luid geschreeuw in mijn oor: 'FRANK!'

Het is de stem van Sick Boy.

'HEB JE RENTON TE PAKKEN GEHAD? GEEF ANTWOORD, FRANK! IK BEN HET, SIMON! IK! IK! IK!'

Ik zet het toestel uit. 'Volgens mij was dat zijn vriendin,' hoor ik mezelf tegen de ziekenbroeder zeggen. 'Ik bel haar straks wel.'

We komen bij het ziekenhuis aan en mijn hoofd is helemaal wazig. Een magere, zenuwachtige, jonge arts deelt mij mee dat Franco nog steeds buiten bewustzijn is, maar dat had ik zelf ook al vastgesteld, en vervolgens brengen ze hem naar intensive care. 'Het is een kwestie van het stabiliseren van zijn toestand, althans dat gaan we proberen. Dan gaan we onderzoek doen naar eventuele verwondingen die hij heeft opgelopen,' zegt hij weifelachtig, alsof hij zich ervan bewust is wie zijn patiënt is.

Ik kan verder niets meer doen, maar ik ga mee naar de afdeling intensive care, en ik zie hoe een verpleegkundige een infuus in zijn arm bevestigt. Ik knik vriendelijk tegen haar en ze reageert met een afgemeten, professionele glimlach. Ik besef dat ik nu bij Dianne op het vliegveld wil zijn, en dat ik liever niet meer hier ben als Nelly en een paar van Franco's kameraden straks binnen komen vallen. 'Sorry, Frank,' zeg ik voordat ik wegga. Ik draai me om en vervolg: 'Hou je taai.' Ik verlaat de zaal en ren de gang door en de marmeren trap af, en ik glij bijna uit op de gladde vloer. Ik ga door twee stel klapdeuren naar buiten, ren de binnenplaats over en duik een wachtende taxi in. We scheuren in een moordend tempo naar het vliegveld, maar ik kom te laat. Hartstikke te laat.

We stoppen voor de vertrekhal; ik zie Dianne naar mij zwaaien en ik ren naar haar toe. Ze staat als aan de grond genageld maar ontdooit naarmate ik dichter bij haar kom. Haar begrijpelijke ergernis verdwijnt als ze ziet in wat voor toestand ik verkeer. 'Mijn god... wat is er gebeurd? Ik dacht dat je me in de steek gelaten had voor een oude vlam of zo.'

Ik barst bijna in lachen uit. 'Maak je daar maar geen zorgen om,' zeg ik, bevend, en ik sluit haar in mijn armen, haar geur opsnuivend. Met moeite hou ik mezelf in bedwang, ik moet en zal dat vliegtuig halen, en dat verlangen is sterker dan ik ooit in mijn leven naar een shot heb verlangd.

We rennen naar de incheckbalie, maar ze willen ons niet meer inboeken. We hebben de vlucht naar Londen gemist en dus ook onze aansluiting. Een kwestie van een paar minuten, seconden zelfs, godverdomme. Maar evengoed gemist. Gelukkig hebben we open tickets en we boeken de eerstvolgende vlucht naar San Francisco via Londen, morgenmiddag om twaalf uur. We zijn het erover eens dat we geen zin meer hebben om de stad in te gaan, en we nemen een kamer in een hotel op het vliegveld, waar ik haar tot in detail vertel wat er gebeurd is.

Ik zit naast Dianne op het met een rood-groene sprei opgemaakte bed, met haar hand in de mijne en verkeer nog steeds in shocktoestand. Met mijn vinger volg ik de dunne blauwe aders op de rug van haar hand, terwijl ik alle gebeurtenissen de revue laat passeren. 'Waanzinnig gewoon, maar die gek zou mij gewoon vermoord hebben... ik stond als aan de grond genageld... ik vraag me af of ik mezelf had kunnen verdedigen... Het krankzinnigste van alles was... daarna... toen was het net alsof we weer vrienden waren, alsof ik hem niet bestolen had of zoiets. Het is zo fucking bizar, maar ergens mag ik die stomme lul nog steeds... ik bedoel, jij bent psycholoog, hoe zit dat?'

Dianne tuit haar lippen, spert haar ogen nog verder open en denkt na. 'Hij is onderdeel van je leven, denk ik. Voel je je schuldig om jouw aandeel in dat ongeval van hem?'

Er daalt een ijzige kalmte over mij neer. 'Nee. Hij had gewoon niet zo maar de straat moeten oversteken.'

De kamer is centraal verwarmd, maar Dianne houdt haar koffiekop met beide handen vast, alsof ze er warmte aan wil onttrekken, en het valt me op dat ze ook behoorlijk geschockt reageert op het voorval met Franco, hoewel ze hem nog nooit ontmoet heeft. Het lijkt wel alsof mijn shock op haar overslaat.

We proberen van onderwerp te veranderen, de stemming enigszins te verlichten door te kijken naar wat we voor de boeg hebben. Ze zegt dat haar scriptie over porno volgens haar niet geweldig is, en bovendien wil ze er wel een jaartje tussenuit. Misschien gaat ze in de States wel naar een *college*. Wat gaan we doen in San Francisco? Beetje rondkijken. Ik begin er misschien wel weer een disco, maar waarschijnlijk niet, mij te veel gedoe. Misschien zetten Dianne en ik wel een website op en worden we 'dotcommers'. We hebben over dit hele avontuur al heel lang gefantaseerd en plannen gemaakt, maar dat dringt op dit moment allemaal niet tot mij door. Het enige waar ik aan kan denken is Begbie, en Dianne natuurlijk. Ze blijkt een te gek coole vrouw te zijn, maar eigenlijk was ze dat altijd al. Ik was degene die destijds te jong was om aan een serieuze relatie te beginnen. Deze keer houden we het langer vol, zolang de liefde duurt en we geld hebben.

De volgende ochtend zijn we vroeg op en ontbijten op onze kamer. Ik bel het ziekenhuis om te vragen naar de toestand van Franco. Er is geen verandering, hij is nog steeds bewusteloos, maar de röntgenfoto's bevestigen de ernst van zijn verwondingen, hij heeft een gebroken been, een verbrijzelde heup, enkele gekneusde ribben, een gebroken arm, een schedelbasisfractuur en inwendige verwondingen. Eigenlijk zou het een geruststellende gedachte moeten zijn dat hij uitgeschakeld is, maar ik voel me verschrikkelijk rot om wat er met Franco gebeurd is. En ja, ik voel me inmiddels behoorlijk schuldig.

We gaan terug naar het vliegveld; zij is erg opgewonden nu ze eindelijk weg kan, ik maak me zorgen over elke seconde die we langer hier blijven dan nodig is.

79 '...easyJet...'

Simon loopt de hele dag als een gek te telefoneren. We zijn vroeg op het vliegveld voor de eerstvolgende vlucht met easyJet terug naar Edinburgh. Terry en Carla, die Amerikaanse pornomeid van hem, zwaaien ons uit, alleen maar omdat Terry de sleutels wil hebben van onze kamer die nog twee dagen gereserveerd is en Simon de sleutels pas op het laatste moment wil geven. Hij blijft Terry, die net uit de taxfreeshop komt, met onverholen achterdocht bekijken. 'Ik vind het heel aardig van je, Nikki, dat je met mij teruggaat,' zegt hij, 'want je had hier ook nog een paar dagen kunnen blijven met Curtis en Mel, en kunnen genieten op het feest na de prijsuitreiking. Je valt waarschijnlijk ook nog in de prijzen. Dit is jouw kans, Nikki.'

'Wij moeten elkaar steunen, schatje,' zeg ik en grijp zijn hand.

'Maak je geen zorgen, Sick Boy, ik en Carla gaan genieten van die suite, hè mop?' zegt Terry. Hij kijkt naar zijn nieuwe meid en dan naar mij, bang dat ik misschien van gedachten verander.

'Ja... heel aardig van jullie...' mompelt ze zielsgelukkig.

Simon voelt zich zeer onbehaaglijk; Terry merkt het en zegt op serieuze toon: 'Ik zal mijn uiterste best doen voor *Seven Rides* en bovendien zal ik het kalm aan doen met de hotelrekening.'

Maar Simon hoort niet wat hij zegt. Hij heeft de pub gebeld en praat met Alison, en hij ziet er zo mogelijk nog gedesillusioneerder uit dan ooit. 'Dat lul je... niet te geloven, godverdomme...' Tegen Terry en mij zegt hij: 'De fucking politie en klootzakken van de douane en accijnzen zijn in de pub. Ze hebben de videobanden in beslag genomen... de tent wordt gesloten... Ali!' schreeuwt hij in de telefoon, 'niks zeggen, tegen niemand van die fucking klootzakken; zeg maar dat ik in Frankrijk zit, dat is nog waar ook. Nog iets gezien van Begbie of Renton?'

Na een korte stilte brult Simon: 'WAAAT?!' en vervolgt buiten adem: 'In het ziekenhuis, die lul? In fucking coma? Rents?'

Mijn hart klopt in mijn keel. Mark... 'Wat is er gebeurd?!'

Simon klikt zijn telefoon dicht. '*Renton* heeft *Begbie* te grazen genomen! Hij heeft die cunt het ziekenhuis in geslagen. Begbie ligt in een coma waar hij waarschijnlijk nooit meer uit komt. Spud vertelde het aan Ali, hij heeft het zien gebeuren, gisteravond, aan het begin van de Walk!'

'Dus Mark mankeert niks, godzijdank...' zeg ik hardop, en Simon werpt mij een vernietigende blik toe. 'Nou ja, Simon,' fluister ik, 'hij heeft ons geld...'

'Wat voor geld bedoel je?' vraagt Terry nieuwsgierig.

'O, wat geld dat ik hem geleend heb,' zegt Simon hoofdschuddend. 'Hoe dan ook, hier zijn de sleutels, Terry.' Hij haalt ze uit zijn zak, werpt ze hem toe en zegt op bittere toon: 'Veel plezier.'

'Dank je.' Terry legt een arm om Carla's middel. 'Maak je daar maar geen zorgen om,' zegt hij knipogend. Dan vervolgt hij op verwonderde toon: 'Wat raar dat Mark Begbie te grazen neemt. Stille wateren, zeg maar. Ik heb altijd gedacht dat die hele kung-fushit geen flikker voorstelde. Zo zie je maar weer, hè. Maar goed,' zegt hij glimlachend, 'tot ziens,' en ik kijk hem na, zoals hij weghuppelt over de parkeerplaats met zijn pornobijslaap achter zich aan, genietend van zijn leven als een luis op een zeer hoofd, terwijl Simon, die net zo moet kunnen genieten, achterblijft met een gepijnigde, gefrustreerde uitdrukking op zijn gezicht. Dat komt nog een keer boven op zijn bestaande ellende: Terry die op zijn kosten twee dagen lang mag rondbanjeren in Cannes.

Tijdens de vlucht is Simon één en al wrok tegenover de hele wereld, en als we landen in Edinburgh blaast hij nog steeds van woede. 'Je weet nog steeds niet zeker of Mark ons inderdaad bestolen heeft, dus kalm aan een beetje. We hebben ons toch geweldig vermaakt? De film is toch goed ontvangen? Dat is toch allemaal positief.'

'Hmmpf,' moppert hij. Hij heeft zijn zonnebril omhooggeschoven en met het hoofd naar voren spiedt hij om zich heen terwijl we op onze bagage wachten en langs de douane en de paspoortcontrole gaan.

Dan blijft hij als aan de grond genageld staan, want vijftig meter verderop staan Mark en Dianne in de rij voor de uitgang naar de vertrekhal. Dianne gaat eerst en net als Mark zijn papieren laat zien aan de beambte van de vliegtuigmaatschappij, brult Simon zo hard hij kan: 'RÉÉÉÉNTÚÚÚÚNNN!'

Mark kijkt naar hem, glimlacht zwakjes, zwaait, en loopt door de gate. Simon sprint naar hem toe en probeert door de gate te stormen, maar de beambte en iemand van de beveiliging houden hem tegen. 'HOUD DE DIEF!' schreeuwt hij terwijl Mark en Dianne in de verte verdwijnen. Ik loop achter hem aan en vraag me af of Dianne zich nog zal omdraaien, maar dat doet ze niet. 'ZEG JIJ HET DAN TEGEN ZE, NIKKI!' zegt Simon smekend.

Ik sta met mijn mond vol tanden. 'Wat moet ik zeggen?'

Hij draait zich om naar de beambte en de man van de beveiliging. Er komen nog een stel securitymensen bij ons staan. 'Luister dan,' smeekt hij, 'u moet mij langs de gate laten gaan.'

'Dan moet u een geldige boarding-pass kunnen tonen, meneer,' deelt de beambte hem mee.

Simon begint te hyperen en probeert zijn ademhaling onder controle te krijgen. 'Luister, die man heeft iets gestolen wat van mij is. Ik *moet* langs die fucking gate!'

'Dat is dan een zaak voor de politie, meneer. Als u wilt kan ik de luchthavenpolitie wel voor u oproepen...'

Simon schudt knarsetandend het hoofd. 'Laat maar. Laat maar!' sist hij tussen zijn tanden door en loopt weg. Ik volg hem naar het bord met vertrektijden. 'Fuck, alles is al aan het boarden: London Heathrow, London City, Manchester, Frankfurt, Dublin, Amsterdam, München... waar zouden ze heen gaan... RENTON EN DIE SLUWE, FUCKING KUTHOER!' krijst hij, uitgebreid de tijd nemend om zichzelf in het openbaar belachelijk te maken, dan hurkt hij neer midden op de drukke promenade, legt zijn hoofd in zijn handen en blijft doodstil zitten.

Ik leg een hand op zijn schouder. Een vrouw met een oranje permanent staat bij ons stil en vraagt: 'Is er iets met hem?' Ik glimlach naar haar, erkentelijk voor haar bezorgdheid. Na een poosje fluister ik tegen hem: 'We moeten hier weg, Simon. We trekken te veel bekijks.'

'O ja?' zegt hij met de stem van een klein jongetje. 'O ja?' Hij staat op en loopt met stevige passen naar de uitgang, onderweg zijn telefoon aanklikkend.

We lopen naar de rij bij de taxi's, hij klapt zijn telefoon dicht en kijkt me aan met een strakke glimlach om zijn mond. 'Renton...' snikt hij en slaat zichzelf op het hoofd, '...Renton heeft mijn geld gestolen... hij heeft de hele rekening leeggehaald... Renton hàd zijn eigen mastertapes in Amsterdam, alle gemonteerde kopieën in dat pakhuis van Miz. Wie de mastertapes in zijn bezit heeft, heeft de film. Hij heeft de mastertapes en het geld! Hoe komt hij aan de informatie?' huilt hij ontroostbaar.

Ik bel Lauren en hoor dat Dianne haar koffers gepakt heeft. We stappen in een taxi en ik zeg op verslagen toon: 'Leith.'

Simon legt zijn hoofd tegen de hoofdsteun. 'Hij is er godverdomme met ons geld vandoor!'

Het gaat hem alleen maar om het geld. 'En de film dan?' vraag ik.

'De kanker met die fuckfilm,' snauwt hij.

'En die missie van jou dan?' hoor ik mezelf vragen. 'De revolutionaire rol die de pornografie heeft in...'

'De kanker met die shitzooi. Porno is gewoon een hoop shit voor een stelletje rukkers die geen wijf kunnen krijgen om zich op af te trekken en een manier voor de rest van ons die de uiterste versheidsdatum naderen om ons leeg te spuiten in jonge, verse wijven. Er zijn twee categorieën. Categorie een: ik. Categorie twee: de rest van de wereld. De anderen kun je onderverdelen in twee subgroepen: zij die doen wat ik zeg en het uitschot. Het was een geintje, Nikki, gewoon een geintje en meer niet. Geld, daar gaat het om. GELD GODVERDOMME! EN DIE FUCKING RÉÉNTÚÚNN!'

Later, in de flat van Simon, zitten we de *Evening News* te lezen die Rab heeft meegebracht. Hij vertelt dat in de pub de hele voorraad videobanden in beslag is genomen, alsmede de hele boekhouding. Volgens het krantenartikel zijn zowel de politie als beambten van de Douane en de Dienst Accijnzen op zoek naar hem en zullen er aanklachten tegen hem worden ingediend. In een begeleidend artikel wordt een ongunstig beeld geschetst van hem en het met hem verbonden 'drugs- en pornoschandaal', en wordt melding gemaakt van het feit dat de politie een onderzoek heeft gestart naar hem en zijn activiteiten.

'Ik ben godverdomme de enige die ze moeten hebben! Ik! En die andere klootzakken dan?'

'Misschien heeft het iets te maken met de credits op de videodozen,' zegt Rab hatelijk en het kost mij moeite een grijnslach te onderdrukken.

Simon lijkt gebroken, als hij een nieuwe fles whisky aanbreekt. Rab wil de zaak voor de rechtbank uitvechten. 'Ik vind dat we elkaar als één man moeten steunen. Ik ga een verdediging schrijven,' zegt hij met dubbele tong nadat de fles is rondgegaan. Ik realiseer me dat Rab al aan de zuip is geweest en dat het effect te merken is. 'Wat vind jij, Nikki?' vraagt hij.

'Ik wil eerst zien hoe de zaak zich ontwikkelt,' zeg ik en laat de whisky rondgaan in mijn glas.

Simon rukt de krant uit mijn hand en ziet nog steeds kans zich beledigd te voelen door de aantijging dat hij een pornograaf zou zijn. 'Ik vind dat nogal een krasse term voor iemand die de artistieke keus gemaakt heeft om creatief bezig te zijn in de sfeer van amusement voor volwassenen,' zegt hij met veel poeha. Dan krijgt hij weer een moedeloze blik in de ogen en kreunt wanhopig: 'Mijn moeder overleeft dit niet.'

Met een angstige uitdrukking op zijn gezicht bekijkt hij de boodschappen op zijn mobiel. Eén is van Terry: 'Goed nieuws en slecht nieuws, jongens. Curt heeft de prijs voor beste mannelijke nieuweling. Hij is dat ergens aan het vieren. Maar een of andere Fransman is verkozen tot beste regisseur. Een meid in Carla's film is beste actrice geworden.'

Een golf van ellendige teleurstelling overspoelt mij, en Simon werpt mij een venijnige blik toe waarin ik lees: 'ik zei toch dat je anaal had moeten doen'. Terry lult maar door: 'Maar er is niet alleen maar slecht nieuws, hoor. Carla's film *A Butt-Fucker in Pussy City* heeft de hoofdprijs gewonnen. Gave crew, en ik voel me er prima thuis.' Simon sist sarcastisch en wil iets zeggen, maar de volgende boodschap legt hem het zwijgen op. Het is zijn moeder, ze is erg overstuur en barst onder het praten in huilen uit. Hij staat op en trekt zijn jack aan. 'Dit moet ik even uitpraten met mijn moeder.'

'Wil je dat ik meega?' vraag ik

'Nee, het is beter dat ik alleen ga,' zegt hij en Rab, die dolgraag terug wil naar zijn vrouw en kind, verlaat samen met hem de flat.

Ik laat mij opgelucht maar met een barstende hoofdpijn op de bank vallen, en ik huiver bijna als ik besef wat ik zo direct ga doen.

80 Project nr. 18.753

Ik verkeer in shocktoestand. Het lijkt alsof al het goede uit mijn leven is verdwenen en de rest volledig op zijn kop is gezet. Mijn moeder staat op mijn voicemail en vraagt mij huilend hoe de krant in godsnaam ongestraft zulke smerige leugens kan vertellen over haar zoon. Rab komt nog even op bezoek en vermaakt zich blijkbaar kostelijk, maar ik voel me zo klote dat het me niks doet. Maar ik ga langs bij mijn moeder en weet haar ervan te overtuigen dat het allemaal jaloerse verzinsels zijn en dat de hele zaak in handen is van mijn advocaten.

Dat was me een hele vertoning, het kostte mij enorm veel energie om woede voor te wenden, energie die ik niet meende te hebben. Als ik wegga, denk ik aan Franco, en hoe die stomme rukker alles heeft verkloot, voor mij en voor zichzelf.

Ik ga terug naar huis, naar Nikki, en vraag me af wie mij verlinkt kan hebben. Ik heb een lijstje in mijn hoofd: Renton: DAT LIJKT ME GODVERDOMME DUIDELIJK; Terry: DIE LUL, OMDAT IK HEM HEB LATEN VALLEN!; Paula: DIE VETTE TEEF HEEFT GEHOORD WAT IK UITVRAT IN DIE PUB VAN HAAR; Mo: ZIJ WIL DE PUB; Spud: JALOERSE JUNKIE FUCKER; Eddie: NIEUWSGIERIGE OUWE CUNT; Philip en zijn maats: KLEINE KLOOTZAKJES; Begbie: IK VERLINK NIEMAND, GODVERDOMME, VOLGENS MIJ LULT DAT WIJF TE VEEL; Birrell: DE EERSTE DIE IN ZIJN VUISTJE LACHTE; opnieuw Renton: EEN VERNIETIGENDE GENADEKLAP VAN DIE MISSELIJKE SPUUGLUL...

Ik bel Mel en Curtis in Cannes en zeg dat ik binnenkort wel weer iets op poten heb gezet, ik heb wat tijd nodig om mijn wonden te likken en wraak te nemen op een paar klootzakken die mij hebben genaaid. 'Ik neem dan wel weer contact op, geniet ervan tot die tijd en probeer het zo ver mogelijk te schoppen. Maar kijk uit wat je tekent,' waarschuw ik hen.

Aan het begin van Leith Walk koop ik bloemen voor Nikki en denk erover haar vanavond mee uit eten te nemen naar het Stockbridge Restaurant, omdat ze zo geweldig sterk is geweest, voordat we uitwijken naar Londen. Als ik thuiskom, is ze er niet, waarschijnlijk doet ze boodschappen voor het avondeten. Daar kan geen sprake van zijn, fuck de politie en de douane, ik wil de stad in, ik wil iedereen laten zien dat ik nog niet verslagen ben. Dit is gewoon even een dipje waar ik doorheen moet.

Er ligt een briefje op de salontafel.

Simon,

Ik ben op bezoek bij Mark en Dianne. Je vindt ons nooit, dat verzeker ik je. We gaan genieten van het geld, zeker weten.

Liefs, Nikki

P.S. *Toen ik zei dat je de beste minnaar was die ik ooit gehad heb, overdreef ik natuurlijk, maar soms, als je je best deed, viel het wel mee. Je moet maar zo denken: we doen allemaal alsof.*

P.P.S. *Zoals je zelf al zei over de Britten: het is onze lievelingssport geworden om toe te kijken hoe mensen genaaid worden.*

Ik lees het briefje twee keer. Zwijgend staar ik naar mezelf in de spiegel aan de muur. Met alle kracht die ik in mij heb deel ik een kopstoot uit aan het spiegelbeeld van de mongool die ik zie. Het glas breekt en valt kletterend uit de lijst op de grond. Ik kijk naar de scherven en zie hoe het bloed als regendruppels opspat. 'Loopt er op deze planeet een stommere lul rond dan jij?' vraag ik langzaam aan de bebloede kop in de scherven spiegelglas. 'Dat wordt dus zeven jaar tegenslag,' zeg ik lachend.

Ik ga op de bank zitten en pak het briefje weer, hou het in mijn bevende hand, frommel het tot een propje en smijt het de kamer door.

Loopt er op deze planeet een grotere mongool rond?

Plotseling doemt er een gezicht voor mij op.

'François is gewond,' zeg ik op wrede toon tegen mezelf, als een onbetrouwbare Romeinse senator uit de Hollywood-versie van *Spartacus*, 'ik moet naar hem toe.'

Ik doe een verband om mijn kop en bind daar een oude hoofddoek omheen. Dan begeef ik mij naar de Royal Infirmary, op zoek naar de afdeling intensive care. Ik loop langs een kantoorboekhandel en denk erover om een wenskaart te kopen, maar in plaats daarvan neem ik een grote zwarte viltstift.

Ik loop door een lange, verlaten gang in het negentiende-eeuwse deel van het gebouw en probeer mij alle pijn en ellende voor te stellen die zich in dit martelcentrum heeft afgespeeld. Er drukt een zwaar gevoel op mijn borst en er heerst voor mijn gevoel een intense kou. Er is een modern gebouw neergezet in Little France en nu laten ze deze tent versloffen. Er lijkt nauwelijks licht te branden in dit deel van het ziekenhuis, en als ik de trap opga, piepen mijn schoenen snerpend hard op elke tree. Ik merk dat ik bang ben. Er maalt van alles door mijn hoofd en ik ben doodsbenauwd dat hij weer bij bewustzijn is.

Als ik de intensive care betreed, voel ik me weer op mijn gemak. Er is maar één verpleegster aanwezig voor zes patiënten, vijf ouwe knarren die volledig naar de kloten zijn, en Franco die bewusteloos in zijn bed ligt. Hij ziet er levenloos en wasachtig uit, en het lijkt alsof hij al dood is. Hij is aangesloten op een ademhalingsapparaat, maar met het blote oog valt zijn ademhaling nauwelijks waar te nemen. Hij ligt aan drie infusen. Twee voeren bloed en een zoutoplossing aan, en de derde voert de pis af.

Ik ben zijn enige bezoek. Ik schuif een stoel aan en ga naast hem zitten. '*Pauvre, pauvre François*,' zeg ik tegen de in verband en gips gewikkelde slapende gestalte. Ergens daarbinnen bevindt zich Begbie.

Hij ligt er volkomen verkloot bij. Ik bekijk zijn grafiek. 'Ziet er niet best uit, Frank.' De verpleegster zegt: 'Het gaat niet goed met hem, het zal hem heel wat energie kosten om hier doorheen te komen.' 'Frank is een vechter, hoor,' zeg ik tegen haar.

Ik bekijk het zakje bloedplasma dat via het infuus in een ader verdwijnt. Stomme lul. Eigenlijk zou ik in een melkfles moeten pissen en die aan het infuus hangen. In plaats daarvan schrijf ik met de viltstift enkele hartelijke teksten op zijn gipsverband en praat ondertussen tegen hem. 'Hij heeft me weer genaaid, Frank. Ik heb me laten verkloten, want ik was één belangrijke les vergeten: nooit teruggaan of omkijken. Altijd doorgaan. Steeds weer verder trekken, want anders eindig je als... nou ja, als jou, Frank. Het doet me goed om je zo te zien, Franco. Het doet me goed om te weten dat er altijd een of andere sneue snotlul erger aan toe is dan ik,' zeg ik. Glimlachend bewonder ik mijn handwerk: BRUINE HOLTOR.

'Weet je nog toen ik je voor het eerst zag, Frank? Toen je voor het eerst tegen mij praatte? Ik weet het nog wel. Ik was aan het voetballen op de Links met Tommy en nog een paar jongens uit de flats. Dan kwamen jij en je kameraden eraan. Volgens mij waren Rents en Spud er ook bij. We zaten nog op de lagere school. Het was het weekend dat Hibernian op Easter Road met 4-2 verloren had van Juventus. Altafini had zo'n gluiperige hattrick gescoord. Jij kwam op mij af en vroeg of ik ook zo'n fucking spaghettivreter was. Ik zei dat ik Schots was. Tommy wilde mij helpen en zei: "Alleen zijn moeder is Italiaans, hè Simon?" Je pakte mij bij mijn haar, draaide het om en zei iets in de geest van: "Schotland is wereldkampioen, godverdomme" en "Zo pakken we hier die gore Italiaantjes aan", en je trok me achter je aan en schreeuwde mij beledigende dingen in mijn gezicht, zoals "in de oorlog scheten jullie in je fucking broek". Ik probeerde te roepen dat ik voor Hibernian was, ik had ze luidkeels aangemoedigd, ik was uit mijn bol gegaan toen Stanton ons op een 2-1-voorsprong zette. Maar het had geen zin, ik moest het ondergaan, die gemene, zinloze pesterijen van jou, net zolang totdat je er genoeg van kreeg en op zoek ging naar een ander slachtoffer. En raad eens wie jou liep op te jutten, wie jou opnaaide om zo gemeen mogelijk te zijn, met een sadistische blik in zijn stralende ogen? Ja, Renton, en zijn grijns was zo breed als de Victoria Dock, de cunt.'

Maar Franco ligt daar maar, en zijn verwrongen, rancuneuze, idiote mond is potdicht.

'Het liep godverdomme allemaal zo lekker, Frank. Heb je dat gevoel ooit gehad, Franco? Dat het spel precies zo verliep als je wilde, dat alles voor de wind ging en dat een of andere klootzak je belazert en de hele fucking handel instort? Want elk spel heeft wel zijn fucking regels, Franco. Zelfs jij zou dat een vriend van jou niet aandoen. Ik in ieder geval niet. Als je in zaken zit en een echte onderneming runt, dan kun je niet zonder vertrouwen. Ik speel spelletjes, Frank; dat zul jij nooit begrijpen, maar ik ben veel meer een vechter, een krijger, dan jij ooit zult zijn. Ik geloof in de klassenstrijd. Ik geloof in de oorlog tussen de seksen. Ik geloof in mijn eigen groep, mijn eigen stam. Ik geloof in het rechtschapen, intelligente, goed geïnformeerde deel van de arbeidersklasse, in plaats van de hersendode, imbeciele massa en de middelmatige, zielloze burgerij. Ik geloof in punkrock, in northern soul. In acid house. In mod. In rock-'n-roll. Ik geloof ook in rap en hiphop voordat de commercie ermee aan de haal ging. Dat is mijn manifest, Franco. Jij paste zelden of nooit binnen dat manifest. Oké, ik bewonder jouw vogelvrije instelling, maar dat agressieve en psychotische van jou doet mij niks. Jouw banaliteit is in strijd met mijn goede smaak. Maar Renton, ik dacht dat Renton op mijn lijn zat, mijn punklijn. Maar wat blijkt? Hij is een soort Scruffy Murphy met hersenen en nog minder ethiek dan Spud.'

Ik vraag me af of die lul een woord verstaat van wat ik zeg. Geen sprake van, die wordt nooit meer wakker, en als hij dat wel doet, dan als slaplantje. 'Ik ben erg teleurgesteld, Frank. Weet je wat die cunt van mij gestolen heeft? Ik zal het je zo simpel en direct mogelijk zeggen: ruim zestigduizend pond. Ja, daarmee vergeleken is die drieduizend van jou fucking peanuts. Maar dat geld betekent niets voor mij. Hij heeft me mijn dromen afgestolen, Frank. Begrijp je dat? Snap je dat? Hal-lo-o? Is daar iemand? Nee, dat dacht ik al.'

Alex McLeish?

Het strafblad van de jonge Begbie is allerberoerdst en het lijkt me onmogelijk dat hij nu nog ergens een kans krijgt.

Ik ben ervan overtuigd dat alle oppassende burgers een dergelijke waarneming alleen maar kunnen beamen, Alex, en niet om het een of ander, maar ik zou verder willen gaan: ik zou Francis Begbie willen beschuldigen van het in diskrediet brengen van het spel. En wat Frank zelf betreft, laten we eens horen wat een andere bekende Frank, die ook actief is in Leith, hierover te zeggen heeft, Frank Sauzee.

Diet ies, oe te zeggen, oewaar. Monsieur Begbie ies strijdluustig, er ies bai em geen sprake van savoir faire. Maar je kan em de agressie ien zijn spel niet ontzeggen, want dan was et Begbie niet meer.

Ik zit nog een beetje met mijn viltstift te krabbelen op Franco's gipsverband terwijl ik mijn dag met hem doorbreng. IK HOU VAN PIJPEN.

'Maar ik heb die klootzak van een Renton geholpen. Ik heb hem uit jouw klauwen gehouden. En waarom? Misschien vanwege die keer in Londen toen jij over de rooie ging en mij ervan beschuldigde dat ik met hem samenspande. Je sloeg me en een van mijn tanden brak af. Mismaakt was ik. Ik moest een kroon laten aanmeten. En niet één keer sorry, godverdomme. Maar dat was fucking stom van mij om hem bij jou uit de buurt te houden. Dat overkomt me niet weer. Ik zal hem vinden, Frank, en ik zweer dat als jij ooit uit die coma mag ontwaken en je gebroken lichaam zich herstelt, jij de eerste zult zijn, absoluut de eerste, die weet waar hij uithangt.'

Ik buig me over die kwijlende fucking zombie op het bed. 'Gauw beter worden... Beggar Boy. Dat heb ik altijd tegen je willen zeggen, recht in je gezi...' Mijn hart staat stil als ik voel dat iets mijn pols vastgrijpt. Ik kijk naar beneden en zijn hand zit er als een bankschroef omheen. En als ik weer opkijk, heeft hij zijn ogen open, en die gloeiende kolen vol haat en vijandschap staren recht in mijn verminkte, berouwvolle ziel...

Lees ook van Irvine Welsh:

Trainspotting

Na een ondergronds begin als cultboek met een grote populariteit in de clubscene brak Irvine Welsh met zijn debuutroman *Trainspotting* door naar een enorm publiek. Hij werd uitgeroepen tot de spreekbuis van een nieuwe generatie. De verfilming van zijn roman trok in Groot-Brittannië ongekende aantallen bezoekers en ook de verkoop van het boek steeg tot onvoorziene hoogte.

Mark Renton, ook wel 'Rents' of 'Rentboy', en zijn vrienden staan centraal. Hun leven, dat zich afspeelt in de minder gezellige sociale lagen van de monumentale cultuurstad Edinburgh, wordt beheerst door kicken en afkicken. Wanneer ze gebruiken draait alles om het spotten van de 'train', de dealer. Zonder drugs is het bestaan deprimerend en verwordt het tot een zoektocht naar alle mogelijke vervangende kicks: seks, alcohol, voetbal, lukraak geweld en criminaliteit. Welsh zit op de huid van zijn personages en beschrijft hun vaak meelijwekkend geworstel met genadeloze humor en een ongehoord aantal *beats per minute*.

*Keihard, cynisch, hilarisch [...] de tekst lijkt op de pagina's gespuugd te zijn met een zeer authentiek aandoende woede en bitterheid. Serge van Duijnhoven in BLVD

*Waarom dat fabelachtige succes? Een simpele verklaring: *Trainspotting* is een fantastisch geschreven boek. – Sjoerd de Jong in NRC *Handelsblad*

*[...] de literaire sensatie van Engeland. Maakt u zich geen zorgen als de naam Irvine Welsh u nu nog niks zegt; dat verandert [...] vanzelf wel. Rob Malasch in HP/*De Tijd*

*Een meesterwerk [...] een revelatie en een revolutie [...] Hét literaire fenomeen van het decennium – *The Face*

Acid house

Na zijn buitengewoon succesvolle debuutroman *Trainspotting* kwam Irvine Welsh met dit vervolg. Misselijkmakend, angstaanjagend, ontroerend, hilarisch: *Acid house* is een boek als een lunapark.

De verhalen in dit boek variëren van bitter-realistische sociale waarneming tot de volstrekt gestoorde fantastische spinsels waarvan in *Trainspotting* al de eerste sporen te vinden zijn. Welsh is een scherp waarnemer van sociale misstanden, maar hij zorgt ervoor dat zijn personages nooit verpletterd raken door politiek. 'The beat goes on', net als in de housemuziek die hem bij het schrijven van dit werk inspireerde: op elke pagina gebeurt wat, de verhalen hebben een koortsachtige energie en een genadeloos tempo. Welsh blijkt net zo vloeiend 'algemeen beschaafd' als 'algemeen verslaafd' en 'algemeen ontaard' taalgebruik te kunnen hanteren. Een weergaloze collectie.

*Verteld met zo'n energie en scherpheid, zo'n schrijnende, genadeloze humor en zulke enorme reserves aan taalvaardigheid en vindingrijkheid dat niemand deze verhalen kan lezen zonder de adrenaline te voelen pompen. – Jonathan Coe in *The Sunday Times*

*Een nieuwe helletocht met Irvine Welsh, en mijn god, of je er energie van krijgt! – *New Statesman*

**Acid house* toont aan dat Welsh heel wat meer in zijn mars heeft dan de semi-autobiografische verteller als etnograaf. Hij experimenteert met vorm, stijl en structuur [...] met surrealisme en *fantasy*, en altijd heeft hij iets nieuws te melden. – *Independent*

Smeris

De feestdagen zijn in aantocht en rechercheur Bruce Robertson besluit Kerstmis daverend van start te laten gaan met een weekje seks en drugs in... Amsterdam. Er zwemmen echter een paar irritante vliegen in zijn droomcocktail, zoals een vermiste echtgenote – en de daaruit voortvloeiende huishoudelijke malaise –, een doorzeurende cocaïneverslaving, een dramatische verslechtering van zijn genitale gezondheid en een reeks buitenechtelijke verhoudingen. Het aller-, allerlaatste waar hij op zit te wachten is het oplossen van een smerige moordzaak. Toch lonken ook een hoop goedbetaalde overuren, een kans om een paar collega's te naaien en een mogelijke, felbegeerde promotie.

Maar deze vastberaden carrièresmeris stuit op zijn tocht door de laagste regionen van het kwaad op tegenstand van de meest onverwachte zijde: zijn anus. Deze vijand is niet af te schudden. De rechercheur geraakt in uitzonderlijk beroerde omstandigheden.

Met Bruce Robertson heeft Welsh een van de meest corrupte en misantropische personages in de moderne literatuur neergezet. Een duister, verontrustend en meer dan grappig boek over vunzigheid, macht en het misbruik van alles onder de zon.

**Smeris* beslaat maar een paar maanden uit het desperate leven van Bruce Robertson. Het is genoeg om er een verpletterende indruk aan over te houden. – Lodewijk Brunt in *Vrij Nederland*

*[...] zijn meest volwassen roman tot nu toe, en het beste bewijs sinds *Trainspotting* dat hij tot de top van de eigentijdse Engelse literatuur hoort. – Sietse Meijer in NRC *Handelsblad*

Lijm

Lijm is het verhaal van vier jongens die opgroeien in de achterbuurten van Edinburgh. Terry Sap is een werkschuwe rokkenjager met pijpenkrullen en eeuwig kleverige vingers. Billy de bokser is beheerst, gedreven, op zichzelf, overtuigd van eigen kracht. Carl de dj, *chilling out*, zwevend op zijn zelfgemaakte soundtrack. En Gally, die altijd aan het kortste eind trekt en elke keer als hij de hoek om slaat tegen een ramp op loopt.

Welsh volgt de vier vanaf de jaren zeventig tot in de nieuwe eeuw – van punk tot technohouse, van speed tot xtc. Ze vechten tegen de door klasse en cultuur opgelegde patronen, tegen de invloed van hun ouders en leeftijdgenoten. Loyaliteit houdt de vier bij elkaar, en de mores van de straat: steun je maten, sla geen vrouwen en – bovenal – verlink elkaar *never.*

Een volwassen boek over volwassen worden en wat er gebeurt als de dingen uit elkaar vallen, als je elkaar loslaat. Met het van Welsh bekende stuwende verteltempo, de spetterende dialogen, scabreuze taferelen en inktzwarte humor.

*Lijm is zijn beste boek. – *Times Literary Supplement*

Advance Praise for *Zucked*

"Roger McNamee's *Zucked* fully captures the disastrous consequences that occur when people running companies wielding enormous power don't listen deeply to their stakeholders, fail to exercise their ethical responsibilities, and don't make trust their number one value."

—Marc Benioff, chairman and co-CEO of Salesforce

"McNamee puts his finger on serious problems in online environments, especially social networking platforms. I consider this book to be a must-read for anyone wanting to understand the societal impact of cyberspace."

—Vint Cerf, internet pioneer

"Roger McNamee is an investor with the nose of an investigator. This unafraid and unapologetic critique is enhanced by McNamee's personal association with Facebook's leaders and his long career in the industry. Whether you believe technology is the problem or the solution, one has no choice but to listen. It's only democracy at stake."

—Emily Chang, author of *Brotopia*

"Roger McNamee is truly the most interesting man in the world—legendary investor, virtuoso guitarist, and damn lucid writer. He's written a terrific book that is both soulful memoir and muckraking exposé of social media. Everyone who spends their day staring into screens needs to read his impassioned tale."

—Franklin Foer, author of *World Without Mind*

"A frightening view behind the scenes of how absolute power and panoptic technologies can corrupt our politics and civic commons in this age of increasing-returns monopolies. Complementing Jaron Lanier's recent warnings with a clear-eyed view of politics, antitrust, and the law, this is essential reading for activists and policymakers as we work to preserve privacy and decency and a civil society in the internet age."

—Bill Joy, cofounder of Sun Microsystems, creator of the Berkeley Unix operating system

"*Zucked* is the mesmerizing and often hilarious story of how Facebook went from young darling to adolescent menace, not to mention a serious danger to democracy. With revelations on every page, you won't know whether to laugh or weep."

—Tim Wu, author of *The Attention Merchants* and *The Curse of Bigness*

Zucked

Also by Roger McNamee

The New Normal
The Moonalice Legend: Posters and Words, Volumes 1–9

Zucked

Waking Up to the Facebook Catastrophe

ROGER McNAMEE

HarperCollins*Publishers*

HarperCollins*Publishers*
1 London Bridge Street
London SE1 9GF

www.harpercollins.co.uk

First published in the US by Penguin Press, an imprint of
Penguin Random House LLC 2019
This UK edition published by HarperCollins*Publishers* 2019

1 3 5 7 9 10 8 6 4 2

"The Current Moment in History," remarks by George Soros
delivered at the World Economic Forum meeting, Davos, Switzerland,
January 25, 2018. Reprinted by permission of George Soros.

A catalogue record of this book is
available from the British Library

HB ISBN 978-0-00-831899-4
PB ISBN 978-0-00-831900-7

Printed and bound in Great Britain by
CPI Group (UK) Ltd, Croydon, CR0 4YY

MIX
Paper from
responsible sources
FSC™ C007454

This book is produced from independently certified FSC™ paper
to ensure responsible forest management.

For more information visit: www.harpercollins.co.uk/green

To Ann, who inspires me every day

Technology is neither good nor bad; nor is it neutral.

—Melvin Kranzberg's First Law of Technology

We cannot solve our problems with the same
thinking we used when we created them.

—Albert Einstein

Ultimately, what the tech industry really cares
about is ushering in the future, but it conflates
technological progress with societal progress.

—Jenna Wortham

CONTENTS

Zucked

Prologue

Technology is a useful servant but a dangerous master. —Christian Lous Lange

November 9, 2016

"The Russians used Facebook to tip the election!"

So began my side of a conversation the day after the presidential election. I was speaking with Dan Rose, the head of media partnerships at Facebook. If Rose was taken aback by how furious I was, he hid it well.

Let me back up. I am a longtime tech investor and evangelist. Tech had been my career and my passion, but by 2016, I was backing away from full-time professional investing and contemplating retirement. I had been an early advisor to Facebook founder Mark Zuckerberg—Zuck, to many colleagues and friends—and an early investor in Facebook. I had been a true believer for a decade. Even at this writing, I still own shares in Facebook. In terms of my own narrow self-interest, I had no reason to bite Facebook's hand. It would never have occurred to me to be an anti-Facebook activist. I was more like Jimmy Stewart in Hitchcock's *Rear Window*. He is minding his own business, checking out the view from his living room, when he sees what looks like a crime in progress, and then he has to ask himself what he should do. In my case, I had spent a career trying to draw smart conclusions from incomplete information, and one day early in 2016 I started to see things happening on Facebook that did not look right. I started pulling on that thread and uncovered a catastrophe. In the beginning, I assumed that Facebook was a victim and I just wanted to warn my friends. What I learned in the months that followed shocked and disappointed me. I learned that my trust in Facebook had been misplaced.

This book is the story of why I became convinced, in spite of myself, that even though Facebook provided a compelling experience for most of its users, it was terrible for America and needed to change or be changed, and what I have tried to do about it. My hope is that the narrative of my own conversion experience will help others understand the threat. Along the way, I will share what I know about the technology that enables internet platforms like Facebook to manipulate attention. I will explain how bad actors exploit the design of Facebook and other platforms to harm and even kill innocent people. How democracy has been undermined because of design choices and business decisions by internet platforms that deny responsibility for the consequences of their actions. How the culture of these companies causes employees to be indifferent to the negative side effects of their success. At this writing, there is nothing to prevent more of the same.

This is a story about trust. Technology platforms, including Facebook and Google, are the beneficiaries of trust and goodwill accumulated over fifty years by earlier generations of technology companies. They have taken advantage of our trust, using sophisticated techniques to prey on the weakest aspects of human psychology, to gather and exploit private data, and to craft business models that do not protect users from harm. Users must now learn to be skeptical about products they love, to change their online behavior, insist that platforms accept responsibility for the impact of their choices, and push policy makers to regulate the platforms to protect the public interest.

This is a story about privilege. It reveals how hypersuccessful people can be so focused on their own goals that they forget that others also have rights and privileges. How it is possible for otherwise brilliant people to lose sight of the fact that their users are entitled to self-determination. How success can breed overconfidence to the point of resistance to constructive feedback from friends, much less criticism. How some of the hardest working, most productive people on earth can be so blind to the consequences of their actions that they are willing to put democracy at risk to protect their privilege.

This is also a story about power. It describes how even the best of ideas, in the hands of people with good intentions, can still go terribly wrong. Imagine a stew of unregulated capitalism, addictive technology, and authoritarian values, combined with Silicon Valley's relentlessness and hubris, unleashed on billions of unsuspecting users. I think the day will come, sooner than I could have imagined just two years ago, when the world will recognize that the value users receive from the Facebook-dominated social media/attention economy revolution masked an unmitigated disaster for our democracy, for public health, for personal privacy, and for the economy. It did not have to be that way. It will take a concerted effort to fix it.

When historians finish with this corner of history, I suspect that they will cut Facebook some slack about the poor choices that Zuck, Sheryl Sandberg, and their team made as the company grew. I do. Making mistakes is part of life, and growing a startup to global scale is immensely challenging. Where I fault Facebook—and where I believe history will, as well—is for the company's response to criticism and evidence. They had an opportunity to be the hero in their own story by taking responsibility for their choices and the catastrophic outcomes those choices produced. Instead, Zuck and Sheryl chose another path.

This story is still unfolding. I have written this book now to serve as a warning. My goals are to make readers aware of a crisis, help them understand how and why it happened, and suggest a path forward. If I achieve only one thing, I hope it will be to make the reader appreciate that he or she has a role to play in the solution. I hope every reader will embrace the opportunity.

It is possible that the worst damage from Facebook and the other internet platforms is behind us, but that is not where the smart money will place its bet. The most likely case is that the technology and business model of Facebook and others will continue to undermine democracy, public health, privacy, and innovation until a countervailing power, in the form of government intervention or user protest, forces change.

TEN DAYS BEFORE the November 2016 election, I had reached out formally to Mark Zuckerberg and Facebook chief operating officer Sheryl Sandberg, two people I considered friends, to share my fear that bad actors were exploiting Facebook's architecture and business model to inflict harm on innocent people, and that the company was not living up to its potential as a force for good in society. In a two-page memo, I had cited a number of instances of harm, none actually committed by Facebook employees but all enabled by the company's algorithms, advertising model, automation, culture, and value system. I also cited examples of harm to employees and users that resulted from the company's culture and priorities. I have included the memo in the appendix.

Zuck created Facebook to bring the world together. What I did not know when I met him but would eventually discover was that his idealism was unbuffered by realism or empathy. He seems to have assumed that everyone would view and use Facebook the way he did, not imagining how easily the platform could be exploited to cause harm. He did not believe in data privacy and did everything he could to maximize disclosure and sharing. He operated the company as if every problem could be solved with more or better code. He embraced invasive surveillance, careless sharing of private data, and behavior modification in pursuit of unprecedented scale and influence. Surveillance, the sharing of user data, and behavioral modification are the foundation of Facebook's success. Users are fuel for Facebook's growth and, in some cases, the victims of it.

When I reached out to Zuck and Sheryl, all I had was a hypothesis that bad actors were using Facebook to cause harm. I suspected that the examples I saw reflected systemic flaws in the platform's design and the company's culture. I did not emphasize the threat to the presidential election, because at that time I could not imagine that the exploitation of Facebook would affect the outcome, and I did not want the company to dismiss my concerns if Hillary Clinton won, as was widely anticipated. I warned that Facebook needed to fix the flaws or risk its brand and the trust of users. While it had not inflicted harm directly, Facebook was being used as a weapon, and users had a right to expect the company to protect them.

The memo was a draft of an op-ed that I had written at the invitation of the technology blog *Recode*. My concerns had been building throughout 2016 and reached a peak with the news that the Russians were attempting to interfere in the presidential election. I was increasingly freaked out by what I had seen, and the tone of the op-ed reflected that. My wife, Ann, wisely encouraged me to send the op-ed to Zuck and Sheryl first, before publication. I had been one of Zuck's many advisors in Facebook's early days, and I played a role in Sheryl's joining the company as chief operating officer. I had not been involved with the company since 2009, but I remained a huge fan. My small contribution to the success of one of the greatest companies ever to come out of Silicon Valley was one of the true highlights of my thirty-four-year career. Ann pointed out that communicating through an op-ed might cause the wrong kind of press reaction, making it harder for Facebook to accept my concerns. My goal was to fix the problems at Facebook, not embarrass anyone. I did not imagine that Zuck and Sheryl had done anything wrong intentionally. It seemed more like a case of unintended consequences of well-intended strategies. Other than a handful of email exchanges, I had not spoken to Zuck in seven years, but I had interacted with Sheryl from time to time. At one point, I had provided them with significant value, so it was not crazy to imagine that they would take my concerns seriously. My goal was to persuade Zuck and Sheryl to investigate and take appropriate action. The publication of the op-ed could wait a few days.

Zuck and Sheryl each responded to my email within a matter of hours. Their replies were polite but not encouraging. They suggested that the problems I cited were anomalies that the company had already addressed, but they offered to connect me with a senior executive to hear me out. The man they chose was Dan Rose, a member of their inner circle with whom I was friendly. I spoke with Dan at least twice before the election. Each time, he listened patiently and repeated what Zuck and Sheryl had said, with one important addition: he asserted that Facebook was technically a platform, not a media company, which meant it was not responsible for the actions of third parties. He said it like that should have been enough to settle the matter.

Dan Rose is a very smart man, but he does not make policy at Facebook. That is Zuck's role. Dan's role is to carry out Zuck's orders. It would have been better to speak with Zuck, but that was not an option, so I took what I could get. Quite understandably, Facebook did not want me to go public with my concerns, and I thought that by keeping the conversation private, I was far more likely to persuade them to investigate the issues that concerned me. When I spoke to Dan the day after the election, it was obvious to me that he was not truly open to my perspective; he seemed to be treating the issue as a public relations problem. His job was to calm me down and make my concerns go away. He did not succeed at that, but he could claim one victory: I never published the op-ed. Ever the optimist, I hoped that if I persisted with private conversations, Facebook would eventually take the issue seriously.

I continued to call and email Dan, hoping to persuade Facebook to launch an internal investigation. At the time, Facebook had 1.7 billion active users. Facebook's success depended on user trust. If users decided that the company was responsible for the damage caused by third parties, no legal safe harbor would protect it from brand damage. The company was risking everything. I suggested that Facebook had a window of opportunity. It could follow the example of Johnson & Johnson when someone put poison in a few bottles of Tylenol on retail shelves in Chicago in 1982. J&J immediately withdrew every bottle of Tylenol from every retail location and did not reintroduce the product until it had perfected tamperproof packaging. The company absorbed a short-term hit to earnings but was rewarded with a huge increase in consumer trust. J&J had not put the poison in those bottles. It might have chosen to dismiss the problem as the work of a madman. Instead, it accepted responsibility for protecting its customers and took the safest possible course of action. I thought Facebook could convert a potential disaster into a victory by doing the same thing.

One problem I faced was that at this point I did not have data for making my case. What I had was a spidey sense, honed during a long career as a professional investor in technology.

I had first become seriously concerned about Facebook in February 2016, in the run-up to the first US presidential primary. As a political junkie, I was spending a few hours a day reading the news and also spending a fair amount of time on Facebook. I noticed a surge on Facebook of disturbing images, shared by friends, that originated on Facebook Groups ostensibly associated with the Bernie Sanders campaign. The images were deeply misogynistic depictions of Hillary Clinton. It was impossible for me to imagine that Bernie's campaign would allow them. More disturbing, the images were spreading virally. Lots of my friends were sharing them. And there were new images every day.

I knew a great deal about how messages spread on Facebook. For one thing, I have a second career as a musician in a band called Moonalice, and I had long been managing the band's Facebook page, which enjoyed high engagement with fans. The rapid spread of images from these Sanders-associated pages did not appear to be organic. How did the pages find my friends? How did my friends find the pages? Groups on Facebook do not emerge full grown overnight. I hypothesized that somebody had to be spending money on advertising to get the people I knew to join the Facebook Groups that were spreading the images. Who would do that? I had no answer. The flood of inappropriate images continued, and it gnawed at me.

More troubling phenomena caught my attention. In March 2016, for example, I saw a news report about a group that exploited a programming tool on Facebook to gather data on users expressing an interest in Black Lives Matter, data that they then sold to police departments, which struck me as evil. Facebook banned the group, but not until after irreparable harm had been done. Here again, a bad actor had used Facebook tools to harm innocent victims.

In June 2016, the United Kingdom voted to exit the European Union. The outcome of the Brexit vote came as a total shock. Polling had suggested that "Remain" would triumph over "Leave" by about four points, but precisely the opposite happened. No one could explain the huge swing. A possible explanation occurred to me. What if Leave had benefited from Facebook's architecture? The Remain campaign was expected to win because the UK had a sweet deal with the European Union: it enjoyed all the benefits of membership, while retaining its own currency. London was Europe's undisputed financial hub, and UK citizens could trade and travel freely across the open borders of the continent. Remain's "stay the course" message was based on smart economics but lacked emotion. Leave based its campaign on two intensely emotional appeals. It appealed to ethnic nationalism by blaming immigrants for the country's problems, both real and imaginary. It also promised that Brexit would generate huge savings that would be used to improve the National Health Service, an idea that allowed voters to put an altruistic shine on an otherwise xenophobic proposal.

The stunning outcome of Brexit triggered a hypothesis: in an election context, Facebook may confer advantages to campaign messages based on fear or anger over those based on neutral or positive emotions. It does this because Facebook's advertising business model depends on engagement, which can best be triggered through appeals to our most basic emotions. What I did not know at the time is that while joy also works, which is why puppy and cat videos and photos of babies are so popular, not everyone reacts the same way to happy content. Some people get jealous, for example. "Lizard brain" emotions such as fear and anger produce a more uniform reaction and are more viral in a mass audience. When users are riled up, they consume and share more content. Dispassionate users have relatively little value to Facebook, which does everything in its power to activate the lizard brain. Facebook has used surveillance to build giant profiles on every user and provides each user with a customized *Truman Show*, similar to the Jim Carrey film about a person who lives his entire life as the star of his own television show. It starts out giving users "what they want," but the algorithms are trained to nudge user attention in directions that Facebook wants. The algorithms choose posts calculated to press emotional buttons because scaring users or pissing them off increases time on site. When users pay attention, Facebook calls it *engagement*, but the goal is behavior modification that makes advertising more valuable. I wish I had understood this in 2016. At this writing, Facebook is the fourth most valuable company in America, despite being only fifteen years old, and its value stems from its mastery of surveillance and behavioral modification.

When new technology first comes into our lives, it surprises and astonishes us, like a magic trick. We give it a special place, treating it like the product equivalent of a new baby. The most successful tech products gradually integrate themselves into our lives. Before long, we forget what life was like before them. Most of us have that relationship today with smartphones and internet platforms like Facebook and Google. Their benefits are so obvious we can't imagine foregoing them. Not so obvious are the ways that technology products change us. The process has repeated itself in every generation since the telephone, including radio, television, and personal computers. On the plus side, technology has opened up the world, providing access to knowledge that was inaccessible in prior generations. It has enabled us to create and do remarkable things. But all that value has a cost. Beginning with television, technology has changed the way we engage with society, substituting passive consumption of content and ideas for civic engagement, digital communication for conversation. Subtly and persistently, it has contributed to our conversion from citizens to consumers. Being a citizen is an active state; being a consumer is passive. A transformation that crept along for fifty years accelerated dramatically with the introduction of internet platforms. We were prepared to enjoy the benefits but unprepared for the dark side. Unfortunately, the same can be said for the Silicon Valley leaders whose innovations made the transformation possible.

If you are a fan of democracy, as I am, this should scare you. Facebook has become a powerful source of news in most democratic countries. To a remarkable degree it has made itself the public square in which countries share ideas, form opinions, and debate issues outside the voting booth. But Facebook is more than just a forum. It is a profit-maximizing business controlled by one person. It is a massive artificial intelligence that influences every aspect of user activity, whether political or otherwise. Even the smallest decisions at Facebook reverberate through the public square the company has created with implications for every person it touches. The fact that users are not conscious of Facebook's influence magnifies the effect. If Facebook favors inflammatory campaigns, democracy suffers.

August 2016 brought a new wave of stunning revelations. Press reports confirmed that Russians had been behind the hacks of servers at the Democratic National Committee (DNC) and Democratic Congressional Campaign Committee (DCCC). Emails stolen in the DNC hack were distributed by WikiLeaks, causing significant damage to the Clinton campaign. The chairman of the DCCC pleaded with Republicans not to use the stolen data in congressional campaigns. I wondered if it were possible that Russians had played a role in the Facebook issues that had been troubling me earlier.

Just before I wrote the op-ed, ProPublica revealed that Facebook's advertising tools enabled property owners to discriminate based on race, in violation of the Fair Housing Act. The Department of Housing and Urban Development opened an investigation that was later closed, but reopened in April 2018. Here again, Facebook's architecture and business model enabled bad actors to harm innocent people.

Like Jimmy Stewart in the movie, I did not have enough data or insight to understand everything I had seen, so I sought to learn more. As I did so, in the days and weeks after the election, Dan Rose exhibited incredible patience with me. He encouraged me to send more examples of harm, which I did. Nothing changed. Dan never budged. In February 2017, more than three months after the election, I finally concluded that I would not succeed in convincing Dan and his colleagues; I needed a different strategy. Facebook remained a clear and present danger to democracy. The very same tools that made Facebook a compelling platform for advertisers could also be exploited to inflict harm. Facebook was getting more powerful by the day. Its artificial intelligence engine learned more about every user. Its algorithms got better at pressing users' emotional buttons. Its tools for advertisers improved constantly. In the wrong hands, Facebook was an ever-more-powerful weapon. And the next US election—the 2018 midterms—was fast approaching.

Yet no one in power seemed to recognize the threat. The early months of 2017 revealed extensive relationships between officials of the Trump campaign and people associated with the Russian government. Details emerged about a June 2016 meeting in Trump Tower between inner-circle members of the campaign and Russians suspected of intelligence affiliations. Congress spun up Intelligence Committee investigations that focused on that meeting.

But still there was no official concern about the role that social media platforms, especially Facebook, had played in the 2016 election. Every day that passed without an investigation increased the likelihood that the interference would continue. If someone did not act quickly, our democratic processes could be overwhelmed by outside forces; the 2018 midterm election would likely be subject to interference, possibly greater than we had seen in 2016. Our Constitution anticipated many problems, but not the possibility that a foreign country could interfere in our elections without consequences. I could not sit back and watch. I needed some help, and I needed a plan, not necessarily in that order.

1

The Strangest Meeting Ever

New technology is not good or evil in and of itself. It's all about how people choose to use it. —David Wong

I should probably tell the story of how I intersected with Facebook in the first place. In the middle of 2006, Facebook's chief privacy officer, Chris Kelly, sent me an email stating that his boss was facing an existential crisis and required advice from an unbiased person. Would I be willing to meet with Mark Zuckerberg?

Facebook was two years old, Zuck was twenty-two, and I was fifty. The platform was limited to college students, graduates with an alumni email address, and high school students. News Feed, the heart of Facebook's user experience, was not yet available. The company had only nine million dollars in revenue in the prior year. But Facebook had huge potential—that was already obvious—and I leapt at the opportunity to meet its founder.

Zuck showed up at my Elevation Partners office on Sand Hill Road in Menlo Park, California, dressed casually, with a messenger bag over his shoulder. U2 singer Bono and I had formed Elevation in 2004, along with former Apple CFO Fred Anderson, former Electronic Arts president John Riccitiello, and two career investors, Bret Pearlman and Marc Bodnick. We had configured one of our conference rooms as a living room, complete with a large arcade video game system, and that is where Zuck and I met. We closed the door and sat down on comfy chairs about three feet apart. No one else was in the room.

Since this was our first meeting, I wanted to say something before Zuck told me about the existential crisis.

"If it has not already happened, Mark, either Microsoft or Yahoo is going to offer one billion dollars for Facebook. Your parents, your board of directors, your management team, and your employees are going to tell you to take the offer. They will tell you that with your share of the proceeds—six hundred and fifty million dollars—you will be able to change the world. Your lead venture investor will promise to back your next company so that you can do it again.

"It's your company, but I don't think you should sell. A big company will screw up Facebook. I believe you are building the most important company since Google and that before long you will be bigger than Google is today. You have two huge advantages over previous social media platforms: you insist on real identity and give consumers control over their privacy settings.

"In the long run, I believe Facebook will be far more valuable to parents and grandparents than to college students and recent grads. People who don't have much time will love Facebook, especially when families have the opportunity to share photos of kids and grandkids.

"Your board of directors, management team, and employees signed up for your vision. If you still believe in your vision, you need to keep Facebook independent. Everyone will eventually be glad you did."

This little speech took about two minutes to deliver. What followed was the longest silence I have ever endured in a one-on-one meeting. It probably lasted four or five minutes, but it seemed like forever. Zuck was lost in thought, pantomiming a range of *Thinker* poses. I have never seen anything like it before or since. It was painful. I felt my fingers involuntarily digging into the upholstered arms of my chair, knuckles white, tension rising to a boiling point. At the three-minute mark, I was ready to scream. Zuck paid me no mind. I imagined thought bubbles over his head, with reams of text rolling past. How long would he go on like this? He was obviously trying to decide if he could trust me. How long would it take? How long could I sit there?

Eventually, Zuck relaxed and looked at me. He said, "You won't believe this."

I replied, "Try me."

"One of the two companies you mentioned wants to buy Facebook for one billion dollars. Pretty much everyone has reacted the way you predicted. They think I should take the deal. How did you know?"

"I didn't know. But after twenty-four years, I know how Silicon Valley works. I know your lead venture investor. I know Yahoo and Microsoft. This is how things go around here."

I continued, "Do you want to sell the company?"

He replied, "I don't want to disappoint everyone."

"I understand, but that is not the issue. Everyone signed up to follow your vision for Facebook. If you believe in your vision, you need to keep Facebook independent. Yahoo and Microsoft will wreck it. They won't mean to, but that is what will happen. What do you want to do?"

"I want to stay independent."

I asked Zuck to explain Facebook's shareholder voting rules. It turned out he had a "golden vote," which meant that the company would always do whatever he decided. It took only a couple of minutes to figure that out. The entire meeting took no more than half an hour.

Zuck left my office and soon thereafter told Yahoo that Facebook was not for sale. There would be other offers for Facebook, including a second offer from Yahoo, and he would turn them down, too.

So began a mentorship that lasted three years. In a success story with at least a thousand fathers, I played a tiny role, but I contributed on two occasions that mattered to Facebook's early success: the Yahoo deal and the hiring of Sheryl. Zuck had other mentors, but he called on me when he thought I could help, which happened often enough that for a few years I was a regular visitor to Facebook's headquarters. Ours was a purely business relationship. Zuck was so amazingly talented at such a young age, and he leveraged me effectively. It began when Facebook was a little startup with big dreams and boundless energy. Zuck had an idealistic vision of connecting people and bringing them together. The vision inspired me, but the magic was Zuck himself. Obviously brilliant, Zuck possessed a range of characteristics that distinguished him from the typical Silicon Valley entrepreneur: a desire to learn, a willingness to listen, and, above all, a quiet confidence. Many tech founders swagger through life, but the best ones—including the founders of Google and Amazon—are reserved, thoughtful, serious. To me, Facebook seemed like the Next Big Thing that would make the world better through technology. I could see a clear path to one hundred million users, which would have been a giant success. It never occurred to me that success would lead to anything but happiness.

The only skin in the game for me at that time was emotional. I had been a Silicon Valley insider for more than twenty years. My fingerprints were on dozens of great companies, and I hoped that one day Facebook would be another. For me, it was a no-brainer. I did not realize then that the technology of Silicon Valley had evolved into uncharted territory, that I should no longer take for granted that it would always make the world a better place. I am pretty certain that Zuck was in the same boat; I had no doubt then of Zuck's idealism.

Silicon Valley had had its share of bad people, but the limits of the technology itself had generally prevented widespread damage. Facebook came along at a time when it was possible for the first time to create tech businesses so influential that no country would be immune to their influence. No one I knew ever considered that success could have a downside. From its earliest days, Facebook was a company of people with good intentions. In the years I knew them best, the Facebook team focused on attracting the largest possible audience, not on monetization. Persuasive technology and manipulation never came up. It was all babies and puppies and sharing with friends.

I am not certain when Facebook first applied persuasive technology to its design, but I can imagine that the decision was not controversial. Advertisers and media companies had been using similar techniques for decades. Despite complaints about television from educators and psychologists, few people objected strenuously to the persuasive techniques employed by networks and advertisers. Policy makers and the public viewed them as legitimate business tools. On PCs, those tools were no more harmful than on television. Then came smartphones, which changed everything. User count and usage exploded, as did the impact of persuasive technologies, enabling widespread addiction. That is when Facebook ran afoul of the law of unintended consequences. Zuck and his team did not anticipate that the design choices that made Facebook so compelling for users would also enable a wide range of undesirable behaviors. When those behaviors became obvious after the 2016 presidential election, Facebook first denied their existence, then responsibility for them. Perhaps it was a reflexive corporate reaction. In any case, Zuck, Sheryl, the team at Facebook, and the board of directors missed an opportunity to build a new trust with users and policy makers. Those of us who had advised Zuck and profited from Facebook's success also bear some responsibility for what later transpired. We suffered from a failure of imagination. The notion that massive success by a tech startup could undermine society and democracy did not occur to me or, so far as I know, to anyone in our community. Now the whole world is paying for it.

In the second year of our relationship, Zuck gave Elevation an opportunity to invest. I pitched the idea to my partners, emphasizing my hope that Facebook would become a company in Google's class. The challenge was that Zuck's offer would have us invest in Facebook *indirectly*, through a complicated, virtual security. Three of our partners were uncomfortable with the structure of the investment for Elevation, but they encouraged the rest of us to make personal investments. So Bono, Marc Bodnick, and I invested. Two years later, an opportunity arose for Elevation to buy stock in Facebook, and my partners jumped on it.

WHEN CHRIS KELLY CONTACTED ME, he knew me only by reputation. I had been investing in technology since the summer of 1982. Let me share a little bit of my own history for context, to explain where my mind was when I first entered Zuck's orbit.

I grew up in Albany, New York, the second youngest in a large and loving family. My parents had six children of their own and adopted three of my first cousins after their parents had a health crisis. One of my sisters died suddenly at two and a half while I was in the womb, an event that had a profound impact on my mother. At age two, I developed a very serious digestive disorder, and doctors told my parents I could not eat grains of any kind. I eventually grew out of it, but until I was ten, I could not eat a cookie, cake, or piece of bread without a terrible reaction. It required self-discipline, which turned out to be great preparation for the life I chose.

My parents were very active in politics and civil rights. The people they taught me to look up to were Franklin Roosevelt and Jackie Robinson. They put me to work on my first political campaign at age four, handing out leaflets for JFK. My father was the president of the Urban League in our home town, which was a big deal in the mid-sixties, when President Johnson pushed the Civil Rights Act and Voting Rights Act through Congress. My mother took me to a civil rights meeting around the time I turned nine so that I could meet my hero, Jackie Robinson.

The year that I turned ten, my parents sent me to summer camp.

During the final week, I had a terrible fall during a scavenger hunt. The camp people put me in the infirmary, but I was unable to keep down any food or water for three days, after which I had a raging fever. They took me to a nearby community hospital, where a former military surgeon performed an emergency operation that saved my life. My intestine had been totally blocked by a blood clot. It took six months to recover, costing me half of fourth grade. This turned out to have a profound impact on me. Surviving a near-death experience gave me courage. The recovery reinforced my ability to be happy outside the mainstream. Both characteristics proved valuable in the investment business.

My father worked incredibly hard to support our large family, and he did so well. We lived an upper-middle-class life, but my parents had to watch every penny. My older siblings went off to college when I was in elementary school, so finances were tight some of those years. Being the second youngest in a huge family, I was most comfortable observing the big kids. Health issues reinforced my quiet, observant nature. My mother used me as her personal Find My iPhone whenever she mislaid her glasses, keys, or anything. For some reason, I always knew where everything was.

I was not an ambitious child. Team sports did not play much of a role in my life. It was the sixties, so I immersed myself in the anti-war and civil rights movements from about age twelve. I took piano lessons and sang in a church choir, but my passion for music did not begin until I took up the guitar in my late teens. My parents encouraged me but never pushed. They were role models who prioritized education and good citizenship, but they did not interfere. They expected my siblings and me to make good choices. Through my teenage years, I approached everything but politics with caution, which could easily be confused with reluctance. If you had met me then, you might well have concluded that I would never get around to doing anything.

My high school years were challenging in a different way. I was a good student, but not a great one. I liked school, but my interests were totally different from my classmates'. Instead of sports, I devoted my free time to politics. The Vietnam War remained the biggest issue in the country, and one of my older brothers had already been drafted into the army. It seemed possible that I would reach draft age before the war ended. As I saw it, the rational thing to do was to work to end the war. I volunteered for the McGovern for President campaign in October 1971 and was in the campaign office in either New Hampshire or upstate New York nearly every day from October 1971, the beginning of my tenth-grade year, through the general election thirteen months later. That was the period when I fell in love with the hippie music of San Francisco: the Grateful Dead, Jefferson Airplane, Quicksilver Messenger Service, Big Brother and the Holding Company, and Santana.

I did not like my school, so once the McGovern campaign ended, I applied to School Year Abroad in Rennes, France, for my senior year. It was an amazing experience. Not only did I become fluent in French, I went to school with a group of people who were more like me than any set of classmates before them. The experience transformed me. I applied to Yale University and, to my astonishment, got in.

After my freshman year at Yale, I was awarded an internship with my local congressman, who offered me a permanent job as his legislative assistant a few weeks later. The promotion came with an increase in pay and all the benefits of a full-time job. I said no—I thought the congressman was crazy to promote me at nineteen—but I really liked him and returned for two more summers.

A year later, in the summer of 1976, I took a year off to go to San Francisco with my girlfriend. In my dreams, I was going to the city of the Summer of Love. By the time I got there, though, it was the city of Dirty Harry, more noir than flower power. Almost immediately, my father was diagnosed with inoperable prostate cancer. Trained as a lawyer, my father had started a brokerage firm that grew to a dozen offices. It was an undersized company in an industry that was undergoing massive change. He died in the fall of 1977, at a particularly difficult time for his business, leaving my mother with a house and little else. There was no money for me to return to college. I was on my own, with no college degree. I had my guitar, though, and practiced for many hours every day.

When I first arrived in San Francisco, I had four hundred dollars in my pocket. My dream of being a reporter in the mold of Woodward and Bernstein lasted for about half a day. Three phone calls were all it took to discover that there were no reporter jobs available for a college dropout like me, but every paper needed people in advertising sales. I was way too introverted for traditional sales, but that did not stop me. I discovered a biweekly French-language newspaper where I would be the entire advertising department, which meant not only selling ads but also collecting receivables from advertisers. When you only get paid based on what you collect, you learn to judge the people you sell to. If the ads didn't work, they wouldn't pay. I discovered that by focusing on multi-issue advertising commitments from big accounts, such as car dealerships, airlines, and the phone company, I could leverage my time and earn a lot more money per issue. I had no social life, but I started to build savings. In the two and a half years I was in San Francisco, I earned enough money to go back to Yale, which cost no more than 10 percent of what it costs today.

Every weekday morning in San Francisco I watched a locally produced stock market show hosted by Stuart Varney, who went on to a long career in broadcasting at CNN and Fox Business Network. After watching the show for six months and reading *Barron's* and stacks of annual reports, I finally summoned the courage to buy one hundred shares of Beech Aircraft. It went up 30 percent in the first week. I was hooked. I discovered that investing was a game, like Monopoly, but with real money. The battle of wits appealed to me. I never imagined then that investing would be my career. In the fall of 1978, I reapplied to Yale. They accepted me again, just weeks before two heartbreaking events chased me from San Francisco: the mass suicide of hundreds of San Franciscans at Jonestown and the murder of San Francisco's mayor and supervisor Harvey Milk by another member of the city's board of supervisors.

Celebrating my first Christmas at home since 1975, I received a gift that would change my life. My older brother George, ten years my senior, gave me a Texas Instruments Speak & Spell. Introduced just months earlier, the Speak & Spell combined a keyboard, a one-line alphanumeric display, a voice processor, and some memory to teach elementary school children to pronounce and spell words. But to my brother, it was the future of computing. "This means that in a few years, it will be possible to create a handheld device that holds all your personal information," he said.

He told me this in 1978. The Apple II had been introduced only a year earlier. The IBM PC was nearly three years in the future. The PalmPilot was more than eighteen years away. But my brother saw the future, and I took it to heart. I went back to college as a history major but was determined to take enough electrical engineering courses that I could design the first personal organizer. I soon discovered that electrical engineering requires calculus, and I had never taken calculus. I persuaded the professor to let me take the entry-level course anyway. He said if I did everything right except the math, he would give me a B ("for bravery"). I accepted. He tutored me every week. I took a second, easier engineering survey course, in which I learned concepts related to acoustics and mechanical engineering. I got catalogues and manuals and tried to design an oversized proof of concept. I could not make it work.

A real highlight of my second swing through Yale was playing in a band called Guff. Three guys in my dorm had started the band, but they needed a guitar player. Guff wrote its own songs and occupied a musical space somewhere near the intersection of the Grateful Dead, Frank Zappa, and punk rock. We played a ton of gigs, but college ended before the band was sufficiently established to justify making a career of it.

The band got paid a little money, but I needed to earn tuition-scale money. Selling ads paid far better than most student jobs, so I persuaded the Yale Law School Film Society to let me create a magazine-style program for their film series. I created a program for both semesters of senior year and earned almost enough money to pay for a year of graduate school.

But before that, in the fall of my senior year, I enrolled in Introduction to Music Theory, a brutal two-semester course for music majors. I was convinced that a basic knowledge of music theory would enable me to write better songs for my band. They randomly assigned me to one of a dozen sections, each with fifteen students, all taught by graduate students. The first class session was the best hour of classroom time I had ever experienced, so I told my roommate to switch from his section to mine. Apparently many others did the same thing, as forty people showed up the second day. That class was my favorite at Yale. The grad student who taught the class, Ann Kosakowski, did not teach the second semester, but early in the new semester, I ran into her as she exited the gymnasium, across the street from my dorm. She was disappointed because she had narrowly lost a squash match in the fifth game to the chair of the music department, so I volunteered to play her the next day. We played squash three days in a row, and I did not win a single point. Not one. But it didn't matter. I had never played squash and did not care about the score. Ann was amazing. I wanted to get to know her. I invited her on a date to see the Jerry Garcia Band right after Valentine's Day. A PhD candidate in music theory, Ann asked, "What instrument does Mr. Garcia play?" thinking perhaps it might be the cello. Ann and I are about to celebrate the thirty-ninth anniversary of that first date.

Ann and I graduated together, she a very young PhD, me an old undergraduate. She received a coveted tenure-track position at Swarthmore College, outside of Philadelphia. I could not find a job in Philadelphia, so I enrolled at the Tuck School of Business at Dartmouth, in Hanover, New Hampshire. So began a twenty-one-year interstate commute.

My first job after business school was at T. Rowe Price, in Baltimore, Maryland. It was a lot closer to Philadelphia than Hanover, but still too far to commute every day. That's when I got hit by two game-changing pieces of good luck: my start date and my coverage group. My career began on the first day of the bull market of 1982, and they asked me to analyze technology stocks. In those days, there were no tech-only funds. T. Rowe Price was the leader in the emerging growth category of mutual funds, which meant they focused on technology more than anyone. I might not be able to make the first personal organizer, I reasoned, but I would be able to invest in it when it came along.

In investing, they say that timing is everything. By assigning me to cover tech on the first day of an epic bull market, T. Rowe Price basically put me in a position where I had a tailwind for my entire career. I can't be certain that every good thing in my career resulted from that starting condition, but I can't rule it out either. It was a bull market, so most stocks were going up. In the early days, I just had to produce reports that gave the portfolio managers confidence in my judgment. I did not have a standard pedigree for an analyst, so I decided to see if I could adapt the job to leverage my strengths.

I became an analyst by training, a nerd who gets paid to understand the technology industry. When my career started, most analysts focused primarily on financial statements, but I changed the formula. I have been successful due to an ability to understand products, financial statements, and trends, as well as to judge people. I think of it as real-time anthropology, the study of how humans and technology evolve and interact. I spend most of my time trying to understand the present so I can imagine what might happen in the future. From any position on the chessboard, there are only a limited number of moves. If you understand that in advance and study the possibilities, you will be better prepared to make good choices each time something happens. Despite what people tell you, the technology world does not actually change that much. It follows relatively predictable patterns. Major waves of technology last at least a decade, so the important thing is to recognize when an old cycle is ending and when a new one is starting. As my partner John Powell likes to say, sometimes you can see which body is tied to the railroad tracks before you can see who is driving the train.

The personal computer business started to take off in 1985, and I noticed two things: everyone was my age, and they convened at least monthly in a different city for a conference or trade show. I persuaded my boss to let me join the caravan. Almost immediately I had a stroke of good luck. I was at a conference in Florida when I noticed two guys unloading guitars and amps from the back of a Ford Taurus. Since all guests at the hotel were part of the conference, I asked if there was a jam session I could join. There was. It turns out that the leaders of the PC industry didn't go out to bars. They rented instruments and played music. When I got to my first jam session, I discovered I had an indispensable skill. Thanks to many years of gigs in bands and bars, I knew a couple hundred songs from beginning to end. No one else knew more than a handful. This really mattered because the other players included the CEO of a major software company, the head of R&D from Apple, and several other industry big shots. Microsoft cofounder Paul Allen played with us from time to time, but only on songs written by Jimi Hendrix. He could shred. Suddenly, I was part of the industry's social fabric. It is hard to imagine this happening in any other industry, but I was carving my own path.

My next key innovation related to earnings models. Traditional analysts used spreadsheets to forecast earnings, but spreadsheets tend to smooth everything. In tech, where success is binary, hot products always beat the forecast, and products that are not hot always fall short. I didn't need to worry about earnings models. I just needed to figure out which products were going to be hot. Forecasting products was not easy, but I did not need to be perfect. As with the two guys being chased by a bear, I only needed to do it better than the other guy.

I got my first chance to manage a portfolio in late 1985. I was asked to run the technology sector of one of the firm's flagship funds; tech represented about 40 percent of the fund. It was the largest tech portfolio in the country at the time, so it was a big promotion and an amazing opportunity. I had been watching portfolio managers for three years, but that did not really prepare me. Portfolio management is a game played with real money. Everyone makes mistakes. What differentiates great portfolio managers is their ability to recognize mistakes early and correct them. Portfolio managers learn by trial and error, with lots of errors. The key is to have more money invested in your good ideas than your bad ones.

T. Rowe launched a pure-play Science & Technology Fund, managed by two of my peers, on September 30, 1987. Nineteen days later, the stock market crashed. Every mutual fund got crushed, and Science & Tech was down 31 percent after only a month in business. While the number was terrible, it was actually better than competitors because the portfolio managers had invested only half their capital when the market collapsed. In the middle of 1988, with the viability of the fund in doubt, the firm reassigned the two managers and asked me to take over. I agreed to do so on one condition: I would run the fund my way. I told my bosses that I intended to be aggressive.

Another piece of amazing luck hit me when T. Rowe Price decided to create a growth-stage venture fund. I was already paying attention to private companies, because in those days, the competition in tech came from startups, not established companies. Over the next few years, I led three key growth-stage venture investments: Electronic Arts, Sybase, and Radius. The lead venture investor in all three companies was Kleiner Perkins Caufield & Byers, one of the leading venture capital firms in Silicon Valley. All three went public relatively quickly, making me popular both at T. Rowe Price and Kleiner Perkins. My primary contact at Kleiner Perkins was a young venture capitalist named John Doerr, whose biggest successes to that point had been Sun Microsystems,

Compaq Computer, and Lotus Development. Later, John would be the lead investor in Netscape, Amazon, and Google.

My strategy with the Science & Technology Fund was to focus entirely on emerging companies in the personal computer, semiconductor, and database software industries. I ignored all the established companies, a decision that gave the fund a gigantic advantage. From its launch through the middle of 1991, a period that included the 1987 crash and a second mini-crash in the summer of 1990, the fund achieved a 17 percent per annum return, against 9 percent for the S&P 500 and 6 percent for the technology index. That was when I left T. Rowe Price with John Powell to launch Integral Capital Partners, the first institutional fund to combine public market investments with growth-stage venture capital. We created the fund in partnership with Kleiner Perkins—with John Doerr as our venture capitalist—and Morgan Stanley. Our investors were the people who know us best, the founders and executives of the leading tech companies of that era.

Integral had a charmed run. Being inside the offices of Kleiner Perkins during the nineties meant we were at ground zero for the internet revolution. I was there the day that Marc Andreessen made his presentation for the company that became Netscape, when Jeff Bezos did the same for Amazon, and when Larry Page and Sergey Brin pitched Google. I did not imagine then how big the internet would become, but it did not take long to grasp its transformational nature. The internet would democratize access to information, with benefits to all. Idealism ruled. In 1997, Martha Stewart came in with her home-decorating business, which, thanks to an investment by Kleiner Perkins, soon went public as an internet stock, which seemed insane to me. I was convinced that a mania had begun for dot-coms, embodied in the Pets.com sock puppet and the slapping of a little "e" on the front of a company's name or a ".com" at the end. I knew that when the bubble burst, there would be a crash that would kill Integral if we did not do something radical.

I took my concerns to our other partner, Morgan Stanley, and they gave me some money to figure out the Next Big Thing in tech investing, a fund that could survive a bear market. It took two years, but Integral launched Silver Lake Partners, the first private equity fund focused on technology. Our investors shared our concerns and committed one billion dollars to the new fund.

Silver Lake planned to invest in mature technology companies. Once a tech company matured in those days, it became vulnerable to competition from startups. Mature companies tend to focus on the needs of their existing customers, which often blinds them to new business opportunities or new technologies. In addition, as growth slows, so too does the opportunity for employees to benefit from stock options, which startups exploit to recruit the best and brightest from established companies. My vision for Silver Lake was to reenergize mature companies by recapitalizing them to enable investment in new opportunities, while also replicating the stock compensation opportunities of a startup. The first Silver Lake fund had extraordinary results, thanks to three investments: Seagate Technology, Datek, and Gartner Group.

During the Silver Lake years, I got a call from the business manager of the Grateful Dead, asking for help. The band's leader, Jerry Garcia, had died a few years before, leaving the band with no tour to support a staff of roughly sixty people. Luckily, one of the band's roadies had created a website and sold merchandise directly to fans. The site had become a huge success, and by the time I showed up, it was generating almost as much profit as the band had made in its touring days. Unfortunately, the technology was out of date, but there was an opportunity to upgrade the site, federate it to other bands, and prosper as never before. One of the bands that showed an interest was U2. They found me through a friend of Bono's at the Department of the Treasury, a woman named Sheryl Sandberg. I met Bono and the Edge at Morgan Stanley's offices in Los Angeles on the morning after the band had won a Grammy for the song "Beautiful Day." I could not have named a U2 song, but I was blown away by the intelligence and business sophistication of the two Irishmen. They invited me to Dublin to meet their management. I made two trips during the spring of 2001.

On my way home from that second trip, I suffered a stroke. I didn't realize it at the time, and I tried to soldier on. Shortly thereafter, after some more disturbing symptoms, I found myself at the Mayo Clinic, where I learned that I had in fact suffered two ischemic strokes, in addition to something called a transient ischemic attack in my brain stem. It was a miracle I had survived the strokes and suffered no permanent impairment.

The diagnosis came as a huge shock. I had a reasonably good diet, a vigorous exercise regime, and a good metabolism, yet I had had two strokes. It turned out that I had a birth defect in my heart, a "patent foramen ovale," basically the mother of all heart murmurs. I had two choices: I could take large doses of blood thinner and live a quiet life, or I could have open-heart surgery and eliminate the risk forever. I chose surgery.

I had successful surgery in early July 2001, but my recovery was very slow. It took me nearly a year to recover fully. During that time, Apple shipped the first iPod. I thought it was a sign of good things to come and reached out to Steve Jobs to see if he would be interested in recapitalizing Apple. At the time, Apple's share price was about twelve dollars per share, which, thanks to stock splits, is equivalent to a bit more than one dollar per share today. The company had more than twelve dollars in cash per share, which meant investors were attributing zero value to Apple's business. Most of the management options had been issued at forty dollars per share, so they were effectively worthless. If Silver Lake did a recapitalization, we could reset the options and align interests between management and shareholders. Apple had lost most of its market share in PCs, but thanks to the iPod and iMac computers, Apple had an opportunity to reinvent itself in the consumer market. The risk/reward of investing struck me as especially favorable.

We had several conversations before Steve told me he had a better idea. He wanted me to buy up to 18 percent of Apple shares in the public market and take a board seat.

After a detailed analysis, I proposed an investment to my partners in the early fall of 2002, but they rejected it out of hand. The decision would cost Silver Lake's investors the opportunity to earn more than one hundred billion dollars in profits.

In early 2003, Bono called up with an opportunity. He wanted to buy Universal Music Group, the world's largest music label. It was a complicated transaction and took many months of analysis. A team of us did the work and presented it to my other three partners in Silver Lake in September. They agreed to do the deal with Bono, but they stipulated one condition: I would not be part of the deal team. They explained their intention for Silver Lake to go forward as a trio, rather than as a quartet. There had been signals along the way, but I had missed them. I had partnered with deal guys—people who use power when they have it to gain advantages where they can get them—and had not protected myself.

I have never believed in staying where I'm not wanted, so I quit. If I had been motivated by money, I would have hung in there, as there was no way they could force me out. I had conceived the fund, incubated it, brought in the first billion dollars of assets, and played a decisive role on the three most successful investments. But I'm not wired to fight over money. I just quit and walked out. I happened to be in New York and called Bono. He asked me to come to his apartment. When I got there, he said, "Screw them. We'll start our own fund." Elevation Partners was born.

In the long term, my departure from Silver Lake worked out for everyone. The second Silver Lake fund got off to a rocky start, as my cofounders struggled with stock picking, but they figured it out and built the firm into an institution that has delivered good investment returns to its investors.

2

Silicon Valley Before Facebook

I think technology really increased human ability. But technology cannot produce compassion. —Dalai Lama

The technology industry that gave birth to Facebook in 2004 bore little resemblance to the one that had existed only half a dozen years earlier. Before Facebook, startups populated by people just out of college were uncommon, and few succeeded. For the fifty years before 2000, Silicon Valley operated in a world of tight engineering constraints. Engineers never had enough processing power, memory, storage, or bandwidth to do what customers wanted, so they had to make trade-offs. Engineering and software programming in that era rewarded skill and experience. The best engineers and programmers were artists. Just as Facebook came along, however, processing power, memory, storage, and bandwidth went from being engineering limits to turbochargers of growth. The technology industry changed dramatically in less than a decade, but in ways few people recognized. What happened with Facebook and the other internet platforms could not have happened in prior generations of technology. The path the tech industry took from its founding to that change helps to explain both Facebook's success and how it could do so much damage before the world woke up.

The history of Silicon Valley can be summed in two "laws." Moore's Law, coined by a cofounder of Intel, stated that the number of transistors on an integrated circuit doubles every year. It was later revised to a more useful formulation: the performance of an integrated circuit doubles every eighteen to twenty-four months. Metcalfe's Law, named for a founder of 3Com, said that the value of any network would increase as the square of the number of nodes. Bigger networks are geometrically more valuable than small ones. Moore's Law and Metcalfe's Law reinforced each other. As the price of computers fell, the benefits of connecting them rose. It took fifty years, but we eventually connected every computer. The result was the internet we know today, a global network that connects billions of devices and made Facebook and all other internet platforms possible.

Beginning in the fifties, the technology industry went through several eras. During the Cold War, the most important customer was the government. Mainframe computers, giant machines that were housed in special air-conditioned rooms, supervised by a priesthood of technicians in white lab coats, enabled unprecedented automation of computation. The technicians communicated with mainframes via punch cards connected by the most primitive of networks. In comparison to today's technology, mainframes could not do much, but they automated large-scale data processing, replacing human calculators and bookkeepers with machines. Any customer who wanted to use a computer in that era had to accept a product designed to meet the needs of government, which invested billions to solve complex problems like moon trajectories for NASA and missile targeting for the Department of Defense. IBM was the dominant player in the mainframe era and made all the components for the machines it sold, as well as most of the software. That business model was called vertical integration. The era of government lasted about thirty years. Data networks as we think of them today did not yet exist. Even so, brilliant people imagined a world where small computers optimized for productivity would be connected on powerful networks. In the sixties, J. C. R. Licklider conceived the network that would become the internet, and he persuaded the government to finance its development. At the same time, Douglas Engelbart invented the field of human-computer interaction, which led to him to create the first computer mouse and to conceive the first graphical interface. It would take nearly two decades before Moore's Law and Metcalfe's Law could deliver enough performance to enable their vision of personal computing and an additional decade before the internet took off.

Beginning in the seventies, the focus of the tech industry began to shift toward the needs of business. The era began with a concept called time sharing, which enabled many users to share the use of a single computer, reducing the cost to everyone. Time sharing gave rise to minicomputers, which were smaller than mainframes but still staggeringly expensive by today's standards. Data networking began but was very slow and generally revolved around a single minicomputer. Punch cards gave way to terminals, keyboards attached to the primitive network, eliminating the need for a priesthood of technicians in white lab coats. Digital Equipment, Data General, Prime, and Wang led in minicomputers, which were useful for accounting and business applications but were far too complicated and costly for personal use. Although they were a big step forward relative to mainframes, even minicomputers barely scratched the surface of customer needs. Like IBM, the minicomputer vendors were vertically integrated, making most of the components for their products. Some minicomputers—Wang word processors, for example—addressed productivity applications that would be replaced by PCs. Other applications survived longer, but in the end, the minicomputer business would be subsumed by personal computer technology, if not by PCs themselves. Mainframes have survived to the present day, thanks in large part to giant, custom applications like accounting systems, which were created for the government and corporations and are cheaper to maintain on old systems than to re-create on new ones. (Massive server farms based on PC technology now attract any new application that needs mainframe-class processing; it is a much cheaper solution because you can use commodity hardware instead of proprietary mainframes.)

ARPANET, the predecessor to today's internet, began as a Department of Defense research project in 1969 under the leadership of Bob Taylor, a computer scientist who continued to influence the design of systems and networks until the late nineties. Douglas Engelbart's lab was one of the first nodes on ARPANET. The goal was to create a nationwide network to protect the country's command and control infrastructure in the event of a nuclear attack.

The first application of computer technology to the consumer market came in 1972, when Al Alcorn created the game Pong as a training exercise for his boss at Atari, Nolan Bushnell. Bushnell's impact on Silicon Valley went far beyond the games produced by Atari. He introduced the hippie culture to tech. White shirts with pocket protectors gave way to jeans and T-shirts. Nine to five went away in favor of the crazy, but flexible hours that prevail even today.

In the late seventies, microprocessors made by Motorola, Intel, and others were relatively cheap and had enough performance to allow Altair, Apple, and others to make the first personal computers. PCs like the Apple II took advantage of the growing supply of inexpensive components, produced by a wide range of independent vendors, to deliver products that captured the imagination first of hobbyists, then of consumers and some businesses. In 1979, Dan Bricklin and Bob Frankston introduced VisiCalc, the first spreadsheet for personal computers. It is hard to overstate the significance of VisiCalc. It was an engineering marvel. A work of art. Spreadsheets on Apple IIs transformed the productivity of bankers, accountants, and financial analysts.

Unlike the vertical integration of mainframes and minicomputers, which limited product improvement to the rate of change of the slowest evolving part in the system, the horizontal integration of PCs allowed innovation at the pace of the most rapidly improving parts in the system. Because there were multiple, competing vendors for each component, systems could evolve far more rapidly than equivalent products subject to vertical integration. The downside was that PCs assembled this way lacked the tight integration of mainframes and minicomputers. This created a downstream cost in terms of training and maintenance, but that was not reflected in the purchase price and did not trouble customers. Even IBM took notice.

When IBM decided to enter the PC market, it abandoned vertical integration and partnered with a range of third-party vendors, including Microsoft for the operating system and Intel for the microprocessor. The first IBM PC shipped in 1981, signaling a fundamental change in the tech industry that only became obvious a couple of years later, when Microsoft's and Intel's other customers started to compete with IBM. Eventually, Compaq, Hewlett-Packard, Dell, and others left IBM in the dust. In the long run, though, most of the profits in the PC industry went to Microsoft and Intel, whose control of the brains and heart of the device and willingness to cooperate forced the rest of the industry into a commodity business.

ARPANET had evolved to become a backbone for regional networks of universities and the military. PCs continued the trend of smaller, cheaper computers, but it took nearly a decade after the introduction of the Apple II before technology emerged to leverage the potential of clusters of PCs. Local area networks (LANs) got their start in the late eighties as a way to share expensive laser printers. Once installed, LANs attracted developers, leading to new applications, such as electronic mail. Business productivity and engineering applications created incentives to interconnect LANs within buildings and then tie them all together over proprietary wide area networks (WANs) and then the internet. The benefits of connectivity overwhelmed the frustration of incredibly slow networks, setting the stage for steady improvement. It also created a virtuous cycle, as PC technology could be used to design and build better components, increasing the performance of new PCs that could be used to design and build even better components.

Consumers who wanted a PC in the eighties and early nineties had to buy one created to meet the needs of business. For consumers, PCs were relatively expensive and hard to use, but millions bought and learned to operate them. They put up with character-mode interfaces until Macintosh and then Windows finally delivered graphical interfaces that did not, well, totally suck. In the early nineties, consumer-centric PCs optimized for video games came to market.

The virtuous cycle of Moore's Law for computers and Metcalfe's Law for networks reached a new level in the late eighties, but the open internet did not take off right away. It required enhancements. The English researcher Tim Berners-Lee delivered the goods when he invented the World Wide Web in 1989 and the first web browser in 1991, but even those innovations were not enough to push the internet into the mainstream. That happened when a computer science student by the name of Marc Andreessen created the Mosaic browser in 1993. Within a year, startups like Yahoo and Amazon had come along, followed in 1995 by eBay, and the web that we now know had come to life.

By the mid-nineties, the wireless network evolved to a point that enabled widespread adoption of cell phones and alphanumeric pagers. The big applications were phone calls and email, then text messaging. The consumer era had begun. The business era had lasted nearly twenty years—from 1975 to 1995—but no business complained when it ended. Technology aimed at consumers was cheaper and somewhat easier to use, exactly what businesses preferred. It also rewarded a dimension that had not mattered to business: style. It took a few years for any vendor to get the formula right.

The World Wide Web in the mid-nineties was a beautiful thing. Idealism and utopian dreams pervaded the industry. The prevailing view was that the internet and World Wide Web would make the world more democratic, more fair, and more free. One of the web's best features was an architecture that inherently delivered net neutrality: every site was equal. In that first generation, everything on the web revolved around pages, every one of which had the same privileges and opportunities. Unfortunately, the pioneers of the internet made omissions that would later haunt us all. The one that mattered most was the choice not to require real identity. They never imagined that anonymity would lead to problems as the web grew.

Time would expose the naïveté of the utopian view of the internet, but at the time, most participants bought into that dream. Journalist Jenna Wortham described it this way: "The web's earliest architects and pioneers fought for their vision of freedom on the Internet at a time when it was still small forums for conversation and text-based gaming. They thought the web could be adequately governed by its users without their need to empower anyone to police it." They ignored early signs of trouble, such as toxic interchanges on message boards and in comments sections, which they interpreted as growing pains, because the potential for good appeared to be unlimited. No company had to pay the cost of creating the internet, which in theory enabled anyone to have a website. But most people needed tools for building websites, applications servers and the like. Into the breach stepped the "open source" community, a distributed network of programmers who collaborated on projects that created the infrastructure of the internet. Andreessen came out of that community. Open source had great advantages, most notably that its products delivered excellent functionality, evolved rapidly, and were free. Unfortunately, there was one serious problem with the web and open source products: the tools were not convenient or easy to use. The volunteers of the open source community had one motivation: to build the open web. Their focus was on performance and functionality, not convenience or ease of use. That worked well for the infrastructure at the heart of the internet, but not so much for consumer-facing applications.

The World Wide Web took off in 1994, driven by the Mosaic/Netscape browser and sites like Amazon, Yahoo, and eBay. Businesses embraced the web, recognizing its potential as a better way to communicate with other businesses and consumers. This change made the World Wide Web geometrically more valuable, just as Metcalfe's Law predicted. The web dominated culture in the late nineties, enabling a stock market bubble and ensuring near-universal adoption. The dot-com crash that began in early 2000 left deep scars, but the web continued to grow. In this second phase of the web, Google emerged as the most important player, organizing and displaying what appeared to be all the world's information. Apple broke the code on tech style—their products were a personal statement—and rode the consumer wave to a second life. Products like the iMac and iPod, and later the iPhone and iPad, restored Apple to its former glory and then some. At this writing, Apple is the most valuable company in the world. (Fortunately, Apple is also the industry leader in protecting user privacy, but I will get to that later.)

In the early years of the new millennium, a game changing model challenged the page-centric architecture of the World Wide Web. Called Web 2.0, the new architecture revolved around people. The pioneers of Web 2.0 included people like Mark Pincus, who later founded Zynga; Reid Hoffman, the founder of LinkedIn; and Sean Parker, who had co-founded the music file sharing company Napster. After Napster, Parker launched a startup called Plaxo, which put address books in the cloud. It grew by spamming every name in every address book to generate new users, an idea that would be copied widely by social media platforms that launched thereafter. In the same period, Google had a brilliant insight: it saw a way to take control of a huge slice of the open internet. No one owned open source tools, so there was no financial incentive to make them attractive for consumers. They were designed by engineers, for engineers, which could be frustrating to non-engineers.

Google saw an opportunity to exploit the frustration of consumers and some business users. Google made a list of the most important things people did on the web, including searches, browsing, and email. In those days, most users were forced to employ a mix of open source and proprietary tools from a range of vendors. Most of the products did not work together particularly well, creating a friction Google could exploit. Beginning with Gmail in 2004, Google created or acquired compelling products in maps, photos, videos, and productivity applications. Everything was free, so there were no barriers to customer adoption. Everything worked together. Every app gathered data that Google could exploit. Customers loved the Google apps. Collectively, the Google family of apps replaced a huge portion of the open World Wide Web. It was as though Google had unilaterally put a fence around half of a public park and then started commercializing it.

The steady march of technology in the half century prior to 2000 produced so much value—and so many delightful surprises—that the industry and customers began to take positive outcomes for granted. Technology optimism was not equivalent to the law of gravity, but engineers, entrepreneurs, and investors believed that everything they did made the world a better place. Most participants bought into some form of the internet utopia. What we did not realize at the time was that the limits imposed by not having enough processing power, memory, storage, and network bandwidth had acted as a governor, limiting the damage from mistakes to a relatively small number of customers. Because the industry had done so much good in the past, we all believed that everything it would create in the future would also be good. It was not a crazy assumption, but it was a lazy one that would breed hubris.

When Zuck launched Facebook in early 2004, the tech industry had begun to emerge from the downturn caused by the dot-com meltdown. Web 2.0 was in its early stages, with no clear winners. For Silicon Valley, it was a time of transformation, with major change taking place in four arenas: startups, philosophy, economics, and culture. Collectively, these changes triggered unprecedented growth and wealth creation. Once the gravy train started, no one wanted to get off. When fortunes can be made overnight, few people pause to ask questions or consider side effects.

The first big Silicon Valley change related to the economics of startups. Hurdles that had long plagued new companies evaporated. Engineers could build world-class products quickly, thanks to the trove of complementary software components, like the Apache server and the Mozilla browser, from the open source community. With open source stacks as a foundation, engineers could focus all their effort on the valuable functionality of their app, rather than building infrastructure from the ground up. This saved time and money. In parallel, a new concept emerged—the cloud—and the industry embraced the notion of centralization of shared resources. The cloud is like Uber for data—customers don't need to own their own data center or storage if a service provides it seamlessly from the cloud. Today's leader in cloud services, Amazon Web Services (AWS), leveraged Amazon.com's retail business to create a massive cloud infrastructure that it offered on a turnkey basis to startups and corporate customers. By enabling companies to outsource their hardware and network infrastructure, paying a monthly fee instead of the purchase price of an entire system, services like AWS lowered the cost of creating new businesses and shortened the time to market. Startups could mix and match free open source applications to create their software infrastructure. Updates were made once, in the cloud, and then downloaded by users, eliminating what had previously been a very costly and time-consuming process of upgrading individual PCs and servers. This freed startups to focus on their real value added, the application that sat on top of the stack.

Netflix, Box, Dropbox, Slack, and many other businesses were built on this model.

Thus began the "lean startup" model. Without the huge expense and operational burden of creating a full tech infrastructure, new companies did not have to aim for perfection when they launched a new product, which had been Silicon Valley's primary model to that point. For a fraction of the cost, they could create a minimum viable product (MVP), launch it, and see what happened. The lean startup model could work anywhere, but it worked best with cloud software, which could be updated as often as necessary. The first major industry created with the new model was social media, the Web 2.0 startups that were building networks of people rather than pages. Every day after launch, founders would study the data and tweak the product in response to customer feedback. In the lean startup philosophy, the product is never finished. It can always be improved. No matter how rapidly a startup grew, AWS could handle the load, as it demonstrated in supporting the phenomenal growth of Netflix. What in earlier generations would have required an army of experienced engineers could now be accomplished by relatively inexperienced engineers with an email to AWS. Infrastructure that used to require a huge capital investment could now be leased on a monthly basis. If the product did not take off, the cost of failure was negligible, particularly in comparison to the years before 2000. If the product found a market, the founders had alternatives. They could raise venture capital on favorable terms, hire a bigger team, improve the product, and spend to acquire more users. Or they could do what the founders of Instagram and WhatsApp would eventually do: sell out for billions with only a handful of employees.

Facebook's motto—"Move fast and break things"—embodies the lean startup philosophy. Forget strategy. Pull together a few friends, make a product you like, and try it in the market. Make mistakes, fix them, repeat. For venture investors, the lean startup model was a godsend. It allowed venture capitalists to identify losers and kill them before they burned through much cash. Winners were so valuable that a fund needed only one to provide a great return.

When hardware and networks act as limiters, software must be elegant. Engineers sacrifice frills to maximize performance. The no-frills design of Google's search bar made a huge difference in the early days, providing a competitive advantage relative to Excite, Altavista, and Yahoo. A decade earlier, Microsoft's early versions of Windows failed in part because hardware in that era could not handle the processing demands imposed by the design. By 2004, every PC had processing power to spare. Wired networks could handle video. Facebook's design outperformed MySpace in almost every dimension, providing a relative advantage, but the company did not face the fundamental challenges that had prevailed even a decade earlier. Engineers had enough processing power, storage, and network bandwidth to change the world, at least on PCs. Programming still rewarded genius and creativity, but an entrepreneur like Zuck did not need a team of experienced engineers with systems expertise to execute a business plan. For a founder in his early twenties, this was a lucky break. Zuck could build a team of people his own age and mold them. Unlike Google, Facebook was reluctant to hire people with experience. Inexperience went from being a barrier to being an advantage, as it kept labor costs low and made it possible for a young man in his twenties to be an effective CEO. The people in Zuck's inner circle bought into his vision without reservation, and they conveyed that vision to the rank-and-file engineers. On its own terms, Facebook's human resources strategy worked exceptionally well. The company exceeded its goals year after year, creating massive wealth for its shareholders, but especially for Zuck. The success of Facebook's strategy had a profound impact on the human resources culture of Silicon Valley startups.

In the early days of Silicon Valley, software engineers generally came from the computer science and electrical engineering programs at

MIT, Caltech, and Carnegie Mellon. By the late seventies, Berkeley and Stanford had joined the top tier. They were followed in the mid-nineties by the University of Illinois at Urbana-Champaign, the alma mater of Marc Andreessen, and other universities with strong computer science programs. After 2000, programmers were coming from just about every university in America, including Harvard.

When faced with a surplus for the first time, engineers had new and exciting options. The wave of startups launched after 2003 could have applied surplus processing, memory, storage, and bandwidth to improve users' well-being and happiness, for example. A few people tried, which is what led to the creation of the Siri personal assistant, among other things. The most successful entrepreneurs took a different path. They recognized that the penetration of broadband might enable them to build global consumer technology brands very quickly, so they opted for maximum scale. To grow as fast as possible, they did everything they could to eliminate friction like purchase prices, criticism, and regulation. Products were free, criticism and privacy norms ignored. Faced with the choice between asking permission or begging forgiveness, entrepreneurs embraced the latter. For some startups, challenging authority was central to their culture. To maximize both engagement and revenues, Web 2.0 startups focused their technology on the weakest elements of human psychology. They set out to create habits, evolved habits into addictions, and laid the groundwork for giant fortunes.

The second important change was philosophical. American business philosophy was becoming more and more proudly libertarian, nowhere more so than in Silicon Valley. The United States had beaten the Depression and won World War II through collective action. As a country, we subordinated the individual to the collective good, and it worked really well. When the Second World War ended, the US economy prospered by rebuilding the rest of the world. Among the many peacetime benefits was the emergence of a prosperous middle class. Tax rates were high, but few people complained. Collective action enabled the country to build the best public education system in the world, as well as the interstate highway system, and to send men to the moon. The average American enjoyed an exceptionally high standard of living.

Then came the 1973 oil crisis, when the Organization of Petroleum Exporting Countries initiated a boycott of countries that supported Israel in the Yom Kippur War. The oil embargo exposed a flaw in the US economy: it was built on cheap oil. The country had lived beyond its means for most of the sixties, borrowing aggressively to pay for the war in Vietnam and the Great Society social programs, which made it vulnerable. When rising oil prices triggered inflation and economic stagnation, the country transitioned into a new philosophical regime.

The winner was libertarianism, which prioritized the individual over the collective good. It might be framed as "you are responsible only for yourself." As the opposite of collectivism, libertarianism is a philosophy that can trace its roots to the frontier years of the American West. In the modern context, it is closely tied to the belief that markets are always the best way to allocate resources. Under libertarianism, no one needs to feel guilty about ambition or greed. Disruption can be a strategy, not just a consequence. You can imagine how attractive a philosophy that absolves practitioners of responsibility for the impact of their actions on others would be to entrepreneurs and investors in Silicon Valley. They embraced it. You could be a hacker, a rebel against authority, and people would reward you for it. Unstated was the leverage the philosophy conferred on those who started with advantages. The well-born and lucky could attribute their success to hard work and talent, while blaming the less advantaged for not working hard enough or being untalented. Many libertarian entrepreneurs brag about the "meritocracy" inside their companies. Meritocracy sounds like a great thing, but in practice there are serious issues with Silicon Valley's version of it. If contributions to corporate success define merit when a company is small and has a homogeneous employee base, then meritocracy will encourage the hiring of people with similar backgrounds and experience. If the company is not careful, this will lead to a homogeneous workforce as the company grows. For internet platforms, this means an employee base consisting overwhelmingly of white and Asian males in their twenties and thirties. This can have an impact on product design. For example, Google's facial-recognition software had problems recognizing people of color, possibly reflecting a lack of diversity in the development team. Homogeneity narrows the range of acceptable ideas and, in the case of Facebook, may have contributed to a work environment that emphasizes conformity. The extraordinary lack of diversity in Silicon Valley may reflect the pervasive embrace of libertarian philosophy. Zuck's early investor and mentor Peter Thiel is an outspoken advocate for libertarian values.

The third big change was economic, and it was a natural extension of libertarian philosophy. Neoliberalism stipulated that markets should replace government as the rule setter for economic activity. President Ronald Reagan framed neoliberalism with his assertion that "government is not the solution to our problem; it is the problem." Beginning in 1981, the Reagan administration began removing regulations on business. He restored confidence, which unleashed a big increase in investment and economic activity. By 1982, Wall Street bought into the idea, and stocks began to rise. Reagan called it Morning in America. The problems—stagnant wages, income inequality, and a decline in startup activity outside of tech—did not emerge until the late nineties.

Deregulation generally favored incumbents at the expense of startups. New company formation, which had peaked in 1977, has been in decline ever since. The exception was Silicon Valley, where large companies struggled to keep up with rapidly evolving technologies, creating opportunities for startups. The startup economy in the early eighties was tiny but vibrant. It grew with the PC industry, exploded in the nineties, and peaked in 2000 at $120 billion, before declining by 87 percent over two years. The lean startup model collapsed the cost of startups, such that the number of new companies rebounded very quickly. According to the National Venture Capital Association, venture funding recovered to seventy-nine billion dollars in 2015 on 10,463 deals, more than twice the number funded in 2008. The market power of Facebook, Google, Amazon, and Apple has altered the behavior of investors and entrepreneurs, forcing startups to sell out early to one of the giants or crowd into smaller and less attractive opportunities.

Under Reagan, the country also revised its view of corporate power. The Founding Fathers associated monopoly with monarchy and took steps to ensure that economic power would be widely distributed. There were ebbs and flows as the country adjusted to the industrial revolution, mechanization, technology, world wars, and globalization, but until 1981, the prevailing view was that there should be limits to the concentration of economic power and wealth. The Reagan Revolution embraced the notion that the concentration of economic power was not a problem so long as it did not lead to higher prices for consumers. Again, Silicon Valley profited from laissez-faire economics.

Technology markets are not monopolies by nature. That said, every generation has had dominant players: IBM in mainframes, Digital Equipment in minicomputers, Microsoft and Intel in PCs, Cisco in data networking, Oracle in enterprise software, and Google on the internet. The argument against monopolies in technology is that major innovations almost always come from new players. If you stifle the rise of new companies, innovation may suffer.

Before the internet, the dominant tech companies sold foundational technologies for the architecture of their period. With the exception of Digital Equipment, all of the tech market leaders of the past still exist today, though none could prevent their markets from maturing, peaking, and losing ground to subsequent generations. In two cases, IBM and Microsoft, the business practices that led to success eventually caught the eye of antitrust regulators, resulting in regulatory actions that restored competitive balance. Without the IBM antitrust case, there likely would have been no Microsoft. Without the Microsoft case, it is hard to imagine Google succeeding as it did. Beginning with Google, the most successful technology companies sat on top of stacks created by others, which allowed them to move faster than any market leaders before them. Google, Facebook, and others also broke the mold by adopting advertising business models, which meant their products were free to use, eliminating another form of friction and protecting them from antitrust regulation. They rode the wave of wired broadband adoption and then 4G mobile to achieve global scale in what seemed like the blink of an eye. Their products enjoyed network effects, which occur when the value of a product increases as you add users to the network. Network effects were supposed to benefit users. In the cases of Facebook and Google, that was true for a time, but eventually the value increase shifted decisively to the benefit of owners of the network, creating insurmountable barriers to entry. Facebook and Google, as well as Amazon, quickly amassed economic power on a scale not seen since the days of Standard Oil one hundred years earlier. In an essay on Medium, the venture capitalist James Currier pointed out that the key to success in the internet platform business is network effects and Facebook enjoyed more of them than any other company in history. He said, "To date, we've actually identified that Facebook has built no less than six of the thirteen known network effects to create defensibility and value, like a castle with six concentric layers of walls. Facebook's walls grow higher all the time, and on top of them Facebook has fortified itself with *all three* of the other known defensibilities in the internet age: brand, scale, and embedding."

By 2004, the United States was more than a generation into an era dominated by a hands-off, laissez-faire approach to regulation, a time period long enough that hardly anyone in Silicon Valley knew there had once been a different way of doing things. This is one reason why few people in tech today are calling for regulation of Facebook, Google, and Amazon, antitrust or otherwise.

One other factor made the environment of 2004 different from earlier times in Silicon Valley: angel investors. Venture capitalists had served as the primary gatekeepers of the startup economy since the late seventies, but they spent a few years retrenching after the dot-com bubble burst. Into the void stepped angel investors—individuals, mostly former entrepreneurs and executives—who guided startups during their earliest stages. Angel investors were perfectly matched to the lean startup model, gaining leverage from relatively small investments. One angel, Ron Conway, built a huge brand, but the team that had started PayPal proved to have much greater impact. Peter Thiel, Elon Musk, Reid Hoffman, Max Levchin, Jeremy Stoppleman, and their colleagues were collectively known as the PayPal Mafia, and their impact transformed Silicon Valley. Not only did they launch Tesla, Space-X, LinkedIn, and Yelp, they provided early funding to Facebook and many other successful players. More important than the money, though, were the vision, value system, and connections of the PayPal Mafia, which came to dominate the social media generation. Validation by the PayPal Mafia was decisive for many startups during the early days of social media. Their management techniques enabled startups to grow at rates never before experienced in Silicon Valley. The value system of the PayPal Mafia helped their investments create massive wealth, but may have contributed to the blindness of internet platforms to harms that resulted from their success. In short, we can trace both the good and the bad of social media to the influence of the PayPal Mafia.

THANKS TO LUCKY TIMING, Facebook benefitted not only from lower barriers for startups and changes in philosophy and economics but also from a new social environment. Silicon Valley had prospered in the suburbs south of San Francisco, mostly between Palo Alto and San Jose. Engineering nerds did not have a problem with life in the sleepy suburbs because many had families with children, and the ones who did not have kids did not expect to have the option of living in the city. Beginning with the dot-com bubble of the late nineties, however, the startup culture began to attract kids fresh out of school, who were not so happy with suburban life as their predecessors. In a world where experience had declining economic value, the new generation favored San Francisco as a place to live. The transition was bumpy, as most of the San Francisco–based dot-coms went up in flames in 2000, but after the start of the new millennium, the tech population in San Francisco grew steadily. While Facebook originally based itself in Palo Alto—the heart of Silicon Valley, not far from Google, Hewlett-Packard, and Apple—a meaningful percentage of its employees chose to live in the big city. Had Facebook come along during the era of scarcity, when experienced engineers ruled the Valley, it would have had a profoundly different culture. Faced with the engineering constraints of earlier eras, however, the Facebook platform would not have worked well enough to succeed. Facebook came along at the perfect time.

San Francisco is hip, with diverse neighborhoods, decent public transportation, access to recreation, and lots of nightlife. It attracted a different kind of person than Sunnyvale or Mountain View, including two related types previously unseen in Silicon Valley: hipsters and bros. Hipsters had burst onto the public consciousness as if from a base in Brooklyn, New York, heavy on guys with beards, plaid shirts, and earrings. They seemed to be descendants of San Francisco's bohemian past, a modern take on the Beats. The bros were different, though perhaps more in terms of style than substance. Ambitious, aggressive, and exceptionally self-confident, they embodied libertarian values. Symptoms included a lack of empathy or concern for consequences to others. The hipster and bro cultures were decidedly male. There were women in tech, too, more than in past generations of Silicon Valley, but the culture continued to be dominated by men who failed to appreciate the obvious benefits of treating women as peers. Too many in Silicon Valley missed the lesson that treating others as equals is what good people do. For them, I make a simple economic case: women are 51 percent of the US population; they account for 85 percent of consumer purchases; they control 60 percent of all personal wealth. They know what they want better than men do, yet in Silicon Valley, which invests billions in consumer-facing startups, men hold most of the leadership positions. Women who succeed often do so by beating the boys at their own game, something that Silicon Valley women do with ever greater frequency. *Bloomberg* journalist Emily Chang described this culture brilliantly in her book, *Brotopia*.

With the biggest influx of young people since the Summer of Love, the tech migration after 2000 had a visible impact on the city, precipitating a backlash that began quietly but grew steadily. The new kids boosted the economy with tea shops and co-working spaces that sprung up like mushrooms after a summer rain in the forest. But they seemed not to appreciate that their lifestyle might disturb the quiet equilibrium that had preceded their arrival. With a range of new services catering to their needs, delivered by startups of their peers, the hipsters and bros eventually provoked a reaction. Tangible manifestations of their presence, like the luxury buses that took them to jobs at Google, Facebook, Apple, and other companies down in Silicon Valley, drew protests from peeved locals. An explosion of Uber and Lyft vehicles jammed the city's streets, dramatically increasing commute times. Insensitive blog posts, inappropriate business behavior, and higher housing costs ensured that locals would neither forgive nor forget.

ZUCK ENJOYED THE KIND OF privileged childhood one would expect for a white male whose parents were medical professionals living in a beautiful suburb. As a student at Harvard, he had the idea for Facebook.

Thanks to great focus and enthusiasm, Zuck would almost certainly have found success in Silicon Valley in any era, but he was particularly suited to his times. Plus, as previously noted, he had an advantage not available to earlier generations of entrepreneurs: he could build a team of people his age—many of whom had never before had a full-time job—and mold them. This allowed Facebook to accomplish things that had never been done before.

For Zuck and the senior management of Facebook, the goal of connecting the world was self-evidently admirable. The philosophy of "move fast and break things" allowed for lots of mistakes, and Facebook embraced the process, made adjustments, and continued forward. The company maintained a laser focus on Zuck's priorities, never considering the possibility that there might be flaws in this approach, even when the evidence of such flaws became overwhelming. From all appearances, Zuck and his executive team did not anticipate that people would use Facebook differently than Zuck had envisioned, that putting more than two billion people on the same network would lead to tribalism, that Facebook Groups would amplify that tribalism, that bad actors would take advantage to harm innocent people. They failed to imagine unintended consequences from an advertising business based on behavior modification. They ignored critics. They missed the opportunity to take responsibility when the reputational cost would have been low. When called to task, they protected their business model and prerogatives, making only small changes to their business practices. This trajectory is worth understanding in greater depth.

3

Move Fast and Break Things

Try not to become a man of success, but rather try to become a man of value. —ALBERT EINSTEIN

During Mark Zuckerberg's sophomore year at Harvard, he created a program called Facemash that allowed users to compare photos of two students and choose which was "hotter." The photos were taken from the online directories of nine Harvard dormitories. According to an article in *Fast Company* magazine, the application had twenty-two thousand photo views in the first four hours and spread rapidly on campus before being shut down within a week by the authorities. Harvard threatened to expel Zuckerberg for security, copyright, and privacy violations. The charges were later dropped. The incident caught the attention of three Harvard seniors, Cameron Winklevoss, Tyler Winklevoss, and Divya Narendra, who invited Zuck to consult on their social network project, HarvardConnection.com.

In an interview with the campus newspaper, Zuck complained that the university would be slow to implement a universal student directory and that he could do it much faster. He started in January 2004 and launched TheFacebook.com on February 4. Six days later, the trio of seniors accused Zuck of pretending to help on their project and then stealing their ideas for TheFacebook. (The Winklevoss twins and Narendra ultimately filed suit and settled in 2008 for 1.2 million shares of Facebook stock.) Within a month, more than half of the Harvard student body had registered on Zuck's site. Three of Zuck's friends joined the team, and a month later they launched TheFacebook at Columbia, Stanford, and Yale. It spread rapidly to other college campuses. By June, the company relocated from Cambridge, Massachusetts, to Palo Alto, California, brought in Napster cofounder Sean Parker as president, and took its first venture capital from Peter Thiel.

TheFacebook delivered exactly what its name described: each page provided a photo with personal details and contact information. There was no News Feed and no frills, but the color scheme and fonts would be recognizable to any present-day user. While many features were missing, the thing that stands out is the effectiveness of the first user interface. There were no mistakes that would have to be undone.

The following year, Zuck and team paid two hundred thousand dollars to buy the "facebook.com" domain and changed the company's name. Accel Partners, one of the leading Silicon Valley venture funds, invested $12.7 million, and the company expanded access to high school students and employees of some technology firms. The functionality of the original Facebook was the same as TheFacebook, but the user interface evolved. Some of the changes were subtle, such as the multitone blue color scheme, but others, such as the display of thumbnail photos of friends, remain central to the current look. Again, Facebook made improvements that would endure. Sometimes users complained about new features and products—this generally occurred when Zuck and his team pushed users too hard to disclose and share more information—but Facebook recovered quickly each time. The company never looked back.

Facebook was not the first social network. SixDegrees.com started in 1997 and Makeoutclub in 1999, but neither really got off the ground. Friendster, which started in 2002, was the first to reach one million users. Friendster was the model for Facebook. It got off to a fantastic start, attracted investors and users, but then fell victim to performance problems that crippled the business. Friendster got slower and slower, until users gave up and left the platform. Started in 2003, MySpace figured out how to scale better than Friendster, but it, too, eventually had issues. Allowing users to customize pages made the system slow, but in the end, it was the ability of users to remain anonymous that probably did the most damage to MySpace. Anonymity encouraged the posting of pornography, the elimination of which drained MySpace's resources, and enabled adults to pose as children, which led to massive problems.

The genius of Zuck and his original team was in reconceptualizing the problem. They recognized that success depended on building a network that could scale without friction. Sean Parker described the solution this way in Adam Fisher's *Valley of Genius*: "The 'social graph' is a math concept from graph theory, but it was a way of trying to explain to people who were kind of academic and mathematically inclined that what we were building was not a product so much as it was a network composed of nodes with a lot of information flowing between those nodes. That's graph theory. Therefore we're building a social graph. It was never meant to be talked about publicly." Perhaps not, but it was brilliant. The notion that a small team in their early twenties with little or no work experience figured it out on the first try is remarkable. The founders also had the great insight that real identity would simplify the social graph, reducing each user to a single address. These two ideas would not only help Facebook overcome the performance problems that sank Friendster and MySpace, they would remain core to the company's success as it grew past two billion users.

When I first met Zuck in 2006, I was very familiar with Friendster and MySpace and had a clear sense that Facebook's design, its insistence on real identity, and user control of privacy would enable the company to succeed where others had failed. Later on, Facebook would relax its policies on identity and privacy to enable faster growth. Facebook's terms of service still require real identity, but enforcement is lax, consistent with the company's commitment to minimize friction, and happens only when other users complain. By the end of the decade, user privacy would become a pawn to be traded to accelerate growth.

In 2006, it was not obvious how big the social networking market would be, but I was already convinced that Facebook had an approach that might both define the category and make it economically successful. Facebook was a hit with college students, but I thought the bigger opportunity would be with adults, whose busy schedules were tailor-made for the platform. To me, that suggested a market opportunity of at least one hundred million users or more in English-speaking countries. In those days, one hundred million users would have justified a valuation of at least ten billion dollars, or ten times the number Yahoo had offered. It never occurred to me then that Facebook would fly past two billion monthly users, though I do remember the first time Zuck told me his target was a billion users. It happened some time in 2009, when Facebook was racing from two hundred to three hundred million users. I thought it was a mistake to maximize user count. The top 20 percent of users would deliver most of the value. I worried that the pursuit of one billion users would force Zuck to do business in places or on terms that should make him uncomfortable. As it turned out, there were no visible compromises when Facebook passed a billion monthly users in September 2012. The compromises were very well hidden.

The company had plenty of capital when I first met Zuck, so there was no immediate opportunity for me to invest, but as I've said, the notion of helping the twenty-two-year-old founder of a game-changing startup deal with an existential crisis really appealed to me. As a long-time technology investor, I received many requests for free help, and I loved doing it. Good advice can be the first step in a lasting relationship and had ultimately led to many of my best investments. The strategy required patience—and a willingness to help lots of companies that might not work out—but it made my work life fresh and fun.

My first impression of Zuck was that he was a classic Silicon Valley nerd. In my book, being a nerd is a good thing, especially for a technology entrepreneur. Nerds are my people. I didn't know much about Zuck as a person and knew nothing about the episode that nearly led to his expulsion from Harvard until much later. What I saw before me was a particularly intense twenty-two-year-old who took all the time he needed to think before he acted. As painful as that five minutes of silence was for me, it signaled caution, which I took as a positive. The long silence also signaled weak social skills, but that would not have been unusual in a technology founder. But in that first meeting, I was able to help Zuck resolve a serious problem. Not only did he leave my office with the answer he needed, he had a framework for justifying it to the people in his life who wanted their share of one billion dollars. At the time, Zuck was very appreciative. A few days later, he invited me to his office, which was in the heart of Palo Alto, just down the street from the Stanford University campus. The interior walls were covered with graffiti. Professional graffiti. In Zuck's conference room, we talked about the importance of having a cohesive management team where everyone shared the same goals. Those conversations continued several times a month for three years. Thanks to the Yahoo offer, Zuck understood that he could no longer count on everyone on his team. Some executives had pushed hard to sell the company. Zuck asked for my perspective on team building, which I was able to provide in the course of our conversations. A year later, he upgraded several positions, most notably his chief operating officer and his chief financial officer.

Toward the end of 2006, Zuck learned that a magazine for Harvard alumni was planning a story about the Winklevoss brothers and again turned to me for help. I introduced him to a crisis-management public relations firm and helped him minimize the fallout from the story.

I trust my instincts about people. My instincts are far from perfect, but they have been good enough to enable a long career. Intensity of the kind I saw in Zuck is a huge positive in an entrepreneur. Another critical issue for me is a person's value system. In my interactions with him, Zuck was consistently mature and responsible. He seemed remarkably grown-up for his age. He was idealistic, convinced that Facebook could bring people together. He was comfortable working with women, which is not common among Silicon Valley entrepreneurs. My meetings with Zuck almost always occurred in his office, generally just the two of us, so I had an incomplete picture of the man, but he was always straight with me. I liked Zuck. I liked his team. I was a fan of Facebook.

This is a roundabout way of saying that my relationship with Zuck was all business. I was one of the people he would call on when confronted with new or challenging issues. Mentoring is fun for me, and Zuck could not have been a better mentee. We talked about stuff that was important to Zuck, where I had useful experience. More often than not, he acted on my counsel.

Zuck had other mentors, several of whom played a much larger role than I did. He spoke to me about Peter Thiel, who was an early investor and board member. I don't know how often Zuck spoke with Thiel, but I know he took Peter's advice very seriously. Philosophically, Thiel and I are polar opposites, and I respected Zuck for being able to work with both of us. *Washington Post* CEO Don Graham had started advising Zuck at least a year before me. As one of the best-connected people in our nation's capital, Don would have been a tremendous asset to Zuck as Facebook grew to global scale. Marc Andreessen, the Netscape founder turned venture capitalist, played a very important role in Zuck's orbit, as he was a hard-core technologist who had once been a very young entrepreneur. Presumably, Zuck also leaned on Jim Breyer, the partner from Accel who made the first institutional investment in Facebook, but Zuck did not talk about Breyer the way he did about Thiel.

In researching this book for key moments in the history of Facebook, one that stands out occurred months before I got involved. In the fall of 2005, Facebook gave users the ability to upload photographs. They did it with a new wrinkle—tagging the people in the photo—that helped to define Facebook's approach to engagement. Tagging proved to be a technology with persuasive power, as users felt obligated to react or reciprocate when informed they had been tagged. A few months after my first meeting with Zuck, Facebook made two huge changes: it launched News Feed, and it opened itself up to anyone over the age of thirteen with a valid email address. News Feed is the heart of the Facebook user experience, and it is hard today to imagine that the site did well for a couple of years without it. Then, in January 2007, Facebook introduced a mobile web product to leverage the widespread adoption of smartphones. The desktop interface also made a big leap.

In the summer of 2007, Zuck called to offer me an opportunity to invest. He actually offered me a choice: invest or join the board. Given my profession and our relationship, the choice was easy. I did not need to be on the board to advise Zuck. The investment itself was complicated. One of Facebook's early employees needed to sell a piece of his stake, but under the company's equity-incentive plan there was no easy way to do this. We worked with Facebook to create a structure that balanced both our needs and those of the seller. When the deal was done, there was no way to sell our shares until after an initial public offering. Bono, Marc, and I were committed for the long haul.

Later that year, Microsoft bought 1.6 percent of Facebook for $240 million, a transaction that valued the company at $15 billion. The transaction was tied to a deal where Microsoft would sell advertising for Facebook. Microsoft paid a huge premium to the price we paid, reflecting its status as a software giant with no ability to compete in social. Facebook understood that it had leverage over Microsoft and priced the shares accordingly. As investors, we knew the Microsoft valuation did not reflect the actual worth of Facebook. It was a "strategic investment" designed to give Microsoft a leg up over Google and other giants.

Soon thereafter, Facebook launched Beacon, a system that gathered data about user activity on external websites to improve Facebook ad targeting and to enable users to share news about their purchases. When a Facebook user interacted with a Beacon partner website, the data would be sent to Facebook and reflected in the user's News Feed. Beacon was designed to make Facebook advertising much more valuable, and Facebook hoped that users would be happy to share their interests and purchase activities with friends. Unfortunately, Facebook did not give users any warning and did not give them any ability to control Beacon. Their activities on the web would appear in their Facebook feed even when the user was not on Facebook. Imagine having "Just looked at sex toys on Amazon.com" show up in your feed. Users thought Beacon was creepy. Most users did not know what Facebook was doing with Beacon. When they found out, they were not happy. Zuck's cavalier attitude toward user privacy, evident from the first day of Facemash back at Harvard, had blown up in his face. MoveOn organized a protest campaign, arguing that Facebook should not publish user activity off the site without explicit permission. Users filed class action lawsuits. Beacon was withdrawn less than a year after launch.

In the fall of 2007, Zuck told me he wanted to hire someone to build Facebook's monetization. I asked if he was willing to bring in a strong number two, someone who could be a chief operating officer or president. He said yes. I did not say anything, but a name sprang to mind immediately: Sheryl Sandberg. Sheryl had been chief of staff to Secretary of the Treasury Larry Summers during Bill Clinton's second term. In that job, she had partnered with Bono on the singer's successful campaign to spur the world's leading economies to forgive billions in debt owed by countries in the developing world. Together, Bono and Sheryl helped many emerging countries to reenergize their economies, which turned out to be a good deal for everyone involved. Sheryl introduced Bono to me, which eventually led the two of us to collaborate on Elevation Partners. Sheryl came to Silicon Valley in early 2001 and hung out in my office for a few weeks. We talked to Sheryl about joining Integral, but my partner John Powell had a better idea. John and I were both convinced that Sheryl would be hugely successful in Silicon Valley, but John pointed out that there were much bigger opportunities than Integral. He thought the right place for Sheryl was Google and shared that view with John Doerr, who was a member of Google's board of directors. Sheryl took a job at Google to help build AdWords, the product that links ads to search results.

AdWords is arguably the most successful advertising product in history, and Sheryl was one of the people who made that happen. Based on what I knew about Sheryl, her success came as no surprise. One day in 2007, Sheryl came by to tell me she had been offered a leadership position at *The Washington Post*. She asked me what I thought. I suggested that she consider Facebook instead. Thanks to Watergate and the Pentagon Papers, the *Post* was iconic, but being a newspaper, it did not have a workable plan to avoid business model damage from the internet. Facebook seemed like a much better match for Sheryl than the *Post*, and she seemed like the best possible partner for Zuck and Facebook. Sheryl told me she had once met Zuck at a party, but did not know him and worried that they might not be a good fit. I encouraged Sheryl to get to know Zuck and see where things went. After my first conversation with Sheryl, I called Zuck and told him I thought Sheryl would be the best person to build Facebook's advertising business. Zuck worried that advertising on Facebook would not look like Google's AdWords—which was true—but I countered that building AdWords might be the best preparation for creating a scalable advertising model on Facebook. It took several separate conversations with Zuck and Sheryl to get them to meet, but once they got together, they immediately found common ground. Sheryl joined the company in March 2008. Looking at a March 2008 *Wall Street Journal* article on Sheryl's hire and Zuck's other efforts to stabilize the company by accepting help from more experienced peers, I'm reminded that Facebook's current status as a multibillion-dollar company seemed far from inevitable in those days. The article highlighted the company's image problems and mentioned Zuck complaining to me about the difficulties of being a CEO. Still, growth accelerated.

The underlying technology of the disastrous Beacon project resurfaced in late 2008 as Facebook Connect, a product that allowed users to sign into third-party sites with their Facebook credentials. News of hacks and identity theft had created pressure for stronger passwords, which users struggled to manage. The value of Connect was that it enabled people to memorize a single, strong Facebook password for access to thousands of sites. Users loved Connect for its convenience, but it is not obvious that they understood that it enabled Facebook to track them in many places around the web. With the benefit of hindsight, we can see the costs that accompanied the convenience of Connect. I tried Connect on a few news sites, but soon abandoned it when I realized what it meant for privacy.

The data that Facebook collected through Connect led to huge improvements in targeting and would ultimately magnify catastrophes like the Russian interference in the 2016 election. Other users must have noticed that Facebook knew surprising things about them, but may have told themselves the convenience of Connect justified the loss of privacy. With Connect, Facebook addressed a real need. Maintaining secure credentials is inconvenient, but the world would have been better off had users adopted a solution that did not exploit their private data. Convenience, it turns out, was the sweetener that led users to swallow a lot of poison.

Facebook's user count reached one hundred million in the third quarter of 2008. This was astonishing for a company that was only four and half years old, but Facebook was just getting started. Only seven months later, the user count hit two hundred million, aided by the launch of the Like button. The Like button soon defined the Facebook experience. "Getting Likes" became a social phenomenon. It gave users an incentive to spend more time on the site and joined photo tagging as a trigger for addiction to Facebook. To make its advertising valuable, Facebook needs to gain and hold user attention, which it does with behavior modification techniques that promote addiction, according to a growing body of evidence. Behavior modification and addiction would play a giant role in the Facebook story, but were not visible during my time as a mentor to Zuck and would remain unknown to me until 2017.

It turns out everyone wants to be liked, and the Like button provided a yardstick of social validation and social reciprocity—packaged as a variable reward—that transformed social networking. It seemed that every Facebook user wanted to know how many Likes they received for each post, and that tempted many users to return to the platform several times a day. Facebook amplified the signal with notifications, teasing users constantly. The Like button helped boost the user count to 305 million by the end of September 2009. Like buttons spread like wildfire to sites across the web, and along with Connect enabled Facebook to track its users wherever they browsed.

The acquisition of FriendFeed in August 2009 gave Facebook an application for aggregating feeds from a wide range of apps and blogs. It also provided technology and a team that would protect Facebook's flank from the new kid on the block, Twitter. Over the following year, Facebook acquisitions would enable photo sharing and the importing of contacts. Such acquisitions made Facebook more valuable to users, but that was nothing compared to the value they created for Facebook's advertising. On every metric, Facebook prospered. Revenue grew rapidly. Facebook's secret sauce was its ability to imitate and improve upon the ideas of others, and then scale them. The company demonstrated an exceptional aptitude for managing hypergrowth, a skill that is as rare as it is valuable. In September 2009, the company announced that it had turned cash flow positive. This is not the same as turning profitable, but it was actually a more important milestone. It meant that Facebook generated enough revenue to cover all its cash expenses. It would not need more venture capital to survive. The company was only five and a half years old.

With Sheryl on board as chief operating officer in charge of delivering revenues, Facebook quickly developed its infrastructure to enable rapid growth. This simplified Zuck's life so he could focus on strategic issues. Facebook had transitioned from startup to serious business. This coming-of-age had implications for me, too. Effectively, Zuck had graduated. With Sheryl as his partner, I did not think Zuck would need mentoring from me any longer. My domain expertise in mobile made me valuable as a strategy advisor, but even that would be a temporary gig. Like most successful entrepreneurs and executives, Zuck is brilliant (and ruthless) about upgrading his closest advisors as he goes along. In the earliest days of Facebook, Sean Parker played an essential role as president, but his skills stopped matching the company's needs, so Zuck moved on from him. He also dropped the chief operating officer who followed Parker and replaced him with Sheryl. The process is Darwinian in every sense. It is natural and necessary. I have encountered it so many times that I can usually anticipate the right moment to step back. I never give it a moment's thought.

Knowing that we had accomplished everything we could have hoped for at the time I began mentoring him, I sent Zuck a message saying that my job was done. He was appreciative and said we would always be friends. At this point, I stopped being an insider, but I remained a true believer in Facebook. While failures like Beacon had foreshadowed problems to come, all I could see was the potential of Facebook as a force for good. The Arab Spring was still a year away, but the analyst in me could see how Facebook might be used by grassroots campaigns. What I did not grasp was that Zuck's ambition had no limit. I did not appreciate that his focus on code as the solution to every problem would blind him to the human cost of Facebook's outsized success. And I never imagined that Zuck would craft a culture in which criticism and disagreement apparently had no place.

The following year, 2010, was big for Facebook in surprising ways. By July, Facebook had five hundred million users, half of whom visited the site every day. Average daily usage was thirty-four minutes. Users who joined Facebook to stay in touch with family soon found new functions to enjoy. They spent more time on the site, shared more posts, and saw more ads.

October saw the release of *The Social Network*, a feature film about the early days of Facebook. The film was a critical and commercial success, winning three Academy Awards and four Golden Globes. The plot focused on Zuck's relationship with the Winklevoss twins and the lawsuit that resulted from it. The portrayal of Zuck was unflattering. Zuck complained that the film did not accurately tell the story, but hardly anyone besides him seemed to care. I chose not to watch the film, preferring the Zuck I knew to a version crafted in Hollywood.

Just before the end of 2010, Facebook improved its user interface again, edging closer to the look and feel we know today. The company finished 2010 with 608 million monthly users. The rate of user growth remained exceptionally high, and minutes of use per user per day continued to rise. Early in 2011, Facebook received an investment of five hundred million dollars for 1 percent of the company, pushing the valuation up to fifty billion dollars. Unlike the Microsoft deal, this transaction reflected a financial investor's assessment of Facebook's value. At this point, even Microsoft was making money on its investment. Facebook was not only the most exciting company since Google, it showed every indication that it would become one of the greatest tech companies of all time. New investors were clamoring to buy shares. By June 2011, DoubleClick announced that Facebook was the most visited site on the web, with more than one trillion visits. Nielsen disagreed, saying

Facebook still trailed Google, but it appeared to be only a matter of time before the two companies would agree that Facebook was #1.

In March 2011, I saw a presentation that introduced the first seed of doubt into my rosy view of Facebook. The occasion was the annual TED Conference in Long Beach, the global launch pad for TED Talks. The eighteen-minute Talks are thematically organized over four days, providing brain candy to millions far beyond the conference. That year, the highlight for me was a nine-minute talk by Eli Pariser, the board president of MoveOn.org. Eli had an insight that his Facebook and Google feeds had stopped being neutral. Even though his Facebook friend list included a balance of liberals and conservatives, his tendency to click more often on liberal links had led the algorithms to prioritize such content, eventually crowding out conservative content entirely. He worked with friends to demonstrate that the change was universal on both Facebook and Google. The platforms were pretending to be neutral, but they were filtering content in ways that were invisible to users. Having argued that the open web offered an improvement on the biases of traditional content editors, the platforms were surreptitiously implementing algorithmic filters that lacked the value system of human editors. Algorithms would not act in a socially responsible way on their own. Users would think they were seeing a balance of content when in fact they were trapped in what Eli called a "filter bubble" created and enforced by algorithms. He hypothesized that giving algorithms gatekeeping power without also requiring civic responsibility would lead to unexpected, negative consequences. Other publishers were jumping on board the personalization bandwagon. There might be no way for users to escape from filter bubbles.

Eli's conclusion? If platforms are going to be gatekeepers, they need to program a sense of civic responsibility into their algorithms. They need to be transparent about the rules that determine what gets through the filter. And they need to give users control of their bubble.

I was gobsmacked. It was one of the most insightful talks I had ever heard. Its import was obvious. When Eli finished, I jumped out of my seat and made a beeline to the stage door so that I could introduce myself. If you view the talk on TED.com today, you will immediately appreciate its importance. At the time I did not see a way for me to act on Eli's insight at Facebook. I no longer had regular contact with Zuck, much less inside information. I was not up to speed on the engineering priorities that had created filter bubbles or about plans for monetizing them. But Eli's talk percolated in my mind. There was no good way to spin filter bubbles. All I could do was hope that Zuck and Sheryl would have the sense not to use them in ways that would harm users. (You can listen to Eli Pariser's "Beware Online 'Filter Bubbles'" talk for yourself on TED.com.)

Meanwhile, Facebook marched on. Google introduced its own social network, Google+, in June 2011, with considerable fanfare. By the time Google+ came to market, Google had become a gatekeeper between content vendors and users, forcing content vendors who wanted to reach their own audience to accept Google's business terms. Facebook took a different path to a similar place. Where most of Google's products delivered a single function that gained power from being bundled, Facebook had created an integrated platform, what is known in the industry as a walled garden, that delivered many forms of value. Some of the functions on the platform had so much value that Facebook spun them off as stand-alone products. One example: Messenger.

Thanks to its near monopoly of search and the AdWords advertising platform that monetized it, Google knew more about purchase intentions than any other company on earth. A user looking to buy a hammer would begin with a search on Google, getting a set of results along with three AdWords ads from vendors looking to sell hammers. The search took milliseconds. The user bought a hammer, the advertiser sold one, and Google got paid for the ad. Everyone got what they wanted. But Google was not satisfied. It did not know the consumer's identity. Google realized that its data set of purchase intent would have greater value if it could be tied to customer identity. I call this McNamee's 7th Law: data sets become geometrically more valuable when you combine them. That is where Gmail changed the game. Users got value in the form of a good email system, but Google received something far more valuable. By tying purchase intent to identity, Google laid the foundation for new business opportunities. It then created Google Maps, enabling it to tie location to purchase intent and identity. The integrated data set rivaled Amazon's, but without warehouses and inventory it generated much greater profits for Google. Best of all, combined data sets often reveal insights and business opportunities that could not have been imagined previously. The new products were free to use, but each one contributed data that transformed the value of Google's advertising products. Facebook did something analogous with each function it added to the platform. Photo tagging expanded the social graph. News Feed enriched it further. The Like button delivered data on emotional triggers. Connect tracked users as they went around the web. The value is not really in the photos and links posted by users. The real value resides in metadata—data about data—which is what we call the data that describes where the user was when he or she posted, what they were doing, with whom they were doing it, alternatives they considered, and more. Broadcast media like television, radio, and newspapers lack the real-time interactivity necessary to create valuable metadata. Thanks to metadata, Facebook and Google create a picture of the user that can be monetized more effectively than traditional media. When collected on the scale of Google and Facebook, metadata has unimaginable value. When people say, "In advertising businesses, users are not the customer; they are the product," this is what they are talking about. But in the process, Facebook in particular changed the nature of advertising. Traditional advertising seeks to persuade, but in a one-size-fits-most kind of way. The metadata that Facebook and others collected enabled them to find unexpected patterns, such as "four men who collect baseball cards, like novels by Charles Dickens, and check Facebook after midnight bought a certain model of Toyota," creating an opportunity to package male night owls who collect baseball cards and like Dickens for car ads. Facebook allows advertisers to identify each user's biases and appeal to them individually. Insights gathered this way changed the nature of ad targeting. More important, though, all that data goes into Facebook's (or Google's) artificial intelligence and can be used by advertisers to exploit the emotions of users in ways that increase the likelihood that they purchase a specific model of car or vote in a certain way. As the technology futurist Jaron Lanier has noted, advertising on social media platforms has evolved into a form of manipulation.

Google+ was Google's fourth foray into social networking. Why did Google try so many times? Why did it keep failing? By 2011, it must have been obvious to Google that Facebook had the key to a new and especially valuable online advertising business. Unlike traditional media or even search, social networking provided signals about each user's emotional state and triggers. Relative to the monochrome of search, social network advertising offered Technicolor, the equivalent of Oz vs. Kansas in *The Wizard of Oz*. If you are trying to sell a commodity product like a hammer, search advertising is fine, but for branded products like perfume or cars or clothing, social networking's data on emotions has huge incremental value. Google wanted a piece of that action. Google+ might have added a new dimension to Google's advertising business, but Facebook had a prohibitive lead when Google+ came to market, and the product's flaws prevented it from gaining much traction with people outside of Google. All it offered was interesting features, and Facebook imitated the good parts quickly.

Facebook took no chances with Google+. The company went to battle stations and devoted every resource to stopping Google on the beach of social networking. The company cranked up its development efforts, dramatically increasing the size limits for posts, partnering with Skype, introducing the Messenger texting product, and adding a slew of new tools for creating applications on the platform. As 2012 began, Facebook was poised for a breakout year. The company had a new advertising product—Open Graph—that leveraged its Social Graph, the tool to capture everything it knew from both inside Facebook and around the web. Initially, Facebook gave advertisers access only to data captured inside the platform. Facebook also enabled advertisements in the News Feed for the first time. News Feed ads really leveraged Facebook's user experience. Ads blended in with posts from friends, which meant more people saw them, but there was also a downside: it was very hard to get an ad to stand out the way it would on radio or TV or in print.

The big news early in 2012 came when Facebook filed for an initial public offering (IPO) and then acquired Instagram for one billion dollars. The Facebook IPO, which took place on May 17, raised sixteen billion dollars, making it the third largest in US history. The total valuation of $104 billion was the highest ever for a newly public company. Facebook had revenues of nearly four billion dollars and net income of one billion dollars in the year prior to the IPO and found itself in the Fortune 500 list of companies from day one.

As impressive as all those numbers are, the IPO itself was something of a train wreck. Trading glitches occurred during the first day, preventing some trades from going through, and the stock struggled to stay above the IPO price. The deal set a record for trading volume on the first day after an IPO: 460 million shares.

The months leading up to the IPO saw weakness in Facebook's advertising sales that triggered reductions in the company's revenue forecast. When a company is preparing for an IPO, forecast reductions can be disastrous, as public investors have no incentive to buy into uncertainty. In Facebook's case, investors' extreme enthusiasm for the company—based primarily on user growth and Facebook's increasing impact on society—meant the IPO could survive the reduction in forecast, but Zuck's dream of a record-setting offering might be at risk. As described by former Facebook advertising targeting manager Antonio García Martínez in his book *Chaos Monkeys*, "The narratives the company had woven about the new magic of social-media marketing were in deep reruns with advertisers, many of whom were beginning to openly question the fortunes they had spent on Facebook thus far, often with little to show for it." For all its success with users, Facebook had not yet created an advertising product that provided the targeting necessary to provide appropriate results for advertisers. Martínez went on to say, "A colossal yearlong bet the company had made on a product called Open Graph, and its accompanying monetization spin-off, Sponsored Stories, had been an absolute failure in the market." Advertisers had paid a lot of money to Facebook, believing the company's promises about ad results, but did not get the value they felt they deserved. For Facebook, this was a moment of truth. By pushing the IPO valuation to record levels, Facebook set itself up for a rocky start as a public company.

The newly public stock sold off almost immediately and went into free fall after Yahoo Finance reported that the investment banks that had underwritten the IPO had reduced their earnings forecasts just before the offering. In the heat of the deal, had those forecast changes been effectively communicated to buyers of the stock? The situation was sufficiently disturbing that regulatory authorities initiated a review. Lawsuits followed, alleging a range of violations with respect to the trading glitches and the actions of one underwriter. A subsequent set of lawsuits named the underwriters, Zuck and Facebook's board, and Nasdaq. *The Wall Street Journal* characterized the IPO as a "fiasco."

For Facebook's business, though, the IPO was an undisputed blessing. The company received a staggering amount of free publicity before the deal, essentially all of it good. That turbocharged user growth, news of which enabled Facebook to survive the IPO issues with relatively little damage. Investors trusted that a company with such impressive user growth would eventually figure out monetization. Once again, Facebook pushed the envelope, stumbled, and got away with it. Then they did something really aggressive.

The data from inside Facebook alone did not deliver enough value for advertisers. Thanks to Connect and the ubiquitous Like and Share buttons, Facebook had gathered staggering amounts of data about user behavior both from around the web. The company had chosen not to use the off-site data for commercial purposes, a self-imposed rule that it decided to discard when the business slowed down. No one knew yet how valuable the external data would be, but they decided to find out. As Martínez describes it, Zuck and Sheryl began cautiously, fearful of alienating users.

Thanks to the IPO, Facebook enjoyed a tsunami of user growth. Within a few months, user growth restored investor confidence. It also overwhelmed the complaints from advertisers, who had to go where their customers were, even if the ad vehicles on Facebook were disappointing. The pressure to integrate user data from activities away from Facebook into the ad products lessened a bit, but the fundamental issues with targeting and the value of ads remained. As a result, the decision to integrate user data from outside Facebook would not be reversed.

In early October 2012, the company announced it had surpassed one billion monthly users, with 600 million mobile users, 219 billion photo uploads, and 140 billion friend connections. Despite the mess of the IPO—and not being privy to the issues with ads—I took great pride in Facebook's success. The stock turned out to be a game changer for Elevation. Even though my partners had turned down our first opportunity to invest, Elevation subsequently made a large investment at a relatively low price, ensuring on its own that the fund would be a winner.

Only eight and a half years from Zuck's dorm room, Facebook had become a powerful economic engine. Thanks to the philosophy of "move fast and break things," no one at Facebook was satisfied with a record-setting IPO. They began hacking away at the problem of monetizing users. There were several challenges. As Martínez wrote in *Chaos Monkeys*, the advertising team around the time of the IPO was, for the most part, young people who had no previous work experience in advertising or even media. They learned everything by trial and error. For every innovation, there were many mistakes, some of which would have been obvious to a more experienced team. The team may have been young, but they were smart, highly motivated, and persistent. Their leadership, with Sheryl Sandberg at the top, created a successful sales culture. They took a long view and learned from every mistake. They focused on metrics.

In the early days, Facebook did its best to create effective advertising products and tools from profile data, users' friend relationships, and user actions on the site. My band, Moonalice, was an early advertiser, with a budget of less than ten thousand dollars a year. Our first ads, a few years before the IPO, were tiny rectangles on the side of the page, with a few words of text and maybe a link. The goal was to introduce Moonalice to new fans. We promoted a song called "It's 4:20 Somewhere" this way. We ran an ad for several years—typically spending ten or twenty dollars a day—and people downloaded the song 4.6 million times, a number cited by the Rock & Roll Hall of Fame as a record from any band's own website. A little Facebook ad running every day for three years made it possible. But when the only option was a tiny rectangle, Facebook ads were ineffective for many advertisers and products. The same format that worked so well for downloading a song was worthless for promoting a conference. I have no idea why it worked for one thing and not the other. It did not matter much, because in those days, Facebook allowed plenty of free distribution, which they called "organic reach." Back then, for a fan page likes ours, Facebook would let a really compelling post reach about 15 percent of our fans for free. The value of organic reach on Facebook compelled us and millions of others to shift the focus of our communications from a website to Facebook. We trained our fans to interact with us on Facebook and to use our website as a content archive. Many others did the same, helping to cement Facebook's position as the social hub of the web. Embracing Facebook worked really well for Moonalice, and our page eventually gathered more than 420,000 followers.

Not surprisingly, there was a catch. Every year or so, Facebook would adjust the algorithm to reduce organic reach. The company made its money from advertising, and having convinced millions of organizations to set up shop on the platform, Facebook held all the cards. The biggest beneficiaries of organic reach had no choice but to buy ads to maintain their overall reach. They had invested too much time and had established too much brand equity on Facebook to abandon the platform. Organic reach declined in fits and starts until it finally bottomed at about 1 percent or less. Fortunately, Facebook would periodically introduce a new product—the Facebook Live video service, for example—and give those new products greater organic reach to persuade people like us to use them. We signed up for Facebook Live on the first day it was available and streamed a concert that same day. The reach was fantastic. Facebook Live and Moonalice were made for each other. I streamed one set of the very first concert by Dead & Company, a spin-off from the Grateful Dead, and so many people watched it that the band saw a surge in ticket sales for other dates on the tour. As a result, one of the band's managers invited me to stream their next show from the stage.

At the time of the IPO, targeting options for Facebook ads were limited to demographic information from activity on the site, things like age, sex, and location, as well as interests and relationships. The introduction of Open Graph and News Feed ads in 2012 set the stage for much better targeting, which improved rapidly when Facebook integrated "off-site" data into the suite available to advertisers. If Moonalice wanted to promote a concert, we would target demographic data—say, people over twenty-one in the city where our gig was—and then filter that audience with interests, like "concerts," "Beatles," and "hippie." We would spend perhaps one hundred dollars to promote a show on Facebook. We would get a few thousand "impressions," which in theory meant users who saw the ad. The nature of News Feed is such that users race past a lot of posts. To capture attention, we switched from promoting Events—which is what Facebook called our concerts—to creating posts that included a rich graphic element, such as a poster. In doing so, we ran afoul of the 20 percent rule. As it was explained to me by a senior Facebook executive, Zuck had decided that too much text made ads boring, so he set an arbitrary limit of 20 percent text. Our posters are works of art, but many of them violated the 20 percent rule because rock posters sometimes integrate lots of text into the art. Facebook would reject those ads, so I learned to superimpose a little bit of text onto attention-grabbing photos to create compelling images that would comply with Facebook's rules.

Moonalice is not a sophisticated advertiser, but we were not alone in that regard. Facebook enabled millions of organizations with small budgets to reach audiences for a fraction of the cost of print, radio, or TV advertisements. But Facebook recognized that the really big money would come from attracting the advertisers who had historically spent giant budgets on traditional media. Such advertisers had completely different expectations. They expected to reach large, targeted audiences at a reasonable cost with complete transparency, which is to say they wanted proof that their messages reached their intended audiences. At the time of the IPO, Facebook could not meet those expectations consistently. In 2013, Facebook began experimenting with data from user activity outside Facebook. They created tools for advertisers to exploit that data. The tools enabled Facebook advertisers the ability to target audiences whose emotions were being triggered in predictable ways.

Facebook's culture matched its advertising challenge perfectly. A company that prided itself on its software hacking roots perfected a new model to monetize its success. Growth hacking applies the intensely focused, iterative model of software hacking to the problem of increasing user count, time on site, and revenue. It works only when a company has a successful product and a form of monetization that can benefit from tinkering, but for the right kind of company, growth hacking can be transformational. Obsessive focus on metrics is a central feature of growth hacking, so it really matters that you pick the correct metrics.

From late 2012 to 2017, Facebook perfected growth hacking. The company experimented constantly with algorithms, new data types, and small changes in design, measuring everything. Every action a user took gave Facebook a better understanding of that user—and of that user's friends—enabling the company to make tiny improvements in the "user experience" every day, which is to say they got better at manipulating the attention of users. The goal of growth hacking is to generate more revenue and profits, and at Facebook those metrics blocked out all other considerations. In the world of growth hacking, users are a metric, not people. It is unlikely that civic responsibility ever came up in Facebook's internal conversations about growth hacking. Once the company started applying user data from outside the platform, there was no turning back. The data from outside Facebook transformed targeting inside Facebook. Additional data improved it more, giving Facebook an incentive to gather data anywhere it could be gathered. The algorithms looked for and found unexpected correlations in the data that could be monetized effectively. Before long, Facebook's surveillance capabilities rivaled those of an intelligence agency.

To deliver better targeting, Facebook introduced new tools for advertisers. Relative to the 2016 election, the two most important may have been Custom Audiences and Lookalike Audiences. As described in Facebook's Advertiser Help Center, a Custom Audience is "a type of audience you can create made up of your existing customers. You can target ads to the audience you've created on Facebook, Instagram, and Audience Network," the last of which is "a network of publisher-owned apps and sites where you can show your ads" outside the Facebook platform. Introduced in 2013, Custom Audiences had two very important forms of value to advertisers: first, advertisers could build an ad campaign around known customers, and second, a Custom Audience could be used to create a Lookalike Audience, which finds other Facebook users who share characteristics with the Custom Audience. Lookalike scales without limit, so advertisers have the option to find every user on Facebook with a given set of characteristics. You could start with as few as one hundred people, but the larger the Custom Audience, the better the Lookalike will be. Facebook recommends using a Custom Audience between one thousand and fifty thousand.

Thanks to growth hacking, Facebook made continuous improvements in its advertising tools, as well as growing its audience, increasing time on site, and gathering astonishing amounts of data. Progress against these metrics translated into explosive revenue growth. From one billion users at year-end 2012, Facebook grew to 1.2 billion in 2013, 1.4 billion in 2014, 1.6 billion in 2015, nearly 1.9 billion in 2016, and 2.1 billion in 2017. From just more than $5 billion dollars in sales in the IPO year of 2012, Facebook grew to $7.8 billion in 2013, $12.5 billion in 2014, $17.9 billion in 2015, $27.6 billion in 2016, and $40.7 billion in 2017. There were issues along the way. Advertisers complained about the lack of transparency relative to advertising, and Facebook has been sued for inflating some metrics, including ad views and video views. But Facebook had become a juggernaut. The customers that advertisers needed to reach were on Facebook. This gave Facebook enormous leverage. When advertisers complained, Facebook could get away with apologies and marginal fixes. With its customary laser focus on a handful of metrics, Facebook did not devote any energy to questioning its decisions. If there was any soul searching about the morality of intense surveillance and the manipulation of user attention, or about protecting users against unintended consequences, I have been able to find no evidence of it. If Zuck and the Facebook team noticed that usage of Facebook differed materially from their ideal, they showed no concern. If anyone noticed the increasingly extreme behavior inside some Facebook Groups, no one took action. The Russians exploited this to sow dissention among Americans and Western Europeans, beginning in 2014. When *The Guardian* newspaper in the UK broke the story in December 2015 that Cambridge Analytica had misappropriated profiles from at least fifty million Facebook users, it precipitated an intense but brief scandal. Facebook apologized and made Cambridge Analytica sign a piece of paper, certifying that it had destroyed the data set, but then quickly returned to business as usual. While always careful to protect itself from legal liability, Facebook seemed oblivious to signs of trouble. The benefits of growth—in terms of revenue, profits, and influence—were obvious, the problems easy to ignore. At Facebook, everyone remained focused on their metrics.

As 2016 began, Facebook was on a huge roll. Aside from a few PR headaches, the company had not skipped a beat since its IPO. Almost everything that mattered had changed since my days as a mentor to Zuck, and I knew only what had been publicly disclosed or what I had seen with my own eyes. Like its users, Facebook showed the public only the good news, which is why I was so surprised by what I saw during 2016. Bad actors using Facebook's tools to harm innocent people did not compute for me, but I saw the evidence and could not let it go. It was only when I reengaged with Zuck and Sheryl just before the election that I began to appreciate that my view of Facebook was inaccurate. It took me longer than I would have liked to understand the problem. More than four years of relentless success at Facebook had bred overconfidence. The company was in a filter bubble of its own. Every day, there were more users, spending more time on the site, generating more revenue and earnings, which pushed the stock to new highs. The Midas Effect may have set in, causing Zuck and his team to believe that everything they did was right, always for the best, and uncontestably good for humanity. Humility went out the window. Facebook subordinated everything to growth. Eventually that would create problems it could not resolve with an apology and a promise to do better.

4

The Children of Fogg

It's not because anyone is evil or has bad intentions. It's because the game is getting attention at all costs. —Tristan Harris

On April 9, 2017, onetime Google design ethicist Tristan Harris appeared on *60 Minutes* with Anderson Cooper to discuss the techniques that internet platforms like Facebook, Twitter, YouTube, Instagram, and Snapchat use to prey on the emotions of their users. He talked about the battle for attention among media, how smartphones transformed that battle, and how internet platforms profit from that transformation at the expense of their users. The platforms prey on weaknesses in human psychology, using ideas from propaganda, public relations, and slot machines to create habits, then addiction. Tristan called it "brain hacking."

By the time I saw Tristan's interview, I had spent three months unsuccessfully trying to persuade Facebook that its business model and algorithms were a threat to users and also to its own brand. I realized I couldn't do it alone—I needed someone who could help me understand what I had observed over the course of 2016. Tristan's vision explained so much of what I had seen. His focus was on public health, but I saw immediately the implications for elections and economics.

I got Tristan's contact information and called him the next day. He told me that he had been trying to get engineers at technology companies like Google to understand brain hacking for more than three years. We decided to join forces. Our goal was to make the world aware of the dark side of social media. Our focus would be on Tristan's public health framework, but we would look for opportunities to address political issues, such as elections, and economic issues like innovation and entrepreneurship. Our mission might be quixotic, but we were determined to give it a try.

Tristan was born in 1984, the year of the Macintosh. He grew up as the only child of a single mother in Santa Rosa, California, an hour or so north of the Golden Gate Bridge and San Francisco. When Tristan got his first computer at age five, he fell in love. As a child, Tristan showed particular interest in magic, going to a special camp where his unusual skills led to mentoring by several professional magicians. As performed by magicians, magic tricks exploit the evolutionary foundations of human attention. Just as all humans smile more or less the same way, we also respond to certain visual stimuli in predictable ways. Magicians know a lot about how attention works, and they structure their tricks to take advantage. That's how a magician's coin appears to fly from one hand to the other and then disappears. Or how a magician can make a coin disappear and then reappear from a child's ear. When a magician tells you to "pick a card, any card," they do so after a series of steps designed to cause you to pick a very specific card. All these tricks work on nearly every human because they play on our most basic wiring. We cannot help but be astonished because our attention has been manipulated in an unexpected manner. Language, culture, and even education level do not matter to a magician. The vast majority of humans react the same way.

For young Tristan, magic gave way to computers in the transition from elementary to middle school. Computers enabled Tristan to build stuff, which seemed like magic. He embraced programming languages the way some boys embrace baseball stats, making games and applications of increasing sophistication. It was the late nineties, and Apple was just emerging from a slump that had lasted more than a decade. Tristan fell in love with his Mac and with Apple, dreaming of working there one day. It didn't take long, thanks to the admissions department at Stanford.

Stanford University is the academic hub of Silicon Valley. Located less than two hours south of Tristan's home in Santa Rosa, Stanford has given birth to many of the most successful technology companies in history, including Google. When Tristan arrived at Stanford in the fall of 2002, he focused on computer science. Less than a month into his freshman year, he followed through on his dream and applied for a summer internship at Apple, which he got, working mostly on design projects. Some of the code and the user interfaces he created over the course of three summer jobs remain in Apple products today.

After graduation, Tristan enrolled in the graduate computer science master's program at Stanford. In his first term, he took a class in persuasive technology with Professor B. J. Fogg, whose textbook, *Persuasive Technology*, is the standard in the field. Professors at other universities teach the subject, but being at Stanford gave Fogg outsized influence in Silicon Valley. His insight was that computing devices allow programmers to combine psychology and persuasion concepts from the early twentieth century, like propaganda, with techniques from slot machines, like variable rewards, and tie them to the human social need for approval and validation in ways that few users can resist. Like a magician doing a card trick, the computer designer can create the illusion of user control when it is the system that guides every action. Fogg's textbook lays out a formula for persuasion that clever programmers can exploit more effectively on each new generation of technology to hijack users' minds. Prior to smartphones like the iPhone and Android, the danger was limited. After the transition to smartphones, users did not stand a chance. Fogg did not help. As described in his textbook, Fogg taught ethics by having students "work in small teams to develop a conceptual design for an ethically questionable persuasive technology—the more unethical the better." He thought this was the best way to get students to think about the consequences of their work.

Disclosure that the techniques he taught may have contributed to undermining democracy and public health have led to criticism of Professor Fogg himself. After reading Fogg's textbook and a Medium post he wrote, I developed a sense that he is a technology optimist who embraced Silicon Valley's value system, never imagining that his insights might lead to material harm. I eventually had an opportunity to speak to Fogg. He is a thoughtful and friendly man who feels he is being unfairly blamed for the consequences of persuasive technology on internet platforms. He told me that he made several attempts to call attention to the dangers of persuasive technology, but that Silicon Valley paid no attention.

In companies like Facebook and Google, Fogg's disciples often work in what is called the Growth group, the growth hackers charged with increasing the number of users, time on site, and engagement with ads. They have been very successful. When we humans interact with internet platforms, we think we are looking at cat videos and posts from friends in a simple news feed. What few people know is that behind the news feed is a large and advanced artificial intelligence. When we check a news feed, we are playing multidimensional chess against massive artificial intelligences that have nearly perfect information about us. The goal of the AI is to figure out which content will keep each of us highly engaged and monetizable. Success leads the AI to show us more content like whatever engaged us in the past. For the 1.47 billion users who check Facebook every day, reinforcement of beliefs, every day for a year or two, will have an effect. Not on every user in every case, but on enough users in enough situations to be both effective for advertising and harmful to democracy.

The artificial intelligences of companies like Facebook (and Google) now include behavioral prediction engines that anticipate our thoughts and emotions, based on patterns found in the reservoir of data they have accumulated about users. Years of Likes, posts, shares, comments, and Groups have taught Facebook's AI how to monopolize our attention. Thanks to all this data, Facebook can offer advertisers exceptionally high-quality targeting. The challenge has been to create ad products that extract maximum value from that targeting.

The battle for attention requires constant innovation. As the industry learned with banner ads in the early days of the internet, users adapt to predictable ad layouts, skipping over them without registering any of the content. When it comes to online ads, there's a tradeoff. On the one hand, it is a lot easier to make sure the right person is seeing your ad. On the other hand, it is a lot *harder* to make sure that person is *paying attention* to the ad. For the tech platforms, the solution to the latter problem is to maximize the time users spend on the platform. If they devote only a small percentage of their attention to the ads they see, then the key is to monopolize as much of their attention as possible. So Facebook (and other platforms) add new content formats and products in the hope of stimulating more engagement. In the beginning, text was enough. Then photos took over. Then mobile. Video is the new frontier. In addition to new formats, Facebook also introduces new products, such as Messenger and, soon, dating. To maximize profits, internet platforms, including Facebook, hide the ball on the effectiveness of ads.

Platforms provide less-than-industry-standard visibility to advertisers, preventing traditional audit practices. The effectiveness of advertising has always been notoriously difficult to assess—hence the aphorism "I know half my ad spending is wasted; I just don't know which half"—and platform ads work well enough that advertisers generally spend more every year. Search ads on Google offer the clearest payback; brand ads on other platforms are much harder to measure. What matters, though, is that advertisers need to put their message in front of prospective customers, no matter where they may be. As users gravitate from traditional media to the internet, the ad dollars follow them. Until they come up with an ad format that is truly compelling, platforms will do whatever they can to maximize daily users and time on site. So long as the user is on the site, the platform will get paid for ads.

INTERNET PLATFORMS HAVE EMBRACED B. J. Fogg's approach to persuasive technology, applying it in every way imaginable on their sites. Autoplay and endless feeds eliminate cues to stop. Unpredictable, variable rewards stimulate behavioral addiction. Tagging, Like buttons, and notifications trigger social validation loops. As users, we do not stand a chance. Humans have evolved a common set of responses to certain stimuli—"flight or fight" would be an example—that can be exploited by technology. When confronted with visual stimuli, such as vivid colors—red is a trigger color—or a vibration against the skin near our pocket that signals a possible enticing reward, the body responds in predictable ways: a faster heartbeat and the release of a neurotransmitter, dopamine. In human biology, a faster heartbeat and the release of dopamine are meant to be momentary responses that increase the odds of survival in a life-or-death situation. Too much of that kind of stimulus is a bad thing for any human, but the effects are particularly dangerous in children and adolescents. The first wave of consequences includes lower sleep quality, an increase in stress, anxiety, depression, an inability to concentrate, irritability, and insomnia. That is just the beginning. Many of us develop nomophobia, which is the fear of being separated from one's phone. We are conditioned to check our phones constantly, craving ever more stimulation from our platforms of choice. Many of us develop problems relating to and interacting with other people. Kids get hooked on games, texting, Instagram, and Snapchat that change the nature of human experience. Cyberbullying becomes easy over texting and social media because when technology mediates human relationships, the social cues and feedback loops that would normally cause a bully to experience shunning or disgust by their peers are not present. Adults get locked into filter bubbles, which Wikipedia defines as "a state of intellectual isolation that can result from personalized searches when a website algorithm selectively guesses what information a user would like to see based on information about the user, such as location, past click-behavior and search history." Filter bubbles promote engagement, which makes them central to the business models of Facebook and Google. But filter bubbles are not unique to internet platforms. They can also be found on any journalistic medium that reinforces the preexisting beliefs of its audience, while suppressing any stories that might contradict them. Partisan TV channels like Fox News and MSNBC maintain powerful filter bubbles, but they cannot match the impact of Facebook and Google because television is a one-way, broadcast medium. It does not allow for personalization, interactivity, sharing, or groups.

In the context of Facebook, filter bubbles have several elements. In the endless pursuit of engagement, Facebook's AI and algorithms feed each of us a steady diet of content similar to what has engaged us most in the past. Usually that is content we "like." Every click, share, and comment helps Facebook refine its AI just a little bit. With 2.2 billion people clicking, sharing, and commenting every month—1.47 billion every day—Facebook's AI knows more about users than they can imagine. All that data in one place would be a target for bad actors, even if it were well-protected. But Facebook's business model is to give the opportunity to exploit that data to just about anyone who is willing to pay for the privilege.

Tristan makes the case that platforms compete in a race to the bottom of the brain stem—where the AIs present content that appeals to the low-level emotions of the lizard brain, things like immediate rewards, outrage, and fear. Short videos perform better than longer ones. Animated GIFs work better than static photos. Sensational headlines work better than calm descriptions of events. As Tristan says, the space of true things is fixed, while the space of falsehoods can expand freely in any direction—false outcompetes true. From an evolutionary perspective, that is a huge advantage. People say they prefer puppy photos and facts—and that may be true for many—but inflammatory posts work better at reaching huge audiences within Facebook and other platforms.

Getting a user outraged, anxious, or afraid is a powerful way to increase engagement. Anxious and fearful users check the site more frequently. Outraged users share more content to let other people know what they should also be outraged about. Best of all from Facebook's perspective, outraged or fearful users in an emotionally hijacked state become more reactive to further emotionally charged content. It is easy to imagine how inflammatory content would accelerate the heart rate and trigger dopamine hits. Facebook knows so much about each user that they can often tune News Feed to promote emotional responses. They cannot do this all the time to every user, but they do it far more than users realize. And they do it subtly, in very small increments. On a platform like Facebook, where most users check the site every day, small daily nudges over long periods of time can eventually produce big changes. In 2014, Facebook published a study called "Experimental Evidence of Massive-Scale Emotional Contagion Through Social Networks," where they manipulated the balance of positive and negative messages in the News Feeds of nearly seven hundred thousand users to measure the influence of social networks on mood. In its internal report, Facebook claimed the experiment provided evidence that emotions can spread over its platform. Without getting prior informed consent or providing any warning, Facebook made people sad just to see if it could be done. Confronted with a tsunami of criticism, Sheryl Sandberg said this: "This was part of ongoing research companies do to test different products, and that was what it was; it was poorly communicated. And for that communication we apologize. We never meant to upset you." She did not apologize for running a giant psychological experiment on users. She claimed that experiments like this are normal "for companies." And she concluded by apologizing only for Facebook's poor communication. If Sheryl's comments are any indication, running experiments on users without prior consent is a standard practice at Facebook.

It turns out that connecting 2.2 billion people on a single network does not naturally produce happiness for all. It puts pressure on users, first to present a desirable image, then to command attention in the form of Likes or shares from others. In such an environment, the loudest voices dominate, which can be intimidating. As a result, we follow the human instinct to organize ourselves into clusters or tribes. This starts with people who share our beliefs, most often family, friends, and Facebook Groups to which we belong. Facebook's News Feed enables every user to surround him- or herself with like-minded people. While Facebook notionally allows us to extend our friend network to include a highly diverse community, in practice, many users stop following people with whom they disagree. When someone provokes us, it feels good to cut them off, so lots of people do that. The result is that friends lists become more homogeneous over time, an effect that Facebook amplifies with its approach to curating News Feed. When content is coming from like-minded family, friends, or Groups, we tend to relax our vigilance, which is one of the reasons why disinformation spreads so effectively on Facebook.

Giving users what they want sounds like a great idea, but it has at least one unfortunate by-product: filter bubbles. There is a high correlation between the presence of filter bubbles and polarization. To be clear,

I am not suggesting that filter bubbles create polarization, but I believe they have a negative impact on public discourse and politics because filter bubbles isolate the people stuck in them. Filter bubbles exist outside Facebook and Google, but gains in attention for Facebook and Google are increasing the influence of their filter bubbles relative to others.

Everyone on Facebook has friends and family, but many are also members of Groups. Facebook allows Groups on just about anything, including hobbies, entertainment, teams, communities, churches, and celebrities. There are many Groups devoted to politics, across the full spectrum. Facebook loves Groups because they enable easy targeting by advertisers. Bad actors like them for the same reason. Research by Cass Sunstein, who was the administrator of the White House Office of Information and Regulatory Affairs for the first Obama administration, indicates that when like-minded people discuss issues, their views tend to get more extreme over time.

Groups of politically engaged users who share a common set of beliefs reinforce each other, provoking shared outrage at perceived enemies, which, as I previously noted, makes them vulnerable to manipulation. Jonathon Morgan of Data for Democracy has observed that as few as 1 to 2 percent of a group can steer the conversation if they are well-coordinated. That means a human troll with a small army of digital bots—software robots—can control a large, emotionally engaged Group, which is what the Russians did when they persuaded Groups on opposite sides of the same issue—like pro-Muslim groups and anti-Muslim groups—to simultaneously host Facebook events in the same place at the same time, hoping for a confrontation.

Facebook wants us to believe that it is merely a platform on which others act and that it is not responsible for what those third parties do. Both assertions warrant debate. In reality, Facebook created and operates a complex system built around a value system that increasingly conflicts with the values of the users it is supposed to serve. Where Facebook asserts that users control their experience by picking the friends and sources that populate their News Feed, in reality an artificial intelligence, algorithms, and menus created by Facebook engineers control every aspect of that experience. With nearly as many monthly users as there are notional Christians in the world, and nearly as many daily users as there are notional Muslims, Facebook cannot pretend its business model and design choices do not have a profound effect. Facebook's notion that a platform with more than two billion users can and should police itself also seems both naïve and self-serving, especially given the now plentiful evidence to the contrary. Even if it were "just a platform," Facebook has a responsibility for protecting users from harm. Deflection of responsibility has serious consequences.

THE COMPETITION FOR ATTENTION across the media and technology spectrum rewards the worst social behavior. Extreme views attract more attention, so platforms recommend them. News Feeds with filter bubbles do better at holding attention than News Feeds that don't have them. If the worst thing that happened with filter bubbles was that they reinforced preexisting beliefs, they would be no worse than many other things in society. Unfortunately, people in a filter bubble become increasingly tribal, isolated, and extreme. They seek out people and ideas that make them comfortable.

Social media has enabled personal views that had previously been kept in check by social pressure—white nationalism is an example—to find an outlet. Before the platforms arrived, extreme views were often moderated because it was hard for adherents to find one another. Expressing extreme views in the real world can lead to social stigma, which also keeps them in check. By enabling anonymity and/or private Groups, the platforms removed the stigma, enabling like-minded people, including extremists, to find one another, communicate, and, eventually, to lose the fear of social stigma.

On the internet, even the most socially unacceptable ideas can find an outlet. As a proponent of free speech, I believe every person is entitled to speak his or her mind. Unfortunately, anonymity, the ability to form Groups in private, and the hands-off attitude of platforms have altered the normal balance of free speech, often giving an advantage to extreme voices over reasonable ones. In the absence of limits imposed by the platform, hate speech, for example, can become contagious. The fact that there are no viable alternatives to Facebook and Google in their respective markets places a special burden on those platforms with respect to content moderation. They have an obligation to address the unique free-speech challenges posed by their scale and monopoly position. It is a hard problem to solve, made harder by continuing efforts to deflect responsibility. The platforms have also muddied the waters by frequently using free-speech arguments as a defense against attacks on their business practices.

Whether by design or by accident, platforms empower extreme views in a variety of ways. The ease with which like-minded extremists can find one another creates the illusion of legitimacy. Protected from real-world stigma, communication among extreme voices over internet platforms generally evolves to more dangerous language. Normalization lowers a barrier for the curious; algorithmic reinforcement leads some users to increasingly extreme positions. Recommendation engines can and do exploit that. For example, former YouTube algorithm engineer Guillaume Chaslot created a program to take snapshots of what YouTube would recommend to users. He learned that when a user watches a regular 9/11 news video, YouTube will then recommend 9/11 conspiracies; if a teenage girl watches a video on food dietary habits, YouTube will recommend videos that promote anorexia-related behaviors. It is not for nothing that the industry jokes about YouTube's "three degrees of Alex Jones," referring to the notion that no matter where you start, YouTube's algorithms will often surface a Jones conspiracy theory video within three recommendations. In an op-ed in *Wired*, my colleague Renée DiResta quoted YouTube chief product officer Neal Mohan as saying that 70 percent of the views on his platform are from recommendations. In the absence of a commitment to civic responsibility, the recommendation engine will be programmed to do the things that generate the most profit. Conspiracy theories cause users to spend more time on the site.

Once a person identifies with an extreme position on an internet platform, he or she will be subject to both filter bubbles and human nature. A steady flow of ideas that confirm beliefs will lead many users to make choices that exclude other ideas both online and off. As I learned from Clint Watts, a national security consultant for the FBI, the self-imposed blocking of ideas is called a preference bubble. Filter bubbles are imposed by others, while a preference bubble is a choice. By definition, a preference bubble takes users to a bad place, and they may not even be conscious of the change.

Preference bubbles can be all-encompassing, especially if a platform like Facebook or Google amplifies them with a steady diet of reinforcing content. Like filter bubbles, preference bubbles increase time on site, which is a driver of revenue. In a preference bubble, users create an alternative reality, built around values shared with a tribe, which can focus on politics, religion, or something else. They stop interacting with people with whom they disagree, reinforcing the power of the bubble. They go to war against any threat to their bubble, which for some users means going to war against democracy and legal norms. They disregard expertise in favor of voices from their tribe. They refuse to accept uncomfortable facts, even ones that are incontrovertible. This is how a large minority of Americans abandoned newspapers in favor of talk radio and websites that peddle conspiracy theories. Filter bubbles and preference bubbles undermine democracy by eliminating the last vestiges of common ground among a huge percentage of Americans. The tribe is all that matters, and anything that advances the tribe is legitimate. You see this effect today among people whose embrace of

Donald Trump has required them to abandon beliefs they held deeply only a few years earlier. Once again, this is a problem that internet platforms did not invent. Existing fissures in society created a business opportunity that platforms exploited. They created a feedback loop that reinforces and amplifies ideas with a speed and at a scale that are unprecedented.

In his book, *Messing with the Enemy*, Clint Watts makes the case that in a preference bubble, facts and expertise can be the core of a hostile system, an enemy that must be defeated. As Watts wrote, "Whoever gets the most likes is in charge; whoever gets the most shares is an expert. Preference bubbles, once they've destroyed the core, seek to use their preference to create a core more to their liking, specially selecting information, sources, and experts that support their preferred alternative reality rather than the real, physical world." The shared values that form the foundation of our democracy proved to be powerless against the preference bubbles that have evolved over the past decade. Facebook does not create preference bubbles, but it is the ideal incubator for them. The algorithms ensure that users who like one piece of disinformation will be fed more disinformation. Fed enough disinformation, users will eventually wind up first in a filter bubble and then in a preference bubble. If you are a bad actor and you want to manipulate people in a preference bubble, all you have to do is infiltrate the tribe, deploy the appropriate dog whistles, and you are good to go. That is what the Russians did in 2016 and what many are doing now.

THE SAD TRUTH IS that Facebook and the other platforms are real-time systems with powerful tools optimized for behavior modification. As users, we sometimes adopt an idea suggested by the platform or by other users on the platform as our own. For example, if I am active in a Facebook Group associated with a conspiracy theory and then stop using the platform for a time, Facebook will do something surprising when I return. It may suggest other conspiracy theory Groups to join because they share members with the first conspiracy Group. And because conspiracy theory Groups are highly engaging, they are very likely to encourage reengagement with the platform. If you join the Group, the choice appears to be yours, but the reality is that Facebook planted the seed. It does so not because conspiracy theories are good for you but because conspiracy theories are good for them.

Research suggests that people who accept one conspiracy theory have a high likelihood of accepting a second one. The same is true of inflammatory disinformation. None of this was known to me when I joined forces with Tristan. In combination with the events I had observed in 2016, Tristan's insights jolted me, forcing me to accept the fact that Facebook, YouTube, and Twitter had created systems that modify user behavior. They should have realized that global scale would have an impact on the way people used their products and would raise the stakes for society. They should have anticipated violations of their terms of service and taken steps to prevent them. Once made aware of the interference, they should have cooperated with investigators. I could no longer pretend that Facebook was a victim. I cannot overstate my disappointment. The situation was much worse than I realized.

The people at Facebook live in their own preference bubble. Convinced of the nobility of their mission, Zuck and his employees reject criticism. They respond to every problem with the same approach that created the problem in the first place: more AI, more code, more short-term fixes. They do not do this because they are bad people. They do this because success has warped their perception of reality. To them, connecting 2.2 billion people is so obviously a good thing, and continued growth so important, that they cannot imagine that the problems that have resulted could be in any way linked to their designs or business decisions. It would never occur to them to listen to critics—how many billion people have the critics connected?—much less to reconsider the way they do business. As a result, when confronted with evidence that disinformation and fake news spread over Facebook influenced the Brexit referendum in the United Kingdom and a presidential election in the United States, Facebook took steps that spoke volumes about the company's world view. They demoted publishers in favor of family, friends, and Groups on the theory that information from those sources would be more trustworthy. The problem is that family, friends, and Groups are the foundational elements of filter and preference bubbles. Whether by design or by accident, they share the very disinformation and fake news that Facebook would like to suppress.

AS TRISTAN DESCRIBES IT, and Fogg teaches it, there are ten tools that platforms use to manipulate the choices of their users. Some of these tools relate to the interface design of each platform: menus, news feeds, and notifications. Platforms like Facebook would have you believe that the user is always in control, but as I have said before, user control is an illusion. Maintaining that illusion is central to every platform's success, but with Facebook, it is especially disingenuous. Menu choices limit user actions to things that serve Facebook's interests. In addition, Facebook's design teams exploit what are known as "dark patterns" in order to produce desired outcomes. Wikipedia defines a dark pattern as "a user interface that has been carefully crafted to trick users into doing things." The company tests every pixel to ensure it produces the desired response. Which shade of red best leads people to check their notifications? For how many milliseconds should notifications bubbles appear in the bottom left before fading away, to most effectively keep users on site? Based on what measures of closeness should we recommend new friends for you to "add"?

When you have more than two billion users, you can test every possible configuration. The cost is small. It is no accident that Facebook's terms of service and privacy settings, like those for most internet platforms, are hard to find and nearly impossible to understand. Facebook places a button on the landing page to give users access to the terms of service, but few people click on it. The button is positioned so that hardly anyone even sees it. Those who do see the button have been trained since the early days of the internet to believe that terms of service are long and incomprehensible, so they don't press it either. Facebook's terms of service have one goal and one goal only: to protect the company from legal liability. By using the platform, we give Facebook permission to do just about anything it wants.

Another tool from the Fogg tool kit is the "bottomless bowl." News Feeds on Facebook and other platforms are endless. In movies and television, scrolling credits signal to the audience that it is time to move on, providing what Tristan would call a "stopping cue." Platforms with endless news feeds and autoplay remove that signal, ensuring that users maximize their time on site for every visit. Endless news feeds work on dating apps. They work on photo sites like Instagram. And they work on Facebook. YouTube, Netflix, and Facebook use autoplay on their videos because it works, too. Next thing you know, millions of people are sleep deprived from binging on videos, checking Instagram, or browsing Facebook.

Notifications are another way that platforms exploit the weakest elements of human psychology. Notifications exploit an old sales technique, called the "foot in the door" strategy, that lures the prospect with an action that appears to be low cost but sets in motion a process that leads to bigger costs. Who wouldn't want to know they have just received an email, text, friend request, or Like? As humans, we are not good at forecasting the true cost of engaging with a foot-in-the-door strategy. Worse yet, we behave as though notifications are personal to us, completely missing that they are automatically generated, often by an algorithm tied to an artificial intelligence that has concluded that the notification is just the thing to provoke an action that will serve the platform's economic interests. That is not even the worst thing about notifications. I will get to that in a moment.

The persuasive technology tricks espoused by Fogg include several related to social psychology: a need for approval, a desire for reciprocity, and a fear of missing out. Everyone wants to feel approved of by others. We want our posts to be liked. We want people to respond to our texts, emails, tags, and shares. The need for social approval is what made Facebook's Like button so powerful. By controlling how often a user experiences social approval, as evaluated by others, Facebook can get that user to do things that generate billions of dollars in economic value. This makes sense because the currency of Facebook is attention. Users manicure their image in the hope of impressing others, but they soon discover that the best way to get attention is through emotion and conflict. Want attention online? Say something outrageous. This phenomenon first emerged decades ago in online forums such as The WELL, which often devolved into mean-spirited confrontation and has reappeared in every generation of tech platform since then.

Social approval has a twin: social reciprocity. When we do something for someone else, we expect them to respond in kind. Likewise, when a person does something for us, we feel obligated to reciprocate. When someone "follows" us on Instagram, we feel obligated to "follow" them in return. When we see an "Invitation to Connect" on LinkedIn from a friend, we may feel guilty if we do not reciprocate the gesture and accept it. It feels organic, but it is not. Millions of users reciprocate one another's Likes and friend requests all day long, not aware that platforms orchestrate all of this behavior upstream, like a puppet master. As I noted in chapter 3, one of the most manipulative reciprocity tricks played by Facebook relates to photo tagging. When users post a photo, Facebook offers an opportunity to tag friends—the message "[Friend] has tagged you in a photo" is an appealing form of validation—which initiates a cycle of reciprocity, with notifications to users who have been tagged and an invitation to tag other people in the photo. Tagging was a game changer for Facebook because photos are one of the main reasons users visit Facebook daily in the first place. Each tagged photo brings with it a huge trove of data and metadata about location, activity, and friends, all of which can be used to target ads more effectively. Thanks to photo tagging, users have built a giant database of photos for Facebook, complete with all the information necessary to monetize it effectively. Other platforms play this game, too, but not at Facebook's scale. For example, Snapchat offers Streaks, a feature that tracks the number of consecutive days a user has traded messages with each person in his or her contacts list. As they build and the number of them grows, Streaks take on a life of their own. For the teens who dominate Snapchat's user base, Streaks can soon come to embody the essence of a relationship, substituting a Streak number for the elements of true friendship.

Another emotional trigger is fear of missing out (FOMO), which drives users to check their smartphone every free moment, as well as at times when they have no business doing so, such as while driving. FOMO makes notifications enticing. Have you ever tried to deactivate your Facebook account? As the software developer and blogger Matt Refghi discovered, Facebook will present a confirmation screen that shows the faces of several of your closest friends with text underneath: "[Friend] will miss you." For teens on Instagram or Snapchat, FOMO and the need for social approval combine to magnify the already stressful social lives of teenagers. Teenagers are particularly vulnerable to social pressure, and internet platforms add complexity to that equation that we are only beginning to understand.

The business choices of internet platforms compound the harm of persuasive technologies. Platforms work very hard to grow their user count but operate with little regard for users as individuals. The customer service department is reserved for advertisers. Users are the product, at best, so there is no one for them to call. The level of automation in the platforms is so great that when things go wrong operationally—an account gets hacked or locked, or the platform mistakenly blocks the user—the user generally must jump through hoops to rectify the problem. When a platform changes its terms of service, there is generally no obvious disclosure. Usage of the platform translates into acceptance of the terms of service. In short, users have no say in the relationship. In the event of a disagreement, their only option is to discontinue use of the service and lose access to an entire network of communication, which may include social opportunities and work opportunities. For services as ubiquitous as Facebook and Google, that is not a reasonable choice, which is why the platforms require it. They know that human psychology—the desire to protect an investment of time and content—and network effects will keep users on board, no matter how poorly the platforms treat them. As a condition of the terms of service, legal disagreements are subject to arbitration rather than litigation, which favors the platform. And for Facebook, at least, there truly is no alternative. No other platform can reproduce the functionality, much less the scale, of Facebook. The company has monopoly power.

NONE OF US WANTS to admit to any addiction. We like to think of ourselves as being in control. As a lifelong technology optimist and an early adopter of new products, I was at far-greater-than-average risk of tech addiction. For example, I got an iPhone on the first day they were available and have bought into each subsequent generation on day one. I am a compulsive checker of my phone, despite having turned off notifications and gotten rid of several apps. I did not understand my behavioral addiction until I joined forces with Tristan in April 2017. Until then, I thought I bore sole responsibility for the problem. I assumed that only people with my heat-seeking love for technology could fall victim to unhelpful tech behaviors. Tristan opened my eyes to the reality that technology companies had devoted some of their best minds to exploiting the weaknesses in human psychology. They did so on purpose. To make money. And when they had made themselves ridiculously wealthy, they kept doing it because it never occurred to them to do anything else. When called to account for this, tech companies blame pressure from shareholders. Given that the founders of both Facebook and Google have total control of their companies, that excuse falls short.

Few of us can resist the lure of persuasive technology. All we can do is minimize the stimulus, or avoid it altogether by not using devices. Each element of persuasive technology is a way to fool the user. Tristan knew many of the concepts from magic, but it was in Fogg's class that he came to appreciate that when ported to a computer or smartphone, those concepts gave software the power to monopolize attention. He began to understand that "engagement" was just a play for users' attention . . . and time. Pushed hard enough, these tricks can strip users of agency.

THE PROBLEMS WITH INTERNET platforms on smartphones extend far beyond addiction. They also pollute the public square by empowering negative voices at the expense of positive ones. From its earliest days, the internet's culture advocated free speech and anonymity without constraint. At small scale, such freedom of speech was liberating, but the architects of the World Wide Web failed to anticipate that many users would not respect the culture and norms of the early internet. At global scale, the dynamics have changed to the detriment of civil discourse. Bullies and bad actors take advantage. The platforms have made little effort to protect users from harassment, presumably due to some combination of libertarian values and a reluctance to enforce restrictions that might reduce engagement and economic value. They have not created internal systems to limit the damage from bad actors. They have not built in circuit breakers to limit the spread of hate speech. What they do instead is ban hate speech and harassment in their terms of service, covering their legal liability, and then apologize when innocent users suffer harm. Twitter, Facebook, and Instagram all have a bully problem, each reflecting the unique architecture and culture of the platform. The interplay of platforms also favors bad actors. They can incubate pranks, conspiracy theories, and disinformation in fringe sites like 4chan, 8chan, and Reddit, which are home to some of the most extreme voices on the internet, jump to Twitter to engage the press, and then, if successful, migrate to Facebook for maximum impact. The slavish tracking of Twitter by journalists, in combination with their willingness to report on things that trend there, has made news organizations complicit in the degradation of civil discourse.

IN AN ESSAY in the *MIT Technology Review*, UNC professor Zeynep Tufekci explained why the impact of internet platforms on public discourse is so damaging and hard to fix. "The problem is that when we encounter opposing views in the age and context of social media, it's not like reading them in a newspaper while sitting alone. It's like hearing them from the opposing team while sitting with our fellow fans in a football stadium. Online, we're connected with our communities, and we seek approval from our like-minded peers. We bond with our team by yelling at the fans of the other one. In sociology terms, we strengthen our feeling of 'in-group' belonging by increasing our distance from and tension with the 'out-group'—us versus them. Our cognitive universe isn't an echo chamber, but our social one is. This is why the various projects for fact-checking claims in the news, while valuable, don't convince people. Belonging is stronger than facts."

Facebook's scale presents unique challenges for democracy. Zuck's vision of connecting the world and bringing it together may be laudable in intent, but the company's execution leaves much to be desired. Prohibiting hate speech in the terms of service provides little sanctuary for users. "Community standards" vary from country to country, most often favoring the powerful over the powerless. The company needs to learn how to identify emotional contagion and contain it before there is significant harm. It should also face an uncomfortable truth: if it wants to be viewed as a socially responsible company, it may have to abandon its current policy of openness to all voices, no matter how damaging. Being socially responsible may also require the company to compromise its growth targets.

Now that we know that Facebook has a huge influence on our democracy, what are we going to do about it? For all intents and purposes, we have allowed these people to have a profound influence on the course for our country and the world with no input from the outside.

THERE ARE SO MANY obvious benefits to social networks that we find it hard to accept that the platforms have poisoned political discourse in democracies around the world. The first thing to understand is that the problem is not social networking per se, but a set of choices made by entrepreneurs to monetize it. To make their advertising business model work, internet platforms like Facebook and YouTube have inverted the traditional relationship of technology to humans. Instead of technology being a tool in service to humanity, it is humans who are in service to technology.

Tristan took Fogg's class a few months after my first meeting with Zuck. The challenge for would-be entrepreneurs at that time was

Google, already a dominant company worth more than one hundred billion dollars. Google derived almost all its profit from advertising on its search engine. When users searched for products, Google helpfully served up an ad relevant to that search. Google focused maniacally on shrinking the amount of time necessary to find what the user desired, with keyword-based ads in the sidebar. In short, Google's advertising model did not depend on maximizing attention. At least, not then. (That would change a few years later, when the company began to monetize YouTube.)

There was no way to compete with Google in search, so aspiring entrepreneurs in the first decade of the new millennium looked for opportunities outside Google's areas of dominance. The idea of Web 2.0, where the focus shifted from pages to people, was gaining traction, and "social" emerged as a buzzword. LinkedIn launched its social network for business in 2003, the year before Zuck launched Facebook. In the early days, attracting new users dominated the strategy of both companies, pushing all other factors, including attention, temporarily to the sideline. LinkedIn and Facebook quickly emerged as winners, but neither was so dominant as to preclude new niche players.

As noted in chapter 2, the technology entrepreneurs who gave birth to social media enjoyed the benefits of perfect timing. They did not face the constraints on processing power, memory, storage and bandwidth that had defined the first fifty years of Silicon Valley. Simultaneously, there was an unprecedented surplus in venture capital funding. As we've seen, it had never been less costly to launch a startup, and the consumer-facing opportunities enabled by software stacks, cloud computing, and pervasive 4G wireless were larger than the industry had ever seen. Entrepreneurs could hire cheaper, less experienced engineers and mold them into organizations that pursued target metrics single-mindedly. At a time when technology could do practically anything, entrepreneurs chose to exploit weaknesses in human psychology. We're just beginning to understand the implications of that.

Freed from traditional engineering constraints, entrepreneurs worked to eliminate friction of other kinds, starting with the retail price. Consumers are often willing to try a free product that they would never touch if they had to pay first. Every social product was free to use, though some offered users in-app purchases to generate revenue. Everyone else monetized with advertising. Other forms of friction, such as regulation and criticism, could be overcome with a combination of promises, apologies, and a refusal to permit outsiders to monitor compliance. Eliminating friction enabled the platforms to compete for attention. They competed against other products. They competed against other leisure and work activities. And as Netflix CEO Reed Hastings memorably observed, they competed against sleep.

In the early years of social media, the default internet platform—a web browser on a personal computer—was physically awkward, requiring a desk and somewhere to sit. On both desktops and notebooks, the battle for attention favored web-native applications over older media, such as news, television, books, and film. With rapid adaptation as the engineering philosophy of the moment, web-native apps exploited every opportunity to increase their share of attention. One of the most important vectors for innovation was personalization, with the goal of delivering a unique experience for every user, where traditional media offered the same content to everyone. Stuck with inflexible product designs and an inability to innovate rapidly, traditional media could not keep pace.

When the iPhone shipped in 2007, it looked like no mobile phone before it—a thin, flat rectangle with rounded corners. The iPhone featured a virtual keyboard, generally thought at that time to be an unserious approach that would not catch on in the business market, where BlackBerry ruled with physical keyboards. The iPhone's main functions were phone, email, music, and web. Users went crazy. So compelling was the experience of using an iPhone that it altered the relationship between device and human. In the 3G era, Wi-Fi enabled smartphones to deliver compelling web media experiences every waking moment of the day. Opportunities for persuasion grew geometrically, especially when Apple opened the App Store for iPhone applications on July 10, 2008. Facebook, Twitter, and other social platforms took advantage of the App Store to accelerate their migration to mobile. Within a few years, mobile would dominate the social media industry.

Competing for attention does not sound like a bad thing. Media companies have done it since the launch of the *New York Sun* in 1833, at the very least. Parents have long complained about kids watching too much television, listening to music night and day, or spending too much time playing video games. Why should we be concerned now? If you create a timeline of concerns about kids and media, it might start with comic books, television, and rock 'n' roll music in the fifties. Since then, technology has evolved from slow and artificial to real-time and hyperrealistic. Products today use every psychological trick to gain and hold user attention, and kids are particularly vulnerable. Not surprisingly, medical diagnoses related to kids' use of technology have exploded. Internet platforms, video games, and texting present different kinds of problems, but all three are much more immersive than analogous products twenty years ago. People of all ages spend a huge portion of their waking hours on technology platforms. In his book *Glow Kids*, Nicholas Kardaras cited a 2010 study by the Kaiser Family Foundation that said children between the ages of eight and eighteen spend nine and a half hours a day on screens and phones. Seven and half of those hours are spent on television, computers, and game consoles, with an additional ninety minutes for texting and thirty minutes otherwise on the phone.

Overconsumption of media is not a new problem, but social apps on smartphones have taken the consequences to new levels. The convenience and compelling experience of smartphones enabled app developers—certainly those trained by B. J. Fogg—to create products that mimic the addiction-causing attributes of slot machines and video games. Apps created by Fogg's students were particularly adept at monopolizing user attention. Nearly all of Fogg's students embraced that mission. Tristan Harris did not.

Tristan left Stanford's master's program in computer science to launch a startup called Apture after he completed the term in Fogg's class. His idea for Apture was to enhance text-based news with relevant multimedia, specifically video that explained concepts in the news story to which it was tied. My friend Steve Vassallo, a venture capitalist who had mentored Tristan in a program at Stanford, asked me to take a meeting with Apture's founders in the spring of 2007. After introducing Tristan to the team at Forbes, I lost touch. During that time, Apture found customers but never took off. Google acquired the company in late 2011. The deal was what Silicon Valley calls an "acqui-hire," where the acquiring company pays enough to cover the debts and possibly a return of capital to investors in exchange for a complete team of engineers. All the Apture team got out of the deal were jobs at Google, but the acquisition set Tristan on a new course, one that would bring us back together in 2017.

Shortly after arriving at Google, Tristan had an epiphany: a battle for user attention would not be good for users. Tristan created a slide deck to share his concerns, and the deck went viral inside Google. The company made no commitment to implementing the ideas, but it rewarded Tristan with an opportunity to design his own job. He picked New York City and created a new position: design ethicist. From that moment, Tristan became an evangelist for humane design principles. In Tristan's mind, the design of technology products should prioritize the users' well-being. For any given product, there are design choices that can either be humane or not. Monochrome smartphone displays are more humane than brightly colored displays, as they trigger less dopamine. A humane design would reduce the number of notifications and package them in ways that are respectful of human attention. There is a lot that could be done to improve today's smartphones and internet platforms with humane design principles, and some vendors have begun to take steps. Humane design focuses on reducing the addictive power of technology, which is really important but is not a complete answer, even for Tristan. It is part of a larger philosophical approach, human-driven technology, which advocates returning technology to the role of being a tool to serve user needs rather than one that exploits users and makes them less capable. With its focus on user interface issues, humane design is a subset of human-driven technology, which also incorporates things like privacy, data security, and applications functionality. We used to take human-driven technology for granted. It was the philosophical foundation for Steve Jobs's description of computers as a "bicycle for the mind," a tool that creates value through exercise as well as fun. Jobs thought computers should make humans more capable, not displace or exploit them. Every successful tech product used to fit the Jobs model, and many still do. Personal computers still empower the workers who use them. There should be a version of social media that is human-driven. Facebook and Google seem to have discarded the bicycle for the mind metaphor. They advocate AI as a replacement for human activity, as described in a recent television ad for Google Home: "Make Google do it."

At Google, Tristan saw that users effectively served artificial intelligence, rather than the other way around. Tristan decided to change that and found a handful of supporters within Google and more on the outside. At Google, Tristan's principal ally was an engineer named Joe Edelman. From their collaboration grew a website and movement called Time Well Spent, which they launched in 2013. Time Well Spent offered advice on managing time in a world filled with distractions, while also advocating for human-centered design. It grew steadily to sixty thousand members, many of whom were technology-industry people troubled by attention-sucking platforms. Time Well Spent attracted true believers, but it struggled to effect change.

In 2016, a creative and well-connected Irishman named Paddy

Cosgrave invited Tristan to speak at his Web Summit conference in Lisbon. Paddy had built a personal brand and business by bringing young tech entrepreneurs, investors, and wannabes together at a string of increasingly high-profile conferences that emphasized personal networking. Tristan gave a well-received presentation about how internet platforms on smartphones hacked the brains of their users. He described the public health consequences of brain hacking as a loss of personal agency, a loss of humanity. Among the attendees was a producer from *60 Minutes* named Andy Bast, in Lisbon to scout for new stories. Bast liked what he heard and offered Tristan an opportunity to appear on the show.

Tristan's *60 Minutes* segment aired on April 9, 2017. Three days later, we joined forces. While Tristan was well-connected within his peer group in tech, he had few relationships outside the industry. I had once had a large network inside and outside tech, but I had cut back professionally and lost touch with much of it. When we thought about possible influencers for a national conversation, we realized we knew only a few people we could contact, all in technology and media. We had no relationships in government.

The first potential opportunity was only a couple of weeks away, at the annual TED Conference in Vancouver, British Columbia, ground zero for TED Talks. It would be the perfect platform for sharing Tristan's message to leaders from the technology and entertainment industries, but we did not know if the organizers were even aware of Tristan's ideas. They certainly had not offered an invitation to speak. Then a miracle occurred. Eli Pariser, whose legendary presentation on filter bubbles had mesmerized the TED audience in 2011, independently suggested to TED curator Chris Anderson that he add Tristan to the program. And so it happened at the last minute.

Presenters at the TED Conference usually spend six months preparing for their eighteen minutes onstage. Tristan had barely more than a week. Using no slides, he rose to the occasion and delivered a powerful talk. We were hopeful that the TED audience would embrace the ideas and offer to help. What we got instead was polite interest but little in the way of follow-up.

We should not have been surprised. Facebook, Google, Twitter, LinkedIn, Instagram, Snapchat, WhatsApp, and the other social players have created more than one trillion dollars in wealth for their executives, employees, and investors, many of whom attend TED. To paraphrase Upton Sinclair, it is difficult to get a person to embrace an idea when his or her net worth depends on not embracing it.

We took two insights away from TED: we needed to look outside tech for allies, and we needed to consider other formulations of our message besides brain hacking. If we were to have any hope of engaging a large audience, we needed to frame our argument in ways that would resonate with people outside Silicon Valley.

5

Mr. Harris and Mr. McNamee Go to Washington

Every aspect of human technology has a dark side, including the bow and arrow. —Margaret Atwood

A few weeks after TED, a friend passed me the contact information for an aide to Senator Mark Warner, co-chair of the Senate Intelligence Committee. I called the aide, explained what we were doing, and asked a question: "Who is going to prevent the use of social media to interfere in the 2018 and 2020 elections?" Senate Intelligence knew about the role that social media had played in the Russian interference, but the committee had oversight responsibility for intelligence matters, not social media. Their focus was on the hacks of the DNC and DCCC, as well as the meeting in Trump Tower of senior members of the Trump campaign with Russian agents. They would not normally investigate things that happened inside the servers of Facebook. But the aide recognized that Senate Intelligence might be the only committee with the ability to investigate the threat from social media and agreed to arrange a meeting with the senator. It took a couple of months, but in July 2017, we went to Washington. Then things got more interesting.

There is a popular misconception that regulation does not work with technology. The argument consists of a set of flawed premises: (1) regulation cannot keep pace with rapidly evolving technology, (2) government intervention always harms innovation, (3) regulators can never understand tech well enough to provide oversight, and (4) the market will always allocate resources best. The source of the misconception is a very effective lobbying campaign, led by Google, with an assist from Facebook. Prior to 2008, the tech industry maintained an especially low profile in Washington. All of that changed when Google, led by chairman Eric Schmidt, played a major role in Barack Obama's first presidential campaign, as did Facebook cofounder Chris Hughes. Obama's win led to a revolving door between Silicon Valley and the executive branch, with Google dominating the flow in both directions. The Obama administration embraced technology, and with it the optimism so deeply ingrained in Silicon Valley. Over the course of eight years, the relationship between Silicon Valley and the federal government settled into a comfortable equilibrium. Tech companies supported politicians with campaign contributions and technology in exchange for being left alone. The enormous popularity of tech companies with voters made the hands-off policy a no-brainer for members of Congress. A few commentators expressed concern about the cozy relationship between tech and Washington, some out of concern about tech's outsized influence and market power and others out of fear that the internet platforms might not be the neutral parties to democracy they claimed to be.

Once you get past the buzzwords, tech is not particularly complicated in comparison to other industries that Congress regulates. Health care and banking are complex industries that Congress has been able to regulate effectively, despite the fact that relatively few policy makers have had as much involvement with them as they have with technology, which touches everyone, including members of Congress, on a daily basis. The decision about whether or not to impose new regulations on tech should depend on a judgment by the policy makers that the market has failed to maintain a balance among the interests of industry, customers, suppliers, competitors, and the country as a whole. Critics who charge that regulation is too blunt an instrument for an industry like tech are not wrong, but they miss the point. The goal of regulation is to change incentives. Industries that ignore political pressure for reform, as the internet platforms have, should expect ever more onerous regulatory initiatives until they cooperate. The best way for tech to avoid heavy regulation is for the industry leaders to embrace light regulation and make appropriate changes to their business practices.

In July 2017, when Tristan and I arrived in Washington, DC, the town remained comfortably in the embrace of the major tech platforms. Google and Facebook led a large tech industry presence on Capitol Hill. Facebook director Peter Thiel continued to advise President Trump, leading high-profile meetings in the White House with technology executives. We had been able to secure four meetings: with a commissioner of the Federal Trade Commission (FTC), with executives from a leading think tank focused on antimonopoly policy, and with two senators.

The FTC has two important mandates: consumer protection and prevention of anticompetitive business practices. Created in 1914, the FTC plays an essential role in balancing the interests of businesses, their customers, and the public, but deregulation has taken much of the bite out of the FTC over the past three decades. Our visit with Commissioner Terrell McSweeny came at a time when the FTC was effectively paralyzed. Only two of the five slots for commissioners were filled. No company in Silicon Valley worried about regulation from the FTC.

Commissioner McSweeny shared her perspective on how we might best approach the FTC when all the slots were filled, which finally took place in May 2018. She explained the FTC's consumer protection mandate and suggested that violations of the terms of service were the lowest hanging fruit for regulating software businesses.

The focus of our trip, however, was our meeting with Senator Mark Warner. We started with a briefing on our work as it related to public health and antimonopoly. Then I asked a variant of the question I had asked the senator's aide in May: Could Congress do something to prevent the use of social media to interfere in future elections? Senator Warner asked us to share our thoughts on what had happened during the 2016 election.

Tristan and I are not investigators. We didn't have evidence. What we had were hypotheses that explained what we thought must have happened. Our first hypothesis was that Russia had done much more than break into servers at the DNC and the DCCC and post some of what they took on WikiLeaks. There were too many other Russian connections swirling around the election for the hacks to be the whole story. For example, in 2014, a man named Louis Marinelli launched an effort to have California secede from the United States. He initially called the effort Sovereign California, built a presence on Facebook and Twitter to promote his cause, and then released a 165-page report with that name in 2015. The secession idea attracted support from some powerful Californians, including at least one very prominent venture capitalist. However, the secession movement did not begin with Californians. Marinelli, who was born in Buffalo, New York, had deep ties to Russia and lived there part-time while launching Sovereign California. At least some of his funding appears to have come from Russia, and Russian bots supported the effort on social media. In speaking with Senator Warner, we noted that there was also a Texas secession movement, and we hypothesized that it might have had Russian connections as well. These sites were committed to polarizing Americans over social media. What else had the Russians done?

What if Russia had run an entire campaign of discord and disinformation over social media? What would the goals have been of a Russian social media campaign? We hypothesized that the campaign must have started no later than 2014, when the California secession movement began. It might have started as early as 2013, when Facebook introduced Lookalike Audiences, the tool that allows advertisers to target every user on Facebook who shares a given set of characteristics. Given the way political discourse works on Facebook, Lookalike Audiences would have been particularly effective for targeting both true believers and those who could be discouraged from voting. Since Facebook provides advertising support services to all serious advertisers, we could not exclude the possibility that they may have helped the Russians execute their mischief. If the Russians did not use Lookalike Audiences, they missed a huge point of leverage.

In 2014, the Russian social media campaign probably would not have been focused on a candidate. We hypothesized that it focused instead on a handful of particularly divisive issues: immigration, guns, and perhaps conspiracy theories. We had noted an explosion of divisive content on Facebook and other social media platforms in the years before the 2016 election and hypothesized that Russia may have played a role.

How did the Russian agents figure out which Americans to target? Did they build a database of users organically, or did they acquire a database? If the latter, where did it come from? We did not know the answers, but we thought both were possible. The Russians had enough time to build audiences, particularly if they were willing to invest advertising dollars, which would have been most effective if used to build Facebook Groups. Groups have a couple of features that make them vulnerable to manipulation. Anyone can start a Group, and there is no guarantee that the organizer is the person he or she claims to be. In addition, there are few limits on the names of Groups, which enables bad actors to create Groups that appear to be more legitimate than they really are. I hypothesized to Senator Warner that some of the pro–Bernie Sanders Groups I encountered in early 2016 may have been part of the Russian campaign.

We hypothesized that the Russians might have seeded Facebook Groups across a range of divisive issues, possibly including Groups on opposite sides of the issue to maximize impact. The way the Groups might have worked is that a troll account—a Russian impersonating an American—might have formed the Group and seeded it with a number of bots. Then they could advertise on Facebook to recruit members. The members would mostly be Americans who had no idea they were joining a Group created by Russians. They would be attracted to an idea—whether it was guns or immigration or whatever—and once in the Group, they would be exposed to a steady flow of posts designed to provoke outrage or fear. For those who engaged frequently with the Group, the effect would be to make beliefs more rigid and more extreme. The Group would create a filter bubble, where the troll, the bots, and the other members would coalesce around an idea floated by the troll.

We also shared a hypothesis that the lack of data dumps from the DCCC hack meant the data might have been used in congressional campaigns instead. The WikiLeaks email dumps had all come from the DNC hack. The DCCC, by contrast, would have had data that might be used for social media targeting, but more significantly, Democratic Party data from every congressional district. The data would have been the equivalent of inside information about Democratic voters. Hypothetically, the DCCC data might have allowed the Russians—or potentially someone in the Republican Party—to see which Democrats in a district could be persuaded to stay home instead of voting. We learned later that during the final months of the 2016 campaign, the Russians had concentrated their spending in the states and congressional districts that actually tipped the election.

It seemed likely to us that the Russian interference would have been most effective during the Republican primary. The Russians had been inflaming Groups and spreading disinformation about polarizing topics for more than a year when the candidates began running for president. All but one of the seventeen candidates ran on a relatively mainstream Republican platform. The seventeenth candidate, Donald Trump, uniquely benefited from the Russian interference because he alone campaigned on their themes: immigration, white nationalism, and populism. Whether by design or by accident, Trump's nomination almost certainly owed something to the Russian interference.

In the general election campaign against Hillary Clinton, Trump benefited significantly from the Russian interference on Facebook. We hypothesized that the Russians—and Trump—would have focused on activating a minority—Trump's base—while simultaneously suppressing the vote of the majority. Facebook's filter bubbles and Groups would have made that job relatively easy. We didn't know how much impact the Russians would have had. However, roughly four million Obama voters did not vote in 2016, nearly fifty-two times the vote gap in the states Clinton needed to win but didn't.

I concluded with an observation: the Russians might have used Facebook and other internet platforms to undermine democracy and influence a presidential election for roughly one hundred million dollars, or less than the price of a single F-35 fighter. It was just an educated guess on my part, based on an estimate of what eighty to one hundred hackers might cost for three or four years, along with a really large Facebook ad budget. In reality, the campaign may have cost less, but given the outcome, one hundred million dollars would have been a bargain. The Russians might have invented a new kind of warfare, one perfectly suited to a fading economic power looking to regain superpower status. Our country had built a Maginot Line—half the world's expenditures on defense, plus hardened data centers in government and finance—and it never occurred to anyone that a bad actor could ignore that and instead use an American internet platform to manipulate the minds of American voters.

Senator Warner and his staff understood immediately. Senator Warner asked, "Do we have any friends in Silicon Valley?"

We suggested that Apple could be a powerful ally, as it had no advertising-supported businesses and had made data privacy a core feature of the Apple brand.

The senator brightened and asked, "What should we do?"

Tristan didn't miss a beat. "Hold a hearing and make Mark Zuckerberg testify under oath. Make him justify profiting from filter bubbles, brain hacking, and election interference."

Washington needed help dealing with the threat of interference through social networks, and Senator Warner asked that we support him by providing insight into the technology.

Two weeks later, in August 2017, the editor-in-chief of *USA Today* asked me to write an op-ed. It was titled "I Invested Early in Google and Facebook. Now They Terrify Me." I had never before written an opinion piece for a newspaper. CNBC invited me to discuss the issue on *Squawk Alley* three times in the next two weeks, breaking the story more broadly. The op-ed and TV appearances came just as a flurry of news about Facebook seemed to confirm every hypothesis we had shared with Senator Warner.

Despite mounting evidence, Facebook continued to deny it had played a role in the Russian interference. They seemed to think that the press would quickly lose interest in the story and move on. It's easy to see why they felt that way. Facebook knows more about user attention than anyone. They assumed the election-interference story was no different from any of a dozen scandals the company had faced before. Even Tristan and I assumed that Facebook would eventually prevail. Before that happened, we hoped that we could make enough people aware of the dark side of internet platforms on smartphones that Facebook employees might feel pressure to reform the company.

Then, on September 6, 2017, Facebook's vice president of security, Alex Stamos, posted "An Update on Information Operations on Facebook." Despite the innocuous headline, the post began with a bombshell: Facebook had uncovered one hundred thousand dollars of Russian spending on three thousand ads from June 2015 through May 2017. The three thousand ads were connected to 470 accounts that Facebook labeled as "inauthentic." One hundred thousand dollars does not sound like much of an ad buy, but a month later the researcher Jonathan Albright provided context when he pointed out that posts from only six of the Russia-sponsored Groups on Facebook had been shared 340 million times. Groups are built around a shared interest. Most of those doing the sharing would have been Americans who trusted that the leaders of the Group were genuine.

There are millions of Groups on Facebook, for just about every organization, personality, politician, brand, sport, philosophy, and idea. The ones built around extreme ideas—disinformation, fake news, conspiracy theories, hate speech—become filter bubbles, reinforcing the shared value, intensifying emotional attachments to it. Thanks to Groups and filter bubbles, inflammatory posts can reach huge numbers of like-minded people on Facebook with only a little spending. The Russian interference on social media was exceptionally cost effective.

Our fears about interference in future elections were compounded by the refusal of the Trump administration and congressional Republicans to investigate. We had no contact with Special Counsel Robert Mueller's investigation, but press reports indicated that Mueller might be fired at any time. Journalists reported that Mueller had aligned with New York State attorney general Eric Schneiderman, in whose jurisdiction money laundering and other possible crimes might have occurred. Common Sense Media founder Jim Steyer suggested that I meet with Schneiderman in New York. Jim set it up, and I met the attorney general for dinner at Gabriel's restaurant on West Sixtieth Street in Manhattan.

When I gave him the short-form description of our work, Schneiderman asked me to work with an advisor to his office, Tim Wu, a professor at Columbia Law School. Tim is the person who coined the term "net neutrality." He wrote a seminal book, *The Attention Merchants*, about the evolution of advertising from tabloid newspapers to persuasive-technology platforms like Facebook. When I met Tim a few days later, he helped me understand the role of state attorneys general in the legal system and the kind of evidence that would be necessary to make a case. Over the ensuing six months, he organized a series of meetings with staff in Schneiderman's office, a truly impressive group of people. We did not have to explain internet platforms to them. Not only did the New York AG's office understand the internet, they had data scientists who could perform forensics. The AG's office had the skills and experience to handle the most complex cases. In time, we would furnish them with whistle-blowers, as well as insights. By April 2018, thirty-seven state attorneys general had begun investigations of Facebook.

6

Congress Gets Serious

Technological progress has merely provided us with more efficient means for going backwards. —Aldous Huxley

In the month following our visit to Washington, journalists validated many of the hypotheses we had shared with Senator Warner. The Russians really had interfered by focusing on divisive issues during the primary and supporting Trump in the general election, while disparaging Clinton throughout. Democrats on Capitol Hill were digging into the issue, and some influential members of Congress wanted us to be part of it. Before the end of August, we got a call from Washington asking that we return. They invited us for three days, and they scheduled every moment. Just in time for the trip, Renée DiResta joined our team. Renée is one of the world's foremost experts on how conspiracy theories spread over the internet. In her day job, as director of research at New Knowledge, Renée helps companies protect themselves from disinformation, character assassination, and smear attacks, the kind of tactics the Russians used in 2016. New Knowledge also created Hamilton 68, the public dashboard that tracks Russian disinformation on

Twitter. Sponsored by the German Marshall Fund and introduced on August 2, 2017, Hamilton 68 enables anyone to track what pro-Kremlin Twitter accounts are discussing and promoting.

Renée is also director of policy of Data for Democracy, whose mission is "to be an inclusive community of data scientists and technologists to volunteer and collaborate on projects that make a positive impact on society." Renée's own focus is on analysis of efforts by bad actors to subvert democracy around the world. Unlike us, Renée was a pro in the world of election security. She and her colleagues had heard whispers of Russian interference efforts in 2015 but had struggled to get the authorities to take action.

The daughter of a research scientist, Renée got her first computer at age five or six. She does not remember a time before she had one. Raised in Yonkers, New York, Renée's other love was music. She learned to play piano as a child and played it "competitively" into her college years. Renée started coding at age nine and volunteered in a research lab at the Sloan-Kettering hospital in eighth grade. She worked on a project that looked for a correlation between music training and temporal reasoning. It was a small-scale study, but it married Renée's two great interests. She earned a degree in computer science at SUNY Stony Brook before going into government service in a technology operations role. Renée underplays this part of her résumé, focusing instead on her time in algorithmic trading on Wall Street. In that job, she observed the tricks that market participants use to outsmart one another, some of which are similar to the tools hackers could use to interfere in an election.

Our first meeting in Washington was with Senator Warner. "I'm on your team," he said, by way of an opening. The rest of the meeting focused on the senator's desire to hold a hearing with the top executives of Facebook, Google, and Twitter to question them about their role in the Russian interference in the 2016 election. The committee staff was negotiating with the internet platforms, in the hope of securing participation by the CEOs. No announcement would be made until that negotiation was complete.

Later that first day, we had the first of two meetings with Representative Adam Schiff of California, the ranking member of the House Permanent Select Committee on Intelligence (HPSCI). The committee had fractured along party lines, and Schiff had the unenviable task of attempting a traditional approach to congressional oversight, despite aggressive opposition by his committee's chair. The minority party has no power in the House of Representatives, which made the task exceptionally frustrating. Representative Schiff asked Renée and me to meet with the committee staff, which we did in a secure facility near the Capitol. The conversation turned to our hypotheses and what they implied for future elections. Renée characterized techniques the Russians may have used to spread disinformation on social media. The Russians' job was made easier by the thriving communities of libertarians and contrarians on the internet. They almost certainly focused on sites that promoted anonymous free speech, sites like Reddit, 4chan, and 8chan. These sites are populated by a range of people, but especially those who hold views that may not be welcome in traditional media. Some of these users are disaffected, looking for outlets for their rage. Others are looking to expose what they see as the hypocrisy of society. Still others have agendas or confrontational personalities looking for an outlet. And some just want to play pranks on the world, preying on the gullibility of internet users, just to see how far they can push something outrageous or ridiculous. These and other sites would have been fertile ground for the Russian messages on immigration, guns, and white nationalism. They were also ideal incubators for disinformation.

Renée explained that the typical path for disinformation or a conspiracy theory is to be incubated on sites like Reddit, 4chan, or 8chan. There are many such stories in play at any time, a handful of which attract enough support to go viral. For the Russians, any time a piece of disinformation gained traction, they would seed one or more websites with a document that appeared to be a legitimate news story about the topic. Then they would turn to Twitter, which has replaced the Associated Press as the news feed of record for journalists. The idea was to post the story simultaneously on an army of Twitter accounts, with a link to the fake news story. The Twitter army might consist of a mix of real accounts and bots.

If no journalist picked up the story, the Twitter accounts would post new messages saying some variant of "read the story that the mainstream media doesn't want you to know about." Journalism is intensely competitive, with a twenty-four-hour news cycle that allows almost no time for reflection. Eventually some legitimate journalist may write about the story. Once that happens, the game really begins. The army of Twitter accounts—which includes a huge number of bots—tweets and retweets the legitimate story, amplifying the signal dramatically. Once a story is trending, other news outlets are almost certain to pick it up. At that point, it's time to go for the mass market, which means Facebook. The Russians would have placed the story in the Facebook Groups they controlled, counting on Facebook's filter bubbles to ensure widespread acceptance of the veracity of the story, as well as widespread sharing. Trolls and bots help, but the most successful disinformation and conspiracy theories leveraged American citizens who trusted the content they received from fellow members of Facebook Groups.

An example is Pizzagate, a disinformation story that claimed that emails found by the FBI on the laptop of Anthony Weiner, a disgraced former member of Congress and the husband of the vice chair of Hillary Clinton's presidential campaign, suggested the presence of a pedophilia ring connected to members of the Democratic Party at pizza parlors in the Washington area. The theory went on to say that emails stolen from the Democratic National Committee included coded messages about pedophilia and human trafficking and that one pizza parlor in particular might be home to satanic rituals. The story, which appeared nine days before the 2016 election, was a complete fabrication, but many people believed it. One man bought in to such a degree that he showed up at the pizza parlor in December, armed with an AR-15, and fired three shots into the building. Fortunately, no one was hurt.

Untangling a conspiracy theory is tricky, but Pizzagate's origins are clearer than most. The story first appeared on a white supremacist Twitter account. Wikipedia states that accounts on 4chan and Twitter parsed the stolen DNC emails in search of coded messages and claimed to have found many. A range of conspiracy sites, including Infowars, picked up the story and amplified it on the far right. The story spread in the month after the election, with Twitter playing a large role. A subsequent analysis by the researcher Jonathan Albright indicated that a disproportionate share of the tweets came from accounts in the Czech Republic, Cyprus, and Vietnam, while most of the retweets were from bot accounts. The Czech Republic, Cyprus, and Vietnam? What was that about? Were they Russian agents or just enterprising entrepreneurs? The 2016 US presidential election seems to have attracted some of each. In a world where web traffic anywhere can be monetized with advertising and where millions of people are gullible, entrepreneurs will take advantage. There had been widespread coverage of young men in Macedonia whose efforts to sell ads against fabricated news stories mostly failed with Clinton voters but worked really well with fans of Trump and, to a lesser extent, Bernie Sanders.

On its face, the Pizzagate conspiracy theory is unbelievable. A pedophilia ring associated with the Democratic Party at a pizza parlor in DC? Coded messages in emails? And yet people believed it, one so deeply that he, in his own words, "self-investigated it" and fired three bullets into the pizza parlor. How can that happen? Filter bubbles. What differentiates filter bubbles from normal group activity is intellectual isolation. Filter bubbles exist wherever people are surrounded by people who share the same beliefs and where there is a way to keep out ideas that are inconsistent with those beliefs. They prey on trust and amplify it. They can happen on television when the content is ideologically extreme. Platforms have little incentive to eliminate filter bubbles because they improve metrics that matter: time on site, engagement, sharing. They can create the illusion of consensus where none exists. This was particularly true during the Russian interference, when the use of trolls and bots would have increased the illusion of consensus for human members of affected Facebook Groups.

People in filter bubbles can be manipulated. They share at least one core value with the members of their group. Having a shared value fosters trust in the other members and, by extension, the Group. When a Group member shares a news story, the other members will generally give it the benefit of the doubt. When Group members begin to embrace that story, the pressure mounts on other members to do the same. Now imagine a Facebook Group that includes a Russian troll and enough Russian-controlled bots to represent 1 to 2 percent of the membership. In that scenario, the trust of Group members leaves them particularly vulnerable to manipulation. A story like Pizzagate might get its start with the troll and bots, who would share it. Recipients assume the story has been vetted by members of a shared political framework, so they share it, too. In this way, disinformation and conspiracy theories can gain traction quickly. The Russians used this technique to interfere in the 2016 election. They also organized events. A particularly well-known example occurred in Houston, Texas, where Russian agents organized separate events for pro- and anti-Muslim Facebook Groups at the same mosque at the same time. The goal was to trigger a confrontation.

All of this is possible because users trust what they find on social media. They trust it because it appears to originate from friends and, thanks to filter bubbles, conforms to each user's preexisting beliefs. Each user has his or her own *Truman Show*, tailored to press emotional buttons, including those associated with fear and anger. While endless confirmation of their preexisting beliefs sounds appealing, it undermines democracy. The Russians exploited user trust and filter bubbles to sow discord, to reduce faith in democracy and government, and, ultimately, to favor one candidate over the other. The Russian interference succeeded beyond any reasonable expectation and continues to succeed because many key stakeholders in our government have been slow to acknowledge it, taking no meaningful steps to prevent a reoccurrence. Filter bubbles and preference bubbles undermine critical thinking. Worse still, the damage can persist even if the user abandons the platform that helped to foster them.

Listening to Renée describe the techniques employed by the Russians, I realized I was in the presence of a genuine superstar. At the time, I had only the barest outline of her life story, but the elements I knew—technology operations for the government, algorithmic trading, political campaigns, infiltration of antivax networks, harassment on Twitter, research on Russian interference in democracy—spoke to Renée's intelligence and commitment. Adding Renée to our team was transformational. Unlike Tristan and me, Renée could go beyond hypotheses. She had been researching this stuff for several years. She lived in the world of facts. Every member of Congress and staffer we met took to her immediately. What Renée got from us was a new platform to share what she knew. She had been working at Data for Democracy, identifying threats early and asking the tech companies to take the spread of computational propaganda more seriously. As so often happens with researchers and intelligence professionals, their brilliant insights did not always reach the right people at the right time. It was obviously too late to stop interference in the 2016 election, but perhaps our little trio could help prevent a repeat in 2018. That was the goal.

Our meeting concluded with a request from the House Intelligence Committee staffers: Could we help them learn about Facebook and Twitter? The committee was planning to have a hearing on the same day as the Senate Intelligence Committee, calling the same witnesses. But the staff needed help. Due to the sensitive nature of their work, none of the staff members used social media intensely. They needed to learn the inner workings of Facebook, Instagram, YouTube, or Twitter. Could we prepare briefing materials? Could we prepare questions the members could ask the witnesses? Renée and I jumped at the opportunity. We had seven weeks to create a curriculum and teach the staff Internet Platforms 101.

The opportunity went beyond the minority staff for the House Permanent Select Committee on Intelligence. Senator Warner's staff had asked for similar help, as did Senators Richard Blumenthal, Al Franken, Amy Klobuchar, and Cory Booker, all of whom served on the Senate Judiciary Committee, which would hold its hearing the day before the intelligence committees.

The process of creating briefing materials was iterative, with many revisions. Staffers posed questions several times a week, using our insights about how the platforms worked to understand intelligence gathered from their sources that they never shared with us. They asked for a briefing on algorithms and how they work in the context of Facebook, in particular. They understood that an algorithm is, as Wikipedia defines it, "an unambiguous specification of how to solve a class of problems," generally related to calculation, data processing, and automated reasoning. But with advances in AI, algorithms have become more complex as they adapt, or "learn," based on new data. In Facebook's relentless effort to eliminate any friction that might limit growth, they automate everything, relying on ever-evolving algorithms to operate a site with 2.2 billion active users and millions of advertisers. Algorithms find patterns shared by different users, based on their online behavior. This goes way beyond their common interests to include things like the time, location, and other context elements of web activity. If User A does a dozen things online prior to buying a new car—many of them unrelated to buying a car—the algorithm will look for other users who start down the same path and then offer them ads to buy a car. Given the complexity of Facebook, the AI requires many algorithms, the interaction of which can sometimes produce unexpected or undesirable outcomes. Even the smallest changes to one algorithm can trigger profound ripple effects through the rest of the system. A clear case where moving fast can break things in unpredictable ways.

While Facebook argues that its technology is "value neutral," the evidence suggests the opposite. Technology tends to reflect the values of the people who create them. Jaron Lanier, the technology futurist, views the role of algorithms as correlating data from individual users and between users. In an opinion piece in *The Guardian*, Lanier wrote, "The correlations are effectively theories about the nature of each person, and those theories are constantly measured and rated for how predictive they are. Like all well-managed theories, they improve through adaptive feedback." When it comes to the algorithms used by internet platforms, "improve" refers to the goals of the platform, not the user. Algorithms are used throughout the economy to automate decision making. They are authoritative, but that does not mean they are fair. When used to analyze mortgage applications, for example, algorithms that reflect the racial biases of their creators can and do harm innocent people. If the creators of algorithms are conscious of their biases and protect against them, algorithms can be fair. If, as is the case at Facebook, the creators insist that technology is by definition value neutral, then the risk of socially undesirable outcomes rises dramatically.

Given the importance of presidential elections to our democracy, the country had every right to insist that the CEOs of Facebook, Google, and Twitter testify. The CEOs of any other industry would have been there. But that did not happen with Facebook, Google, and Twitter. For reasons that underscore the partisan divide in Congress, the majority did not insist on testimony from the CEOs. They settled for the general counsel of each company. These are very well-educated, successful lawyers, but they are not engineers. They are good at talking, but their familiarity with the inner workings of their firm's products would have been limited. If the goal was to minimize the effectiveness of the hearings from the outset, they were the perfect witnesses. They were there to talk without saying anything, to avoid blunders. Knowing this, we provided a long list of ways that Facebook, Google, and Twitter might deflect questions at the hearing, along with comebacks to get at the key information.

In Silicon Valley, it is widely assumed that the government does not function well. The perception is that the only great people working in Washington are the ones who went there from Silicon Valley. Our experience could not have been more different. The staffers with whom we worked during this period were uniformly impressive. It's not just that they were smart, conscientious, and hard-working. Like users, policy makers had trusted Silicon Valley to regulate itself, so they had work to do to get up to speed for oversight. They knew what they did not know and were not afraid to admit it.

The night before the first hearing, Facebook disclosed that 126 million users had been exposed to Russian interference, as well as 20 million users on Instagram. Having denied any role in the Russian interference campaign for eight months, only to concede that an internal investigation had uncovered one hundred thousand dollars' worth of Russian advertising purchases in rubles, this revelation came as a bombshell. The user number represents more than one-third of the US population, but that grossly understates its impact. The Russians did not reach a random set of 126 million people on Facebook. Their efforts were highly targeted. On the one hand, they had targeted people likely to vote for Trump with motivating messages. On the other, they identified subpopulations of likely Democratic voters who might be discouraged from voting. The fact that four million people who voted for Obama in 2012 did not vote for Clinton in 2016 may reflect to some degree the effectiveness of the Russian interference. How many of those stayed away because of Russian disinformation about Clinton's email server, the Clinton Foundation, Pizzagate, and other issues? CNN reported that the Russians ran a number of Facebook Groups targeting people of color, including Blacktivist, which gained a substantial following in the months before the election. They ran another Group called United Muslims of America, with a similar approach to a different audience. On Twitter, the Russians ran accounts like "staywoke88," "BlackNewsOutlet," "Muslimericans," and "BLMSoldier," all designed, like Blacktivist and United Muslims of America, to create the illusion that genuine activists supported whatever positions the Russians promoted. In an election where only 137 million people voted, a campaign that targeted 126 million eligible votes almost certainly had an impact. How would Facebook spin that?

The hearings began with Senate Judiciary on Halloween. We knew that the staffers had reached out to many other people, and it was fun to hear some of our questions. The general counsels of Facebook, Google, and Twitter stuck to their scripts. Not surprisingly, Facebook's general counsel, Colin Stretch, faced the toughest questions, nearly all of which came from Democrats. Stretch held his own until relatively late in the hearing, when Senator John Kennedy, a Republican from Louisiana, surprised the whole world—and especially some of his Republican colleagues—by posing a series of questions to Stretch about whether Facebook had the ability to look at personal data for individual users. Stretch tried to deflect the question by answering that Facebook had policies against looking at personal data. Hidden behind an "aw shucks, I'm a country lawyer" demeanor, Kennedy has a brilliant mind, and he reframed his question until Stretch was forced to answer yes or no. Did Facebook have the ability to look at a user's personal data? Kennedy reminded Stretch he was under oath. "No," was Stretch's final answer. In my head, I heard the game-show sound for a wrong answer. *Baaamp.* To me, this was a big deal. Facebook is a computer system with oceans of data. Facebook engineers must have access to the data to do their jobs. In the company's early years, it was not uncommon for a Facebook recruiter to access a candidate's page during an interview. At some point, though, the company recognized that access to individual accounts had to be off-limits. They made clear to employees that inappropriate access would result in immediate termination. I do not know how effectively Facebook policed the rule—at Facebook, rules often are more about preventing liability than about changing behavior—but the statement that no one at Facebook could access individual data was incorrect. Next time Congress held hearings, the committee could point to Stretch's testimony as evidence of the need for testimony from executives higher up the organizational chart than the general counsel. It provided grounds for congressional committees to insist that CEOs testify in a future hearing, should the political winds change. It was a small victory.

In the end, Stretch and the other general counsels managed to dodge the toughest questions posed by the Senate Judiciary Committee, eliciting a rebuke from the ranking member, Senator Dianne Feinstein. When the Senate Intelligence hearing began the next morning, the dance continued. I could not help but be impressed by the way the general counsels sidestepped tough questioning with answers that sounded reasonable but were actually content-free.

The final hearing, House Intelligence, was surreal. The Republican members, under the leadership of committee chair Devin Nunes, were holding one kind of hearing, while the Democrats, led by ranking member Adam Schiff, held another. Our interest was in the Schiff-led hearing. You would not think there would be anything left for House Intelligence, following the two Senate hearings, but there was. House Intelligence showed examples of Facebook ads run by Russian-backed groups, which were printed in a large format for display during the hearing. The images of those ads remain indelible in my mind, the defining visual from the hearings.

Televised congressional hearings are typically long on theater and short on substance. That is especially true in an environment as polarized as Capitol Hill in 2017. From our perspective, the normal rules did not apply to these hearings. By making millions of Americans aware that internet platforms had been exploited by the Russians to interfere in our presidential election, these hearings had done something important. They were a first step toward congressional oversight of the internet platforms, and we had played a small role. A few hours after the House Intelligence hearing, I received an email that made me laugh. Sent by the lead investigator for Democrats on House Intelligence, it read, "In a workplace appropriate manner, I love you."

Other than Stretch's misstatement to Senator Kennedy, the general counsels succeeded in their mission. They did not add fuel to the fire, but the revelations about Facebook had a long hangover. There was an explosion of press interest in the three companies' role in the Russian interference. By televising the hearings, the congressional committees ensured at least one news cycle of coverage. In combination with Facebook's revelation about the 126 million users exposed to Russian interference, the hearings accomplished more than that. The possibility that Facebook, Google, and Twitter had played a role in undermining democracy became a topic of conversation. I noticed a big uptick in interest from mainstream media outlets. On the afternoon of November 1, while the House Intelligence hearing was unfolding, I made my first appearance on MSNBC, talking to Ali Velshi about these issues. It would be the first of many. People were beginning to talk about the role of Facebook in the election interference of 2016. The next day, Tristan and I were chatting on the phone, and he observed that we'd come a long way since April. In less than seven months, we had realized our goal of helping to trigger a serious conversation about the dark side of social media. It was a start, but nothing more. The platforms were still deflecting responsibility and that would not change without dramatically more public awareness and pressure.

7

The Facebook Way

The problem isn't any particular technology, but the use of technology to manipulate people, to concentrate power in a way that is so nuts and creepy that it becomes a threat to civilization. —Jaron Lanier

Thanks to the hearings, the press took a greater interest in the role of internet platforms in the Russian interference. Every story added to public awareness and gradually increased the pressure on policy makers to do something. We met with many politicians, which helped us appreciate one of the rules of politics: if you want to bring about change and don't have a huge lobbying budget, there is no substitute for pressure from voters. I exercised my Citizens United rights, paid five hundred dollars, and attended a breakfast for Senator John Kennedy of Louisiana the week after the hearings. It was a breakfast with the senator, two staffers, nineteen lobbyists, and me. Before the event started, the senator walked around the room, greeting each person. The lobbyists were from companies like Procter & Gamble, Alcoa, and Amazon. All they wanted to talk about was the upcoming tax-cut bill. When the senator got to me, I said, "I'm here in my capacity as a citizen to thank you for the amazing job you did at the Senate Judiciary hearing last week." Senator Kennedy did a double take. I no longer remember his exact words, but in a trademark drawl he told me, "Son, I appreciate that. I'm glad you're here. I want to meet with you again." That is twenty-first-century democracy in action.

During the second week of November, I participated in a conference in Washington on antitrust regulation, sponsored by the Open Markets Institute think tank. The keynote speaker was Senator Al Franken, who made a full-throated argument for traditional approaches to regulating monopolies. Columbia Law's Tim Wu and Open Markets' Lina Khan talked about antitrust in the context of internet platforms. They argued that Amazon, Google, and Facebook all have monopoly power that would not have been permissible for most of the twentieth century, and they use it to block competitors and disadvantage users. My own remarks framed Tristan's hypotheses about public health as an argument for antitrust regulation of internet giants. The internet still enjoyed exemptions from regulation that were artifacts of the industry's early days. Over the course of twenty-one years, regulatory safe harbors had enabled the market leaders not only to prosper but also to do things no other industry could get away with, including noncooperation with regulators like the Federal Trade Commission, a careless disregard for consumer data privacy, and an exemption from Federal Communications Commission rules for election-related advertising.

Until 1981, the United States operated with a philosophy that monopoly was bad for consumers and for the economy. Monopolies can charge higher prices to consumers than competitive markets, while also slowing the rate of innovation and new company formation. The rise of Standard Oil and other trusts around the turn of the twentieth century created the impetus for the Sherman Antitrust Act, the Clayton Act, and the Federal Trade Commission Act, which ushered in a long period when both political parties supported efforts to prevent anticompetitive concentration of economic power. A counter philosophy surfaced after the Second World War, which postulated that markets were always best at allocating resources. The "Chicago School" antitrust philosophy emerged as part of this market-driven, neoliberal worldview, arguing that concentration of economic power was not a problem, so long as it did not translate into higher prices for consumers. The Chicago School became official policy with the Reagan administration and has prevailed ever since. Perhaps it is a coincidence, but, as I've mentioned, the years since 1981 have seen a massive decline in new company formation (which peaked in 1977), as well as income inequality not seen since the era of Standard Oil.

Three internet platforms—Amazon, Google, and Facebook—have benefited enormously from the Chicago School's antitrust philosophy. The products of Google and Facebook are free to consumers, and Amazon has transformed the economics of distribution while keeping consumer prices low, which has allowed all three to argue successfully for freedom to dominate, as well as to consolidate. The case against Amazon is probably strongest, and it provides a framework for understanding the larger issues.

For Amazon.com, freedom from antitrust scrutiny has allowed the company to integrate vertically, as well as horizontally. From its original base in retail for nonperishable goods, Amazon has expanded horizontally into perishables, with Whole Foods, and into cloud services, with Amazon Web Services. Amazon's vertical integration has included Marketplace, which incorporates third-party sellers; Basics, where Amazon private-labels bestselling commodity products; and hardware, such as Alexa voice-controlled devices and the Fire home video server. In a traditional antitrust regime, Amazon's vertical-integration strategy would not be allowed. The use of proprietary consumer data to identify, develop, and sell products in direct competition with bestsellers on the site represents an abuse of power that would have appalled regulators prior to 1981. Amazon's ever-expanding distribution business might have run afoul of the same concerns. The horizontal integration into perishables like food would have been problematic due to cross subsidies. Amazon can use its cloud services business to monitor the growth of potential competitors, though there is little evidence that Amazon has acted on this intelligence the way it has leveraged data about best-selling products in its marketplace.

Google's business strategy is a perfect example of how the Chicago School differs from the traditional approach to antitrust. The company began with index search, arguably the most important user activity on the internet. Google had a brilliant insight that it could privatize a large subset of the open internet by offering convenient, easy-to-use, free alternatives to what the web's open source community had created. Google leveraged its dominant market position in search to build giant businesses in email, photos, maps, videos, productivity applications, and a variety of other apps. In most cases, Google was able to transfer the benefits of monopoly power from an existing business to a nascent one. The European Union, which still employs a traditional view of economic power, won a $2.7 billion judgment against Google in 2017 for leveraging its search and AdWords data to wipe out European competitors for its brand-new price-comparison application. The EU case was well argued and had the benefit of obvious harm, in that most of Google's competition had disappeared in short order. Shareholders shrugged off the judgment, which Google has appealed. (In August 2018, the EU fined Google $5 billion for a different antitrust violation, this time related to the Android operating system.)

The Chicago School antitrust model benefited Google and Facebook in another way: it enabled them to create markets in which they could also be a participant. Traditional antitrust rules offered companies a choice: they could create a market or be a participant but not both. The theory was that if the owner of a marketplace also participated in the market, the other competitors would be at a prohibitive disadvantage. Google's purchase of DoubleClick enabled precisely this situation in the online advertising business, enabling Google to favor its own properties at the expense of third parties. Google did something similar when it acquired YouTube, changing the algorithm in ways that, among other things, gave its own content preferred distribution.

Google and Facebook operate a form of what economists call "two-sided markets," which Wikipedia defines as "economic platforms having two distinct user groups that provide each other with network benefits." The original two-sided markets included things like credit cards where the issuer sits between vendor and customer in a single transaction. For platforms, the two sides are not part of the same transaction. Users are the source of data, as well as the product, but they do not participate in a transaction or in the economics. The advertisers are the customer and provide the market's revenue. What makes the platforms comparable to traditional two-sided markets is that both sides depend on the success (or scale) of the market. At the scale of Facebook and Google, the two-sided market confers advantages that cannot be overcome by competitors, providing monopoly power.

Thanks to its search engine, cloud services, and venture capital operation, Google has an exceptionally good view of emerging products. Google has never been shy about using its market power to limit the upside of new companies, acquiring the best and snuffing out the rest. American regulators do not see any problem with this behavior. The European regulators have been trying to rein in Google on their own.

Facebook has enjoyed similar advantages to Google from the Chicago School antitrust model. Facebook imitated Google's privatization of the open web, complementing its social network with a photos app (Instagram), text messaging (WhatsApp and Messenger), and virtual reality (Oculus). Having cornered the audience for content, Facebook has undercut the economics of journalism by seducing publishers to work with it on new products, like Instant Articles, and then changing the terms to the disadvantage of publishers. In 2013, Facebook acquired

Onavo, an Israeli company that makes a virtual private network (VPN) application. VPNs are a tool for protecting privacy on public networks, but Facebook has given Onavo a twist straight out of Orwell. Onavo enables Facebook to track everything the user does when using the VPN. Onavo also enables Facebook to surveil other applications. Neither of these activities would be considered appropriate for a VPN under normal circumstances. It is roughly analogous to a security service that protects your home from other thieves but steals your valuables while they are doing it. The whole point of a VPN is to prevent snooping. Enough users use Onavo to give Facebook huge amounts of data about users and competitors. In August 2018, Apple announced that Onavo violated its privacy standards, so Facebook withdrew it from the App Store.

One of the competitors Facebook has reportedly tracked with Onavo is Snapchat. There is bad blood between the two companies that began after Snapchat rejected an acquisition offer from Facebook in 2013. Facebook started copying Snapchat's key features in Instagram, undermining Snapchat's competitive position. While Snapchat managed to go public and continues to operate as an independent company, the pressure from Facebook continues unchecked and has taken a toll. Under a traditional antitrust regime, Snapchat would almost certainly have a case against Facebook for anticompetitive behavior.

Freedom from antitrust scrutiny has enabled the internet giants to dominate their markets to a degree unseen since the heyday of IBM's dominance in mainframe computers. In reality, today's internet platforms are far more influential than IBM in its prime. With 2.2 billion monthly users on its core platform, Facebook directly influences nearly one-third of the world's population. Other Facebook platforms also have huge monthly user bases: 1.5 billion use WhatsApp, 1.3 billion use Messenger, and 1 billion use Instagram. While there is overlap, particularly between Messenger and Facebook, both WhatsApp and Instagram have large numbers of users who are not on Facebook. It's not crazy to imagine that Facebook as a whole may have more than three billion users, or 40 percent of the world's population. On its best day, IBM's monopoly was limited to governments and the largest corporations. Thanks to brain hacking and the filter bubbles that result from it, Facebook's influence over consumers may be greater than any single business before it.

Persuading 40 percent of the world's population to use your products is an extraordinary accomplishment. In many circumstances, it would be entirely laudable. For example, Coca-Cola serves 1.9 billion beverages per day across two hundred countries. But Coca-Cola does not influence elections or enable hate speech that leads to violence. As a giant communications network, Facebook has far more influence than Coca-Cola, and unlike Coca-Cola, Facebook has monopoly power. With such influence and monopoly power should come great responsibility. Facebook owes a duty to its users—and the whole world—to optimize itself for the public good, not just for profits. If Facebook cannot do that—and the evidence at this point is not promising—then government intervention to reduce its market power and introduce competition will be required.

Zuck's and Sheryl's failure to take action to address obvious flaws in the product and to protect their brand is at least suggestive of their monopoly power. They may not have been concerned about brand damage because they knew that users had no alternative.

There is a second possible explanation for why Facebook might have ignored early warnings and later criticism. From his time at Harvard, Mark Zuckerberg showed a persistent indifference to authority, rules, and the users of his products. He hacked servers at Harvard, took university property to create his first products, exploited the trust of the Winklevoss brothers, and then shared his view of users in an instant messaging exchange with a college friend just after the launch of TheFacebook. As quoted in *Business Insider*:

Zuck: Yeah so if you ever need info about anyone at Harvard

Zuck: Just ask.

Zuck: I have over 4,000 emails, pictures, addresses, SNS

[Redacted Friend's Name]: What? How'd you manage that one?

Zuck: People just submitted it.

Zuck: I don't know why.

Zuck: They "trust me"

Zuck: Dumb fucks.

As far as I can tell, Zuck has always believed that users value privacy more than they should. As a result, he has generally chosen to force them to be more open and then dealt with the fallout when it came. For the most part, the bet against privacy paid off for Facebook. Negative user feedback forced Facebook to withdraw Beacon, but the company's relentless efforts overwhelmed resistance far more often than not. Users either did not know or did not care about the loss of privacy, enabling Facebook to join the list of most valuable companies on earth.

Facebook's motto, "Move fast and break things," reflects the company's strengths and weaknesses. Facebook constantly experiments, tinkers, and pushes envelopes in the pursuit of growth. Many experiments fail or work imperfectly, necessitating an apology and another experiment aimed at doing better. In my experience, there have been few, if any, companies that have executed a growth plan—moving fast, if you will—as effectively as Facebook. When moving fast leads to breaking things, and to mistakes, Facebook has been brilliant in its ability to recover from them. Seldom has Facebook allowed a mistake or problem to slow it down. Most of the time, promises to do better have been enough to get past a problem.

To be clear, I believe that taking risks is a positive thing in business when accompanied by good judgment. Where Facebook failed was in not recognizing that tactics need to change as a company's influence grows. Experiments that are acceptable at small scale can be problematic at a larger one. When a company reaches global scale, as Facebook has done, it needs to approach experimentation with extreme care. It must prioritize users and the public interest. It must anticipate and prepare for side effects.

One of the things that distinguished Zuck from the beginning was his vision that Facebook could connect the entire world. When I knew him, Zuck had his eyes set on reaching one billion users. At this writing, the company has 2.2 billion monthly users. Revenues in 2017 exceeded forty billion dollars. To reach those numbers in fourteen years from a standing start required more than brilliant execution. There were costs, borne by others. Facebook eliminated all forms of friction that might have slowed it down, an activity that Zuck and his team have transformed into fine art. Regulation and criticism? Facebook makes them disappear with the magic words "We apologize. We'll do better!" Too often, those words have not been matched to action, as that kind of action would have slowed down the company. And there is almost no way for regulators or critics to verify Facebook's compliance. Until recently, the company resisted all attempts at transparency with respect to its algorithms, platforms, and business model. The company's recent requirement for the labeling of political ads is a step in the direction of transparency, but it arguably impacts third parties more than Facebook. Without transparency, compliance cannot be verified.

Even at huge scale, Facebook's business is relatively straightforward. In comparison to a similarly sized business, such as the Walt Disney

Company, Facebook is operationally far less complex. The core platform consists of a product and a monetization scheme. The acquired products—Instagram, WhatsApp, and Oculus—operate with a fair amount of autonomy, but their business models add little complexity. The relative simplicity of the business enables Facebook to centralize its decision making. There is a core team of roughly ten people who manage the company, but two people—Zuck and Sheryl Sandberg—are the final arbiters of everything. They have surrounded themselves with a team of brilliant operators who executed the strategy of maximum growth almost flawlessly through the end of 2017.

Thanks to Facebook's extraordinary success, Zuck's brand combines elements of rock star and cult leader. He is deeply committed to products and not much interested in the rest of the business, which he leaves to Sheryl. According to multiple reports, Zuck is known for micromanaging products and for being decisive. He is the undisputed boss. Zuck's subordinates study him and have evolved techniques for influencing him. Sheryl Sandberg is brilliant, ambitious, and supremely well organized. When Sheryl speaks, she chooses her words very carefully. In an interview, for example, she has mastered the ability to appear completely genuine and heartfelt, while being totally nonresponsive. When Sheryl talks, friction disappears. She manages every detail of her life, paying particular attention to her image. Until mid-2018, Sheryl had a consigliere, Elliot Schrage, whose title was vice president of global communications, marketing, and public policy, but whose real job appeared to be protecting Sheryl's flank, something he had done since her time at Google.

If you wanted to draw a Facebook organizational chart to scale, it would look like a large loaf of bread with a giant antenna pointing straight up. Zuck and Sheryl are at the top of the antenna, supported by Schrage until he departed, the company's chief financial officer David Wehner, product boss Chris Cox, and a handful of others. Everyone else is down in the loaf of bread. It is the most centralized decision-making structure I have ever encountered in a large company, and it is possible only because the business itself is not complicated. Early in Sheryl's tenure at Facebook, something happened that revealed her management philosophy to me. The context was a failure of judgment that in most companies would have resulted in the termination of the person who made the decision and changes in policy. I called Sheryl to ask how she planned to handle it, and she said, "We are a team at Facebook. When we succeed, we do so as a team. When we fail, it is a team failure." When I pushed back, Sheryl did the same. "Are you saying you want me to fire the entire team?" In retrospect, that might have been for the best.

The management philosophy that Sheryl described has huge benefits when everything is going well because it keeps everyone focused on their metrics rather than on self-promotion. In Facebook's case, everything went perfectly from shortly after the IPO in 2012 until the end of 2017. Imagine a finely tuned race car zooming down a straightaway with no pebbles on the road. That was Facebook. Inevitably, something will go wrong. That is the real test. In theory, the team philosophy might create a safe space for disagreement and self-examination, but that is not what happened at Facebook. When there is no individual credit for members of the team, much of the credit for every success goes to the people at the top. Given Zuck's status as the founder, the team at Facebook rarely, if ever, challenged him on the way up and did not do so when bad times arrived. This reveals the downside of Sheryl's management philosophy: no credit/no blame can eliminate accountability for mistakes. When faced with a setback, the team may circle the wagons and deflect criticism rather than do any soul-searching. That appears to be what happened to Facebook when confronted with evidence that its platform had been exploited by the Russians.

Facebook has made many mistakes in its history, but the Russian interference was the first that could not be easily dismissed. It created friction unlike anything Facebook had encountered in its first thirteen years. The company had no experience—no muscles—for dealing with that kind of friction. They rolled out their standard response—deny, delay, deflect, dissemble—expecting the friction to go away. It always had in the past. But this time, the friction remained. Perhaps it might evaporate at some point, but not so quickly as in the past. With no one to push back on Zuck and Sheryl, Facebook stuck with its playbook, doing the same thing over and over, expecting a different result. Unused to negative feedback, Zuck and Sheryl retreated into a bunker. They reappeared only when there was no alternative.

Tristan, Renée, and I watched in wonder as Facebook executed its strategy of deny, delay, deflect, dissemble. How could Zuck and Sheryl not see where this was heading? We were a tiny team with few resources, but we were not alone any longer. Election interference was an issue whose time had come. A lot of smart people were looking at the problem from different angles. We just happened to be in the right place when the story hit, with growing demand for our perspective from policy makers and journalists. Fortunately, two recruits joined us in November, giving us new skills and new energy. Lynn Fox, who had been a senior communications executive at Apple, Palm, and Google, brought expertise in media that would soon transform our effort. At mid-month, *The New York Times* wrote a profile about Renée. A week later, a former Facebook privacy manager named Sandy Parakilas wrote an op-ed in the *Times* entitled, "We Can't Trust Facebook to Regulate Itself." Chris Kelly, the original chief privacy officer at Facebook who had introduced me to Zuck in 2006, knew Sandy and made that introduction. Sandy was aware of what Tristan, Renée, and I were doing and asked if he could join forces with us. Sandy would prove to be an exceptionally fortuitous addition to our team. When we met, Sandy was a former Facebook employee; four months later, events would transform him into a whistle-blower.

On December 11, 2017, *The Verge* reported that Chamath Palihapitiya, Facebook's former vice president of growth, had given a speech at

Stanford the month before in which he had expressed regrets about the negative consequences of Facebook's success. "I think we have created tools that are ripping apart the social fabric of how society works," he told the students at the Graduate School of Business. Palihapitiya's remarks echoed those of Sean Parker, the first president of Facebook, who in November had expressed regret about the "social-validation feedback loop" inside the social network, which gives users "a little dopamine hit every once in a while, because someone liked or commented on a photo or a post or whatever." Facebook had ignored Parker, but apparently they jumped on Palihapitiya. Within seventy-two hours of *The Verge*'s initial report, Palihapitiya publicly reversed course. "My comments were meant to start an important conversation, not to criticize one company—particularly one I love. I think it's time for society to discuss how we use the tools offered by social media, what we should expect of them and, most importantly, how we empower younger generations to use them responsibly. I'm confident that Facebook and the broader social media category will succeed as they navigate this uncharted territory." He subsequently appeared on Christiane Amanpour's show on CNN International and made it clear he thought Mark Zuckerberg was the smartest person he had ever met and suggested that Zuck was uniquely qualified to figure it out and save us all.

I don't really know Chamath. I have had only one substantive conversation with him, for ninety minutes in 2007, when Zuck asked me to help recruit Chamath to Facebook. At the time, Chamath was working at the venture firm Mayfield Fund, whose office was one flight up from mine at Elevation. Chamath was born in Sri Lanka and emigrated with his family to Canada. He overcame economic challenges, got a first-class education, and made his way to Silicon Valley. Brilliant, hard-working, exceptionally ambitious, and confident that his actions would always be right, Chamath exudes the vibe of classic Silicon Valley bro. He is also a very successful poker player, having once placed 101st out of 6,865 participants in the World Series of Poker's Main

Event. In short, Chamath Palihapitiya is no shrinking violet. He is not the sort of person to back down because someone yells at him. And yet, he went from being an articulate critic of Facebook to a willing purveyor of the company's PR lines almost overnight. It was enough to make one suspicious.

Why was Chamath's criticism more problematic for Facebook than that of Sean Parker or any of the earlier critics? There was one obvious difference. Before Chamath left Facebook in 2011, he had recruited many of the leaders of the Growth team. In Facebook parlance, Growth is about all the features that enable the company to increase user count and time on site and sell ads so successfully. (In Tristan's framing, Growth is the group responsible for brain hacking.) If Chamath had continued to question Facebook's mission, it is quite possible that the people he hired at the company, and those who knew him, might begin to question their leaders' and company's choices. The result might be a Susan Fowler Moment, named for the Uber engineer whose blog post about that company's toxic culture led to an employee revolt and, ultimately, the departure of the executive team. What made Fowler so important was that Uber's management team, board of directors, and investors had done nothing for years to change the toxic culture, despite a steady flow of bad news about it. Fowler framed the problem in a way that no one could deny, causing the employees to demand change. That is precisely what Palihapitiya did in his remarks at Stanford. It's easy to imagine that Facebook might do whatever it took to prevent a Susan Fowler Moment.

Chamath's reversal triggered an insight. The window for Facebook to make a graceful exit from its predicament would not stay open forever. The opportunity to follow the example of Johnson & Johnson after the Tylenol tampering crisis of the 1980s would last only as long as Facebook could credibly plead ignorance of its misdeeds. Chamath had presented Facebook with a teachable moment. They could have said, "Now we get it! We screwed up! We will do everything possible to fix the problems and restore trust." By failing to exploit Chamath's regrets as a teachable moment, Facebook signaled a commitment to avoiding responsibility for the Russian election interference and all the other problems that had surfaced. This was bad news. I had been giving Facebook the benefit of the doubt since October 2016, assuming that the company had been a victim. For six months after my original email to Zuck and Sheryl, I had assumed that my delivery was flawed or that I had been the wrong messenger. When Tristan and I started speaking out, I hoped that Facebook employees and alumni would join the cause and that people like Sean Parker and Chamath Palihapitiya might succeed in convincing Zuck and Sheryl to change their approach. That did not happen.

8

Facebook Digs in Its Heels

Success in creating AI would be the biggest event in human history. Unfortunately, it might also be the last, unless we learn how to avoid the risks. —Stephen Hawking

When a company grows from nothing to 2.2 billion active users and forty billion dollars in revenues in only fourteen years, you can be sure of three things: First, the original idea was brilliant. Second, execution of the business plan had to be nearly flawless. And third, at some point along the way, the people who manage the company will lose perspective. If everything your company touches turns into gold for years on end, your executives will start to believe the good things people say about them. They will view their mission as exalted. They will reject criticism. They will ask, "If the critics are so smart, why aren't they so successful and rich as we are?"

Companies far less successful than Facebook have fallen victim to such overconfidence. The culture of Silicon Valley, which celebrates the brash and the bold, breeds overconfidence and then lets nature take its course. The corpses of overconfident companies litter the landscape of the tech industry. Companies like Digital Equipment, Compaq, Netscape, Sun Microsystems, and MySpace were hot growth stories in their prime. Then there are the survivors who had lost prestige as their growth slowed down, companies like Intel, EMC, Dell, and Yahoo. The executives of these companies confidently predicted strong growth right up to the moment when there was none and the stock—and their dreams of endless growth—came tumbling down. Then there are companies like Microsoft, Oracle, and IBM, at one time undisputed leaders but whose giant market capitalization masks a dramatic loss in influence.

It took me a very long time to accept that Zuck and Sheryl had fallen victim to overconfidence. I did not pick up the signal when I first reached out to them in October 2016. It was not even clear to me in February 2017, when I gave up on trying to convince Dan Rose to investigate my concerns. The evidence started to pile up in the month prior to the hearings on October 31 and November 1, 2017, but I still wanted to believe that Zuck and Sheryl would eventually change their approach. The clincher was the episode with Chamath. Before Chamath, Facebook could have said, "We didn't cause the Russian interference, but it happened to our users and we will do everything in our power to protect them." Facebook could have followed the crisis management playbook, cooperated fully and enthusiastically with investigators and reached out to users who were touched by the Russian interference with an explanation and evidence. A lot of time had passed, but I am pretty sure that everyone who mattered—users, advertisers, the government, Facebook employees—would have reacted favorably. There might have been a hit to earnings and the stock price in the short term, but before long Facebook would have enjoyed the benefits of greater trust from its constituents, which would have taken the stock to new highs.

Instead, Facebook finished 2017 as it had begun it, by not giving an inch, thus violating a central precept of crisis management: embracing criticism. Instead, Facebook defied its critics without even acknowledging their existence. The company's message to the world—"nothing to see here, move along"—was so completely out of step with what we already knew that I was taken aback. What were they thinking?

The idealist in me still hoped there would be a way to persuade Zuck and Sheryl to look at the situation differently, to recognize that the 2018 US midterm elections were fast approaching and only Facebook had the ability to protect that election from mischief similar to 2016.

From the start, we understood that all the best outcomes required cooperation from Facebook. Election interference and threats to public health were the result of Facebook's design choices, made in service of a brilliantly successful advertising business model. Regulation could change Facebook's incentives and behavior, but that would almost certainly take years to implement, even in a best-case scenario, and that scenario was not really an option. Our only choices were to persuade Facebook to harm its business for the good of the country and the world—which seemed about as likely as my winning the hundred-meter dash in the Olympics—or just hope for the best.

Tristan remained optimistic that we might find allies among Facebook employees or alumni who could influence Zuck and Sheryl. No matter the odds, it was worth a try. No current employees were speaking out yet, but Tristan did not give up on them. He secured a series of meetings with influential Facebook executives who expressed interest in humane design, but so far that interest has not translated into changes in policy, presumably because only Zuck and perhaps Sheryl have the power to do that.

We had achieved our original goal of helping to trigger a conversation about the dark side of social media, but that had not yet produced any substantive change by the internet platforms. Our allies—especially those in Washington and in the media—encouraged us to keep pushing. They argued that Facebook would respond only to pressure, and they thought we could play a role in bringing pressure to bear. Facebook's strategy was to outlast our outrage, to concede nothing, and to hope the press and Congress would move on to other topics. Given the distraction of the Trump administration, that seemed like a good bet. Facebook had built up so much goodwill with users and politicians that it was understandable that they would expect the pressure to fade and disappear. Facebook had been overstepping boundaries and apologizing since Zuck's days at Harvard, and apologizing had always been enough to make past problems go away. Facebook was confident, but it was not invulnerable. The company's decision-making process, dominated by Zuck and Sheryl, appeared to be suboptimal for a crisis, which is where the election-interference story appeared to be going.

I had some perspective on an analogous situation. In 1994, Bill Gates asked me to be an early reader and sounding board for his first book, *The Road Ahead*. In those days, I paid exceptionally close attention to all things Microsoft. Not long thereafter, the US Justice Department initiated an antitrust case against Microsoft, citing unfair bundling of the Internet Explorer browser with Windows.

In those days, Microsoft was a global powerhouse equivalent to Google today, dominant and unassailable by competitors. A relatively small team in Redmond, Washington, made all the decisions. As an early adopter of electronic mail, Microsoft managed its global operations with the shortest lag times imaginable. Email enabled Microsoft employees in the remotest parts of Australia, South America, Africa, or Asia to escalate problems through the chain of command to the proper decision maker in Redmond in a matter of hours. It is hard to overstate the significance of the breakthrough represented by Microsoft's email system and the competitive advantage it provided. Until the antitrust case. The first thing Microsoft's antitrust lawyers did was to force a change in email practices to reduce the possibility of legal jeopardy. Overnight, a lawyer's decree converted internal communications at

Microsoft from an asset to a liability. The lawyers effectively decapitated the company. Microsoft probably would have messed up the internet opportunity in any case, but thanks to the antitrust case, they missed it by a mile.

If anything, decision making at Facebook was even more centralized than at Microsoft. Employees at Microsoft revered Bill Gates, but Bill encouraged debate. He was famous for saying, "That is the stupidest thing I have ever heard!" . . . but it was an invitation. He expected you to defend your position. If you did so well, Bill would come around. It's possible that something like that could happen at Facebook, but that did not appear to be the norm. At Facebook, Zuck is on a pedestal. I don't think many people debate or contradict him.

Back in early October 2017, Barry Lynn of the Open Markets Institute had convinced me to write a long-form essay describing the dark side of social media, our journey to date, and our best policy ideas. He then persuaded the editors of *Washington Monthly*, a venerable magazine for progressive policy advocates, to commission a 6,000-word essay. My goal was to crystallize the issues and our policy recommendations for policy makers inside the Beltway, an intellectual one-stop-shop that would frame the debate and create a platform for the next phase of our work. I submitted the first draft in late October.

I would get a master class in the Socratic method from the piece's editors, Paul Glastris and Gilad Edelman, who provided a series of brilliant questions, the answers to which filled in many holes. We showed the policy prescriptions to a number of others on Capitol Hill to get their feedback. The editing and reviewing went on through the month of November until one day Gilad told me we were done. The essay would be the cover story of the January 2018 issue, slated for publication on January 8. It went beyond election interference to talk about the threats from internet platforms to public health, privacy, and the economy.

PUBLIC HEALTH HAD BEEN Tristan's and my original focus, but Washington's interest in election integrity had dominated our attention since July. In late 2017, we resumed our public health effort, starting with the impact of technology products on children. In the mindless pursuit of growth, internet platforms had built a range of products for kids. It is hard to know whether the platforms were ignorant of children's vulnerability or drawn to it, but the kids' products they created appeared to cause developmental and psychological problems. On this issue, we found a terrific partner in Common Sense Media, the largest nonprofit focused on children and media in the United States. We had first talked to Common Sense in the summer of 2017. In addition to providing parents with reviews of television, films, and video games, Common Sense embraced the challenge of protecting children from age-inappropriate content on the web. This led to frequent and sometimes fierce battles with Facebook, Google, YouTube, Instagram, and Snapchat. I first met Common Sense founder Jim Steyer in tenth grade, and we have been friends ever since. From our first conversation about Tristan's work, Jim saw the opportunity for collaboration. Common Sense understood the threat posed by addiction to smart screens and was creating a series of public service announcements featuring comedian Will Ferrell to advocate for device-free dinners. The organization's biggest challenge was that its staff, well endowed with childhood development, policy, and lobbying skills, did not have enough credibility in the technology community. Without brand-name technologists in their team, Common Sense Media had less influence inside the industry than it wanted. In December 2017, after several months of conversations, Jim offered us a compelling package. Common Sense would allow us to use their offices for meetings and to leverage their considerable legislative prowess in Washington, DC, and the California statehouse in Sacramento. In exchange, Tristan would join Common Sense as a senior fellow and I as an advisor, bringing our technology experience and relationships to bear on their behalf. We planned to announce Tristan's new affiliation in Washington at a one-day conference on February 7. Common Sense's connections with policy makers and the media would draw attention to the event and increase the pressure on Facebook.

At the same time, Tristan initiated another effort. He wanted to bring technologists and other concerned parties together to create, enlarge, and strengthen the opposition to the business practices of internet giants. Having already built Time Well Spent into a vibrant community of people focused on taking control of their digital lives, Tristan understood that our advocacy needed a different kind of organization. He decided to create it: the Center for Humane Technology.

Tristan and I shared a view that human-driven technology could be the Next Big Thing in Silicon Valley. Tech products should not be dangerous. They should not misinform or dumb us down. The objective of new technology should be to empower users, enabling them to improve their lives. The current model cannot continue, but that does not mean that the technology industry has to suffer a decline. Like renewable energy—where solar and wind power have succeeded at utility scale—human-driven technology could replace an outdated approach with a new one, converting a man-made problem into a huge business opportunity. We want technology to make the world a better place. Human-driven technology is the way to do it.

What do I mean by human-driven technology? I want to see a return to technology that leverages the human intellect, consistent with Steve Jobs's "bicycle for the mind" metaphor. Human-driven products do not prey on human weakness. They compensate for weakness in users and leverage strengths. This means taking steps to prevent addiction and, when those fail, to mitigate the downsides. The design of devices should deliver utility without dependence. The design of applications and platforms should respect the user, limiting the effects of existing filter bubbles and preventing new ones from forming. Done right, every internet platform would be a new bicycle for the mind. In data privacy, a really useful idea would be a universal authentication system, an alternative to Facebook Connect or OpenID Connect that protects users. Facebook Connect is convenient for signing on to every site, but users need a way to do that without surrendering their privacy. The ideal would be to follow the model Apple set for facial recognition, where the data always remains on the smartphone, in the possession of the user. What I have in mind is an independent company that represents the interest of users at login, providing the minimum information required for each transaction.

With each new generation of technology, entrepreneurs and engineers have an opportunity to profit from designing products that serve rather than exploit the needs of their users. Virtual reality, artificial intelligence, self-driving cars, and the Internet of Things (IoT)—smart speakers and web-enabled televisions, automobiles, and appliances—all present opportunities to create bicycles for the mind. Unfortunately, I see no evidence yet that the designers in those categories are thinking that way. The term you hear instead is "Big Data," which is code for extracting value rather than creating it. At the end of the day, the best way to persuade Facebook and Google to adopt human-driven technology is to foster competition and demonstrate value in the marketplace. Giving consumers different design choices will take years, so we should start as soon as possible.

On January 1, 2018, Zuck published a post announcing his goal for the year ahead. It had become a tradition for Facebook's CEO to begin each year by giving himself a challenge. One year he learned to speak Mandarin. Another year he only ate meat he had killed himself. I have no idea why Zuck makes these challenges public. Zuck's goal for 2018 was to fix Facebook. He offered a nine-point plan. Wait. What? Fix Facebook? Where did that come from? No one at the company had previously admitted to problems that might require fixing. Suddenly

Zuck acknowledged concerns about fake news and the possibility that too much Facebook (or other social media) might lead to unhappiness. He offered a classic Zuck fix: more Facebook! Zuck's plan for addressing the problems created by Facebook was for users to do more of the things that created the problems in the first place. People who had not realized there was anything broken at Facebook were caught off guard by Zuck's post. What did it mean?

In response to Zuck's post, *Washington Monthly* published my cover story online a few days early, on January 5. Even though I had completed the essay more than a month earlier, it read like a rebuttal to Zuck's New Year's resolution. Where Zuck's post had framed Facebook's flaws obliquely, my essay was direct and specific. Where his remedy was more Facebook, my essay recommended ten remedies, aimed at user privacy, ownership of data, terms of service, and election interference. The press picked up on it, and the next thing I knew, an essay designed for a handful of policy makers in Washington began spreading outside the Beltway. We had managed to find a pretty good audience for our message in 2017, but we had made no progress with the only audience that mattered: the top people at Facebook. The company's PR people had begun to say unflattering things in private but were ignoring us in public. And it was working for them. Then came *Washington Monthly*. The lucky timing of the essay would lead Facebook to engage directly.

On Sunday, January 7, I flew to New York City with my wife, Ann, for a six-week stay. The next morning, I received an email from Jamie Drummond, Bono's partner on the ONE campaign, asking if he could introduce me to someone who represented George Soros, the billionaire investor who had dedicated his fortune to the promotion of democracy around the world. In my years in the investment business, there were a handful of people whose brilliance dazzled me, and George Soros was one. In an email, Soros's colleague Michael Vachon explained that Soros had read my *Washington Monthly* essay and liked it so much he planned to use it as the frame for a speech at the World Economic Forum in Davos on January 25. Would I be willing to meet with Mr. Soros to help him write the speech? I certainly would. We agreed to meet at the end of the week.

That same day, I called my friend Chris Kelly, the former chief privacy officer of Facebook, who had originally introduced me to Zuck. I wanted Chris's take on everything that we had learned. Chris shared my view that the only people who could fix Facebook quickly were Zuck and Sheryl. There was no way to protect elections or innocent people from harm without some cooperation from Facebook. Inside the company, Zuck and Sheryl had the power. They had the moral authority to change direction.

Unfortunately, Zuck and Sheryl refused to engage with critics. There are two reasons why crisis management experts advise clients to reach out to critics: you learn the dimensions of the problem, and by cooperating with critics, you take the first step on the path to restoring trust. Facebook had ignored all critics until Chamath Palihapitiya spoke at Stanford. Facebook's successful effort to get Chamath to recant his regrets and the resolution's focus on "more Facebook" as the solution to whatever ailed users suggested Facebook did not plan to concede anything.

The day took a turn into the twilight zone when a friend shared a tweet posted by long-time Facebook executive Andrew "Boz" Bosworth. It read, "I've worked at Facebook for 12 years and I have to ask: who the fuck is Roger McNamee?" It's a question I have often asked myself in other contexts, but in this case it pointed to an inescapable conclusion: the *Washington Monthly* essay had found its way into Facebook headquarters. He wasn't Zuck or Sheryl, but Boz was a member of the inner circle. We looked at the bright side. Getting on Boz's radar seemed like progress. It certainly caught the eye of many journalists, which helped our cause.

One thing had not changed from when I first reached out to Zuck and Sheryl in 2016: Facebook was not open to criticism, much less taking it to heart. Ignore the messenger was their first instinct; if that failed, presumably they would bring in the heavy artillery.

Later that day, Tim Berners-Lee tweeted the *Washington Monthly* essay to his followers. Berners-Lee is one of my heroes. His endorsement of the essay meant the world to me. Suddenly, the essay was everywhere, and requests came in from all sorts of media: CNBC, *Tucker Carlson* on Fox, *CBS Morning News*, *NBC Nightly News*, the *Today* show, MSNBC, *Frontline*, CNN, *60 Minutes*, *Bloomberg Technology*, BBC Radio, and Bloomberg Radio. Tristan, Sandy Parakilas, and I did a huge amount of TV and radio between Monday and Thursday of that week. Network television enabled us to share our message with millions of people. But the highlight of the week came on Friday, when I went to Soros's house in Bedford, New York, north of New York City.

George Soros was eighty-seven years old at the time and exceptionally full of life. I arrived as he was returning from a tennis match. George welcomed me to his home, introduced me to his wife, Tamiko, and begged my forbearance while he took a quick shower before our session. During the short wait, Tamiko quizzed me about the *Washington Monthly* article.

Soros's speech was already great when I first saw it, but he is a perfectionist and thought that it could be much better. We spent more than four hours editing it line by line until George expressed satisfaction with the substance. When we got to the end, I assumed my job was done, but George asked if I could return the following day, which was Saturday. He wanted to review the speech again and then prepare for questions he might get from the press. No one was expecting George Soros to deliver a warning about the dangers of internet platform monopolies, and he wanted to be certain he understood the technical issues described in my essay well enough to answer questions from journalists. On Saturday morning, George, Tamiko, Michael Vachon, and I sat around the dining room table, reviewing every issue from multiple directions until George felt he could respond to whatever the reporters asked. It took more than three hours. The speech is included in the appendices to this book.

Soros's commitment to democracy around the world had particular salience in January 2018, given the rise of Donald Trump and the growing strength of hypernationalists in Europe. After an opening that focused on geopolitics, Soros's speech turned to the threat to democracy from internet monopolies like Google and Facebook. Playing to his strengths, Soros framed the threat in economic terms. He characterized the internet monopolies as extraction businesses in the vein of oil companies, but with a better business model. Network effects allow for ever higher returns as they grow. Growth requires more time and attention from every user every year, gained through surveillance of users and designs that create psychological addiction. Exceptional reach enables monopolies to act as gatekeepers. Media companies must work with them on their terms. Yet the internet monopolies do not acknowledge responsibility for the content on their site, which allows disinformation to flourish. Active users lose the ability to separate fact from fiction, making them vulnerable to manipulation. Soros emphasized the potential threat to democracy of an alliance between authoritarians and internet monopolies. He warned that the monopolies are vulnerable both to China's influence and to competition from Chinese companies playing their version of the same game. Soros concluded the speech with praise for the European Union's approach to protecting users from internet monopolies. George may have started from my *Washington Monthly* essay, but the final speech went much further, tying the threat from internet platforms to geopolitics. By the time I left the Soros home, I had every hope that George's speech would have an impact.

It did. The Soros speech at Davos on January 25 reverberated through the halls of government in both Europe and the United States, reframing the conversation from the relatively narrow confines of the US presidential election to the much broader space of global economics and politics. Policy makers take Soros very seriously, even the ones who disagree with him, and few expected the eight-seven-year old billionaire to speak so thoughtfully and forcefully about technology. For many, it was a wake-up call. In the US, where policy makers' enormous trust in tech platforms had already been tested by the congressional hearings three months earlier, Soros added pressure for a further reassessment. For users, the effect of Soros's speech was more abstract. Most users really like Facebook. They really like Google. There is no other way to explain the huge number of daily users. Few had any awareness of a dark side, that Facebook and Google could be great for them but bad for society. I don't know how many users heard Soros's speech—probably fewer than watched at least some of the congressional hearings back in October and November, which itself was not a big number—but many more saw the headlines. I suspect the details of Soros's argument did not fully register, but coming so soon after the hearings, the headlines had to leave an impression: same companies, new problems. An increasing number of users registered an awareness of controversy surrounding Facebook and Google. More knew that the platforms had issues, even if they did not yet know the particulars or how they might be affected personally.

9

The Pollster

Technology is cool, but you've got to use it as opposed to letting it use you. —PRINCE

Andrew Bosworth's tweet—"Who the fuck is Roger McNamee?"—was not the kind of engagement I had hoped for from Facebook. It was hard to imagine that Boz viewed me as a threat, so why bother to mention me? As we had learned from Zuck's New Year's resolution, any response at all from Facebook engaged the news media. It amplified our signal, increasing both awareness and skepticism about Facebook's business practices in the context of the 2016 election.

Zuck's New Year's resolution was just the first in a series of public pronouncements. It was followed ten days later by changes to News Feed. Facebook demoted publisher content, while promoting posts from family, friends, and Groups. It positioned the change as an effort to reduce fake news and increase content from the sources users trusted most. Skeptics suggested that Facebook made the change to reduce the risk that regulators would view it as a media company. Less publisher content would also minimize the opportunity for accusations of editorial bias. The problem is that Facebook really is a media company. It exercises editorial judgment in many ways, including through its algorithms. Facebook's position has always been that users choose their friends and which links to view, but in reality, Facebook selects and sequences content for each user's News Feed, an editorial process that had led to criticism in the past, most notably when conservatives accused the company in May 2016 of bias in its Trending Stories feature. At that time, human editors curated Trending Stories. Stories with a conservative slant represented something less than half in the spring of 2016, the result of multiple factors. Facebook may have bowed to the accusation of bias because of cofounder Chris Hughes's role in President Obama's reelection campaign in 2012, when Hughes ran digital operations. Whatever the reason, Facebook's decision in May 2016 to replace human curators with algorithms proved to be a disaster. Far-right voices gamed the algorithm effectively, and disinformation dominated Trending Stories, just in time to amplify the Clinton email server story.

Whether or not the changes to News Feed were another attempt to deny responsibility for third-party content on the platform, they had the effect of promoting the primary elements of filter bubbles—family, friends, and Groups—at the expense of the content most likely to pierce a filter bubble, journalism. The changes seemed like a step backward. Had they been implemented in 2015, they would likely have magnified the effect of the Russian interference.

February 2018 began with two events that were our first efforts to put organizational muscle behind our effort: the launch of the Center for Humane Technology (CHT) and the one-day Truth About Tech conference on kids and social media. CHT is a not-for-profit dedicated to helping consumers deal with the dark side of technology. *The New York Times* wrote a launch story about CHT that included a list of founders and advisors, two of which were Facebook alumni. Both suffered through hostile phone calls from Facebook for associating with us. While the mission of CHT was nonpartisan and user-centric, Zuck and Sheryl did not take kindly to former colleagues lending their names to it. Other than annoying the two Facebook alumni, Facebook's reaction had no impact on CHT. This was confirmed the following day, when we convened in Washington for the Truth About Tech conference. Explicitly positioned as a joint project of Common Sense Media and the Center for Humane Technology, Truth About Tech had a speaker list that included Senators Mark Warner and Edward Markey, as well as Representative John Delaney; Dr. Robert Lustig, the pediatric endocrinologist who had exposed the addictive properties of sugar; author Franklin Foer; Chelsea Clinton; and Tristan, Randima Fernando, and me from the CHT team. Randima had recently joined CHT, after working with Tristan on Time Well Spent. Common Sense Media had invited people from Facebook and Google to attend the conference, hoping for constructive dialogue about protecting children from the harmful aspects of screens and online content, but they were not willing to engage in the conversation.

At the kickoff event for the conference, House Minority Leader Nancy Pelosi sought me out. We have similar taste in music and had shaken hands a few times backstage at Grateful Dead and U2 concerts. She took me aside, thanked me for the work our team had been doing with House Intelligence, and asked if we needed help reaching other members of the Democratic House caucus. The shortest unit of time in the universe is how long it took me to say yes. She recommended that I brief her entire staff as a first step, which I did a few weeks later. That momentary encounter would soon pay larger dividends.

That same day, *The Verge* published a story by Casey Newton about Tavis McGinn, who had recently left Facebook after a six-month stint as the personal pollster for Zuck and Sheryl. The story shocked us. Why would Facebook—which employs a small army to survey users on every issue imaginable—need to hire a new person for the sole purpose of polling the popularity of its two top executives? More remarkable was the timing: Tavis had been at Facebook from April through September 2017. They had hired the pollster while they were still denying any involvement in the Russian interference.

In the article, Tavis explained that his experience at Facebook did not work out the way he had hoped.

> "I joined Facebook hoping to have an impact from the inside," he says. "I thought, here's this huge machine that has a tremendous influence on society, and there's nothing I can do as an outsider. But if I join the company, and I'm regularly taking the pulse of Americans to Mark, maybe, just maybe that could change the way the company does business. I worked there for six months and I realized that even on the inside, I was not going to be able to change the way that the company does business. I couldn't change the values. I couldn't change the culture. I was probably far too optimistic.
>
> "Facebook is Mark, and Mark is Facebook," McGinn says. "Mark has 60 percent voting rights for Facebook. So you have one individual, 33 years old, who has basically full control of the experience of 2 billion people around the world. That's unprecedented. Even the president of the United States has checks and balances. At Facebook, it's really this one person."

No one on our team had interacted with Zuck and Sheryl since the 2016 election. We could only guess what they were thinking. Here was someone who knew what they were thinking just a few months earlier. We were keen to connect with him. A reporter at *The Washington Post*, Elizabeth Dwoskin, knew how to reach Tavis and volunteered to introduce us. It took a couple of days, but Tavis called my cell phone while I was riding the subway in New York. Fortunately, the call came through while my subway train was stopped at the Twenty-eighth Street station on the 1 line. I hopped off the train and spoke to Tavis for nearly half an hour on the subway platform, our conversation punctuated by the noise of passing trains.

Tavis reframed my understanding of the psychology of Zuck and Sheryl, as well as the way that Facebook's culture had evolved since the IPO. He emphasized that spectacular success had cemented Zuck's position as the undisputed leader of the world's largest network of people. As Zuck's partner, Sheryl enjoyed comparable regard from employees. Internally, everyone defers to the Big Two. Tavis's hiring reflected Zuck's and Sheryl's concern for their personal brands, which they feared would be tarnished by any negative feedback that came Facebook's way. Tavis was convinced that both Zuck and Sheryl had bigger plans after Facebook, and those plans were threatened by the rising tide of criticism. Soon after joining the company, Tavis learned that neither Zuck nor Sheryl wanted to hear bad news. As much as I would have liked to dig deeper, I respected Tavis for honoring Facebook's nondisclosure agreement (NDA).

On February 16, Special Counsel Robert Mueller issued a thirty-seven-page indictment of thirteen Russian nationals and three organizations for interference in the 2016 US election, wire fraud, and bank fraud. The indictment referred to Facebook, Instagram, and Twitter by name and underscored the ease with which the Russians had exploited the architecture and algorithms of social platforms to spread disinformation and suppress votes. The story landed like a bombshell. As a bonus, the world got a peek into Facebook's culture, thanks to a tweet storm from Rob Goldman, Facebook's vice president of advertising, in response to the indictments.

The president of the United States retweeted Goldman's tweet, making it a global news story with consequences for which Facebook had not prepared.

Rob Goldman
@robjective
Follow

Very excited to see the Mueller indictment today. We shared Russian ads with Congress, Mueller and the American people to help the public understand how the Russians abused our system. Still, there are keys facts about the Russian actions that are still not well understood.

5:57 PM - 16 Feb 2018

Rob Goldman
@robjective
Follow

Most of the coverage of Russian meddling involves their attempt to effect the outcome of the 2016 US election. I have seen all of the Russian ads and I can say very definitively that swaying the election was *NOT* the main goal.

5:57 PM - 16 Feb 2018

Rob Goldman
@robjective
Follow

The majority of the Russian ad spend happened AFTER the election. We shared that fact, but very few outlets have covered it because it doesn't align with the main media narrative of Tump and the election.

Hard Questions: Russian Ads Delivered to Congre...
What was in the ads you shared with Congress? How many people saw them?
newsroom.fb.com

5:57 PM - 16 Feb 2018

Rob Goldman
@robjective
Follow

The main goal of the Russian propaganda and misinformation effort is to divide America by using our institutions, like free speech and social media, against us. It has stoked fear and hatred amongst Americans. It is working incredibly well. We are quite divided as a nation.

5:57 PM - 16 Feb 2018

Rob Goldman
@robjective
Follow

The single best demonstration of Russia's true motives is the Houston anti-islamic protest. Americans were literally puppeted into the streets by trolls who organized both the sides of protest.

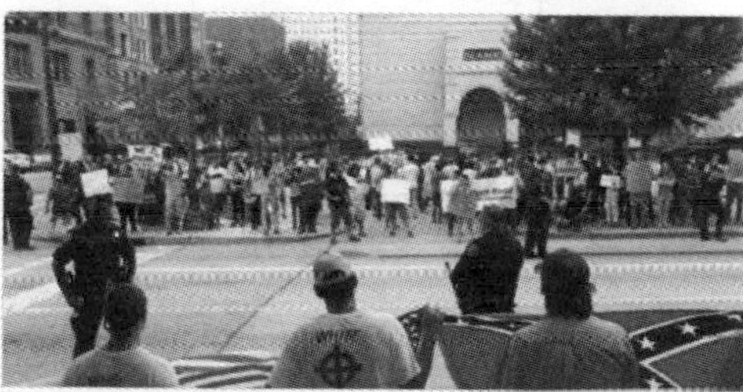

Russian Trolls Organized Both Sides of an Islam Protest in Texas
Update: Nov. 3 — Houston counter-protesters are alleging that their protest was not connected to the Russian-led group. The story now reflects those...
sacurrent.com

5:57 PM - 16 Feb 2018

Goldman's tweets provided a glimpse into the state of mind of Facebook executives. Apparently, they viewed the Mueller indictment as exoneration. They thought it was okay that the Russians had exploited Facebook and Instagram to "divide America," so long as they did not intend to sway the election. It demonstrated a stunning lack of situational awareness by a member of Facebook's inner circle. Journalists and the blogosphere mocked Goldman and Facebook for being clueless. Goldman's tweet storm had effectively confirmed Tavis's view of the mind-set inside Facebook.

A few days later, I met Tavis for the first time, in a coffeehouse on Market Street in San Francisco. He told me that he hailed from North Carolina and went to college at the University of North Carolina at Chapel Hill, where he discovered a talent for entrepreneurship, launching a business that rented refrigerators to students. After college, Tavis began his career in market research. He became an expert at creating and executing surveys, which eventually landed him at the insurance company GEICO, then at Google. Facebook pursued him several times at Google, but Tavis was not tempted until early 2017, when the opportunity arose to be the personal pollster for Zuck and Sheryl.

With the Mueller indictment and the subsequent Goldman tweet storm as context, Tavis and I shared insights for ninety minutes. After leaving Facebook, Tavis had launched a new market research business, Honest Data, but hoped to join our team on a part-time basis, with the goal of communicating his concerns about Facebook to regulators. He had done research on the NDA that every Facebook employee must sign and concluded that it could be pierced in the event of a legal case, such as an investigation by a state attorney general. While we were not actively working with a state attorney general, we had built a relationship with the attorney general of New York and members of his team. I offered to make an introduction. It made sense to initiate relationships with other attorneys general.

Two days later, on Wednesday, Tristan and I went to Seattle to meet the chief of staff to the attorney general of Washington, the adolescent mental health team at the Gates Foundation, and the CEO of Microsoft. The three had very different interests and no prior exposure to us, so the best we could hope for would be to plant seeds. We did that in the first two meetings, before going to Microsoft headquarters for a meeting with the CEO, Satya Nadella, and the head of business development, Peggy Johnson. Nadella's book, *Hit Refresh*, had expressed a philosophy consistent with the values Tristan had set for the Center for Humane Technology, and we hoped to secure his support for our effort. Companies like Microsoft don't commit in the first meeting, but Satya and Peggy engaged thoughtfully with us. Satya noted that while two Microsoft products, Xbox and LinkedIn, used techniques from the Fogg playbook, most of its products did not. There would be significant benefits to adopting Tristan's notions of humane design in the core Windows line. He asked that Tristan schedule a return visit to brief Microsoft's engineering leadership. On the way out of Satya's office, we ran into Microsoft founder Bill Gates, on his way to visit Nadella. In an Axios interview a week earlier, Bill had criticized the tech giants of Silicon Valley for acting cavalierly, suggesting that they risked the kind of government regulation that had plagued Microsoft. "The companies need to be careful that they're not . . . advocating things that would prevent government from being able to, under appropriate review, perform the type of functions that we've come to count on," he warned.

Even apart from the Mueller indictment and Goldman's tweets, February delivered a series of public relations failures to Facebook. Two huge consumer packaged goods vendors, Procter & Gamble and Unilever, criticized Facebook (and Google) and threatened to stop advertising. P&G expressed displeasure with the platforms' lack of transparency and accountability and argued that advertisers should not tolerate the biggest internet platforms' failure to conform to the disclosure standards of the advertising industry. Current practices caused P&G to ask if it was getting what it paid for. Unilever objected to fake news, extremist content, and the role that the platforms had played in sowing discord.

Days later, journalists disclosed that Facebook had sent millions of marketing messages to phone numbers that users had provided as part of a security feature called two-factor authentication, something it had promised not to do. A storm of criticism followed, eliciting a couple of tweets from Facebook's vice president of security, Alex Stamos, that reprised Facebook's tin ear to legitimate criticism. Once again, a press revelation confirmed Tavis's hypothesis about the company's culture. Next, a court in Belgium ruled that Facebook broke privacy laws and ordered the company to stop collecting user data in that country. Even when news reports dealt with another tech platform—as was the case when journalists revealed that Russian bots promoted disinformation on Twitter in the wake of the school shooting in Parkland, Florida—Facebook's reputation took a hit. Finally, a virtual-reality shooting game that Facebook sponsored at the Conservative Political Action Conference (CPAC) drew massive criticism, also coming on the heels of the Parkland shooting.

It seemed as though a negative story hit Facebook almost every day. In a news environment dominated by the unprecedented behavior of the Trump administration, the Facebook story kept breaking through. Most of the world was barely paying attention to the details, but the story had legs.

Facebook continued to defend its business model. In the past, apologies had always been enough to neutralize criticism. Not this time. Ignoring criticism for more than a year had not worked. Zuck's 2018 New Year's resolution and the tweets from inner-circle executives had backfired, but with those responses, Facebook acknowledged the criticism for the first time. Public pressure made a difference.

MY ORIGINAL FEAR—that Facebook's problems were systemic—had been validated repeatedly by journalists, policy makers, and the

Mueller investigation. Facebook executives had begun to engage, but it seemed that the rest of the company continued to operate as it always had. We heard rumors of internal discontent, but that may have been wishful thinking. No new whistle-blowers had emerged, and no one inside the company leaked any data to support the investigations. But the pressure on Facebook was about to intensify.

10

Cambridge Analytica Changes Everything

Once a new technology rolls over you, if you're not part of the steamroller, you're part of the road. —STEWART BRAND

March 2018 brought almost daily revelations about unintended damage from social media. *Science* magazine published a study conducted by professors at MIT of every controversial story in English on Twitter. It revealed that disinformation and fake news are shared 70 percent more often than factual stories and spread roughly six times faster. The study noted that bots share facts and disinformation roughly equally, suggesting that it is humans who prefer to share falsehoods. No one claimed that the problem might be confined to Twitter. The study provided further evidence that the dark side of social networks may be systemic, driven by design choices that favor some of the worst aspects of human behavior.

As if on cue, disinformation spread by Infowars about bombing suspects in Austin, Texas, reached the top of the charts on YouTube. YouTube responded to this failure in moderation by trying to pass the buck to Wikipedia, which it claimed would debunk disinformation. When I checked with Katherine Maher, the executive director of Wikipedia, that day, I learned that YouTube had made the announcement without first speaking to or offering to reimburse Wikipedia, a nonprofit with a small professional staff. When Wikipedia pushed back, the folks from YouTube seemed not to understand why Wikipedia would not want to spend its limited budget being YouTube's fact-checker.

For Facebook, a tide of bad news washed in from outside the United States. Early in March, the Sri Lankan government ordered internet service providers to block Facebook, Instagram, and WhatsApp temporarily, due to an explosion of real-life violence against that country's Muslim minority, triggered by online hate speech. The government criticized Facebook and its subsidiaries for not taking action to limit hate speech on their platforms, a criticism that would increasingly be echoed in jurisdictions around the world. Facebook's response—that its terms of service prohibited the inciting of violence—was classic. They designed the site so that hardly anyone will read the terms of service, but somewhere in those terms is one that prohibits hate speech. The company promised to work with the government of Sri Lanka to address the problem, a promise that seemed transparently hollow. Facebook is huge; relative to the economics of Facebook, Sri Lanka is not. To imagine that Facebook would let Sri Lanka be friction seemed like wishful thinking.

Days later, a United Nations report accused Facebook of enabling religious persecution and ethnic cleansing of the Rohingya minority in Myanmar. As in Sri Lanka, hate speech on Facebook triggered physical violence against innocent victims. According to Médecins Sans Frontières, the death toll from August through December 2017 was at least nine thousand. In a country where Facebook completely dominates social media, the platform plays a central role in communications. *The Guardian* reported:

The UN Myanmar investigator Yanghee Lee said Facebook was a huge part of public, civil and private life, and the government used it to disseminate information to the public.

"Everything is done through Facebook in Myanmar," she told reporters, adding that Facebook had helped the impoverished country but had also been used to spread hate speech.

"It was used to convey public messages but we know that the ultra-nationalist Buddhists have their own Facebooks and are really inciting a lot of violence and a lot of hatred against the Rohingya or other ethnic minorities," she said.

"I'm afraid that Facebook has now turned into a beast, and not what it originally intended."

Slate quoted Facebook executive Adam Mosseri as saying the situation in Myanmar was "deeply concerning" and "challenging for us for a number of reasons." He argued that in Myanmar, Facebook had not been able to employ its standard practice of working with third-party fact-checkers. Instead, it was attempting to regulate hate speech through its terms of service and community standards, which presumably are at least as opaque to users in countries like Myanmar as they are in the United States. And the situation is actually worse than that. Facebook has a program called Free Basics, which is designed for countries where mobile communications is available but too expensive to permit widespread use of internet services. The functionality of Free Basics is limited, designed to plant seeds in developing countries, while gaining positive press for doing so. Sixty emerging countries around the world have embraced Free Basics, all countries with minimal experience with telecom and media, and some have been disrupted by it. In Myanmar, Free Basics transformed internet access by making it available to the masses. That is also the case in most of the other countries that have adopted the service. The citizens of these countries are not used to getting information from media. Prior to Free Basics, they had little, if any, exposure to journalism and no preparation for social media. Their citizens did not have filters for the kind of disinformation shared on internet platforms. An idea that sounded worthy to people in the US, Free Basics has been more dangerous than I suspect its creators would have imagined.

In Myanmar, a change in government policy caused an explosion in wireless usage, making Facebook the most important communications platform in the country. When allies of the ruling party used Facebook to promote violence against the Rohingya minority, the company fell back on its usual strategy of an apology and a promise to do better. The truth is that countries like Myanmar are strategically important to Facebook, but only as long as the cost of doing business there remains low. Facebook had not hired enough employees with the language skills and cultural sensitivity to avoid disruption in countries like Myanmar or Sri Lanka. The company demonstrated little urgency to address this issue, framing it as a process problem rather than a humanitarian crisis.

On March 16, all hell broke loose.

It began when Facebook announced the suspension of a political consulting firm, Cambridge Analytica, and its parent, SCL Group, from the platform. This turned out to be an attempt to preempt a huge story that broke the following day in two newspapers in the United Kingdom, *The Observer* and *The Guardian*, as well as in *The New York Times*. The *Guardian* story opened with a bang:

> The data analytics firm that worked with Donald Trump's election team and the winning Brexit campaign harvested millions of Facebook profiles of US voters, in one of the tech giant's biggest ever data breaches, and used them to build a powerful software program to predict and influence choices at the ballot box.
>
> A whistleblower has revealed to the *Observer* how Cambridge Analytica—a company owned by the hedge fund billionaire

Robert Mercer, and headed at the time by Trump's key adviser Steve Bannon—used personal information taken without authorisation in early 2014 to build a system that could profile individual US voters, in order to target them with personalised political advertisements.

Christopher Wylie, who worked with a Cambridge University academic to obtain the data, told the *Observer*: "We exploited Facebook to harvest millions of people's profiles. And built models to exploit what we knew about them and target their inner demons. That was the basis the entire company was built on."

The story suggested that Cambridge Analytica had exploited a researcher at Cambridge University, Aleksandr Kogan, to harvest and misappropriate fifty million user profiles from Facebook. Kogan, a researcher who was also affiliated with a university in St. Petersburg, Russia, had previously worked on research projects with Facebook. Cambridge University had originally rejected Kogan's request to access its data, leading Kogan and his partner, Joseph Chancellor, to start a company, funded by Cambridge Analytica, that would create a new data set of American voters. They created a personality test that would target Facebook users and recruited test takers from an Amazon service that provided low-cost labor for repetitive information technology projects. Two hundred seventy thousand people were paid one to two dollars each to take the test, which was designed to collect the personality traits of the test taker, as well as data about friends and their Facebook activities. The people who took the test had to be American, and it turned out that they had a lot of friends, more than forty-nine million of them.

Cambridge Analytica was created in 2014 as an affiliate to SCL Group, a British firm that specialized in market research based on psychographics, a technique designed to categorize consumers according to personality types that might have predictive value in the context of elections. In the world of market research, there is considerable doubt about how well psychographics work in their current form, but that issue did not prevent Cambridge Analytica from finding clients, mostly on the far right. To serve the US market, SCL needed to obey federal election laws. It created a US affiliate staffed by US citizens and legal residents. Reports indicated that Cambridge Analytica took a casual approach to regulations. The team of Robert Mercer and Steve Bannon financed and organized Cambridge Analytica, with Alexander Nix as CEO. The plan was to get into the market within a few months, test capabilities during the 2014 US midterm elections, and, if successful, transform American politics in 2016. To be confident that their models would work, Nix and his team needed a ton of data. They needed to create a giant data set of US voters in a matter of months and turned to Kogan to get one. According to Wylie, the Kogan data set formed the foundation of Cambridge Analytica's business. Cambridge Analytica's election-centric focus clearly violated Facebook's terms of service, which did not permit commercial uses of Kogan's data set, but Wylie reported that Facebook made no attempt to verify that Kogan had complied.

At the time that Kogan and Cambridge Analytica misappropriated fifty million user profiles, Facebook was operating under a 2011 consent decree with the FTC that barred Facebook from deceptive practices with respect to user privacy. The decree required explicit, informed consent from users before Facebook could share their data. Apparently, Facebook had taken no steps to secure consent from the friends of the 270,000 test takers, which is to say, something like 49.7 million Facebook users. While the enforcement language of the consent decree is ambiguous, its intent is clear: Facebook had an obligation to safeguard the privacy of its users and their data. You could almost sense a shock wave as people understood the ease with which Kogan had harvested fifty million profiles. Facebook made it easy.

Speculation by journalists and pundits about legal issues that might arise from the Cambridge Analytica story lit up Twitter for hours. Legal analysts focused on the possibility of a data breach that might have placed Facebook in violation of state laws and FTC regulations. Failure to comply with the FTC consent decree carried a penalty as high as forty thousand dollars per offense. In the case of Cambridge Analytica, the penalty could potentially be measured in the trillions of dollars, far more than the value of Facebook. Cambridge Analytica might be vulnerable to prosecution for fraud and campaign finance violations.

The Cambridge Analytica story transformed the conversation about Facebook, providing something to worry about for just about everyone. Those troubled by the role of Facebook in the 2016 US presidential election could obsess over Facebook enabling inappropriate access to user profiles and how that might have affected the outcome. Those worried about privacy on Facebook saw their worst fears validated. Kogan harvested fifty million user profiles under a Facebook program designed to let third-party app vendors gain access to friends lists. How many third-party app vendors had taken advantage of the program? Only a tiny fraction of affected users knew their profile had been harvested. The data was still out there—quite likely still available for use—with no way to get it back.

Facebook tried and failed to minimize fallout from the story. Having failed to preempt it on day one, Facebook tried to reframe the story in a way that shifted all the blame to Cambridge Analytica. Facebook's initial response, a series of tweets from vice president of security Alex Stamos, denied *The Guardian*'s characterization that Kogan and Cambridge Analytica had committed a data breach. Stamos emphasized that Kogan had authorization to harvest friends lists for research purposes and that the guilty party was Cambridge Analytica, which had misappropriated the user profiles. According to Stamos's tweets, Facebook was a victim.

In disputing the initial characterization of a "data breach," Facebook inadvertently made its public relations problem worse, so much so that Stamos deleted the tweets. When it described Kogan as a legitimate researcher, Facebook effectively acknowledged that the harvesting of user profiles by third parties was routine. Our team hypothesized that every Facebook user profile in that era was harvested at least once. Facebook's acknowledgment came as a shock. It should not have been. We soon learned that sharing private user data with third parties was one of the core tactics that contributed to Facebook's success.

In its early years, Facebook had been far more successful in growing its user base than in growing the amount of time each user spent on the site. The introduction of third-party games, particularly Zynga's FarmVille in 2009, changed that by rewarding social interaction and leveraging friends lists to boost the population of players. By March 2010, FarmVille had more than 83 million monthly users and 34.5 million daily users, and it changed the economics of Facebook. Zynga leveraged its user growth with in-game advertising and purchases, which translated rapidly into revenue of hundreds of millions of dollars. On Facebook, 30 percent of Zynga's in-game advertising and purchase revenues went to Facebook, making Zynga a key partner in the era before Facebook had a scalable advertising business model. In the year prior to the IPO, Zynga alone accounted for twelve percent of Facebook's revenue. Zynga's ability to leverage friends lists contributed to an insight: giving third-party developers access to friends lists would be a huge positive for Facebook's business. Social games like FarmVille cause people to spend much more time on Facebook. Users see a lot of ads. Zynga had a brilliant insight: adding a social component to its games would leverage Facebook's architecture and generate far more revenue, creating an irresistible incentive for Facebook to cooperate. In 2010, Facebook introduced a tool that enabled third-party developers to harvest friends lists and data from users. They saw the upside of sharing friends lists. If they recognized the potential for harm, they did not act on it. Despite the 2011 consent decree with the FTC, the tool remained available for several more years.

Kogan's data set included not only Facebook user IDs but also a range of other data, including activity on the site. Such a list had great value if used inside Facebook, but Cambridge Analytica had bigger plans. They married the data set to US voter files, which include both demographic information and voting history. According to Wylie, Cambridge Analytica was able to match at least thirty million Facebook profiles to voter files, equivalent to 13 percent of all eligible voters in the country. At that scale, the data set had tremendous value to any campaign. Facebook's advertising tools allow targeting by demographics and interests but are otherwise anonymous. Tying the voter files to the user profiles would have enabled Cambridge Analytica to target advertising inside Facebook with exceptional precision, particularly if one of the goals was voter suppression. In 2016, the winner in the electoral college lost the popular tally by nearly three million votes. Three states, which Trump won by a total of 77,744 votes, provided more than the margin of victory in the electoral college. Is it possible that the Cambridge Analytica data set might have influenced the outcome? Yes. It's virtually impossible that it didn't.

Targeting inside Facebook mattered because it works. Cambridge Analytica's original client, the presidential campaign of Senator Ted Cruz, complained that the psychographic models sold by Cambridge Analytica did not work for them. In the end, psychographics probably didn't matter to the Trump campaign. They had more powerful weapons available to them, in the form of Cambridge Analytica's data set of thirty million enhanced voter files and Facebook's targeting tools and employees.

After the initial bombshell story, *The Guardian* published a video interview with the whistle-blower, Christopher Wylie, whose pink hair made him instantly recognizable and ubiquitous online and in newspapers. The UK's ITN Channel 4 added to the story with a series of undercover exposés about Cambridge Analytica that reflected very badly on that company and, by extension, on Facebook. In one of the exposés, senior executives of Cambridge Analytica are captured on film bragging about their ability to use prostitutes to entrap politicians.

The Guardian also reminded readers that it had previously revealed the connection between Kogan and Cambridge Analytica in a story in December 2015. Facebook claimed at the time not to have known that Cambridge Analytica had gained possession of Kogan's data set. Citing a violation of its terms of service, Facebook sent letters to Cambridge Analytica and Kogan, insisting that they destroy all copies of the data set and certify that they had done so by checking off a box in a form. Facebook never audited either Cambridge Analytica or Kogan and did not dispatch inspectors to confirm destruction of the data set. Once again, the focus at Facebook was on protecting against legal liability, not on protecting users.

Facebook's argument that it had been a victim of Cambridge Analytica fell apart when *Slate*'s April Glaser reminded her readers that the company had hired and continued to employ Joseph Chancellor, who had been Aleksandr Kogan's partner in the startup that harvested Facebook user profiles on behalf of Cambridge Analytica. Facebook had known about the connection between Cambridge Analytica and Kogan/Chancellor since at least December 2015. They should have been really angry at Kogan and Chancellor for misappropriating the data set. Why would they hire someone who had misappropriated private user data? And yet Chancellor was now a Facebook employee. The Glaser story was actually old news that acquired new salience in the context of recent revelations. The Facebook/Kogan/Chancellor link had originally been reported by *The Intercept* in March 2017, and it had connected the dots from Cambridge Analytica to Kogan to Chancellor to Facebook in a way that did not make anyone look good. Facebook eventually placed Chancellor on administrative leave.

If the relationship between Facebook, Kogan, and Cambridge Analytica had been known since late 2015, why was this story a much bigger deal the second time around? The short answer is that context had been missing the first time the story made news. Unlike in December 2015, we now knew that the Russians had exploited Facebook to sow discord among Americans and then support Donald Trump's presidential candidacy. We also knew that Cambridge Analytica had been the Trump campaign's primary advisor for digital operations and that Facebook had embedded three employees in the Trump campaign to support that effort. The presidential election had been especially close, and it seemed likely that Trump's targeting of voters in key states late in the campaign had been decisive. There were half a dozen things that had to happen on election day in order for Trump to win, and successful Facebook advertising in key states was one of them. The new context made it hard to escape the conclusion that Cambridge Analytica and the Trump campaign had exploited Facebook, just as the Russians had. Little had been learned about Facebook's engagement with Russian agents, but there could be little doubt that Facebook had willingly engaged with Kogan, Cambridge Analytica, and the Trump campaign. It was entirely possible that Facebook employees had played a direct role in the success of Trump's digital strategy on Facebook.

It is hard to overstate the impact of the Cambridge Analytica story. Coming on the heels of so many other bad stories, it confirmed many people's worst fears about Facebook. The relentless pursuit of growth had led Facebook to disregard moral obligations to users, with potentially decisive consequences in a presidential election and as yet unknown other consequences to the millions of users whose data had been shared without prior consent. The national conversation Tristan and I had hoped to start eleven months earlier had reached a new level. The next few days were going to be a real test for Facebook. There was no good way to spin the Cambridge Analytica story. How would they handle the reckoning?

The first wave of stories about Cambridge Analytica had an especially profound effect on one member of our team, Sandy Parakilas. Since joining us in November 2017, Sandy had dedicated himself to our cause, using his experience from Facebook to shed light on the dark side of social media in op-eds and interviews. He had also played a role in the rollout of the Center for Humane Technology. Overnight, Sandy's role changed dramatically. He went from activist to whistle-blower. From 2011 to 2012, Sandy had been an operations manager for Facebook Platform, home to all third-party applications on the site. Sandy had a uniquely valuable perspective on Facebook's policies and actions relative to user data privacy and security.

The child of academics in Maine, Sandy grew up wanting to be a jazz drummer. He gave that career a try, then opted for business school in pursuit of a more stable path. Sandy won a national business plan competition to recast the business model of a not-for-profit called One Laptop per Child. That success helped Sandy secure an offer from Facebook, which evolved into a newly created position focused on user privacy. In classic Facebook style, the company installed an inexperienced and untested recent graduate in a position of great responsibility, a position to which other companies would have traditionally assigned someone with meaningful relevant experience. The job did not contribute to growth, which meant it would not be a high priority inside Facebook. In fact, the task of protecting user privacy would internally be viewed as a form of friction—which put Sandy in a very difficult position. To have any chance of success, he had to push back against a core element of Facebook's culture and make the company embrace at least one form of friction—privacy protection—that almost certainly would have at least a small negative impact on growth. It did not take long for Sandy to understand that the odds were against him.

In November 2011, early in Sandy's tenure, Facebook entered into its consent decree with the FTC to settle an eight-count complaint about material misrepresentations to users with respect to privacy. The complaint included a long list of Facebook misrepresentations, beginning in 2009. In some cases, Facebook promised one thing and did the exact opposite. In others, Facebook made commitments to regulators that it did not keep. According to the FTC's press release:

> The proposed settlement bars Facebook from making any further deceptive privacy claims, requires that the company get consumers' approval before it changes the way it shares their data, and requires that it obtain periodic assessments of its privacy practices by independent, third-party auditors for the next 20 years.

The spirit of the settlement is obvious, and the original deal with Aleksandr Kogan was one of many that appeared to violate it.

With respect to the sharing of user data, the consent decree seemed to offer Facebook two options: it could eliminate the tool for harvesting friends lists and/or it could create a team to enforce the consent decree by monitoring and auditing third-party developers. According to Sandy, at the time Facebook did neither. Sandy's requests for engineering resources to enforce the decree were denied with an exhortation to "figure it out." In the end, the consent decree's enforcement provision gave Facebook a "get out of jail free" card. The FTC allowed Facebook to both pick and pay the third-party auditor whose certification of compliance with the consent decree would be required. Facebook did not have to worry about compliance. It received passing grades every time, even as it failed to comply with the spirit of the decree.

At Facebook, figuring it out is a way of life. The company got its start with a bunch of Harvard undergraduates who knew how to code but had almost no experience with anything else. They figured it out. Each new wave of employees followed the same path. Some took too long and were pushed out. The rest got comfortable with the notion that experience was not helpful. At Facebook, the winners were people who could solve any problem they encountered. The downside of this model is that it encourages employees to circumvent anything inconvenient or hard to fix.

In the run-up to Facebook's May 2012 IPO, the company scrutinized every aspect of its business. A series of privacy issues emerged that related to Facebook Platform, specifically to the tool that enabled third-party apps to harvest data from users' friends. As Sandy describes it, Facebook's lack of commitment to user data privacy created issues of disclosure and legal liability that could and should have been addressed before the initial public offering. That did not happen. Recognizing that Facebook did not intend to enforce the spirit of the FTC consent decree—and would blame him if ever there was bad press about it—Sandy quit his job.

Two years later, the person who occupied Sandy's position as operations manager for Facebook Platform approved Aleksandr Kogan's application to use a personality test to harvest friends data for academic research. Eighteen months after that, the person in that position sent a letter to Kogan and Cambridge Analytica in response to the article in *The Guardian*, ordering them to destroy the data set and certify that they had done so. While I have no proof one way or the other, I hypothesize that Facebook's commitment to enforcing the spirit of the FTC consent decree was no greater in 2014 than it was during Sandy's time at the company. If it had been greater, they almost certainly would have exercised their right to audit and inspect Kogan and Cambridge Analytica to ensure compliance.

The Cambridge Analytica story caused our team to rethink everything we knew about two things: the number of people who might have been affected by Facebook's casual approach to privacy and the company's role in the 2016 presidential election. On privacy, we had one terrifying data point: Facebook disclosed that there were nine million applications on Facebook Platform at the time of the IPO in 2012. In theory, all of them might have attempted to use the tool for friend harvesting. We knew that wasn't true because many of the "applications" were single pages created by third parties, designed to communicate a message rather than gather data. If only 1 percent of the apps on Platform harvested friends data, however, that would still have been ninety thousand applications. Sandy confirmed that during his tenure, the number of apps that harvested data was in the tens of thousands. The program continued for two years after Sandy left, so the number may have grown.

And as bad as the Cambridge Analytica harvest was, it was nowhere near the largest. The problem, as Sandy described it, was that some of the applications that harvested data were huge. Games like CityVille and Candy Crush had peak user bases that approached one hundred million players worldwide, including perhaps a quarter of all users in the United States. If games like CityVille and Candy Crush harvested friends data, they would have captured nearly every user in the US many times over. Lots of applications had one million users, and every one would have had access to the friends lists of four times as many Facebook users as Cambridge Analytica. The odds that any Facebook user in the 2010–14 period escaped data harvesting are vanishingly small.

Other than a handful of tweets from executives like Alex Stamos, Facebook kept quiet for five days after the Cambridge Analytica story broke. The only news from Facebook also related to Stamos, who announced that he planned to leave the company in five months. Journalists and industry people speculated about whether Stamos was being fired or was leaving voluntarily, but he departed Facebook on August 17 to join the faculty at Stanford. There were several data points to suggest that Stamos had pushed for greater transparency with respect to Facebook's role in the 2016 election but had been overruled by Sheryl Sandberg and Elliot Schrage. A few journalists noted that Stamos's own history made him less sympathetic than he might have been. For example, he led Yahoo's security team when that company built a tool to scan all incoming email on behalf of US intelligence agencies. No internet platform had ever acceded to such a broad request before, and Yahoo was heavily criticized.

When he finally broke his silence after five days, Zuck apologized for "a breach of trust between Facebook and the people who share their data with us and expect us to protect it." As reported in *The Guardian*, Zuck sounded remorseful.

> "We have a responsibility to protect your data, and if we can't then we don't deserve to serve you," Zuckerberg wrote. He noted that the company has already changed some of the rules that enabled the breach, but added: "We also made mistakes, there's more to do, and we need to step up and do it."

Zuck promised to change Facebook's rules for sharing data with third-party applications, a promise that rang hollow because the company had eliminated the tool for harvesting friends data in 2014 and could not recapture harvested data. Once the profiles left Facebook, they could have gone anywhere. They could have been copied over and over. And no one knew where the data sets and copies had gone. Could a copy of the Cambridge Analytica data set have found its way to Russian groups like the Internet Research Agency?

In the context of Sandy's experience, one conclusion was inescapable: Facebook had not protected user data privacy because sharing data broadly was much better for its business. Third-party applications increased usage of Facebook—time on site—a key driver of revenue and profits. The more time a user spends on Facebook, the more ads he or she will see and the more valuable that user will be. From Facebook's perspective, anything that increases usage is good. They seemingly never considered the possibility that what they were doing was wrong.

Journalists and policy makers expressed outrage at Facebook's failure to respond formally to the story for five days. Members of Congress and the UK Parliament called for Zuck to testify under oath. The analyst in me could not help but notice that the story of Facebook's role in the 2016 election had unfolded with one consistent pattern: Facebook would first deny, then delay, then deflect, then dissemble. Only when the truth was unavoidable did Facebook admit to its role and apologize. Suddenly, a lot of people understood that apologies had been a standard part of Facebook's public relations tool kit from Zuck's days at Harvard. Zeynep Tufekci, a brilliant scholar from the University of North Carolina, framed Facebook's history as a "fourteen-year apology tour." I reflected that it might be time to tweak Facebook's corporate motto:

Move fast, break things, apologize, repeat.

Zuck embarked on a charm offensive, beginning with interviews with *The New York Times*, CNN, and the tech blog *Recode*. As I watched and read the interviews, I could see why Zuck had waited five days before speaking. He wanted to be prepared. He must have concluded that the damage from bad answers would be greater than that from five days of silence. There is no way to rerun the experiment, but at the time, it seemed that waiting five days increased the brand damage to Facebook, Zuck, and Sheryl; and Zuck's performance in the interviews did not reduce the pressure on Facebook.

The following day, Sheryl began her own apology tour. As the former chief of staff to the secretary of the Treasury, Sheryl has years of experience at the highest levels of politics. As the chief operating officer of Facebook and a board member of the Walt Disney Company, she has been exposed to the widest possible range of business executives and situations. As a bestselling author, she has built a brand with consumers. In all these contexts, she has demonstrated exceptional communications skills. Back in the fall of 2017, in the first interview she did about Russia's use of Facebook to interfere in the 2016 election, Sheryl gave a master class in crisis management communications. She looked and sounded sincere, she was convincing, but when I reviewed the transcript, it was obvious she had not admitted anything substantive or committed Facebook to any material change. This made her failure in the first post–Cambridge Analytica interviews shocking. As Zuck had done, Sheryl seemed to choose interviewers who might not probe deeply. It didn't help. She left a bad impression. Several people who knew Sheryl only by her excellent reputation expressed surprise that she came across so poorly, so lacking in sincerity. Industry professionals responded in one of two ways. Most seemed to want the controversy to go away so they could go back to making money. The relatively small number who were troubled by Facebook's behavior expressed shock that Sheryl could be so unconvincing.

Sheryl Sandberg knows she is capable of achieving any goal to which she commits herself. People who know Sheryl well cannot help but agree. Her talents are exceptional. Ever since her career began, Sheryl has carefully cultivated her public image, controlling every aspect of it, moving from government to business to philanthropy to family. Sheryl's brilliant career did not come without collateral damage to some unfortunate people in her orbit, but in the culture of Silicon Valley, such damage comes with the territory. The trick is to appear virtuous when you take advantage of others. Did Sheryl have plans after Facebook that might suffer from the escalating PR crisis? Where another executive might have leaned into the problem, taking a short-term hit in the hope of long-term benefit, Sheryl had chosen to lean out. She seemed to be avoiding the spotlight when it mattered most. A few industry people and journalists I encountered appeared to be enjoying a moment of schadenfreude.

Even after the first salvo of press appearances by Zuck and Sheryl, the pressure on Facebook continued to grow. On March 21, a Facebook user filed a proposed class action lawsuit in San Jose, California. That same day, this showed up on Twitter:

God
@TheTweetOfGod

Mark Zuckerberg is one of the last people you should trust, and I mean that both literally and alphabetically.

1:42 PM · Mar 21, 2018

12,905 Retweets **50,321** Likes

On March 22, a game designer by the name of Ian Bogost published a piece in *The Atlantic* titled, "My Cow Game Extracted Your Facebook Data."

> For a spell during 2010 and 2011, I was a virtual rancher of clickable cattle on Facebook. . . .
>
> Facebook's IPO hadn't yet taken place, and its service was still fun to use—although it was littered with requests and demands from social games, like FarmVille and Pet Society.
>
> I'd had enough of it—the click-farming games, for one, but also Facebook itself. Already in 2010, it felt like a malicious attention market where people treated friends as latent resources to be optimized. Compulsion rather than choice devoured people's time. Apps like FarmVille sold relief for the artificial inconveniences they themselves had imposed.
>
> In response, I made a satirical social game called Cow Clicker. Players clicked a cute cow, which mooed and scored a "click."

In creating Cow Clicker, Bogost set out to lampoon FarmVille and the culture that developed around it. In the end, his game triggered the same social forces that had enabled the success of FarmVille. Users got hooked. Bogost got concerned and decided to end the game in an event he called "cowpocalypse." He returned to real life and apparently did not give much thought to Cow Clicker until the news broke about Cambridge Analytica, when he realized that his app had harvested user and friends data, all of which was still on a hard drive in his office. He had forgotten all about it. It seems unlikely that he is alone in that respect.

Bogost's article placed a spotlight on an aspect of Facebook's data security problem that had not received enough public attention to that point: once data leaves Facebook, it is no longer possible to retrieve it, and it may well live on. There is no way now for Facebook to police third parties who harvested data between 2010 and 2014. Someone, somewhere has the data. Maybe not all of it, but most of it. Why wouldn't they? It still has economic value. Data sets may have been sold or given away. Some may have been destroyed. Nobody knows what happened to all that private user data. And no matter how old a data set may be, if you use it inside Facebook again, it will gain benefit from all the data Facebook has acquired since the day the data set was harvested.

The following day, a second whistle-blower emerged from Cambridge Analytica. Unlike Christopher Wylie, who had been at Cambridge Analytica from the start but left prior to the 2016 election, Brittany Kaiser was a senior executive who worked on both Brexit and the US presidential election. She was a political liberal who had joined the 2008 Obama presidential campaigns under Facebook cofounder Chris Hughes and who voted for Bernie Sanders in the 2016 Democratic primary. In becoming a whistle-blower, Kaiser said she wanted to stop telling lies. As quoted in *The Guardian*, Kaiser shared her motivation:

> "Why should we make excuses for these people? Why? I'm so tired of making excuses for old white men. Fucking hell."

She says she believes that Silicon Valley has much to answer for. "There's a much wider story that I think needs to be told about how people can protect themselves, and their own data."

One of the most significant disclosures in the first interview with Kaiser was about how effective Hughes had been at getting Facebook to implement changes that reduced the workload for the Obama campaign. On behalf of Obama's reelection campaign, Hughes created an application that harvested friends data. The app differed from Kogan's in that it was honest about its true mission, and the mission itself—encouraging people to vote—was admirable, where voter suppression is not, but data harvesting was just as wrong when the Obama campaign did it as it was when Kogan did it four years later.

Kaiser was working at SCL Group when Alexander Nix created Cambridge Analytica as an affiliate. Kaiser's experience in the Obama campaign appealed to Nix, who made a case that the next big market opportunity would be to help Republicans catch up to the Democrats in data analytics. Kaiser transferred into Cambridge Analytica and went to work bringing in clients. Her early clients were in Africa, but in 2015 she and Nix shifted their focus to the United States in anticipation of the presidential election cycle. Kaiser asserted that Nix was not a political ideologue—unlike his patrons Robert Mercer and Steve Bannon—and hoped to create a "famous advertising company in the US market." As quoted in *The Guardian*:

> "Corporations like Google, Facebook, Amazon, all of these large companies, are making tens or hundreds of billions of dollars off of monetising people's data," Kaiser says. "I've been telling companies and governments for years that data is probably your most valuable asset. Individuals should be able to monetise their own data—that's their own human value—not to be exploited."

In her *Guardian* interview, Kaiser contradicted Cambridge Analytica's repeated assertions that it had not worked on the Leave campaign during Brexit. Kaiser said that two different organizations affiliated with Leave had entered into data-sharing relationships with Cambridge Analytica. No money had changed hands, she said, but there had been an exchange of value. *The Guardian* explained that such an exchange may have violated UK election law.

The Cambridge Analytica story was growing into a tsunami. Notwithstanding Brexit, the UK government still knew how to conduct an investigation. In all probability, it would not be so easy for Facebook to deflect as the US Congress had been at the hearings in October and November. Facebook was already struggling to manage all the bad news. The threat from the UK would make that much harder.

11

Days of Reckoning

Facebook's Cambridge Analytica scandal has everything: peculiar billionaires, a once-adored startup turned monolith, a political mercenary who resembles a Bond villain and his shadowy psychographic profiling firm, an eccentric whistleblower, millions of profiles worth of leaked Facebook data, Steve Bannon, the Mercers, and—crucially—Donald Trump, and the results of the 2016 presidential election. —CHARLIE WARZEL

The United States has many laws and regulations that limit corporate behavior. Passing laws and creating regulations requires enormous effort that happens only in cases of major violations of community standards. Companies are not allowed to dump toxic materials without a permit because society at one time recognized that the consequences of doing so produced unacceptable costs in the form of pollution and damage to public health. Financial institutions are allowed to use customer deposits only in legally authorized ways. Doctors and lawyers are not allowed to share private information provided by clients except in a limited number of strictly specified situations. Companies chafe at regulation, but most accept that rules are a form of friction necessary to protect society. Most executives appreciate the notion that society has the right to limit economic freedom in the interest of the public good, but a tension remains between the freedom of business and the rights of society. Few want limits on their business, and most large businesses retain professional lobbyists and other advocates to protect their interests in the halls of government and in public opinion.

In capitalism, there should be a symbiotic relationship between government and business. Businesses depend on the rule of law, especially property law, to protect their assets. They depend on the government to set the rules and enforce them. In a democracy, the central tension is over which constituencies should have a voice in rule setting. Should it be a private negotiation between businesses and policy makers? Should employees have a voice? How about the communities where businesses operate? Who will protect customers? The aphorism "Let the buyer beware" is helpful, but what happens when the actions of a business affect people who are not customers? These are situations for which laws and regulations exist.

At the federal level, laws are made by Congress and interpreted by courts. To implement laws, agencies in the executive branch create regulations. For example, the Federal Trade Commission regulates consumer protection and aspects of antitrust related to business practices. The Department of Justice addresses antitrust issues related to mergers and large-scale anticompetitive behavior, among many other things. The Department of Labor protects employees. The formulation of new regulations usually involves input from a wide range of constituencies, including the affected businesses. In many cases, businesses are successful at narrowing the scope of regulation from the intent of the original legislation. Each executive-branch agency's mission has evolved in response to new issues, and periodically the country reframes its approach to regulation. The fifty states also play a role in setting the rules that govern business. California conspicuously leads the country in environmental regulations. As the fifth-largest economy in the world, California has unique leverage to enforce emissions standards and other regulatory priorities. Many states have implemented laws and regulations to fill perceived holes at the federal level.

Relative to internet platforms, one conspicuous hole in federal laws and regulations relates to privacy. There is no federal right to privacy in the United States. For most of the country's history, that did not seem like a problem. The Fourth Amendment, which provides protection against unlawful search and seizure, is the closest thing to privacy protection offered in the Constitution. As a result of the privacy gap, many states have implemented privacy-protection laws and regulations to safeguard their citizens.

The current era of federal deregulation has lasted long enough that few business leaders have experience with any other philosophy. Few imagine that regulations can play a constructive role in society by balancing the interests of the masses with those of the rich and powerful. Over time, some regulations become obsolete, but the notion that government "is the problem" overlooks the fundamental importance of sound rules and impartial enforcement to the success of capitalism.

Today, there are few rules and regulations that limit the business activities of internet platforms. As the newest generation in an industry with a long track record of good corporate behavior and products that made life better for customers, internet platforms inherited the benefits of fifty years of trust and goodwill. Today's platforms emerged at a time when economic philosophy in the United States had embraced deregulation as foundational. The phrase "job-killing regulations" had developed superpowers in the political sphere, chilling debate and leading many to forget why regulations exist in the first place. No government or agency creates a regulation with the goal of killing jobs. They do it to protect employees, customers, the environment, or society in general. With an industry like tech, where corporate behavior had been relatively benign for generations, few policy makers imagined the possibility of a threat. They focused on industries with a history of bad behavior and rule breaking. They focused on harms they could see.

Customers expect products and services to provide good value for their money, but the public generally does not look to business for moral leadership. They expect that businesses will compete for profits, taking advantage of whatever tools are available. When harmed by corporate actions, people get angry, but most feel powerless in the face of wealth and power. They feel that different rules apply to the powerful, which is demonstrably true, but there are limits to the harm a business can do without punishment. Even the rich and powerful face legal or regulatory action if they go too far. By the spring of 2018, policy makers and the public were engaged in a lively debate about the internet platforms. Should there be limits on Facebook, Google, and others? Had they gone too far?

If the data set that Cambridge Analytica misappropriated from Facebook had not played a role in the 2016 presidential election, policy makers and the public might have dismissed the story of misappropriated user data as "businesses being businesses." If Facebook employees had not worked with Cambridge Analytica inside the Trump campaign only months after the data-misappropriation scandal first broke in December 2015, Facebook might have had a viable alibi. As things worked out, though, the whole world caught a brief glimpse of an aspect of Facebook that the company had taken pains to hide.

The news hit hard because most users love Facebook. We have come to depend on it. Facebook is not just a tech platform; it has taken on a central role in our lives. As consumers, we crave convenience. We crave connection. We crave free. Facebook offers all three in a persuasive package that offers enough surprise and delight to cause us to visit daily, if not more often. It enhances birthdays, provides access to a wide range of content, and is always available. It enables activists to organize events. Even ads on Facebook can be useful. Cambridge Analytica filled in an unwritten portion of the Facebook story related to the true cost. Convenience and connection on Facebook may not have a sticker price, but they are not free. The downstream costs are substantial but not apparent until something goes wrong, which it has done with alarming frequency since Facebook's founding in 2004. Careless sharing of personal data is terrible, but the story underscored a bigger problem: user data is feeding artificial intelligences whose objective is to manipulate the attention and behavior of users without their knowledge or approval. Facebook's policy of allowing third-party app vendors to harvest friends lists, its tolerance of hate speech, its willingness to align with authoritarians, and its attempts to cover up its role in the Russian election interference are all symptoms of a business that prioritized growth metrics over all other factors.

Was this not just business as usual? Even if the country does not approve of Facebook's choices, do the offenses rise to a level that requires regulatory intervention? Would regulation cause more harm than good? In debating these questions, countries are coming to terms with their disappointment in internet platforms. The fact that we never expected to face these questions makes them especially challenging, but to do nothing would be to turn over stewardship of democracy, public health, privacy, and innovation to a company, and one with a terrible track record.

Facebook has done a brilliant job of converging the virtual world with the real world, but to do so, it has had to rearrange key elements of the social fabric. It has transformed the way people see the world by enabling more than two billion users to have their own reality. It has changed the nature of community by allowing people to sort themselves into like-minded groups where they never have to engage with other viewpoints. It has altered relationships by promoting digital interaction as an alternative to real life. It has manipulated users' attention to increase their level of engagement. It has enabled bad actors to manipulate users and do harm to innocent people on a giant scale. It has provided a platform to bad actors to undermine democracy. Thanks to Cambridge Analytica, users finally had a sense of how much Facebook knew about them and what they did with that knowledge. Users did not like what they learned. Facebook treated private user data as a pawn to be traded for its own advantage.

It is no exaggeration to say that Facebook is one of the most influential businesses in history. Facebook's failures have a profound impact. Hate speech can have fatal consequences, as has been the case in Myanmar and Sri Lanka. Election interference can undermine democracy and change history, as has been the case in the United States and possibly the United Kingdom. When such things happen offline, we send in the police. When they happen online, what is the correct response? How long can we afford to trust Facebook to regulate itself?

Journalists continued to expose examples of Facebook abusing its users' trust. Another disturbing story revealed that users of Facebook on Android discovered their phone data—calls, texts, and other metadata—had been downloaded by Facebook. Presumably Facebook just added the Android data to its oceans of user data. Users had no idea it was happening. While the insecurity of Android has been common knowledge in the industry, it has not prevented the operating system from dominating the cell phone market, with a global share in excess of 80 percent. Like the Cambridge Analytica story, the Facebook/Android news made a security threat real for millions of users.

Now that reporters and users were looking for it, they found examples of bad behavior every day. A particularly ugly example emerged on March 29 in a story from *BuzzFeed*. It described an internal Facebook memo written in January 2016 by Vice President of Advertising Andrew Bosworth, entitled "The Ugly." Written the day after a Facebook Live video captured the shooting death of a man in Chicago, the memo justified Facebook's relentless pursuit of growth in sinister terms.

"We connect people. Period. That's why all the work we do in growth is justified. All the questionable contact importing practices. All the subtle language that helps people stay searchable by friends. All of the work we do to bring more communication in. The work we will likely have to do in China some day. All of it," VP Andrew "Boz" Bosworth wrote.

"So we connect more people," he wrote in another section of the memo. "That can be bad if they make it negative. Maybe it costs someone a life by exposing someone to bullies.

"Maybe someone dies in a terrorist attack coordinated on our tools."

When the article came out, Boz attempted damage control:

I don't agree with the post today and I didn't agree with it even when I wrote it. The purpose of this post, like many others I have written internally, was to bring to the surface issues I felt deserved more discussion with the broader company. Having a debate around hard topics like these is a critical part of our process and to do that effectively we have to be able to consider even bad ideas, if only to eliminate them. To see this post in isolation is rough because it makes it appear as a stance that I hold or that the company holds when neither is the case. I care deeply about how our product affects people and I take very personally the responsibility I have to make that impact positive.

The memo took my breath away. What was he thinking? How could anyone say something like that? What kind of company thinks such language is acceptable? Boz is one of the keepers of the Facebook culture. He is a thought leader inside the company who is known to say provocative things. When he writes a memo, every recipient reads it right away. More important, they take it seriously. Facebook may be much more than Boz's memo and tweet, but the memo and tweet reflect the Facebook culture. The message was clear: the culture of Facebook revolves around a handful of metrics, things like daily users, time on site, revenues, profits. Anything that is not explicitly on the list is definitively off the list. No one at the company allowed him- or herself to be distracted by downstream consequences. They have a hard time imagining why downstream consequences should be Facebook's problem. Boz's memo and tweet were a coup de grace to my idealism about Facebook. The only silver lining was that someone had leaked the memo to the press. If it was an employee, that might signal internal recognition that some of Facebook's internal policies were harmful to society and that management's refusal to cooperate with authorities in the face of clear evidence justified whistle-blowing. Even if the whistleblower turned out to be a Facebook alum, that was still good news. I have been told the memo came from an alum, but I have been unable to confirm that.

Why don't Facebook employees blow whistles on the company's bad behavior? Why don't users abandon the platform in protest? I cannot explain the behavior of employees, but I understand users. They crave convenience and utility. They struggle to imagine that they would ever be victims of manipulation, data security breaches, or election interference, much less what those things would mean to them. They don't want to believe that the screens they give their children might be causing permanent psychological harm. Elected officials like the campaign technology and contributions they get from Silicon Valley. They like that tech is popular with voters. Confident that they would never need it, policy makers have not developed the expertise necessary to regulate technology. Intelligence agencies do not appear to have anticipated the possibility that the country's enemies might weaponize internet platforms to harm the United States. As a result, no one was prepared for election interference, hate speech, and the consequences of addiction.

Major technology companies have exploited both users' trust and the persuasive technology in their platforms to minimize political fallout and protect their business models. Until Cambridge Analytica, it worked.

As new stories emerged almost daily that reinforced the narrative that Facebook had failed at self-regulation, Zuck rejected calls for heads to roll, saying that he was the best person to run the company and was responsible for what had gone wrong. *The Washington Post* reported on a Facebook admission that "malicious actors" had exploited the search tools on its platform to "discover the identities and collect information on most of its 2 billion users worldwide." Then we learned that a change Facebook made in the way that third-party apps interact with its system had inadvertently locked people out of Tinder, a dating app that uses Facebook for authentication and other personal data. (This story soon seemed like foreshadowing when, a month later, Facebook announced a dating application.) On April 4, Facebook announced the first revision to its terms of service since 2015. The bulk of the changes related to disclosures with respect to privacy and the handling of user data. Small steps, but progress. Public pressure was working.

One particularly awkward story that week revealed that Facebook had been deleting Zuck's Messenger messages from the inboxes of recipients, a feature not available to users. Facebook initially claimed it made the change for security purposes, but that was patently unbelievable, so the next day it announced plans to extend the "unsend" feature to users. The company then announced greater transparency for political ads, following the model of the Honest Ads Act introduced by Senators Mark Warner, Amy Klobuchar, and John McCain but extending it to include ads supporting issues as well as candidates. Uniquely among Facebook's recent changes, this one stood out for being right on substance, as well as on appearances. While false flag ads had played a relatively small role in the Russian interference in 2016, that role had been essential to attracting American voters into Russian-organized

Facebook Groups, which in turn had been a major tool in the interference. If the new Facebook policy eliminated false flag ads, that would be a very good thing.

With pressure building, journalists and technologists seemed nearly unanimous in their view that members of Congress did not understand technology well enough to regulate it. Many suggested that regulating technology was a fool's errand in any case, as it would distort the marketplace in a way that protected the largest incumbents at the expense of smaller players and startups. That concern was valid but argued for care in formulating regulations, not for laissez-faire. Congress's lack of experience in regulating tech does not absolve it of its responsibility to protect Americans from the failures of the marketplace. In reality, tech is less complicated than health care, banking, and nuclear power. It just changes faster. Every time a new industry requires regulation, Congress must get up to speed. The challenge would be to develop the necessary skills quickly. This would not be the first time Congress faced that challenge.

Public pressure produced more concessions from Facebook, which announced additional policy and product changes in an attempt to appear cooperative and preempt regulatory action. As usual, the announcements featured sleight of hand. First, Facebook banned data brokers. While this sounded like a move that might prevent future Cambridge Analyticas, what it actually did was move Facebook closer to a data monopoly on its platform. Advertisers acquire data from brokers in order to improve ad targeting. By banning data brokers, Facebook forced advertisers to depend entirely on Facebook's own data. As the month of March ended, Facebook posted on its blog an update about its effort to prevent future election interference. The post focused on Facebook's plans to stop bad actors from hiding behind false identities, as well as a new initiative to anticipate interference rather than waiting for users to report it. While the announcement included a new program to target disinformation, the change to News Feed in January that reduced the weight of journalistic sources almost certainly made at least one aspect of preventing interference—the piercing of filter bubbles—much harder.

Zuck agreed to testify at two congressional hearings—a joint session of the Senate Judiciary and Commerce committees, the other with the House Committee on Energy and Commerce—but refused to appear before the UK Parliament.

The hearings began on the afternoon of April 10 in the Senate. Zuck arrived in a suit, shook lots of hands, and settled in for five hours of questions. The combined committees have a total of forty-five members. Each senator would have only four minutes, which favored Zuck, who prepared well for the format. If he could be long-winded with each answer, Zuck might be able to limit each senator to only three or four questions. Perhaps more important, the most senior members of the committee went first, and they were not as well prepared as Zuck. Whether by luck or design, Facebook had agreed to appear on the first day after a two-week recess, minimizing the opportunity for staff members to prepare senators. The benefits of that timing to Facebook were immediately obvious. Several senators did not seem to understand how Facebook works. Senator Orrin Hatch asked, "How do you sustain a business model in which users don't pay for your service?" revealing his ignorance about Facebook's advertising business model. Armed with a cheat sheet of diplomatic answers, Zuck patiently ran out the clock on each senator. Senators attempted to grill Zuck, and in the second hour, a couple of senators asked pointed questions. For the most part, Zuck deflected. Zuck also benefited from a lack of coordination among the senators. It seemed that each senator addressed a different issue. Perhaps a dozen different problems emerged, each of which might have justified its own hearing.

Early in the third hour, Zuck caught a lucky break: networks interrupted their coverage to reveal that the FBI had raided the home and office of Donald Trump's personal attorney, Michael Cohen. News outlets pivoted instantly. Hardly anyone saw the rest of the Senate hearing or any of the House Committee on Energy and Commerce hearing the next day. For the five-hour House hearing, Zuck used the same "run out the clock" strategy. Without a big TV audience, it probably didn't matter, but the Democratic House members landed some punches. Several coordinated their questions, some of which caught Zuck unprepared. Representative Frank Pallone of New Jersey pushed Zuck for a yes-or-no answer as to whether Facebook would change its default settings to minimize data collection. Zuck equivocated. He would not answer Pallone directly, presumably because Facebook has no intention of minimizing data collection. For Zuck, the hearing went downhill from there.

Representative Mike Doyle of Pennsylvania focused on Cambridge Analytica and the harvesting of user data. In response to a question from Doyle, Zuck claimed that he first learned that Cambridge Analytica had acquired the data set when *The Guardian* reported the story in December 2015. Doyle gently suggested that perhaps Facebook was not paying attention to such things. He observed, "It seems like you were more concerned with attracting and retaining developers on your platform than you were with ensuring the security of Facebook user data."

Representative Kathy Castor of Florida grilled Zuck on the breadth of the company's data collection, both on and off the platform.

> "For all of the benefits that Facebook has provided in building communities and connecting families, I think a devil's bargain has been struck," she said. "And, in the end, Americans do not like to be manipulated. They do not like to be spied on. We don't like it when someone is outside of our home, watching. We don't like it when someone is following us around the neighborhood or, even worse, following our kids or stalking our children.

> "Facebook now has evolved to a place where you are tracking everyone. You are collecting data on just about everybody. Yes, we understand the Facebook users that—that proactively sign in, they're in part of the—that platform, but you're following Facebook users even after they log off of that platform and application, and you are collecting personal information on people who do not even have Facebook accounts. Isn't that right?"

According to *Politico*, Castor's questioning left Zuck "looking particularly on edge." She focused on a foundational element of Facebook's business: when it comes to data privacy, user choice is an illusion. The terms of service protect Facebook, not the user. Castor's questions revealed that she recognized Congress has a duty to address digital surveillance to protect consumers.

Representative Ben Luján of New Mexico dug much deeper into the issue of data collection. When Zuck professed not to know how many data points Facebook had on the average user, Luján told him: twenty-nine thousand. Luján also pinned Zuck down on a paradox: Facebook collects data on people who do not use the platform and have no ability to stop Facebook from doing that without themselves joining Facebook.

Representative Joe Kennedy of Massachusetts focused on metadata. His questions reflected concern that users have no idea how much data Facebook collects or that metadata can be used to paint a detailed picture of the user. Kennedy's questions highlighted that users have some control over the content they post on Facebook but not over the metadata created by their activity, which is the fuel for Facebook's advertising business.

The House hearing exposed the extent of Facebook's data collection and its lack of regard for user privacy. For those who watched the hearing, it seemed that Facebook has lots of policies that are designed to protect the company from legal challenges without actually accomplishing anything else. When challenged, Zuck often professed ignorance. He repeatedly promised to have his staff follow up with a response. He apologized for Facebook's lapses. It didn't matter. The verdict in the press—and on Wall Street—was formed in the first hour of the Senate hearing, and it was nearly unanimous: Zuck had exceeded expectations, while Congress fell short. Many commentators cited the hearings as evidence that Congress lacked the sophistication necessary to regulate technology. Based on follow-up meetings with members, I learned that the Democrats in Congress recognized the need for real oversight of internet platforms. To prepare, they needed help from experts without conflicts and asked if our team could help. The age of innocence was over.

12

Success?

Everybody gets so much information all day long that they lose their common sense. —Gertrude Stein

Months of daily revelations about Facebook's business model and choices drove the conversation about the dark side of social media into the public consciousness, but that did not mean users understood why it should matter to them. Facebook had announced product and policy changes in response to public pressure, but the threat to public health, democracy, privacy, and innovation remained. Reforming the behavior of internet platforms remained an uphill battle. To use the ascent of Everest as an analogy, we had hiked to an elevation of 17,598 feet and had only reached Base Camp. The hard part is in front of us.

Internet platforms still enjoyed a massive reservoir of goodwill with policy makers and the public, and they leveraged it where they could. Their challenge was made easier by the wide range of harms. It was hard to keep up. Anecdotes like Cambridge Analytica, Russian election interference, ethnic cleansing in Myanmar, and the rising suicide rate among teens attracted attention, but most users could not understand how products they trusted could possibly have caused so much harm. Understanding how the choices made by internet platforms had caused these things to happen would require more time and effort than most users were willing to commit. Figuring out what to do about it would be even more challenging.

Tech had become so powerful that by pointing it at the weakest links in human psychology, platforms could manipulate their users' attention for massive profit. Whether they acknowledged it or not, the platforms had demonstrated the ability to influence huge groups, including whole countries. Policy makers and the public had to decide whether this kind of business activity violated societal norms. Scientists have the ability to create deadly viruses, but society does not permit them to do so, except in carefully controlled research settings. Financial services businesses have the ability to defraud their customers, but society does not allow that either. What should be the limits, if any, on internet platforms? The next phase of the conversation needed to address the proper role of internet platforms in society. How far should platforms be allowed to go in exploiting human weakness? How much responsibility should they bear for harm that results from their products and their business model? Should platforms bear fiduciary responsibility for the user data they hold? Should there be limits on the exploitation of that data?

The issues go far beyond Facebook. Google's surveillance engine gathers more data on users than any other company. YouTube has become the nexus for recruiting and training extremists. It is home to countless conspiracy theories. It hosts age-inappropriate content targeting little children. Instagram and Snapchat magnify the anxieties of teenagers in ways both small and large. But as the dominant social network, Facebook has benefited most from exploiting the lack of awareness and regulation of online business practices. Its scale magnifies its failures. Not all of the most extreme problems are on Facebook, but the platform has been a magnet for bad actors because of its reach, its unguarded nature, and its cultural indifference to the downstream consequences of its actions.

With 2.2 billion active users, Facebook rivals the world's largest religion in terms of scale, and that number does not include its subsidiary platforms. It has huge influence in every country in which it operates. In some countries, like Myanmar, the internet essentially is Facebook. The persecution of the Rohingya minority continues in that country, and Facebook has been cited by United Nations investigators for enabling "ethnic cleansing." In August 2018, Reuters released a special report that uncovered more than "1,000 examples of posts, comments, and pornographic images attacking the Rohingya and other Muslims" even after the platform had taken steps to prevent hate speech in Myanmar. Later that month, Facebook banned Myanmar military accounts from the site. While the ban is unlikely to prevent hate speech in Myanmar, it is nonetheless historic. It is the first time that I am aware of that Facebook acted against the powerful on behalf of the powerless. Until there is evidence to the contrary, I will assume the ban reflects a short-term desire for a public relations win rather than a major change in Facebook policy.

Despite a huge increase in focus and resources, there is no indication yet that Facebook has been able to stop the hate speech on its platform in Myanmar or any other country. As a result, the Rohingya continue to suffer and die. In the United States, Facebook has become the most important platform for news and politics. The impact of Facebook on public discourse is unprecedented, thanks to its *Truman Shows*, filter bubbles, and manipulation of attention. No one elected the employees of Facebook, but their actions can have a decisive impact on our democracy. In almost every democracy, Facebook has become an unpredictable force in elections. For authoritarian regimes, Facebook has become a preferred tool for controlling the citizenry. This has been demonstrated in both Cambodia and the Philippines. The government of China is taking the idea to its limit, creating a social media platform based on "social credit," which rewards users for actions approved by the government, while penalizing actions that are not approved. The goal of the Chinese project appears to be behavior modification on a national scale.

When the conversation about the appropriate role of internet platforms began in 2017, Facebook chose to fight rather than listen to its critics. It tried to bluff its way past criticism and failed. Facebook suffered some brand damage but did not alter its course. The pressure grew, and Facebook responded, first with small changes to its business practices, then with larger ones. I have no doubt that by the middle of 2018 Facebook was doing its best to fix many of the problems that have come to light, but only did so in ways that protect its business model and growth. At this writing, it has not made the fundamental changes necessary to prevent future election interference, limit manipulation of its users by third parties, prevent hate speech, or protect users from the consequences of Facebook's willingness to share user data. These issues are now known, if not fully understood. The question is whether policy makers and users will insist on change.

After Zuck's performance at the hearings, Facebook may have concluded that the storm had passed. Confirmation came a couple of weeks after the hearings, when Facebook reported earnings for the first quarter of 2018. It was a blowout. Facebook's key metrics showed big improvement. Revenue for the quarter came in just below $12 billion, half a billion more than analysts had forecast. Profits jumped 63 percent. Monthly active users of 2.2 billion and daily active users of 1.47 billion both rose 13 percent from the prior year. The company finished the quarter with forty-four billion dollars in cash and marketable securities. On the conference call with investors, Zuck made a quick reference to the hearings and Cambridge Analytica, but anyone expecting a mea culpa would have been disappointed. In combination with the reviews of his testimony before Congress, the earnings report restored Zuck to his happy place. Everything about his conference call remarks proclaimed that Facebook had returned to business as usual. Investors could not have been happier. The stock jumped 9 percent the next day.

But bad news continued to surface, including stories about illegal ivory trading on Facebook and fake Facebook pages that scammed Vietnam veterans. As late arrivals to a riot of bad behavior, the new stories had little impact. They were joined by a second, more analytical wave of postmortems from the congressional hearings that took some of the shine off Zuck's performance, at least with policy makers.

The Washington Post published a lengthy article that fact-checked Zuck's testimony. It detailed the way that Zuck repeatedly reframed questions to hide as many of Facebook's unattractive behaviors as possible. For example, when asked questions about users' ability to access the data Facebook has about them, Zuck focused exclusively on content data, which is generally accessible, avoiding wherever possible any reference to the metadata that drives its advertising business and is generally not viewable or manageable by users. He was extremely effective at this kind of reframing, particularly in the Senate hearing. The public probably missed this story, but the members of Congress charged with oversight did not.

Those of us who believe in democracy, who want to protect public health and privacy and encourage innovation, understood we have a long journey in front of us. Facebook had come through two huge scandals—the Russian interference and Cambridge Analytica—and two sets of congressional hearings, with only a few dings in its reputation to show for it. The business itself was running at full speed, unimpeded by all the criticism. It was going to take a lot more than a scandal and some hearings to persuade Facebook to make the fundamental changes necessary to protect users from harm.

The truth of this insight became obvious the first week of May, at F8, Facebook's annual conference for third-party developers. For Zuck and Facebook, F8 was a triumph. Zuck mentioned Cambridge Analytica, but it occupied roughly the same proportion of his speech as vermouth in a very dry martini at the bar of a private club. Otherwise, the event was a wall-to-wall lovefest. Developers showed zero concern about the recent scandals. Facebook exhibited no remorse. If anything, the company behaved as if surviving the crisis had made it stronger. Perhaps it had.

Facebook announced new product initiatives at F8, including a dating service and Clear History, a tool for seeing and erasing the browsing data the company has accumulated on you. The dating service offered a new wrinkle to the market—a focus on events—and had an immediate impact on the market leader, Match.com, which owns the eponymous site, as well as Tinder. Match's stock dropped 22 percent when the news broke, in no small measure because its sites, as well as those of competitors, had long leveraged Facebook for user authentication and data. As music apps, games, and news publishers before it had learned the hard way, trusting Facebook to be a good partner generally leads to disappointment. Eventually Facebook will undermine the economics of your business.

Clear History may be a great idea, but Facebook's recent behavior also suggested the possibility that the announcement was just another public relations stunt. Facebook deploys trackers—tiny pieces of code dropped into the browser—to follow users around the web. They do this not only from their various platforms but also from the Facebook Connect log-in tool and the millions of Like buttons that are sprinkled all across the World Wide Web. For users who leverage Facebook credentials to log in to other sites and touch Like buttons where they go, this translates into a massive trove of browsing history and metadata that can be used to construct a high-resolution image of the user that proved to be the key to making Facebook's advertising valuable. In offering users a Clear History app, Facebook is signaling one of two things: either it is finally taking user concerns about privacy to heart, or it no longer needs to maintain browser histories in order to sell ads.

The former would be amazing, but I do not think we can rule out the latter. Either way, public pressure helped to bring it about.

In a conversation with Representative Joe Kennedy days after the House hearing, Zuck indicated that Clear History would apply to metadata as well as links, which would represent a huge departure from recent practice and a genuine benefit to users. Skeptics point to a more ominous explanation. Facebook has been using its massive store of user data to train the behavioral-targeting engine of its artificial intelligence. In the early phases of training, the engine needs every piece of data Facebook can find, but eventually the training reaches a level where the engine can anticipate user behavior. Perhaps you have heard anecdotes about people saying a brand name out loud and then seeing an ad for that brand on Facebook. The users assume Facebook must be using their device's microphone to eavesdrop on conversations. That is not practical today. A more likely explanation is that the behavioral-prediction engine has made a good forecast about a user desire, and the brand in question happens to be a Facebook advertiser. It is deeply creepy. It will get creepier as the technology improves. Once the behavioral-prediction engine can forecast consistently, it will no longer need the same amount of data that was required to create it. A smaller flow of data, much of it metadata, will get the job done. If that is where we are, letting users clear their browsing history on Facebook would provide the illusion of privacy, without changing Facebook's business or protecting users.

From our first days together, Tristan convinced me that among the many dark sides of social media, artificial intelligence engines might pose the greatest threat to society. He argued that the AIs of companies like Facebook and Google have insurmountable advantages: infinite resources and scalability; an exceptionally detailed profile of more than two billion users (including, in Facebook's case, a deep understanding of emotional triggers); a complete picture of each user's location, relationships, and activities; and an economic incentive to manipulate user attention without regard to consequences. Effectively the AI has a high bandwidth connection directly into the cerebral cortex of more than two billion humans who have no idea what they are up against. When the AI behavioral-prediction engines of Facebook and Google reach maturity, they may be able to abandon the endless accumulation of content data and some forms of metadata—addressing a meaningful subset of the privacy concerns that have been raised in the press and in congressional hearings—without actually improving users' privacy. That would be a terrible outcome. Under intense political pressure to "do something" about privacy, policy makers might rush to make changes that would create only the illusion of benefit. Users need privacy protection that starts with prior, informed consent for any use of their data. Without it, all users will be vulnerable to bad actors who can use the power of the internet to smear reputations and cause irreparable harm.

Judy Estrin, the second woman founder to take a technology company public in the United States, believes that the power of technology monopolies will be difficult to restrain. The combination of free-market capitalism plus platform monopolies plus trust in tech by users and policy makers has left us at the mercy of technological authoritarians. The unelected leaders of the largest technology platforms—but especially Facebook and Google—are eroding the foundations of liberal democracy around the world, and yet we have entrusted them with the information security of our 2018 election. They are undermining public health, redefining the limits of personal privacy, and restructuring the global economy, all without giving those affected a voice. Everyone, but especially technology optimists, should investigate the degree to which the interests of the internet giants may conflict with those of the public.

Policy makers must expect intense opposition from the industry. Some will be tempted to bow to lobbyists. The industry is entitled to a voice in policy, but current law gives them disproportionate power in the regulatory process. They will try to narrow the focus and direct it in ways that minimize the impact on their business. That is their right, but they are not guaranteed the last word. The public can and should ensure that its voice is decisive. Public pressure is already having an effect, and more pressure can have a greater effect. Users can also influence internet platforms by changing their online behavior.

I have come to appreciate that in rapidly changing industries regulation is a blunt instrument. Policy makers understand this, which is one reason why they are reluctant to regulate an industry like tech. Again, the goal is to improve behavior by changing incentives. In a perfect world, the threat of regulation would be enough to accomplish that. When threats do not work, policy makers usually start with the easiest, least painful regulations. If they fail, each new round of regulation will become progressively more onerous. For this reason, the target industry is usually smart to embrace the process early, cooperate, and try to satisfy the political needs of policy makers before the price gets too high. For Facebook and Google, the first "offer" was Europe's Global Data Protection Regulation (GDPR). Had they embraced it fully, their political and reputational problems in Europe would have been reduced dramatically, if not eliminated altogether. For reasons I cannot understand, both companies have done the bare minimum to comply with the letter of the regulation, while blatantly violating the spirit of it.

In 2018, I received an email from Representative Zoe Lofgren, a member of Congress from the Bay Area. A strong supporter of the platforms during their honeymoon period, Representative Lofgren told me she was working on an internet privacy bill of rights. Her approach was straightforward:

> In a free society, people must have a right to privacy. To promote that freedom and privacy, we declare that you ***own your data***.
>
> Accordingly, you have a right in a clear and transparent manner to:

(1) consent or opt in when personal information is collected or shared with a third party and to limit the use of personal information not necessary to provide the requested service.
(2) obtain, correct or delete personal data held by a company.
(3) be notified immediately when a security breach is discovered.
(4) be able to move data in useable, machine-readable format.

I loved the simplicity and directness of this data bill of rights. Similar in objectives and approach to a bill introduced by Senators Klobuchar and Kennedy, as well as to Europe's GDPR, Representative Lofgren's proposal could be a valuable first step in an effort to regulate the platforms. Getting any data privacy bill of rights through Congress in the current environment would be an extreme challenge. Passing a bill that would actually restore ownership and control to users would be even harder. Congress would face intense lobbying from the platforms, who, no matter their public posture, would do their best to weaken any bill that limited their freedom to act. The long odds are not an argument against trying to pass a bill, but they do create an incentive not to waste energy on bad legislation. At this writing, Facebook and Google are doing precisely that, pushing Congress to implement underpowered privacy regulations.

In my response, I congratulated Representative Lofgren and provided some feedback:

> Relative to #4, I think it is important to specifically secure the rights to all metadata—the full social graph with relationships and actions, in addition to names—in a portable fashion. Without that, startups are going to be disadvantaged and innovation will be limited to some degree.

> Whatever bill of rights we create has to focus as much on how data is used as on how it is collected.

This last point reflected my concern that Facebook, Google, and others have enabled reams of private user data to escape their networks. There is no way to reclaim that data or even to know where it has gone. The best we can do is protect users from unforeseen and inappropriate uses of the data. Any internet bill of rights that does not address uses of data may have little if any practical value to users.

In addition, I asked Representative Lofgren to embrace the view that no matter how well implemented, privacy regulations would address only a subset of the problems created by platforms. For example, I hypothesized that the lack of competition in core social media categories narrowed the scope and slowed the pace of innovation. There is no alternative to Facebook or YouTube. If you don't like their business practices, you are stuck. The platforms have been able to acquire promising startups in adjacent categories—as Facebook had done with Instagram and WhatsApp—converting potential competitors into extensions of their monopoly. In addition, Facebook and Google have gotten footholds in many promising new categories—ranging from virtual reality to AI to self-driving cars—in their pre-market stages. Engagement by the platforms has validated new categories, but in all probability, it has also distorted them, changing the incentives for market participants. It is hard to imagine that Facebook's purchase of and commitment to the Oculus virtual-reality platform did not discourage investment in alternative hardware platforms. What venture capitalist would want to compete with Facebook in a category that might require an investment of hundreds of millions of dollars? It is also hard to believe that early-stage projects inside giant platforms operate with the same sense of urgency as startups, which suggests that the pace of innovation might suffer.

From my seat in Silicon Valley, I can see that the success of Google, Amazon, and Facebook has distorted the behavior of entrepreneurs and investors. Entrepreneurs have a simple choice: stay away from the giants or create businesses designed to be sold to them. The result has been a flood of startups that do things your mother used to do for you, including all manner of transportation and delivery services, as well as services that do things like clean up after your dog. Many new products seem to be targeted at billionaires, as was the case with Juicero's seven-hundred-dollar juicer. In an environment that is already challenging for entrepreneurs and startups, it will be important for policy makers not to make the situation worse.

Regulations like the GDPR or Representative Lofgren's privacy bill of rights impose a cost of compliance with a fairly high minimum that applies to all affected companies, irrespective of size. Without modification, the costs may be disproportionately burdensome on startups, further enhancing the competitive advantages of the largest companies, but there are ways to compensate for that without undermining a very important new regulation. My feedback to Representative Lofgren recommended modifying her article #4 to allow portability of the entire social graph—the entire friend network—as a way to promote competition from startups. If you want to compete with Facebook today, you have to solve two huge problems: finding users and then persuading them to invest in your platform to reproduce some of what they already have on Facebook. Portability of the social graph—including friends—would reduce the scope of the second problem to manageable levels, even when you factor in the need for permission from every friend. But graph portability was just the first step. I also advocated antitrust measures.

In my message to Representative Lofgren, I proposed the adoption of a classic model of antitrust as the least harmful, most pro-growth form of intervention she could advocate. I had just written an op-ed for the *Financial Times* on the subject of the 1956 consent decree with

AT&T, which ended that company's first antitrust case, but it had not yet been published, so I gave Representative Lofgren a preview. The decree had two key elements: AT&T agreed to limit itself to its existing regulated markets, which meant the landline telephone business, and it agreed to license its patent portfolio at no cost. By limiting itself to regulated markets, AT&T would not enter the nascent computer industry, leaving that to IBM and others. This was a very big deal and was consistent with historical practice. AT&T owed its own existence to a prohibition on telegraph companies entering telephony. Allowing the computer industry to develop as its own category proved to be good policy in every possible way.

Compulsory licensing of the AT&T patent portfolio turned out to be even more important. AT&T's Bell Labs did huge amounts of research that led to a wide range of fundamental patents. Included among them was the transistor. By making the transistor available for license, the 1956 consent decree gave birth to Silicon Valley. All of it. Semiconductors. Computers. Software. Video games. The internet. Smartphones. Is there any way that the US economy would have been better off allowing AT&T to exploit the transistor on its own timeline? Does anyone think there is a chance AT&T would have done as good a job with that invention as the thousands of startups it spawned in Silicon Valley? Here's the clincher: the 1956 consent decree did not prevent AT&T from being amazingly successful, so successful that it precipitated a second antitrust case. The company was ultimately broken up in 1984, a change that unleashed another tsunami of growth. Post-breakup, every component of the old monopoly flourished. Investors prospered. And two new industries—cellular telephony and broadband data communications—came to market far sooner than would otherwise have been the case.

Applying the logic of the 1956 AT&T consent decree to Google, Amazon, and Facebook would set limits to their market opportunity, creating room for new entrants. That might or might not require the divestiture of noncore operations. There is nothing in the patent portfolios of the platform giants that rivals the transistor, but there is no doubt in my mind that the giants use patents as a defensive moat to keep competitors at bay. Opening up those portfolios would almost certainly unleash tremendous innovation, as there are thousands of entrepreneurs who might jump at an opportunity to build on the patents.

In my message to Representative Lofgren, I forgot to include something important. Harvard professor Jonathan Zittrain had written an op-ed in *The New York Times* that recommended extending to data-intensive companies the fiduciary rule that applies to professions that hold sensitive data about clients. As fiduciaries, doctors and lawyers must always place the needs of the client first, safeguarding privacy. If doctors and lawyers were held to the same standard as internet platforms, they would be able to sell access to your private information to anyone willing to pay. Extending the fiduciary rule to companies that hold consumer data—companies like Equifax and Acxiom, as well as internet platforms—would have two benefits. First, it would create a compelling incentive for companies to prioritize data privacy and security. Second, it would enable consumers (and businesses) harmed by data holders to have a legal remedy that cannot be unilaterally eliminated by companies in their terms of service. Today, the standard practice is to force users who feel they have been harmed to go into arbitration, a process that has historically favored companies over their customers. If consumers always had the option of litigation, companies would be less likely to act carelessly. The fiduciary rule had another benefit: simplicity. It would not require a new bureaucracy or even a complicated piece of legislation.

In the last week of April 2018, I returned to Washington for several days of meetings and events. I met with a number of members of Congress, including Representative Ro Khanna, a friend from Silicon Valley who had joined forces with Zoe Lofgren on the data privacy bill of rights. Ro was really interested in the fiduciary rule, and we discussed how it might be paired with a bill of rights to make the former more effective in protecting consumers and encouraging competition.

Later that day, I had an impromptu conversation with Nancy Pelosi, who wanted to be certain that members of her caucus had access to insight from sources besides industry lobbyists. We discussed the work I had been doing on the data privacy bill of rights with Representatives Lofgren and Khanna. She let me know that the next step would be to engage with members of the Energy and Commerce Committee, as any such legislation would need to begin in that committee. She agreed to organize a meeting with key members of the committee so that we could share our ideas not only on data privacy but also on the fiduciary rule, antitrust, election security, and public health. In response to Pelosi's concern about counterbalancing the influence of lobbyists, I offered to organize a curriculum with coaches, much as we had done with the staff of the House Permanent Select Committee on Intelligence prior to the November 1 hearing. The goal was to prepare the Democrats in the House for the future, for the day when they would be back in power. Pelosi's goal was to ensure her party would be well prepared to exercise its oversight responsibility.

Washington is just one venue where change can occur. Another is the states. State attorneys general have subpoena power and the ability to bring legal cases where they find violations of consumer rights or other malfeasance. We first met with the attorney general of New York and his staff in 2017, and we expanded our effort to include the AG offices in Massachusetts, California, Washington, and Maryland. A few of these offices dug into Facebook's representations to users with respect to data privacy. Only time will tell if a case emerges. In addition, we joined with our partners at Common Sense Media to work with members of the California legislature on bills to protect user privacy and regulate bots. California has a long history of leadership in such matters and began to extend that leadership to the regulation of internet platforms in June 2018 with the nation's strongest digital privacy law.

On the afternoon of July 25, Facebook reported its second quarter earnings. The big news was that user count was flat in North America and declined in Europe, the two most profitable markets for Facebook. Usage of the Facebook.com website declined precipitously in North America, more than offsetting the growth of the mobile app. The stock declined about 20 percent the following day, losing $120 billion in market value, the largest one day loss of value in history. While investors did not show any concern about Facebook's business practices, they punished the stock for what may be nothing more than market saturation, which does not have to be a bad thing for a monopolist. To me, the real question is whether a lower stock price might cause employees to reconsider the company's strategy and their role in it. Might it produce whistle-blowers?

At the end of July, Facebook announced that it had shut down thirty-two false pages and profiles that employed the same tactics that the Russians used to interfere in the 2016 election. The pages and profiles worked in a coordinated way across both Facebook and Instagram. Two hundred ninety thousand Facebook users had interacted with the pages, one of which had ties to the Russian Internet Research Agency. In early August, Apple, Facebook, and YouTube removed content and pages associated with Alex Jones and Infowars for violations of unspecified rules regarding hate speech; Twitter did not initially follow suit. The action was an abrupt reversal for Facebook and YouTube. Facebook, in particular, had long argued that it was a neutral platform and did not want to be in the business of deciding what content was appropriate on its site, leaving such decisions to amorphous "community standards." Other than a few obvious categories like child pornography, Facebook has avoided judging the content on its site. This policy had the effect of enabling high-engagement content like conspiracy theories and disinformation to flourish, with significant benefits to profitability. A hypothesis emerged that Apple's announcement—which had preceded the other two by a matter of hours—had given political air cover to Facebook. Twitter attempted to defend its initial inaction on free speech grounds, which unleashed a tsunami of criticism. Twitter responded by suspending Jones for a week, and later banned him and Infowars after Jones was streamed harassing and insulting a CNN reporter who was covering the appearance of Twitter's CEO, Jack Dorsey, at a Congressional hearing. One might reasonably conclude that the internet platforms do not want to damage their business models by banning conspiracy theories, disinformation, and hate speech, unless it becomes politically impossible not to.

Later in August, *The New York Times* reported that Facebook deleted more than 652 fake accounts and pages with links to Iran that were operating a coordinated campaign to influence US politics. According to CNN, the campaign included 254 Facebook pages and 116 Instagram accounts that had more than one million followers. Unfortunately, Facebook did not discover the accounts and pages, despite the investment it has made in election security; a cybersecurity firm named FireEye made the initial discovery. At Facebook's current scale, I believe it's not enough to rely on third parties to identify bad actors—too much harm gets done before the process can stop the problem.

Shortly after the August deletions, the website Motherboard published an investigative story about the way that Facebook moderates content. Facebook gave Motherboard access to the moderation team, which Motherboard supplemented with leaked documents, possibly the first to come from active Facebook employees. According to the story's authors, Jason Koebler and Joseph Cox, "Zuckerberg has said that he wants Facebook to be one global community, a radical ideal given the vast diversity of communities and cultural mores around the globe. Facebook believes highly-nuanced content moderation can resolve this tension, but it's an unfathomably complex logistical problem that has no obvious solution, that fundamentally threatens Facebook's business, and that has largely shifted the role of free speech arbitration from governments to a private platform."

Facebook told Motherboard that its AI tools detect almost all of the spam it removes from the site, along with 99.5 percent of terrorist-related content removals, 98.5 percent of fake account removals, 96 percent of nudity and sexual content removals, 86 percent of graphic violence removals, and 38 percent of hate speech removals. Those numbers sound impressive, but require context. First, these numbers merely illustrate AI's contribution to the removal process. We still do not know how much inappropriate content escapes Facebook's notice. With respect to AI's impact, a success rate of 99.5 percent will still allow five million inappropriate posts per billion. For context, there were nearly five billion posts a day on Facebook . . . in 2013. AI's track record on hate speech—accounting for 38 percent of removals—is not helpful at all. Human moderators struggle to find inappropriate content missed by AI, but they are forced to operate within the constraints of Facebook's twin goals of maximum permissiveness and generalized solutions to all problems. The rule book for moderators is long and detailed, but also filled with conflicts and ambiguity. Moderators burn out very quickly.

The Motherboard reporters concluded that Facebook is committed to getting moderation right, but will not succeed in doing so on their terms. The academics quoted in the article argued that moderation is not possible at Facebook's scale with Facebook's approach. The network is too complex. Facebook has not yet accepted this reality. They continue to believe that there is a software solution to the problem and that it can be successful without changing their business model or growth targets. Facebook is certainly entitled to that point of view, but policy makers and users should be skeptical.

Zuck and Sheryl must know that Facebook's brand has suffered from the onslaught of bad news. To get a sense of the impact, I asked Erin McKean, founder of Wordnik and former editor of the *Oxford*

Dictionary of American English, to study changes in the nouns and adjectives mostly frequently associated with each of the largest tech companies: Apple, Google, Amazon, Facebook, and Microsoft, plus Twitter. Prior to the 2016 election, the tech leaders enjoyed pristine reputations, with no pejorative word associations. For Google, Amazon, Apple, and Microsoft, that is still true. For Facebook, things have changed dramatically. The word "scandal" now ranks in the top 50 nouns associated with Facebook. "Breach" and "investigation" are in the top 250 nouns. With adjectives the situation is even worse. Alone among the five tech leaders, Facebook had one pejorative adjective in its top 100 in 2015–2016: "controversial." In 2017 and 2018, the adjective "fake" ranked in the top 10 for Facebook, followed by "Russian," "alleged," "critical," "Russian-linked," "false," "leaked," and "racist," all of which ranked in the top 100 adjectives. Apple, Google, Amazon, and Microsoft do not have a single pejorative noun or adjective on their lists. Twitter has two nouns on its list that may or may not imply brand issues: "Trump" and "bots." The study was conducted using the News on the Web (NOW) corpus at Brigham Young University. The top 10 US sources in the corpus, ranked by number of words, are *Huffington Post*, NPR, CNN, *The Atlantic*, *TIME*, *Los Angeles Times*, *Wall Street Journal*, *Slate*, *USA Today*, and ABC News.

Despite all the political fallout, Facebook continues to go about its business. In early August, the *Wall Street Journal* reported that Facebook had asked major banks "to share detailed financial information about their customers, including card transactions and checking-account balances, as part of an effort to offer new services to users." Among the banks were JP Morgan Chase, Wells Fargo, and U.S. Bancorp. At least one large bank "pulled away from the talks due to privacy concerns." Facebook spokesperson Elisabeth Diana disputed the report, saying, "A recent *Wall Street Journal* story implies incorrectly that we are actively asking financial services companies for financial transaction data—this is not true." She asserted that Facebook's goal is to integrate chat bots from Messenger with bank services, so that customers can look up their balances and the like.

Also in early August, Facebook announced a new organization called Facebook Connectivity, an umbrella for its many efforts to bring onto its service the remaining 4 billion unconnected humans on earth. Presumably the Free Basics program at the heart of the problems in Myanmar and Sri Lanka falls under the Connectivity umbrella. In late August, Facebook began testing a label to show users their common interests with random people they might see in a comment thread.

The activists I have met are right: the best way to bring about change is to create public pressure for it. When Tristan and I joined forces, we could not have imagined the progress in the ensuing sixteen months. Nor did we understand that creating pressure is only the first step. Millions are aware of the problem. Far fewer understand how it affects them, why the threat to society may increase, and why they should take steps to protect themselves.

I HAVE SPENT MORE than two years trying to understand Facebook's role in the 2016 election and other undesirable events. In the process, I have learned about the other ways the internet platforms have transformed society and the economy. While intellectually stimulating, the journey has been emotionally draining. I have learned things about Facebook, Google, YouTube, and Instagram that both terrify and depress me.

This story is still emerging. As this book makes clear, I still have more hypotheses than conclusions. That said, I am convinced that Facebook's culture, design goals, and business priorities made the platform an easy target for bad actors, which Facebook aggravated with algorithms and moderation policies that amplified extreme voices. The architecture and business model that make Facebook successful also make it dangerous. Economics drive the company to align—often unconsciously—with extremists and authoritarians to the detriment of democracy around the world.

Facebook, Google, and Twitter insinuated themselves into the public square in nearly every country in which they operate and today they dominate it in many, including the United States. They have assumed a role normally reserved in democracies for government. Unlike a democratically elected government, the platforms are not accountable to their users, much less to the countries on which they have impact. To date, the platforms have not demonstrated any understanding of the responsibilities that come with control of the public square.

The technologist Judy Estrin hypothesizes that Facebook's failures were inevitable. When Zuck first proposed his goal of connecting the entire world, that meant developed countries with broadband telecom infrastructure. The addressable population would have been less than 1.5 billion. Smartphones opened up dozens of emerging economies, increasing the potential audience to something like 4 billion. Only a few products appeal to that many people, but Facebook's core product proved to be one. Getting 2.2 billion users a month to use Facebook required brilliant execution, one aspect of which was avoiding all forms of friction. To that end, Facebook optimized for speed of communication, eliminating anything that required deliberation or might cause a user to leave the site. To maximize engagement, Facebook packaged its persuasive technologies in a design that delivered simplicity and convenience. The design of Facebook trained users to unlock their emotions, to react without critical thought. On a small scale this would not normally be a problem, but at Facebook's scale it enables emotional contagion, where emotions overwhelm reason. Emotional contagion is analogous to wildfire. It will spread until it runs out of fuel. Left unchecked, hate speech leads to violence, disinformation undermines democracy. When you connect billions of people, hate speech and disinformation are inevitable. If you operate a large public network, you have to anticipate wildfires of hate speech and disinformation.

In the real world, firefighters combat wildfires with a strategy of containment. Similarly, financial markets limit panics with circuit breakers that halt trading long enough to ensure that prices reflect a balance between facts and emotion. Facebook grew to 2.2 billion monthly users without imagining the risk of emotional contagion, much less developing a strategy for containing it. The company has failed to grasp that convenience is the reciprocal of friction, and that too much convenience, too much of "what users want," creates an environment in which emotional contagion would be an ever present danger for which the company had no answer. At some level, this is understandable. Businesses strive for efficiency and productivity; internet platforms that deliver convenience have an advantage on both counts. But businesses also have obligations to their employees, communities, and the world that the internet platforms did not meet. At the scale of Facebook, Google, and Twitter, there is no excuse for failing to prepare for emotional contagion.

The internet platforms have harvested fifty years of trust and goodwill built up by their predecessors. They have taken advantage of that trust to surveil our every action online, to monetize personal data. In the process they have fostered hate speech, conspiracy theories, and disinformation, and enabled interference in elections. They have artificially inflated their profits by shirking civic responsibility. The platforms have damaged public health, undermined democracy, violated user privacy, and, in the case of Facebook and Google, gained monopoly power, all in the name of profits.

No one working inside the internet platforms objected to these outcomes enough to take a public stand against them. In the final two chapters of this book, I will share my thoughts on top down solutions, ones that require government intervention, and on bottom up ideas for managing the risk from internet platforms in your own life. To provide context, let me summarize my understanding of what I have learned on this journey so far.

First, internet platforms that we love are harming the country and the world. Those platforms we love may also be harming us without our being aware of it. In addition, there are indirect harms to all of us that result from the undermining of public health, democracy, privacy, and the economy. I do not believe the platforms are causing harm on purpose. The harm is a byproduct of hyper-focused business strategies that failed to anticipate negative side effects. These are really smart people operating in a culture that sees the world through the narrow lenses of business metrics and code. They have created problems for which there may be no technology solutions.

Second, Facebook, Google, YouTube, Instagram, and Twitter have too much influence on our democracy. At this writing, less than ninety days before the 2018 US midterm elections, I am wondering what impact those platforms will have on the outcome. We may get lucky this time, but getting lucky is not a good long-term strategy. The internet platforms have consistently underestimated and misunderstood the threat from bad actors, and may do so again, despite substantial new investments in election security and efforts to combat hate speech. The country can no longer afford to take democracy for granted. I would like to think that every American will now invest the time to be informed about important issues, to vote, and to hold elected officials accountable. The country needs all the critical thinking it can muster. As citizens, we would be well served to anticipate how the algorithms of Facebook, Google, Instagram, YouTube, and Twitter try to manipulate our attention and world view.

Third, users and policy makers are far too trusting of technology. It is no longer rational to assume the best about technology entrepreneurs, companies, and products. Not because they are bad people, but rather because their incentives and culture blind them to their civic responsibilities. We now know that many technology products are unsafe. The aspects that make them unsafe are central to their economic value, which means that pressure for change must come from the outside. Consumers—who should never forget that the industry refers to them pejoratively as "users"—have enormous power, both politically and economically, should they choose to exercise it.

When a new product or technology comes to market, we should be skeptical. It is important to understand the incentives underlying new products and be selective about adoption. Before buying an Amazon Echo or Google Home, we need to read up on what it means to have a private business listening to everything we say in the presence of their devices. Even if we trust the vendor, such devices may be vulnerable to hackers. Is having a device to select our music really valuable enough to justify endless snooping into our lives? Over time, platforms will use our data in ways we cannot imagine today. Before we attach a smart TV to our home network, we should understand what the vendor will do with the data it collects. To date, the answer has been "anything the vendor wants." Among other things, privacy is the ability to make our own choices without fear.

We should be particularly skeptical about artificial intelligence. As implemented by internet platforms, AI is a technology for behavior modification with far more downside than upside. For too many companies, AI is designed to take over activities that define us: our jobs, our routine preferences, and the choice of ideas we believe in. I believe the government should insist on guardrails for AI development, licensing for AI applications, and transparency and auditing of AI-based systems. I would like to see the equivalent of an FDA for tech to ensure that large scale projects serve the public interest.

Fourth, the best way to differentiate the good from the bad is to look at economic incentives. Companies that sell you a physical product or a subscription are far less likely to abuse your trust than a company with a free product that depends on monopolizing your attention. The platforms are led by really smart, well intentioned people, but their success took them to places where their skills no longer fit the job. They have created problems they cannot solve.

Fifth, kids are far more vulnerable to screen-based technology than I ever imagined. For a generation, we have assumed that exposing kids to technology was an unalloyed positive. That was incorrect, with a high cost. I will go into this more deeply in chapter 14.

Sixth, users are not being compensated properly for their data. There is no way companies should be allowed to collect user data and then claim ownership to it. We cannot retrieve our data, but we should be able to control how it is used. Each person should own his or her own data and be free to move it or to sell it in a competitive marketplace.

Seventh, it is just not realistic at the scale of Facebook or Google to have the community police content. Too much harm happens during the process. Moderation can help, but has failed to date, particularly with hate speech, in part because of constraints imposed by other corporate priorities. We have asked the platforms politely to fix their problems with hate speech and disinformation. Now is the time for stronger measures. I will go into this in depth in chapter 13.

Eighth, the culture, business model, and practices that made internet platforms spectacularly successful produce unacceptable problems at global scale that will not resolve themselves. Here again, the platforms continue to resist necessary changes. If policy makers and consumers want the problems to go away, they will have to force changes to the business model and business practices.

One business practice I want to eliminate is the use of microtargeting in political advertising. Facebook, in particular, enables advertisers to identify an emotional hot button for individual voters that can be pressed for electoral advantage, irrespective of its relevance to the election. Candidates no longer have to search for voters who share their values. Instead they can invert the model, using microtargeting to identify whatever issue motivates each voter and play to that. If a campaign knows a voter believes strongly in protecting the environment, it can craft a personalized message blaming the other candidate for not doing enough, even if that is not true. In theory, each voter could be attracted to a candidate for a different reason. In combination with the platforms' persuasive technologies, microtargeting becomes another tool for dividing us. Microtargeting transforms the public square of politics into the psychological mugging of every voter.

Ninth, I believe the threat from internet platforms justifies aggressive regulation, even with all the challenges of doing so in tech. The goal is to slow down the platforms and change incentives. The platforms have shown little ability or willingness to reform themselves, so the alternative is regulation. Congress has a lot of work to do to prepare for its role in oversight, but I believe the capability and commitment are there. Regulations are required relative to public health, democracy, privacy, and antitrust. In the near term, regulation can introduce appropriate friction to slow down the internet platforms, which is a necessary first step. Long term, it can change incentives to change behavior. I will discuss specific proposals in the next chapter.

Tenth, the country would benefit from an honest conversation about the values we expect from businesses, with a focus on the things we would sacrifice in service of those values. In the realm of technology, what will we give up to protect democracy? For example, would we sacrifice some convenience to safeguard elections? What would we forego to safeguard public health? To ensure privacy? To promote a vibrant entrepreneurial economy? A bit of friction in our relationship with technology may yield huge benefits.

Eleventh, technology has unlimited potential, but the good of society depends on entrepreneurs and investors adopting an approach that respects the rights of users, communities, and democracies. If the country and the world allow the laissez-faire capitalism that has powered the internet platforms to continue, the cost will be ongoing damage to public health, democracy, privacy, and the economy. Is that what we want? Bad outcomes are not inevitable, but we need to overcome inertia to prevent them.

Twelfth, with much reluctance I have concluded that platforms like

Facebook, YouTube, Instagram, and Twitter are currently doing more harm than good. I would like to think we can clean up the mess, but we must summon the will.

The final two chapters look forward. Chapter 13 describes policy options for limiting future damage and creating a more competitive and innovative tech industry. Chapter 14 brings the focus to the individual, with advice for protecting yourself from the negative aspects of internet platforms.

WE CAN STILL HOPE that Zuck and Sheryl will eventually embrace the responsibilities that come with global dominance of an industry that influences democracy and civil liberties. Facebook has exceeded their wildest dreams, and they have made giant fortunes from it. The time has come for Facebook's leaders to accept their civic responsibilities and put users first.

The world's democracies want Facebook to act responsibly. Eventually those democracies will be able to compel change. Europe has taken the first step. It would be a smart move for Facebook to anticipate where this is going and go there without a struggle, so as to preserve value and goodwill. If Zuck and Sheryl won't take on the reform mission themselves, perhaps their employees and advertisers will rise to the challenge. Facebook's employees have shown some interest in Tristan's ideas about humane designs, which is very exciting, but we have not yet seen evidence that they have the power or will to effect the changes in business practices and business model that would be necessary to provide meaningful protection to users. Even with horrible news from Myanmar and Sri Lanka and the mounting evidence of Facebook's harm to democracy, employees have been reluctant to come forward as whistle-blowers. That is incredibly disappointing. Until change comes from within, we have to keep up the pressure on policy makers and the public. We have made a lot of progress in raising awareness, but much heavy lifting is still to come. The most important voice can and should be that of the people who use Facebook, who will have to decide if they care more about the convenience of internet platforms or the well-being of themselves, their children, and society. It should not be a tough call. The fact that it is speaks volumes about our addiction to internet platforms.

13

The Future of Society

The problem with Facebook is Facebook.
—Siva Vaidhyanathan

Google and Facebook started up without modesty or a sense of irony. Google's original 1998 mission statement was to "organize the world's information and make it universally accessible and useful." Not to be outdone, Facebook launched with this mission: "To give people the power to share and make the world more open and connected." It is demonstrably true that both companies succeeded on their own terms. Unfortunately, the mission statements defined success narrowly, in terms that created massive wealth for their founders, while imposing negative side effects on far too many users.

By pursuing strategies of global domination, Google and Facebook exported America's twin vices of self-centered consumerism and civic disengagement to a world ill-equipped to handle them. Tools that allow users to get answers and share ideas are wonderful in the ideal, but as implemented by Google and Facebook, with massive automation and artificial intelligence, they proved too easy to manipulate. Google's ability to deliver results in milliseconds provides an illusion of authority that users have misinterpreted. They confuse speed and comprehensiveness with accuracy, not realizing that Google is skewing search results to reflect what it knows about user preferences. Users mistakenly believe their ability to get an answer to any question means they themselves are now experts, no longer dependent on people who actually know what they are talking about. That might work if Google did not imitate politicians by giving users the answers they want, as opposed to the ones they need. Google's YouTube does something similar, but more extreme, in video. Though it may have started as industry snark, "three degrees of Alex Jones" is a directionally accurate reflection of the way YouTube recommends conspiracy theories. Facebook has leveraged our trust of family and friends to build one of the most valuable businesses in the world, but in the process, it has aggravated the flaws in our democracy—and those of our allies—while leaving citizens ever less capable of thinking for themselves, knowing who to trust, or acting in their own interest. Bad actors have had a field day exploiting Google and Facebook, leveraging user trust to spread disinformation and hate speech, to suppress voting, and to polarize citizens in many countries. They will continue to do so until we, in our role as citizens, reclaim our right to self-determination.

You would think that Facebook's users would be outraged by the way the platform has been used to undermine democracy, human rights, privacy, public health, and innovation. Some are, but most users love what they get from Facebook. They love to stay in touch with distant relatives and friends. They like to share their photos and their thoughts. They do not want to believe that the same platform that has become a powerful habit is also responsible for so much harm. That is why I have joined with Tristan, Renée, Sandy, and our team to connect the dots for users and policy makers.

Facebook remains a threat to democracy. Democracy depends on shared facts and values. It depends on communication and deliberation.

It depends on having a free press and other countervailing forces to hold the powerful accountable. Facebook (along with Google and Twitter) has undercut the free press from two directions: it has eroded the economics of journalism and then overwhelmed it with disinformation. On Facebook, information and disinformation look the same; the only difference is that disinformation generates more revenue, so it gets much better treatment. To Facebook, facts are not an absolute; they are a choice to be left initially to users and their friends but then magnified by algorithms to promote engagement. In the same vein, Facebook's algorithms promote extreme messages over neutral ones, disinformation over information, conspiracy theories over facts. Every user has a unique News Feed and potentially a unique set of "facts." Like-minded people can share their views, but they can also block out any fact or perspective with which they disagree.

Communication matters, but so does thoughtful consideration of facts, of candidates, and of policy options, none of which is easy on Facebook. When it comes to democracy, Facebook does a few things very well. It enables communication of ideas, as well as the organization of events. We have seen Black Lives Matter, the Women's March, Indivisible, and the March for Our Lives all leverage Facebook to bring people together. The same thing happened in Tunisia and Egypt at the start of the Arab Spring. Unfortunately, the things Facebook does well are only a small part of the democracy equation.

According to Stanford professor Larry Diamond, there are four pillars of democracy:

1. Free and fair elections;
2. Active participation of the people, as citizens, in civic life;
3. Protection of the human rights of all citizens;
4. Rule of law, in which the laws and procedures apply equally to all citizens.

When it comes to free and fair elections, we know the grim story. In 2016, the Russians exploited Facebook, Google, and Twitter to interfere in the US presidential election. They also attempted to influence the outcome in several European elections, including the United Kingdom's referendum on Brexit. The platforms have made changes, but the elements that allowed interference remain and could be exploited by anyone.

Relative to active participation of the people as citizens, three key factors are the willingness to respect other viewpoints, engage with them, and compromise. When the three factors are present, deliberation enables democracies to manage disagreements, find common ground, and move forward together. Unfortunately, everything about Facebook's architecture and design undermines deliberation. News Feed is an endless series of identically formatted posts scrolling by. The comments section is itself a news feed, with no "reply all" function to enable debate. Facebook's architecture and advertising tools enable bad actors to sow discord. Bad actors have also exploited YouTube, Twitter, and Google to harm democracy. The design of these platforms is what makes them susceptible to exploitation. Those designs can only be fixed by radically changing the business model, which the platforms will not do unless someone forces them to do it.

The third pillar—equal rights for all—is beyond the scope of internet platforms like Facebook, but that does not mean they do not exert significant influence. Facebook has become the closest thing many countries have to a public square. It is the largest and one of the most important places where citizens exchange views. And every interaction is governed by the terms of service of a private corporation whose priority is profits. Facebook applies community standards in each country, but in most countries those standards reflect the interests of the powerful. Enforcement of community standards is automated, with rules that can be gamed, which works disproportionately to the benefit of those in power. As a result, Facebook locks out the wrong people and blocks reasonable voices and content far too often. Only the well-connected or highly visible can recover from these mistakes. And then there is the impact of *Truman Shows* and filter bubbles, the primary consequence of which seems to be polarization. As amplifiers of disinformation and hate speech, Facebook, Google, and Twitter have effectively abridged the rights of the peaceful to benefit the angry. The persecution of the Rohingya in Myanmar is the most extreme example to date, but far from the only one. The advantages on Facebook enjoyed by the most extreme voices can have a lasting impact seen not only in elections, but in many other aspects of life.

The fourth and final pillar of democracy is the rule of law. Here Facebook's impact is indirect. Facebook is the law on its platform, and it enforces the law selectively, which can have an impact in the real world. For example, the use of Facebook to discriminate in housing, in violation of the Fair Housing Act, persisted long after Facebook claimed to have stopped people from doing it, as demonstrated by ProPublica. The outcome of the US presidential election of 2016, the one in which the Russians used Facebook to interfere, has resulted in a broad assault on the rule of law.

At Facebook's scale—or Google's—there is no way to avoid influencing the lives of users and the future of nations. Recent history suggests that the threat to democracy is real. The efforts to date by Facebook, Google, and Twitter to protect future elections may be sincere, but there is no reason to think they will do anything more than start a game of Whack-A-Mole with those who choose to interfere.

Facebook remains a threat to the powerless around the world. The company's Free Basics service has brought sixty emerging countries into the internet age, but at the cost of massive social disruption. Cultural insensitivity and lack of language skills have blinded Facebook to the ways in which its platform can be used to harm defenseless minorities. This has already played out with deadly outcomes in Sri Lanka and Myanmar. Lack of empathy has caused Facebook to remain complacent while authoritarians exploit the platform to control their populations, as has occurred in the Philippines and Cambodia.

Facebook remains a threat to public health. Users get addicted. They get jealous when friends show off their beautiful lives. They get stuck in filter bubbles and, in some cases, preference bubbles. Facebook helps them get into these states, but it cannot get them out. Preference bubbles redefine identity. To break through them will almost certainly require human intervention, not technology. And Facebook is not alone when it comes to harming public health. YouTube, Instagram, Snapchat, texting, and some video games do it every day.

Facebook remains a threat to privacy. The company's commitment to surveillance would make an intelligence agency proud, but not so its handling of data. Facebook stands accused of having shared private data with a range of third parties, using it as a bargaining chip. There is some debate about the letter of the Federal Trade Commission's consent decree, but there's little doubt that Facebook violated its spirit. Increasing integration with Instagram and changes to WhatsApp's business model signal that Facebook has not changed course despite widespread pressure to do so. Relative to privacy, Google is also a serious offender. Both Google and Facebook subvert the intent of privacy efforts like Europe's GDPR with option-dialogue boxes designed to prevent users from taking advantage of their new rights.

Facebook remains a threat to innovation. The company enjoys all the privileges of a monopoly. It has network effects on top of network effects, protective moats outside of protective moats, with scale advantages that make life miserable for Snapchat, to say nothing of every startup that wants to innovate in social. Regulation can influence Facebook's behavior, but the problems are features of Facebook's business model and probably beyond the reach of all but the most onerous regulation. Google and Amazon also enjoy monopoly power, though with different symptoms than Facebook. Even in a perfect world, regulations to level the economic playing field would require years to implement. One of the really important steps is to require the option of a filter bubble–free view of Facebook News Feed and Google search results. What I have in mind is a button on every page that enables users to toggle between views. Relative to data, I want users to own their data and have absolute control over how it gets used. Users should have a right to know the name of every organization and person who has their data. This would apply not just to the platforms but also to the third parties that gain access to their data. Companies that hold consumer data must act as fiduciaries, prioritizing the interests of consumers. Another important regulatory opportunity is data portability, such that users can port their social graph from one platform to another. This would enable startups to overcome an otherwise insurmountable barrier to adoption. I would also require platforms to be transparent to users, advertisers, and regulators. In terms of economic policy, I want to set limits on the markets in which monopoly-class players like Facebook, Google, and Amazon can operate. The economy would benefit from breaking them up. A first step would be to prevent acquisitions, as well as cross subsidies and data sharing among products within each platform. I favor regulation and believe it can address a portion of the threat posed by Google and Amazon. Unfortunately, relative to Facebook, there is no preexisting model of regulation to address the heart of the problem, which relates to the platform's design and business model.

The time has come to accept that in its current mode of operation, Facebook's flaws outweigh its considerable benefits. Belgium and Sri Lanka had the right idea when the former imposed daily fines for privacy violations relative to non-users and the latter suspended Facebook over hate speech. Such aggressive tactics appear to be the only way to get Facebook to take action. Unfortunately, Facebook continues to prioritize its business model over its civic responsibilities. Zuck and the team at Facebook know that people are criticizing them, and while they do not like it, they are convinced the critics do not understand. They believe connecting 2.2 billion people in a single network is so obviously a good thing that we should allow them to get back to work without further discussion. They cannot see that connecting so many people on a single network drives tribalism and, in the absence of effective circuit breakers and containment strategies, has provided dangerous power to bad actors. The corners Facebook has cut have enabled great harm and will continue to do so. The business model pushes responsibility for identifying harm to users, which means Facebook's response is almost always too little, too late.

From a technology perspective, the most promising path forward is through innovation, something over which the platforms have too much influence today. To get around them, I propose that Silicon Valley embrace human-driven technology as the Next Big Thing. In America, if you want to solve a problem, it helps to incorporate the profit motive, which we can do by shifting the focus of technology from exploiting the weakest links in human psychology to a commitment to serving the most important needs of users. Working together, Silicon Valley and users have the power to make technology a bicycle for the mind once again. Human-driven technology would serve the needs of its users, not just in terms of providing answers or stimulation but also with respect to their mental and physical well-being, privacy, and rights as citizens. Let's take a page from renewable energy, where we are addressing a man-made catastrophe by creating new industries around solar and wind, among other things.

What would human-driven technology as the Next Big Thing look like? There are opportunities as far as the eye can see. Human-driven social networks would enable sharing with friends, but without massive surveillance, filter bubbles, and data insecurity. They would require a different business model, perhaps based on subscriptions. Given the ubiquity of social media and the threats posed by Facebook and Instagram, I think it is worth considering more aggressive strategies, including government subsidies. The government already subsidizes energy exploration, agriculture, and other economic activities that the country considers to be a priority, and it is not crazy to imagine that civically responsible social media may be very important to the future of the country. The subsidies might come in the form of research funding, capital for startups, tax breaks, and the like.

The Next Big Thing offers opportunities to rethink the architecture of the internet, pushing more processing and data storage out of the cloud and onto devices at the edge of the network. For example, I would like to address privacy with a new model of authentication for website access. Today, users need to have a unique, well-protected password for every site they visit. Password managers like 1Password can take some of the pain out of the security process, but they are time-consuming to create and use. They also store all the passwords in a central server, which makes them attractive targets for hackers. Too many users rely on Facebook Connect or insecure passwords as a more convenient alternative. A better idea would be to mandate that every site and every browser support a private authentication option. It would work like a password manager, but with a couple of important distinctions: it would go beyond storing passwords to performing log-ins, and it would store private data on the device, not in the cloud. My private log-in proposal would pass along only the minimum information required to prove identity, which might not even include names or other personal data. For example, the service could enable logins to a media site that confirmed that the user was a subscriber, without revealing identity. The app could offer a range of log-in services from "anonymous," as might be appropriate for a content site, up to something with significant data attached, which would enable financial transactions. How would the anonymous log-in work? One possibility is to use a random number generator, coordinated at both ends, which changes with every transaction. The goal is to make privacy the default and give users total control over any data transfer. It may even be possible to integrate payments—Apple Pay, PayPal, or a credit card—with the same benefits: data would go only to the people who actually need to have it. Platforms and merchants will be unhappy to lose access to data from users who choose private log-in, but that is their own fault. They should not have abused the trust of users.

The Next Big Thing would also include smartphones that are less addictive and do not share private data, devices in the Internet of Things that are respectful of data privacy, and applications that are useful and/or fun without causing harm. One way to think about the opportunity for human-driven technology is in terms of decentralization. If antitrust action creates room for competition, the Next Big Thing could see the pendulum of innovation swing back from centralized cloud systems to devices at the edge. There is a human-driven alternative to every product in the market today, as well as many that do not exist yet. The market opportunities are huge. The technology is within reach. All we need is the will to pursue it.

Unfortunately, technology can take us only part of the way to a solution. We are a polarized country with really poor civic engagement. At least a third of the US population identifies with ideas that are demonstrably untrue, and a far larger number have no regular interaction with people who disagree with them or have a radically different life experience. I do not see how technology can fix that. Somehow we have to change our culture to make civic engagement a priority. If Black Lives Matter, the Women's March, Indivisible, and the March for Our Lives are any indication, the process has already begun. Unfortunately, these important efforts in activism address only a portion of the political spectrum, and their success to date has hardened resistance on the other side.

WHEN THE TECH INDUSTRY finally had enough processing, storage, memory, and bandwidth to deliver seamless, real-time video, audio, and texts, it transformed the nature of digital experiences. Everything worked instantly, delivering surprise and delight in equal measure.

Technology platforms integrated with the real world so effectively that users soon came to depend on them in ways that had previously been unimaginable. The new functions were so convenient that traditional barriers to adoption evaporated. At the same time, the balance of power between platforms and users shifted dramatically in favor of platforms. They were able to create massive artificial intelligence engines and feed them with endless streams of data to predict user behavior. Clever implementation of persuasive technology created the illusion of user choice, making the user complicit in a wide range of activities that exist only for the benefit of the platforms. Some platforms—like Facebook—make it possible for third parties to exploit users almost at will, sometimes to the point of manipulation.

This book has focused on Facebook because that company played the biggest role in the Russian interference in the 2016 election, and by chance I tripped over that story early on. In the context of US elections, I still worry more about Facebook and its subsidiary Instagram than other platforms. The Russian playbook from 2016 is out there. Anyone anywhere can run it in any election at any level. The Cambridge Analytica data set and possibly others like it are out there. Anyone can buy access to them on the dark web. But you don't have to go to the dark web to get detailed data about American voters. Huge amounts of data are available. Campaigns can buy a list of two hundred million voting-age Americans with fifteen hundred data points per person from a legitimate data broker for seventy-five thousand dollars. Commercial users have to pay more, but not that much more. Think about that. Commercial data brokers do not sell lists that have been paired with voter files, so it would take some effort to replicate the data set created by Cambridge Analytica, but it can definitely be done by any sufficiently motivated party. A data set that includes Facebook user IDs gets access to the latest user data every time it is used inside Facebook.

The platforms have made changes aimed at protecting elections, but they address only a portion of the problem. Interfering in elections does not cost much in comparison to the value received. We should not assume that the playbook will stay the same. It will evolve in response to changes in the platforms, as well as experience from past elections. For example, Instagram's market share among millennials makes the platform ideal for voter suppression of that demographic. Clint Watts, the national security consultant for the FBI, framed it this way in an email to me: "Many will project the past onto the future, expecting Russian disinformation to again seek to influence US elections. The Kremlin, rather than being the dominant social media manipulator globally, will be one of many seeking to surreptitiously move audiences to their preferred position using social media influence. Future political manipulators will copy the Kremlin's information warfare art but apply an advanced level of technology, artificial intelligence, to sway audiences through rapid social media assaults. The danger to democracy will not be just authoritarians, but all political campaigns and public relations firms employing social media influence to drive audiences apart online and drive constituencies apart at the ballot box."

Zeynep Tufekci, the UNC scholar who is one of the world's foremost experts on the impact of emerging technology in politics, has observed that internet platforms enable the powerful to affect a new kind of censorship. Instead of denying access to communications and information, bad actors can now use internet platforms to confuse a population, drowning them in nonsense. In her book, *Twitter and Tear Gas*, she asserts that "inundating audiences with information, producing distractions to dilute their attention and focus, delegitimizing media that provide accurate information (whether credible mass media or online media), deliberately sowing confusion, fear, and doubt by aggressively questioning credibility (with or without evidence, since what matters is creating doubt, not proving a point), creating or claiming hoaxes, or generating harassment campaigns designed to make it harder for credible conduits of information to operate, especially on social media which tends to be harder for a government to control like mass media." Use of internet platforms in this manner undermines democracy in a way that cannot be fixed by moderators searching for fake news or hate speech.

Elections are just one part of the problem created by smartphones and internet platforms. Public health issues such as addiction, data privacy, and the suppression of competition and innovation are the other parts, and the four problems interrelate. They touch both internet platforms and smartphone makers. Silicon Valley has profited from network effects but ignored knock-on effects. Internet platforms pursued unlimited scale without understanding, much less preparing for, unintended consequences. The handful of companies that won that game generated unfathomable wealth, but at a huge cost to society, which is left with a mess to clean up, a mess that cannot be fixed by technology alone.

Google collects more data than anyone else. They get your data from search results, Gmail, Google Maps, YouTube, and every other app they offer. They acquire your credit card data, as well as data from other offline sources. They use artificial intelligence to create a filter bubble in your search results of things you like. They use their sea of data to crush competitors. Google's most glaring problems are in YouTube, which offers a triple-header of harm: the Kids channel, the promotion of disinformation, and the recruiting/training of extremists. For whatever reason, Google has not been able to fix any of these problems. Were it not for Facebook, we would be having this conversation about Google and YouTube. Twitter is constantly exploited by trolls, Russian and otherwise. This matters because of Twitter's disproportionate influence in news, politics, and popular culture. Snapchat offers Streaks, which encourages a synthetic metric of friendship and is a powerful delivery vehicle for fear of missing out. Instagram, which is owned by Facebook, promotes addiction, enables FOMO, and is the weapon of choice for bullies who body shame preteens. Instagram pretends to be independent but shares data with Facebook, using terms of service that are functionally the same as Facebook's. Facebook Messenger Kids is designed to introduce elementary school kids to texting. The product offers an obvious benefit to Facebook but none to the user. Each time video game technology improves, more players get addicted. Texting has also demonstrated addictive powers and undermines personal relationships by enabling emotional interaction without immediate, face-to-face feedback.

In my search for solutions, I prioritize two things: fair elections and protecting children.

A growing percentage of children prefer the hyperstimulation of virtual experiences to the real world. It's hard to know how this will turn out, but medical researchers have raised alarms, noting that we have allowed unsupervised psychological experiments on millions of people. Medical research bolsters the case for regulation, in the form of limits on the ages at which children may use screens like smartphones and tablets, the amount of time anyone should spend on internet platforms, and functionality of the platforms themselves. Relative to today's standards, the recommendations are extreme, but there may be no other way to protect children, adults, democracy, and the economy.

These are not conclusions to which I came easily. Silicon Valley is my world. Technology has been my life's work. Professionally, I spent thirty-four years being a technology optimist. Then came the 2016 election. Suddenly, I saw things that were incompatible with my historically rosy view of technology. The more I learned, the worse it looked, until I finally realized that internet platforms had forgotten the prime directive of technology: to serve the needs of humans. Having been launched at the moment when the constraints on technology disappeared, the platforms confused easy success with merit, good intentions with virtue, rapid advances with value, and wealth with wisdom. They never considered the possibility of failure and made no preparations for it. The consequences have been profound. For the Rohingya in Myanmar and the Muslims in Sri Lanka, they can be deadly.

For the citizens of the United States and the United Kingdom, the impact has been most apparent in elections, but social media permeates the national culture and may pose a developmental threat for kids. It is hard to accept that great harm can come from products we love—and on which we have come to depend—but that is where we are. Our parents and grandparents had a similar day of reckoning with tobacco. Now it's our turn, this time with internet platforms and smartphones.

Internet platforms insinuated themselves into our lives—and into the public square—through a combination of compelling value and clever appeals to the weakest elements of user psychology. In less than a generation, these platforms have made themselves indispensable, but with unintended consequences so serious and so pervasive that policy makers and the public around the world have taken notice and seek answers. The issues go beyond internet platforms to include smartphones, texting, video games, and other products that replace human interaction with virtual alternatives. As much as we would like an easy fix, there is none that allows us to coexist with these products in their current form.

We put tech on a pedestal. That was a mistake. We let the industry make and enforce its own rules. That was also a mistake. We trusted them not to hurt users or democracy. That was a disastrous mistake that we have not yet corrected. Without a change in incentives, we should expect the platforms to introduce new technologies that enhance their already-pervasive surveillance capabilities. Those new technologies will offer convenience and perhaps other benefits to users, but recent experience suggests we should not assume that they will be benign. As technology advances, we should expect risk and potentially harm to increase as well.

The problem has metastasized to the point where Facebook alone cannot fix it. With a shocking percentage of the country's population stuck in preference bubbles that blind them to fact, we need to think about ways to reconnect people in the real world, to encourage handshakes and eye contact with people who live differently and hold different views. But we should not let the platforms off the hook. They played a huge role in undermining public health and democracy. If they want to be pariahs, all they have to do is keep doing what they have been doing. If they want to regain the trust of users and policy makers, they should start by rethinking their approach, their entire mission. They need to understand the impact they have on societies around the world, and they need to do whatever is necessary to end the harm. They need to align with governments, universities, and users in long-term programs designed to promote a healthy relationship with technology, as well as technology that supports the best in humanity, rather than the worst.

Thinking long-term might allow the platforms to anticipate the change to come and foster trust by getting ahead of it. Where Facebook has chosen to create the illusion of compliance while resisting actual change, the smart move would be to adopt behaviors satisfactory to all constituencies, demonstrate genuine sensitivity to the needs of users, and restore the trust that has been lost in the wake of the 2016 election. So long as Facebook insists on prioritizing growth, preserving features that enable bad actors, and not implementing circuit breakers to protect against emotional wildfires, it will remain on the wrong side of history. If there is any justice in the world, the days of policy makers and citizens treating the business models of internet platforms as sacrosanct will end soon. In some ways, the internet platforms face a choice similar to a country contemplating war. Historically, the people who started wars generally overestimated the benefits while underestimating the costs. Had they known the outcome in advance, many would have chosen a peaceful alternative. In the case of the platforms, a second incentive might also be available. Given the damage to democracies in Europe and North America that resulted from the exploitation of their platforms, Facebook, Twitter, and Google might also consider how long they want to undermine the country in which they live.

At the heart of the threats facing users are the ones that affect public health. All the public health threats of internet platforms derive from design choices. Technology has the power to persuade, and the financial incentives of advertising business models guarantee that persuasion will always be the default goal of every design. The engineers are experts at using technology to persuade. Every pixel on every screen of every internet app has been tuned for maximum persuasion. Not every user can be persuaded all the time, but nearly all users can be persuaded some of the time. In the most extreme cases, users develop behavioral addictions that can lower their quality of life and that of family members, coworkers, and close friends. We don't know the prevalence of behavioral addictions to technology, but anecdotally they seem widespread. Millions of people check their phone first thing in the morning. For most, the big question is whether they do so before they pee or while they are peeing. Far too many people report difficulty sleeping because they cannot stop using their phone or tablet. It's not crazy to imagine that half of Facebook's daily users have some level of behavioral addiction. The problem with addiction is that it deprives the victim of agency. Even when an addict understands the potential for harm, he or she cannot help but continue the activity. To change that will require more than regulation. It will require an investment in research and public health services to counter internet addiction.

One reason that democracy is vulnerable to threats via internet platforms is that other forces have already weakened the foundation. Years of underinvestment in public education in the United States have spawned at least one generation of voters with little understanding of our government and how it is supposed to work. Even if Facebook were to change its business model to discourage new filter bubbles, what could it do about the ones that already exist? What can Facebook do about the fact that humans prefer disinformation to information? What can it do about the sorry state of civics education? It cannot solve all these problems, but it can reduce their impact. We as a country need to address these problems the old-fashioned way, by talking to one another and finding common ground.

Technology will continue to evolve, as will the tactics used by bad actors to exploit it. In particular, I worry about the spread of disinformation videos, including deep fakes. I worry about voter suppression of millennials over Instagram. The concern is magnified by the widespread misperception among users that Instagram is not vulnerable to political interference.

The people at Facebook are really smart, and I would like to think that if they applied themselves, they would come up with ways to improve our democratic processes instead of undermining them. Revealing the sponsors for political ads was an important first step, and Facebook took it. Facebook then removed disinformation pages that appear to have been sponsored by Russia and Iran. It hired security experts. But so far Facebook has resisted fundamental change. The company must do heavy lifting at the algorithm level to ensure that disinformation and fake news do not dominate the information sphere as they did in 2016. It owes the world its best effort to prioritize facts over disinformation and to pierce filter bubbles of nonsense. This is not a capricious request. Facebook's inattention to its potential impact on democracy enabled unprecedented interference in the United States and possibly the United Kingdom. No country should tolerate election interference via Facebook in the future, and the company should not assume any will.

Data privacy has been on the radar for a couple of decades, but only in an abstract way that few people understand. Press coverage of computer hacks of major websites generally emphasizes the number of identities that have been compromised—a number sometimes in the millions—but it always seems to be other people's identity. But the privacy issues at Facebook go far beyond data security. The data gets used to persuade, to manipulate, to strip agency from users. The misuse of data has been so pervasive that the effects can be felt even by people whose data has not been compromised, as in the case of election interference. It's not clear how much impact Cambridge Analytica will have on consumer attitudes toward data security in the long run, but the impact on governments may be significant. If policy makers insist on change, the decisive factor may be that Cambridge Analytica was not a hack. Cambridge Analytica was able to harvest nearly eighty-seven million Facebook profiles without user permission because Facebook encouraged third-party app vendors to do this. Harvesting was good for Facebook's business.

The US Constitution does not guarantee a right to privacy, but the European Union has stepped into the breach with the Global Data Protection Regulation, which inverts the data relationship between platforms and users. It guarantees EU citizens and residents ownership of their own data and requires opt-in for a wide range of uses of user data. The regulation protects EU citizens no matter where they are in the world, including in the United States. The most valid criticism of GDPR relates to its impact on startups, which may be considerable. Given their relative economic advantage and likely benefits in terms of user trust, you might expect the major platforms to embrace GDPR. Instead, they are doing what they can to minimize the reach of GDPR, as Facebook did when it moved 1.5 billion user profiles from its processing center in Ireland—which is part of the EU—to the United States, where most would be beyond the reach of the regulation. Both Facebook and Google have used their design skills to craft dialogue boxes that minimize the number of users who opt in for GDPR protection.

If I were running Google, I would embrace GDPR like a religion. I would escape the lifeboat Google has been sharing with Facebook and create as much distance as possible. As the largest internet platform, Google would enjoy a huge relative advantage in terms of the cost of compliance. It would also radically improve its relative standing with regulators around the world. I believe that enthusiastic compliance with the spirit of GDPR would lead to an increase in user trust, which would almost certainly pay dividends in the future. I would spin off YouTube to shareholders, as that would create a more powerful incentive to reduce the threat from disinformation and extremism. Google does not seem to understand that the primary reason its users and policy makers are not up in arms is because Facebook is worse. If Facebook gets its act together before Google, the shoe will be on the other foot. At this writing, Google finds itself in a regulatory spotlight, not only with the EU, but also various constituencies in the United States.

The challenge is made more difficult by the rapid evolution of the artificial intelligence engines that power the platform giants. As deployed by internet platforms, AI offers incremental convenience to users at an exceptionally high cost. AI does not have to be harmful, but there is every reason for alarm at the early results of AI on internet platforms. By focusing only on the creation of economic value for themselves, the platforms have made choices that conflict with best interests of their users and society as a whole. There are important policy questions about AI that should be addressed before the technology develops further. Behavioral-prediction models are increasingly functional. Their data sets gain new value and use cases with each new data set they acquire. Some of the value comes from activities that users never contemplated in the original transaction with the platform and over which they have no control. When platforms can anticipate users' thoughts, there will be opportunities to add value but also to cause harm. Will the platforms give users any say? Users should have the decisive voice with respect to the use of their data.

Extending the fiduciary rule to data providers seems like a sensible step. Users have quietly accepted that platforms use their sensitive personal information in ways they never approved, but they deserve better. Data-intensive companies of all kinds should have a legal requirement to safeguard their users' personal data, just as doctors and lawyers do. It is no different than if a priest were to profit from information provided in the confessional. For users, the key benefit of the fiduciary rule would be the right to bring a legal case if their data gets compromised.

The final category of issues with internet platforms relates to their impact on the entrepreneurial economy. Google, Amazon, and Facebook have followed the monopolist's playbook and built "no go" zones around their core operations. Their success has raised the bar for startups, narrowing the opportunities for outsized success and forcing entrepreneurs to sell out early or pursue opportunities with less potential. They have built additional walls through acquisitions. Both Google and Facebook have acquired startups that might have posed a competitive threat. For Google, the most important acquisition was YouTube. For Facebook, the big ones were Instagram, WhatsApp, and Oculus. Google has built many of its businesses from scratch, including Gmail. It has a very large venture capital fund with two billion dollars under management and a huge portfolio. Google provides business services to its portfolio companies, ensuring a bird's-eye view of their operations. One reason it matters is that the biggest product in the history of technology—the smartphone—is now mature, and we have entered the zone for developing the Next Big Thing. What will it be? Virtual reality? Facebook bought the early leader in VR platforms, choking off the supply of capital that might have funded alternative startup platforms. There has been progress at Oculus, but a mass market product still appears to be years away.

Will the Next Big Thing be artificial intelligence? There are startups in AI, as well as giants like IBM and Microsoft, but Google and Facebook assert to the government that they are the standard-bearers. The nature of AI is such that the lead that Google and Facebook have built in behavior modification may be insurmountable. The question I struggle with is whether AI is one thing or a category with several niches. If the latter, there may still be hope for startups.

Will the Next Big Thing be the next generation of wireless technology, the standard known as 5G? The magic of 5G is not going to be more bandwidth to phones; it will be in enabling pervasive 4G-level bandwidth at one-tenth the cost. It will power the Internet of Things. The standard has been set, and we should anticipate lots of startup activity. However, IoT already exists, and the early products pose a range of issues that demand attention, including data privacy and security. Critics have expressed alarm about the ability of Amazon's Alexa and Google Home to snoop on users. With 5G, internet platforms will no longer be confined to PCs and smartphones. They will have access to and possibly control of a range of devices, appliances, and cars, surrounding users and immersing them. There is no reason to believe IoT will be benign unless users and policy makers demand it. The first generation of devices—flat-screen TVs, for example—has been plagued by data privacy issues. No one knows what the vendors are doing with the data they collect. We are aware of the data privacy and security issues with IoT and the range of issues from internet platforms; there is no excuse for not taking steps in advance to limit harm when IoT and platforms converge.

The US economy has historically depended on startups far more than other economies, especially in technology. If my hypothesis is correct, the country has begun an experiment in depending on monopolists for innovation, economic growth, and job creation. If I consider Google, Amazon, and Facebook purely in investment terms, I cannot help but be impressed by the brilliant way they have executed their business plans. The problem is unintended consequences, which are more numerous and severe than I imagined. These companies do not need to choke off startup activities to be successful, but they cannot help themselves. That is what monopolists do. Does the country want to take that risk?

Faced with conclusive evidence that internet platforms have a dark side, the time has come to do something about it. As a capitalist, I would ordinarily favor letting markets settle such problems. In this case, I cannot do so because the market is not getting the job done. The internet platforms have disrupted many industries, including music, photos, video, and news. They have disrupted the world of tech startups, too. They have created massive wealth for their investors but little in the way of traditional economic value, normally measured in the form of jobs and infrastructure. I don't want to penalize success, but if that is the only way to protect democracy and public health, so be it. Allowing the internet platforms to disrupt every sector in the economy may not be in the national interest. People need jobs, and internet platforms don't create enough of those. Worse still, too many of the current generation of technology companies derive their value from reducing employment elsewhere in the economy. I would like to think that Silicon Valley can earn a living without killing millions of jobs in other industries. In the mid-seventies and eighties, when the US first restructured its economy around information technology, tech enabled companies to eliminate layers of middle management, but the affected people were rapidly absorbed in more attractive sectors of the economy. That is no longer the case. The economy is creating part-time jobs with no benefits and no security—driving for Uber or Lyft, for example—but not creating jobs that support a middle-class lifestyle, in part because that has not been a priority. One opportunity for the government is to create tax incentives for tech businesses (and others) to retrain and create jobs for workers threatened by recent changes in the economy. Teaching everyone to code is not the answer, as coding will likely be an early target for automation through artificial intelligence.

I see no easy solution to the problems posed by Facebook and the other internet platforms. They are deeply entrenched. Users trust them, despite an abusive relationship. To contain the problem somewhere near current levels, the first step should be a combination of antitrust enforcement and new regulations to protect privacy and to limit the scope of data collection and artificial intelligence. I would favor aggressive antitrust action, including breaking up Facebook and Google, because I believe more, smaller entities will increase competition, producing the most economic value for the largest number of people. Users should always own all their own data and metadata. No one should be able to use a user's data in any way without explicit, prior consent. Portability of users' social graphs from any site will transfer power to users and promote competition. Third-party audits of algorithms, comparable to what exists now for financial statements, would create the transparency necessary to limit undesirable consequences. There should be limits on what kind of data can be collected, such that users can limit data collection or choose privacy. This needs to be done immediately, before the Internet of Things reaches mass adoption. IoT is currently an untamed frontier of data, with the potential for massive abuse. Lastly, I would like to see limits placed on artificial intelligence and automated bots to ensure that they serve humans, rather than exploiting them. This could be accomplished through an equivalent to the Food and Drug Administration (FDA) for technology. All of these changes depend on government intervention, which will not happen until the public insists on it. We need to create a political movement.

I hope the government will use its influence to promote human-driven technology as an alternative to extractive technology. At the same time, the government should take steps to repair the damage caused by internet platforms. Even if we figure out how to fix Facebook, that will not be enough to repair democracy. It may not even be enough to address the damage to public health and privacy. For those problems, we need real world solutions, not more code.

Some of the platforms take pride in their hacker roots, but the time has come for the largest ones to recognize that outsized success brings with it great responsibility. The business models and algorithms that create so much profit remain vulnerable to bad actors. New evidence emerges every day. Attempting to limit harm through regulation will be difficult, but regulation—even the threat of regulation—remains an effective incentive for change. The best solution would be for the platforms to fix themselves, but I fear they lack the will, the judgment, and perhaps even the ability. Google has announced that it will implement humane design principles in new smartphones, and Facebook has taken steps to limit foreign actors from placing political advertisements. Facebook and Twitter have banned a number of "inauthentic" accounts. Those changes are cosmetic. No platform has committed itself to the difficult steps that would be necessary to protect democracy, public health, user privacy, or the entrepreneurial economy. The most extreme failures, such as Facebook's enablement of what has been described by the United Nations as a "textbook example" of ethnic cleansing in Myanmar, have not produced the kind of pushback from employees that would be necessary to effect change from within. Inertia keeps employees in line and drives platforms to exploit the psychological weaknesses of users. Perhaps the big drop in Facebook's stock price that occurred in July 2018 will cause some employees to speak out. If not, economic incentives will encourage perpetuation of the status quo unless incentives change. Shareholders and third-party developers favor the status quo, so they are unlikely to be the drivers of change. Only a very public, concerted effort by top management will change the behavior of these companies, and that will only happen if policy makers and users insist on it.

14

The Future of You

The future is already here—it's just not evenly distributed. —William Gibson

A dystopian technology future overran our lives before we were ready. As a result, we now face issues for which there are no easy answers without much time to act. We embraced the smartphone as a body part without understanding that there would be a downside. We trusted internet platforms to be benign. We reacted too slowly to warning signs. In the eighties and nineties, the philosopher Neil Postman warned us that television had ushered in Aldous Huxley's Brave New World. Where Orwell worried about the burning of books, Huxley argued that the greater risk would be citizens no longer wanting to read. Postman predicted that television would entertain us to death. He did not live to see the smartphone prove his argument with an exclamation point.

Technology vendors have too many advantages over users. We cannot resist the allure of smartphones. Internet platforms apply their networks, design skills, artificial intelligence, and machine learning to capture our attention and hold it. They exploit the weakest links in human psychology to create dependence and behavioral addiction. Heavy doses of fun and dopamine keep us hooked and make us vulnerable. It happens to toddlers, grade schoolers, preteens, teens, and adults. Not everyone who is online is addicted. Not everyone has been manipulated. But no one can escape the consequences of these addictions and manipulations, as they affect enough people to undermine even the most successful countries. If we are to be a functioning democracy, we cannot allow the present situation to continue. If we want our kids to grow up to be functioning adults, we must force change. If we adults want to preserve agency over our lives, we have to stand up. Next-generation technology from the Internet of Things and artificial intelligence will compound the current problems if we do not take action now.

As users, we have more power than we realize. Internet platforms need us. They need our attention. When we give it, they have enormous—sometimes decisive—influence on our lives. Today the platforms' reach is mostly limited to smartphones. Amazon's Alexa and Google Home are expanding the footprint, followed by cars, TVs, refrigerators, toys, and other devices. We will increasingly be surrounded by devices that listen, watch, and record everything we do. The resulting data will then be processed by artificial intelligence and algorithms that will manipulate our attention and behavior in ways that create economic value for platform owners. Today we have some control over the degree to which IoT devices influence our life because most of us are not yet using them. Take the time to consider the dark side of any new technology before embracing its convenience. Our voice and our choices will be decisive. We can go along like sheep, or we can insist on a new model: human-driven technology. Individually, we struggle to resist, but collectively, we have great power. To exercise that power, we must leave our digital cocoon to interact with friends, neighbors, and total strangers.

Engaging with a wide range of opinions is essential for democracy. The US has forgotten the essential value of compromise, which starts with listening to and acknowledging the legitimacy of different points of view. If we are to break out of filter bubbles and preference bubbles—whether online or off—we need to invest the time necessary to be better informed. We need to be appropriately skeptical about what we read, watch, and hear, applying critical thinking to content from all sources, seeking out different perspectives, and validating content before we share it. The bibliographic essay at the end of this book includes sources you can use to investigate the quality of publishers and validity of content.

Forcing Silicon Valley to embrace human-driven technology would offer giant benefits to society but may require an effort analogous to the long campaign against smoking. We hate to think about the harm internet platforms are inflicting on us. Making the changes necessary to stop internet addiction, election interference, and privacy invasions will be hard work. It would be so much more pleasant to play another round of Candy Crush or check Instagram. I get it. My own journey from cheerleader to activist has been a struggle. I have had to face unpleasant facts about platforms in which I have been an investor and advisor, as well as about my own usage of technology. It has not made me popular in Silicon Valley, but it had to be done. There are times that require each of us do the right thing, no matter the cost. For me, this is one of those times.

How about you? Are you concerned about children getting addicted to texting or video games? Do you worry about all the kids who cannot put down their smartphones or videogames? Have you known a preteen girl who has been body shamed online or a teen who has suffered from fear of missing out? Do you worry about the consequences of foreign countries interfering in our elections? Do you wonder about the moral implications of American products being used to promote ethnic cleansing in other countries? Do you have trepidation about constant surveillance? Are you concerned about being manipulated by artificial intelligence? These are not hypothetical questions.

Here is some good news: internet platforms respond to pressure. We know this from recent experience. We collectively stimulated enough pressure that Facebook implemented much better rules for election advertising and Google announced humane design features in its new smartphone. These first steps never would have happened in the absence of public pressure. And each of us can exert at least two forms of pressure: we can change our behavior online and we can demand that politicians take action.

Consider your own usage patterns on Facebook and other platforms. What kinds of things do you post? How often? Is any of it inflammatory? Do you try to convince people? Have you joined Groups dedicated to political issues? Do you get into fights over ideas on social media? Are there people whose posts consistently provoke you? Have you ever blocked people with whom you disagree? Do not feel bad if the answer to any of these questions is yes. The evidence is that most users of Facebook have done these things at one time or another because the algorithms are designed to promote that kind of activity. Now that we know what is going on, what are we going to do about it?

Changing behavior starts with reconsidering your relationship to the internet platforms. That is what I did, especially for Facebook and Google. I still use Facebook and Twitter, but I have changed my behavior, especially on Facebook. I no longer allow Facebook to press my emotional buttons. I wish it were not necessary, but I no longer post anything political or react to any political posts. It took six months, but my feed is now dominated by the music side of my life, birthdays, and puppies. It might work for you, too. In addition, I erased most of my Facebook History. Facebook seems to have a built-in bias in favor of disinformation and fake news, so I am really careful about the sources of information on Facebook and elsewhere on the web. To protect my privacy, I do not use Facebook Connect to log in to other sites or press Like buttons I find around the web. I don't use Instagram or WhatsApp because of my concern about what Facebook is doing to those platforms. I avoid using Google wherever possible because of its data-collection policies. Avoiding Google is inconvenient, so I have turned it into a game. I use DuckDuckGo as my search engine because it does not collect search data. I use Signal for texting. I don't use Gmail or Google Maps. I use a tracking blocker called Ghostery so that Google, Facebook, and others cannot follow me around the web. I am far from invisible on the web, but my shadow is smaller.

I also have made changes relative to my devices. I use Apple products because that company respects the privacy of my data, while Android does not. I still check my phone way too often, but I have turned off notifications for practically everything. I only allow notifications for texts, and even then only vibrations. I read books on my iPad, so I keep it in Night Shift mode, which takes all the blues out of the display, reducing eye strain and making it much easier to fall asleep at night. I often put my iPhone in monochrome mode to reduce the visual intensity of the device and, therefore, the dopamine hit. I do not recharge my devices in the bedroom.

I bought an Amazon Alexa smart speaker on the first day. About an hour after I installed the device in the kitchen, an ad for Alexa came on the TV, and my Alexa responded. I realized immediately that Alexa would always be listening and that no one should trust it to respect privacy. My brand new Alexa went into a storage container, never to return. Unfortunately, the entire world of connected televisions, appliances, and other devices—the Internet of Things—shares Alexa's snoopiness. Unscrupulous vendors can use IoT devices for surveillance. Incompetent vendors may leave customers vulnerable to hacking by bad actors. All vendors will collect masses of data; no one knows what they will do with it. My advice is to avoid IoT devices, or at least avoid putting them on your network, until vendors commit to strong protection.

Data privacy is sufficiently abstract that few people take steps to protect it. I recommend using a password manager such as 1Password to ensure secure access to websites. Despite the many hacks of data from servers and the harvesting of friends data from Facebook, few of us have experienced much harm, at least not that we can perceive. Too few among us realize that our data is being used to build artificial intelligence systems that predict our behavior. When you combine that predictive AI with manipulative technology of internet platforms, bad things will happen. What starts out as creepy can easily become unhealthy, if not dangerous. Until the internet platforms and IoT hardware companies demonstrate a commitment to safeguarding users, it makes no sense to trust them with your data or anything else.

If you are a parent of a child eighteen or younger, think about whether you are a good digital role model. How often do you check your devices in the presence of your kids? How much do you know about your children's online activity? What is the ratio of online activity to outdoor play in your family? How often do you go online together with your kids? To what degree does your children's school employ computers and tablets? At what age did that start? How often do your children's classes engage in traditional group learning, where the students are encouraged to participate with classmates, as opposed to one-on-one activity?

To understand how addiction to screens, games, and internet platforms affects us, I recommend *Irresistible: The Rise of Addictive Technology and the Business of Keeping Us Hooked* by New York University professor Adam Alter. For a really thoughtful explanation of the addictive properties of technology relative to children, check out Nicholas Kardaras's *Glow Kids: How Screen Addiction Is Hijacking Our Kids—And How to Break the Trance*. Online resources include the websites of the Center for Humane Technology and Common Sense Media.

The medical profession has a message for parents: smartphones, tablets, and the apps that run on them are not good for children. When it comes to protecting children, there is mounting evidence that the only thing kids should do on smartphones is make calls. Just about everything else kids do on smartphones poses a threat of one kind or another. We used to think that kids were safer playing with technology than playing outdoors. We were wrong.

At the margin, research suggests that less exposure to devices and apps is better at all ages but essential for younger children. The American Academy of Pediatrics suggests that parents not allow any screen exposure for children under two. There is a growing body of research indicating that parents should limit the screen time of kids under twelve to much less than current averages. The rationale for early exposure—preparing kids for life in a digital world—has been negated by evidence that screen time impedes childhood development to a far greater degree.

Given how deeply smartphones, tablets, and PCs have penetrated everyday life, cutting screen time is much easier said than done. For example, many schools insist on using PCs or tablets in the classroom, despite evidence that computers and tablets may be counterproductive in that setting, both because of the negative effects of dopamine stimulation and a reduction in social interaction. It may not take much screen time to trigger an excess of dopamine in kids. Doctors have observed that kids with too much screen time suffer from a variety of developmental issues, including an inability to pay attention and depression. With preteens and teens, overproduction of dopamine remains an issue, but the exploitation of social media by bullies is also a problem. Even kids in their teens are unprepared to cope with the addictive powers of internet platforms on mobile devices.

Parents face a daunting challenge. Even if they control technology at home, how do they protect their children elsewhere? There are devices everywhere, and too many people willing to share them, unaware of the danger. One possible first step is to organize small groups of parents in a format equivalent to a book club. The goal would be to share ideas, organize device-free play dates, and provide mutual support towards a goal that requires collective action. Small groups can be an effective first step in a long campaign to change the cultural zeitgeist.

Adults are less vulnerable to technology than kids, but not enough so to be safe. Smartphones and internet platforms are designed to grab your attention and hold it. Facebook, YouTube, and other platforms are filled with conspiracy theories, disinformation, and fake news disguised as fact. Facebook and YouTube profit from outrage, and their algorithms are good at promoting it. Even if the outrage triggers do not work on you, they work on tens of millions of people whose actions affect you. Elections are an example. Facebook in particular has profited from giving each user his or her own reality, which contributes to political polarization. Facebook has managed to connect 2.2 billion people and drive them apart at the same time.

One way we can defend ourselves is to change the way we use technology. There is evidence that internet platforms produce happiness for the first ten minutes or so of use, but beyond that, continued use leads to progressively greater dissatisfaction. The persuasive technologies embedded in the platforms keep users engaged. We cannot help but scroll down just a bit farther, in the hope of something really wonderful. We did not understand the dark side of internet platforms before we got hooked, but we can modify our behavior now. We can track our usage with apps like Moment and create device-free time periods or locations in our day. We can decide not to embrace new technologies that do not respect us. We can even delete some applications.

I would like to think that the people who make smartphones and internet platforms will devote themselves to eliminating the harmful aspects. They have taken steps, but they have a lot of hard work to do. Policy makers in Washington and the states can create incentives for the internet giants to do right by their users. Executives in Silicon Valley should reassess their business plans in light of what we now know. Unfortunately, Silicon Valley is like a club. It is hard for anyone, even the CEOs of major tech companies, to speak out against companies as powerful as the internet platforms.

The platforms act as though users will be too preoccupied to look out for their own self-interest, to insist on dramatic change. Let's prove them wrong. Parents, users, and concerned citizens can make their voices heard. We live at a time when citizens are coming together to bring about change. The effective collective action by Black Lives Matter, the March for Our Lives, the Women's March, and Indivisible should inspire us. All of them use Facebook to organize events, which would be poetic justice in this case. Bringing people together in the real world is the perfect remedy for addiction to internet platforms. If we can do that, the world will be a better place.

Epilogue

We have to take our democracy back. We cannot leave it to Facebook or Snapchat or anyone else. We have to take democracy back and renew it. Society is about people and not technology. —MARGRETHE VESTAGER

Freedom is a fragile thing and never more than one generation away from extinction. —RONALD REAGAN

Nearly three years have passed since I first observed bad actors exploiting Facebook's algorithms and business model to harm innocent people. I could not have imagined then the damage to democracy, public health, privacy, and competition that would be enabled by internet platforms I loved to use. If you live in the United States, United Kingdom, or Brazil, your country's politics have been transformed in ways that may persist for generations. In Myanmar or Sri Lanka, your life may have been threatened. In every country with internet access, platforms have transformed society for the worse. We are running an uncontrolled evolutionary experiment, and the results so far are terrifying.

As people, and as citizens, we were not prepared for the social turmoil and political tumult unleashed by internet platforms. They emerged so quickly, and their influence over both person and commerce spread so rapidly, that they overwhelmed cultural, political, and legal institutions. Some will be tempted to relax now that the 2018 midterm elections have come and gone without obvious foreign interference. Conscientious citizens may stop worrying, comfortable that policymakers are now on the case. Instead, I hope they will see that foreign meddling in campaigns is merely one symptom of a much larger problem, a problem for which the internet platforms themselves—and nobody else, in or out of government—must be called to account.

In his brilliant book *The Road to Unfreedom*, Yale professor Timothy Snyder makes a convincing case that the world is sleepwalking into an authoritarian age. Having forgotten the lessons of the twentieth century, liberal democracies and emerging countries alike are surrendering to autocratic appeals to fear and anger. Facebook, Google, and Twitter did not cause the current transformation of global politics, but they have enabled it, sped it up, and ensured that it would reach every corner of the globe simultaneously. Design choices they made in the pursuit of global influence and massive profits have undermined democracy and civil rights.

Let me be clear. I do not believe the employees at Google, Facebook, or Twitter ever imagined their products would harm democracy in the United States or anywhere else. But the systems they built are doing just that. By manipulating attention, isolating users in filter and preference bubbles, and leaving them vulnerable to invasions of privacy, loss of agency, and even behavior modification, internet platforms inadvertently created a weapon for those who would impose their will on the powerless. Facebook's impact on the 2016 U.S. presidential election and on the fate of the Rohingya in Myanmar are not isolated events. They are glaring examples of a global problem for which we lack a solution. The same can be said for the spread of conspiracy theories and enabling of extremism on YouTube. The single-minded pursuit of growth by corporations that do not believe they should be held accountable for the consequences of their actions will always produce undesirable side effects. At the scale of Facebook and Google, those side effects can transform politics and public health for the worse.

It is no exaggeration to say that the greatest threat to the global order in my life time has been enabled by internet platforms. If we want to avoid an authoritarian future, we need to reduce the influence of the platforms that enable authoritarians to impose their will. Whatever good comes from Facebook, Google, and their subsidiaries cannot justify harm to billions of people and destabilizing important institutions—the press, electoral systems, and international systems of governance—that protect the innocent. Playing nice with the internet platforms has not worked. It is time to get serious. As home to the internet platforms, the United States has a responsibility to rein them in. It will not be easy, but there are at least two paths.

The most effective path would be for users to force change. Users have leverage because internet platforms cannot survive without their attention. In a perfect world, users would escape filter bubbles, not allow technology to mediate their relationships, and commit to active citizenship. The midterm elections provided evidence that an increasing number of users in the United States are prepared to make these changes. But the midterms also demonstrated that democracy cannot be restored in a single election cycle. A large minority of Americans remain comfortable in an alternative reality enabled by internet platforms.

The second path is government intervention. Normally I would approach regulation with extreme reluctance, but the ongoing damage to democracy, public health, privacy, and competition justifies extraordinary measures. The first step would be to address the design and business model failures that make internet platforms vulnerable to exploitation. Government intervention should also address all the known harms from the use of internet platforms. Immersed in technology, kids do not develop normal social skills. Teenagers use social media technology to bully one another. Adults seek out the warm embrace of filter bubbles that erode critical-thinking skills. Seduced by convenience, users surrender personal data for ever less benefit. The platforms themselves have failed to safeguard personal data or provide reasonable privacy and security to their users. Consumers have no comparable alternative to Facebook and Google, which use their extraordinary market power to eliminate competition while also undermining the business model of journalistic voices that might threaten them. More than two years after I first shared my concerns with Zuck and Sheryl, Facebook has issued apologies and promises to do better. To date, the company has made few substantive changes.

As much as I would like to protect what I like about internet platforms, I am prepared to give up the good to eliminate the harm. We must use any and every tool available to us. Policy makers, who have been hesitant to take action against companies that were universally loved as recently as 2016, are beginning to step up. They must use every tool in the regulatory tool kit. We do not have much time.

Facebook and Google have failed at self-regulation. Hardly a day passes without a new revelation. Facebook reported that hackers had penetrated its system and stolen identity tokens from twenty-nine million users, gathering extensive personal information on fourteen million of them. The hackers gained the ability to impersonate those users on other internet platforms without detection, making this by far the worst security failure by Facebook yet revealed. Facebook reported that the hackers may have been scammers, which would represent an escalation of that threat. Facebook's WhatsApp subsidiary was blamed for hate speech and election interference in many countries, and may have played an outsized role in Brazil's election of a right-wing presidential candidate who promised to end democracy. *The Washington Post* reported that a firm called GIPEC had uncovered numerous advertisements for illegal drugs on Instagram. Then, in a moment of Olympicclass tone deafness, Facebook introduced Portal, a video-messaging device for the home. Incorporating Amazon's Alexa voice technology and other surveillance tools that will be used to target advertising, Portal will test buyers' trust in Facebook.

In the two months before the midterms, Facebook ramped up its efforts to limit the impact of foreign interference, disinformation, and other forms of subterfuge. The company opened a "war room" to demonstrate its commitment and introduced tools to protect political campaigns and their staffs from hacking. These actions demonstrate an acknowledgment of the corporation's responsibility to protect democracy. Regrettably, Facebook appears to have compiled a list of past failures, which it is addressing in sequence, rather than going after the root causes of its vulnerability—its business model and algorithms—or anticipating new threats. Facebook faces a really hard problem—a variant of the game Whac-a-Mole—but it has no one but itself to blame. The proof of this came in October, when *Vice* attempted to place ads in the names of all one hundred U.S. senators, the vice president, and ISIS . . . and Facebook approved them all.

The sad truth is that even if Facebook can limit overt political manipulation on its platform, it would still pose a threat to democracy. Filter and preference bubbles will continue to undermine basic democratic processes like deliberation and compromise until something comes along to break users out of them. In addition, behavioral addiction, bullying, and other public health issues would remain. We would also be wrestling with pervasive loss of privacy and online security. The economy would still suffer from the anticompetitive behavior of monopolists.

While Facebook has made some concessions in response to political pressure, Google largely remains defiant. The company missed several opportunities to cooperate with authorities in Europe, leading to a series of ever-larger penalties, the most recent of which is a proposal to change policy on copyrights in a way that might all but destroy YouTube. By taking the position that it is not accountable to European authorities, Google forced them to keep raising the stakes. In September, Google's CEO refused to participate in a U.S. Senate hearing on foreign interference in elections, a hearing in which Google would have looked relatively clean in comparison to Facebook and Twitter. The empty chair at the hearing spoke volumes about Google's arrogance. The blowback appeared to trigger a new approach by Google, which soon thereafter announced it would cooperate with the second European antitrust judgment, the one that called for unbundling Google's software services from the Android operating system.

Things got really ugly for Google in October 2018, when the company announced it would shut down its failed social network, Google+. It turns out there had been a massive hack of Google+ data, which the company covered up for months. Then, *The New York Times* reported that Google had paid a $90 million severance to Andy Rubin, the cofounder of Android, despite credible evidence of sexual impropriety. This and the news that other male Google executives had escaped punishment for inappropriate sexual behavior triggered a walkout by an estimated 20,000 employees worldwide. On the heels of smaller protests against Google bids on defense contracts, the walkout offers some hope that employees at internet platforms may eventually seize the opportunity they have to force change.

I believe a strong case can be made that Facebook and Google pose a threat to national security, but no one is making it in Washington, DC. In an era where citizens favored collective action, as in the decades following World War II, it is quite possible that the country would have viewed a threat like the one posed by internet platforms through the lens of national security. Technology that undermined democracy, public health, privacy, and competition would certainly have attracted aggressive regulation, if not something more severe.

Given my conviction that self-regulation has failed, I have shifted my focus from building awareness to facilitating government intervention. Within our team, I have the best background for economic policy, so that is my priority. Project number one is the question of how antitrust law might be applied to internet platforms.

The accumulation of harm from Facebook, Google, and, for different reasons, Amazon has changed the politics of regulation in the United States, with an increasing number of policy makers expressing a willingness to take action. In a perfect world, policy makers would implement regulations to protect public health, democracy, privacy, and competition. In this imperfect world, antitrust looks like the best place to start. I spent late September and early October 2018 introducing a new framework for antitrust regulation to policy makers, including the key players in the Trump Administration.

One challenge for policy makers is that Facebook and Google created a new kind of marketplace, consisting of users, content creators, and advertisers. By trading convenient online services to users in exchange for data, they aggregated the vast majority of users, forcing both content creators and advertisers to do business with them on their terms. Those terms were exceptionally favorable to Facebook and Google.

Content vendors, whether in news, music, or video, have struggled with deteriorating business models for more than a generation. Facebook, Google, and Twitter took advantage, offering massive distribution along with vague promises of economic opportunity. Lacking alternatives, content vendors embraced internet platforms, hoping they would add value to content and expand the economic pie. They did neither. Instead, Facebook and Google shifted content consumption to their platforms, causing advertising dollars to follow, and then they retained the lion's share of the benefits. Content companies that embraced Facebook tools like Instant Stories and video came away much worse for the experience. In economic terms, Facebook and Google exploited their economic power to harm suppliers.

Like content vendors, advertisers must go where the audience is. In the early days of Google, AdWords advertisers only paid for users who clicked on their ads, a fair deal. The explosive growth in users on

Facebook and YouTube enabled them to revive the traditional broadcast model of paying for audience, rather than for actions. In the context of Facebook, that model has produced disappointing results for many advertisers. Initially the problem was bad targeting. Targeting improved when Facebook integrated metadata from user activity on the web, but other problems emerged. In contrast to radio and television, internet platforms neither guaranteed audience sizes nor provided a satisfactory accounting for reach. Accusations from advertisers of overstated reach and engagement led to lawsuits and distrust. Thanks to their control of the largest audiences, Facebook and Google could not be held accountable. In economic terms, Facebook and Google exploited their economic power to harm advertisers.

Would-be competitors to the internet platforms face a nearly hopeless task. Facebook, Google, and Amazon have constructed protective moats around their businesses, exploiting network effects and intellectual property to limit the ability of startups to access users and generate value from advertising. The platforms have also used a variety of techniques to limit would-be competitors' access to capital. In economic terms, Facebook, Google, and Amazon exploited their economic power to reduce competition.

Regulators are reconsidering their hands-off policies. Past bragging by internet platforms—statements like "software is eating the world" and "data is the new oil"—has invited greater scrutiny. User data has value, even if users do not understand that to be the case. We know this because Facebook and Google are two of the most valuable companies ever created, and their businesses are based on monetizing user data. Harm is increasingly evident, and policy makers and regulators are taking notice. The challenge is to apply existing regulatory frameworks to a relatively new industry. Classifying internet platforms as media companies—with regulation by the Federal Communications Commission—seems like an obvious first step, but it would address only a small part of the problem.

The normal remedy for abuses of economic power is antitrust law, but as described in chapter 7, the Chicago School redefined antitrust, using a single metric of consumer welfare: price. Under current practice, concentrated economic power is only considered a violation if it results in higher consumer prices. Internet platforms have been able to wield economic sledgehammers against suppliers, advertisers, and would-be competitors because the price to consumers is notionally free. A more accurate description would be that consumers do not pay for the services of internet platforms with currency. Rather, it is a barter transaction of services for data.

As I was contemplating antitrust remedies, Barry Lynn of the Open Markets Institute reminded me that we would need to find a way to reflect the true cost of "free" internet services to users. The answer was staring us in the face: Data is the currency of the web. If we view data as a currency, how does value flow between internet platforms and users? My mind went immediately to the Google example I cited in chapter 3, where a user in 2003 searched for a hammer, clicked through an AdWords ad, and bought the hammer. The vendor made a sale and Google got paid for the ad. Everyone won, but Google won more because it asserted ownership of the user data it collected, and built a data set of purchase intent signals. When Google introduced Gmail, it built a data set of identity. Combining the two data sets created a geometric increase in value, as future AdWords ads would have more value to the advertiser and, by extension, to Google. The same thing happened again with Google Maps, which enabled Google to tie identity and purchase intent to location. Each time Google introduced a new service, consumers got a step function increase in value, but nothing more. Each new search, email message, or map query generates approximately the same value to the user. Meanwhile, Google receives at least three forms of value: whatever value it can extract from that data point through advertising, the geometric increase in advertising value from combining data sets, and new use cases for user data made possible by combining data sets. One of the most valuable use cases that resulted from combining data sets was anticipation of future purchase intent based on a detailed history of past behavior. When users get ads for things they were just talking about, the key enabler is behavior prediction based on combined data sets.

The hypothesis that came to mind was this: Consumers are giving up more value in data than they receive in services. This appears to be true both in the moment and over time, even if consumers are neither aware of it nor troubled by it. If the hypothesis is valid, the price of internet platform services to users has been rising for more than a decade. In the context of anticompetitive behavior against suppliers, advertisers, and competitors, the Chicago School would find that situation to be in violation of its antitrust philosophy.

Does it matter that users are not complaining about the "price" of their data? Possibly, but not necessarily. Antitrust is a tool of economic policy designed to balance the interests of multiple constituencies, of which users are one. In the Microsoft antitrust case, for example, the Department of Justice acted to limit anticompetitive behavior without any pressure from users.

Shortly after my conversation with Barry, I visited the Federal Trade Commission and the Antitrust Division of the Department of Justice. Officials at both the FTC and the Antitrust Division expressed an openness to the hypothesis and encouraged me to develop it further. They asked that I engage with economists to create a formula that could be tested with data.

Once again, serendipity came to the rescue. By chance, I had previously scheduled a breakfast meeting with the president of Yale University to discuss the dark side of internet platforms. When I got around to the antitrust hypothesis, he offered to arrange meetings with the relevant economics professors at Yale. The department had considerable experience creating pricing models for transactions that did not involve currency. (A week later, a Yale economist would be awarded the Nobel

Prize for pioneering work on carbon credits.) At Yale, I met with five economists, a political scientist, and a professor of law, all of whom had an interest. At this writing, the hard work has begun to create a model that represents the value transfer in the markets created by internet platforms, where one side is a barter transaction with no currency.

My hypothesis is a starting point for applying antitrust law to restrain—and ideally restructure—the major internet platforms. Left unchecked, the internet platforms will do what they do. The unintended side effects of their success will continue to harm more than two billion users every day, undermining society around the world. While we should pursue all avenues of regulation, antitrust may be the one with the fewest political obstacles.

The journey that led to this book continues. I have no idea how it will end. In my dreams, billions of users will rebel, changing their usage of internet platforms in ways that force massive change. Perhaps this book will help. In another dream, the employees of Facebook and Google will be the change agents. In real life, policy makers around the globe must accept responsibility for protecting their constituents. The stakes could not be higher.

ACKNOWLEDGMENTS

I wrote this book to further the cause for which Tristan Harris and I came together in April 2017. Since then, dozens of people have volunteered their time, energy, and reputation to bring the threat from internet platforms to public awareness. It started with my incredible wife, Ann, who encouraged me to reach out to Zuck and Sheryl before the 2016 election and supported the movement at every turn.

I want to thank Rana Foroohar of the *Financial Times* for suggesting that I write a book and for introducing me to my agent, Andrew Wylie. Andrew in turn introduced me to Ann Godoff and my editor, Scott Moyers, at Penguin Random House. The Penguin team has been amazing, especially Sarah Hutson, Matt Boyd, Elisabeth Calamari, Caitlin O'Shaughnessy, Christopher Richards, and Mia Council.

Many people offered valuable feedback on this manuscript. My appreciation goes to Ann McNamee, Judy Estrin, Carol Weston, Joanne Lipman, Barry Lynn, Gilad Edelman, Tristan Harris, Renée DiResta, Sandy Parakilas, Chris Kelly, Jon Lazarus, Kevin Delaney, Rana Foroohar, Diane Steinberg, Lizza Dwoskin, Andrew Shapiro, Franklin Foer, Jerry Jones, and James Jacoby.

Let me extend thanks and appreciation to the team that created the Center for Humane Technology: Tristan Harris, Renée DiResta, Lynn Fox, Sandy Parakilas, Tavis McGinn, Randima Fernando, Aza Raskin, Max Stossel, Guillaume Chaslot, Cathy O'Neil, Cailleach Dé Weingart-Ryan, Pam Miller, and Sam Perry. Your energy and commitment never cease to inspire me.

Special thanks to Judy Estrin, who, for the better part of a year, has spent several hours a week helping me organize the ideas at the foundation of this book. Buck's of Woodside provided the setting for every one of those meetings, once again playing its role as a place where ideas become real. Thank you to Jamis MacNiven, proprietor.

Sheepish thanks go to two dear friends—Paul Kranhold and Lindsay Andrews—who fielded dozens of press contacts without compensation in late 2017 and early 2018 because I had forgotten to take their contact information off the Elevation website when the fund completed its successful journey.

Jonathan Taplin wrote the book that helped me understand the economic and political aspects of what I had seen in 2016. Andy Bast of *60 Minutes* created the original interview with Tristan Harris. Brenda Rippee did Tristan's makeup for *60 Minutes* and *Real Time with Bill Maher*, introduced Tristan to Arianna Huffington, and then did my makeup for *Real Time with Bill Maher*. *Bloomberg Tech*, normally hosted by Emily Chang, brought Tristan and me together. Thank you, Candy Cheng, Arianna Huffington, Ben Wizner of the American Civil Liberties Union, and US Senate staffer Rafi Martina supported Tristan and me in the early days. Thank you. Chris Anderson and Cyndi Stivers of TED gave Tristan a platform and encouraged us. Eli Pariser provided both inspiration and material aid when we needed it. John Borthwick devoted many hours to helping Tristan and me explore the implications of our hypotheses.

Early on, two organizations committed themselves to our cause. Barry Lynn, Sarah Miller, Matt Stoller, and the team at the Open Markets Institute (OMI) guided us through the halls of Congress in the summer and fall of 2017, making many key introductions. Thanks also to the extended OMI family, especially Tim Wu, Franklin Foer, Zephyr Teachout, and Senator Al Franken. My old friend Jim Steyer founded Common Sense Media to help parents and children manage their media consumption, which led him to be an early critic of internet platforms. Jim and his colleagues provided the initial home to the Center for Humane Technology and organized the events that put it on the map. Common Sense also took the lead on privacy and anti-bot legislation in the California legislature. Bruce Reed's guidance helped us succeed in Washington. Thanks also to Ellen Pack, Elizabeth Galicia, Lisa Cohen, Liz Hegarty, Colby Zintl, Jeff Gabriel, Tessa Lim, Liz Klein, Ariel Fox Johnson, and Jad Dunning.

Senator Mark Warner was the first member of Congress to embrace our concerns. We cannot thank him enough for his leadership in protecting democracy. Senator Elizabeth Warren was the first to support traditional antimonopoly regulation of the technology industry. Federal Trade Commissioner Terrell McSweeny helped us understand the FTC's regulatory role.

My first public words about my Facebook concerns appeared in *USA Today*, thanks to a commission from the editor-in-chief, Joanne Lipman. *USA Today* published three of my op-eds over four months, helping me find my voice. CNBC's *Squawk Alley*, where I am a regular contributor, reported on the first *USA Today* op-ed and has vigorously followed the story ever since. To Ben Thompson, Carl Quintanilla, Jon Fortt, Morgan Brennan, and the rest of the *Squawk Alley* team, thank you.

I first met Ali Velshi on the floor of the New York Stock Exchange in May 2017, when I was coming off an appearance on *Squawk Alley*. This was on the first trip that Tristan and I took to New York, and Ali was interested in what we thought was going on. Soon thereafter, Ali got his own show on MSNBC and started covering our story in October. He understands the issues, and his viewers benefit. Lily Corvo, Sarah Suminski, and the amazing makeup and production crews at MSNBC never cease to amaze. I gained insights every time I visited the green room at 30 Rock, thanks to an endless supply of smart, well-informed people. Thank you to Ari Melber, who brought his legal mind to the Facebook story, and to Lawrence O'Donnell for analyzing the story through the lens of his deep understanding of history, politics, and government. Katy Tur is an amazing journalist and was the first target of Trump's attacks on the free press. She is also a serious fan of Phish, which is a plus in my book. Other guests on MSNBC shared important insights. In particular, I want to thank Clint Watts, Joyce Vance, and Eddie Glaude Jr. Thank you also to Chris Jansing, David Gura, Joanne Denyeau, Justin Oliver, and Michael Weiss.

This book would never have happened had it not been for Paul Glastris and Gilad Edelman, who commissioned an essay for the *Washington Monthly*, guided me through the process of writing it, and helped me realize that I was ready to write a book. That essay had far more impact than any of us imagined. Thank you, my friends.

Giant thanks go out to Jeff Orlowski, Lissa Rhodes, Laurie David, and Heather Reisman, who are creating a documentary about addiction to internet platforms and its consequences. My deep appreciation also goes to James Jacoby,

Anya Bourg, Raney Aronson, Dana Priest, and the rest of the amazing team at *Frontline* for documenting the impact of social media on the 2016 election. In addition, I want to thank Geralyn White Dreyfous, Karim Armer, and their documentary team for digging deep into the Russian election interference.

Lucky accidents brought our team into the orbit of *The Guardian* and *The Washington Post*. In partnership with *The Observer* in the UK, *The Guardian* broke the Cambridge Analytica story. We worked with Paul Lewis, Olivia Solon, Julia Carrie Wong, and Amana Fontanella-Khan. Thank you all! At *The Washington Post*, we worked most closely with Elizabeth Dwoskin and Ruth Marcus. Thank you both! Thanks also to Betsy Morris for a wonderful profile in *The Wall Street Journal*.

On *CBS This Morning*, Gayle King, Norah O'Donnell, and John Dickerson jumped on the story and told it well to a huge audience. Thank you. Thanks also to Chitra Wadhwani. The team of Jo Ling Kent and Chiara Sottile broke important stories about Facebook on NBC. Thank you. Huge thanks to my longtime friend Maria Bartiromo and her booker Eric Spinato on Fox Business. Tucker Carlson on Fox zeroed in on the threat to kids and teens from social media. On *Fox & Friends*, Steve Doocy focused on privacy. Many thanks to Alexander McCaskill and Andrew Murray. Thank you to Hari Sreenivasan and the team at *PBS NewsHour* for giving me an opportunity to share the story with their audience. ITN's Channel 4 in the United Kingdom broke giant stories about Cambridge Analytica and Facebook. Thank you to all the teams who produced those stories.

Huge thanks to all the radio programs that dug into the Facebook story. In particular, I want to thank CBC Radio in Canada, BBC Radio in the UK, NPR's *Morning Edition*, NPR's *Weekend Edition*, and Bloomberg Radio. Thank you also to Sarah Frier and Selina Wang at Bloomberg.

I tip my hat to David Kirkpatrick, whose interview of Zuck immediately after the 2016 election produced the "it's crazy" response to the question of whether Facebook influenced the vote, for devoting a large portion of his conference a year later to the problems with internet platforms. David's encouragement has meant the world to me.

Thank you to the many journalists and opinion writers whose work has informed my own. Special thanks to Zeynep Tufekci, Kara Swisher, Donie O'Sullivan, Charlie Wartzel, Casey Newton, April Glaser, Will Oremus,

Franklin Foer, Tim Wu, Noam Cohen, Farhad Manjoo, Matt Rosenberg, Nick Bilton, Kurt Wagner, Dan Frommer, Julia Ioffe, Betsy Woodruff, Charles Pierce, Josh Marshall, Ben Smith, Brittany Kaiser, Niall Ferguson, Norm Eisen, and Fred Wertheimer (who also guided my approach to Washington).

On Capitol Hill, my appreciation goes out to every member and staffer who took a meeting with me. Thank you to Senators Richard Blumenthal, Cory Booker, Sherrod Brown, Al Franken, Orrin Hatch, Doug Jones, Tim Kaine, John Kennedy, Amy Klobuchar, Edward Markey, Jeff Merkley, Gary Peters, Tina Smith, Jon Tester, Mark Warner, and Elizabeth Warren. Thanks to staff members Elizabeth Falcone, Joel Kelsey, Sam Simon, Collin Anderson, Eric Feldman, Caitlyn Stephenson, Leslie Hylton, Bakari Middleton, Jeff Long, Joseph Wender, Stephanie Akpa, Brittany Sadler, Lauren Oppenheimer, and Laura Updegrove, among many others. Thank you also to the wonderful Diane Blagman.

Representatives Nancy Pelosi and Adam Schiff dug into the issues and have helped our team share its message broadly in the House. Thank you both! Thank you also to Representatives Kathy Castor, David Cicilline, Mike Doyle, Anna Eshoo, Brian Fitzgerald, Josh Gottheimer, Joe Kennedy, Ro Khanna, Barbara Lee, Zoe Lofgren, Seth Moulton, Frank Pallone, Jackie Speier, and Eric Swalwell. Staff members, including Kenneth DeGraff, Z. J. Hull, Linda Cohen, Thomas Eager, Maher Bitar, Angela Valles, and Slade Bond, have my undying gratitude. Luther Lowe helped me navigate Washington politics. Larry Irving and John Battelle contributed great ideas and helped me take the message to Procter & Gamble.

The former attorney general of New York State, Eric Schneiderman, was the first state AG to take a meeting with me and the first to recognize that internet platforms might be guilty of violating consumer protection laws. My thanks go to Noah Stein and his terrific colleagues.

Thank you to William Schultz and Andrew Goldfarb for great legal advice. Thank you to Erin McKean for helping me see how the changing perception of Facebook reveals itself in language.

I owe huge thanks to George and Tamiko Soros. George based a speech at the World Economic Forum's Davos conference on my *Washington Monthly* essay and introduced me to an amazing set of ideas and people. Michael Vachon, in particular, has earned my thanks.

One of the most impressive people I met on this journey is Marietje Schaake, a member of the European Parliament from the Netherlands. Marietje is a global thought leader on balancing the needs of society with those of tech platforms. Andrew Rasiej and Micah Sifry of Civic Hall introduced me to Marietje and then guided me through the idealistic and deeply committed world of civic tech. Thank you.

Many people came out of nowhere to help me understand key issues: Ashkan Soltani, Wael Ghonim, Lawrence Lessig, Laurence Tribe, Larry Kramer, Michael Hawley, Jon Vein, Dr. Robert Lustig, Scott Galloway, Chris Hughes, Laura Rosenberger, Karen Kornbluh, Sally Hubbard, T Bone Burnett, Callie Khouri, Daniel Jones, Glenn Simpson, Justin Hendrix, Ryan Goodman, Siva Vaidhyanathan, B. J. Fogg, and Rob and Michele Reiner.

My deepest appreciation to Marc Benioff for supporting the cause early on. Thank you to Tim Berners-Lee for sharing my essay from *Washington Monthly*. Huge thanks to Gail Barnes for being my eyes and ears on social media. Thank you to Alex Knight, Bobby Goodlatte, David Cardinal, Charles Grinstead, Jon Luini, Michael Tchao, Bill Joy, Bill Atkinson, Garrett Gruener, and Andrew Shapiro for ideas, encouragement, and thought-provoking questions. Many thanks to Satya Nadella, Peggy Johnson, and Bill Gates for taking the issues seriously. Thank you to Tim Cook and all of Apple for their commitment to protecting the privacy and freedom of customers.

Bono provided invaluable counsel in the early stages of the work that led to this book.

My thanks go out to Herb Sandler, Angelo Carusone, Melissa Ryan, Rebecca Lenn, Eric Feinberg, and Gentry Lane.

Thank you to the Omidyar Network, the Knight Foundation, the Hewlett Foundation, and the Ford Foundation for their support of the Center for Humane Technology.

Thank you Moonalice—Barry Sless, Pete Sears, John Molo, and sometimes Jason Crosby and Katie Skene—for keeping me sane. Special thanks to our entire crew: Dan English, Jenna Lebowitz, Tim Stiegler, Derek Walls, Arthur Rosato, Patrick Spohrer, Joe Tang, Danny Schow, Chris Shaw, Alexandra Fischer, Nick Cernak, Bob Minkin, Rupert Coles, Jamie Soja, Michael Weinstein, and Gail Barnes. Let me also thank the wonderful fans of Moonalice. You know how important you are. Additional thanks to Lebo, Jay Lane, Melvin Seals,

Lester Chambers, Dylan Chambers, Darby Gould, Lesley Grant, RonKat Spearman, James Nash, Greg Loiacono, Pete Lavezzoli, Stu Allen, Jeff Pehrson, Dawn Holliday, Grahame Lesh, Alex Jordan, Elliott Peck, Connor O'Sullivan, Bill and Lori Walton, Bob Weir, Mickey Hart, Jeff Chimenti, Rose Solomon, Scott Guberman, the Brothers Comatose, and Karin Conn.

Massive appreciation to Rory Lenny, Robin Gascon, Dawn Lafond, Gitte Dunn, Diarmuid Harrington, Peter McQuaid, Todd Shipley, Sixto Mendez, Bob Linzy, Fran Mottie, Nick Meriwether, Tim McQuaid, and Jeff Idelson.

My thanks go out to the Other World team, led by Ann McNamee, Hunter Bell, Jeff Bowen, Rebekah Tisch, and Sir Richard Taylor. Your unflagging support sustained me.

All these people and many more helped to bring this book to life. If I have forgotten anyone, I apologize. Any flaws in this book are my responsibility.

APPENDIX 1

MEMO TO ZUCK AND SHERYL: DRAFT OP-ED FOR *RECODE*

This is the essay I sent to Zuck and Sheryl prior to the election, in October 2016.

I am really sad about Facebook.

I got involved with the company more than a decade ago and have taken great pride and joy in the company's success . . . until the past few months. Now I am disappointed. I am embarrassed. I am ashamed.

With more than 1.7 billion members, Facebook is among the most influential businesses in the world. Whether they like it or not—whether Facebook is a technology company or a media company—the company has a huge impact on politics and social welfare. Every decision that management makes can matter to the lives of real people. Management is responsible for every action. Just as they get credit for every success, they need to be held accountable for failures. Recently, Facebook has done some things that are truly horrible and I can no longer excuse its behavior.

Here is a sampling of recent actions that conspired to make me so unhappy with Facebook:

- Facebook offers advertisers the opportunity to target advertising by excluding demographic groups such as Blacks and Muslims. In categories such as residential real estate, it is not legal to discriminate on the basis of race. In politics, such a feature would empower racists.

- A 3rd party used Facebook's public APIs to spy on Black Lives Matter. Management's response was, "hey, they are public APIs; anybody can do that." This response is disingenuous, ignoring the fact that Facebook sets the terms of service for every aspect of its site, including APIs, and could easily change the terms to prohibit spying.
- Facebook's facial recognition software is being used to identify people who have not given permission. Given Facebook's apparent willingness to let 3rd parties use its site to spy, the facial recognition raises Fourth Amendment issues of Orwellian proportions.
- Facebook's algorithms have played a huge role in this election cycle by limiting each member's news feed to "things they like," which effectively prevents people from seeing posts that contradict their preconceptions. Trolls on both sides have exploited this bug to spread untruths and inflame emotions.
- Facebook removed human editors from its trending stories list—one of the few ways consumers on FB could be exposed to new stories—and the immediate effect was an explosion in spam stories.
- Facebook is one of many Silicon Valley companies whose employee base is overwhelmingly male and white. Despite having a woman president, Facebook has not made as much progress on diversity as some of its Silicon Valley peers.
- Facebook has publicly defended a board member who has written and spoken publicly against the 19th Amendment and diversity in the workplace.

Lest you think these mistakes were unconscious, consider the following:

- Facebook censors photos in a manner that could be described as puritanical. Recent censorship examples include the Pulitzer prize winning photo of the napalm girl in Vietnam and just about every photograph of breast feeding. Facebook has a prohibition against photographs of female nipples, but does not censor photographs of male nipples.
- Facebook does not allow medical marijuana dispensaries in California to maintain pages, even when they operate in compliance with state laws.
- Facebook has prohibited some promoted posts related to California's Proposition 64–Adult Use of Marijuana Act—claiming that the ads promote something illegal, when in fact they are political ads for a proposition on this year's ballot.

These examples are not equally significant, but as a list they reveal something important: Facebook is not laissez-faire about what happens on its site. Quite the contrary. The only content that stays up on the site is content consistent with Facebook's policies. For a long time, Facebook's policies did no harm, even when they were hard to justify. That is no longer the case. Facebook is enabling people to do harm. It has the power to stop the harm. What it currently lacks is an incentive to do so.

All of these actions took place against a backdrop of extraordinary growth in Facebook usage, revenues and profits. Facebook is among the best performing stocks on Wall Street and one of the most influential companies in the world, which gives many people an excuse to overlook mistakes and reduces the population of people willing to provide constructive criticism. I have reached out directly to management on some of these issues and to members of the press on others; most of my inquiries were ignored and the few responses were unsatisfactory.

It is with considerable reluctance that I am raising these issues through *Recode*. My goal is to persuade Facebook to acknowledge the mistakes it is making, accept responsibility and implement better business practices. Facebook can be successful without being socially irresponsible. We know this because Facebook has chosen to forego a huge economic opportunity in China out of concern for the welfare of the members it would have in that country.

What will it take for Facebook to change? Facebook's executives are a team. In order to empower executives and encourage constructive dissent, they have a policy of sticking together, no matter what. This kind of teamwork has enabled Facebook to grow rapidly and achieve huge scale, but has an ugly side, too. At Facebook, individuals in the senior management team are not punished for mistakes, even big mistakes. As I was told when something disturbing happened several years ago, accountability at Facebook occurs at the team level. This model has produced amazing results—and made so many things better—but it effectively means there is no accountability unless a problem rises to the level where the board would be willing to replace the entire management team. I cannot imagine a realistic scenario where that would happen. So here we are, with increasingly disturbing revelations on what seems like a weekly basis. I want to find a way to encourage Facebook's management to be more socially responsible.

The importance of Facebook's role in our culture and politics cannot be overstated. On current course and speed, Facebook can do more damage in a few months than we can correct in a year. I am hoping to build a coalition of people who share my concern, are willing to engage with Facebook, help them understand our concerns, and work with them to address them. As individuals, we have no power to change Facebook's behavior, but perhaps we can build a coalition large enough to make a difference.

APPENDIX 2

GEORGE SOROS'S DAVOS REMARKS:
"THE CURRENT MOMENT IN HISTORY"

Davos, Switzerland, January 25, 2018

The Current Moment in History

Good evening. It has become something of an annual Davos tradition for me to give an overview of the current state of the world. I was planning half an hour for my remarks and half an hour for questions, but my speech has turned out to be closer to an hour. I attribute this to the severity of the problems confronting us. After I've finished, I'll open it up for your comments and questions. So prepare yourselves.

I find the current moment in history rather painful. Open societies are in crisis, and various forms of dictatorships and mafia states, exemplified by Putin's Russia, are on the rise. In the United States, President Trump would like to establish a mafia state but he can't, because the Constitution, other institutions, and a vibrant civil society won't allow it.

Whether we like it or not, my foundations, most of our grantees and myself personally are fighting an uphill battle, protecting the democratic achievements of the past. My foundations used to focus on the so-called developing world, but now that the open society is also endangered in the United States and Europe, we are spending more than half our budget closer to home because what is happening here is having a negative impact on the whole world.

But protecting the democratic achievements of the past is not enough; we must also safeguard the values of open society so that they will better withstand future onslaughts. Open society will always have its enemies, and each generation has to reaffirm its commitment to open society for it to survive.

The best defense is a principled counterattack. The enemies of open society feel victorious and this induces them to push their repressive efforts too far, this generates resentment and offers opportunities to push back. That is what is happening in places like Hungary today.

I used to define the goals of my foundations as "defending open societies from their enemies, making governments accountable and fostering a critical mode of thinking." But the situation has deteriorated. Not only the survival of open society, but the survival of our entire civilization is at stake. The rise of leaders such as Kim Jong-Un in North Korea and Donald Trump in the US have much to do with this. Both seem willing to risk a nuclear war in order to keep themselves in power. But the root cause goes even deeper.

Mankind's ability to harness the forces of nature, both for constructive *and* destructive purposes, continues to grow while our ability to govern ourselves properly fluctuates, and it is now at a low ebb.

The threat of nuclear war is so horrendous that we are inclined to ignore it. But it is real. Indeed, the United States is set on a course toward nuclear war by refusing to accept that North Korea has become a nuclear power. This creates a strong incentive for North Korea to develop its nuclear capacity with all possible speed, which in turn may induce the United States to use its nuclear superiority preemptively; in effect to start a nuclear war in order to prevent nuclear war—an obviously self-contradictory strategy.

The fact is, North Korea has become a nuclear power and there is no military action that can prevent what has already happened. The only sensible strategy is to accept reality, however unpleasant it is, and to come to terms with North Korea as a nuclear power. This requires the United States to cooperate with all the interested parties, China foremost among them. Beijing holds most of the levers of power against North Korea, but is reluctant to use them. If it came down on Pyongyang too hard, the regime could collapse and China would be flooded by North Korean refugees. What is more, Beijing is reluctant to do any favors for the United States, South Korea or Japan—against each of which it harbors a variety of grudges. Achieving cooperation will require extensive negotiations, but once it is attained, the alliance would be able to confront North Korea with both carrots and sticks. The sticks could be used to force it to enter into good faith negotiations and the carrots to reward it for verifiably suspending further development of nuclear weapons. The sooner a so-called freeze-for-freeze agreement can be reached, the more successful the policy will be. Success can be measured by the amount of time it would take for North Korea to make its nuclear arsenal fully operational. I'd like to draw your attention to two seminal reports just published by Crisis Group on the prospects of nuclear war in North Korea.

The other major threat to the survival of our civilization is climate change, which is also a growing cause of forced migration. I have dealt with the problems of migration at great length elsewhere, but I must emphasize how severe and intractable those problems are. I don't want to go into details on climate change either because it is well known what needs to be done. We have the scientific knowledge; it is the political will that is missing, particularly in the Trump administration.

Clearly, I consider the Trump administration a danger to the world. But I regard it as a purely temporary phenomenon that will disappear in 2020, or even sooner. I give President Trump credit for motivating his core supporters brilliantly, but for every core supporter, he has created a greater number of core opponents who are equally strongly motivated. That is why I expect a Democratic landslide in 2018.

My personal goal in the United States is to help reestablish a functioning two-party system. This will require not only a landslide in 2018 but also a Democratic Party that will aim at non-partisan redistricting, the appointment of well-qualified judges, a properly conducted census and other measures that a functioning two-party system requires.

The IT Monopolies

I want to spend the bulk of my remaining time on another global problem: the rise and monopolistic behavior of the giant IT platform companies. These companies have often played an innovative and liberating role. But as Facebook and Google have grown into ever more powerful monopolies, they have become obstacles to innovation, and they have caused a variety of problems of which we are only now beginning to become aware.

Companies earn their profits by exploiting their environment. Mining and oil companies exploit the physical environment; social media companies exploit the social environment. This is particularly nefarious because social media companies influence how people think and behave without them even being aware of it. This has far-reaching adverse consequences on the functioning of democracy, particularly on the integrity of elections.

The distinguishing feature of internet platform companies is that they are networks and they enjoy rising marginal returns; that accounts for their phenomenal growth. The network effect is truly unprecedented and transformative, but it is also unsustainable. It took Facebook eight and a half years to reach a billion users and half that time to reach the second billion. At this rate, Facebook will run out of people to convert in less than three years.

Facebook and Google effectively control over half of all internet advertising revenue. To maintain their dominance, they need to expand their networks *and* increase their share of users' attention. Currently they do this by providing users with a convenient platform. The more time users spend on the platform, the more valuable they become to the companies.

Content providers also contribute to the profitability of social media companies because they cannot avoid using the platforms and they have to accept whatever terms they are offered.

The exceptional profitability of these companies is largely a function of their avoiding responsibility for—and avoiding paying for—the content on their platforms.

They claim they are merely distributing information. But the fact that they are near-monopoly distributors makes them public utilities and should subject them to more stringent regulations, aimed at preserving competition, innovation, and fair and open universal access.

The business model of social media companies is based on advertising. Their true customers are the advertisers. But gradually a new business model is emerging, based not only on advertising but on selling products and services directly to users. They exploit the data they control, bundle the services they offer and use discriminatory pricing to keep for themselves more of the benefits that otherwise they would have to share with consumers. This enhances their profitability even further—but the bundling of services and discriminatory pricing undermine the efficiency of the market economy.

Social media companies deceive their users by manipulating their attention and directing it towards *their* own commercial purposes. They deliberately engineer addiction to the services they provide. This can be very harmful, particularly for adolescents. There is a similarity between internet platforms and gambling companies. Casinos have developed techniques to hook gamblers to the point where they gamble away all their money, even money they don't have.

Something very harmful and maybe irreversible is happening to human attention in our digital age. Not just distraction or addiction; social media companies are inducing people to give up their autonomy. The power to shape people's attention is increasingly concentrated in the hands of a few companies. It takes a real effort to assert and defend what John Stuart Mill called "the freedom of mind." There is a possibility that once lost, people who grow up in the digital age will have difficulty in regaining it. This may have far-reaching political consequences. People without the freedom of mind can be easily manipulated. This danger does not loom only in the future; it already played an important role in the 2016 US presidential election.

But there is an even more alarming prospect on the horizon. There could be an alliance between authoritarian states and these large, data-rich IT monopolies that would bring together nascent systems of corporate surveillance with an already developed system of state-sponsored surveillance. This may well result in a web of totalitarian control the likes of which not even Aldous Huxley or George Orwell could have imagined.

The countries in which such unholy marriages are likely to occur first are Russia and China. The Chinese IT companies in particular are fully equal to the American ones. They also enjoy the full support and protection of the Xi Jingping regime. The government of China is strong enough to protect its national champions, at least within its borders.

US-based IT monopolies are already tempted to compromise themselves in order to gain entrance to these vast and fast-growing markets. The dictatorial leaders in these countries may be only too happy to collaborate with them since they want to improve their methods of control over their own populations and expand their power and influence in the United States and the rest of the world.

The owners of the platform giants consider themselves the masters of the universe, but in fact they are slaves to preserving their dominant position. It is only a matter of time before the global dominance of the US IT monopolies is broken. Davos is a good place to announce that their days are numbered. Regulation and taxation will be their undoing and EU Competition Commissioner Vestager will be their nemesis.

There is also a growing recognition of a connection between the dominance of the platform monopolies and the rising level of inequality. The concentration of share ownership in the hands of a few private individuals plays some role but the peculiar position occupied by the IT giants is even more important. They have achieved monopoly power, but at the same time they are also competing against each other. They are big enough to swallow startups that could develop into competitors, but only the giants have the resources to invade each other's territory. They are poised to dominate the new growth areas that artificial intelligence is opening up, like driverless cars.

The impact of innovations on unemployment depends on government policies. The European Union and particularly the Nordic countries are much more farsighted in their social policies than the United States. They protect the workers, not the jobs. They are willing to pay for re-training or retiring displaced workers. This gives workers in Nordic countries a greater sense of security and makes them more supportive of technological innovations than workers in the US.

The internet monopolies have neither the will nor the inclination to protect society against the consequences of their actions. That turns them into a menace, and it falls to the regulatory authorities to protect society against them. In the United States, the regulators are not strong enough to stand up against their political influence. The European Union is better situated because it doesn't have any platform giants of its own.

The EU uses a different definition of monopoly power from the United States. US law enforcement focuses primarily on monopolies created by acquisitions, whereas EU law prohibits the abuse of monopoly power irrespective of how it is achieved. Europe has much stronger privacy and data protection laws than America. Moreover, US law has adopted a strange doctrine: it measures harm as an increase in the price paid by customers for services received—and that is almost impossible to prove when most services are provided for free. This leaves out of consideration the valuable data platform companies collect from their users.

Commissioner Vestager is the champion of the European approach. It took the EU seven years to build a case against Google, but as a result of her success the process has been greatly accelerated. Due to her proselytizing, the European approach has begun to affect attitudes in the United States as well.

The Rise of Nationalism and How to Reverse It

I have mentioned several of the most pressing and important problems confronting us today. In conclusion, let me point out that we are living in a revolutionary period. All our established institutions are in a state of flux and in these circumstances both fallibility and reflexivity are operating at full force.

I lived through similar conditions in my life, most recently some thirty years ago. That's when I set up my network of foundations in the former Soviet empire. The main difference between the two periods is that thirty years ago the dominant creed was international governance and cooperation. The European Union was the rising power and the Soviet Union the declining one. Today, however, the motivating force is nationalism. Russia is resurgent and the European Union is in danger of abandoning its values.

As you will recall, the previous experience didn't turn out well for the Soviet Union. The Soviet empire collapsed and Russia has become a mafia state that has adopted a nationalist ideology. My foundations did quite well: the more advanced members of the Soviet empire joined the European Union.

Now our aim is to help save the European Union in order to radically reinvent it. The EU used to enjoy the enthusiastic support of the people of my generation, but that changed after the financial crisis of 2008. The EU lost its way because it was governed by outdated treaties and a mistaken belief in austerity policies. What had been a voluntary association of equal states was converted into a relationship between creditors and debtors where the debtors couldn't meet their obligations and the creditors set the conditions that the debtors had to meet. That association was neither voluntary nor equal.

As a consequence, a large proportion of the current generation has come to regard the European Union as its enemy. One important country, Britain, is in the process of leaving the EU and at least two countries, Poland and Hungary, are ruled by governments that are adamantly opposed to the values on which the European Union is based. They are in acute conflict with various European institutions and those institutions are trying to discipline them. In several other countries anti-European parties are on the rise. In Austria, they are in the governing coalition, and the fate of Italy will be decided by the elections in March.

How can we prevent the European Union from abandoning its values? We need to reform it at every level: at the level of the Union itself, at the level of the member states and the level of the electorate. We are in a revolutionary period; everything is subject to change. The decisions taken now will determine the shape of the future.

At the Union level, the main question is what to do about the euro. Should every member state be required to eventually adopt the euro, or should the current situation be allowed to continue indefinitely? The Maastricht Treaty prescribed the first alternative but the euro has developed some defects that the Maastricht Treaty didn't foresee and still await resolution.

Should the problems of the euro be allowed to endanger the future of the European Union? I would strongly argue against it. The fact is that the countries that don't qualify are eager to join the euro, but those that do have decided against it, with the exception of Bulgaria. In addition, I should like to see Britain remain a member of the EU or eventually rejoin it, and that couldn't happen if it meant adopting the euro.

The choice confronting the EU could be better formulated as one between a multispeed and a multitrack approach. In a multispeed approach, member states have to agree in advance on the ultimate outcome; in a multitrack approach, member states are free to form coalitions of the willing to pursue particular goals on which they agree. The multitrack approach is obviously more flexible but the European bureaucracy favored the multispeed approach. That was an important contributor to the rigidity of the EU's structure.

At the level of the member states, their political parties are largely outdated. The old distinction between left and right is overshadowed by being either pro- or anti-European. This manifests itself differently in different countries.

In Germany, the Siamese twin arrangement between the CDU and the CSU has been rendered unsustainable by the results of the recent elections. There is another party, the AfD further to the right than the CSU in Bavaria. This has forced the CSU to move further to the right in anticipation of next year's local elections in Bavaria so that the gap between the CSU and the CDU has become too great. This has rendered the German party system largely dysfunctional until the CDU and CSU break up.

In Britain, the Conservatives are clearly the party of the right and Labor the party of the left, but each party is internally divided in its attitude toward Brexit. This complicates the Brexit negotiations immensely, and makes it extremely difficult for Britain as a country to decide and modify its position towards Europe.

Other European countries can be expected to undergo similar

realignments with the exception of France, which has already undergone its internal revolution.

At the level of the electorate, the top-down initiative started by a small group of visionaries led by Jean Monnet carried the process of integration a long way, but it has lost its momentum. Now we need a combination of the top-down approach of the European authorities with the bottom-up initiatives started by an engaged electorate. Fortunately, there are many such bottom-up initiatives; it remains to be seen how the authorities will respond to them. So far, President Macron has shown himself most responsive. He campaigned for the French presidency on a pro-European platform, and his current strategy focuses on the elections for the European Parliament in 2019, and that requires engaging the electorate.

While I have analyzed Europe in greater detail, from a historical perspective what happens in Asia is ultimately much more important. China is the rising power. There were many fervent believers in the open society in China who were sent to be reeducated in rural areas during Mao's Revolution. Those who survived returned to occupy positions of power in the government. So the future direction of China used to be open-ended, but no more.

The promoters of open society have reached retirement age, and Xi Jinping, who has more in common with Putin than with the so-called West, has begun to establish a new system of party patronage. I'm afraid that the outlook for the next twenty years is rather bleak. Nevertheless, it's important to embed China in institutions of global governance. This may help to avoid a world war that would destroy our entire civilization.

That leaves the local battlegrounds in Africa, the Middle East, and Central Asia. My foundations are actively engaged in all of them. We are particularly focused on Africa, where would-be dictators in Kenya, Zimbabwe, and the Democratic Republic of Congo have perpetrated electoral fraud on an unprecedented scale, and citizens are literally risking their lives to resist the slide into dictatorship. Our goal is to empower local people to deal with their own problems, assist the disadvantaged and reduce human suffering to the greatest extent possible. This will leave us plenty to do well beyond my lifetime.

BIBLIOGRAPHIC ESSAY

Normally I prefer to read novels. In the two years since I first realized there was a problem at Facebook, I have read several novels and many nonfiction volumes that helped me understand that problem. In this essay, I want to share my intellectual journey but also point to books and other media that shed light on the people, business practices, and culture that enabled it.

My education about the dark side of social media began in 2011 with Eli Pariser's groundbreaking TED Talk on filter bubbles. I recommend the video of that talk, as well as Eli's book, *The Filter Bubble: What the Internet Is Hiding from You* (New York: Penguin Press, 2012).

The book that energized me in early 2017 was *Move Fast and Break Things: How Facebook, Google, and Amazon Cornered Culture and Undermined Democracy*, by Jonathan Taplin (New York: Little, Brown and Company, 2017). Taplin had brilliant careers in rock 'n' roll and Hollywood before moving to academia. He describes how internet platforms exploited a legal safe harbor to take over American culture, in the process causing serious damage to democracy. Tim Wu's *The Attention Merchants: The Epic Scramble to Get Inside Our Heads* (New York: Alfred A. Knopf, 2016) explains the history of persuasion for profit from tabloid newspapers through social media. It is essential reading. *World Without Mind: The Existential Threat of Big Tech*, by Franklin Foer (New York: Penguin Press, 2017), sharpens the argument against unconstrained capitalism on the internet.

Both Taplin and Foer pine for the past in media, when everything was more genteel and the public square remained vibrant, but that does not prevent them from contributing to the critical discussion about what needs to be done.

Relative to Facebook, the place to start is with *The Facebook Effect: The Inside Story of the Company That Is Connecting the World*, by David Kirkpatrick (New York: Simon & Schuster, 2010). Written early in Facebook's history, this book exudes the optimism that I and so many others felt about Facebook's future, but Kirkpatrick also manages to foreshadow almost every problem triggered by Facebook's success. As a companion, I recommend *Antisocial Media: How Facebook Disconnects Us and Undermines Democracy*, by Siva Vaidhyanathan (New York: Oxford University Press, 2018). *Antisocial Media* pulls back the curtain on Facebook's technology and what it really does to users. This is a must-read.

Zuck and others criticize the film *The Social Network* and the book on which it was based, *The Accidental Billionaires: The Founding of Facebook: A Tale of Sex, Money, Genius, and Betrayal*, by Ben Mezrich (New York: Anchor, Reprint edition 2010), as inaccurate to the point of being fiction. The sad thing is how consistent the personalities and behaviors depicted in these stories are with the Facebook people caught in the glare of election interference and Cambridge Analytica.

There are several good books about the culture in Silicon Valley. A good place to start is *Brotopia: Breaking Up the Boys' Club of Silicon Valley*, by Emily Chang (New York: Portfolio, 2018). Chang is the host of *Bloomberg Technology*, the show on which I interviewed Tristan in April 2017, after his appearance on *60 Minutes*. (Emily was on maternity leave that day!) The domination of Silicon Valley by young Asian and Caucasian men seems foundational to the culture that built Facebook, YouTube, and the others. Chang cuts to the heart of the matter.

Chaos Monkeys: Obscene Fortune and Random Failure in Silicon Valley, by Antonio García Martínez (New York: Harper, 2016), is the inside story of an engineer who started a company, ran out of money, got a gig in advertising technology at Facebook, and was there during the formative years of the business practices that enabled Cambridge Analytica. Through the lens of this book, you will get a clear view of the culture and internal practices of Facebook and other platforms.

Valley of Genius: The Uncensored History of Silicon Valley, by Adam Fisher (New York: Twelve, 2018), is a collection of interviews and quotes from participants at nearly every stage of Silicon Valley's development. The book begins in the sixties, with Douglas Engelbart, and marches steadily to the present. The interview with Facebook founders and early employees is essential reading. There are also illuminating interviews with the early people at Google and Twitter.

There are two works of fiction that prepared me to recognize the disturbing signals I picked up from Facebook in 2016. *The Circle*, by Dave Eggers (New York: Alfred A. Knopf, 2013), describes a fictional company that combines the attributes of Facebook and Google. Written as science fiction, the issues it raises came to market only a few years after publication. *After On*, by Rob Reid (New York: Del Rey, 2017), imagines a next-generation social network whose AI becomes sentient. This is a long but incredibly funny novel that is worth every moment you spend with it. You will understand why technologists must be forced to prepare for unintended consequences. They always happen, and their impact is increasingly harmful.

HBO's television series *Silicon Valley* lampoons the startup culture in a way that always rings true. The plots are exaggerated, but not by as much as you might think. The Valley culture is strange. When I first met the creative team, I asked the boss man, Mike Judge, to describe the gestalt of the show. He said, "There is a titanic struggle between the hippie culture espoused by people like Steve Jobs and the libertarian culture of Peter Thiel." I responded, "And the libertarians are winning." He smiled. I looked around the table and realized why I was there. "Because I'm one of the last hippies." They all smiled. Full disclosure: I have been a technical consultant on *Silicon Valley* since season 2.

After I met Tristan Harris, I spent several months learning everything I could about persuasive technology, from the underlying psychology to the ways it can be implemented in software. I started with Tristan's many interviews and blog posts before reading the textbook *Persuasive Technology: Using Computers to Change What We Think and Do*, by B. J. Fogg (San Francisco: Morgan Kaufmann, 2002), the Stanford University professor who taught Tristan and so many others. The textbook is well written, which made me realize how easy it would have been for students to grasp the techniques of persuasive technology and appreciate its power. The layman's version of Fogg's book is *Hooked: How to Build Habit-Forming Products*, by Nir Eyal (New York: Portfolio, 2016). Eyal is an unapologetic advocate for persuasive technology, an addiction-denier who has built a successful business teaching entrepreneurs and engineers how to exploit human psychology in software.

Once I understood how persuasive technology works, I consulted two fantastic books on the psychological impact of persuasive technology on smartphones, tablets, and computers. *Irresistible: The Rise of Addictive Technology and the Business of Keeping Us Hooked*, by Adam Alter (New York: Penguin Press, 2017), is comprehensive, well written, and easy to understand. It covers a wide range of harms across every age group. A must read. *Glow Kids: How Screen Addiction Is Hijacking Our Kids—and How to Break the Trance*, by Nicholas Kardaras (New York: St. Martin's Press, 2016), focuses on kids. If you have young children, I predict this book will cause you to limit their exposure to screens and to protect them from a range of applications. Another important book is *It's Complicated: The Social Lives of Networked Teens*, by danah boyd (New Haven: Yale University Press, 2014). This should be must reading for parents.

Social media has taken over the public square in almost every country where Facebook and other platforms operate. *Twitter and Tear Gas: The Power and Fragility of Networked Protest*, by Zeynep Tufekci (New Haven: Yale University Press, 2017), probes the use of social media by protesters and the counterattacks of the powerful. Tufekci writes a monthly opinion piece in *The New York Times* that smartens me up every time. This book helped me understand what really happened in the Arab Spring and why the internet platforms' current incentives always favor those in power.

Messing with the Enemy: Surviving in a Social Media World of Hackers, Terrorists, Russians, and Fake News, by Clint Watts (New York: Harper, 2018), is the best book I found on the use of social media by bad actors, and it's great! Clint was an agent at the FBI who now spends his time monitoring hostile activity on social media. I have met Clint a few times around MSNBC; his insights profoundly improved this book. *The Square and the Tower: Networks and Power, from the Freemasons to Facebook*, by Niall Ferguson (New York: Penguin Press, 2018), puts the power of Facebook and Google into historical context. Scary.

Ten Arguments for Deleting Your Social Media Accounts Right Now, by Jaron Lanier (New York: Henry Holt and Co., 2018), is short and sweet. Lanier has been a thought leader in technology for three decades, with an early emphasis on virtual reality, but in this book he speaks as a concerned technologist who is also a philosopher about technology. This book did not need ten arguments, but I learned something from every one. One of Lanier's major concerns—unrestricted development of artificial intelligence—is the subject of *Machines of Loving Grace*, by John Markoff (New York: Ecco, 2015). The book explains how artificial intelligence risks undermining humans, rather than leveraging them.

To understand the world of Big Data, and the challenges it poses to society, I recommend Cathy O'Neil's *Weapons of Math Destruction* (New York: Crown, 2016), which has the best explanation of the good, the bad, and the ugly of algorithms that I have ever read. Yuval Harari's *21 Lessons for the 21st Century* (New York: Spiegel & Grau, 2018), explores the implication of a future where robots and artificial intelligence threaten the relevance of humans in the economy.

It is hard to appreciate fully the threat from internet platforms without understanding the business philosophy that gave rise to them. *The Lean Startup: How Today's Entrepreneurs Use Continuous Innovation to Create Radically Successful Businesses*, by Eric Ries (New York: Currency, 2011), was the bible for entrepreneurs and venture capitalists from the time Ries first proposed it in 2008. *Zero to One: Notes on Startups, or How to Build the Future*, by Peter Thiel (New York: Crown Business, 2014), is a glimpse inside the mind of Facebook's first outside investor. Libertarianism remains fashionable in Silicon Valley, though not everyone has embraced Thiel's version of it. *The Four: The Hidden DNA of Amazon, Apple, Facebook, and Google*, by Scott Galloway (New York: Portfolio, 2017), is an unusually insightful business book. The former entrepreneur and current professor at the NYU Stern School of Business combines a deep understanding of economics and business with trenchant analyses of management and strategy.

There is more to the tech industry today than internet platforms. Companies founded before 1990 have fundamentally different cultures. The CEO of Microsoft, Satya Nadella, wrote about this vision for a better tech industry in *Hit Refresh: The Quest to Rediscover Microsoft's Soul and Imagine a Better Future for Everyone* (New York: HarperBusiness, 2017). Sadly, the vision he recommends does not seem to appeal to the founders of internet platforms.

FEW PEOPLE REALIZE HOW much Silicon Valley has changed since 2000. Culturally, there is no comparison to the eighties or nineties. I think of Silicon Valley's culture as having three distinct eras: Apollo, Hippie, and Libertarian. In the Apollo era, the engineers were white males in short-sleeve white shirts, with a tie and plastic pocket protector. The hippie era, which began with Atari, soon to be followed by Apple, created video games and personal computers. It faded in the nineties, before dying out when the internet bubble burst in 2000. The first two eras saw great inventions and huge growth, creating a giant reservoir of goodwill and trust with consumers and policy makers. The libertarian era that began just after 2000 transformed the value system, culture, and business models of Silicon Valley, enabling Google, Facebook, and Amazon to create unprecedented wealth by dominating the public square on a global basis. I liked the Apollo and hippie eras because their idealism was genuine, even when it was misdirected. There are some excellent books that will unlock the mysteries of Silicon Valley's early and middle days. Please read them!

A good place to start is with semiconductors, the original business of

Silicon Valley. I recommend *The Man Behind the Microchip: Robert Noyce and the Invention of Silicon Valley*, by Leslie Berlin (New York: Oxford University Press, 2005). Noyce is a thread from the transistor to the Intel microprocessor. *The Dream Machine: J. C R. Licklider and the Revolution That Made Computing Personal*, by M. Mitchell Waldrop (New York: Viking, 2001), explains how the idea of personal computing came to be. *Bootstrapping: Douglas Engelbart, Coevolution, and the Origins of Personal Computing*, by Thierry Bardini (Palo Alto: Stanford University Press, 2000), tells the story of the genius who created the mouse, visualized a networked world of PCs, and gave the Mother of All Demos. *Dealers of Lightning: Xerox PARC and the Dawn of the Computer Age*, by Michael A. Hiltzik (New York: HarperBusiness, 1999), takes the reader inside the research center in Palo Alto where Steve Jobs saw the future. *Troublemakers: Silicon Valley's Coming of Age*, by Leslie Berlin (New York: Simon & Schuster, 2017), tells the story of the men and women, some well known, others obscure, who helped to build Silicon Valley. *The Innovators: How a Group of Hackers, Geniuses and Geeks Created the Digital Revolution*, by Walter Isaacson (New York: Simon & Schuster, 2014), looks back on the key people whose work created Silicon Valley. *What the Dormouse Said: How the 60s Counterculture Shaped the Personal Computer Industry*, by John Markoff (New York: Viking, 2005), shows how hippie culture became the culture of the PC industry. Tom Wolfe's *The Electric Kool-Aid Acid Test* (New York: Farrar Straus and Giroux, 1968) is a helpful introduction to the culture embraced by a core group in Silicon Valley at a critical time. *Fire in the Valley: The Making of the Personal Computer*, by Paul Freiberger and Michael Swaine (Berkeley: Osborne/McGraw-Hill, 1984), is the best book I know on the early days of the personal computer industry, from computer clubs to the start of Microsoft and Apple, to the battle that followed. The revised edition, which bears a different subtitle, follows the industry into its declining years. *Hackers: Heroes of the Computer Revolution*, by Steven Levy (New York: Anchor Press/Doubleday, 1984), investigates a key subculture in Silicon Valley. Levy wrote this as it was happening, which makes the book particularly helpful, as in the case of *The Facebook Effect*.

Cyberpunk: Outlaws and Hackers on the Computer Frontier, by Katie Hafner and John Markoff (New York: Simon & Schuster, 1991), picks up the story of *Hackers* and carries it forward.

I RECOMMEND LEARNING ABOUT the origin stories of the other internet platforms. *The Everything Store: Jeff Bezos and the Age of Amazon*, by Brad Stone (New York: Little, Brown and Co., 2013), blew my mind. I remember the day Jeff Bezos first presented to my partners, the venture capital firm of Kleiner Perkins Caufield & Byers. There is a very strong argument that the success of Amazon represents the greatest accomplishment of any startup since 1990. Bezos is amazing. His relatively low profile masks the pervasive influence of his company.

Like *The Facebook Effect*, *In the Plex: How Google Thinks, Works, and Shapes Our Lives*, by Steven Levy (New York: Simon & Schuster, 2011), is exceptionally sympathetic to its subject. That is the price of getting access to a tech giant. As long as you remind yourself that Google adjusts search results based on what it perceives to be your interests and that YouTube's algorithms promote conspiracy theories, you will get a great deal of value from this book. *Hatching Twitter: A True Story of Money, Power, Friendship, and Betrayal*, by Nick Bilton (New York, Portfolio, 2013), is worth reading because of Twitter's outsized influence on journalists, an influence out of proportion with the skills of Twitter's leadership.

No study of Silicon Valley would be complete without a focus on Steve Jobs. Walter Isaacson's biography *Steve Jobs* (New York: Simon & Schuster, 2011) was a bestseller. I was lucky enough to know Steve Jobs. We were not close, but I knew Steve for a long time and had several opportunities to work with him. I experienced the best and the worst. Above all, I respect beyond measure all the amazing products created on Steve's watch.

This bibliographic essay includes only the books that helped me prepare to write Zucked. There are other fine books on these topics.

INDEX